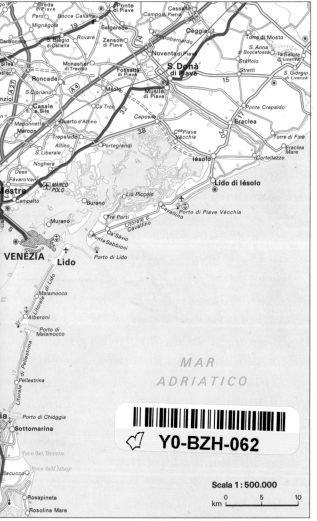

MAR ADRIATICO

Scala 1 : 500.000

km 0 — 5 — 10

© SERVIZIO CARTOGRAFICO DEL TOURING CLUB ITALIANO, MILANO - 1985

Y0-BZH-062

Venezia

Guida d'Italia del Touring Club Italiano

Piemonte (esclusa Torino), ed. 1976, 728 pagine, 15 carte, 16 piante.
Torino e Valle d'Aosta, nuova edizione in preparazione.
Lombardia (esclusa Milano), ed. 1987, 1099 pagine, 15 carte, 27 piante.
Milano, ed. 1985, 671 pagine, 68 carte e piante.
Veneto, ed. 1992, 929 pagine, 41 carte, 33 piante.
Venezia, ed. 1985, 794 pagine, 108 disegni, carte e piante.
Trentino-Alto Adige, ed. 1976, 575 pagine, 15 carte, 8 piante.
Friuli-Venezia Giulia, ed. 1982, 573 pagine, 13 carte, 12 piante.
Liguria, ed. 1982, 778 pagine, 42 carte, 12 piante.
Emilia-Romagna, ed. 1991, 1070 pagine, 35 carte, 53 piante.
Toscana (esclusa Firenze), ed. 1974, 815 pagine, 14 carte, 19 piante.
Firenze e provincia, ed. 1993, 832 pagine, 77 carte, piante e disegni.
Marche, ed. 1979, 708 pagine, 9 carte, 14 piante.
Umbria, ed. 1978, 552 pagine, 9 carte, 14 piante.
Lazio (esclusa Roma), ed. 1981, 830 pagine, 21 carte, 17 piante.
Roma, ed. 1993, 940 pagine, 102 carte, piante e disegni.
Abruzzo Molise, ed. 1979, 534 pagine, 9 carte, 13 piante.
Campania (esclusa Napoli), ed. 1981, 716 pagine, 15 carte, 10 piante.
Napoli e dintorni, ed. 1976, 640 pagine, 7 carte, 16 piante.
Puglia, ed. 1978, 486 pagine, 13 carte, 14 piante.
Basilicata Calabria, ed. 1980, 714 pagine, 13 carte, 10 piante.
Sicilia, ed. 1989, 1005 pagine, 16 carte, 44 piante.
Sardegna, ed. 1984, 704 pagine, 26 carte, 10 piante.

La prima edizione della Guida d'Italia, in 14 volumi, è stata distribuita ai soci del T.C.I. fra il 1914 e il 1928. Complessivamente, fino al 31 dicembre 1994 sono stati diffusi 7 690 000 volumi.

Guida Venezia

1ª edizione	1951
2ª edizione	1969
3ª edizione	1985

Proprietà artistico letteraria del T.C.I.
Milano - © 1985 - Riproduzione vietata - 0595-2.5

Fotocomposizione e stampa:
Centro Grafico Linate, San Donato Milanese (Milano)
Legatura: Legatoria Industriale (Torino)

ISBN 88-365-0006-4

Finito di stampare nel mese di maggio 1995

Guida d'Italia

VENEZIA

Terza edizione
Milano 1985

Touring Club Italiano

Guida Venezia

Coordinamento del settore Guide: *Gianni Bagioli*

Redazione e revisione: *Letizia Gianni*

Segreteria di redazione: *Cecilia Zampedroni*
Revisione grafica: *Bob Noorda*
Realizzazione grafica: *Giovanni Schiona*

Cartografia: *Servizio Cartografico del TCI*

Hanno contribuito alla realizzazione della guida:

Franco Mancuso: partecipazione alla definizione progettuale e organizzativa; stesura dei brani Le ragioni di una visita e, in collaborazione con *Daniele Pini*, I modi della visita (in quest'ultimo, il paragrafo Le immagini e i luoghi della musica è dovuto a *Giovanni Morelli*).

Gino Benzoni: La vicenda storica (Orientamento cronologico; Venezia: l'immagine, la forma, l'ambiente; Il governo della Repubblica).
Gaetano Cozzi: Venezia in Italia e nel Mediterraneo.
Giandomenico Romanelli: La vicenda artistica.
Antonio Niero: Le tradizioni popolari.
Paolo Maria Fabris: ideazione e attuazione dei disegni del Canal Grande e, con la collaborazione di *Paola Ferracin*, dei disegni planimetrici di luoghi ed edifici.

Susanna Biadene: stesura del cap. 2 (con l'intervento di *Franco Mancuso* per l'introduzione a piazza S. Marco) e di parte dell'itin. 1.2; *Rinio Bruttomesso*: del cap. 3 e di parte dell'itin. 1.2; *Ernesta Serena Mancuso*: dei capitoli 4 e 7 e di parte degli itinerari 1.1 e 1.2; *Alberto Cecchetto*: del cap. 5 e di parte degli itinerari 1.1 e 1.2; *Federico Caiola* e *Tiziana Favaro*: del cap. 6 e di parte dell'itin. 1.1; *Daniele Pini*: dell'introduzione e dei primi sei itinerari del cap. 8; *Guido Zordan*: degli itinerari 8.7 e 8.8; *Lia De Benedetti*: della nota bibliografica.

Inoltre, per le revisioni: della Galleria Giorgio Franchetti, *Francesco Valcanover*; delle Gallerie dell'Accademia, *Giovanna Scirè Nepi*; dei Musei Civici e degli interni di Palazzo Ducale, *Filippo Pedrocco*; degli interni di chiese e palazzi dei sestieri di S. Marco e Cannaregio e delle isole della Laguna nord, *Ettore Merkel*; degli interni del sestiere di Castello, di San Giorgio Maggiore, delle isole della Laguna sud e della terraferma, *Sandro Sponza*; degli interni dei sestieri di S. Polo, S. Croce e Dorsoduro, *Adriana Ruggeri*.

ISBN 88-365-0006-4

Prefazione

Che il Touring dovesse pubblicare una nuova «guida rossa» dedicata a Venezia lo imponeva la data della precedente edizione: l'ormai lontano 1969. Che più di una nuova guida fosse necessaria una *guida nuova* – capace di trasmettere lo spessore complessivo di una città che, per essere la città d'arte forse più famosa del mondo, non è tuttavia solo una città d'arte – lo suggerivano gli appassionati dibattiti di cui Venezia è stata al centro nell'ultimo ventennio.

Ne è venuto (dopo due anni e mezzo di lavoro condotto in stretta collaborazione con esponenti tra i più qualificati della cultura veneziana) un libro che con le sue 794 pagine – ben 358 in più dell'edizione del 1969 – rappresenta probabilmente quanto di più completo ed esauriente sia mai apparso, in campo guidistico, su Venezia e la sua Laguna.

Completo ed esauriente perché la visita della città qui proposta (e organizzata per sestieri, realtà amministrativa che a Venezia ha profonde radici storiche), rifiutando lo schema di una Venezia monumentale separata e contrapposta a una Venezia 'minore', ricostruisce la fitta trama che connette le aree e i luoghi più celebrati alle zone solitamente ignorate dai circuiti turistici, così da evidenziarne l'intimo rapporto di complementarità e restituire alla città stessa la sua dimensione unitaria.

Completo ed esauriente perché anche la Laguna – questa affascinante 'periferia' che un ingiusto sistema di gerarchizzazioni ha relegato al ruolo di parente povera della città – vi è esplorata in ogni sua parte. E rivalutata per quello che è: un ambiente di straordinaria bellezza dove natura e storia si sono dedicate in egual misura a modellare il paesaggio; dove isole e isolette con i loro insediamenti, talvolta minuscoli, compongono un quadro urbanistico di squisito quanto precario equilibrio. E così la terraferma, trascurata dal turismo perché identificata come la 'Venezia brutta', definizione sbrigativa che una visita attenta può almeno in parte confutare.

Ma completa ed esauriente, questa guida, lo è anche per i suoi capitoli introduttivi: dove il processo di formazione e trasformazione di Venezia – nei suoi aspetti storici e artistici, urbanistici e funzionali, di cultura popolare e di suggerimenti per come visitarla – è raccontato con il preciso intento di favorire la migliore comprensione della città e del suo intorno.

Un cenno, infine, al corredo cartografico e illustrativo. È anch'esso tutto nuovo, e lo si è studiato in funzione di una buona e soddisfacente visita. In particolare sono da segnalare la grande pianta di Venezia a sei colori, in scala 1:6500, e le 58 pagine dedicate al Canal Grande, con accurati disegni architettonici di tutti gli edifici che vi si affacciano.

Visitar bene Venezia è meno facile di quanto comunemente si creda. E lo dimostrano le ricorrenti polemiche su un turismo che è, al tempo stesso, risorsa insostituibile per la città e fenomeno abnorme e soffocante. Alla soluzione del problema, tanto paradossale quanto reale, questa guida – che esplicitamente propone un diverso e più corretto e civile rapporto turistico con Venezia – cerca di dare un contributo. Se vi riuscirà, avremo allora la certezza di aver compiuto un lavoro culturalmente e socialmente utile.

Riccardo Ricas Castagnedi
Presidente del TCI

Indice generale

Le ragioni di una visita 11
  La formazione urbanistica, fra trasformazioni e continuità 12
  La struttura urbanistica ed edilizia della città 19
  La struttura funzionale della città 28
  Venezia nell'età moderna 33
  Venezia oggi 35

La vicenda storica 44
  Orientamento cronologico 44
  Venezia: l'immagine, la forma, l'ambiente 48
  Il governo della Repubblica 66
  Venezia in Italia e nel Mediterraneo 68
  La successione dei dogi 76

La vicenda artistica 79
Le tradizioni popolari 108
  Le feste 108
  L'artigianato 112
  La cucina 114
  Il dialetto 116

I modi della visita 118
  Gli accessi a Venezia 118
  Muoversi nella città: con i mezzi pubblici 119
  Muoversi nella città: a piedi 120
  Quando a Venezia 122
  Itinerari tematici 124
  Musei, Istituzioni, Biblioteche 134

1 Venezia dall'acqua 141

1.1 La circolare di Venezia 142
1.2 Il Canal Grande 147

2 Il sestiere di S. Marco 207

2.1 La piazza S. Marco 208
2.2 Da S. Marco a S. Stefano per calle larga XXII Marzo e campo S. Fantin 305
2.3 Da S. Marco a S. Stefano per le Mercerie, campo Manin e S. Samuele 323

3 I sestieri di S. Polo e di S. Croce 339

3.1 Da Rialto a piazzale Roma per S. Cassiano, S. Stae, S. Giacomo dell'Orio e S. Simeon Piccolo 342

3.2 Da piazzale Roma a Rialto per S. Nicolò da Tolentino, i Frari e S. Polo   363
3.3 Da Rialto al ponte degli Scalzi per la riva del Vin e S. Giovanni Evangelista   385

4 Il sestiere di Dorsoduro   394

4.1 Dall'Accademia ai Gesuati per la punta della Dogana e la fondamenta delle Zattere   396
4.2 Dall'Accademia ai Carmini per S. Trovaso e Ca' Rezzonico   431
4.3 Dai Gesuati a piazzale Roma per la fondamenta delle Zattere, S. Sebastiano e S. Nicolò dei Mendicoli   450

5 Il sestiere di Cannaregio   464

5.1 Dalla Stazione ferroviaria a Rialto per la Strada Nuova   466
5.2 Dal ponte delle Guglie al Ghetto per S. Giobbe e S. Alvise   488
5.3 Dal ponte delle Guglie ai Ss. Apostoli per la Madonna dell'Orto, il complesso della Misericordia e i Gesuiti   499

6 Il sestiere di Castello   512

6.1 Da S. Marco all'isola di Sant'Elena per la riva degli Schiavoni e i Giardini   514
6.2 Da campo S. Bartolomio alla riva degli Schiavoni per S. Maria Formosa, S. Canciano e Ss. Giovanni e Paolo   538
6.3 Da S. Marco alla riva dei Sette Martiri per S. Francesco della Vigna, l'Arsenale e S. Pietro di Castello   573

7 Le isole della Giudecca e di San Giorgio Maggiore   602

La Giudecca   602
San Giorgio Maggiore   613

8 La Laguna e la terraferma   621

8.1 Le isole di San Michele e di Murano   639
8.2 Mazzorbo, Burano, San Francesco del Deserto, Torcello   651
8.3 Le Vignole e Sant'Erasmo   664
8.4 San Servolo, San Lazzaro degli Armeni e altre isole minori   667
8.5 L'isola del Lido   673
8.6 L'isola di Pellestrina e Chioggia   682
8.7 Mestre e la zona industriale di Venezia   695
8.8 La riviera del Brenta e il Terraglio   707

Nota bibliografica   728

Indice degli autori   749

Indice dei luoghi   782

Indice della cartografia

Nel risguardo anteriore si trova la carta generale del territorio veneziano (con le aree finitime) in scala 1:500 000. Lo stesso territorio è rappresentato nel fascicoletto a colori in fondo al volume, su sei pagine, in scala 1:250 000. Il fascicoletto comprende inoltre le piante di Murano (1:10 000), del Lido (1:18 000), di Chioggia (1:12 500), Mestre (1:23 000) e Burano (1:7500), accompagnate dalla grande pianta generale di Venezia, a sei colori, in scala 1:6500.

Nell'interno del volume, a corredo dei brani introduttivi e degli itinerari di visita, sono distribuite 58 tavole illustrative a due colori dedicate al Canal Grande (v. pagg. 149-206) e 40 tavole planimetriche, sempre a due colori, che evidenziano percorsi, edifici, luoghi, situazioni inerenti all'assetto urbano. Eccone, di seguito, l'elenco.

Gli itinerari

Quadro d'unione	138-139
2.2 e 2.3 (scala 1:7500)	306-307
3.1, 3.2 e 3.3 (scala 1:7500)	340-341
4.1 (scala 1:7500)	413
4.2 e 4.3 (scala 1:7500)	432-433
5.1, 5.2 e 5.3 (scala 1:11 000)	468-469
6.1 e 6.3 (scala 1:15 000)	516-517
6.2 (scala 1:11 000)	539
7 (scala 1:13 000)	604-605
Laguna nord (scala 1:250 000)	642
Laguna sud (scala 1:250 000)	668

I luoghi storicamente rilevanti

Formazione e sviluppo della città (4 tavole)	14-15
Provenienza dei materiali da costruzione	17
L'area marciana	209
Piazza S. Marco nel sec. XI	211
Piazza S. Marco nella seconda metà del sec. XII	213
Rialto: il ponte e i mercati	344
Il Ghetto	497
Giardini Pubblici: padiglioni della Biennale	535
Il campo S. Maria Formosa	544
La zona di S. Francesco della Vigna	581
L'Arsenale	590-591
Torcello: il complesso monumentale	661

Gli edifici, i musei e altro

Fondazioni degli edifici veneziani	18
Il pozzo veneziano	20
La Basilica di S. Marco	220
Palazzo Ducale: cortili e piano delle logge	255

Palazzo Ducale: primo piano nobile   258
Palazzo Ducale: secondo piano nobile   262
Palazzo Ducale: soffitti (3 piante)   264, 266, 274
La chiesa di S. Maria Gloriosa dei Frari   370
Il complesso di S. Maria della Carità, ora Gallerie dell'Accademia   398
Ca' Rezzonico: piano nobile   438
Ca' Rezzonico: secondo piano   440
La basilica dei Ss. Giovanni e Paolo   558

Avvertenze

Popolazione. I dati che appaiono alle pagine 36 e 37, relativi agli abitanti di Venezia città e di Mestre, sono di fonte comunale, aggiornati al 31 dicembre 1983. Quelli relativi agli abitanti del comune di Venezia e degli altri comuni considerati nella guida, sono stati desunti dal 12° Censimento generale della popolazione (25 ottobre 1981), dell'Istat, e si riferiscono alla popolazione residente nell'intero territorio comunale. Per le frazioni principali i dati si riferiscono invece al precedente Censimento (24 ottobre 1971) e non sono pertanto omogenei a quelli comunali..

Accenti. Recano in genere l'accento grafico i nomi geografici sdruccioli e quelli terminanti in consonante. La stessa cosa avviene per alcuni nomi terminanti in gruppo vocalico, quando la loro pronuncia potrebbe risultare incerta.

Asterisco. L'asterisco è posto accanto alle *cose nel loro genere rilevanti o comunque di speciale interesse.

Abbreviazioni

ab.	abitanti	*km*	chilometri	*S*	sud
a.C.	avanti Cristo	*m*	metri	*S.*	santa, santo
c.	circa	*m.*	morto	*SS.*	santissima, -o
d.	destra, destro	*N*	nord	*Ss.*	sante, santi
d.C.	dopo Cristo	*N.*	numero	*sec.*	secolo
E	est	*O*	ovest	*sin.*	sinistra, sinistro
ecc.	eccetera	*pag.*	pagina	*v.*	vedi

Le ragioni di una visita

Visitare Venezia. Difficile, pressoché impossibile enumerare le ragioni che possono indurre una visita a Venezia; tanti sono gli interessi che questa singolare città è in grado di suscitare. Ma una ragione c'è sopra tutte le altre, ed è il fatto che Venezia è ancora e soprattutto una città. Una città che vive, come tutte le altre, con un ben definito rapporto con l'ambiente circostante, e persone che vi abitano, attività che vi si svolgono, interessi che vi convergono, traffici che la intersecano.

Una città quindi, e non un museo. Ma una città che ha dovuto fare i conti con un ambiente inconsueto, quello della laguna, sicché non vi è elemento della sua struttura urbanistica ed edilizia, così come non vi è attività o funzione che vi si svolge, che non siano più o meno direttamente condizionati dalla presenza dell'acqua. Una città che va vista perciò come una concentrazione di positive risposte ai difficili problemi posti da un ambiente originariamente così insolito, se non persino ostile, come quello lagunare. Una città cresciuta rapidamente, divenuta prestissimo grande capitale, e più volte rinnovatasi nel proprio aspetto esteriore, più che nella struttura, e che porta ancora in sé i segni dell'antica grandezza; e che, se pure ha visto contrarsi le ragioni della sua stessa esistenza, riducendo gradatamente la sfera della propria influenza politica ed economica, vive ancora di un positivo rapporto con la popolazione che vi abita, e con quella che vi gravita dall'entroterra per i molteplici interessi della vita contemporanea.

Una città e il suo entroterra, quindi: ed ecco subito l'altro elemento che determina le ragioni di questa visita, l'intorno di Venezia; su cui si concentrano altrettanti innumerevoli motivi di interesse: anzitutto per la singolarità della sua consistenza fisica, fatta di acque isole e abitati che riproducono, allargandosi verso l'esterno, i caratteri della città maggiore. Poi per le penetrazioni da qui verso la terraferma, lungo corsi d'acqua e strade. Poi an-

cora per l'inusitata gemmazione urbana e industriale di Mestre e
Marghera, la nuova città che si è prodotta fuori da quella antica,
piuttosto che crescerle intorno, come invece altrove è sempre avvenuto.

La formazione urbanistica, fra trasformazioni e continuità

Per comprendere appieno il significato urbanistico di Venezia occorre quindi avere innanzitutto una chiara idea del ruolo fondamentale giocato dal sito nel determinare il processo di formazione della città. Il sito è, ancor oggi, quello della laguna. Indipendentemente da quel che può essere stato in età precedente –
terreno agricolo centuriato poi repentinamente sommerso intorno ai secoli IV e V, come talune ipotesi recenti fanno ritenere
probabile, o vasta plaga da sempre invasa dall'acqua, come tradizionalmente si è soliti considerarlo – resta il fatto che quando
Venezia comincia a prendere forma – e cioè intorno al secolo VII
– la laguna è un esteso tramite fra il mare e la terraferma, dove
convergono i corsi d'acqua della pianura che entrandovi si tra-
sformano in canali, e giungono al mare attraverso le bocche
aperte nei cordoni dunosi più esterni.

Un ambiente che al di sotto dell'apparente omogeneità dimostra invece
una spiccata gerarchia, definita dai solchi profondi lungo i quali si alterna
il flusso uscente dei fiumi e l'impeto entrante delle maree. Una gerarchia
che è determinante anche ai fini del fissarsi dei primi insediamenti, perché
Venezia si forma proprio a cavallo di uno dei maggiori di questi solchi (che
diverrà poi il Canal Grande), e che altro non è che il tramite mediano fra
l'originario informe sfociare dei fiumi nella laguna e i varchi maggiori
aperti fra questa e il mare. Una città di fiume, potremmo quindi azzardare,
i cui flussi corrono però fra liquide sponde, piuttosto che fra gli asciutti
rilievi della terraferma.

Questa situazione condiziona in maniera determinante la formazione urbanistica di Venezia, che segue un modello singolare, ben
diverso da quello comune a tutte le città di terraferma, dove in
generale la crescita avviene a partire da un nucleo centrale. La
Venezia delle origini si sviluppa al contrario a partire da un insieme di nuclei, costituiti precariamente sulle prime indefinite
terre insulari stentatamente emergenti dalla compagine lagunare, e quindi separate fra loro da canali e da ampie superfici
acquee. Questi piccoli nuclei iniziali, assai meno estesi nel loro insieme delle superfici acquee che li separavano, dovevano tuttavia
disporsi spazialmente interessando un intorno corrispondente
grosso modo a quello della Venezia attuale, almeno in senso longitudinale (ne fa fede il fatto che due fra le chiese più antiche – S.
Pietro di Castello e S. Nicolò dei Mendicoli, originarie del sec. VII

– sono poste rispettivamente al margine orientale e occidentale della città).

Un ambiente così inconsueto è invece determinante per le fortune della città, e ciò proprio per il fatto di essersi sviluppata in un luogo poco appetibile, senza preesistenze urbane, e quindi escluso dalle aspre contese altomedievali che portavano, mentre Venezia cresceva, alle ricorrenti distruzioni delle vicine città di terraferma.

È quindi dal ribaltamento di una condizione ambientale anomala, dalla progressiva sapiente valorizzazione dei suoi vantaggi (in ordine alla facilità della difesa e all'opportunità allo sviluppo della portualità), e dal volontario e consapevole isolamento rispetto ai due poteri territoriali d'oriente e d'occidente a favore di un'apertura sul mare, che la storia di Venezia gradatamente emerge con una spiccata individualità.

La città è fatta quindi all'inizio di un insieme di isole precariamente abitate, ben separate le une dalle altre, ma non tanto da non potersi identificare, nel loro complesso, come una concentrazione abitata nel vasto arcipelago di terre affioranti. Non l'unica del resto, se si pensa ai numerosi nuclei conventuali che contemporaneamente si andavano formando nella laguna; o agli altri insediamenti ancora rimasti, come Torcello e Burano, e quelli invece scomparsi, come Costanziaca e Ammiana; e non la prima, se si tien conto degli insediamenti lagunari che come Altino e Malamocco la precedono di qualche secolo; tutti peraltro ubicati, come la nascente Venezia, a cavallo dei maggiori fiumi-canali fra la terraferma e il mare.

La città delle origini è fatta quindi di queste cellule urbanistiche elementari, ciascuna delle quali si dota a poco a poco di infrastrutture essenziali, come il campo e la chiesa, dove convergono le primitive comunità (ne è testimonianza la fitta distribuzione delle chiese veneziane, e la permanenza nell'organizzazione della vita cittadina della parrocchia come fattore di identificazione urbanistica e sociale.) A differenza della città medievale di terraferma quindi, dove nel baricentro fisico, alla convergenza delle strade più importanti, vi sono piazza e chiesa, e da qui l'organismo urbano si espande verso l'esterno, a Venezia vi sono più baricentri, che assumono una loro relativa autonomia e identità; la città si forma quindi a partire da queste unità, con un processo caratterizzato da un successivo infittimento dei tessuti edilizi e urbanistici, che parte dall'area di Rivoalto e successivamente si estende, e una conseguente contrazione degli spazi acquei fra le diverse insule, fino a ridursi a quelli degli attuali canali.

Un infittimento che avviene in un tempo relativamente contratto, e porta alla formazione di un tessuto urbanistico caratterizzato da grande omoge-

Formazione e sviluppo della città

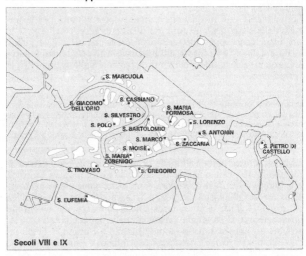

Secoli VIII e IX

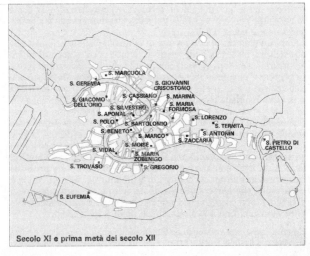

Secolo XI e prima metà del secolo XII

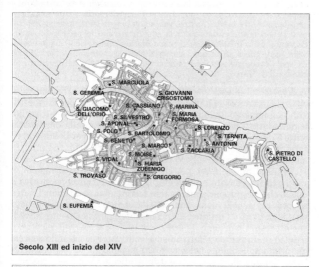

Secolo XIII ed inizio del XIV

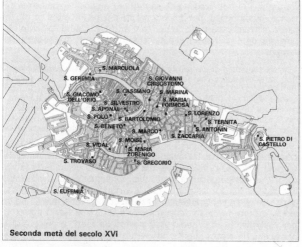

Seconda metà del secolo XVI

neità, dove le sole smagliature sono costituite dagli spazi occupati dai campi, e non contraddicono quindi come tali quella sorta di isotropia che si arresta solo dove la città ha fine, vale a dire lungo i bordi della laguna. Un tessuto non indifferenziato tuttavia, se si tiene conto del progressivo arricchimento, fatto di edifici prestigiosi e funzioni, che avviene lungo i bordi delle insule che si affacciano nello spazio più segnatamente urbano, e cioè il Canal Grande, nel suo fluire internamente alla città fino all'epicentro del Bacino di S. Marco.

A dispetto di questa singolarità nella formazione urbanistica, la città risulta ancor oggi facilmente leggibile, anche per la ripetitività nell'impiego delle soluzioni edilizie e degli espedienti tecnologici adottati per far fronte ai problemi posti dalla particolare natura dell'ambiente su cui si è formata, e per aver dovuto adattarsi fin dall'inizio al rispetto di regole urbanistiche che in altre circostanze non si sarebbero rese necessarie.

A Venezia infatti, forse più che in ogni altra città al mondo, il rapporto fra passato e presente, fra la sua formazione storica e quello che è oggi, parla attraverso testimonianze eloquenti, tutte ancora ravvisabili nella sua attuale struttura. Venezia è oggi quella che era all'origine, e anche contemporaneamente tutto il suo diverso. Chiariamo il paradosso: la città si costruisce come si è detto in un tempo relativamente contratto: nasce sullo scorcio del primo millennio, e nel secolo XIII dispone già di tutte le strutture, campi e chiese, canali e calli, edifici e abitazioni, palazzi e fonteghi. Poi non cresce più, se non per qualche colmata periferica e, ovviamente, per gli interventi più recenti; ma in più riprese si trasforma tutta, e non vi è edificio, chiesa, palazzo che non sia oggi il risultato delle trasformazioni succedutesi nel tempo.

Venezia raggiunge assai presto una notevole sua consistenza demografica: se si considera che nel 1353 ha già 133 000 abitanti (che saranno 190 000 nel 1450 e 100 000 nel 1470, e poi ancora 168 000 intorno al 1560, quasi 190 000 nel 1570 e 102 000 nel 1633, dopo la terribile pestilenza; e poi ancora 138 000 nel 1790) e poiché le variazioni sono tutte da ascrivere a cause esterne, soprattutto alle forti epidemie di peste che a più riprese la interessavano, la città dimostra di essere adatta fin dall'inizio a contenerne un gran numero.

L'intensità delle trasformazioni edilizie è dovuta alla scarsità del terreno a disposizione, e cioè alla difficoltà di espandersi fisicamente, e contemporaneamente alla convenienza, di fronte alla naturale obsolescenza degli edifici, a rinnovarli frequentemente piuttosto che ad abbandonarli a favore di interventi nuovi. Ma ha anche influito in modo determinante il fatto che tutti i materiali per costruire la città siano stati portati da fuori, trasportandoli per acqua (la pietra bianca, adoperata in gran copia per le decorazioni e le parti strutturali di molti edifici, per i ponti, le rive ecc., proveniva dall'Istria; il legname per i solai e le coperture, oltre che per la cantieristica, dai boschi del Cadore, giungendo in laguna per fluitazione lungo il Piave; la trachite per le pavimentazioni stradali, dai colli Euganei; l'argilla per i mattoni e le tegole, dalla pianura e dalle colline del Trevigiano e del Padovano; i marmi dal Veronese e dal Friuli; i metalli dalle miniere del Bellunese), e la necessità di ricorrere a particolari espedienti costruttivi e a tecnologie specifiche per realizzare e far vivere una città in un ambiente apparentemente ostile come l'acqua.

Moltissimi edifici sono stati quindi sopraelevati, quando non se ne sia imposto il rifacimento con un considerevole aumento di altezza, tanto che si può dire che Venezia si è come lievitata, annullando progressivamente il valore emergente delle grandi chiese e dei campanili. È la scarsità di materiali da costruzione, o il loro difficile approvvigionamento, che ha frequentemente imposto il ri-uso degli stessi elementi in operazioni di trasformazione o di ristrutturazione edilizia.

Determinante a questo proposito è stata la maggior convenienza a costruire o ricostruire sul già costruito: occorre ricordare infatti che in tutta l'edificazione veneziana vi è un elemento particolarmente complesso e oneroso, a causa della presenza dell'acqua, e questo è costituito dalle fondazioni su cui poggiano gli edifici. Per rendere adeguatamente consistente il terreno fangoso della laguna si è dovuto escogitare un sistema composto, a

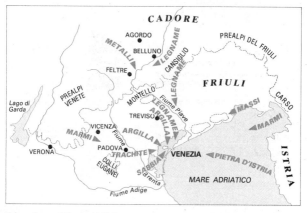

Provenienza dei materiali da costruzione

più strati; il più basso, tutto immerso, è costituito da pali in
legno, con disposizione a platea o con andamento lungo i muri,
conficcati a forza nel terreno; su questi è posto un tavolato in
legno, e poi un basamento in pietra d'Istria, sul quale infine si
impostano le murature. Col tempo i pali in legno subiscono un
processo di mineralizzazione, che ne consolida la struttura,
mentre il basamento in pietra non risente della mutevole esposizione causata dalle maree.

Operazione lunga quindi, con notevole impiego di materiali –
legno e pietra – preziosi per Venezia e, una volta posti in opera,
non più recuperabili se non per come sono posti. Così ogni qual
volta si è dato il problema di rifare un edificio, si è provveduto a
riutilizzarne i materiali, ma si son lasciate le fondazioni dov'e-
rano: ecco in definitiva la ragione per cui a Venezia la trama iniziale del tessuto edilizio non ha mutato gran che. Il che vale per
l'edilizia minuta, ma anche per edifici di maggior imponenza: per
molte chiese, ad esempio, che pur rifatte integralmente in epoca
rinascimentale, conservano l'impianto bizantino.

Riutilizzo di elementi costruttivi – architravi, cornici, capitelli,
colonne, finestre spesso fabbricate in serie e quindi impiegate in
cantiere in tempi e luoghi diversi – e riappropriazione del sedime
di strutture più antiche hanno così dato luogo a Venezia a quella
straordinaria commistione di linguaggi e di stili che si succedono

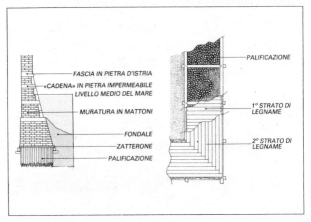

FASCIA IN PIETRA D'ISTRIA
«CADENA» IN PIETRA IMPERMEABILE
LIVELLO MEDIO DEL MARE
MURATURA IN MATTONI
FONDALE
ZATTERONE
PALIFICAZIONE

PALIFICAZIONE
1° STRATO DI LEGNAME
2° STRATO DI LEGNAME

Fondazioni degli edifici veneziani

nel tempo riannodandosi per fili inconsueti, e che le conferisce il carattere forse più singolare.

Venezia sfugge quindi a ogni periodizzazione, tanti sono i fili che legano ogni intervento 'datato' ai sedimi di strutture preesistenti: occorre quindi percorrerla con l'occhio attento all'insieme del processo formativo, più che alle distinte fasi di formazione, ovvero partendo dal risultato di tutto ciò, così come complessivamente si presenta oggi.

La struttura urbanistica ed edilizia della città

Il primo elemento che appare con singolarità è la separazione dei percorsi pedonali da quelli dei mezzi: si tratta di un principio oggi attualissimo, ma che per Venezia è connaturato con la sua stessa origine. Il che ci riporta immediatamente al processo formativo della città cui più sopra si è fatto cenno; occorre ricordare infatti che da principio Venezia non è che un insieme di isole, ben distinte fra loro, e separate l'una dall'altra da canali e specchi d'acqua di dimensione molto maggiore di quella che hanno oggi. Fra le isole ci si muove per via d'acqua, e i ponti sono per lungo tempo assai pochi (lo stesso Canal Grande del resto non avrà fino all'800 che quello di Rialto). Questo processo è oggi meno evidente perché il tessuto dei percorsi pedonali si è notevolmente infittito, ed è a piedi che in definitiva ci si muove nella città. Oltre a ciò, la larghezza dei canali si è notevolmente ridotta, man mano che l'edificazione diventava più compatta, e il numero dei ponti è assai aumentato.

Ma basta osservare una mappa della città, nella quale la rete dei canali sia messa bene in evidenza, per riconoscervi subito l'articolazione delle diverse insule come elementi costitutivi fondamentali dell'organismo urbano. Quando le insule si formano, con qualche analogia con le cellule di un tessuto organico, crescono colmando progressivamente gli spazi che le separano le une dalle altre, fino a ridurli ai canali così come oggi si presentano (e oggi sono circa 150). Nello stesso tempo si vanno organizzando all'interno, secondo pochi modelli ripetutamente seguiti in tutta la città: l'edilizia tende per lo più a disporsi con un andamento 'a pettine' rispetto al bordo dei canali, e così, in rapporto alla forma e alla dimensione delle diverse insule, si assiste alla costituzione di tessuti più o meno regolari, percorsi da calli interne parallele ai canali o affacciati su spazi aperti di maggior dimensione, denominati campi. È solo più tardi che i singoli elementi dei percorsi pedonali interni vengono cuciti fra loro in modo da costituire un sistema che interessa tutta la città. In una fase iniziale le diverse cellule si danno un'organizzazione interna che, garantiti i collegamenti per via d'acqua, consente loro di funzionare per alcuni aspetti anche autonomamente: ed ecco infatti concentrate nel campo le funzioni di interesse collettivo, chiesa e mercato, e il pozzo.

Il pozzo veneziano è un eccezionale espediente tecnologico inventato per risolvere il problema del rifornimento di acqua potabile in un ambiente urbano circondato dalla laguna. Si tratta di una grande struttura sotterranea, costituita da un'ampia cisterna

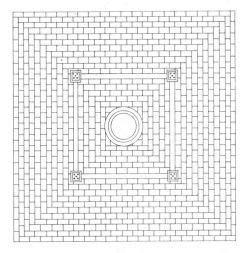

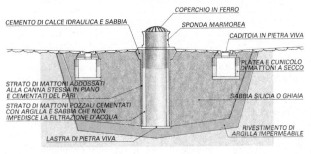

COPERCHIO IN FERRO

CEMENTO DI CALCE IDRAULICA E SABBIA

SPONDA MARMOREA

CADITOIA IN PIETRA VIVA

PLATEA E CUNICOLO DI MATTONI A SECCO

STRATO DI MATTONI ADDOSSATI ALLA CANNA STESSA IN PIANO E CEMENTATI DEL PARI

STRATO DI MATTONI POZZALI CEMENTATI CON ARGILLA E SABBIA CHE NON IMPEDISCE LA FILTRAZIONE D'ACQUA

SABBIA SILICIA O GHIAIA

RIVESTIMENTO DI ARGILLA IMPERMEABILE

LASTRA DI PIETRA VIVA

Il pozzo veneziano

ben costruita e resa impermeabile all'acqua salmastra, riempita di sabbia attraverso cui l'acqua piovana raccolta nel campo filtra prima di depositarsi nel fondo, e dentro la quale è annegata una canna cilindrica in mattoni, che pesca sul fondo e su cui appoggia la vera da cui si tira su l'acqua.

Una struttura che è appena affiorante, ma che determina assai spesso la forma del campo, come risulta chiaramente se se ne osserva la pavimentazione opportunamente sagomata per far confluire l'acqua piovana nelle quattro bocche di pietra bianca disposte a qualche metro dalla vera, e spesso opportunamente rialzata per difendersi dalle insidie dell'acqua alta.

Come accade per i canali, gli spazi aperti si dispongono nella città secondo una loro logica gerarchica. E ci è d'aiuto la toponomastica, che li distingue in campi, campielli e corti, in rapporto diretto con la dimensione e le funzioni ospitate: che sono massimamente pubbliche nei campi, e di tipo semi-privato nelle corti, quasi come una sorta di prolungamento esterno dell'abitazione. Vi è qui un'integrazione profonda fra spazio pubblico e spazio privato, che non si ritrova in alcun altra città: l'abitazione si prolunga nella corte, nel campo e nella calle, spesso vi si apre direttamente, e qui si svolgono funzioni e operazioni che altrove sono ristrette all'interno dei muri domestici.

Fra i due ambiti, così rigidamente separati nelle altre città, qui non v'è diaframma; e lo stesso accade per le attività artigianali e commerciali, perché nulla vieta che lo spazio collettivo del campo o della fondamenta venga usato per depositarvi oggetti e materiali, e svolgervi operazioni che ciascuno potrà osservare transitandovi.

I campi hanno forme diverse, ma sono riconducibili anch'essi a pochi tipi elementari: in tutti comunque vi è – e salvo gli interramenti dell'ultimo secolo – la presenza di un rio, infrastruttura fondamentale per l'alimentazione del mercato. Ma nei campi in genere non vi è grande concentrazione di negozi. Questi si dispongono invece fittamente lungo i percorsi e sono strettamente legati all'intensità del flusso pedonale, che muta nel tempo: cosicché si assiste oggi, con l'importanza assunta dai poli della stazione ferroviaria e di piazzale Roma, alla nascita di nuovi assi commerciali allungati lungo i percorsi compiuti dalle migliaia di pendolari che quotidianamente entrano ed escono da Venezia attraverso le due porte per la terraferma, allo stesso modo in cui un tempo la massima concentrazione di botteghe – le Mercerie – era disposta lungo l'asse di collegamento fra i due poli urbani maggiori, S. Marco e Rialto.

Del resto, tornando ai campi, occorre ricordare che fin dall'origine erano concepiti come luoghi di sosta, e vi si celebravano manifestazioni e feste – financo una sorta di corrida, in campo S. Polo e in altri – e che spesso non erano pavimentati, a avevano erba e alberi, e spure non ospitavano in qualche caso coltivazioni e stalle. A proposito della pavimentazione, l'occhio attento alla toponomastica non potrà non notare che alcuni percorsi, per lo più di maggiore dimensione, sono denominati salizzade: che vuol dire selciate, ovvero strade rivestite di pietra.

Oggi tutta Venezia è pavimentata con la trachite estratta dai vicini colli Euganei, ma per molti secoli non è stato così: solo alcuni percorsi – quelli più battuti dal pubblico, e quindi sottoposti a più rapida usura – venivano pavimentati in pietra: il rimanente o era rivestito di mattoni, o era in terra battuta. Del resto, la stessa piazza S. Marco mantiene per lungo tempo la sua pavimentazione in cotto, e solo nel 1723 si provvederà a rivestirla in pietra.

A volerle seguire, le salizzade ci conducono lungo quelli che un tempo erano i percorsi principali, consentendoci di leggerne ancor oggi la gerarchia. Per comprendere la quale converrà accennare al significato di altre tipiche denominazioni stradali veneziane: come ruga, che è una strada, ampia e diritta e con botteghe, indipendente dalla presenza di canali; o come ramo, che invece è un percorso minore, brevissimo e assai spesso senza sbocco.
Ma anche nei canali vi è una sorta di gerarchia interna, del resto ben rispettata dalla denominazione ancora corrente: ci sono canali e rii, e i primi sono solo i tre maggiori (Canal Grande, della Giudecca e di Cannaregio) e quelli della laguna (che si chiamano tutti canali), mentre i rii sono tutti gli altri, diffusi e ben distribuiti nel tessuto della città. Anche questi vanno visti tuttavia nella loro diversa importanza.

Ve ne sono almeno tre tipi: rii che scorrono semplicemente fra due cortine di case; rii fiancheggiati da un percorso pedonale, chiamato in questo caso fondamenta, e rii fiancheggiati da due fondamenta. E rii con andamento curviforme, organicamente corrispondente a quello dei canali naturali, e altri diritti e regolari, per lo più risultanti da scavi artificiali, o da urbanizzazioni realizzate successivamente attraverso l'imbonimento di velme e barene.

I rii sono in genere collegati direttamente a spazi aperti pubblici – fondamenta o campi – o privati (cortili e giardini), ma anche a portici e direttamente ai piani bassi di abitazioni: si noti come l'elemento di contatto è sempre ben attrezzato, attraverso le rive, ovvero scalinate e discese di varia foggia e dimensione, che consentono il trasbordo di persone e merci dal mezzo acqueo. Le rive costituiscono quindi un elemento funzionale di grande importanza per Venezia, e si noterà come ne varî la dimensione in rapporto agli spazi da servire; per esempio come siano per lo più ampie e articolate in corrispondenza dei campi, e come le esigenze di tipo funzionale – quella cioè di fornire sempre un piano di appoggio al natante qualunque sia il livello della marea – diano luogo a configurazioni di notevole risultato formale; quando poi non siano addirittura progettate in modo integrato alle architetture, come accade per i palazzi e le chiese principali.

Ma vale la pena, a questo punto, di osservare con particolare attenzione tutti i punti e le linee in cui avviene il contatto fra terra e acqua: ponti, cavane, pontili, edicole, scali sono certo elementi di carattere funzionale essenziali per il funzionamento della città; ma contribuiscono allo stesso tempo e in misura essenziale a definirne il volto.

A proposito dei ponti, sarà utile ricordare come l'attuale foggia non corrisponda a quella primitiva: un tempo erano per lo più senza sponde, e con gradini più bassi e larghi, e ciò allo scopo di permettere il passaggio di cavalcature che allora, almeno lungo i percorsi principali, erano abbastanza diffuse a Venezia (tanto che nel 1340 la Repubblica sarà costretta a proibirne il transito lungo le Mercerie per la fastidiosa interferenza con il già intensissimo traffico pedonale). Oggi se ne contano più di 400, fra pubblici e privati, ma molti sono relativamente recenti (si noterà spesso l'impiego della ghisa, per quelli realizzati nell'800), per il già ricordato infittimento della rete dei percorsi pedonali.

Si noti pure la loro disposizione rispetto ai canali, che quasi sempre è obliqua e comunque asimmetrica rispetto al loro asse: questo deriva dal fatto che in genere i ponti sono stati costruiti per collegare le diverse insule dopo che queste avevano già definito la loro viabilità interna, e le calli da collegare fra le due sponde del canale non sono quindi se non casualmente sullo stesso asse. Ma si noti anche come queste apparenti difficoltà siano state abilmente sfruttate per dar luogo a una gamma infinita di brillanti soluzioni architettoniche, organicamente legate al tessuto circostante, fatte di balaustre, rampe, scalinate, dalle forme inconsuete, spesso confluenti negli spazi pensili posti alla sommità dei ponti che sono di sezione maggiore, e da cui viene esaltata la percezione degli spazi circostanti, acquei o di terra che siano.

Dei pontili – le strutture pensili costruite sull'acqua per accedere ai natanti – è opportuno mettere in evidenza la grande varietà delle dimensioni in rapporto a quella dei natanti da servire: da quelli di maggior mole per i mezzi pubblici dell'Actv, a quelli più minuti a servizio dei traghetti del Canal Grande; tutti hanno un elemento in comune, e cioè il fatto che il natante accosta appoggiandosi a elementi mobili, le briccole, pali in legno conficcati nel fondo che con la loro elasticità consentono di assorbire gli urti: ma la pur enorme quantità di pali affioranti che costeggiano canali e specchi d'acqua e che a volte, in corrispondenza degli edifici di maggior prestigio, sono ancor oggi vivacemente decorati, non fornisce che una pallida idea dei milioni di pali che stanno sotto il pelo dell'acqua, a sostegno di fondamenta, palazzi, chiese e monumenti: una vera foresta invisibile, su cui si regge l'intera città.

Nella toponomastica veneziana appare assai di frequente la locuzione rio terrà: che vuol dire rio interrato, e sta a indicare un canale un tempo funzionante e che ora è trasformato in strada; si tratta di un'operazione molto datata, sviluppatasi massimamente nell'800 quando si pensava con ciò di migliorare le condizioni igieniche della città e di qualificarne la struttura funzionale sovrapponendovi una rete di più efficienti percorsi, in accordo con le regole della manualistica urbanistica che altrove si erano andate sperimentando (ma si ha notizia di interramenti che risalgono al sec. XIV). Mentre la denominazione piscina sta a ricordare un sito in cui per molto tempo si è mantenuta una 'smagliatura' del tessuto, costituita da un bacino d'acqua collegato a qualche canale, e colmato solo più di recente. Qualcosa di simile un tempo a quanto ancora si vede nelle cosiddette sacche, dove le smagliature erano in corrispondenza dei bordi lagunari.

I nostri percorsi ci faranno imbattere presto in qualche calle o corte, detta dei Tedeschi o intestata ai Greci, Turchi, Schiavoni, Albanesi, Persiani: ci troviamo in qualcuno dei luoghi che un tempo erano stati sede di comunità straniere, assegnate dalla Repubblica a commercianti o artigiani provenienti da paesi con i quali aveva interesse a stabilire più solidi rapporti economici. È un ricordo di questa cosmopolita città, nella quale nel '500 non meno dei dieci per cento della popolazione residente – vale a dire quindicimila persone – era costituito da cittadini stranieri, e di queste almeno un terzo appartenevano alla comunità ebraica.

Ben distribuite nella città, queste sedi lasciano testimonianze cospicue: imbattendosi nella Scuola di S. Giorgio degli Schiavoni – gli Schiavoni altri non erano che i Dalmati – vi si potranno ancora ammirare i più famosi teleri di Carpaccio. E a S. Giorgio dei Greci vi è una preziosa raccolta di icone, e a S. Lazzaro degli Armeni una delle più ricche biblioteche. Per non parlare del Ghetto, dall'edilizia densissima e perciò assai caratteristica, una sorta di città nella città, che aveva molte sinagoghe e negozi, scuole, forni, banchi di pegno, tutto quanto serviva a una comunità di almeno cinquemila persone.

Ma nei nostri percorsi incontreremo soprattutto gli edifici per la residenza. Pur nella loro sedimentazione continua, che dura da dieci secoli, riconosceremo abbastanza facilmente i caratteri e i tipi fondamentali dell'edilizia veneziana: case-fondaco, case d'affitto e popolari, palazzi, sono i tipi prevalenti dell'edilizia residenziale. Si noteranno quei singolari espedienti adottati per risolvere i problemi connessi con una edificazione così fitta e intricata: fra questi sono soprattutto frequenti i sottoportici nei casi in cui calli e fondamenta passan sotto a edifici, che si sono formati indipendentemente dalla trama viaria guadagnando spazio ai piani superiori; e assai diffuse le altane, terrazze pensili costruite in legno sui tetti, sulle quali le abitazioni riconquistano la luce e il sole spesso negati dalla fittezza dell'edilizia; mentre non di rado si incontrano edifici con barbacani, grossi mensoloni di legno e talvolta di pietra, che sostengono a sbalzo i piani superiori aggettanti su strade commerciali più larghe e botteghe ben protette ai piani terreni, e che vanno intesi come un espediente tecnico legato a quel processo di intensificazione edilizia cui si è accennato, consentendo lo sviluppo in estensione degli edifici ma salvaguardando la sezione dei percorsi pedonali.

Pochi i resti della case-fondaco, che pure erano diffusissime quando Venezia era tutta una città-porto. Ne potremo incontrare qualcuna a Rialto, sul Canal Grande, che conserva ancora la struttura originaria: un gran portico, aperto direttamente sull'acqua – oggi forse tamponato per assicurarne la stabilità – entro cui ricoverare natanti e depositare merci preziose giunte d'ogni parte del mondo; ai piani superiori la residenza del mercante e gli ambienti per l'amministrazione dell'azienda, e gli alloggi della servitù: il tutto proiettato verso i canali, con gli estesi loggiati che sovrastano i porticati acquei. Ma a proposito delle case-fondaco, converrà soprattutto ricordare che è da queste che ha avuto origine lo schema tipico della casa veneziana, poi diffuso in tutti i secoli successivi anche in terraferma, e costituito come è noto da un vasto salone centrale, illuminato da grandi finestre polifore e servito dal vano delle scale, e su cui si affacciano tutti gli ambienti disposti nelle due ali laterali.

Troveremo spesso esempi di case popolari: costruite dalle Scuole per i propri assistiti, o addirittura dalla Repubblica per i cittadini meritori – arsenalotti, o marinai – fin dalla metà del '300, sono ancor oggi riconoscibili per la loro disposizione: più semplicemente con andamento a schiera, ovvero con la giustapposizione in linea lungo un rio o una calle di abitazioni singole, su due piani, o con la formazione di organismi più complessi, a più piani, spesso aperti su spazi comuni. Simili a queste le case d'affitto, costruite da nobili e ricchi borghesi come forma di investimento, soprattutto a partire dal '600. Si tratta in ogni caso di belle architetture che non si impongono al tessuto circostante per ricchezza di accorgimenti architettonici, ma neanche per la povertà, e che si adattano quietamente al contesto con l'impiego di tipi e soluzioni correntemente adottati nella città.

In gran numero i palazzi, massimamente addensati lungo le quinte edilizie che delimitano gli spazi di maggior prestigio, rea-

lizzati in forme semplici, ripetitive e seriali, come in epoca tardogotica, e più tardi concepiti come una scenografica successione di
spazi aperti e strutture costruite, atrii, scale, loggiati, fino a confluire nella sequenza ininterrotta del Canal Grande, o ad affacciarsi nelle cortine edilizie dei campi più importanti. In numero
minore e più periferici i cosiddetti casini, non di rado nelle isole,
tipi particolari di residenza nobiliare destinata alla vacanza, con
giardini spesso prospettanti direttamente sulla laguna.

E numerosissimi i conventi, tanto che si è indotti a considerarli
fra gli edifici della residenza, se pure condizionata dalle regole
della convivenza comunitaria, per la enorme dimensione della popolazione ospitata. Sicuramente più di cinquanta (il rilievo planimetrico dei fratelli Combatti pubblicato nel 1848 ne contava 55,
ai quali vanno aggiunti quelli distrutti dal governo napoleonico),
sono distribuiti prevalentemente lungo i margini della città, e
hanno svolto un ruolo determinante per il consolidamento del
tessuto edilizio nel loro immediato intorno, sia saturando gradatamente le aree ancor libere all'interno delle insule occupate, sia
creando i presupposti per successivi imbonimenti ed edificazioni,
soprattutto nelle aree più periferiche della città. In ogni caso occupando vaste porzioni di suolo urbano, anche per la frequente
presenza di ampi spazi inedificati al loro interno, e in posizioni
oculatamente scelte, con almeno un lato sempre affacciato su di
un canale, o direttamente sulla laguna.

Ma i conventi veneziani vanno intesi non solo per la dimensione residenziale, considerato che al loro interno si è andata spesso sviluppando una
molteplicità di funzioni, culturali, assistenziali, civili, con una forte integrazione rispetto alla vita complessiva della città. Non sempre riconoscibili dall'esterno per l'immagine tutta introversa che solitamente presentano, si distinguono invece per la loro più tipica architettura quando svolgono funzioni più spiccatamente assistenziali: si tratta in questo caso di
ospizi, grandi e piccoli, tra cui i più cospicui appaiono costituiti da un edificio con un corpo centrale formato dalla chiesa e da due ali laterali, affacciato per lo più su uno spazio pubblico, che emerge nel tessuto della città
per il suo aspetto singolare.

Nei nostri itinerari incontreremo anche alcuni edifici d'eccezione, tipicamente veneziani e meno frequentemente rintracciabili in altre città. Ubicate per lo più in corrispondenza dei campi,
ecco le Scuole, edifici a metà tra la chiesa e il palazzo: sono le sedi
di confraternite, nate con lo scopo di prestare assistenza e mutuo
soccorso ai confratelli riuniti per comunità di devozione, per la
maggior parte corrispondenti a raggruppamenti legati ai mestieri esercitati. Sorte fin dal Medioevo nell'ambito delle comunità parrocchiali, si svilupparono poi realizzando proprie sedi,
per lo più su campi, e comunque prossime alle chiese.

Numerosissime un tempo, tanto che nel 1501 il Sanudo ne enumerava 210, di cui sei più importanti insignite con il titolo di Scuole Grandi (S. Teodoro, Santa Maria della Carità, S. Marco, S. Giovanni Evangelista, S. Maria della Misericordia, S. Rocco, e alle quali se ne aggiungono successivamente due, la Scuola di S. Maria del Rosario e quella di S. Fantin), sono tutt'oggi ancora ben rappresentate a Venezia, e alcune ancora in funzione. Importanti edifici, spesso riccamente decorati, svolgono non di rado un ruolo essenziale nel determinare la conformazione dei campi sui cui si aprono (come a S. Giovanni Evangelista, ai Ss. Giovanni e Paolo o a S. Rocco), con ricche facciate che introducono all'ampio salone al piano terra per le cerimonie (al piano superiore vi è quello per le riunioni dei confratelli), spesso prolungandosi negli spazi aperti con singolari elementi di arredo, rive, pavimentazioni processionali, pili in pietra d'Istria per innalzare stendardi e insegne. Nel loro insieme costituivano una rete capillare ed efficiente di assistenza (salvaguardando l'esercizio dei mestieri, costruendo abitazioni d'affitto per i confratelli, gestendo ospedali e ospizi), così ben organizzata e distribuita da far sì che non vi fosse cittadino che in rapporto al mestiere esercitato non potesse farvi riferimento.

Ecco poi i fondachi: disposti lungo il Canal Grande, erano attrezzature di proprietà dello Stato legate al commercio, date in affitto a imprenditori stranieri che le utilizzavano per depositarvi merci e beni, ma anche come luogo di residenza fluttuante per mercanti e diplomatici in transito a Venezia, oltre che come sedi di rappresentanza, il che ne spiega la ricchezza e lo sfarzo di cui erano decorati. Oggi ne restano solo due – quello dei Tedeschi e quello dei Turchi, pur se destinati ad altre funzioni pubbliche – mentre quello dei Persiani è andato distrutto nel 1830.

Vi erano a Venezia anche molti magazzini gestiti direttamente dalla Repubblica, per il deposito di generi alimentari di maggior necessità (grano, sale, olio ecc.): di straordinaria importanza, data la necessità di importare ogni genere dall'esterno, e l'enorme consumo che se ne faceva; basti pensare alla grandissima quantità di prodotti alimentari che doveva essere allestita per rifornire le navi che facevano scalo a Venezia. I grandi magazzini del sale sono ancora al loro posto, verso la punta della Salute, nel cuore del porto; ma non erano i soli, e qualche antico deposito di granaglie è ancora visibile alla Giudecca o sul Canal Grande o sulla riva degli Schiavoni prossimo all'Arsenale, ben riconoscibile per l'architettura compatta, con poche aperture e priva di decorazioni; mentre i granai di S. Marco – enormi edifici, lunghi non meno di 100 metri, direttamente affacciati sul Bacino – sono stati demoliti in epoca napoleonica per far posto ai Giardinetti reali.

Pochi sono gli squeri rimasti, mentre un tempo erano assai numerosi: si tratta di piccoli cantieri attrezzati per la fabbricazione di barche di ogni tipo e per la loro manutenzione, aperti su canali di maggior dimensione o su bacini d'acqua per la necessità di disporre di scivoli adatti ad alare e varare i natanti. Li si riconoscerà facilmente per lo spazio aperto lungo il canale ingombro di barche, e per il fatto di essere rimasti fra i pochi edifici costruiti quasi interamente in legno.

E pochi i teatri, una sparuta testimonianza dei tantissimi che a partire dalla metà del '500 punteggiavano la città (nel '600 se ne conteranno 16, tra grandi e piccoli), quando Venezia era al centro della vita teatrale europea, e le famiglie più facoltose (primi fra tutti i Grimani) vi investivano intere fortune. Distribuiti nei diversi sestieri nel loro insieme (ma occorre ricordare che non sempre si trattava di veri teatri, quanto piuttosto di luoghi adattati per ospitare rappresentazioni sceniche), si riconoscevano tuttavia per il prestigio dei promotori e la qualità delle prestazioni in particolare quelli ubicati nel cuore della città, nell'area compresa fra S. Moisè, S. Samuele, S. Angelo, S. Luca e S. Giovanni Crisostomo. Poi gradatamente scomparsi, tanto che alla fine del '700 se ne contavano otto, e un secolo dopo solo quattro.

La struttura funzionale della città

Calli e fondamenta, rii e canali, campi e spazi aperti, edifici singolari e palazzi, nella gran varietà delle disposizioni urbanistiche, e al di là della loro individualità specifica, nei loro rapporti, nel modo in cui sono assemblati, nelle relazioni reciproche, fanno dunque la città. Che però è anche una città di attività e funzioni, cui è importante accennare, per il modo singolare in cui si distribuiscono nell'organismo urbano.

Anzitutto le funzioni minute, per le quali di nuovo ci è d'aiuto la toponomastica, che essendo ancor quella di un tempo consente di ricostruire almeno in parte il funzionamento originario della città. Oltre alle denominazioni che come abbiamo già visto fanno riferimento a strutture edilizie e urbane tipicamente veneziane – fondamenta, calle, campo ecc. – ve ne sono infatti ancora molte che derivano dalle attività un tempo presenti: «merceria» è la zona commerciale per antonomasia; «frezzeria» e «spadaria» indicano che vi erano botteghe e artigiani che facevan armi (frecce e spade); in «caselleria» vi erano fabbricanti di bauli e valigie chiamate caselle; vi sono poi calli e fondamenta dette dei «fabbri», dei «fuséri», dei «tintori», dei «preti», dei «carrettieri», dei «bombardieri», dei «marangoni» (falegnami), dei «bottéri»; oltre che quelle dei «cordami», della «pegola» (la pece per calafatare le barche), del «forno», del «traghetto», e così via. La semplice lettura della toponomastica fornisce quindi una buona possibilità di ricostruire, seppur per brani, l'immagine della struttura funzionale minuta della città; dalla quale emerge come tutto il tessuto urbanistico fosse interessato dalla presenza di attività artigianali e produttive; se si considera poi la diffusione delle abitazioni, la distribuzione delle attrezzature, chiese, scuole, mercati, campi, botteghe, si intende come la intensa commistione di attività e funzioni fosse una delle caratteristiche peculiari della città, in perfetta aderenza del resto con l'isotropia del tessuto edilizio e urbanistico cui più sopra si è fatto cenno.

A questa diffusione di attività minute si accompagna la particolare strutturazione che assume qui la funzione portuale: Venezia è infatti città-porto nel suo insieme, e se pure alcune sue parti ne sono in particolare caratterizzate – segnatamente lungo i bordi dei due canali maggiori, il Canal Grande prima e quello della Giudecca poi – non vi è porzione della città che non sia stata interessata, grazie alla capillarità della rete canalizia minore, dalla presenza di quelle particolari strutture edilizie legate al porto cui si è accennato più sopra, e cioè le case-fondaco. Una struttura portuale che è continuamente in grado di rinnovarsi, comunque adeguandosi alle trasformazioni tecnologiche della navigazione, fino alle più efficienti strutture di cui si arricchisce nel secolo scorso, in concomitanza con l'apparire, anche qui, delle prime vere e proprie concentrazioni industriali.

Ma la manifattura, intesa come concentrazione di uomini e mezzi di produzione, compare a Venezia assai prima della rivoluzione industriale: e basterebbe ricordare da questo punto di vista l'Arsenale, cui lavoravano stabilmente migliaia di addetti; o la Zecca, con le sue specializzatissime botteghe. Occorre però accennare ad altri settori di attività: quella vetraria per esempio, che si sviluppa fin dal secolo XII, e che poi viene opportunamente concentrata a Murano (dal 1291), dando luogo a una vera e propria zona industriale, altamente specializzata. Un'attività che si avvale di risorse locali (la sabbia dei fiumi) bruciando legname friulano e istriano, ma anche di materiali provenienti da lontano (la cenere di soda, ottenuta in Siria bruciando alghe marine), e opportunamente integrata ai carichi navali provenienti dall'oriente. E che si sviluppa raggiungendo altissimi livelli di specializzazione (nel settore delle lenti per occhiali, di cui Venezia era produttrice al miglior livello europeo, o in quello del vetro in lastre, e poi delle clessidre, oltre che in quelli più noti delle stoviglie e del vetro decorativo).

Altri importanti settori produttivi si diffondono nel tessuto urbano trovandovi favorevole occasione di sviluppo, essendo Venezia al vertice di una vastissima rete commerciale e perdurandovi una relativa sicurezza rispetto alle contese esterne: altre industrie 'chimiche' (sapone) e metallurgiche prima, e tessili poi, a partire dal secolo XVI, soprattutto nel settore laniero, per il contributo di artigiani provenienti da fuori in cerca di più stabili condizioni di produzione. Tanto che Venezia ne diventa presto uno dei più importanti centri d'Europa, come contemporaneamente avviene per il settore della tipografia nel quale non ha davvero rivali, con i più di 100 stampatori-editori della metà del '500, che non di rado affiancano alla produzione rinnovati e inediti interessi culturali.

Ma vi sono a Venezia attività che necessariamente si concentrano, sia per specifiche esigenze di carattere funzionale, sia per l'intenzionale disegno di simboleggiare, con il loro confluire in spazi e siti significativi, la magnificenza della città: Rialto, nel suo baricentro esatto, luogo di convergenza e concentrazione dell'immenso tessuto commerciale della Repubblica; S. Marco, dove chiesa e potere civile si incontrano nella più significativa cerniera fra città e laguna; e l'Arsenale, posto significativamente al margine orientale della città, verso il mare.

Il baricentro commerciale è quindi a Rialto. Rialto occupa l'insula fittamente costruita posta nella maggiore ansa del Canal Grande quasi a formare una sorta di penisola, tutta permeabile ai piani terra per una fitta rete di percorsi e spazi pedonali. Da sempre ha ospitato le strutture necessarie per svolgere il ruolo di centro operativo del commercio internazionale su cui si basavano le fortune della Serenissima: centro commerciale, mercato, sede delle magistrature legate alle attività economiche, centro bancario e finanziario di un estesissimo impero commerciale, sede di banchi pubblici e privati, con una sorta di borsa merci, e prossimo ai fondachi più ricchi, fra cui quelli dei Tedeschi e dei Persiani; ricco di botteghe per il commercio e la lavorazione di materie preziose lì convergenti da itinerari lontanissimi – se ne vedano le memorie nella ricca toponomastica locale – ma anche di luoghi del commercio quotidiano per gli abitanti della città (anch'essi segnati dalla toponomastica: «erbaria», «casaria», «naranzaria», «beccaria», «pescaria», e poi le rive «del ferro», «del carbon», «del vin», «dell'olio», e così via), tutti disposti secondo una gerarchia che privilegia al centro chi commercia i beni più preziosi.

I mercati vi sono stabiliti fin dall'anno 1000, e la presenza cospicua di case-fondaco ne testimonia ancor oggi il ruolo; ma Rialto è anche l'esempio di quella crescita senza trasformazione che è così peculiare di Venezia: quasi tutto qui è stato rifatto a partire dal 1513, dopo che un immane incendio aveva distrutto gran parte delle strutture esistenti. Ma nella ricostruzione cinquecentesca vengono ampiamente riutilizzati muri e fondazioni di manufatti preesistenti, cosicché l'immagine complessiva, pur nella mutata veste architettonica delle sansoviniane Fabbriche Nuove o dei numerosi edifici realizzati dallo Scarpagnino, ripropone l'antico sedime: valga per tutti l'esempio delle due chiese di S. Giacomo di Rialto e di S. Giovanni Elemosinario, rifatte appunto sulle strutture delle più antiche basiliche medievali. Ma vi sono anche architetture che, pur nell'accordo con quanto vi era di preesistente, introducono elementi originali nel contesto dell'antico centro commerciale: come il palazzo dei Camerlenghi, o quello dei Dieci Savi alle Decime (una sorta di ministero delle finanze della Serenissima) e soprattutto il ponte di Rialto, realizzato fra il 1588 e il 1591, dopo un concorso bandito dalla Repubblica e per il quale nel 1554 avevano presentato i loro progetti alcuni fra i più celebri architetti del momento.

Rialto è legato a S. Marco attraverso il percorso antichissimo delle Mercerie che conduce nella piazza attraverso la torre dell'Orologio: ed eccoci nel cuore religioso e politico della città. La preminenza delle architetture rinascimentali non deve trarci in inganno: S. Marco è da sempre il cuore della città, fin da quando, nell'anno 828, veniva qui sbarcato il corpo del santo, fatto catturare nella lontana Alessandria d'Egitto dai Veneziani per affermare simbolicamente con il possesso di una testimonianza così clamorosa la loro presenza politica nel mondo medievale.

Vediamo allora anzitutto le funzioni qui concentrate. Quelle religiose sono ovviamente nella Basilica, che vi si stabilisce fin dall'832; ma quella che oggi vediamo non è che il risultato di una lunga serie di iniziative edilizie, a partire dalla terza edificazione, iniziata nel 1060, e successivamente arricchita di elementi decorativi e simbolici importati d'ogni parte d'Oriente per tutti i secoli successivi. Le funzioni politiche sono ospitate nel Palazzo Ducale, sede del governo e simbolo del potere politico. Il palazzo vi si stabilisce fin dall'inizio, come la Basilica, ma viene radicalmente rinnovato nell'epoca delle signorie. Quello che oggi vediamo è il risultato di tre fasi costruttive distinte, che se pure perfettamente integrate si sviluppano per circa un secolo, a partire dal 1340. Le funzioni amministrative sono ospitate nel lungo edificio delle Procuratie Vecchie, costruite al posto di un edificio preesistente sul lato nord della piazza a partire dal 1514; le Procuratie Nuove che le fronteggiano sul lato opposto verranno costruite a partire dal 1582 per ospitare gli appartamenti di rappresentanza dei nove procuratori, anche loro al posto di edifici preesistenti, ma con un allineamento diverso che allarga la piazza verso la Basilica e isola il campanile. Iniziato fin dal secolo IX e completato nel XVI, il campanile svolgeva più funzioni contemporaneamente: riferimento emblematico di un sito così importante per la città, era di volta in volta faro, osservatorio astronomico, e segnalava con i codici della sua imponente batteria di campane gli avvenimenti pubblici di maggior interesse per la comunità. Le funzioni culturali sono ospitate nella Libreria, costruita a partire dal 1537 per contenere la ricchissima collezione di codici greci e latini lasciata in eredità alla Repubblica nel 1468 dal cardinal Bessarione e successivamente arricchitasi fino a richiedere una sede apposita. Ma occorre considerare anche altre più specifiche funzioni e pure, per la loro importanza, tutte concentrate nell'area di S. Marco: come la Zecca, ospitata nell'omonimo edificio costruito a partire dal 1536, o quelle doganali, ospitate nella Dogana da Mar sulla punta della Salute; o come i grandi granai della Repubblica di cui già si è parlato, anch'essi localizzati in quest'area subito dopo la Zecca e ovviamente prospicienti il bacino acqueo.

Un insieme articolato di edifici e di spazi, di terra e di acqua, una imponente concentrazione di funzioni pubbliche che si materializza nel tempo dando luogo a un ambiente di eccezionale valore: la piazza con il suo prolungamento acqueo, il bacino. Tutto si svolge nell'arco di quattro secoli, da quando il doge Sebastiano Ziani decreta (nel 1176) la dimensione attuale della piazza raddoppiandone l'estensione, fino alla conclusione del secolo XVI, quando Venezia, pur avendo ineluttabilmente imboccato la propria parabola discendente, vi concentrerà immense risorse per riscattare con un inusitato rigoglio architettonico una dimensione di potenza ormai perduta.

Il che va visto anche in parallelo a quanto contemporaneamente sta avvenendo lungo il suo prolungamento più interno, cioè il Canal Grande: qui l'aristocrazia veneziana pietrifica materialmente il risultato di secoli di ricchezza accumulata, tuffandosi, proprio mentre perdeva il senso e le ragioni della propria consistenza economica, in una gara alla costruzione del «palazzo»: una corsa all'accaparramento di aree, di vecchi edifici, di strutture che possano essere trasformate secondo le scenografiche disposizioni del linguaggio post-rinascimentale e barocco. Il traguardo è l'affaccio sul Canal Grande: ed ecco allora le strane contorte configurazioni di stretti e lunghi palazzi, che si formano attraverso l'aggregazione di unità immobiliari distinte, acquistate man mano anche partendo da punti lontani con l'ambiziosa prospettiva di arrivare al Canale; che appunto tutto si rinnova, e sostituisce le originarie funzioni commerciali e portuali oramai in declino, con quelle più effimere della vita di corte.

Ma è tempo di considerare l'Arsenale: qui c'è la sede della potenza militare e commerciale, la ragione materiale della sua affermazione nel mondo. Ed ecco infatti torri e mura: le uniche mura di Venezia, già che quelle che all'inizio difendevano il sito di S. Marco sono state smantellate fin dall'anno Mille. Dell'Arsenale bisogna considerare non solo le parti comprese all'interno del recinto murato: la sua presenza ha fatto nascere infatti nelle aree urbane confinanti numerose attività complementari, che hanno fortemente caratterizzato con le loro architetture questa parte della città; basti pensare alle abitazioni per gli arsenalotti così fittamente addensate all'intorno, ai depositi, ai forni e alle attività artigiane disposte anche qui, come risulterà dalla toponomastica, con una sorta di specializzazione per zone. L'ubicazione dell'Arsenale è giustamente periferica, ben difendibile soprattutto lungo il suo collegamento con l'esterno, la laguna e il mare. Oltre a ciò, essendo ai margini della città, ha permesso tutte le successive espansioni, anche se non di rado ostacolate dai numerosi conventi localizzati in quella parte ancora periferica della città. Esso infatti si sviluppa per fasi, in ragione del ruolo che è venuto assumendo nel tempo, fino a occupare un'area che alla fine del '700 è pari a un sesto dell'intera città. Il sito viene stabilito nel sec. XIII, trasferendovi le strutture cantieristiche fino allora presenti in varie parti della città, e in particolare concentrate a S. Marco. All'inizio l'Arsenale non è altro che una sorta di grande squero che racchiude entro un recinto murato una darsena e 24 cantieri. Le successive espansioni, che si protraggono dagli inizi del '300 fino all'800 e che ne decuplicano l'estensione, fanno dell'Arsenale una struttura produttiva articolatissima, che comprende tutte le fasi della costruzione, dell'armamento e dell'equipaggiamento delle imbarcazioni della nutritissima flotta mercantile e militare di Venezia. La costruzione dei manufatti – capannoni, scali, vasche e darsene, edifici di rappresentanza, alloggi, velerie, fabbriche di chiodi e cordami, forni e magazzini dei viveri, armerie e remerie, magazzini per le polveri da sparo, ancore e catene, e così via – è affidata ai migliori architetti al servizio della Serenissima, gli stessi che contemporaneamente lavorano alla rimodellazione di Rialto e S. Marco. Una struttura in continua evoluzione, se si considerano gli importanti interventi realizzativi nel corso dell'800 per ragioni di carattere militare e per renderne competitiva la struttura produttiva in rapporto all'evoluzione delle tecnologie della navigazione, fino al declino degli ultimi decenni.

Venezia nell'età moderna

Con il passaggio al secolo XIX la situazione è profondamente cambiata: Venezia non è più capitale, ha perso da tempo la sua ragione economica, e il proprio potere politico si è progressivamente annullato; caduta la Repubblica, non è che una tessera minuta di un vasto mosaico che ha vertici e coordinate nei grandi schieramenti europei.

La vicenda napoleonica, breve ma così densa di azioni, lascia a Venezia i segni di un'idea lungimirante di modernizzazione che non si conclude, ma ne alimenta vivamente il futuro: l'ipotesi di un collegamento stradale con la terraferma, il rilancio europeo del porto, una trama di grandi attrezzature urbane e imponenti giardini pubblici, la riqualificazione del centro. Il tutto sostenuto da concrete iniziative amministrative, come l'organizzazione per dipartimenti (dove Venezia sarebbe stata la capitale di quello dell'Adriatico), la modernizzazione dell'amministrazione pubblica, l'approntamento del catasto, la confisca dei beni ecclesiastici con il riadattamento di molti edifici per ospitarvi nuove attrezzature urbane; e documentato dall'avvio di alcune prime iniziative concrete: come la via Eugenia a Castello (l'attuale rio terrà Garibaldi), che avrebbe costituito l'inizio del collegamento con la terraferma; o i giardini pubblici ancora a Castello, o a S. Marco al posto dell'antico granaio, o il rifacimento del fondale di piazza S. Marco (ma, contemporaneamente, la demolizione di molti edifici, soprattutto religiosi, e la spoliazione massiccia di chiese, Scuole e conventi, la perdita cioè di quella Venezia scomparsa che solo in minima parte si è potuta recuperare più tardi).

La vicenda austriaca spegne gli impeti di così profonde innovazioni e sposta pesi e valori a favore di altre aree: è la volta di Trieste, dove il lancio del porto è nella fase più accesa. Tuttavia, malgrado siano questi gli anni della maggiore decadenza economica e della più drammatica crisi demografica, è proprio il porto a innescare il rilancio veneziano (l'estensione del porto franco a tutta la città è del 1829, dopo che nel 1806 era stato istituito limitatamente all'isola di San Giorgio Maggiore), sostenuto ben presto dall'allacciamento ferroviario con Milano (1846), cui si accompagna la costruzione del ponte di ferro sul Canal Grande, di fronte alla stazione ferroviaria (1858), che segue di quattro anni la realizzazione di quello dell'Accademia, e l'interramento di molti canali per l'apertura di nuovi percorsi pedonali, soprattutto nelle aree più marginali della città.

Gli interventi ora si succedono con crescente intensità, pur nel cambiamento del quadro politico conseguente all'unificazione: nel 1865 si inaugura la stazione ferroviaria, e subito dopo (tra il

'68 e il '71) si apre la Strada Nuova, il grande asse che da qui conduce al centro; nel 1880 è la volta della stazione marittima, che sancisce il nuovo ruolo del porto e il consolidamento del nuovo fronte portuale verso la terraferma. La città sembra volersi riorganizzare puntando su tre direzioni precise: la formazione di una moderna base industriale legata al porto, la razionalizzazione del centro, il lancio turistico di se stessa e del litorale. Lungo il bordo lagunare compare la manifattura, sostenuta dapprima da capitali stranieri e attratta dalle infrastrutture ferroviarie e portuali e dalla presenza di vaste aree libere (o di terreni facilmente ottenibili attraverso l'imbonimento di sacche e barene), in una situazione proto-industriale nella quale l'insularità non costituisce ancora un fattore negativo. Un vasto aggregato di aree, capannoni, manufatti industriali, stabilimenti, binari ferroviari, banchine, gru, tipico di ogni moderna periferia, circonda presto tutto il margine occidentale della città; nell'isola della Giudecca emerge la grande mole del mulino Stucky, costruito alla fine del secolo scorso e ancor oggi emblema eloquente di questa importante stagione della città; altri manufatti industriali li seguono mentre sul bordo lagunare a sud si installano numerosi cantieri navali, con le navi in disarmo o in attesa di riparazioni che fanno parte integrante del paesaggio dell'isola.

Alla manifattura presto si accoppia la presenza dei quartieri popolari, alla Celestia, a S. Giobbe, a S. Marta, cui seguiranno quelli borghesi a S. Elena e nell'area di S. Rocco (e molto più recentemente quelli di Sacca Fisola). Venezia è ora una delle prime città industriali d'Italia, tanto che oggi le testimonianze di questa fase sono qui più evidenti che in molte altre, se pure in stato di abbandono, per il fatto di non essere state assorbite dall'espansione urbanistica nella periferia, bloccata dalla presenza della laguna.

Contemporaneamente si pone mano al rifacimento del centro. Un nuovo sistema pedonale collegato ad ampi bacini acquei si sovrappone all'antico tessuto fra Rialto e S. Marco, con la presenza di banche, uffici e alberghi: si apre calle larga XXII Marzo (fra il 1880 e il 1882), si razionalizza l'asse da campo S. Bartolomio a campo Manin, si realizza la sistemazione dell'area di bacino Orseolo. Strade larghe, demolizioni e interramenti, una sorta di prolungamento borghese-ottocentesco della piazza S. Marco, del resto non a caso saldato al rifacimento dell'ala napoleonica, effettuato solo qualche decennio prima. Poco più all'esterno, i grandi alberghi, prima sul Canal Grande e sulla riva degli Schiavoni e poi al Lido, testimoniano il lancio turistico di Venezia, presto sostenuto in un quadro internazionale con l'idea della «Esposizione internazionale d'arte» (la Biennale) e la sua concreta materializzazione nei padiglioni costruiti a Castello a partire dal 1922. Ma il peso del «fronte a terra» è sempre più massiccio, alimentato dalle operazioni che nel frattempo si stanno facendo oltre la laguna: la grande zona industriale e il quartiere urbano di Marghera enfatizzano il ruolo della terraferma e impongono un più saldo collegamento con la città insulare, cementato del resto dalla istituzione della «Grande Venezia» (1926) che riunisce in un'unica entità amministrativa Venezia, Mestre e Marghera, le isole e il litorale (con la sola esclusione di Chioggia), e i comuni minori della terraferma intorno a Mestre. Negli anni 1930-33 la costruzione del ponte automobilistico ne costituisce la materializzazione concreta, mentre la sistemazione di piazzale Roma con il grande garage comunale avvia quel progressivo spostamento del baricentro funzionale di Venezia verso ovest che non si arresterà più, malgrado la contemporanea apertura di rio Novo che, evitando la grande ansa del Canal Grande, arriva speditamente all'antico centro e tenta di riproporne il ruolo.

Venezia moderna registra anche, a fianco di queste ingenti operazioni, il permanere di contraddizioni vivissime, come l'insalubrità delle abitazioni puntualmente documentata nelle inchieste che contemporaneamente si fanno (nel 1910, nel 1935, nel 1948), il sovraffollamento di molte sue parti, i primi sintomi del decadimento delle manifatture, a cui si affianca nell'ultimo dopoguerra quello definitivo dell'Arsenale. Poi, con il grande boom della terraferma e l'assalto del turismo, ecco l'esodo ingentissimo e sempre crescente; nello stesso tempo, i nuovi interventi edilizi e urbanistici, tristemente documentati dagli interventi periferici come il quartiere residenziale di Sacca Fisola, o dagli uffici lungo il rio Nuovo e nel centro, che testimoniano i maldestri tentativi di contaminazione fra il linguaggio architettonico moderno e quello tradizionale; contemporaneamente, le operazioni estreme alla città che turbano progressivamente il già precario equilibrio della laguna, con il sempre più frequente manifestarsi del fenomeno delle acque alte. Infine, in questi tempi, l'attacco al patrimonio edilizio di Venezia, che si sviluppa in minute azioni sotterranee, meno visibili all'esterno ma estremamente più diffuse: espulsione dei residenti, sostituzioni di funzioni, innalzamento del costo della vita.

Venezia oggi

Venezia oggi è quindi il risultato delle profonde trasformazioni che hanno interessato il quadro territoriale, a dispetto delle quali essa è tuttavia incredibilmente sopravvissuta. Per comprenderne i problemi odierni è quindi indispensabile riferirci a questo più ampio territorio: perché Venezia è centro storico, se la si considera nella sua dimensione prettamente insulare; ma è anche laguna, se la si guarda in rapporto all'ambiente naturale cui appartiene; è entroterra, per la conurbazione mestrina che si affaccia sulla gronda lagunare; ma anche litorale, per il modo in cui la laguna si separa dal mare aperto.

Di tutte le città, nessuna ha comunque la particolarità di Venezia

di poter essere tutta considerata centro storico, unico caso in cui
la città antica non è circondata dall'espansione moderna, avvolta
dal traffico, attaccata da funzioni perniciose; cosicché anche la
stessa dizione di «centro storico» in quanto parte di un agglomerato più vasto male si addice a Venezia, che è piuttosto «città storica» nel suo complesso; così come del resto la laguna va considerata come «ambiente storico» nel suo insieme. Venezia si misura
infatti con la città moderna attraverso lo spesso diaframma della
laguna, il che non ha evitato anche qui le manifestazioni di fenomeni tipici di questo tempo, come per esempio la formazione di
un centro e di una periferia, o la differenziazione per parti del-
l'organismo urbano.
Fenomeni che derivano comunque dal modo in cui la città antica
è stata collegata con la parte moderna – attraverso la ferrovia, il
ponte automobilistico, il porto – e quindi dipendono, se pure in
maniera non così diretta come per le altre città, da ciò che sta
fuori di essa. Ma il fatto singolare è che queste modificazioni sono
avvenute su di un tessuto urbano che in molte sue parti è rimasto
quello di un tempo, e che ha reagito alle sollecitazioni esterne
adattandosi alle mutevoli tensioni, ma rimanendo incredibilmente se stesso, producendo al massimo qualche modesta gemmazione periferica, o qualche limitata smagliatura interna.
Né si tratta di una novità, considerato che per sopravvivere Venezia ha dovuto combattere una quotidiana battaglia contro le
azioni esterne, e assai più difficile di quella che anche altre città
hanno pure svolto, ma al riparo di solide cortine murarie. Tuttavia oggi questa lotta si fa più difficile per la sottile azione di
fenomeni finora inediti, non solo fisici quanto sociali ed economici rispetto ai quali nessuna reazione sembra sufficiente e
nessun antidoto efficace.
Venezia propriamente detta è divenuta oggi una piccola città,
con appena 90 000 abitanti (90 347 al 31-12-1983). Alla fine della
guerra ne aveva circa 178 000 e nel 1950, l'anno della maggior
espansione demografica, più di 184 000. Nel corso dell'ultimo
quarto di secolo ha perso quindi quasi la metà dei suoi abitanti
(ma sono più di 130 000 i Veneziani che nello stesso periodo
l'hanno abbandonata, contro appena 50 000 nuovi venuti); come
dire che mediamente ogni anno 3000 persone l'hanno lasciata, in
parte perché decedute e non rimpiazzate da nuovi nati, in parte
perché trasferitesi in terraferma, nello stesso comune o in uno di
quelli contermini.

Il territorio comunale di Venezia è invece vasto, uno dei più estesi del Veneto (al 25-10-1981, data dell'ultimo Censimento ufficiale, vi risiedevano
346 146 persone). Ma qui stanno tante città contemporaneamente: Mestre
e la terraferma anzitutto, che con più di 200 000 abitanti (201 667 al

31-12-1983) ne costituisce la parte preponderante, insieme con la zona urbana di Marghera cresciuta alle spalle delle grandi aree industriali sul bordo della laguna; poi gli insediamenti insulari, dove vivono altre 12 172 persone; e quelli del litorale, con altre 36 777 (sempre al 31-12-1983). Ma occorre anche considerare gli ulteriori centri della terraferma, che se pure non appartengono al territorio amministrato da Venezia, gravitano qui per il lavoro e i servizi (con non meno di 600 000 persone, solo a considerare quelle che vivono nei 16 comuni che appartengono al comprensorio di Venezia).

Così Venezia oggi è al centro di un territorio articolato e complesso, nel quale svolge più ruoli complementari, a volte contraddittori: ospita stabilmente 90 000 abitanti, ma anche i più importanti servizi per l'entroterra; attrae stagionalmente una strabocchevole marea di turisti, ma anche quotidianamente un consistente flusso di pendolari; conserva i segni prestigiosi del suo passato più ricco, ma anche il degrado dell'edilizia residenziale; e soprattutto contrappone la qualità dell'ambiente urbano a un abbandono che pare irreversibile.

A Venezia infatti molte case sono vuote; moltissime sono state trasformate in locande, pensioni, piccoli alberghi, e vivono la loro effimera esistenza nei mesi della maggior turbolenza turistica, per poi presto richiudersi in attesa della stagione successiva. Molte altre sono di proprietà di stranieri, o comunque di persone che non vi risiedono stabilmente, ma solo qualche limitato periodo all'anno. Per capire i problemi che oggi Venezia presenta occorre risalire quindi alle ragioni dell'abbandono di una città dove non ci sono più case disponibili, per la totale chiusura di un mercato delle abitazioni che favorisce un'utenza non stabile, fatta di turisti, o al massimo di studenti universitari. Per contro, ogni giorno vengono a lavorare a Venezia non meno di 20 000 persone, occupate negli uffici amministrativi, nei servizi, nelle attività commerciali e in quelle legate al porto, financo in qualche industria che ancora resiste nella città insulare; è Venezia quindi che offre lavoro agli abitanti della terraferma, e non il contrario, come ci si aspetterebbe guardando alla grande concentrazione industriale di Porto Marghera.

A Venezia vi è quindi una cospicua domanda di abitazioni, proveniente da parte di persone, soprattutto giovani, che desidererebbero vivervi stabilmente; ma la mancata disponibilità di case libere, in particolare in affitto, impedisce una dinamica che potrebbe essere salutare per la vita della città nel suo insieme, oggi pericolosamente caratterizzata da un forte invecchiamento della popolazione. Occorre anche considerare che il restauro di vecchi immobili è stato di fatto fino ad oggi ostacolato dai meccanismi burocratici di una legislazione troppo complessa per poter essere concretamente applicata, e che non ha incentivato quel processo di risanamento della città per cui era stata a suo tempo emanata dal Parlamento (si tratta della Legge Speciale per Venezia del 1973; poco efficaci erano state del resto anche le due leggi precedentemente varate, nel '56 e nel '66, ma maggiori possibilità sembra avere la recente nuova Legge Speciale del 1984, per la snellezza con la quale è possibile attingere ai finanziamenti per il restauro degli edifici, e la maggior operatività attribuita al Comune); mentre sono in programma alcuni interventi pubblici nel settore della casa per realizzare nuove abitazioni (alla Giudecca, a Cannaregio, a Mazzorbo, in aree libere o caratterizzate dalla presenza di edifici industriali oramai obsoleti).

A Venezia ci sono due università con più di 21 000 studenti; e teatri, biblioteche, musei, scuole; e verde, più di quanto ve ne sia nelle città della terraferma. E case, se si considera che essa ospitava più di 150 000 abitanti nel periodo d'oro della Serenissima – e gli edifici ci sono ancora tutti – ed alle quali vanno aggiunte le almeno 10 000 nuove abitazioni costruite negli ultimi sessant'anni. Il dramma di Venezia sta quindi nell'essere una città urbanisticamente perfetta, di eccezionale bellezza, con attrezzature civili di primo ordine, con un tessuto urbano in grado di favorire intensi rapporti sociali, tutta facilmente percorribile senza la schiavitù dell'automobile, per i bambini vivibile più di ogni altra, con un ambiente all'intorno di eccezionale valore come la laguna, e nel quale permangono notevoli possibilità di lavoro; e tuttavia una città in declino, che appare sempre più diversa anche ai pochi Veneziani che vi sono rimasti. Diversa di stagione in stagione, ma non più, come una volta, per le alterne condizioni del clima e della sua magica atmosfera: invasa d'estate da frotte di turisti impegnati a guardare la città attraverso i mirini di milioni di apparecchi fotografici e a non perdere d'occhio la bandierina del capofila, serpeggianti fra negozietti e bancarelle cariche di un sempre più deteriore artigianato locale; e d'inverno più vuota – ma almeno finalmente vivibile – quando la vita culturale e civile sembra assopirsi in attesa della nuova stagione.

Ma Venezia lotta oggi anche contro agenti che ne intaccano fisicamente la struttura, e forse mai come in questo tempo tutti più forti per le moderne tecnologie di cui si alimentano: il moto ondoso prodotto dai natanti a motore, che corrode le fondazioni degli edifici e gli argini dei canali; l'inquinamento atmosferico e della laguna dovuti agli scarichi degli insediamenti di terraferma, l'uno a deteriorare le pietre di cui è fatta la città, l'altro a ridurre pericolosamente i margini di vivibilità dell'ecosistema lagunare; e l'abbassamento del suolo dovuto a fenomeni locali (emungimento delle falde acquifere) e generali (eustatismo e innalzamento del livello del mare rispetto a quello della terraferma), con l'incubo dell'acqua alta per l'impeto delle maree.

Fenomeni e problemi complessi quindi, assai più difficili da risolvere di quelli che si pongono in qualsiasi altra città, e ai quali si cerca di porre rimedio attraverso il concorso di più risorse (da quelle provenienti dal fronte della grande mobilitazione internazionale che in questi ultimi anni si è sviluppata in favore della salvaguardia di Venezia a quelle della nuova Legge Speciale dell'84 che, prevedendo un rifinanziamento triennale di 600 miliardi, consentirà il restauro di molti edifici, e soprattutto la realizzazione delle ingenti opere necessarie per il ripristino e la salvaguardia dell'equilibrio lagunare).

Di tutti questi problemi quello delle acque alte è sicuramente il più drammatico. Si tratta di un fenomeno presentatosi negli ultimi tempi con frequenza davvero impressionante, dovuto a più cause concomitanti, e tutt'altro che naturali. A questo proposito bisogna ricordare quali sono le caratteristiche idrauliche della laguna di Venezia: si tratta di uno spazio acqueo (con una estensione attuale di circa 50 000 ettari) separato dal mare dalle isole del litorale, ma ad esso collegato da tre aperture (dette bocche), chiamate rispettivamente del Lido, di Malamocco e di Chioggia. Attraverso le bocche l'acqua del mare entra ed esce periodicamente, seguendo il ritmo delle maree (e cioè due volte al giorno, assicurando con questo fra l'altro l'indispensabile ricambio per la sopravvivenza della città). L'acqua del mare che entra si diffonde nei tre bacini – intercomunicanti – corrispondenti alle tre bocche, attraversando canali maggiori e minori ed espandendosi infine nelle barene, in prossimità della terraferma, che come una spugna ne assorbono e restituiscono quotidianamente gli eccessi.

Si tratta quindi di un sistema in difficile e precario equilibrio, da sempre assicurato dalle vigili attenzioni della Repubblica. Equilibrio che in questi ultimi tempi è venuto meno, per una serie di ragioni concomitanti che i più recenti studi hanno chiaramente messo in evidenza: da una parte l'abbassamento del suolo, derivante dall'emungimento intensivo delle falde acquifere sottostanti per lo scavo dei molti pozzi, soprattutto nell'area industriale di Porto Marghera (il fenomeno ora sembra essersi fortunatamente arrestato, per le recenti limitazioni allo sfruttamento delle acque sotterranee; ma è stato comunque tale da aver causato in questo secolo un abbassamento reale del suolo su cui poggia la laguna, e quindi la città, di non meno di 30 centimetri).

All'abbassamento del suolo si accompagnano due fenomeni altrettanto negativi: primo, il maggior volume di acqua del mare che entra in laguna, dovuto allo scavo dei canali per le esigenze della navigazione moderna (e principalmente alla recente apertura di quello cosiddetto «dei Petroli» per il passaggio delle petroliere dalla bocca di Malamocco a Porto Marghera); secondo, la difficoltà per l'acqua che entra in laguna di espandersi liberamente nei margini verso la terraferma, per il fatto che molte aree barenose sono state conterminate e convertite ad altri usi (aree agricole attraverso opere di bonifica, le zone industriali di Marghera, il nuovo aeroporto Marco Polo ecc.) o trasformate in valli da pesca impedendone comunque la libera circolazione delle maree (in questo secolo il bacino lagunare è stato ristretto di ben un terzo!).

Accade quindi che in determinate condizioni atmosferiche (forti venti spiranti da est e da sud, bassa pressione sull'Alto Adriatico, mare formato da scirocco ecc.) il grande volume d'acqua che entra in laguna non possa espandersi come un tempo, e sommerga di fatto la città e le isole, in maniera più intensa e continua quando l'uscita ne sia ostacolata dal perdurare di forti venti contrari e dall'impeto del mare. Si tratta di un fenomeno che si manifesta prevalentemente nei mesi invernali, e che comincia a essere preoccupante quando la marea supera il livello minimo di guardia, convenzionalmente stabilito alla quota di 70 centimetri sul medio mare, quando inizia l'esondazione delle parti più basse della città e di alcune isole, e piazza S. Marco comincia ad andar sotto; ma a 140 tutta la città è sommersa, insieme a gran parte delle isole (assai frequenti sono le maree fino a 60/70 centimetri, meno quelle da 70 a 110, occorse 983 volte nel decennio 1970-80; rare quelle da 120 a 130, 26 volte nello stesso periodo; eccezionali quelle oltre questo livello, manifestatesi quattro volte negli ultimi dieci anni; il disastro del 1966 è stato causato da una marea che ha eccezionalmente raggiunto il livello di 195 centimetri sul medio mare).

Una situazione gravissima quindi, la cui risoluzione è essenziale per la stessa sopravvivenza fisica della città, oltre che per assicurarvi la permanenza di condizioni di vita ed economiche sopportabili. E rispetto alla quale sono state oramai chiaramente individuate le direzioni sulle quali intervenire: si tratta infatti di agire su piani diversi, nella consapevolezza che l'obiettivo è di ripristinare il precario equilibrio di un sistema ambientale estremamente complesso: puntando al recupero altimetrico della città, dove è possibile, in modo da colmare il deficit rispetto al mare accumulato in questi ultimi anni (studi recenti hanno dimostrato che si può ottenere un sollevamento medio del suolo di 20/25 centimetri iniettando malte nel sottosuolo e adoperando particolari sistemi meccanici, eventualmente da adottarsi nel caso di complessi di interesse monumentale, e che si possono adeguatamente sopraelevare le pavimentazioni stradali, almeno in alcune parti della città). Poi con una riduzione dei volumi d'acqua scambiati fra mare e laguna (da attuarsi in ogni caso dopo aver provveduto a una preventiva azione di disinquinamento), ottenibile attraverso un controllo della sezione delle tre bocche di porto (e quindi non in misura tale da impedirvi il transito delle navi). Ripristinando poi la possibilità di espansione dei volumi d'acqua comunque entranti, con la riapertura delle casse di colmata della terza zona industriale, migliorando la penetrabilità acquea in aree chiuse da strade e argini, rimuovendo le arginature di alcune valli da pesca, riacquisendo alla laguna alcune aree bonificate lungo i margini meridionali. L'ipotesi più convincente sembra quella di installare un sistema di paratie mobili in corrispondenza delle tre bocche di porto, da azionare nei casi in cui condizioni atmosferiche particolarmente negative (del resto oggi facilmente prevedibili con un adeguato anticipo) fanno presagire il manifestarsi di maree eccezionali. Operando infine lungo i litorali, dove occorre realizzare una serie di opere di difesa per poter reggere con sicurezza all'impeto del mare (e alle sollecitazioni che sicuramente si faranno più intense nei momenti di chiusura delle paratie mobili).

Oltre questi interventi di carattere prettamente idraulico altri sono necessari per il ripristino delle condizioni ecologiche della laguna, anch'esse gravemente compromesse: per esempio cercando di diminuirne la salinità (che oggi tende ad avvicinarsi a quella del mare compromettendo la sopravvivenza di specie faunistiche e botaniche tipiche di un ambiente salmastro), sia attraverso la riduzione dei volumi d'acqua che vi entrano, sia attraverso l'immissione controllata di acque dolci fluviali; poi cercando di ridurne l'inquinamento e il livello di eutrofizzazione (dai quali dipendono la fortissima produzione di alghe e la conseguente perdita di ossigeno, indispensabile per la vita sottomarina), sia con l'installazione di appositi depuratori (industriali e urbani), sia controllando le modalità delle colture agricole delle fasce circostanti; cercando poi di diminuirne il pericoloso innalzamento della temperatura media, conseguenza della presenza industriale lungo i suoi bordi occidentali; e infine effettuando con maggiore frequenza lo scavo dei canali della città, che tendono a intasarsi, anche per permettervi quel più agevole scorrimento delle maree che ne costi-

tuisce l'unica efficace garanzia igienica, considerando che a Venezia non si può adottare, come nelle altre città, un vero e proprio sistema fognario.
Queste direzioni di intervento sono tese quindi a migliorare le condizioni del delicato ecosistema costituito dalla laguna di Venezia, ma anche miranti a una salvaguardia, e in prospettiva a un rilancio, della acquicoltura e della pesca, che possono costituire per l'ambiente lagunare nel suo insieme una importante risorsa economica, attraverso la quale si può fra l'altro restituire a molte delle isole minori una nuova ragione di vita.
Gli interventi tesi a regolare il regime idraulico della laguna interferiscono ovviamente con le attività portuali. È dimostrato tuttavia che la chiusura temporanea delle bocche nel caso di maree eccezionali non danneggia il traffico portuale, per le poche volte in cui se ne presenta la necessità, e per la possibilità di prevedere l'evento con anticipo (si sta del resto pensando anche alla opportunità di adottare sistemi di approvvigionamento delle raffinerie di Porto Marghera che non richiedano l'ingresso in laguna delle grosse petroliere, per prevenire il rischio di un vero disastro ecologico, nel caso di una fuoruscita del greggio nelle acque lagunari). Ma resta il fatto che comunque il porto di Venezia è oggi una struttura economica in forte crisi, a causa di una serie di disfunzioni legate sia ai metodi di gestione che allo stato delle infrastrutture; una crisi che si inquadra in quella più generale che accomuna gran parte delle strutture portuali del nostro paese, ma che a Venezia ha più gravi ripercussioni economiche per le numerose attività legate al porto presenti nella città e nel suo immediato intorno; e che si pensa di poter superare attraverso una serie di interventi tesi a meglio qualificare e distinguere le funzioni dei tre poli secondo cui si articola la struttura portuale veneziana (i due esistenti, e cioè la Marittima a Venezia e il porto di Marghera, e quello in fieri di Fusina), e a dotarli di strutture di servizio (come il grande interporto che dovrebbe sorgere alle spalle di Fusina).
In questa prospettiva Venezia dovrebbe divenire meno dipendente dal turismo. Perché, se pure determinante per l'economia della città (si calcola che mediamente nel settore siano occupati 10 000 addetti, che divengono 15 000 nei mesi di punta), il turismo si manifesta oggi anche come fenomeno negativo; molti sono infatti i disagi causati alla vita della città per il suo concentrarsi in brevi periodi dell'anno, e l'essere fatto per lo più di presenze giornaliere che si ammassano in poche ore e in pochi punti della città, provocandone elevatissimi livelli di congestione (e spesso di deterioramento ambientale: si pensi ad esempio alla massa di rifiuti che restano in piazza S. Marco alla fine delle giornate estive, o al logoramento, per l'intensissimo calpestio, dei preziosi mosaici che ricoprono il pavimento della Basilica; o, più in generale, al non certo gradevole paesaggio di bancarelle e negozietti che sempre più massicciamente si allineano lungo i percorsi turistici principali; per non parlare dei mezzi pubblici lagunari, spesso impraticabili per le straboccchevoli masse di turisti da cui sono occupati).
Aspetti negativi di un fenomeno per altro assai poco controllabile, che potrebbe essere corretto per esempio approntando sedi per una ricettività a costi contenuti, utilizzando le numerose opportunità disponibili nella città e nel suo immediato intorno (basti pensare alle numerose isole più vicine alla città storica e per le quali si sta già pensando a una utilizzazione a questo fine, o alla possibilità di installare nuovi campeggi nel litorale, o

lungo la terraferma); e anche suggerendo modi diversi di visita alla città, proponendo percorsi tematici o comunque tali da mettere in luce le risorse periferiche, anche fuori dalla città storica vera e propria, così da rompere l'attuale centralità dei flussi (come del resto si propone di fare questa nuova edizione della guida).

E infine approntando strutture che consentano diverse modalità di accesso a Venezia; perché il turismo provoca anche una congestione delle vie di accesso alla città, a volte rese addirittura impraticabili a coloro che vi risiedono stabilmente. Si possono inoltre attivare nuove linee di navigazione lagunare (da Chioggia per esempio, per Pellestrina e Malamocco; da Tessera, per Murano; da Ca' Noghera e Porte Grandi, per Burano), da affiancare a quelle già esistenti (da Fusina, da S. Giuliano e da Punta Sabbioni), e che fra l'altro avrebbero il vantaggio di migliorare l'accessibilità delle isole più densamente abitate, contribuendo a romperne il progressivo isolamento.

Altri interventi possono migliorare l'efficienza delle reti automobilistiche e ferroviarie: con il proposito di arrestare i flussi più intensi di traffico ai margini della laguna, e da qui raggiungere Venezia per acqua, da appositi terminals; o per ferrovia, una volta che si ristrutturi tutto il sistema ferroviario che gravita su Mestre, rispetto al quale il ponte ferroviario diverrebbe il braccio terminale di una metropolitana di superficie, attrezzato per il transito di un veloce e frequente collegamento con la città lagunare. Così che l'attuale ponte della Libertà, con i suoi terminali di piazzale Roma e del Tronchetto opportunamente ristrutturato (quest'ultimo da destinarsi in particolare all'interscambio di merci), possa ridiventare un asse di collegamento di carattere fondamentalmente urbano, al servizio delle quotidiane esigenze della città insulare e di quella di terraferma.

A questi problemi di portata più ampia si accompagnano quelli più minuti, ma non per ciò trascurabili, legati al risanamento vero e proprio degli edifici e dei monumenti. Problemi di non facile soluzione, sia sul piano economico, per i costi rilevanti di tutte le operazioni di restauro edilizio, qui aggravate dalle difficoltà di approvvigionamento e di trasporto dei materiali, sia sul piano normativo, per la presenza di una struttura burocratica che, pur nelle meritevoli intenzioni di garantire la tutela dell'ambiente storico, è troppo complessa per poter incentivare il risanamento degli immobili, e di fronte alla quale anche molte delle iniziative previste dalla Legge Speciale del 1973 non si sono potute mettere in moto. Sicché, se pure si è potuto avviare fino ad oggi il restauro di monumenti ed edifici pubblici (anche con il concorso di contributi stranieri), poco si è fatto per il patrimonio abitativo vero e proprio, storico e tradizionale, potendo intervenire solo per quello di proprietà pubblica (dove è in corso il recupero di 420 alloggi), con l'aggravio della crisi delle abitazioni, e quindi demografica, cui più sopra si è fatto cenno.

E altri infiniti problemi si pongono quotidianamente a una città che, essendo fatta sull'acqua, deve fare i conti con un ambiente difficilmente praticabile da mezzi e tecniche che invece sono comuni a tutte le città di terraferma, e dove assai più elevati sono i costi di gestione: si pensi per esempio al problema dell'approvvigionamento alimentare, o a quello dello smaltimento dei rifiuti urbani; o a quello del consolidamento di fondazioni di edifici e fondamenta, necessario per rimediare ai dissesti causati dal moto ondoso provocato dai natanti a motore.

Tutta questa enorme mole di problemi fa parte di quell'ormai ampio dibattito che si è sviluppato sul tema della salvaguardia di Venezia. A proposito della quale si sono scritte migliaia di pagine, organizzati decine di convegni, promosse stimolanti consultazioni internazionali, promulgate complicate leggi speciali, predisposti lungimiranti programmi e redatti impegnativi progetti. Ma rispetto ai quali poco, di concreto, ancora si è fatto. Sicché non è sembrato inutile l'esserci così diffusamente soffermati, oltre che sui mali, sui rimedi: perché visitando Venezia, e inevitabilmente avvertendone i problemi, si possa anche trovare in questa guida una risposta alle domande circa le cause che li determinano, e il modo con cui si pensa di poterli fronteggiare. E ciò per poter concludere che se Venezia oggi è in pericolo, più di ogni città al mondo, essa dimostra anche di volersi affrancare dai mali che la affliggono. E che il problema di Venezia, per quanto multiforme e complesso, non è affatto insolubile, e alla sua soluzione può contribuire la consapevolezza di quanti, visitandola e conoscendola più a fondo, terranno a mente che essa è e vuole essere soprattutto, nuovamente, una città.

La vicenda storica

Orientamento cronologico

25 marzo 421	Fondazione leggendaria di Venezia.
697	Elezione a Eraclea del primo doge Paulicio (Pauluccio Anafesto a detta della leggenda).
737	Uccisione del doge Orso e temporaneo ripristino del governo dei *magistri militum*.
742	Deusdedit (Teodato Ipato), terzo dei *magistri militum*, viene acclamato doge e trasferisce la sede del governo da Eraclea a Malamocco.
751	Il crollo dell'esarcato di Ravenna sotto la spinta longobarda accelera il processo di affrancamento delle isole lagunari dal dominio di Bisanzio.
810	Trasferimento a Rialto della sede governativa.
828	Giungono a Venezia, trasportatevi da Alessandria d'Egitto, le presunte reliquie di S. Marco evangelista.
20 dicembre 982	Fondazione del monastero benedettino di S. Giorgio Maggiore.
Marzo 992	Crisobolla dell'imperatore bizantino Basilio II e del figlio coregnante Costantino VIII, concedente una tariffa preferenziale ai mercanti veneziani.
998-1001	Conquista della Dalmazia.
Maggio 1082	Bolla aurea dell'imperatore d'Oriente Alessio I Comneno privilegiante il commercio veneziano.
1094	Solenne consacrazione della Basilica di S. Marco alla presenza dell'imperatore Enrico IV.
1104	Presunta fondazione dell'Arsenale (il primo documento a questo relativo è del 1220).
1177	Incontro a Venezia del papa Alessandro III con l'imperatore Federico Barbarossa.

1202-1204	Partecipazione veneziana alla IV crociata che, deviata dagli scopi originari, vede la conquista e il saccheggio di Costantinopoli, donde giungono a Venezia (artefice e massima beneficiaria dello stravolgimento dell'impresa) i 4 cavalli bronzei ornanti la facciata di S. Marco.
1211	Insediamento veneziano a Creta.
1295	Dopo 25 anni d'assenza Marco Polo ritorna a Venezia.
28 febbraio 1297	Serrata del Maggior Consiglio.
1298	La flotta genovese batte quella veneziana presso Curzola.
14-15 giugno 1310	Tumulto degli aderenti alla congiura di Baiamonte Tiepolo.
10 luglio 1310	Elezione del Consiglio dei Dieci che vigili sulla sicurezza dello Stato.
24 gennaio 1339	Acquisizione alla sovranità veneziana di Treviso e del suo territorio.
Marzo 1348	Inizia la spaventosa peste nera nella quale perisce, stando alle testimonianze, oltre la metà degli abitanti.
17 aprile 1355	Esecuzione del doge Marin Faliero, reo di voler sovvertire la struttura repubblicana.
8 agosto 1381	Pace con Genova a conclusione del conflitto nel corso del quale questa aveva occupata Chioggia.
1404-1428	Annessione al dominio della Serenissima di Padova, Vicenza, Verona, Belluno, Feltre, Cividale, Udine, Salò. Brescia, Bergamo.
1434	Pressoché ultimata la Ca' d'Oro.
1440	La porta della Carta adorna Palazzo Ducale.
1464-1479	Cessione ai Turchi di Negroponte, le Sporadi, Lemno, Argo e, in Albania, di Croia e Scutari.
1° giugno 1489	Giunge a Venezia Caterina Cornaro, vedova dell'ultimo re di Cipro Giacomo Lusignano, che cede l'isola alla Repubblica.
1504	Oltre alla Puglia (Otranto, Brindisi, Trani, Monopoli), l'espansione di Venezia arriva alla Romagna.

14 maggio 1509	Disfatta veneziana ad Agnadello inflitta dai Francesi della Lega di Cambrai, comandati da Luigi XII e da Gian Giacomo Trivulzio.
19 marzo 1518	Si colloca, nella chiesa dei Frari, l'Assunta di Tiziano.
10 marzo 1569	Tumulto degli Arsenalotti contro la minacciata diminuzione salariale.
1571	In agosto cade in mano ai Turchi l'isola di Cipro. Il 7 ottobre la flotta cristiana, nella quale ben 105 sono le galere veneziane, sconfigge presso Lepanto quella turca.
25 giugno 1575	Inizia l'epidemia che mieterà circa 50 mila vittime, su di una popolazione urbana che si aggira attorno ai 175 mila abitanti.
9 giugno 1588	Posa della prima pietra del nuovo ponte di Rialto.
17 aprile 1606	Il pontefice Paolo V intima a Venezia la revoca di disposizioni lesive della cosiddetta 'libertà ecclesiastica', pena la scomunica della classe dirigente e l'interdetto delle funzioni religiose su tutto il territorio della Repubblica.
1615-1617	Guerra di Gradisca, tra Venezia e l'Austria.
12 maggio 1618	Il Consiglio dei Dieci stronca la presunta congiura orchestrata dall'ambasciatore spagnolo Bedmar.
Giugno 1630	Inizia a serpeggiare l'epidemia che, ancor più rovinosa di quella del 1575-77, colpisce oltre il 30% dei Veneziani.
6 settembre 1669	Francesco Morosini, il futuro doge nonché ultimo difensore a Candia, conclude, cedendo l'isola, la pace col Turco.
9 novembre 1687	Consacrazione della chiesa della Salute.
26 gennaio 1699	Sottoscrizione della pace di Carlowitz, che riconosce a Venezia la conquista della Morea.
20 luglio 1718	Firma del trattato di Passarowitz, con il quale Venezia perde la Morea e le isole dell'arcipelago con lievi compensi in Dalmazia e Albania.

31 ottobre 1746	Si naviga in piazza S. Marco invasa dall'acqua alta.
23 febbraio 1762	Carlo Goldoni, chiamato a Parigi, si congeda dal pubblico veneziano con la commedia «Una delle ultime sere di carnovale».
27 novembre 1774	Si decreta la chiusura del «Ridotto» e si proibiscono i giochi d'azzardo, mentre una medaglia effigiante «il Leone che debella il gioco» celebra l'episodio come salvezza della città.
18 gennaio 1782	Sontuosa accoglienza dei granduchi di Russia.
Gennaio 1796	Impazza il carnevale più godereccio dell'epoca.
12 maggio 1797	Ultima seduta del Maggior Consiglio e adozione (mentre al «Viva la libertà» dei Giacobini si contrappone il nostalgico «Viva S. Marco» di elementi di estrazione popolare) del sistema del governo rappresentativo imposto da Napoleone.
17 ottobre 1797	Trattato di Campoformido e cessione di Venezia all'Austria.
26 dicembre 1805	Pace di Presburgo con la quale l'Impero, sconfitto ad Austerlitz, è costretto a lasciare, fra l'altro, anche Venezia a Napoleone.
16 aprile 1814	Armistizio di Schiarino-Rizzoni e ritorno di Venezia all'Austria.
22 dicembre 1829	Il porto franco, dapprima limitato all'isola di San Giorgio Maggiore, esteso a tutta la città.
4 gennaio 1846	Il primo treno attraversa la laguna sul ponte ferroviario.
22 marzo 1848	Capitolazione austriaca e proclamazione della repubblica.
22 agosto 1849	Venezia si arrende agli Austriaci.
1855	Primo stabilimento balneare al Lido.
19 ottobre 1866	Le truppe italiane entrano a Venezia.
22 aprile 1895	Inaugurazione della prima Biennale d'arte contemporanea.
16 agosto 1917	Viene approvata la convenzione per la creazione del porto industriale di Marghera.

25 aprile 1933	Inaugurazione del ponte stradale trans-lagunare.
28 aprile 1945	Insediamento degli Alleati nella città insorta contro i Nazifascisti.
4 novembre 1966	Gravissimo pericolo per la città invasa da un'eccezionale acqua alta.

Venezia: l'immagine, la forma, l'ambiente

«Nobilissima» qualifica perentorio Venezia, nel titolo della sua celebre guida uscita nel 1581, Francesco Sansovino (il poligrafo figlio del regista principe della sistemazione cinquecentesca di piazza S. Marco, Jacopo), volendo, nell'aggettivo, fondere l'idea di bellezza eletta con quella di gestione politica socialmente selezionata ed eticamente affinata. Non solo: Venezia è anche – sempre a detta del programmatico titolo sansoviniano – «singolare». In effetti la singolarità (nell'accezione pure di diversità, di sfasamento, di anticipo e di ritardo, in ogni caso di scarto rispetto al resto) sembra il connotato precipuo della città. Spiccatissima la sua individualità, vistosamente e tangibilmente sbalzata, percepita via via come unica irripetibile strana turbante. Un ambiente dissimile insomma, non omologabile, asimmetrico anche se con simmetrie interne. Persino i suoi abitanti paiono una sorta d'anomalia antropologica: essi non arano, non seminano, non vendemmiano, si stupiscono, nell'827, le *Honoranliae civitatis Papiae*. I suoi nobili, dirà secoli dopo Machiavelli, non hanno niente in comune coi tratti costitutivi dei ceti nobiliari: questi suppongono possesso di terre e castelli con prerogative feudali; quelli, invece, navigano e mercanteggiano. Ma già la lettera di Cassiodoro del 537-538 evoca la stranezza d'un mondo ove – nel cangiante affiorare di barene soggette al flusso e riflusso delle maree – le dimore su limi e melme ingegnosamente consolidati con vimini flessibili sono come nidi d'uccelli palustri coll'imbarcazione, al posto del cavallo, legata fuori dell'uscio, ove il sale funge da moneta, ove la pesca fornisce il cibo. Un documento, la lettera cassiodoriana, discusso: per taluno è persuasivo, per altri è invece non realistica descrizione, ma vagheggiamento d'un luogo d'innocenza incontaminata, di semplicità storicamente vergine, primitiva, essenziale. In ogni caso suona differenziante: riporta o immagina una vita quotidiana, un'economia di sussistenza e, pure, di commercio di transito, altrove non riscontrabili.
Impossibile, tuttavia, oggi la ripetizione imperturbata della versione tradizionale, frutto d'una cronachistica e d'una storiografia interessate a confezionare l'assoluta originalità dell'esordio sì da

sottrarre subito Venezia da ipoteche, di marca papale o imperiale, in qualche modo intaccanti la sua sovranità. Venezia non è Venere formata dalla spuma del mare, non è miracoloso fiore sbocciato dalle acque. L'insediamento lagunare non erompe improvviso. Accanite ricerche hanno convincentemente e drasticamente reimpostato il tema–problema delle origini, valorizzando gli elementi di continuità, insistendo sui precedenti romani. Torcello, ad esempio, sarebbe stata stabilmente abitata nella fase imperiale, avrebbe avuta una fiorente orticoltura che la configura, per più versi, come fornitrice d'Altino, a cui la legherebbe, inoltre, come avamporto per le navi di maggior cabotaggio, un rapporto analogo a quello accertato tra Aquileia e Grado. La stessa scoperta, sempre a Torcello (ove, nella prima metà del secolo VII si trasferisce il vescovo altinate; essa è, altresì, prima sede del *magister militum* nonché destinata a diventare, ancora nel X secolo, grande mercato lagunare), di reperti attestanti una rilevante cultura materiale, attività artigianali e soprattutto l'esistenza, nel VII-VIII secolo, d'un'officina vetraria inducono a ipotizzare conoscenze e capacità che rinviano, appunto, alla tecnologia romana e rafforzano, di conseguenza, la tesi della continuità. Ne va preso atto: occorre rinunciare alla suggestiva leggenda della nascita dal nulla, tra acqua e cielo. L'immagine poi di sabbie e fanghiglie mobili, di mescolarsi d'acque dolci e salate, di provvisori canneti in specchi stagnanti, il tutto in silenziosa attesa dell'imperioso nascere di Venezia risulta terremotata nell'ultimissima ipotesi – sistematicamente svolta con puntiglioso ricorso a un ricchissimo armamentario pluridisciplinare – che propone, con decisione, quella, del tutto opposta, d'un territorio emerso e ben asciutto in età romana, poi allagato da trasgressioni marine del V, IX e XII secolo. Sarebbero queste a costringere un processo di colonizzazione marcatamente agrario con risvolti militari a contrarsi e attestarsi sulle aree più elevate e non sommerse.

Resta pur sempre il fatto dell'afflusso migratorio scatenato nel 569 dall'irruzione longobarda: il trasloco coatto di nutriti gruppi di profughi verso i bordi litorali avvia l'innovante trasformazione che dall'estesa *Venetia* continentale (cospicua fetta della X *regio* della Roma imperiale), i cui centri deperiscono o addirittura (è il caso d'Altino e di Concordia Sagittaria) spariscono, stralcia la zona costiera da Grado a Chioggia, la quale, all'interno dell'orbita bizantina, si svolge e si svincola divenendo una sempre più autonoma entità geopolitica man mano contrassegnata da istituti, attività, composizione sociale tipici. E in questa – dopo una certa erraticità del centro politico-amministrativo: prima c'è Cittanova-Eraclea, poi Malamocco – si enuclea, già nel IX secolo, la centralità della *civitas Rivoalti* che, oggetto d'un intensificato concentramento urbanistico, si dispiega a *civitas Veneciarum*. Diverso dall'odierno lo sfondo: Torcello non è ancora aggredita dall'azione della natura, ci sono le isole, poi scomparse, di Ammiana e Costanziaca. Se, poi, il quadro ambientale è quello disegnato nella monumentale recentissima ricerca di Wladimiro Dorigo (cui sopra s'è sbrigativamente alluso), la sconcertante e, peraltro, coerentissima risultanza è quella di una *civitas Rivoalti* nucleo castrense attorniato da insediamenti agrari proiettantisi a caratterizzare anche la *civitas Veneciarum*. Ciò non toglie che, in pieno secolo XIV, un ospite temporaneo come fra' Nicolò da Poggibonsi si emozioni alla vista di «Vinegia... fatta in altro modo», con le «strade» che sono «canali d'acqua». Anche nell'altrimenti impostata questione della forma originaria rimane l'esito d'un'eccezionalità perspicua ove l'acqua, ripartita in una tentacolare canalizzazione, campeggia, quasi confrontandosi e confondendosi col cielo, costitutiva, attorno e dentro, cornice e sostanza, *habitat* biofisico. Diaframma e sutura le pietre tra specchio liquido e volta celeste: mentre la terra sparisce, la città galleggia sull'acqua, è sospesa nell'aria. In ciò sta la sua assoluta diversità di *facies* urbana reale e irreale, in certo qual modo alternativa e perciò, coll'andar del tempo, sempre più caricabile di significati, sempre più satura di stimoli, sempre più dislocabile sul versante dell'immaginazione. Il luogo più costruito, la città più città tanto travalicante è l'edificazione sulla natura assottigliata residua (rappresentata, come si preoccupa di ricordare Francesco Sansovino, dalle intermittenti spruzzate di verde dei giardini e degli orti) si dilata, nel definirsi modellarsi e complicarsi della sua forma, a dimensione di situazioni esistenziali estreme, da quella dell'amore a quella della morte. L'ascesi meditativa e la vorace ricerca d'avventure, austeri e severi raccoglimenti e frivole dissipazioni, crepitante allegria e malinconiche depressioni vi si situano, con nettezza di contorni, quasi paradigmatici ed esemplari, comunque tipici e rappresentativi. Il vissuto si colora di potenzialità metaforica laddove alla città vera e propria si sovrappone e si mescola quella immaginaria compenetrata dai galoppi della fantasia, blandita dai vagheggiamenti del sogno, assaltata dalle pulsioni del desiderio. Venezia è se stessa e, nel contempo, è sempre qualcos'altro, è sempre ulteriorità possibile. Nel multisecolare sedimentarsi delle sue forme assume le sembianze dell'altrove agognato quasi afferrabile, del perduto quasi ritrovato. I dotti fuggiti da Costantinopoli caduta, nel 1453, in mano turca v'approdano come a una seconda Bisanzio; gli umanisti, calamitati dalla vampata filoellenica propria dei fervidi studi e dell'impegno editoriale suscitati da Aldo Manuzio, la salutano come un'Atene rediviva. Già nel tardo Medioevo taluno la scorge come spezzone di paradiso, sorta d'anticipo e di promessa. Né si tratta di momentanei deliri, ma di ragionati modi di vedere e d'intendere. Vuol essere una *urbis venetianae fidelis descriptio*, non un'allucinazione onirica, la testimonianza del domenicano tedesco Felix Faber che soggiorna a Venezia nel 1480 e nel 1483. Non ho mai visto, assicura il frate, nulla di più strano e mirabile. Non basta: ai suoi occhi ammiranti la città si trasfigura in presagio della Gerusalemme celeste, è più accostabile alla città divina che assimilabile a quelle terrene. Una persuasione che circola, diffusa, variamente modulata ed espressa, la quale accomuna *pulchritudo urbis* e cristiana *renovatio* esasperando la valenza simbolica d'un'architettura e d'un'urbanistica peculiari. S'attivano altresì, in sintonia col concreto esercizio del potere, i due meccanismi ideologici più efficaci: quello della presupposizione della sua legittimità e bontà e quello, conseguente, della sua valorizzazione. Mitizzabile, perciò, e mitizzato il governo. È questo monopolio esclusivo del patriziato che esclude ogni intrusione popolare mentre riserba al ceto intermedio dei «cittadini» funzioni burocratiche e di cancelleria. Svuotato, lungo l'accidentato travaglio definitorio medievale, d'ogni effettiva decisionalità il doge, la classe patrizia s'impone – grazie alla rotazione ravvicinata delle funzioni e delle cariche (che, impedendo emergenze individuali, addestra i suoi membri e garantisce il ricambio generazionale) nonché al coordinamento d'organi ristretti e allargati – quale protagonista collettivo. Ebbene, anche questa particolare forma-stato (che pure, nelle vicissitudini del suo farsi conosce difficoltà e tensioni e che, una volta conseguito l'assetto esaltato nelle trattazioni cinquecentesche, stenta, talora, a funzionare e persino vacilla inceppata da autentiche crisi interne) s'aderge superba sollecitando omaggi e celebrazioni. Si presenta come miracolo architettonico, armonioso bilanciamento, sapiente dosaggio d'equilibri, efficace concatenamento d'articolazioni che gareggia in perfezione con lo splendore del volto urbano contrassegnato anch'esso dall'armonizzata osmosi tra intervento edificatorio e ordito di canali. Di questo la costituzione è il riscontro istituzionale, il potenziamento avvalorante. C'è la convinzione del superiore destino della città: essa si sente una seconda Roma, anzi di Roma migliore perché senza le agitazioni sociali del periodo repubblicano, senza le dispotiche degenerazioni di quello imperiale. Inoltre Venezia è cristiana, ha per simbolo l'evangelista Marco, gode d'una vita più lunga ed è lambita – pur nell'affiorante controcanto dell'angoscia della fine, della sensazione di fragilità e precarietà indotte dall'intermittente invasione, talvolta paurosa, delle acque – da un'illusione d'eternità. D'altronde la merita in quanto depositaria della pietra filosofale del buon governo. L'aristocrazia lagunare non ha remore in fatto d'autogratificazione: il suo governo non è soltanto il migliore tra gli esistenti, ma anche tra i concepibili, tra gli immaginabili. Se così è, l'autoconservazione si drappeggia quale la più nobile delle missioni, la prassi del comando assurge a utopia realizzata, ché la costituzione veneziana includerebbe il massimo dell'immaginazione per sé e per l'umanità. Lo stato ideale, quasi calato da platonici cieli e, insieme, quasi risolvendo aristoteliche preoccupazioni, s'incarnerebbe in Venezia. Essa è, allora, la città «felice», la «vera forma di perfetto governo». Così sintetizza Paruta l'ondata esaltante del mito che, se nel '500 circonfonde coi suoi incandescenti bagliori la città aureolandola e sublimandola, continua anche in seguito – quando si stingerà e si farà smorto in ripetizioni sempre meno convinte e convincenti – a illudere i governanti e, ancorché costretto, di fronte all'impatto coll'irriguardosa brutalità dei fatti, alle contorsioni dello struggimento nostalgico, a nutrirne l'intima persuasione che Venezia abbisogna di loro, non sussiste senza di loro: essi, infatti, sono Venezia.

Ma, se il mito del perfetto reggimento politico finisce collo sfaldarsi nell'età dei lumi (s'appanna coll'usura della classe di governo, non ha mordente se la storia europea confina la Serenissima in un angolo), resiste quello della città di sogno appagante e, addirittura, anticipante le fantasie dei poeti. Rimane lo scenario urbano con tutta la sua carica di suggestioni psichiche. Venezia è centro internazionale di svago, sede privilegiata di divertimento, luogo deputato di feste sontuose, di carnevali memorabili. Politicamente rimpicciolisce, si rattrappisce, ma pullula d'alberghi e locande, d'osterie, di caffè, di trattorie. Tante, troppe le sue botteghe: quasi 4500 nel 1661, quasi 5300 nel 1712, oltre 5900 nel 1740. Anch'esse sono ingrediente della città che offre all'Europa settecentesca una caleidoscopica profusione di merci. E, quando non sarà più stato, sarà pur sempre in grado di proporre il sussurrante sciabordio di nere gondole solcanti misteriosi canali silenti. Inventario delle differenze, serbatoio dell'alterità, in questo senso, per quanto malconcia, è tenace. Può suscitare perplessità un siffatto approccio. La storia, si può obiettare, bada ai fatti, non s'attarda con ideologismi mitizzatori, non s'impelaga con fantasticherie esistenziali. Ma sarebbe impoverente applicare a Venezia un'ottica così riduttiva: sfuggirebbero persino i meri fatti. Anzi, mito e realtà, verità e deformazione (inclusi i più spericolati travisamenti, le più mistificanti sofisticazioni) si confondono e si compenetrano inscindibilmente. Le trine marmoree degli eleganti edifici specchiantisi nei canali e inquadranti i campi, i labirintici andirivieni del tessuto viario (peraltro suscettibile di letture geometriche), l'inarcarsi dei ponti, il rimbalzare delle voci tra pietre ed acque, l'avvolgente ronzio del cicaleccio e il formicolante espandersi delle chiacchiere, il subitaneo subentrare del silenzio all'eccitato brusio, i colori movimentati nel cangiare della luce sono anch'essi storia, la quale è pure ambiente, pure atmosfera. La città è anche quello che significa e che ha significato. Monca la traccia della sua vicenda se dimentica che essa (e, più precisamente, la sua classe dirigente) s'è protesa a trasformare – riuscendoci quanto meno parzialmente, come dimostrano i riconoscimenti e rilanci esterni così abbondanti nel '500 – in mito la propria civiltà. Si è ben al di là della più orchestrata intimidazione estetica. Se è per questo, anche Siena anche Lucca anche Urbino anche Mantova anche Genova anche Ferrara sono belle! Ma Venezia è pure paesaggio mentale, luogo dell'anima, referente attivo e passivo dell'immaginazione, involucro e contenuto per il desiderio. Tutto ciò s'incorpora nella sua storia, ne è aspetto ineliminabile, parte integrante. Proprio perché unica al mondo – «única al mundo... cosa soñada» la dice un poeta spagnolo del primo '500; «sogno di fata Morgana» la dirà quattro secoli dopo Diego Valeri – è la città di cui il mondo ha bisogno. Nell'arduo bilicarsi del suo tormentato presente sospeso sul passato occorre si assicuri e le venga assicurato, per lei e per il mondo, il futuro. Senza di lei il mondo sarebbe più povero.

Certo con la sua storia ha arricchito il mondo. Persino Jean Bodin, il grande politologo francese che così lucidamente, alla fine del '500, denuda la costituzione veneziana dei suoi paludamenti mitici e ne individua la rigida recinzione classista, considera Venezia la città dove la vita quotidiana si svolge più agevolmente e piacevolmente. Venezia non ha più la forza per competere con le grandi monarchie, è costretta a schivare i confronti con una linea di avvertita cautela. Ma offre assolutismo che nessuna corpulenta compagine statale, che nessun assolutismo regio è capace d'elargire: «une grande douceur et liberté de vie donnée à tous». Vale a dire che «la douceur de liberté... est plus grande en cette ville là qu'en lieu du monde». Così, pur avendo demolite le teorizzazioni di Gasparo Contarini e Paolo Paruta (i due ideologi coi quali l'aristocrazia lagunare più e meglio s'è propagandata come artefice e gestrice dell'ottima repubblica), Bodin finisce, per certi versi, col convenire con loro. Le «leggi» veneziane, asserisce il primo, sono «accomodate a bene e felicemente vivere»; la felicità, spiega il secondo, non consiste nella estensione del dominio, ma nella capacità d'un governo – e Paruta non dubita che quello veneziano la possieda – di garantire ai «sudditi» la «giustizia», la «tranquillità», la «pace». Reggia di Salomone il Palazzo Ducale, tempio della giustizia, sciorinante nell'iconografia interna – da vedere come autoesaltazione dei governanti – tutte le benemerenze di Venezia che, dipinta come donna dalla folgorante bellezza, distribuisce benessere e giustizia, profonde e diffonde pacifica serenità. È indubbio: di fronte a Venezia la storiografia deve saper essere anche mitografia, sia pure non indulgente e corriva. Non inutile ricordarlo prima di ripercorrere – rapidissimamente – la vicenda politico-economica della città.

C'è, dapprima, il prolungato itinerario che inizia sotto l'incubo longobardo e la valorizzazione bizantina delle forze locali (eletti tra l'aristocrazia lagunare i «tribuni marittimi», convalidati dall'imperatore costantinopolitano e dipendenti dall'esarca ravennate) e, sistematicamente utilizzando gli spunti d'autonomia (sempre più formale la dipendenza da Bisanzio del *dux* che subentra ai tribuni alla fine del VII secolo), giunge a una collettività individuata aspirante, pur nel lealismo verso Bisanzio, alla più completa autodeterminazione e a un'incisiva presenza adriatica. Tant'è che dalla difesa contro la spedizione di Pipino dell'810 passa alla lotta contro la pirateria narentana e saracena. L'arrivo poi, nell'828, delle reliquie (presunte) di S. Marco, che trafugate ad Alessandria vengono consegnate al doge (all'autorità politica, quindi, non religiosa), imprime, col culto del santo, un vincolante sigillo religioso e spirituale all'identità, un ulteriore slancio avvalorante all'esigenza di sovranità. Il problema è ormai quello del comando: si scatena la lotta per il potere tra potenti *clans* familiari, tra fazioni. Sussultante e con punte drammatiche la vita interna. Urge una soluzione che superi le contrastanti tendenze, che sia adeguatamente rappresentativa dei reali rapporti di forza, che goda di stabilità, che sappia coniugare autorevolezza interna e operatività all'esterno come richiede una politica estera chiaramente dettata dall'espansione dei traffici. Fugato ogni spettro monarchico sventando il tentativo di rendere ereditaria la carica dogale e potando via via le prerogative regalistiche in essa insite, si fa irreversibile la scelta d'una sovranità sottratta a condizionamenti individuali e, proprio perché impersonale, meglio perimetrata nei confronti del rischio di tumultuose pressioni popolari. Donde l'esito – dopo il passaggio dalla *patria Venecia*, già connotata d'autocoscienza civica, al *comune Veneciarum* – dell'esplicita forma di repubblica aristocratica, nella quale il patriziato, socialmente egemone, esercita collettivamente la direzione politica. E i successivi ondeggiamenti, in età moderna, del baricentro decisionale tra Consiglio dei Dieci e senato si debbono alla tensione tra necessità di tempestivo intervento ed esigenza di rispetto della volontà aristocratica nel suo complesso, esarcebata e complicata dalle propensioni prevaricanti della nobiltà più potente e dalla diffidente resistenza dei membri di quella, più numerosa, meno ricca e meno influente. Fatto sta che il Consiglio dei Dieci, l'organo più ristretto e perciò più rapido nel deliberare, diventa espressione della prima; che il senato, l'organo più allargato e perciò sede di protratte tornate oratorie, diventa, anche, cassa di risonanza della riluttanza dei secondi ad assecondare la volontà di quella. Mentre non si verifica alcuna seria minaccia al potere aristocratico, il contrasto, dunque, è affatto interno e conosce vere e proprie mobilitazioni contro l'eccesso d'autorità (costituzionalmente anomalo) del Consiglio dei Dieci seguite da bruschi ripristini di quella senatoria. Perfetta, agli occhi degli agiografi, la facciata costituzionale nella sua dosatissima calibratura di complementari competenze; ma tanto sapiente equilibrio non impedisce il serpeggiare, nella prassi, di personali predomini e di clientelari aggregazioni, i riflessi in termini d'influenza politica della divaricazione, nelle file patrizie, tra ricchi e poveri, parvenze di striscianti tentazioni oligarchiche. Non mancherà, in pieno Settecento, la spettacolare contrapposizione dello strarimpante protagonismo d'un Andrea Tron – «el paron de Venexia» accusato dagli invidi di voler «far da re» – e l'infoltirsi della nobiltà impoverita, costretta a ricorrere al sovvegno della pubblica assistenza e addensantesi, querula e rancorosa, a S. Barnaba, nel sestiere di Dorsoduro. E barnabotto significa, appunto, nobile spiantato, in un'età nella quale la differenza di condizioni nell'aristocrazia lagunare è tale da indurre, nelle riflessioni autocritiche di qualche suo esponente più penetrante, a parlare di «classi» digradanti dai «proceri» pingui di beni e detentori delle principali cariche alla «plebe» scalcinata ormai ai margini della vita politica; ché tali sembrano, nel «sommo squallore» della loro miseria, i sempre più numerosi barnabotti.

Ritornando, comunque, al Medioevo, Venezia fattasi indipendente e autorevole nell'Adriatico, s'impone poi nel Mediterraneo orientale. Ciò malgrado il travaglio della politica interna che vede i consigli prevalere sulla persona del doge da un lato e sulle spinte dal basso dall'altro con una chiusura progressiva legittimata, nel 1297, dalla serrata (sanzione d'un dato di fatto più che colpo di mano) del Maggior Consiglio che, riserbando solo al patriziato l'attività politica, l'identifica collo stato. Talassocratici, nel contempo, gli effetti della penetrazione commerciale, ché la Serenissima trasforma gli scali delle sue rotte in possessi, sì che ne risulta un allungato insediamento costiero dall'Istria alla Morea efficacemente potenziato da un'occupazione insulare sospinta sino a Candia e dilatata nei punti chiave dell'Ionio e dell'Egeo. Si puntella così il ruolo dell'emporio realtino che tutto immagazzina e tutto rivende dal grano al sale, dal vino all'olio, dal pepe allo zucchero, dalla seta al cotone, dal legname al ferro. È il centro massimo dell'interscambio oriente-occidente. Un versante, quest'ultimo, dapprima trascurato sino a che Venezia non sente troppo angusto il bordo lagunare da lei dominato, troppo pressato. Occorre il controllo politico dell'*hinterland* per garantire gli arrivi e le partenze delle merci via terra; necessario salvaguardare anche il traffico fluviale. Quella terraferma già morsa coll'acquisizione di Treviso del 1339 e da tempo cornice degli investimenti immobiliari – dettati da ragioni di oculato calcolo e di prestigio – dei patrizi-mercanti attende l'espansione della Repubblica. Le abbisogna un largo respiro a occidente. La cosiddetta guerra di Chioggia del 1378-1381, contro Genova, sta lì a dimostrare come Venezia possa essere militarmente, con congiunte operazioni per mare e per terra, soffocata proprio perché territorialmente accerchiata. Donde la prima spinta alla costituzione, specie tra il 1404 e il 1420, d'un ragguardevole dominio continentale che si protende dall'Isonzo all'Adda, dalla cerchia alpina al basso Adige e al basso Po. Un deciso e massiccio affondo nel territorio che – comportando un immane impegno bellico finanziario amministrativo – innesta un processo squilibrante, non suscettibile di ricomposizione unitaria, che intacca la vocazione, in precedenza esclusivamente marinara, della Serenissima. La Dominante (così viene anche chiamata Venezia che, peraltro, non sa e non vuole diventare capitale d'uno stato moderno, ma preferisce rimanere città-stato sommante, per via di giustapposizione, realtà eterogenee senza procedere a uniformanti forzature) è come sdoppiata tra «stato da mar» – arricchito, nel 1489, da Cipro – e «stato di terra» includente, oltre a Treviso, Crema, Bergamo, Brescia, Udine, Belluno, Padova, Verona, Vicenza e, dal 1484, Rovigo. Contrastato da preoccupati settori della nobiltà il frenetico attivismo continentale che caratterizza soprattutto il dogado (1423-1457) di Francesco Foscari, ma non del tutto frenato e bloccato. S'accentua pertanto la lacerazione tra le opposte e non conciliabili esigenze del commercio, di per sé prospero in periodi di pace, e della conquista, di per sé foriera di guerra.

Accusata, non a torto, di prepotenza e ingordigia e, addirittura, d'aspirare a «sottoporsi tutta Italia», Venezia, già provata dall'inasprita attività turca ammansita solo a prezzo di dolorose cessioni, vede coalizzati contro di sé imperatore papa re di Francia re di Spagna. Terribile tracollo la sconfitta d'Agnadello del 14 maggio 1509: si disgrega la compagine della Repubblica, sembra prossima la fine. Venezia, apparsa pochi anni prima a Philippe de Commynes «la plus triumphante cité» del mondo, attende atterrita l'arrivo delle truppe nemiche. Ma riesce a riprendersi sommando tutte le astuzie della sua affinatissima diplomazia coll'energia d'una rimonta militare che s'avvale della guerriglia scatenata da una contadinanza rivelatasi, oltre ogni speranza, filoveneziana in odio alla nobiltà di terraferma in gran parte filoimperiale. Così la Serenissima si salva, sia pure territorialmente sfrondata e cacciata dagli azzardati inserti in Romagna e in Puglia. Rinuncia a ogni velleità espansiva nella penisola e, dopo essersi ingegnata per ritardarvi il prevalere d'un'unica potenza straniera, una volta divenuta definitiva la preponderanza spagnola, mantiene integro il proprio territorio e difende la giurisdizione adriatica adottando una politica di rigida e avvertita neutralità dalla quale si discosta solo nel 1571-1573 alleandosi con Roma e con la Spagna contro la Porta. Essenziali alla sua tenuta cinquecentesca la capacità d'informazione preventiva della rete d'ambasciatori e rappresentanti stesa su tutta Europa, il mantenimento d'un non trascurabile esercito, intensi lavori di fortificazione (tra i quali rientra l'erezione, avviata alla fine del secolo, della fortezza di Palma), la ragguardevole flotta che ha una parte determinante a Lepanto, nel 1571, peraltro senza vantaggi tangibili ché la Serenissima perde egualmente Cipro. Ridimensionata politicamente ed economicamente – in termini di peso relativo più che specifico, in rapporto cioè alla compresenza di robusti apparati statali – Venezia gode, tuttavia, d'una «riputazione», fatta d'orgogliosa autoconsapevolezza e di credito derivante dal rispetto manifestatole dall'intera Europa, di gran lunga eccedente la sua reale portata. Merito del mito che, avallato dal profuso splendore dell'arredo urbano e amplificato dalla manipolazione ideologica trasformante in modello l'assetto costituzionale della Repubblica, rilancia Venezia. Parecchi, nella classe dirigente, se ne appagano compiaciuti, ma non mancano spiriti inquieti che percepiscono con disagio e tormento quanto d'illusorio e surrogatorio la mitizzazione comporti. La giudicano un belletto che nasconde i segni dell'invecchiamento e del regresso, ma non li arresta. Donde la ripulsa delle insidie mistificanti e, insieme, una volontà pugnace di ferma difesa delle prerogative giurisdizionali della Repubblica, di intransigente attestamento sul terreno della sovranità di fronte alle pretese e alle inframettenze pontificie accresciutesi enormemente coi dettami del Concilio Tridentino. Mentore sullo sfondo Paolo Sarpi, la classe dirigente veneziana ha, nel primissimo '600, un vigoroso scatto di fierezza che la contrappone – con rischio gravissimo di conflitto, sventato a stento dall'indaffarato e incrociato adoperarsi mediatorio della Spagna e della Francia, altrimenti costrette a schierarsi la prima col papa, la seconda con la Serenissima – frontalmente a Roma. E, anche se gli eserciti non si muo-

vono, resta pur sempre clamorosa la furibonda polemica pubblici-
stica, la «guerra delle scritture» appunto, tra i due contendenti,
nella quale si risolve la lotta dell'interdetto, così detta perché il
pontefice, oltre a scomunicare il governo veneziano reo di ledere
con disposizioni legislative e di fatto la «libertà ecclesiastica»,
proibisce ogni funzione cultuale nelle terre a quello soggette.
Un contrasto infuocato dalla risonanza europea che suscita attorno alla Repubblica consensi e odî, ma che non avvia, come vorrebbe Sarpi, a un vasto e profondo rinnovamento nel quale Venezia riacquisti slancio come perno d'un coraggioso e deciso
fronte antiromano e antiasburgico associante nella lotta Francia
e Inghilterra, Olanda e stati protestanti tedeschi. Decorosa, nella
forma e nella sostanza, per Venezia la conclusione, ma alla lunga
la ripresa dei rapporti colla S. Sede significa anche smobilita-
zione ideale. Si disinnesca la carica polemica della fugace stagione contestatrice di Venezia, s'illanguidiscono gli entusiasmi
che l'avevano salutata e promossa. D'altronde la Repubblica si
rivela militarmente troppo fragile per assumersi il ruolo assegna-
tole da Sarpi: la rotta, del 1630, di Valeggio inflittale dalle truppe
imperiali scoraggia ogni proposito nei confronti del Milanese. Se
in terra non è temibile, la lunga resistenza all'aggressione ottomana a Candia (1645-1669) l'attesta ancora valida in mare, anche
se alla fine, dissanguata d'uomini e mezzi, non le resta che cedere
l'isola. Effimero *revival* la successiva riconquista della Morea: se
la pace di Carlowitz del 1699 la sancisce, di lì a 19 anni quella di
Passarowitz ne registra la perdita. Inarrestata, anche se tut-
t'altro che priva di iniziative (quali, ad esempio, il *Codice*, del
1786, *per la veneta mercantile marina*, tra i migliori dell'epoca,
le leggi ecclesiastiche, gli interventi sull'Adige, la barriera di
consolidamento con grossi blocchi di pietra d'Istria – i «murazzi»
– a difesa della laguna dal mare eretta al Lido tra il 1740 e il
1783), la decadenza settecentesca. La Dominante scade politicamente economicamente demograficamente. Cresce nel contempo la Terraferma pullulante d'intraprese, percorsa da fremiti
di rinnovamento agronomico, vivacizzata dall'affiorare di stimoli
borghesi, dallo stesso responsabilizzarsi degli elementi migliori
delle nobiltà locali. Ma, proprio in siffatta movimentata crescita,
essa acquista una consapevolezza che la spinge a mal sopportare i
privilegi di Venezia, a ravvisarla come capitale parassitaria,
come centro pronto a mortificare ogni valida iniziativa o, quanto
meno, a ricondurla a proprio vantaggio. Né il patriziato lagunare, riluttante ad allargare le maglie dell'accesso politico, restio
a ridefinire le proprie prerogative, è capace d'aggregare più fre-
sche energie; non sapendo inalveare progressivamente altre
componenti sociali verso responsabilità di governo, non s'avvan-

taggia politicamente della vitalità fermentante nel territorio, non si sintonizza colle sue spinte più fattive. Aggiornatissime tante biblioteche patrizie in fatto di novità librarie, ricettivi nei confronti dei lumi tanti intelletti nobiliari; ma il patriziato nell'assieme è operativamente anchilosato, bloccato. Non scatta innovante il rapporto tra cultura e politica innescando un possente moto riformatore. C'è scollamento tra Dominante e città suddite, mentre dilaga nella classe di governo la sfiducia, s'isterilisce il suo impegno nella frammentazione provocata dall'acuirsi delle differenze di fortuna e di cultura al suo interno. Prossima l'ultima battuta per la storia ultramillenaria della Repubblica. Facile, nel 1796, l'ingresso irriguardoso delle truppe francesi. Segue il perentorio *diktat* napoleonico. Il 12 maggio 1797 l'aristocrazia formalmente s'autocongeda da ogni responsabilità governativa. Breve, quindi, la vita della municipalità provvisoria ché, il 17 ottobre, il trattato di Campoformido consegna all'Impero Venezia con gran parte del suo territorio.

Così si conclude la vicenda politica della città-stato. Ma c'è anche, a partire dall'eminenza coagulante rialtina la storia urbana d'un centro la cui *facies* si adegua e corrisponde alle sollecitanti esigenze delle sue attività e al concomitante bisogno di costruzione dell'immagine insito nell'assunzione d'un ruolo politico mentre costante è l'attenzione all'ambiente lagunare essenziale alla sua specificità, laddove, nella prevalenza delle acque marine sulle fluviali, si precisa la sua insularità. Spasmodica la vigilanza sul quadro ambientale che da un lato richiede profondità d'accessi dall'altro la protezione di banchi di sabbia consolidati. Duplice la minaccia su di esso incombente: quella dell'interramento delle torbide fluviali e quella della violenta aggressione dell'Adriatico, che, sospinto dal vento, giunge a scavalcare la barriera lidense. Una specializzata competenza sul rapporto terra-acqua esercita, dal 1501, l'organo dei Savi alle Acque sovrintendente a tutte le lagune - anche a quelle di Caorle, di Grado - ai loro lidi, ai fiumi che vi si versano nonché controllante ogni cospicuo intervento edilizio, affiancato, per i controlli più ravvicinati per modifiche di minor entità all'interno della città, dall'ufficio del «piovego» (del pubblico, cioè) già preposto, nel Medioevo, alla distinzione tra beni pubblici e privati e, di fatto, sovrintendente al diritto di costruzione.

Urbs magna sin dall'inizio del secolo XIII, suddivisa in sestieri, imperiosamente solcata dal Canal Grande, sua principale arteria lungo la quale gravita il sinuoso allineamento dei suoi palazzi-fondachi, colla piazza S. Marco esibente, nella continuità tra Basilica e Palazzo Ducale, la visualizzazione d'un potere religiosamente motivato e d'una religiosità politicamente controllata, Venezia si

propone anzitutto come centro mercantile. Crocicchio nei rapporti tra oriente e occidente, naturale tramite della loro complementarità, è senz'altro il più grande emporio che l'Europa medievale conosca. Rialto sembra l'ombelico del mondo per l'indaffarato «e toto orbe terrarum omnium gentium et nationum con-
cursus». «Tutta genta sono mercatanti», asserisce Nicolò da
Poggibonsi, i navigli di lì partono alla volta di «qualunque paese
l'uomo à mestieri di andare». È davvero «il più reale porto del
mondo». Sentori allora di magazzini ricolmi e svuotati, di carichi
e scarichi, voci e grida nell'eccitazione d'una incessante contrat-
tazione, d'una incalzante compravendita. Fabbricate a Venezia le
tante navi che partono e che arrivano. C'è la microcantieristica
diffusa degli squeri per le imbarcazioni più modeste, c'è la macro-
cantieristica di stato dell'imponente complesso dell'Arsenale,
una delle più grosse concentrazioni di manodopera specializzata
(carpentieri, calafati ecc.) del Medioevo, sede d'una vera e propria razionalizzata divisione del lavoro, la cui efficacia avrà una
sua clamorosa verifica nella primavera del 1570 quando saranno
allestite, in soli due mesi, 100 galere per la flotta che vincerà
l'anno dopo a Lepanto. Segheria, scali di costruzione, fonderie,
armeria, corderia sono i presupposti d'una sorta di linea di montaggio, con intercambiabilità delle parti, con integrazione verticale. Ne escono navi da guerra, ne escono – autentica specialità
veneziana – le galere da mercato. Pure veneziane le sofisticate
forme associative e assicurative con le quali organizzare ragione-
volmente gli affari, mentre la cambiale funge da efficace strumento di pagamento e la contabilità a partita doppia fissa chiaramente gli addebiti e i crediti connessi a ogni operazione. L'utile
della Repubblica s'identifica con quello mercantile. La mercatura, celebrata in una vibrante arringa, del 1423, dal doge Tommaso Mocenigo come *genius loci*, destino e dovere, scelta e necessità, garantisce un rendimento del 40% ai capitali in essa in-
vestiti. Inciso prototipo la figura del patrizio-mercante immerso
in fruttuosi negozi, vivido protagonista della scena economica dal
secolo XII a tutto il XV. Nel '200, nel '300, nel '400 sino all'inizio
del '500 si può parlare, infatti, con tutta tranquillità, di funzione
mondiale di Venezia, perno d'un assieme globale di scambi, egemone nel commercio in Levante. Il porto lagunare è, pertanto,
centro nevralgico dell'economia del tempo, capolinea del traffico
internazionale, fulcro motore e polo accaparratore d'un sistema,
sviluppatosi all'indomani delle crociate, fondato sull'accetta-
zione, non scalfita da proclamate ripulse degli infedeli, della me-
diazione musulmana. A Venezia compete smistare prodotti
orientali nel Mediterraneo e nell'Europa centro-occidentale; ai
suoi interlocutori – *partners* non scalzati da anatemi pontifici e

puntualmente ricuperati dopo ogni guerra – non cristiani spetta invece il trasporto dalle aree di produzione, attraverso l'Oceano Indiano e il Mar Rosso o per via del Golfo Persico e tramite le relative rotte carovaniere, agli approdi levantini. Un assieme combinato d'operazioni d'una messa in scena economica dove Venezia è regista, i suoi mercanti sono attori. Netta, allora, l'impronta marittimo-commerciale sulla città, esasperata la sua portualità mentre tutti gli altri settori (bancario, assicurativo, manifatturiero) gravitano sull'andamento dei traffici e lo rafforzano. Ma l'onerosa costituzione quattrocentesca d'un cospicuo dominio continentale, l'imporsi cinquecentesco della navigazione transoceanica rispetto alla quale Venezia più che geograficamente spiazzata risulta oggettivamente indebolita dall'aggressività competitiva d'una concorrenza che finirà coll'imporsi persino nelle piazze del Mediterraneo orientale già d'esclusiva pertinenza veneta (in altre parole: nel Medioevo le rotte veneziane hanno il fiato d'arrivare sino in Inghilterra e in Fiandra, nell'età moderna le navi inglesi e olandesi non solcano solo gli oceani, ma entrano nel Mediterraneo, sino ad Alessandria, sino a Costantinopoli), l'avanzata ottomana, le insidie d'una instancabile pirateria si sommano fiaccando, alla lunga, l'empito mercantile cui la città deve il suo medievale primato. Questo non è più sostenibile; per quanto Venezia resista quale approdo maggiore delle merci che passano da Ormuz e dal Golfo Persico, si sta esaurendo la sua funzione nel quadro dell'economia mondiale. Il '500 significa soprattutto irrobustimento degli stati antecedentemente evanescenti e intermittenti, presenza massiccia e corpulenta delle grandi potenze. Grandissima la loro forza d'urto economica oltre che politica. Non giova a Venezia – ancora vitale nelle temperie cinquecentesca, mentre è nel '600 che il suo declino diventa inequivocabile anche e soprattutto in Levante – la tenace affezione ai modi e alle forme già produttivi della sua fortuna nell'età di mezzo. Il passato è glorioso, ma pesa come una condizionante bardatura che le impedisce di conseguire la duttilità inventiva e mordente di Amsterdam. Né si rinnova la psicologia del patriziomercante ancora proteso a lucrare sulla differenza, il più possibile sostenuta, tra prezzo d'acquisto e di vendita, laddove i suoi concorrenti puntano sull'ampliamento quantitativo e sull'allargamento della domanda irrompendo disinvoltamente sul mercato internazionale con prodotti più scadenti, ma assai meno cari. Leggibile come auspicio programmatico, come energico richiamo a quel mare fonte di ricchezza per la città, divenuta grande e famosa appunto per «li traffegi et navigatione continui», la celeberrima pianta prospettica, del 1500, di Jacopo de' Barbari convocante a vegliare sulla città – ritratta con meticoloso puntiglio –

Nettuno, il dio delle acque salate, e Mercurio, il dio del commercio. Ma è un'effigie che, valutata sul lungo periodo, suona più nostalgica che profetica. Non vale più la direttiva dell'età di mezzo «esser cosa propria di Viniexia coltivar el mar e lassar star la terra». Di fatto i traffici marittimi rendono meno, mentre più pesanti si fanno gli oneri assicurativi. Né Venezia ha l'attrezzatura mentale oltre che tecnica per situarsi sull'onda alta della navigazione internazionale, tant'è che, nel 1584-1586, si sottrae alle offerte di Filippo II d'assumere, in prima persona, il monopolio della vendita in Europa del pepe e delle spezie affluenti a Lisbona. Modellata lungo l'età di mezzo, la città-stato è troppo fedele a se stessa per gettarsi a capofitto nei dilatati spazi del mondo moderno. Preferisce cesellare la propria immagine, sublimarla in esemplarità con risvolti alternativi rispetto al consolidarsi degli assolutismi monarchici.

Nel contempo i capitali d'origine mercantile si volgono sistematicamente e rilevantemente agli investimenti immobiliari. Aggredita da un febbrile moto di bonifica, che amplia enormemente la superficie coltivabile – da estendere sino ai bordi della laguna nella martellante perorazione d'Alvise Cornaro, il banditore della «santa agricoltura»; ma s'oppone intransigente Cristoforo Sabbadino, il fautore dell'ampliamento e del «miglioramento» della laguna (e gli interventi di grandiosa ingegneria idraulica a difesa del porto di Chioggia dagli interrimenti provocati dal Brenta e dal Po e di Torcello Burano e Mazzorbo da quelli causati dal Piave risentono della sua visione d'assieme) – la Terraferma. Su di essa si scatena la corsa alla terra del patriziato veneziano. Vi acquista i terreni migliori, vi soggiorna sempre più a lungo nelle ville per lui costruite da Palladio – presente, però eccentricamente, anche a Venezia – e dai suoi epigoni le quali visualizzano, con una rete di suggestivi episodi architettonici, il legame via via più stretto che, a progressiva sostituzione di quello col mare, si viene creando coi campi «piantadi aradi e videgadi» (così i documenti del tempo). Sbiadisce, man mano questo si consolida, la tradizionale fisionomia del nobile lagunare plasmata e perfezionata da secoli di mercatura sino a trasformarsi in quella, affatto diversa, del *rentier* proposta, nel frattempo, quale la più prestigiosa da tutta una trattatistica privilegiante la rendita fondiaria come condizione indispensabile alla dignità nobiliare. Svalutata, invece, e guardata dall'alto in basso la mercatura. La proprietà terriera diventa sinonimo di ricchezza, la nobiltà più ricca assume fattezze neofeudali. Rilevante il suo peso politico a Venezia, che diventa in certo qual modo centro di consumo della rendita agraria.

Coevo all'accaparramento di terre l'accentuato processo di pietrificazione e addirittura di marmorizzazione della ricchezza esibito dal patriziato più dovizioso coi suoi palazzi (il che non esclude sia anche proprietario d'immobili – magazzini, «casette», osterie, botteghe – più attento a riscuotere gli affitti che alla loro decorosa manutenzione; l'assenteismo di nobili proprietari è una delle cause del degrado del tessuto residenziale popolare) in sintonia colla decisa carica semantica – in termini di soggiogante splendore, di aulicità dispiegata – impressa ai luoghi deputati alla rappresentanza pubblica. La cadenza classica e la tensione monumentale sovrapposte al bizantinismo della Basilica e al gotico di Palazzo Ducale funzionalizzano l'eloquente *renovatio* di piazza S. Marco alla liturgia d'un governo che reagisce alla crisi d'identità indotta dal tracollo di Agnadello mitizzandosi quale *sapientia* impareggiabile. C'è l'erezione della robusta e imponente arcata muraria del ponte di Rialto a sostituzione del preesistente ponte ligneo; le fondamenta Nuove e le Zattere rispondono alle spinte dell'incremento demografico rallentato, ma non irreparabilmente, dalla peste del 1575 (da questo punto di vista sarà esiziale quella del 1630) pur mietente 50 mila vittime su di una popolazione che aveva toccata la punta massima dei 175 mila abitanti. C'è altresì – a compenso della flessione commerciale e, pure, data l'esportazione della produzione, a rilancio del porto – l'intensificarsi, specie tra la fine del '500 e il primissimo '600, dell'attività manifatturiera: oreficeria, conceria, vetreria, fabbricazione del sapone e soprattutto industria tessile, specie laniera, fanno di Venezia un grosso centro produttivo, forse il più rilevante d'Italia. E una dimensione industriale ha pure l'editoria. Purtroppo, lungo il '600, specie dal 1620, questo volto industriale della città perde di vigore, si raggrinzisce accompagnato dall'inarrestato contrarsi dell'attività portuale. Calo produttivo e afflosciamento mercantile che proseguono nel '700. Ma Venezia resiste coi suoi teatri e le sue feste, si qualifica come centro turistico, come capitale del divertimento. *Ville lumière* dell'intera Europa per la quale imbandisce – nel '600, nel '700 – le fantasmagorie dell'effimero, accende lo scintillio del provvisorio. Memorabili i suoi carnevali, stupefacenti le sue maschere. Non per niente, nel '700, vi soggiornano circa 30 mila forestieri; e nel giorno «della Sensa» essa è invasa da 100 mila persone. Policromo concentrato di popolazione dalla vita fortemente chiaroscurabile tra gli estremi del lusso più profuso e della mendicità più cenciosa, Venezia si complica dell'imperioso connotato della Salute, s'inturgida di sovrabbondanze barocche, s'illeggiadrisce d'alleggerimenti *rocaille*, s'apre a illuministici funzionalismi, si dispone ad eclettici compromessi, attende irrigidimenti neoclassici. Sempre ricettivo l'amalgama omologante dello spessissimo plurisedimentato palinsesto urbano. Avvalorata dalla ripavimentazione della piazza S. Marco, Venezia continua a proporsi caparbia e – per quanto politicamente ed economicamente marginalizzata – la sua immagine emana guizzi vitali, conserva e somma e mescola i tratti assunti trafficando producendo automitizzandosi consumando divertendo e divertendosi. Certo pare ingrigire di colpo quando non è più la Dominante.

L'abdicazione, del 1797, del reggimento aristocratico, l'assorbimento nell'impero, il breve periodo dell'amministrazione francese, il ritorno – interrotto, nel 1848-49, dalla vampata della Repubblica di S. Marco annacquata dall'adesione al Piemonte e rinnovata, dopo Custoza, dalla resistente fierezza del governo provvisorio – degli Austriaci, l'annessione, del 1866, all'Italia sono tutti capitoli d'una vicenda diversa. In questa il dato primario è, forse, quello più elementare: Venezia non è più la Serenissima, non determina e non gestisce più un contesto. Donde il suo rimpicciolimento; donde il sentore d'angustia e talora d'immeschinimento vernacolare dei sussulti rivendicativi d'un culto delle memorie troppo spesso pateticamente impotente nel suo oscillare tra querimonia e rancore. L'identità non può più essere autocostruzione; ci si pensa anche a Vienna, a Parigi, di nuovo a Vienna e, infine, a Roma; quanto meno occorrono le loro autorizzazioni. L'immagine si fa aleatoria e arbitraria, sottoposta sempre più agli sbalzi d'umore dei visitatori, ai mutevoli stati d'animo d'ospiti più o meno illustri, più o meno condizionati dalle vicissitudini del tempo e delle stagioni. Si rovescia, per certi versi, il rapporto precedentemente instaurato coll'occhio esterno: prima Venezia era un contenuto oggettivo determinante, in ogni caso, la percezione; ora pare, spesso, sussistere come occasione per lo scatenamento d'immagini e sensazioni che le danno, esse, il contenuto o che, addirittura, ne prescindono. Nel Medioevo il forestiero è colpito dalla vivacità del mercato, più tardi è sedotto dalla configurazione maestosa e splendida di piazza S. Marco, più tardi accorre ancora allettato dallo strepitoso impazzare carnevalizio. Tre aspetti tipici della città, tutti e tre tangibili, tutti e tre registrati nella letteratura di viaggio, nella memorialistica, nelle testimonianze in genere. Comunque dal Medioevo al '700 è Venezia che si propone nel suo concreto esistere alle scritture, più o meno intendenti ma pur sempre intente a fissarla, pur sempre attente a descriverla. Ma lungo l'800 sino a sbucare nel '900, dalle annotazioni di umbratili visite e dalle scorribande narrative e poetiche risulta più che il coagularsi dell'immagine di Venezia, il suo deflagrare frantumante. Sì che diventa tutto e il contrario di tutto: stralunato mistero notturno, tramonto purpureo, fiammeo meriggio, muro scrostato, canale maleolente, albeggiare caliginoso... Più pretesto, dunque, per le immagini che immagine, più connotata dalle avventure, le più equivoche e arbitrarie, che connotante. Al limite, diafana dissolvenza, Venezia sparisce.

Così se si inseguono le impressioni delle personalità di passaggio, se si rovista nella profluvie di riecheggiamenti letterari. Ma l'800 è, pure, la concretissima vicenda d'un organismo in divenire, un drammatico e contorto itinerario di velleità e volontà, di progettualità ricacciata e di realizzazioni – demolizioni sopraelevazioni ristrutturazioni – condizionanti che vanno lucidamente ripercorsi per comprendere, nelle sue contraddizioni, la Venezia odierna. Indubbiamente il secolo XIX ne costituisce l'antefatto logico oltre che cronologico. Certo altera profondamente e, anche, irreparabilmente, irreversibilmente, la città precedente in uno scontro aspro tra aspirazioni rientrate e disegni vincenti anche brutalmente. I moltiplicati sventramenti, le intensificate colmate di canali e la connessa contrazione del reticolo acqueo, l'accentuata pontificazione privilegiano la pedonalità clamorosamente confermata dall'apertura, nel 1871-72, della Strada Nuova. S'addensa una fitta e anche traumatizzante sequenza d'episodi di spicco: dalla sistemazione delle Procuratie Nuove e dall'ala napoleonica in piazza S. Marco ai lavori a S. Giorgio Maggiore, dal riassetto e dal potenziamento dell'Arsenale alla nuova stazione marittima, dall'imponente (e ora desolatemente inutilizzato) insert nordico del Mulino Stucky ai giardini di Castello, dai massicci insediamenti periferici d'un perimetro allargato al grande macello di S. Giobbe, dalle «case dei poveri» all'unificazione ospedaliera a S. Giovanni e Paolo. S'intrecciano, spesso malamente, pressanti esigenze d'ordine politico economico e sociale con preoccupazioni, sincere, ma anche spurie, di salvaguardia dell'immagine. Sacche di degrado e di malsana fatiscenza suscitano roboanti proclami a favore di case risanate e calli areate e forniscono, talvolta, l'alibi della necessità igienica a non felici interventi. Divaricante e lacerante la tensione tra normalizzazione che assimili e allinei Venezia alle altre città e ribadita sue distinzione e singolarità. Dirompente la macroscopica erezione, tra il 1841 e il 1846, del ponte ferroviario translagunare, un possente congiungimento, ma anche un attentato all'insularità. Suo corollario – peraltro conseguenza della decisione di non ricorrere a interramenti – la demolizione, del 1861, della chiesa palladiana di S. Lucia per far posto alla stazione ferroviaria. Sedimentazioni del passato e novità del presente, interessi divergenti e varietà d'intenti allargano e, insieme, confondono il ventaglio delle proposte, allungano e, insieme, strattonano la lista delle possibili direzioni. Quale destino per Venezia? Ora accostabili e integrabili l'un l'altra, ora inconciliabili le formulazioni; una irrobustita neoinsularità agganciata all'enfatizzazione della portualità mercantile; la museificazione progressiva per un turismo selezionato più o meno indulgente coll'esigenza di mercificazione richiesta da quello più corrivo disponibile acquirente della paccottiglia prodotta da una vera e propria industria del falso; la specializzazione nel terziario con conseguente residenzialità impiegatizia; l'artigianato riqualificato diffuso; il perno d'un poderoso decollo industriale; la grande sede per la marina da guerra d'uno stato neonato epperò già lambito da tentazioni di grandezza con relativo insediamento d'effettivi e quadri; il centro internazionale degli studi e delle arti, sciorinabili queste in periodiche manifestazioni. Sono tutte ipotesi e, insieme, parziali realtà compresenti e interferenti – mentre l'espansione urbana è ancora incerta se travalicare in terraferma o se attestarsi al Lido; di fatto si sospinge in entrambi e nel secondo è già avvertibile l'antitesi tra edilizia stabile piccolo-medio borghese e vistosità alberghiera per una balnearità di lusso – nell'assordante infuriare delle polemiche, nell'aggregarsi e disaggregarsi degli schieramenti. C'è persino, nel 1910, l'esagitato proclama futurista *Contro Venezia passatista*. Sconvolgente si profila sullo sfondo la scelta – avviata durante la prima guerra mondiale per congiunta volontà della grande finanza e della grande industria – dell'immane operazione di concentrazione industriale sul margine lagunare. Violentante e squilibrante la sua installazione a Marghera, cui seguirà, caotica e incontrollata, l'esplosione abitativa di Mestre.

Il governo della Repubblica

«Vera forma di perfetto governo» definisce Paolo Paruta Venezia nel pieno '500. Così esprime la convinzione – che trova riscontro negli entusiastici tributi d'ammirazione provenienti dai più qualificati ambienti politici e culturali d'Europa – animante la classe dirigente di cui è membro e, insieme, ideologo. In effetti questa idea della perfezione architettonica del proprio ordinamento è aspetto costitutivo del mito di Venezia, è persuasione interiorizzata cui si deve la multisecolare dedizione allo stato dell'intero corpo aristocratico prodigatosi in un servizio gratuito, laddove le assegnazioni pecuniarie valgono a titolo di rimborso spese. Donde, altresì, la riverenza costituzionale che blocca, nel '700, quella radicale ristrutturazione pur sentita necessaria e che, anche antecedentemente, inceppa ogni volontà di profondo mutamento, ogni impulso d'accelerato ammodernamento. Sì che, abbracciata in tutto il suo arco cronologico, la storia della Serenissima dà un'impressione da un lato di continuità e durata, dall'altro di scarto singolare rispetto al contesto, si colori in positivo come esemplare e unica – Venezia, allora come stato ideale, come utopia realizzata – o in negativo come anomala e vischiosa sopravvivenza d'un assetto incapace d'adeguamento ai ritmi più dinamici della storia europea.

C'è, anzitutto, il travaglio definitorio medievale che vede i dogi protagonisti ambiziosi con tentazioni dinastiche espresse dall'uso d'associare un figlio alla carica, mentre la *concio publica*, sostituita nel 1172 (così, almeno, la tradizione) dal *Maggior Consiglio*, contrappone al loro individualismo la sua volontà assembleare. Indubbio, in ogni caso, l'esito della vittoria definitiva dell'aristocrazia nel suo complesso quale unica ed esclusiva detentrice del potere politico, che s'avvale, per compiti burocratico-cancelleschi, d'un personale, retribuito, proveniente dal ceto, pure lagunare, inferiore dei «cittadini». È del 1297 la serrata del *Maggior Consiglio* riserbante, appunto, solo ai membri di quella l'accesso sino a trasformarlo in privilegio ereditario. Quanto al doge – per scegliere il quale si fissa, nel 1268, un'ingegnosa mescolanza d'elezioni e sorteggi conclusa colla tappa finale di 41 elettori tenuti a designarlo con almeno 25 preferenze –, egli è ridimensionato e via via svuotato di decisionalità sino alla cristallizzazione a simbolo dello stato. Venezia è, allora, una repubblica aristocratica, non immune, in concreto, da insidie oligarchiche intendendo con queste il momentaneo prevalere, riscontrabile nella sua protratta esistenza, di gruppi ristretti, di famiglie molto ricche, di individui dalla strapiante influenza. Congegno elettorale spruzzato di ricorso al sorteggio e collegialità e temporaneità delle magistrature garantiscono, comunque, la sostanza della complessiva gestione aristocratica. Infatti, pur nell'interferenza di lente e progressive esautorazioni e di brusche riassunzioni d'autorità da parte dei consigli principali – il cui funzionale coordinamento è spesso messo in discussione dalla mobilità delle situazioni determinante, a sua volta, oscillazioni nella demarcazione delle competenze –, la Repubblica si presenta come esercizio, articolato e bilanciato, del collettivo potere patrizio. Ne sono fondamentale espressione: il *Maggior Consiglio*, pletorico e congestionato in quanto luogo deputato della volontà dell'intera aristocrazia, ove s'elegge una miriade di cariche, oltre ai membri dei tre organi che seguono; il *Consiglio dei Quaranta* o *Quarantia*, poi triplicatasi in *Criminal* e *Civil Vecchia* e *Civil Nuova*, con attribuzioni soprattutto giudiziarie; il *Senato*, arbitro della vita politica, autentica sede direttiva; il *Consiglio dei Dieci*, nato come tribunale politico preposto all'autodifesa del sistema aristocratico (e saranno da lui scelti i tre *inquisitori di stato*) e spesso, per la sua capacità di rapido e tempestivo intervento, debordante sino a invadere le prerogative senatorie. Concomitante coll'attività legislativa e direttiva delle sedi sopra ricordate, il quotidiano lavoro esecutivo d'una molteplicità d'uffici per lo più collegiali. Elettivi incarichi, cariche, riconoscimenti. La politica estera s'affida alle rappresentanze diplomatiche ordinarie e straordinarie, quella interna poggia sui provveditorati «da terra» e «da mar», sui rettorati nei centri maggiori e minori della Terraferma, dell'Istria, della Dalmazia.

Diritto e dovere l'attività pubblica per il nobile veneziano impegnato nella frequenza assidua alle sedute consiliari, nello svolgimento di compiti specifici via via avvicendantisi. La loro temporaneità richiede la costante rotazione. Previsto un certo *cursus* ascensionale, ché gli incarichi crescono d'importanza. La gestione nobiliare si svolge duratura, fluisce ordinata perché preordinata: i giovani s'addestrano e s'impratichiscono con incombenze minori, quindi, in queste maturati, assumono maggiori responsabilità, ammaestrano le nuove leve patrizie. Un percorso comune vige accomunante: dall'apprendistato diligente e obbediente che inserisce nella macchina dello stato alla saggezza legittimata a decidere e guidare. Tutto il patriziato è coinvolto e mobilitato da un'incessante rotazione che assicura, in alto e in basso, il ricambio generazionale. Città-stato eccezionalmente resistente attraverso i secoli Venezia, con una classe dirigente eccezionalmente persistente nella sua esclusiva direzione governativa che dura pressoché intatta con correzioni interne e senza modifiche e rotture dall'esterno. Dunque una gestione collettiva e classista che privilegia la disciplina del ceto di governo più che l'individualità dei suoi singoli membri. Una sapiente plurisecolare costruzione valutabile, sul piano della lunga durata, quale conservazione dinamica fatta di fedeltà al passato e di duttile adattamento alle contingenze. Lo sfilacciamento settecentesco, il vortice dello sfarinamento finale non autorizzano facili condanne sommarie; più opportuno comprendere la tenacia d'una perspicua forma-stato che infierire sbrigativamente sul suo crollo.

Venezia in Italia e nel Mediterraneo

Venezia, scriveva Philippe de Commynes nelle sue memorie, «è la città più splendida che io abbia mai visto, e quella che fa più onore agli ambasciatori e agli stranieri e che si governa più saviamente e dove il servizio di Dio è fatto più solennemente». Il Commynes era venuto a Venezia nell'inverno tra 1494 e 1495 quale ambasciatore del re di Francia Carlo VIII. Il suo re aveva compiuto nel 1494 una rapida spedizione in Italia, conclusasi con la conquista del regno di Napoli e la sconfitta dei principi di casa d'Aragona che vi regnavano. Gli altri principi italiani, che o avevano favorito l'impresa del re di Francia, o avevano fatto poco per ostacolarla, avevano deciso subito dopo di coalizzarsi in una lega per imporre a Carlo VIII di lasciare la penisola e di rientrare in Francia. Cardine di questa lega doveva essere il più potente, il più prestigioso, il più accorto dei principi italiani, la Repubblica di Venezia: anche se Venezia era tra tutti il principe che aveva maggior responsabilità per questa spedizione, e sembrava condividerne gli obiettivi più lontani – il muovere dal regno di Napoli per una nuova crociata cristiana contro i Musulmani – e aveva addirittura tratto beneficio dallo sconvolgimento provocato dalla guerra tra Francesi e Aragonesi, mandando suoi uomini a occupare Monopoli, una delle piazze più importanti sulla costa pugliese. La Repubblica aveva compreso che se avesse aiutato gli Aragonesi a recuperare il regno di Napoli, avrebbe potuto ottenere da loro di estendere la sua occupazione ad altri porti pugliesi. Le cose erano andate proprio come la Repubblica sperava. Carlo VIII era stato costretto a rientrare in Francia già entro la fine del 1495. Il re di Napoli, Ferrante II d'Aragona, aveva concesso alla Repubblica in pegno anche Otranto, Brindisi, Putignano. Chi è padrone della Puglia è padrone d'Italia, aveva scritto, nell'entusiasmo della vittoria, il comandante veneziano che aveva preso Monopoli. Il Commynes, che aveva fallito la sua missione di indurre la Repubblica a non schierarsi contro il suo re, era rimasto impressionato dall'ardore di conquista dei Veneziani, dalla vastità delle loro ambizioni, dalla spregiudicatezza con cui le perseguivano. «E vi dico – scriveva ancora nelle sue memorie – che li conobbi tanto savi e tanto disposti a ingrandire la loro Signoria che, se non vi si provvede subito, tutti i loro vicini avranno da pentirsene».

Certo, insediarsi sulla costa pugliese significava per la Repubblica avere il controllo su tutto l'Adriatico, o «Colfo», golfo di Venezia, come già si soleva chiamarlo. Dall'altra parte del mare, i Veneziani avevano Corfù, l'isola quasi a ridosso dell'Epiro; a nord dell'Epiro, in Albania, essi tenevano punti chiave come Durazzo. Di lì, con la grossa eccezione di Ragusa, che, rimasta sotto Venezia dal 1275 al 1358, se ne era poi affrancata, quasi tutta la sponda della Dalmazia con le isole antistanti, fino a Zara, era nelle mani della Repubblica. In fondo al «Colfo», Trieste era bensì soggetta all'arciduca d'Austria, ossia all'imperatore romano d'Occidente: ma stretta com'era tra l'Istria e il Friuli, entrambe sotto la Repubblica, ne subiva anch'essa il pressante controllo. Qualcosa di analogo valeva per Ferrara, feudo pontificio investito alla casa d'Este. Nella sottostante Romagna, poi, i Veneziani, oltre ad avere Ravenna, facevano sentire la loro presenza capillare mediante il diffondersi della loro proprietà fondiaria. Restava ancora ben poco per completare il dominio di Venezia su tutto l'Adriatico.

I Veneziani avevano cercato di imporre un sistema economico-commerciale per così dire veneto-centrico: tutte le merci (sete, cotone, spezie...) provenienti dal Levante e dirette verso varie parti d'Europa – l'Italia, ad esempio, la Germania, i Paesi Bassi, l'Inghilterra... – dovevano affluire a Venezia, per esser smistate da qui alle diverse destinazioni; così come le merci (in genere manufatti) esportate dall'Europa in Levante dovevano passare per Venezia. I cittadini veneziani godevano inoltre di particolari prerogative da parte dello Stato, tra l'altro quella di poter partecipare ai grandi convogli di galee (appaltandole e caricandovi le proprie mercanzie), ossia alle cosiddette «mude», che lo stesso Stato organizzava per tenere Venezia in contatto con i maggiori empori d'Oriente e d'Occidente. Un sistema, dunque, per il quale il controllo dell'Adriatico era indispensabile, onde impedire che altre città che pure vi si affacciavano distraessero i traffici a loro profitto o per lo meno vi organizzassero contrabbandi. Un sistema che presupponeva, d'altro canto, l'egemonia commerciale di Venezia nel Mediterraneo orientale. Alla base di tutto questo doveva soprattutto esserci un *comune Veneciarum* solido, compatto, indipendente, sufficientemente forte e risoluto da rintuzzare chi cercasse di contestarne l'ascesa e da imporre il proprio potere e il proprio volere.

Venezia, che alle origini era parte dell'Impero romano d'Oriente, aveva affermato la propria progressiva autonomia nei confronti di esso in virtù della forza economica che l'espandersi dei suoi traffici via via le conferiva. Il momento culminante della sua ascesa era stata la quarta crociata, nel 1204: deviandola dagli obiettivi per cui era stata bandita, Venezia e gli altri crociati avevano conquistato Costantinopoli, eliminandone l'Impero bizantino e sostituendolo con l'Impero latino d'Oriente, alla cui testa era eletto un principe franco, Baldoino, conte di Fiandra. I grandi vincitori erano in realtà i Veneziani. Il loro *comune* aveva occupato una grande isola come Creta, si era insediato in punti chiave come Negroponte, nell'Eubea, e Modone e Corone, nel Peloponneso, mentre varie isole dell'Egeo erano state investite dall'imperatore latino a suoi cittadini; per di più, comunità di mercanti veneziani si erano costituite in seno ai maggiori empori, a Costantinopoli, sul Mar Nero, e sulla costa tra Siria ed Egitto. «Dux quartae et dimidiae partis Imperii Romaniae», poteva intitolarsi orgogliosamente il doge di Venezia.

L'Impero latino d'Oriente durerà poco: nel 1261 Michele Paleologo riuscirà ad abbatterlo, e a ripristinare in suo luogo l'Impero di Bisanzio. Non era certo questa restaurazione a turbare il *comune Veneciarum*. Chi era in grado di minacciare il suo predominio nel Mediterraneo orientale era piuttosto un'altra città italiana, Genova, forte sul piano marittimo e mercantile, posta in una situazione geografica, al fondo del Tirreno, che le consentiva di sciogliersi dalla stretta dei Veneziani e di sottrarre loro una parte dei traffici tra il Levante e l'Europa centrale. La lotta tra Venezia e Genova, una lotta durata quasi centotrentanni, insanguinata da tre guerre, si concludeva nel 1381, con la vittoria dei Veneziani. Il loro predominio nel Mediterraneo orientale sembrava non dover conoscere più ostacoli. Per garantirlo ulteriormente, il *comune* riteneva necessario di consolidare la posizione della stessa Venezia, espandendosi nella terraferma che le stava alle spalle in modo da impedire che altri signori, occupandola, l'assediassero nella laguna e da assicurare la libertà delle vie terrestri e fluviali che la congiungevano ai suoi maggiori mercati. Dopo aver conquistato il Trevigiano, il *comune Veneciarum* tra 1404 e 1406 riusciva ad assoggettare Verona, Vicenza, Padova; entro il 1430 il suo dominio si estendeva a occidente fino all'Adda e comprendeva a oriente, con il Bellunese e il Cadore, tutto il Friuli.

Dall'inizio del secolo XIV erano comparsi prepotentemente nelle terre del Mediterraneo orientale i Turchi ottomani. Dotati di un esercito aguerritissimo, dopo esser penetrati nell'altipiano anatolico erano sbarcati nella penisola balcanica, per erodere progressivamente i territori soggetti all'Impero bizantino. La Serenissima Signoria (così i Veneziani preferivano denominare il loro Stato, dopo aver acquisito l'ampio dominio territoriale) aveva avuto modo di constatare ben presto la minaccia che la potenza militare ottomana rappresentava anche per essa (nel 1430, i Turchi l'avevano costretta ad abbandonare una sua recente e ambitissima conquista, Salonicco), ma confidava nella superiorità che la flotta veneziana manteneva sul mare. Il pericolo si profilava in tutta la sua gravità nel 1453, quando i Turchi, conquistata Costantinopoli, abbattevano l'Impero di Bisanzio: la flotta veneziana non aveva potuto difendere non solo il principe cristiano, ma neppure la propria comunità. Peggio sarà nel 1469, quando la flotta veneziana sarà sopraffatta da quella turca a Negroponte, consentendo agli Ottomani di conquistare l'Eubea.

Erano momenti difficili. La Serenissima Signoria vi faceva fronte, riaffermando il proprio prestigio e la propria potenza con l'imporre nel 1489 il proprio dominio sull'isola di Cipro, e con l'intensificare i traffici con i porti siriaci ed egiziani dell'Impero dei Mamelucchi; traffici irrobustiti dall'esportazione di manufatti di un'industria veneziana che doveva rivelarsi da allora sempre più attiva. La Serenissima Signoria riteneva che la sua egemonia mediterranea non fosse incrinata tanto dall'ascesa dell'Impero ottomano, quanto dalle insidie che le venivano tese nella stessa Italia. Dai Fiorentini, per cominciare, i quali, dopo aver collaborato con i Veneziani nella prima metà del Quattrocento, ne erano diventati avversari indomiti, cercando sia di aizzare il Sultano contro di loro, sia di ottenere da lui particolari privilegi commerciali, e di valersi inoltre per i loro traffici col Levante del porto di Ancona: che era, come si può ben capire, un intaccare quanto la Serenissima Signoria aveva di più geloso, il suo dominio sull'Adriatico. Ma soprattutto, dalla Sede Apostolica: una Sede Apostolica che, uscita verso la metà del Quattrocento dai grossi mali che l'avevano sconvolta nei decenni passati – lo scisma, il pericolo che si affermasse la superiorità del concilio sul romano pontefice – si stava impegnando col massimo vigore per affermare, con l'assestamento dei propri ordinamenti e del proprio potere temporale, la sua egemonia tra i principi italiani, necessaria, a suo vedere, per consentirle di tutelare l'indipendenza spirituale nell'ambito della cristianità: un'egemonia che postulava la riduzione della Serenissima Signoria a un rango secondario; un'egemonia che la Serenissima Signoria non poteva accettare.

Commynes vedeva dunque Venezia all'apice di questa impresa: assicurare la sua preminenza in Italia, indispensabile per conservare la sua preminenza nel Mediterraneo. Era una città trionfante, che buttava nella lotta l'intraprendenza spregiudicata dei suoi uomini, la sua ricchezza, il suo splendore, la forza di una identità politica e spirituale che la voleva designata a un destino di grandezza, quale novella Roma. Una città che voleva adeguati a questo destino di grandezza i più rappresentativi dei suoi edifici pubblici; verso la metà del Quattrocento, al tempo di Francesco Foscari, il doge che era il simbolo dell'espansionismo veneziano in terraferma, era stata compiuta l'unificazione in un unico *palatium*, il cosiddetto Palazzo Ducale, dei vari palazzi in cui avevano sede i maggiori organi di governo; e si provvedeva a erigere un solenne portale d'ingresso all'Arsenale, così come a costruire in pietra ponti e fondamenta, a selciare le strade. Né erano da meno i privati, che si costruivano palazzi magnifici, taluni dei quali scintillanti di marmi, quali la Ca' d'Oro, della famiglia patrizia Contarini, o il palazzo Dario, che apparteneva invece al membro più influente della cancelleria ducale. A fine Quattrocento un osservatore arcigno come il conte Jacopo di Porcia, feudatario friulano, ravvisava in tutte quelle case nuove, così lussuose di dentro e di fuori, in tutto quello spendere che i

Veneziani facevano per aver dimore degne di principi, il cattivo segno di un'ambizione ormai sfrenata.

Tra la fine del Quattrocento e l'inizio del Cinquecento – in anni in cui pur doveva subire una nuova sconfitta marittima da parte dell'Impero ottomano, che le costava la perdita di posizioni di primaria importanza come Modone e Corone – la Serenissima Signoria compiva il grande tentativo per assicurare il suo potere in Italia. Nella guerra insorta tra Firenze e Pisa, la Serenissima Signoria si schierava in favore di quest'ultima, onde indebolire i Fiorentini, e avere nei Pisani un alleato capace di controllare il corso dell'Arno e lo sbocco di Firenze nel Tirreno. Conquistava poi la Romagna, così da chiudere le strade che attraverso l'Appennino congiungevano Firenze con Ancona. Occupava Trieste e Gorizia. Ma ormai era l'Europa intera, sollecitata dalla Sede Apostolica, a levarsi contro Venezia. Nel 1509, una lega che univa al papa e all'imperatore le due monarchie che ambivano affermare in Italia il loro predominio, la Spagna e la Francia, sconfiggeva i Veneziani ad Agnadello, invadendo il «Dominio di Terraferma».

I Veneziani riusciranno a riconquistare i territori perduti, ad eccezione delle recenti conquiste in Puglia, in Romagna, ai confini nord-orientali. Ma la Repubblica dovrà rinunciare ad ogni ambizione di espansione in Italia; essa non riuscirà a recuperare il pieno dominio sul Mare Adriatico, scalfito dalle condizioni di pace che il papa Giulio II l'aveva costretta ad accettare. Dal 1530, ossia dall'anno in cui, alla pace di Bologna, si vedrà ridotta al rango di potenza di secondo ordine, sino al 1797, quando si concluderà la sua storia, il problema che la Repubblica di Venezia dovrà affrontare in Italia sarà quello di garantire non solo la sua integrità territoriale, ma soprattutto la sua indipendenza, nei confronti dei principi che le si contrapponevano da presso, in particolare la Spagna e l'Impero asburgico. Sarà un'impresa assai dura, anche perché la Repubblica verrà sottoposta all'erosione progressiva del suo «Dominio da mar» da parte dell'Impero ottomano. Nel 1540 perdeva Nauplia e Monemvasia; nel 1571 Cipro; nel 1669 Candia. Alla fine del Seicento la Repubblica, a prezzo di un gravosissimo onere finanziario, riusciva a conquistare il Peloponneso, o regno di Morea, una terra cui aveva profondamente, e vanamente, ambito nel Quattrocento, negli anni del suo splendore. Una conquista che durerà poco: i Veneziani non saranno in grado di reggere al ritorno offensivo dei Turchi; né gli ordinamenti che essi avevano cercato di imporre al regno gli avevano dato solidità, o avevano trasformato la popolazione locale in sudditi pronti a battersi per la loro difesa. La conquista della Morea stava comunque a dimostrare la forte suggestione che l'impero

marittimo esercitava tuttora su buona parte della classe dirigente veneziana, al di là di ogni valutazione realistica dei vantaggi politico-economici che ne potevano derivare, o della possibilità che la Repubblica sostenesse il peso di strutture da reggere
e da difendere così lontane dalla madre patria. Era stato così
anche per la difesa dell'isola di Candia, protrattasi per venti-
cinque anni. Allorché, nel 1657, si era parlato in Senato di accettare le condizioni di pace proposte dal Turco – la cessione di tutta
l'isola – un patrizio, Giovanni Pesaro, affermava che non era il
momento «di farsi quasi incontro al Turco e, perdendo ad un
tratto l'isola e il prezzo di tanti pericoli e di tante fatiche e sagri-
fizi, portare ai suoi piedi le difese del Mediterraneo e le chiavi
d'Italia». Di lì a poco il Pesaro era eletto doge, a dimostrare, per
ripetere le parole del Senato, che Candia non si doveva cedere
(ciò che peraltro avvenne 11 anni dopo) perché «ripugna l'obligo
che ne havemo da Dio, la ragion di natura, il riguardo della religione».

«Per quanto vi possono forse essere altre colpe, credo tuttavia
che Dio li aiuti per la riverenza in cui hanno il servizio della
Chiesa», scriveva inoltre dei Veneziani Philippe de Commynes,
in quel suo soggiorno lagunare tra 1494 e 1495.
Venezia pullulava di chiese. Dall'inizio del secolo XIII all'inizio del
XIX vi saranno ben 72 chiese parrocchiali, senza contare quelle di
ordini monastici (come, per far qualche esempio, i Frari, i Carmini, S. Stefano, Ss. Giovanni e Paolo), o altre chiesette erette
dalla pietà di qualche fedele (e merita di esser menzionata, a tal
proposito, la chiesa dei Miracoli). Chi giungeva a Venezia era colpito dall'intitolazione di molte chiese a santi vetero-testamentari,
soprattutto a profeti, come S. Geremia, S. Zaccaria, S. Moisè, S.
Samuel, S. Daniel, S. Giobbe, S. Simeon profeta: cosa che, in Occidente, aveva riscontro solo in Irlanda; cosa che, ha notato Antonio Niero, studioso dell'agiografia veneziana, deriva «da un
moto spontaneo», un culto che è un «fatto originale e strettamente
mente lagunare». A dire, che la particolarità della condizione veneziana, dell'ambiente in cui essa si era venuta sviluppando, com-
portava una peculiarità di espressioni devozionali, attinte a esperienze di contatti con genti di varie tradizioni e culture, così come
di manifestazioni liturgiche. Qualcosa, si potrebbe aggiungere,
che rientra nella politica religiosa sostenuta da Venezia fin dalle
sue origini.
Era il sentirsi saldamente membri della Chiesa romana, ma con
un ruolo distinto, di protagonisti, di uomini cioè impegnati a con-
correre alla sua tutela, istituzionale e dottrinale, non solo nella
madre patria, ma nelle terre lontane ove li portavano i loro traf-

fici. Nella magistratura più rappresentativa del *comune Veneciarum* o, più tardi, del Serenissimo Dominio, il dogado, la connotazione più tipica era costituita dall'integrarsi del potere civile con quello religioso. Il centro della vita religiosa veneziana era infatti la cappella ducale, o chiesa di San Marco. Il doge, cui spettava il diritto di patronato su di essa, ne nominava il primicerio; a sua volta il primicerio aveva il compito di ricevere dopo l'elezione ducale il giuramento del doge e di conferirgli il *vexillum Sancti Marci*, che era stato sostituito all'inizio del secolo XII al *baculus*, o scettro, simbolo del potere sovrano, proprio per sottolineare l'elemento religioso che permeava quel potere, l'elemento che legittimava le prerogative in materia ecclesiastica che esso rivendicava. *Princeps in ecclesia, princeps in re publica*, si diceva del doge nel corso del Trecento. Tre sono le supreme autorità esistenti nella terra, il papa, l'imperatore, il doge della Repubblica di Venezia, diceva, nel Quattrocento, una delle massime personalità della politica e della cultura veneziana, Bernardo Giustinian. Non sarà possibile, nello svolgersi dei secoli, sostenere con lo stesso risoluto vigore la presenza del doge all'apice delle gerarchie umane. All'inizio del Seicento la Repubblica troverà comunque la forza per ribadire la propria identità politico-religiosa, respingendo come irrite e nulle le pene spirituali, di scomunica e di interdetto, che il pontefice Paolo V aveva fulminato contro di essa, e facendo dire da un proprio consultore che non si era obbligati a obbedire al papa, se questi con le sue ingiunzioni prevaricava la parola divina. Alla fine del Seicento, in quel canto del cigno del suo imperialismo che sarà la conquista della Morea, stabilirà che era dovere dei rappresentanti veneziani nel regno di assicurarsi che i servizi divini, sia di rito greco che di rito latino, si svolgessero sempre con la massima dignità, ad attestare alla maestà divina l'intensa pietà che la Repubblica continuava a serbarle.

Visitando Venezia nel 1728 Charles de Montesquieu era pure lui colpito dalla devozione dei Veneziani. Una devozione mutata, rispetto al passato, una devozione che risentiva del logoramento che uomini e istituzioni stavano subendo: «Les Jésuites ont rendu les sénateurs dévots; de façon qu'ils font tout ce qu'ils veulent à Venise. *O tempora! O mores!* Et ils embarrassent les lois vénitiennes par celles de la conscience...».

La successione dei dogi

Non sono compresi nell'elenco: il tribuno Caroso (c. 836); Domenico Orseolo (giugno ? 1032) che governò un giorno solo e fu deposto; Orso Orseolo, che fu vice-doge; Orio Malipiero eletto nel 1172, ma che non accettò (accettò invece 6 anni dopo); Giovanni Tiepolo acclamato dal popolo nel novembre 1289, ma che fuggì; Giovanni Sagredo, la cui nomina si considerò non avvenuta (ag. 1676). Dal 737 al 742 il potere ritornò temporaneamente ai tribuni marittimi o a un «Maestro dei Militi».

1 Pauluccio Anafesto 697-717.
2 Marcello Tegalliano 717-726.
3 Orso Ipato 726-737.
4 Teodato Ipato 742-755.
5 Galla Gaulo 755-756; deposto.
6 Domenico Monegario 756-764.
7 Maurizio Galbaio 764-787.
8 Giovanni Galbaio 787-804.
9 Obelerio Antenoreo 804-809 o 810; deposto.
10 Agnello Partecipazio 810-827.
11 Giustiniano Partecipazio 827-829.
12 Giovanni Partecipazio I 829-836; deposto.
13 Pietro Tradonico 836-15 mar. 864.
14 Orso Partecipazio I 864-881.
15 Giovanni Partecipazio II 881-887; abdicò.
16 Pietro Candiano I 17 apr. (?)-sett. 887.
17 Pietro Tribuno mag. (?) 888-fine mag. (?) 912.
18 Orso Partecipazio II 912-932; abdicò.
19 Pietro Candiano II 932-939; abdicò.
20 Pietro Partecipazio 939-942.
21 Pietro Candiano III 942-959.
22 Pietro Candiano IV 959-976.
23 Pietro (S.) Orseolo I 12 ag. (?) 976-1 sett. 978; abdicò.
24 Vitale Candiano 978-dic. 979.
25 Tribuno Memmo dic. (?) 979-991.
26 Pietro Orseolo II mar. 991-metà sett. 1008.
27 Ottone Orseolo 1008-1026, deposto.

28 Pietro Centranico 1026-1032; deposto.
29 Domenico Flabanico 1032-1042.
30 Domenico Contarini 1043-1070.
31 Domenico Selvo 1071-1084; deposto.
32 Vitale Falier 1084 o 1085-1096.
33 Vitale Michiel I 1096-1102.
34 Ordelaffo Falier 1102-1118.
35 Domenico Michiel 1118-1129; abdicò.
36 Pietro Polani 1130-1148.
37 Domenico Morosini 1148-feb. 1156.
38 Vitale Michiel II feb. 1156-28 mag. 1172.
39 Sebastiano Ziani sett. 1172-13 apr. 1178.
40 Orio Malipiero 17 aprile 1178-14 giugno 1192.
41 Enrico Dandolo 21 giu. 1192-14 giu. 1205.
42 Pietro Ziani 5 ag. 1205-3 mar. 1229.
43 Jacopo Tiepolo 6 mar. 1229-20 mag. 1249; abdicò.
44 Marino Morosini 13 giu. 1249-1 gen. 1253.
45 Raniero Zen 25 gen. 1253-7 lug. 1268.
46 Lorenzo Tiepolo 23 lug. 1268-15 ag. 1275.
47 Jacopo Contarini 15 sett. 1275-6 mar. 1280.
48 Giovanni Dandolo 25 mar. 1280-2 nov. 1289.
49 Pietro Gradenigo 25 nov. 1289-13 ag. 1311.
50 Marino Zorzi 23 ag. 1311-3

lug. 1312.

51 Giovanni Soranzo 13 lug. 1312-31 dic. 1328.

52 Francesco Dandolo 4 gen. 1329-31 ott. 1339.

53 Bartolomeo Gradenigo 7 nov. 1339-28 dic. 1342.

54 Andrea Dandolo 4 gen. 1343-7 sett. 1354.

55 Marin Faliero 11 sett. 1354-17 apr. 1355; deposto e decapitato.

56 Giovanni Gradenigo 21 apr. 1355-8 ag. 1356.

57 Giovanni Dolfin 13 ag. 1356-12 lug. 1361.

58 Lorenzo Celsi 16 lug. 1361-18 lug. 1365.

59 Marco Corner 21 lug. 1365-13 gen. 1368.

60 Andrea Contarini 20 gen. 1368-5 lug. 1382.

61 Michele Morosini 10 giu.-15 ott. 1382.

62 Antonio Venier 21 ott. 1382-23 nov. 1400.

63 Michele Steno 1 dic. 1400-26 dic. 1413.

64 Tomaso Mocenigo 7 gen. 1414-4 apr. 1423.

65 Francesco Foscari 15 apr. 1423-23 ott. 1457; deposto.

66 Pasquale Malipiero 30 ott. 1457-5 mag. 1462.

67 Cristoforo Moro 12 mag. 1462-9 nov. 1471.

68 Nicolò Tron 23 nov. 1471-28 lug. 1473.

69 Nicolò Marcello 13 ag. 1473-1 dic. 1474.

70 Pietro Mocenigo 14 dic. 1474-23 feb. 1476.

71 Andrea Vendramin 5 mar. 1476-6 mag. 1478.

72 Giovanni Mocenigo 18 mag. 1478-4 nov. 1485.

73 Marco Barbarigo 19 nov. 1485-14 ag. 1486.

74 Agostino Barbarigo 30 ag. 1486-20 sett. 1501.

75 Leonardo Loredan 2 ott.

1501-22 giu. 1521.

76 Antonio Grimani 6 lug. 1521-7 mag. 1523.

77 Andrea Gritti 20 mag. 1523-28 dic. 1538.

78 Pietro Lando 19 gen. 1539-9 nov. 1545.

79 Francesco Donà 24 nov. 1545-23 mag. 1553.

80 Marcantonio Trevisan, 4 giu. 1553-31 mag. 1554.

81 Francesco Venier 11 giu. 1554-2 giu. 1556.

82 Lorenzo Priuli 14 giu. 1556-17 ag. 1559.

83 Girolamo Priuli 1 sett. 1559-4 nov. 1567.

84 Pietro Loredan 26 nov. 1567-3 mag. 1570.

85 Alvise I Mocenigo 11 mag. 1570-4 giu. 1577.

86 Sebastiano Venier 11 giu. 1577-3 mar. 1578.

87 Nicolò da Ponte 11 mar. 1578-30 lug. 1585.

88 Pasquale Cicogna 18 ag. 1585-2 apr. 1595.

89 Marino Grimani 26 apr. 1595-25 dic. 1605.

90 Leonardo Donà 10 gen. 1606-16 lug. 1612.

91 Marcantonio Memmo 24 lug. 1612-29 ott. 1615.

92 Giovanni Bembo 2 dic. 1615-16 mar. 1618.

93 Nicolò Donà 5 apr.-9 mag. 1618.

94 Antonio Priuli 17 mag. 1618-12 ag. 1623.

95 Francesco Contarini 8 sett. 1623-6 dic. 1624.

96 Giovanni I Corner 4 gen., 1625-23 dic. 1629.

97 Nicolò Contarini 18 gen. 1630-2 apr. 1631.

98 Francesco Erizzo 10 apr. 1631-3 gen. 1646.

99 Francesco Molin 20 gen. 1646-27 feb. 1655.

100 Carlo Contarini 27 mar. 1655-30 apr. 1656.

101 Francesco Corner 17 mag.-5 giu. 1656.
102 Bertucci Valier 15 giu. 1656-29 mar. 1658.
103 Giovanni Pesaro 8 apr. 1658-30 sett. 1659.
104 Domenico Contarini 16 ott. 1659-26 gen. 1675.
105 Nicolò Sagredo 6 feb. 1675-14 ag. 1676.
106 Alvise Contarini 26 ag. 1676-15 gen. 1684.
107 Marcantonio Giustinian 26 gen. 1684-23 mar. 1688.
108 Francesco Morosini 3 apr. 1688-6 gen. 1694.
109 Silvestro Valier 25 feb. 1694-5 lug. 1700.
110 Alvise II Mocenigo 16 lug. 1700-6 mag. 1709.

111 Giovanni II Corner 22 mag. 1709-12 ag. 1722.
112 Alvise III Mocenigo 24 ag. 1722-21 mag. 1732.
113 Carlo Ruzzini 2 giu. 1732-5 gen. 1735.
114 Alvise Pisani 17 gen. 1735-17 giu. 1741.
115 Pietro Grimani 17 giu. 1741-7 mar. 1752.
116 Francesco Loredan 18 mar. 1752-19 mag. 1762.
117 Marco Foscarini 31 mag. 1762-31 mar. 1763.
118 Alvise IV Mocenigo 19 apr. 1763-31 dic. 1778.
119 Paolo Renier 14 gen. 1779-13 feb. 1789.
120 Lodovico Manin 9 mar. 1789-12 mag. 1797; deposto.

La vicenda artistica

Sicuramente uno dei problemi più affascinanti per chi – studioso o semplice visitatore e amatore d'arte – si accosti ai molti e densi secoli di arte veneziana è quello delle origini. Per la presenza di varie componenti culturali e figurative nelle più antiche espressioni d'arte lagunari; ma – e forse soprattutto – per la difficoltà di ben definire un punto di partenza: da quando la cultura bizantina, ravennate, barbarica o indigena delle isolette realtine può dirsi autonoma espressione di un nuovo mondo – quello veneziano, appunto – ovvero solo e ancora riproposta e aggiornamento, ad esempio, del linguaggio antico, ieratico e raffinatissimo maturato sulle sponde del Bosforo?

Né meno affascinante e denso di incognite si presenta l'altro problema, l'altra domanda: quando finisce (se pur è finita) la stagione dell'arte veneziana? Con la caduta e morte della Repubblica Serenissima o con la fine dell'età neoclassica e la scomparsa di Canova; con la stagione romantica o col grande bagno di sangue della Grande Guerra? Ma è poi morta, Venezia, alle stagioni artistiche, come centro di produzione e di elaborazione di una cultura figurativa propria?

Tra l'uno e l'altro di questi due singolari dilemmi va pur detto che si sviluppano le originali trame di una vicenda d'arti figurative tra le più vitali, compatte, continue e autonome che il mondo occidentale possa vantare. Di questa civiltà – nel cui seno sfilano in teorie continue pittori, scultori, architetti, decoratori; maestri del disegno, dell'incisione, del mosaico, del vetro; orafi e intagliatori e così via – sono ben note le emergenze più rilevanti: i genî, le grandi personalità, quanti ebbero ad imprimere una svolta o un'accelerazione, delle rotture al fluire di uno svolgimento artistico; ma non va tuttavia dimenticato il ricchissimo tessuto di persone, di fatti, di eventi che dà risalto e determina la ricchezza dei secoli dell'arte veneziana. Nel più vasto contesto dell'arte veneta, Venezia ha poi una posizione e un rilievo affatto particolari: capitale politica sovente dura, esclusiva e quasi tirannica; centro indiscusso del potere economico e della compagine sociale dello stato, Venezia non è nemmeno mai venuta meno alla sua posizione di preminenza nel campo artistico: talora consacrando le fortune dei grandi figli delle città suddite, sempre acquisendoli totalmente nel proprio sistema linguistico, facendone in tutto e per tutto dei Veneziani. Ma è sicuramente interessante e importante considerare i contatti che l'arte veneziana ha avuto con le

maggiori componenti figurative occidentali nel corso dei secoli e
quanto essa ha recepito e quanto ha ceduto in tali scambi: con il
romanico padano non meno che con il gotico internazionale, con i
Ferraresi o i Padovani, la cultura lombarda o fiorentina o fiamminga e così via (né meno degni di attenzione sono gli scambi che
essa ha avuto con il variegato mondo orientale; oltre che, come
logico, con l'area bizantina, con quella islamica e persiana via via
fino all'Oriente più estremo); l'arte veneziana si snoda in un itinerario serpentino come un'imponente corrente che s'ingrossa nel
corso dei decenni e dei secoli, che dà e riceve, che si movimenta e
ribolle in repentine strette e rapide e cascate, che ristagna in
zone piane e paludose.

Così come da un lato l'arte veneziana continua a svolgere il suo discorso di
grande e originale singolarità, da altro lato ogni apporto nuovo che giunga
dall'esterno viene sincretisticamente assorbito e inglobato nelle espressioni figurative lagunari; e ciò lungo tutto il percorso della storia veneziana, sia nei momenti più alti e ricchi della sua vicenda culturale, sia nelle
pause di rallentamento e di minor tensione creatrice e innovativa: l'esperienza artistica veneziana si configura come una struttura aperta, una
sorta di libro contabile a doppia partita; le somme parziali e i numeri a piè
di pagina non possono non registrare un processo a direzione alterna, arrivi e partenze ininterrotti, investimenti di capitale artistico sulla grande
distanza e rendiconti comunque estremamente sostanziosi.

L'architettura e il mosaico appaiono le prime espressioni d'arte
lagunari: Torcello risulta il luogo della laguna veneziana nel
quale le varie componenti culturali che provengono dalla terraferma latina più o meno contaminata dalle incombenti presenze
barbariche attraverso le popolazioni in fuga, la realtà ravennate
romano-bizantina, i frammenti stessi di una radice locale, si mescolano a dar vita a realizzazioni di grande compiutezza artistica.
Le architetture torcellane ripropongono schemi appunto ravennati (come nella cattedrale di S. Maria Assunta) che saranno tuttavia esportati anche nel centro realtino; da Ravenna provengono i primi mosaicisti, attivi in Torcello e nello stesso nucleo
marciano oltre che nelle decorazioni musive che sappiamo assai
diffuse in molte delle chiese veneziane sin dal IX secolo; naturalmente giungono con i mosaicisti i vetrai che garantivano la fabbricazione delle tessere vitree, sin d'ora ponendo le basi di quel-
l'arte vetraria che presto avrà in un'altra isola dell'estuario –
Murano – la propria capitale mondiale per molti secoli.
È tuttavia nelle successive redazioni architettoniche, decorazioni
musive e apparato plastico di S. Marco che va letta la vicenda
complessa e splendente dell'arte veneziana dei primi secoli. A S.
Marco lavorarono volta a volta maestri ravennati, artisti di formazione e ambito culturale romanici, altri di cultura benedettina,

bizantini in senso proprio (e quindi greci) in quel vero e proprio crogiolo di produzione musiva; di apparati plastici decorativi assemblati con materiali di risulta antichi, tardoantichi e bizantini; di opere scultoree di originale elaborazione locale non infrequentemente aggiornate sui più avanzati risultati della scultura padana. Della prima S. Marco – quella voluta dal doge Giovanni Partecipazio per accogliere i resti trafugati ad Alessandria dell'evangelista Marco e che, costruita tra 829 e 832, fu probabilmente a croce greca, ornata di affreschi e mosaici – assai poco ci è pervenuto; breve durata ebbe la seconda S. Marco (ricostruita dopo un incendio dal doge Pietro Orseolo I); mentre la terza, voluta in forme nuove dal doge Domenico Contarini (1043-1070), inizierà subito ad esser rivestita dallo straordinario paramento musivo che, pressoché ininterrottamente, tra parti nuove e rifacimenti di quelle che mano a mano subivano dei danni o andavan perdute, continuò fino al pieno Seicento (e, oltre, nell'Ottocento).

Se la struttura insieme tardoromana e bizantina dell'edificio ha dei precedenti costantinopolitani (in particolare i Ss. Apostoli), le maestranze che vi lavorarono furono venete e lombarde di cultura romanica e i primi mosaicisti, come s'è visto, ravennati di cultura tradizionalmente bizantina. Il linguaggio figurativo veneziano dal Mille al Milleduecento conta al proprio interno tutte queste componenti: che non sono, si badi, frutto d'una cultura d'importazione o straniera; essa, di fatto, ben esprime la genesi della civiltà veneziana, il gusto, i modi di vita, le forme dell'«imagerie» lagunare così come le stesse modalità di organizzare la residenza e il vivere quotidiano risentono della varietà e ricchezza delle componenti di questa nuova realtà di Venezia.

Particolarmente ricca e felice la produzione scultorea fino al Duecento: l'amalgama di tradizioni e novità si manifesta sulle pàtere, formelle, plutei distribuiti con funzione d'arredo urbano un po' dovunque; e così dicasi dei portali marmorei lavorati che risentono di tutto il multiforme complesso di influssi – anche islamici – ma sono opere pienamente veneziane. Si arricchiscono intanto di veri capolavori i luoghi deputati – e, ancora una volta, soprattutto S. Marco – destinatari della produzione maggiore e più impegnativa. Il culmine di tutto ciò deve vedersi nel celebre ciclo scultoreo degli arconi sull'ingresso maggiore della Basilica: l'arte romanica esprime qui un linguaggio maturo di grande finezza e di estrema articolazione (principalmente la cultura antelamica si manifesta in quest'opera che risale al medio Duecento ma i cui autori palesano ricordi di derivazione wiligelmica assieme ad aggiornamenti sulla coeva scultura francese); soprattutto però introduce moduli nuovi, attenzioni e interessi alla realtà feriale del lavoro e della produzione, stacca decisamente e definitivamente con la raggelata aulicità degli schemi di ascendenza orientale.

La prima architettura veneziana pare rifarsi a moduli tardoromani: la casa loggiata a due piani con accenni di strutture difensive alle estremità della fronte (le «torreselle»), ancora può leggersi – seppur rinnovata e pienamente urbanizzata e inserita nei particolari modi di vita e di abitare in riva all'acqua propri di Venezia – riproposta in edifici duecenteschi quali Ca' Da Mosto, il rimaneggiatissimo e ricostruito fondaco dei Turchi, i palazzi Farsetti e Loredan. Quest'architettura giunge a toccare la fine del Duecento e l'inizio del Trecento: sarà soppiantata dal progressivo affermarsi del gotico non senza lasciare una sua riconoscibile eredità, quella che ha determinato l'affermarsi dello schema di base dell'architettura civile veneziana in tutti i secoli successivi, pur attraverso modifiche e aggiustamenti che, tuttavia, mai son giunti a negare le ragioni funzionali e la felice organizzazione logica e distributiva dello schema.

L'ultima parte del Duecento segna, per converso, dopo il lungo ed efficace periodo di occidentalizzazione dell'arte veneziana, un rinato interesse per Bisanzio: da un lato il rinnovamento figurativo impostato sulla dinastia paleologa (di questo si sentiranno gli influssi ben dentro il secolo successivo), dall'altro una sorta di 'ritorno alla madre' e la più consapevole configurazione di un mito veneziano sopra i modelli dell'impero romano ma, soprattutto, l'accordo coll'imperatore Andronico Paleologo nel 1285 giustificano tale temporanea inversione di tendenza.

Dopo il mosaico e dopo quella sorta di redazione povera della decorazione musiva parietale costituita dai dipinti a fresco (frammenti in S. Marco ma anche in altre chiese cittadine: Ss. Apostoli, S. Giovanni Decollato, S. Nicolò dei Mendicoli), la prima vera e propria scuola pittorica veneziana – nella quale sicuramente permangono tutte le varie componenti che si sono sin qui citate ma che tuttavia muove in autonomia di atteggiamento creativo e di linguaggio – si ha attorno alla personalità di Paolo Veneziano: artista singolare, egli compie un itinerario insolito che lo porta da un atteggiamento di apertura e di personalissima attenzione alle novità linguistiche della terraferma veneta (Giotto è attivo agli Scrovegni di Padova nel 1305) a una 'riscoperta' della tradizione bizantina che si fa esplicita e condizionante nella produzione finale. Nel 1310 maestro Paolo sigla l'ancona nella Basilica dei Ss. Maria e Donato di Murano, ponendo in tal modo il primo ancoraggio cronologico certo su un dipinto veneziano; nelle opere successive Paolo espone tutta l'articolazione del suo discorso pittorico (annunci di gotico internazionale, cultura veneziano-bizantina, pittura padana e adriatica) ma, soprattutto, mostra in atto una ricerca volta a individuare strade autonome e per certi versi alternative rispetto a queste scuole.

Sul percorso indicato da Paolo altri si immettono e tuttavia ciascuno accentuando una propria e specifica caratterizzazione: Lorenzo Veneziano e quindi Stefano e poi Nicoletto Semitecolo e i numerosi artisti nei quali sopravvive la cultura figurativa bizantina in termini però sempre più laschi e remoti: in essi è il mondo gotico e le montanti fortune dell'internazionale che progressivamente si affermano. La ieratica formalizzazione bizantina, i nessi logici di un linguaggio spesso cifrato e non meno frequentemente aristocraticamente 'separato', la fissità di una concezione spaziale legata anche iconograficamente all'Oriente divengono estranei a una civiltà che andava progressivamente intensificando i propri legami e interessi con il mondo padano.

Spetta a un pittore padovano, il Guariento, chiamato per una impresa pubblica di enorme significato e importanza, il *Paradiso* della sala del Maggior Consiglio di Palazzo Ducale, tentare di colmare il divario che ancora teneva distinte se non contrapposte in Venezia la pittura di tradizione bizantina e gli echi giotteschi, il gotico padano, le cadenze riminesi: siamo negli anni sessanta del Trecento; nei decenni successivi si prepara una nuova generazione di pittori veneziani: con essi il gotico internazionale è oramai un linguaggio di compiuta e raffinata cultura.

La presenza a Palazzo Ducale di Gentile da Fabriano e di Pisanello nel secondo decennio del Quattrocento caratterizza ancor più in tale direzione la pittura veneziana. Tra fine Trecento e primo Quattrocento Niccolò di Pietro, Jacobello Del Fiore e Michele Giambono sono il contributo più alto e più originale a questo stile nella sua stagione cortese, narrativa, flessuosa, cosmopolita, raffinatamente decorativa che Venezia abbia dato.

Anche la scultura gotica veneziana rivela la sua maturità linguistica in S. Marco, dove Pier Paolo e Jacobello Dalle Masegne firmano nel 1396 il loro capolavoro nella suggestiva teoria di Apostoli a fianco della Crocifissione sopra l'iconostasi (ma la loro produzione è assai vasta in Venezia e fuor di Venezia dove porteranno la loro bottega). È il momento più alto di una stagione di gotico che – per estensione da altri modelli e realtà – vien definito «fiorito». Scultura e architettura una volta di più intrecciano le loro fortune nella massiccia opera di riscrittura del volto cittadino: la stagione del gotico – lunga e felice – conosce a Venezia una delle più estese e articolate incarnazioni fin dentro e oltre la metà del Quattrocento. Il palazzo d'abitazione (non meno che l'edificio 'minore', la casetta popolare o la Scuola) raggiunge la più compiuta e spesso fastosa redazione nell'attraversare le varie fasi o stagioni della linguistica gotica e accompagnandole

con il procedere e complessificarsi della stessa struttura architet-
tonico-edilizia dell'immobile.

Dai primi esemplari all'esordio del XIV secolo fino ai bagliori finali, ai palazzi Foscari, alla stessa Ca' d'Oro, al portale di Palazzo Ducale verso la
Basilica (la celebre porta della Carta di Giovanni e Bartolomeo Bon) e addirittura all'arco Foscari (sempre a Palazzo Ducale), dove gli ultimi fiam-
mati spiriti dell'arte gotica si mescolano inscindibilmente ad espressioni di
un rinascimento già maturo. Né meno rilevante è il fiorire d'edifici gotici
religiosi: le grandi capanne in cotto degli ordini mendicanti (in particolare,
la domenicana Ss. Giovanni e Paolo, la francescana S. Maria Assunta dei
Frari, la chiesa dei Servi – non più esistente – e poi la Madonna dell'Orto,
S. Stefano e altre ancora) costituiscono non infrequentemente in aree allora periferiche del centro cittadino, consistenti e significative presenze
insieme di pietà e di cultura, di gusto e di capolavori d'arte.

È Palazzo Ducale, tuttavia, la più grande e forse originale realizzazione del gotico veneziano, a partire dall'immensa impresa di
rifabbrica della sala del Maggior Consiglio, nel ventennio successivo alla metà del secolo. Il palazzo diventa da allora, per i dati
architettonici di assoluta novità e originalità anche rispetto ai
contemporanei palazzi pubblici veneti e padani; per la ricchissima
dotazione plastica, per la stessa decorazione a fresco, quanto di
più compiuto, originale e innovativo abbia potuto produrre la civiltà veneziana in un momento cruciale e talora drammatico della
sua storia.

La città splendente policroma e unica trovava – a fianco dell'antica e pur
rinnovata basilica dedicata all'evangelista Marco racchiudendone le spoglie – il segno della propria potenza e la cifra della propria cultura oramai
occidentale, moderna, preziosa e raffinata, potente nella clamorosa evidenza di una sede politica insieme massicciamente strutturata ed elegantemente connotata.

Mentre questa cultura e i suoi rappresentanti ancora testimonia-
vano con opere non infrequentemente di notevole efficacia e
pregio artistico la radicata e qualificata presenza del gotico a Venezia, dalla terraferma, una volta ancora, giungevano le notizie e
le personalità destinate a provocare una nuovo allineamento di
Venezia sulle più recenti acquisizioni culturali e artistiche dell'u-
manesimo toscano: Donatello era a lungo attivo a Padova a partire dal 1443; Paolo Uccello e Andrea del Castagno venivano addirittura inviati da Firenze per soccorrere la fabbriceria marciana rimasta priva di maestri mosaicisti; prima di altri, Filippo
Lippi era giunto a Padova già dal 1434 e da Padova, a cavallo
della metà del secolo e sotto lo stimolo dei Toscani, parte la
grande stagione rinascimentale dell'arte veneta. Qui a Padova
Francesco Squarcione, singolare e geniale figura di caposcuola; a
Murano Antonio Vivarini, capostipite di una folta e longeva fami-

glia d'artisti e Jacopo Bellini a Venezia, patriarca della più grande fucina dell'umanesimo pittorico lagunare, sono tutti legati alla personalità titanica di Andrea Mantegna.

Ognuno di loro rappresenta nella propria esperienza e nelle proprie opere il travaglio di una stagione che muore e dà faticosamente alla luce un mondo differente e nuovo: il gotico tardo, reso più essenziale e corposo, le architetture raffinate e policrome e già investite del gusto rinnovato, costruzioni complesse come grandi macchine si sommano e integrano con citazioni dell'antico e la coscienza di una spazialità tridimensionale non ignara della rivoluzione prospettica.

Mantegna supera d'un balzo tutto questo: il timido, narrativo didascalico e letterario umanesimo del suocero Jacopo Bellini; quello «umbratile» (Longhi) e acerbo, vicino forse alla lezione di Masolino di Antonio Vivarini che appare, al termine della carriera, quasi volgersi indietro; l'eclettismo curioso di Squarcione. Andrea possiede le conoscenze storiche e la dimensione culturale, il bagaglio archeologico e il radicamento mitico per entrare senza esitazioni in una ben differente lunghezza d'onda. Il mondo classico, la 'nostalgia' archeologica, l'umanesimo letterario e il rinnovamento fiorentino ne segnano con prepotente incisività la figura e l'opera; la parentela coi Bellini, la magistrale attività mantovana e padovana, l'attenzione alla cultura nordica, la produzione incisoria ne fanno subito un maestro incontrastato di statura eccezionale.

Attorno alla figura di Mantegna e negli anni centrali del secolo si consuma la definitiva scelta umanistico-rinascimentale della pittura e dell'arte veneziana, e pur nel segno di Mantegna (anche oltre le esitazioni e le più intimistiche arcaizzanti e liricamente addolcite e gentili composizioni di un Crivelli, del resto presto fuor di Venezia nel suo esilio marchigiano) essa fiorisce nella pienezza consapevole e nella ricerca meditata colta e pur trepidante di Giovanni Bellini.

Il fratello, Gentile, ugualmente parte da Mantegna e non ne supera tuttavia la dimensione di un'archeologia minerale tradotta in monumentalismo arcaizzante (portelle d'organo di S. Marco, poi nell'ex chiesa di S. Basso e quindi in deposito presso il Museo Diocesano d'Arte Sacra); ma dispiegherà successivamente una pungente e didascalica vena narrativa (ripresa e condotta ad altezza poetica dal Carpaccio) o affiderà al segno incisivo, a una fissità colta e quasi «rétro» di un corpus singolare e penetrante di ritratti il proprio più maturo ed efficace messaggio.

Giovanni acquisisce e pratica tutto ciò; ma la sua natura filosofica e la sua cultura di raffinato umanista cercano oltre questi confini il proprio itinerario d'arte. La crudezza totalizzante, quasi polemica e 'storiografica', di Mantegna si stempera in una

dolcezza pacata e riflessiva, in una meditazione sulla storia e
oltre la storia che tocca alcuni dei vertici più alti dell'umanesimo
rinascimentale. Il linguaggio di Giovanni si articola e si raffina:
oltre il disegno e oltre la dura, contrastata geometria della cultura nordica; l'incontro a Venezia con Antonello da Messina (presente in città nel 1475 e '76), la tarda conoscenza di Dürer danno
alla sua dimensione artistica un orizzonte internazionale; la sua
ricerca inventa un uso nuovo degli elementi strutturali del dipingere: i risultati sorprendenti e poetici che l'impasto di colore, disegno e fatti luminosi consegue nei suoi dipinti, fa proclamare a
Marco Boschini: «Zambelin se puol dir da la primavera / Del Mondo
tuto, in ato de Pitura: / Perché da lù deriva ogni verdura, / E
senza lù l'arte un inverno giera».

Le tappe fondamentali del discorso di Giovanni si dispiegano in
un corpus di straordinaria congruità e limpidezza: sempre più
lontano dalla dimensione allegorica e, comunque, letteraria, il
linguaggio belliniano si accosta alla natura e alla storia con sommessa, lirica e personalissima partecipazione, assolutamente
'moderna' nei suoi esiti finali. Dalla problematica *Crocifissione*
del Correr, attraverso le sorprendenti *Madonne*, *Trasfigura-
zioni*, *Pietà* (fino alla altissima *Pietà* di Brera), Giovanni attraversa varie fasi di mantegnismo per giungere ai grandi traguardi
del *Polittico di Vincenzo Ferreri* ai Ss. Giovanni e Paolo, ai ritratti, alle sacre conversazioni, alla *pala di Pesaro* e al *Trittico*
dei Frari e alla svolta antonellesca, quindi alle grandi *pale* (di S.
Giobbe, S. Zaccaria, S. Pietro Martire, S. Giovanni Crisostomo) e
ai lirici meditativi e religiosi ultimi commossi dipinti.

La rivoluzione pittorica di Giovanni lascia il segno nell'arte veneziana: seguaci e imitatori ne divulgano anche nella provincia della Repubblica i caratteri comuni e la maggior o minore partecipazione alla grandezza del
caposcuola: da Lazzaro Bastiani al Mansueti al Marconi a Marco Marziale
fino alle personalità più autonome e complesse di Bartolomeo Montagna o
Giovanni Battista Cima.

Nonostante questa predominante qualificazione belliniana della
pittura veneziana del secondo Quattrocento, non può essere assi-
milata tout-court a quest'ambiente la figura di Vittore Carpaccio. Egli non è solo un felice narratore, tuttavia: vicino a Gentile, attento agli influssi della pittura dello straordinario Quattrocento ferrarese, attivo per una committenza pubblica e semipub-
blica che gli affida la realizzazione di cicli pittorici di vasto respiro romanzesco, egli è il più fedele testimone di un momento
particolare della civiltà urbana di una Venezia sospesa ancora co-
scientemente e programmaticamente tra richiami e suggestioni
orientali e l'immagine quasi di vivace emporio anseatico. Le

Scuole, le chiese, lo stesso Palazzo Ducale si popolano di sue storie colorate e romantiche, narrate con tutte le doti e gli espedienti di un grande costruttore di trame affidate a un linguaggio pittorico lucido e smagliante di colori ricchi e corposi, che si sostanzia di storie e saghe cortesi non meno che di episodi e vicende mediterranee e solari. Carpaccio è un grande testimone della società del suo tempo: le storie di S. Orsola, quelle di S. Giorgio degli Schiavoni, di S. Giovanni Evangelista non meno che le enigmatiche *Dame* e il *Giovane col berretto rosso* al Correr sono forse quanto di più penetrante e attento ci sia giunto sulla civiltà, i miti, le convenzioni e i riti della civiltà del primo Rinascimento in Venezia.

Nella scultura e nella stessa architettura gli ultimi esiti della stagione gotica si mescolano – come si è detto – con gli annunci e le prime prove dell'arte nuova: tutte le presenze d'artisti toscani che si son citati (e ai quali debbono aggiungersi almeno le personalità del Ghiberti, Leon Battista Alberti e Michelozzo) e le loro se pur non numerose opere sono motivi di confronto e forti sollecitazioni a lasciare il radicatissimo e quasi 'nazionale' linguaggio fiorito per avviare nuove ricerche.

Spetta ad Antonio Rizzo e alla famiglia dei Lombardo portare oltre il guado di una stagione 'di passaggio' scultura e architettura veneziana ben dentro l'ambito umanistico rinascimentale; con qualche ritardo rispetto alle coeve prove dei maestri del pennello, ma da questi spronati a superare le maggiori, forse, resistenze di generi e linguaggi di più vischiosa natura. Del 1460 è il celebre portale di terra dell'Arsenale, ma è con gli anni settanta che si assiste a una vera e propria accelerazione nella estensione di aggiornati modelli a vari tipi di realizzazioni: a partire dalla serie dei monumenti dogali ai Frari (Tron) ai Servi (Emo) ai Ss. Giovanni e Paolo e così via. Per un quindicennio Antonio Rizzo è al lavoro a Palazzo Ducale nell'appartamento del Doge e quindi allo scalone che dalla porta della Carta conduce alle logge (sul quale Sansovino aggiungerà i due «Giganti» – Nettuno e Marte – donde si intitola la scala). Opera colta e iconograficamente ridondante e financo criptica alla quale lavorarono più mani, ma che segna decisamente quella scelta antiquaria che resterà poi patrimonio comune soprattutto della scultura veneziana fino all'avvento del Sansovino.

Prima della scala (e prima quindi di fuggire da Venezia nel '98) Rizzo realizza anche le due statue di Adamo ed Eva per l'arco Foscari: la cultura figurativa belliniana e antonellesca vi appare tradotta puntualmente e genialmente in fatti tridimensionali.

I Lombardo (nel cui ambito spiccano Pietro e il figlio Tullio) proseguono la lezione del Rizzo e realizzano una serie di edifici e di apparati plastici (da S. Giovanni Evangelista alla Scuola Grande di S. Marco, alla chiesa dei Miracoli, ai monumenti Malipiero, Mocenigo, Vendramin) dove volta a volta appaiono contrapporsi esigenze di strutturalità e ragioni decorative di superficie, anzi queste risultano non infrequentemente prevalere – come ai Miracoli – per una deliberata scelta di gusto ancora a suo modo intriso di attitudine tardogotica.

Assai più decisamente e compiutamente 'architettonica' la figura di Mauro Codussi, che parte da una sostanziale acquisizione albertiana per poi articolare e complessificare culturalmente il suo discorso accostandosi ad ambienti di punta del pensiero veneziano di fine Quattrocento. Il recupero della tradizione dell'architettura religiosa veneto-bizantina in valenza umanistica insieme mitica e nazionale accompagna la sua produzione dal S. Michele in Isola fino ai capolavori di S. Maria Formosa o del S. Giovanni Crisostomo, il più raffinato e perfetto esemplare di edificio a pianta centrale a giorno dell'architettura del Quattrocento centro-italiano, e tuttavia pienamente espressione di una sensibilità di tradizione veneziana.

Anche per l'architettura civile Codussi rappresenta un punto d'arrivo: i palazzi Corner-Spinelli, Zorzi e, soprattutto, Vendramin-Calergi sono sicuramente il più originale e compiuto risultato dell'umanesimo architettonico veneziano prima dell'avvento del linguaggio romano portato da Sansovino. Il gusto archeologico mantegnesco e poi dei Lombardo, la citazione dotta e 'a chiave', il senso dello spazio della linea Bellini-Antonello, la tridimensionalità monumentale derivata dalla conoscenza albertiana: tutto concorre a portare a compimento un corpus d'opere che resteranno tuttavia praticamente senza seguito (si tolgano le pur apprezzabili realizzazioni di Giorgio Spavento e pochi altri) sotto l'urgenza di un più radicale e 'ideologico' rinnovamento linguistico impostato sugli anni trenta del Cinquecento.

Mentre Giovanni Bellini invecchia nella grandezza senza cedimenti e incrinature della sua arte, si affermano le qualità e le invenzioni – e la poetica – di una nuova generazione d'artisti: Giorgione, Tiziano e Lotto dominano prepotentemente (pur assieme ai bagliori finali di Giambellino) la scena del primo Cinquecento. Ma subito attorno a queste tre emergenze si collocano le personalità altissime e per certi versi enigmatiche di Sebastiano del Piombo e Palma il Vecchio (né possono esser taciute le presenze in Venezia di Albrecht Dürer – attivo alla pala, poi emigrata dalla città, di S. Bartolomeo nel 1505 – e di Jacopo de' Barbari). Le novità del giovane Zorzi da Castelfranco – che pur frequenta nella prima giovinezza la bottega belliniana – vengono dall'attenta ricettività che egli mostra nei confronti delle acquisizioni leonardesche, non meno che di Raffaello e Michelangelo: dal monumentalismo classico di questi all'atmosfera sospesa e palpitante del da Vinci. Soprattutto però Giorgione abbandona la precedenza logica e metodologica del disegno rispetto al colore in pittura: vale a dire che egli trasforma l'universo pittorico nel suo stesso nascere e porsi come linguaggio identificabile nell'insieme dei segni tra loro collegati e resi 'parlanti' e decifrabili sulla scorta di regole e leggi; porta in una elegiaca realtà atmosferica le sue scene; 'inventa' la pittura 'pura' (cioè la meditazione filosofica e talora esoterica, la riflessione isolata, il fatto d'arte come suprema creazione spirituale) postulando una diversa e nuova figura d'intellettuale e nuovi rapporti sociali tra committenza e artista

Dalla *pala di Castelfranco* – ancora fortemente influenzata dalla meteora Antonello e dalla lezione belliniana – alla *Tempesta*, alla *Vecchia* (entrambe alle Gallerie dell'Accademia), ai *Tre Filosofi* di Vienna, Giorgione fa compiere alla pittura e alla cultura veneziana passi giganteschi verso il mondo moderno.

Sia Tiziano che Sebastiano del Piombo nascono, artisticamente, a ridosso di Giorgione (il Cadorino e il raffinato maestro di Castelfranco lavorano anzi fianco a fianco nel 1508 sulle due fronti del fondaco dei Tedeschi, presso Rialto). Se la figura di «Sebastiano viniziano» appare più defilata e decentrata, la prepotente personalità di Tiziano occuperà senza alternative e senza contendenti tutta la scena artistica veneziana nel corso della longeva operosissima vita del maestro (tanto che il Lotto, il grande e disincantato Lorenzo, sensibilissimo, attraversato e segnato da inquietudini religiose in senso riformato non meno che dalla ostilità dell'ambiente lagunare, dovrà quasi di necessità scegliere altri lidi e altri committenti per i suoi dipinti; lasciando Venezia nel 1542 subito dopo il capolavoro dell'*Elemosina di S. Antonino* ai Ss. Giovanni e Paolo, egli porta definitivamente altrove e soprattutto nelle Marche la poesia intimistica, narrativa, «patetica ed estrosa» (Pallucchini), anticonformistica e anticipatrice del suo genio riflessivo e attualissimo).
Tiziano appare quindi la figura cardine del Cinquecento: attivo fino alla morte che sopraggiunge nel 1576 allorché egli è oramai quasi novantenne, il Cadorino piega la sua pittura in un itinerario di straordinaria ampiezza e felicità creativa: dalla nettezza limpida e inequivoca degli esordi, attraverso la breve condivisione della cultura giorgionesca (le vicende attributive di dipinti assegnati e tolti di continuo dalla critica ai due artisti è una buona testimonianza circa gli anni di vicinanza e quasi identificazione dei loro linguaggi), fino alla scomposizione totale delle forme in suggestioni e notazioni luminose assolutamente destrutturate ri-

spetto alla gabbia del disegno e sottratte ad ogni condizionamento di convenzionalità.

Tiziano porta inoltre alle conseguenze estreme quel procedimento – avviato da Giorgione – di trasformazione della figura dell'artista nella società europea del Cinquecento: non solo perché egli è l'artista ufficiale di case regnanti corti e potentati laici e religiosi e rovescia a proprio favore il tradizionale legame committente-artista, ma anche perché porta al successo una pittura che è anche «arte di stato», incarnazione stessa delle ideologie e dei miti della classe di governo.

La sua adesione a un classicismo maturo e quasi pomeridiano e, successivamente, la declinazione in senso manierista del suo linguaggio lo portano oltre i grandi exploits della *Madonna di Ca' Pesaro*, dell'*Assunta*, del politico di Brescia, della *Presentazione al Tempio* della Scuola della Carità o dei miti classici dell'*Amor Sacro e Profano*, verso gli ultimi capolavori del *Martirio di S. Lorenzo* ai Gesuiti o dell'*Annunciazione* di S. Salvador fino al 'testamento' della *Pietà* alle Gallerie dell'Accademia.

Nel corso dei quasi settant'anni di attività di Tiziano la vicenda artistica veneziana appare dapprima articolarsi in filoni non raramente suggestionati e condizionati da differenti realtà geografiche e di matrice culturale (si pensi al filone bergamasco – con il raffinatissimo enigmatico Palma capostipite, vi sono Cariani e il Licinio, tutti singolarmente sensibili all'eredità giorgionesca – o a quello bresciano con Savoldo, Moretto e Romanino), per poi esplodere a metà del secolo allorché a Tiziano s'affiancano le altre grandi personalità di Paolo Veronese e del Tintoretto, con la presenza in Venezia di rappresentanti significativi del manierismo romano e centroitalico quali Francesco Salviati e Giuseppe Porta, e quindi dei Veneti più o meno riconducibili a un ambito latamente manieristico da Pordenone allo Schiavone, da Battista Franco a Battista del Moro, e con il conseguente ulteriore articolarsi e diversificarsi di una cultura figurativa già ricchissima e ora ai vertici assoluti dell'esperienza artistica europea.

In un arco cronologico assai simile a quello di Tiziano esercita la sua attività progettuale e il non meno rilevante ruolo di intellettuale in piena consonanza con i disegni politici della classe di governo, il toscano Jacopo Tatti, il Sansovino, che giunge a Venezia in coincidenza con la diaspora artistica provocata a Roma dal funesto sacco dei Lanzichenecchi (1527) e che viene incaricato di approntare uno dei più vasti, significativi e 'orientati' disegni di gestione urbana di tutto il Rinascimento. Introdotto a Venezia il linguaggio architettonico del classicismo romano di matrice bramantesco-raffaellesca, Sansovino vi soppianta quello umanistico-archeologico dei Lombardi e del Codussi, e diviene l'arbitro assoluto e l'incontrastato interprete della «renovatio urbis» del medio Cinquecento lagunare.

La trasformazione del 'nodo' marciano in tutte le sue molteplici articolazioni è, insieme, il banco di prova e la concreta verifica degli assunti sansoviniani: partendo dalla Libreria di S. Marco e poi via via coinvolgendo entro un vero e proprio 'piano' di portata assai estesa la Zecca, la Loggetta del campanile, le Procuratie Nuove, la chiesa di S. Geminiano, lo scalone di Palazzo Ducale, Sansovino trasforma sensibilmente sia il tracciato planimetrico di S. Marco che il suo profilo in alzato: la vecchia piazza bizantina e medievale, policroma, 'irregolare', organicamente cresciuta e modificatasi nel corso dei secoli diviene in pochi decenni un «forum» d'ascendenza vitruviana e una composita scena teatrale classica per la rappresentazione continua dei miti e dei riti del potere veneziano.

La totalizzante presenza di Sansovino è una delle ragioni della difficoltà per Andrea Palladio ad affermarsi a Venezia (ma la progettazione e realizzazione di numerose ville fa sì che anche Andrea possa stringere il suo destino e le sue fortune alle più affermate famiglie patrizie della Serenissima); l'altra ragione risiede piuttosto nella 'irriducibilità' della architettura di Palladio al disegno politico veneziano del medio Cinquecento per la raffinata e ininterrotta ricerca disciplinare e linguistica che egli vien conducendo a partire dalle fonti (e che lo porterà alla pubblicazione dei celeberrimi Quattro libri, uno dei capisaldi dell'architettura occidentale moderna e veicolo di diffusione del palladianesimo nel vecchio e nel nuovo mondo).

Scomparso Sansovino (1570), Palladio tuttavia ha modo di progettare nell'ultimo decennio di vita (morirà appunto nel 1580) le chiese del Redentore, di S. Giorgio Maggiore e delle Zitelle e di metter in forma la grande quinta teatrale che chiude in prospettiva lontana lo spazio del Bacino di fronte a S. Marco: risposta in qualche modo polemica alle scelte di Sansovino.

L'altro grande dell'architettura – e dell'ingegneria – veneziana del secolo è il veronese Michele Sanmicheli: formatosi anch'egli a Roma, tornato in patria gli vien affidato il progetto di ristrutturazione territoriale dello stato per la realizzazione di un nuovo sistema di fortificazione e difesa, ma si dimostra architetto e urbanista di vena originale e raffinata sia a Verona che a Venezia.
Vicino a Palladio può essere posto Paolo Veronese, che accentua tuttavia la scenograficità teatrale, la caleidoscopica 'infinita' possibilità di variazione e di invenzione, la cristallina certezza della validità assoluta e creatrice della idealità fantastica, una confidenza amplissima nei propri mezzi linguistici. Veronese è un grande, insuperabile inventore di occasioni e di pretesti dai quali muovere alla costruzione di mondi paralleli e improbabili che tra-

passano dal trompe-l'oeil alla città utopica, dallo scherzo alla mitologia, dalla letteratura alla poesia. Nella formazione del Caliari confluiscono la cultura figurativa della città scaligera e influssi emiliani, il momento monumentale e quasi romano della produzione giorgionesca e le correnti manieriste in progressiva affermazione. Ma è tuttavia la tavolozza di straordinaria limpidezza a dare i caratteri salienti di un linguaggio «orientato verso la purezza cerebrale di certe gamme cromatiche che si affondavano anche nelle radici gotiche della tradizione figurativa locale» (Pignatti); e poi la sconfinata capacità di costruzione: quindi di dare struttura e cadenza narrativa o sospesa a ogni scena rappresentata; tutto ciò fa sì che la pittura di Paolo dia vita a un mondo irreale e poetico, carico di una suggestione generosa e seducente.

Presente a Venezia dalla metà del secolo, Veronese realizza nei successivi decenni opere e cicli decorativi di eccezionale importanza: tutto l'interno di S. Sebastiano, le pitture di Palazzo Ducale, le *Cene* dei Ss. Giovanni e Paolo e di S. Giorgio Maggiore, le *Allegorie* della Libreria Marciana, le scene religiose e allegoriche del suo ultimo periodo di attività.

Radicalmente diversa la figura di Jacopo Robusti, il Tintoretto: il più apertamente dedito a intrecciare in una pittura tesa e spesso teatralmente impostata sollecitazioni religiose controriformistiche, manierismo post-michelangiolesco, luminismo acceso e colorismo caricato e ad effetto. Tintoretto è narratore sommo: egli sa finalizzare ogni espediente retorico – di cui mostra di possedere una dotazione pressoché senza confini – al più spettacolare esito finale. Autore di grandi imprese decorative, egli predilige gli spazi dilatati e il respiro lungo di complessi poemi: comunque ricorre alla deformazione più che manieristica di forme e volumi in declinazioni figurative quasi anamorfiche, inventa paesaggi di costruzione complessa e suggestiva, definisce in impossibili folgorazioni luministiche spazialità notturne e crepuscolari come incubi, amplifica oltre ogni limite le conseguenze ottiche delle proporzionalità prospettiche.

È a S. Rocco, nei cicli cui ripetutamente egli viene chiamato a lavorare negli ambienti della Scuola Grande e alla tele della omonima chiesa, oppure nelle vaste composizioni della Madonna dell'Orto e di S. Giorgio Maggiore che Tintoretto dà tutta la misura del suo titanico sforzo per far esplodere attorno a sollecitazioni emotive, sentimentali e 'romantiche' l'impianto ancora lucido e razionale della cultura figurativa veneziana del Cinquecento.

Accanto agli interpreti eroici dell'arte veneziana del XVI secolo nella sua dimensione culturale urbana e centrale, Jacopo da Ponte, il Bassano, vien svolgendo la sua parabola sommessa e lirica intrisa di una raffinata e insieme ingenua, agreste e bucolica visione del mondo. Mito e sacra scrittura, meditazione religiosa e narrazione profana si vestono dei panni rustici e della profonda concreta realtà del mondo contadino; ma non si tratta di una riduzione naïf o dimessa, bensì della riscoperta splendente e ricchissima della dimensione oggettiva, quotidiana del reale, di una più vera e credibile richiesta di concretezza e naturalità.

Anche se la critica recente e i recuperi filologici accurati e importanti consentono di osservare sotto una più favorevole luce il mondo variegato della pittura veneziana che circonda e poi continua l'attività di questi maestri (siano i figli di Tintoretto, di Bassano o di Veronese, i seguaci di Tiziano o i vari più o meno originali outsiders attivi in città e nella regione e soprattutto il più versatile, prolifico e controriformistico Jacopo Palma il Giovane), l'unico grande prodotto della 'scuola veneta' sullo scorcio finale del Cinque e nel primo Seicento è Domenico Theotokópulos, El Greco: ma egli porterà altrove – a Toledo – gli esiti ultimi del suo «espressionismo allucinato» (Pallucchini).

L'architettura dopo l'età di Sansovino Sanmicheli e Palladio conosce l'irrigidimento normativo e accademico in senso purista governato se pur non senza contrasti da Vincenzo Scamozzi, oppure la più stanca ripetizione di moduli latamente palladiani, oppure ancora si affida alla prevalentemente ingegnerile cultura dei proti, degli ingegneri pubblici, dei funzionari degli uffici della Repubblica. Spetta piuttosto a uno scultore-architetto-decoratore come il trentino Alessandro Vittoria, collaboratore di Palladio a Maser e di Sansovino a Venezia, avviare un rinnovamento dei linguaggi artistici veneziani. Vittoria da un lato partecipa con Tiziano e Tintoretto in posizione di primo piano a dar vita alla grande ritrattistica veneziana del secondo Cinquecento (quella galleria straordinaria di personaggi reali e, insieme, di virtù civili e guerriere che popolano quasi come austere divinità l'olimpo della storia veneziana), dall'altro media in interpretazioni volta a volta fastose e ironiche la monumentalità dell'architettura nella quale si trova a lavorare come decoratore; infine, come architetto egli stesso, mostra di poter superare la fissità austera e irrigidita dello Scamozzi progettando – tra l'altro – quel palazzo Balbi in Canal Grande da cui prenderà non casualmente le mosse il maggior artista veneziano del Seicento, Baldassare Longhena. Longhena, di famiglia bresciana trapiantatasi col padre tagliapietra in Venezia, cresce a contatto con Scamozzi ma se ne distacca presto scegliendo un'architettura di grande tensione creativa e illimitate possibilità strutturali e linguistiche.

Quell'architettura – «l'unica alternativa d'alta classe al barocco romano» (Wittkower) – trionfa nella grande «rotonda machina» della Salute (eretta per voto in occasione della pestilenza del 1630; così come era avvenuto nel

1576 con il Redentore del Palladio); matura nella ripresa e trasformazione del modello degli edifici privati sansoviniani realizzando i palazzi Pesaro e Bon-Rezzonico; nega se stessa e insieme la possibilità della grande sintesi artistica barocca dando vita all'incubo lapideo della sorprendente 'irrazionale' facciata dell'Ospedaletto.

I Sardi (S. Maria del Giglio, i Mendicanti, la facciata dei Carmelitani Scalzi), Tremignon (S. Moisè), Gaspari (palazzo Zenobio e vari interventi su architetture civili e religiose) e gli altri architetti dell'età barocca non paiono che marginalmente comprendere la lezione longheniana, non infrequentemente delegando alle fastose ridondanti presenze scultoree (nelle quali si distinguono il genovese Filippo Parodi e il fiammingo Josse Le Court, spesso a fianco del Longhena) il compito di mantenere vive le istanze scenografiche e il gusto del mutevole e della variazione propri dell'attitudine barocca.

Certo più che l'architettura – non vantando una personalità paragonabile a quella di Longhena – anche per la pittura il secolo XVII fu periodo d'assestamento e, talora, di restaurazione. Occorre giungere alla presenza di alcuni 'stranieri' per ritrovare freschezza d'invenzione e accenti di novità dopo il raggelato accademismo tizianesco di un Padovanino (Alessandro Varotari) e dei palmeschi; ovvero le eleganze raffinate e talora superficiali di Pietro Muttoni o del Forabosco, fino all'inquieto elegante e itinerante Pietro Liberi e a Pietro Ricchi attraverso una composita schiera di seicentisti alla ricerca di più o meno felici collocazioni nel fragile universo della pittura veneta di questo secolo; che pur annovera la singolare personalità d'un Carpioni.

Più significativi altri apporti: il periodo veneziano di Bernardo Strozzi dalla generosa sensuale vena barocca o la meteora di Domenico Fetti, attento osservatore di un'umanità antieroica; ovvero ancora l'eclettica personalità del tedesco e rubensiano Johann Liss, il cui insegnamento è destinato a fruttificare piuttosto nel secolo seguente; più avanti troviamo ancora un tedesco, Carl Loth, e il Langetti non meno che Luca Giordano e altri ancora, mentre il toscano Sebastiano Mazzoni introduce fattori di consistente novità rinunciando a parte almeno della tradizione lagunare in favore di una drammaticità più complessa e visionaria arricchita non infrequentemente di notazioni ironiche. Emerge, nel primo Seicento, la figura del vicentino Francesco Maffei che, pur sulla scorta della pittura veneziana dei maestri del secondo Cinquecento, mostra di giungere a un linguaggio di rilevante e originale freschezza e inventiva dove la grandezza macchinosa e perigliosa della scenografia barocca pare scontrarsi con gli effetti quasi spettrali di un rutilante disfacimento delle forme. Ma è ancora Luca Giordano, a fine secolo, mimetico e inquieto a segnare con la sua presenza e una significativa produzione – con la sua variata e versatile formazione che trascorre dal naturalismo caravaggesco a Pietro da Cortona, al classicismo quasi 'neo' del Domenichino – l'avvio di una svolta pittorica capitale e di amplissimo respiro. Di tale evoluzione è buona introduzione ancora la pittura di Andrea Celesti, veneziano, con il quale vien definitivamente sconfitta ogni tentazione 'tenebrosa' in favore di scene animate, coloratissime di una eleganza leggiadra che prelude il rococò.

Ricomincia a questo punto però la parabola ascendente della grande avventura del Settecento veneziano: tra gli spumeggianti esordi rococò di Sebastiano Ricci e le corrosive scene 'ultime' di Giandomenico Tiepolo, la pittura veneziana conosce un secolo intero di strepitose affermazioni, di personalità ai vertici della vicenda culturale del continente. E tuttavia quegli esordi, siano essi del Ricci o del Pellegrini e financo del Piazzetta, necessitano che sul ceppo della cultura figurativa veneziana siano operati degli innesti vitalizzanti; la conoscenza della coeva pittura romana e toscana ma, soprattutto, dell'arte emiliana saranno fattori determinanti perché le pur promettenti potenzialità diano i loro frutti.

Già con il Ricci e il Pellegrini, però, la pittura veneziana si è imposta all'attenzione dell'Europa intera. Inizia la continua singolarissima diaspora dei pittori veneti alle corti europee. Il bellunese Ricci s'allontana da ogni drammaticità chiaroscurale, riscopre la limpidezza e la libertà di Paolo Veronese, propone un linguaggio aereo e rapidissimo; lasciando la problematicità di controriformisti, tenebrosi e pittori intellettuali narra con vena scorrevole e agile storie religiose e favole mitologiche con identica attitudine. Giovanni Antonio Pellegrini si avvale di questi risultati e piega ulteriormente in senso cosmopolita, cortese e cortigiano la sua pittura: scene, allegorie, ritratti nei quali una luminosità chiara, un'atmosfera impalpabile e morbida sembrano sfaldarsi nelle convenzioni ovattate del bel mondo europeo.

Darà maggior corpo e fondatezza a questo filone Rosalba Carriera, penetrante ritrattista e osservatrice acuta del suo ambiente, poi progressivamente critica e autocritica in un'indagine che giungerà a supportare un distacco umano e addirittura una più cupa e quasi disperata coscienza.

All'origine tuttavia della grande ufficiale e poliedrica scuola pittorica del Settecento veneziano vi è la conoscenza e l'attenta considerazione della pittura bolognese e, in particolare, dell'arte di Giuseppe Maria Crespi: sia Federico Bencovich, dalmata (divenuto nel 1735 pittore di corte a Vienna) dal linguaggio drammatico, violento, fatto di forti contrapposizioni cromatiche e di non meno intensi contrasti chiaroscurali; sia Giambattista Piazzetta maturano il loro linguaggio e calibrano il personale contributo al deciso rinnovamento della pittura veneziana proprio a partire dal magistero del Crespi. Piazzetta porta a Venezia il gusto acceso e talora teatrale giocato sui toni bruni e sui forti contrasti di luci ed ombre: in ogni caso le sue tele sacre e profane, mitologiche e allegoriche appaiono quali singolari trattazioni scenografiche; ogni espediente e ogni più complessa costruzione, ogni artificio, tutto appare alla portata di Giambattista: si veda la grande luminosa *Gloria di S. Domenico* ai Ss. Giovanni e Paolo.

Ancor prima, Piazzetta si dimostra perfettamente a proprio agio nella descrizione naturalistica, nelle tematiche 'povere' e di genere, come nel dar vita a virtuosistiche composizioni religiose: dal *S. Giacomo al Martirio* di S. Stae alla *Indovina* delle Gallerie dell'Accademia, dalle *pale* di S. Vidal e di S. Maria della Fava all'*Idillio sulla spiaggia* di Colonia, fin certo al grande melodramma storico, cupo, teatrale, scenografico e intellettualistico della *Morte di Dario*, ora a Ca' Rezzonico.

Al seguito di Piazzetta nasce una vera e propria scuola pittorica, e le componenti accademica e di bottega che accompagnano le modalità di diffusione tra discepoli, seguaci e imitatori della maniera piazzettesca, accentuandone via via taluni tratti coloristici o compositivi, producendo artisti e opere talora di significativa presenza e qualità (si pensi a Giulia Lama, al Maggiotto, al Marinetti – il Chioggiotto – al Cappella e all'Angeli), si saldano nel complesso messaggio che Giambattista può trasmettere a un giovane che aveva compiuto il suo alunnato presso un affermato se pur non particolarmente significativo pittore tardoseicentesco, Gregorio Lazzarini: Giambattista Tiepolo parte indubbiamente, infatti, dai raggiungimenti piazzetteschi per liberarsene presto conservando, dell'arte del Piazzetta, il gusto compositivo, la spregiudicata funambolica arditezza prospettica, la facilità del disegno. La novità straordinaria sta piuttosto nel recupero del colore veneziano da un lato e nella geniale capacità di accostarsi al pensiero, al gusto, alla visione del mondo del suo secolo: anzi, di farsene interprete sommo.

Tiepolo nasce nel 1696 a Venezia e morirà a Madrid nel 1770 avendo compiuto una parabola artistica di singolare unità e compattezza. Segnalatosi ventenne con il *Sacrificio d'Isacco* all'Ospedaletto, s'afferma pochi anni appresso nel tempio della pittura veneziana del primo Settecento, S. Stae, con il virtuosistico ed efficace *Martirio di S. Bartolomeo* (da leggersi in faccia del piazzettesco *S. Giacomo*). Mentre attraverso il Ricci gli giungono le suggestioni veronesiane (che particolarmente metterà a frutto negli affreschi), egli amplia il respiro delle sue composizioni serrandole in ritmi narrativi fiabeschi o magniloquenti, mettendo in essere grandiose macchine decorative e iperbolici giochi rettorici, sfoderando dovizia fantastica, erudizione letteraria, dominio assoluto del disegno e dell'impianto strutturale delle scene, trapassando dalla dimensione del gigantesco (Würzburg) a quella del quasi miniaturistico (le acqueforti), percorrendo ogni scala cromatica in pitture di sole variazioni sulle gradazioni del bianco o in caleidoscopiche molteplici gamme di colori; dominando, in sostanza, tutte le tecniche nel dar vita al più multiforme, ricco, variato forse linguaggio pittorico mai inventato.

Le pale della Fava, dei Gesuati; le tele della Scuola dei Carmini; i soffitti a fresco ancora della Pietà e dei Gesuati, i cicli storici di Cleopatra a palazzo Labia, vetero-testamentari a Udine, encomiastici a Ca' Rezzonico, celebrativo-imperiali a Würzburg e a Madrid, letterario-mitologici e fantastici a Villa Valmarana sono a documentare la grandezza e la versatilità di questo maestro: nella fine madrilena e in un momento oramai non più felice e fortunato della sua produzione, egli accompagna al proprio epilogo una parte vasta, importante e tuttavia ormai esausta, della civiltà settecentesca.

Diversa, e radicalmente, è l'esperienza artistica del figlio Giandomenico. Se infatti è vero che egli si forma alla bottega paterna e a ridosso della sua produzione e che ugualmente aspirerà a 'confondere' la propria mano con quella, affermatissima, di Giambattista è anche indubbio che egli si pone su tutt'altro registro e che su prospettive divergenti si muove il suo singolare percorso: osservatore attento e disincantato delle realtà sociali e politiche che lo circondano – siano la decadenza estrema del vecchio regime, siano le esplosioni eccessive del nuovo ordine – Giandomenico ha sensibilità preveggente e intuizione accorta degli eventi: stimoli e antiveggenza che puntualmente trascrive in un linguaggio ironico e dissacrante, mettendo a frutto il dominio delle tecniche nello stralunato straniamento di un discorso secco, sarcastico, prepotentemente proiettato addirittura oltre il presente. Il *Mondo novo* e i *Pulcinelli* già a Zianigo e ora a Ca' Rezzonico; la foresteria Valmarana, gli album dei *Divertimenti*, i disegni, le incisioni scrivono, graffiando, il più alto e dolente poema 'negativo' degli anni della Rivoluzione.

La composita documentazione che la pittura veneziana dà del XVIII secolo non si ferma certo alla linea Piazzetta-Tiepolo, né alla componente Pellegrini-Carriera (cui può per certi versi ascriversi la personalità del napoletano venezianizzato Jacopo Amigoni); né mancano i grandi decoratori su una gamma estesa e variegata che va dal Crosato al Diziani, dai quadraturisti alla Mengozzi-Colonna ai figuristi alla Giambattista Canal e Cedini: generi e tendenze si sfrangiano e s'intrecciano su difficili crinali e assai complesse ramificazioni di famiglie artistiche, consorterie e scuole.

Altre grandezze tuttavia cui varrà far cenno rappresentano episodi centrali ancora nella cultura europea del medio Settecento:

esse prosperano nell'ombra d'un genere di sconfinata fortuna, articolatissime e multiformi incarnazioni: quello che possiamo genericamente chiamare della veduta. Dalla veduta arcadica e pastorale di Zais e Zuccarelli al vedutismo 'classico' di Canaletto Bellotto Marieschi e Carlevarijs; dal paesaggio domestico di Pietro Longhi ai capricci e al rovinismo onirico di Francesco Guardi, la civiltà del Settecento veneziano lascia in questi casi la metafora letteraria e la scena di pietà, la teatralità scenografica e la convenzionalità cortese e sceglie di applicare la penetrante capacità di osservazione e di scrittura in puntigliose veristiche riproduzioni del reale o in fantastiche ricomposizioni di mondi improbabili.

Lo fa con la grandangolare camera ottica canalettiana o con il cannocchiale rovesciato del Longhi, comunque esplica una volontà d'indagare l'apparenza o il senso profondo delle cose che è per molti versi frutto di un atteggiamento e di una sensibilità riconducibili a matrici più o meno latamente illuministiche.

Del paesaggismo arcadico e pastorale, attento tuttavia al mutare degli elementi atmosferici e al latente contrapporsi o esplodere dei contrasti di eventi naturali e presenza umana, è iniziatore Marco Ricci che trae i suoi insegnamenti dalla pittura di Salvator Rosa e del Magnasco; a lui si rifà Francesco Zuccarelli (a Venezia dal 1732, da Roma) che depura la materia riccesca dalle componenti emozionali, dedito a pastorellerie e scene d'Arcadia, mentre il suo allievo, Giuseppe Zais torna a una più diretta adesione alla natura, al di là delle mediazioni letterarie e colte di Zuccarelli. Appartiene quasi sicuramente al friulano Luca Carlevarijs il merito d'aver condotto a Venezia il vedutismo nella sua forma ormai compiuta e qualificante: la presenza a Roma e la conoscenza di Gaspard van Wittel lo dotarono del bagaglio strumentale per presentarsi sulla scena veneziana quale portatore di nuove e fortunate esperienze; l'attività di incisore (Le *Fabbriche di Venezia*, pubblicato nel 1703) introduce anche questo linguaggio a dar più cospicui e versatili vocabolario e sintassi all'attività dei vedutisti.
È tuttavia Antonio Canal, il Canaletto, che tocca i vertici dell'intero genere della veduta. Non tanto per una presunta fedeltà 'fotografica' delle sue pitture o per l'esattezza documentaria di ogni insieme e di ciascun dettaglio nelle sue tele; bensì per una grande straordinaria capacità di trasfigurare e di inventare – oltre i segni e gli altrimenti inerti scheletri corpi e membra dei suoi paesaggi urbani o campestri – un'atmosfera e una dimensione, luoghi mentali e suggestioni creatrici; evocazioni fantastiche e straordinarie verifiche contraddistinguono infatti la produzione di Canaletto.

Dal gruppo dei dipinti giovanili già Liechtenstein (ora Tyssen e
Ca' Rezzonico), composti presumibilmente appena Antonio ha lasciato la primitiva professione di scenografo, ai capolavori più
maturi (*Campo S. Maria Formosa*, Woburn Abbey; la *Carità da
S. Vidal*, a Londra; il *Canal Grande alla Dogana*, Houston fino al
grande *Bacino* di Boston e oltre) l'indagine di Canaletto su Venezia (ma anche su Londra non meno che sulla terraferma veneziana) si stacca dalla referenzialità documentaria per divenire li-
berissima e creativa invenzione poetica: la precisione del segno e
la tersa cristallina perfezione e ricchezza cromatica; la scelta sapiente dei punti di veduta e degli scorci compositivi, la vivacissima brulicante quotidianità di vita commerci feste miserie pa-
rate incontri non meno che le occasioni d'eccezione (visite, regate, ambascerie, funzioni, cortei) completano la ricchezza figurativa e la assoluta credibilità fantastica del mondo canalettiano.
Spirito illuminista per metodo e tecnica, Canaletto non si fa in-
gabbiare dalle necessità teoriche e programmatiche delle enun-
ciazioni e conserva tutta la lucidità d'analisi e la spregiudicata
disponibilità al mercato producendo, anzi, per un mercato internazionale (e segnatamente inglese) la parte forse più cospicua dei
suoi lavori. Al di là tuttavia dei dati di contesto, Canaletto
emerge per la qualità e l'originalità del suo linguaggio pittorico,
per l'accorto misuratissimo e 'scientifico' controllo su ogni
segno, scelta di luce e selezione dei valori cromatici, per la coscienza magica e fondante che egli manifesta della realtà mutevole e insieme cristallina della pirotecnica Venezia ufficiale (l'*Arrivo dell'ambasciatore Bolagno*, il *Bucintoro al Molo* di collezione
milanese) non meno che di quella quotidiana e usuale di scene e
luoghi più appartati e discreti.

Né la sua grandezza e la sua capacità si rivelano inferiori allorché – e succede assai di frequente – Canaletto sceglie la deformazione prospettica,
l'enfatizzazione del messaggio, il sottile ironico e quasi dissimulato criti-
cismo ottenendone visioni cariche di straniante forza evocativa, forzature
sintattiche giocate nell'ampliamento o riduzione degli angoli di veduta, al-
zando o abbassando artificialmente la linea d'orizzonte, sottolineando contrasti o scompigliando le armonie di un mondo parallelo e in qualche modo
ambiguo.

Sulla linea canalettiana si pone il nipote Bernardo Bellotto (che si
firmerà anch'egli Canaletto), il quale inserirà in un suo vasto pe-
regrinare europeo Torino Vienna Dresda Varsavia nel repertorio
di un vedutismo più realistico (con un più frequente popolare di
scenette e macchiette le vaste vedute) insieme nordico e gustosa-
mente discorsivo. Ancor più condotto all'approssimazione documentaria e più tentato dalle deformazioni prospettiche l'operare

di Michele Marieschi, presto al seguito del magistero canalettiano.

Partito dalla pittura di figura, toccato dal soggetto religioso, sedotto dall'atmosfera complice e casanoviana degli interni veneziani (*Parlatorio* e *Ridotto* a Ca' Rezzonico), Francesco Guardi approda alla veduta sull'onda delle fortune canalettiane – che talora riproporrà in citazioni fedeli quasi da copista – per negare subito dopo in radice la via canalettiana al palcoscenico urbano: fatta esplodere la lucidità fantastica e visionaria di Canaletto, tradita l'oggettività del di lui segno pittorico, Francesco Guardi si spinge senza esitazioni dentro l'avventura destrutturante e onirica di un sogno da agonia, nella sorta di meditazione sulla storia fatta di incubi allucinazioni e bagliori, frammentata sulla luminosità sommessa e febbrile di un'atmosfera sfatta, insieme cimiteriale e seduttrice, spesso altamente poetica (*Gondola in laguna*, Poldi Pezzoli, Milano; *Rio dei Mendicanti*, Accademia Carrara, Bergamo; *Incendio di S. Marcuola*, Gallerie dell'Accademia; *Nozze e banchetto Polignac*, Gabinetto disegni e stampe Correr; *Ascensione in mongolfiera*, Berlino).

Anche Pietro Longhi proviene da una ben significativa esperienza bolognese sull'opera del Crespi. Dopo talune incertezze d'esordio scopre la sua cifra artistica e poetica nella veduta domestica dei suoi piccoli penetranti dipinti. Pittura colma d'arguzia, di capacità d'analisi, di senso della scena giocato sempre tra piccola convenzione quotidiana e squarci impietosi o divertiti su un mondo di cose, personaggi, gusto e qualità della vita dove può quasi vedersi l'esatta e speculare corrispondenza della magniloquenza fantastica di Tiepolo. Nessuna virtù civile né alcuna ascendenza mitologica possono vantare le figure che popolano le rappresentazioni delle commedie longhiane, bensì una civiltà altissima di costumi e di maniere, di mode e convenienze, di eleganza e voluttà proposte con la nonchalance più raffinata di chi tutto ha veduto, fatto, sperimentato e vissuto in tempi trascorsi e ora riversa, discretamente, tale patrimonio tra quattro pareti damascate, tra le porcellane e gli argenti, nella riduzione insieme aristocratica e borghese dei riti domestici, delle semplici sublimi comodità; nella stessa ironia sottile di cui si caricano davanti agli occhi disincantati delle bautte e dei tricorni i vari tentativi di suscitare emozioni con l'esposizione di esoticità da circo equestre, di mostri ammansiti.

La grande magia longhiana – al di là di una felicissima scrittura che molto ha appreso dal Crespi e molto ha saputo cogliere dal veneziano senso del colore e ancora molto dalla teatralità diffusa del vivere lagunare – sta proprio tutta nella chiave antiretorica, schiva ma mai sciatta, comunque brillante, insinuante, cosciente di sé con la quale Pietro Longhi dischiude, ammiccando sommessamente, la porta su un mondo di alta civiltà e pur votato definitivamente a sparire.

Il Settecento è anche a Venezia grande secolo per l'architettura costruita e per quella teorizzata: già dagli anni venti sotto questo profilo partono dalla città messaggi inequivocabilmente destinati a far da pietre miliari per una nuova stagione culturale: non solo, quindi, Venezia non è assente dalla scena illuministica e poi neoclassica, ma ne anticipa addirittura talune cadenze e destini. La schiera degli architetti appare ricca e sostanziosa (anche a voler considerare solo anticipazioni generiche le novità innestate sul ceppo tardobarocco da figure quali Antonio Gaspari e Girolamo Frigimelica): da un lato il nuovo classicismo elegante ed eclettico di un Giorgio Massari (la Pietà, i Gesuiti, palazzo Grassi, S. Marcuola, scalone e sala da ballo di Ca' Rezzonico); dall'altro il neopalladianesimo osservante di Andrea Tirali (campanili dei Ss. Apostoli e di Burano, ponte dei Tre Archi, facciata di S. Vidal, pronao dei Tolentini, pavimentazione di piazza San Marco, Tempio dell'Apparizione a Pellestrina); dall'altro ancora la sperimentazione d'uno Scalfarotto (officina squadratori in Arsenale, campanile di S. Bartolomio ma, soprattutto, la programmatica ripresa di edificio religioso a pianta centrale pronao e cupola di S. Simeon Piccolo: per metà rilettura del Pantheon e per metà 'correzione' della longheniana basilica della Salute); ovvero il tardobarocco e il classicismo 'romano' e compassato di un Domenico Rossi (palazzo Corner della Regina, Gesuiti).

I fermenti le qualità le novità e gli stessi velleitarismi dell'architettura veneziana del Settecento paiono riassumersi ed esplicitarsi meglio e più che in altre personalità in quelle singolari e atipiche d'un Piranesi (architetto solo a Roma e in dimensione assai limitata, ma felicissimo incisore visionario e poetico destinato a lasciar tracce assai profonde e durature nell'intera cultura figurativa europea) o di un Carlo Lodoli, teorico del funzionalismo architettonico, polemista mordace, pedagogo di estrema efficacia, vero «maître à penser» per più d'una generazione d'artisti, uomini di cultura e di governo in Venezia (si pensi ad Andrea Memmo, al Milizia, a Francesco Algarotti, fuor di Venezia, allo stesso Laugier). Infine Tommaso Temanza: «trait d'union» tra culture e generazioni; architetto, teorico, storico e biografo, ingegnere, indagatore e divulgatore instancabile.

Temanza, con le parole e i fatti progettuali è il padre del neoclassicismo veneziano; la sua piccola chiesa della Maddalena ne è l'enunciazione pratica e l'esempio perfetto: vi confluiscono i modelli classici (il Pantheon prima di ogni altro) e le riprese settecentesche, i principi architettonici dell'illuminismo e l'architettura razionalista, la puntigliosità filologica non meno che la programmaticità eloquente.

Scolaro diretto di Tommaso Temanza (che fu proto ai lidi, cioè
ingegnere idraulico a capo dell'ufficio pubblico per la conservazione delle difese a mare e dell'assetto idraulico lagunare) fu il
maggior architetto neoclassico veneziano, Giannantonio Selva.
Realizzato il teatro La Fenice negli ultimi anni della Repubblica
Serenissima (e la fronte dell'edificio riprende una piccola architettura del suo maestro, il casino del palazzo Zenobio ai Carmini),
Selva diviene, durante gli anni napoleonici e in quelli austriaci
fino alla morte (1819), il realizzatore del nuovo volto della città:
progetti a scala urbana ed edifici ne testimoniano la lucida razionalità, l'eleganza raffinata e aggiornata del linguaggio, l'attenzione vigile alle necessità del contesto urbano.

Selva fu anche professore d'architettura nella rinnovata struttura accademica veneziana: l'Accademia di Belle Arti, riformata rispetto all'antica
istituzione secondo le direttive napoleoniche, diviene il luogo deputato al-
l'insegnamento, alla elaborazione e diffusione del gusto; anche in archit-
tura essa favorisce una sostanziale omogeneizzazione dei linguaggi artistici nella koinè neoclassica europea.

In questo nuovo orizzonte – neoclassico – tocca a un artista di
cultura veneta e di formazione veneziana presto inserito nell'internazionale ambiente d'arte romano, Antonio Canova, fornire
con le sue opere il vero e proprio paradigma di tutta una stagione
culturale. Canova nasce a Possagno, presso Treviso, nel 1757;
approdato a Venezia rivela la versatilità del suo ingegno e l'insof-
ferenza per la cifra scultorea tardobarocca ancora dominante.
Ma già dalle primissime opere (l'*Orfeo ed Euridice* e, soprattutto,
il gruppo di *Dedalo e Icaro*, tutte al Correr) egli dà a vedere quali
siano le direzioni di sviluppo del suo itinerario. Un classicismo
sempre più consapevole e aggiornato lo pone – a Roma – prestissimo al sommo dei valori artistici del suo tempo: i princìpi dell'e-
stetica neoclassica (la grazia e il sublime) trovano nelle sue statue
le più esemplari coerenti ed essenziali messe in forma.
Attivo per le corti di tutta Europa e per una committenza che va
dalla Russia alla Francia, all'Austria all'Inghilterra, Canova in-
carna l'ideale neoclassico in tutta la sua dimensione e nei suoi
stessi e connaturati limiti. Né freddo né 'accademico' come si è
sostenuto per decenni di sostanziale incomprensione, Canova è
artista sensibilissimo e tecnico di raffinatezza estrema; pittore
aggiornatissimo ed efficace (ritratto *Svajer, Amore e Psiche,
pala* del tempio di Possagno) e disegnatore ai più alti vertici qua-
litativi del suo tempo, anche come architetto mostra la piena
comprensione e dominio dei linguaggi: il tempio di Possagno è
assolutamente 'perfetto' ed emblematico della sua cultura.

Lontana certo dai vertici canoviani, la pittura neoclassica in Venezia annovera tuttavia alcuni artisti di non trascurabili qualità. Essi sono non infrequentemente i decoratori colti e raffinati delle coeve maggiori imprese edilizie (Ala Napoleonica e Palazzo Reale; palazzi Albrizzi e Treves de' Bonfili, Papadopoli, Grimani, Correr-Contarini ecc.). Assieme a Giuseppe Borsato (il più intrinseco al gruppo Selva-Canova, professore d'ornato all'Accademia, assai aggiornato sul più affermato gusto francese) s'impongono e lavorano altri pittori che appaiono mostrare nel paesaggio e nel ritratto le loro cose migliori: si tratta del bergamasco Lattanzio Querena, inizialmente di modi cinquecenteschi e poi aggiornati ma sostanzialmente eclettico; di Teodoro Matteini (non veneziano, ma professore all'Accademia sin dalla riforma napoleonica del 1807), maestro di una vasta schiera di artisti: dall'Hayez al Grigoletti al Politi al Lipparini; poi del bellunese Giovanni Demin, attivo soprattutto come frescante; dei veneziani Sebastiano Santi, autore d'affreschi e pale d'altare in gran quantità, e Carlo Bevilacqua, decoratore delicato e fine colorista; dell'udinese Odorico Politi, neoclassico e poi tizianeggiante, professore di pittura all'Accademia a successione del Matteini; di Michelangelo Grigoletti pordenonese, tra i più rilevanti pittori dell'Ottocento veneto; del chioggiotto Natale Schiavoni e del figlio Felice; di Lodovico Lipparini bolognese ma ambientato a Venezia, ritrattista raffinato (addirittura poetico nella nota immagine di Leopoldo Cicognara) ma romantico interprete di fatti storici e letterari e illustratore dell'insurrezione greca; del mantovano Tranquillo Orsi, decoratore e scenografo; e di altri numerosi.

Per altri pittori più problematica appare una pur minimale collocazione e suddivisione per appartenenza a scuole o correnti; è il caso, ad esempio, di Giuseppe Bernardino Bison, da Palmanova: talora attardato su sopravvivenze settecentesche e altre volte, invece, versatile e romantico nel paesaggio; ma anche acuto e pungente nella rievocazione mitologica se non addirittura polemico e «autre» in satire gustose.

Le figure però di maggior spicco della seconda generazione di ottocenteschi appaiono essere Giuseppe Jappelli nell'architettura e i pittori Ippolito Caffi e Francesco Hayez. Giuseppe Jappeli è veneziano e si forma alla scuola selviana oltre che nell'alunnato presso l'Accademia Clementina di Bologna; si è soliti ricordarlo per quel padovano caffè Pedrocchi che assomma in sé il neodorico greco e il neogotico di ascendenza inglese ma nel cui interno egli volle sale egiziane, etrusche, pompeiane. Jappelli, raccogliendo il magistero selviano, porta tuttavia a compimento un processo di evoluzione e trasformazione della pratica progettuale su vari livelli: quello del linguaggio architettonico (nella conclusione del ciclo neoclassico e della elaborazione palladiana e nell'apertura all'eclettismo anglosassone; e non solo a quello); poi nell'esaltazione della componente ingegnerile specificamente e pienamente 'ottocentesca'; nel dimensionamento alla scala territoriale di molti studi ed elaborazioni e sempre nella netta e precisa coscienza urbana di tutte le progettazioni.

Ippolito Caffi, bellunese, mostra di sentire con profitto della pittura di Corot; appare alla ricerca di strade personali nel plein-air;

vaga per l'Europa, l'Africa e il vicino Oriente annotando appunti e impressioni di viaggio ma, soprattutto, immettendosi nel nuovo clima artistico internazionale (espone al Salon parigino del 1846 e all'Esposizione Universale di Parigi del 1855).

Rilevanti le sue vedute-paesaggi di Roma, Torino, Genova, Costantinopoli, di una Venezia in atmosfere irreali e straniate: tra la nebbia, di notte, durante un'eclisse; su un bagaglio tecnico comune a molti e di derivazione insieme vedutistica e accademica, Caffi costruisce la sua personale e originale interpretazione ed uso del vedutismo e media, con coscienza, il passaggio verso una nuova stagione, quella pur da noi provinciale, ma comunque non estranea alle vicende europee, del secondo Ottocento (raccolta di dipinti Correr o in deposito a Ca' Pesaro).

Francesco Hayez è l'iniziatore e il più celebre e valente tra i pittori romantici di storia. Gli esordi neoclassici in Palazzo Reale sono tra le cose migliori del momento in Italia; la svolta romantica lo consacrerà poi il maggior autore – se pur assai melodrammatico e formale – dell'epopea romantica nella sua dimensione letteraria e mitica; pittore di storia e di storie, di allegorie e ritratti celebrativi, Hayez possiede una tecnica virtuosistica sperimentatissima, un senso della composizione radicato sin dagli anni d'Accademia, un gusto del colore certo di ascendenza veneziana, un bagaglio figurativo versatile reso con scrittura sempre controllata e sensibile.

Tra gli architetti alla metà del secolo si afferma decisamente la scuola romantica: uno storicismo via via più accentuato ed eclettico, vari recuperi 'neo', la conoscenza e la diffusione della modellistica europea si mescolano agli echi delle contemporanee ricerche lombarde e boitiane per la definizione di uno stile 'nazionale'. Sulla scena regionale operava Giambattista Meduna (a Venezia: ricostruzione della Fenice, unitamente al fratello Tommaso, egli pure assai attivo; palazzo Giovanelli; edifici neogotici e neolombardeschi a S. Fantin e al ponte del Lovo; restauri radicali alla Ca' d'Oro e alla Basilica di S. Marco ecc.; a Carpenedo: chiesa neogotica; a Castelfranco: palazzo Revedin). generosamente eclettico e di buone capacità come progettista, Meduna mostra di possedere anche notevole attitudine di urbanista, tanto da risultare la figura più completa del periodo.

Altri ancora rivelano singolari attitudini d'architetti: i veneziani Lodovico Cadorin (fantasiosamente neolombardesco a Venezia e a Bassano) e Federico Berchet; il trevigiano Annibale Forcellini (cimitero e vari edifici neogotici).

Superata la fase più acutamente romantico-risorgimentale (specie dopo l'unificazione del 1866), l'arte veneziana si accosta ai movimenti, alle scuole, alle ricerche condotte in vari centri culturali della penisola: Napoli, Milano, Firenze attraggono l'attenzione di operatori e critici. A una stagione romantica ne succede quindi una verista, che sarà lunga e interessante – se non certo eccelsa – e andrà a morire ai piedi di un più o meno sentito momento simbolista. Anche il Veneto partecipa – se pur marginalmente – a questo processo di trasformazione e, in ogni caso, i suoi migliori pittori ne rimangono coinvolti per sensibilità personale e per diretti contatti con i centri e i rappresentanti più significativi delle nuove tendenze.

Allievo del padovano Domenico Bresolin (titolare all'Accademia di Venezia di «paesaggio» fin dall'istituzione dell'insegnamento, nel 1864), vicino, in Firenze, a Telemaco Signorini e, a Napoli, allievo di Palizzi e in rapporto col Morelli, Gugliemo Ciardi introduce nel suo bagaglio pittorico le esperienze più aggiornate (ed è indubbio che tra queste la vicenda dei macchiaioli occupa una posizione di preminenza), fino alla definizione di un personalissimo e poetico approccio al reale nell'osservazione attenta del paesaggio – sia esso lagunare che agreste – e nella sua riproduzione attraverso il linguaggio costruito a macchie di colore (del quale s'erano certo avute le prime avvisaglie in Caffi) e tendente nel corso degli anni all'affinamento e a una progressiva essenzializzazione sia cromatica che della struttura formale del dipinto.

Giacomo Favretto è di poco più giovane del Ciardi ma l'influsso di questi su di lui è innegabile e soggetto a puntuale verifica. La produzione di Favretto, gran colorista e ottimo costruttore di scene, si arena talora in eccessive concessioni alla macchietta, alla commedia vernacola, al bozzettismo; ma la novità della sua pittura può cogliersi tutta in dipinti come *In attesa degli sposi* (Roma, Galleria Nazionale) o nella sorprendente e geniale *Scuola di pittura* di collezione privata.

La figura e l'attività di Federico Zandomeneghi sono segnate in maniera determinante dal più che quarantennale soggiorno parigino, tanto che i suoi modi giungono a spogliarsi delle matrici di derivazione veneta per acquisire in termini vistosi suggestioni e specifici influssi della pittura francese dell'impressionismo nelle sue varie componenti (nota è la sua lunga amicizia con Degas) e fino a mimetizzarsi in prove che si possono avvicinare a Toulouse-Lautrec.

Luigi Nono, formatosi alla scuola descrittiva e sin quasi virtuosistica di Pompeo Marino Molmenti, ebbe a ribellarsi alla rappresentazione storica e biblica assieme a Ciardi e Favretto; divenuto celebre con scene di genere, assai presto si impose all'attenzione critica con ritratti di grande qualità e finezza psicologica e con paesaggi di un verismo suggestivo e tuttavia sognante (clamoroso uno tra i più noti, *Le sorgenti del Gorgazzo*, che Nono dipinse poco più che ventenne). La scena di genere rimane per Nono (come per i contemporanei e, per molti versi, a lui analoghi pittori) il limite culturale di più immediata evidenza, anche se fu il veicolo per giungere alla fama e alla fortuna; discorso che vale anche per Alessandro Milesi, per altro dotato e capace di una pittura di qualche freschezza e immediatezza.

Altri, molti altri, artisti di questa generazione non è possibile ricordare: sono comunque riconducibili in termini più o meno immediati nelle correnti e nei modi di quelli sopra menzionati (ad eccezione, forse, del veronese Vincenzo Cabianca, organicamente inserito nella pattuglia macchiaiola): dai due Selvatico, Lino e Luigi, al goriziano Italico Brass al triestino Pietro Fragiacomo al veneziano Napoleone Nani fino al campano ma naturalizzato in Venezia, Ettore Tito celeberrimo e acclamato al suo tempo, autore d'una pittura virtuosistica e rettorica, comunque sempre 'ufficiale' anche allorché mostra qualche attenzione alla produzione di Böcklin.

Sin qui la pittura. Ma va tuttavia sottolineato che altri pittori e altre realtà giungono, a fine secolo, a far letteralmente 'esplodere' l'ambiente artistico e culturale veneziano. Fatti che s'intrecciano strettamente con la vita della città, eventi economici politici sociali, ruoli e funzioni che, nell'orizzonte italiano – e poi europeo – essa vien chiamata a coprire. Dapprima le partecipatissime polemiche sul destino della città (ad esempio sollecitate da Ruskin e dall'ambiente inglese non meno che dalle iniziative urbanistiche dell'amministrazione locale), poi la creazione della Biennale (1895) e la internazionalizzazione di Venezia come palcoscenico di eventi culturali immettono le sorti artistiche lagunari su binari, dimensioni e rapporti che trascendono ampiamente l'orizzonte locale.

Notevole influsso ebbe a esercitare, prima della guerra del 1915-1918, sull'ambiente veneziano l'asse culturale Vienna-Monaco (e quindi i vari filoni secessionisti): ne risentirono pittori (Cadorin, Zecchin, Wolf Ferrari, lo stesso Gino Rossi) e architetti (Sullam, Giuseppe Torres, Alessandri, Berti, Del Giudice: fino a Carlo Scarpa). L'episodio di Ca' Pesaro (cioè d'un manipolo d'artisti esclusi e contestatori delle ufficialissime edizioni della Biennale di inizio secolo: fra essi spiccano Casorati e Rossi, Ugo Valeri e Arturo Martini, Pio Semeghini e Mario Cavaglieri) e l'altro della così detta scuola di Burano (cioè del coagularsi attorno a un genere – la veduta lagunare – a un ambiente e a un gruppo di artisti e critici di alcune singolari personalità presenti a Venezia: Moggioli, Rossi, Barbantini e via via molti altri) stemperano e venano di caratteri ancora originali l'adesione della cultura veneziana al più generale processo di 'unificazione' nazionale su temi e tendenze che trascendono oramai ampiamente il senso e la ragione delle classificazioni geoculturali. (Ma non può passar sotto silenzio tuttavia il radicamento lagunare di personalità diverse e tutte significative nella più recente storia artistica italiana: Giuseppe Marchiori, Virgilio Guidi, Emilio Vedova, Giulio Turcato, Giuseppe Santomaso, Armando Pizzinato.)

Le tradizioni popolari

Le feste

Delle molte feste civili e religiose di Venezia, caratteristiche nella sua storia millenaria, poche sussistono ancora. Eppure alcune come quelle delle Marie, il 2 febbraio, o dell'Ascensione o degli ultimi giorni di Carnevale, o le corride popolari, o la processione del Corpus Domini, richiamavano nella città larga parte di forestieri dall'Italia e dall'Europa. Oggi, la stagione festaiola veneziana – se si eccettua il Carnevale, da qualche anno riesploso in chiave di revival, con eco assai amplificata fuori Venezia – si apre con due tipiche manifestazioni popolari: la *Su e zo per i ponti* e la *Vogalonga*.

La prima si tiene nella seconda domenica di marzo e consiste in una marcia non competitiva di quanti vogliono riscoprire il gusto di camminare lungo le calli, campi e campielli e ponti, attraverso un itinerario che tocca o sfiora i sestieri dall'avvio del percorso dal ponte della Paglia al traguardo in piazza S. Marco. La *Vogalonga* – che ha luogo nella domenica susseguente la festa dell'Ascensione, quindi di norma in primavera avanzata – concede ai partecipanti la visione della Laguna nei suoi angoli meno noti, a mezzo di una vogata a remi lungo il Canal Grande e i canali lagunari a settentrione della città, attraverso San Francesco del Deserto, Burano, Murano e il canale di Cannaregio; variopinte corse di colori e un continuo gran vociare ne costituiscono il carattere.

Della fiera medievale dell'Ascensione – o, dialettalmente, della *Sensa* – e della coeva cerimonia dello Sposalizio del mare, travestimento sincretistico cristiano di un rito idromantico, rimane il ricordo tanto in un revival da qualche decennio quanto nei Magi che, a ogni tocco dei Mori della torre dell'Orologio, escono in corteo dalla portella segna-ore per inchinarsi innanzi alla Madonna e rientrare dal lato opposto.

Nella terza domenica di luglio si celebra la festa del Redentore, nata quale gaudio cittadino dopo la fine della peste del 1577, quando il Senato decise di erigere un tempio a Cristo Redentore e di recarsi, ogni anno, in pellegrinaggio ad esso se la città fosse stata risparmiata dai disastri del flagello. Il tempio fu architettato da Palladio, e da allora ogni anno vi andò il Senato col doge, le confraternite di devozione nei loro costumi sgargianti e il popolo tutto, su un lungo ponte di barche gettato tra le due rive del canale della Giudecca. Oggi vi si recano le nove congregazioni del clero veneziano con lunga processione di cotte e di insegne, seguite nel giorno dai fedeli, anche per ammirare la distesa delle acque e provare il brivido di camminare su tavole, mobili ad ogni vibrazione delle onde. La notte di vigilia, nata in funzione liturgica, si è via via trasformata in un rito profano che inizia alla sera, sul cadere del giorno, con l'invasione del canale della Giudecca di barche di ogni tipo, decorate a palloncini multicolori (*baloni*).

In esse la famiglia, o la comitiva, o il gruppo di amici imbandisce la tavola per degustare il piatto tipico dell'anatra arrosta e del vino in fiasco. Chi non va in barca celebra il rito dell'anatra all'aperto nelle osterie o in corte o in calle, sotto un pergolato di pampini di vite e di palloncini. I convitati vengono rallegrati dalle serenate di improvvisati violinisti o da un'ansimante fisarmonica che accompagna danze popolari e piacevoli cori. Verso la mezzanotte si crea un improvviso silenzio nelle migliaia di spettatori nel canale della Giudecca. È l'ora dei *foghi*, o spettacolo pirotecnico, che incendia l'alto cielo notturno di girandole incandescenti, di fiori ardenti, che s'aprono e chiudono rapidi, di frecce luminose che partono sibilando dal pelo dell'acqua, di botti fragorosi sino allo scoppio finale nell'intreccio dei giochi più complicati della pirotecnica, atti a strappare applausi senza fine. Poi i più devoti si avviano al tempio del Redentore per assistere alla messa di mezzanotte. Altri ritornano alle proprie case. Altri ancora, più coraggiosi, vanno a remi verso il Lido per attendere la levata del sole, che non può tardare giacché l'estate è incominciata da poco.

La prima domenica di settembre è dedicata alla Regata Storica, denominata così dal 1899. La più antica regata si corse in Canal Grande il 16 settembre 1274. Da allora è stata ripetuta parecchie volte nell'anno e per le circostanze più impreviste. Questa di settembre è la più famosa. È la regata – forse la *remigata*, cioè gara a remi – che coinvolge nel tiepido pomeriggio di fine estate l'intera città sulle rive del Canal Grande, dai poggioli e dalle altane dei palazzi in uno sfavillio di drappi, di arazzi, di damaschi e di stoffe preziose. Alla gara dei regatanti introduce la sfilata del corteo acqueo, che rievoca l'accoglimento a Venezia (1489) di Caterina Cornaro, regina di Cipro.

I regatanti, che si iscrivono con il soprannome locale, da tempo sono quasi sempre uomini: è rara la regata di sole donne, a differenza del passato. Oggi si corre su barche a due remi, mentre in altri tempi entravano in lizza galee da venti a cinquanta remi. La partenza avviene dalla punta della Motta nel sestiere di Castello, per giungere all'estremo punto del Canal Grande a S. Chiara, dove si gira attorno a una *bricola*: è il giro del *paleto* (paletto), prima che vincitori e vinti si arrestino innanzi alla sontuosa macchina su zatteroni all'altezza di Ca' Foscari. I primi arrivati portano a casa la bandiera di colori diversi. All'ultimo vien donato un porcellino da latte, quasi oggetto di beffa. Qualora il vincitore colga il primo premio per anni consecutivi, come si verificò, dal 1906 al 1921, per il giudecchino Arturo Cucchiaro detto Scùciaro, la contrada dove egli abita lo considera eroe ufficiale con feste solenni, doni, ricordi e discorsi onorifici.

Nel cuore dell'autunno, il 21 novembre, ricorre la festa della Madonna della Salute. È il pendant di quella del Redentore, sorta per la stessa causa anche se in anni diversi, vale a dire quando ebbe fine la peste del 1630, la più feroce degli ultimi secoli. Il Senato fece voto alla Madonna di erigerle il tempio della Salute col pellegrinaggio annuale appunto il 21 novembre. Da allora, ogni anno sul Canal Grande vien gettato un ponte di barche per dar agio alla folla di muoversi a piedi da qualsiasi angolo della città verso la massa candida del tempio, per sfilare innanzi alla sacra immagine, per accendere la candelina benedetta in un'implorazione collettiva della salute fisica.

Nel grande campo antistante alla Basilica oggi resiste ancora un relitto delle antiche sagre o fiere popolari veneziane. Oltre alla vendita di candele, gridata ad alta voce (*candeleta, per la Madona benedeta*), sorgono banchi di frittelle e zucchero filante, di frutta di stagione, banchi dai grandi tendoni e dalle luci variopinte che, se la sera si annebbia, paiono grandi occhi sbarrati.

Ma quante altre feste minori avvengono in città e nelle isole! Ricordiamo, in Venezia, la festa di S. Marco, patrono della città, il 25 aprile, o festa del *bocolo*, quando ogni promesso sposo regala alla sua promessa un grande bocciolo di rosa, a ricordo di un'amabile tradizione di innamorato morto in terre lontane, il quale invia all'amata un fiore spuntato dal proprio sangue. Ancora alla promessa sposa, nella festività dei defunti, il 2 novembre, si offrono le fave, anche se in senso più vasto queste diventano un dono generico: sono le fave dei morti, in pasta frolla colorata, evoluzione di usi ancestrali legati alla religiosità precristiana e conosciuti nella terraferma nella versione di pane dei morti. L'11 novembre, S. Martino, è il giorno in cui *si batte S. Martin*. Vengono dai sestieri periferici ragazzi a frotte verso il centro, percuotendo vasellame di lamiera e cantando le vicende eroiche del santo cavaliere allo scopo di intenerire i cuori delle donne di casa o del padrone del negozio, perché elargiscano un'abbondante elemosina. Essa servirà per i piccoli piaceri dei ragazzi. Invece gli adulti nei sestieri popolari di Castello e Cannaregio celebrano il santo in osteria tra canti e vino di stagione. Si tratta di festa popolare di remote ascendenze medievali, per non dire addirittura precristiane, diffuse in tutta la Val Padana, residuo in senso specifico di un probabile carnevale medievale antecedente la penitenza del tempo di Avvento. Il 13 dicembre è S. Lucia, o *S. Lùssia* secondo la fonetica veneziana, la santa che protegge la vista. Nel suo tempio, nell'estremo lembo di Cannaregio, riposa il suo corpo al quale muovono in folla tanti devoti, specialmente se sofferenti agli occhi, per chiedere il dono della vista.

Non possiamo abbandonare la città senza ricordare tipiche espressioni della pietà popolare quali sono i capitelli o altarini, circa cinquecento tuttora, in legno o in pietra in campielli o in *sotoporteghi*. Hanno la funzione di raccogliere il vicinato nella preghiera pubblica, di maggio o in altra circostanza, ma erano usati nel remoto passato per illuminare la città, nella struttura a *cesendélo*, di cui prezioso resto si nota al pontile di Ca' Rezzonico. Né si dimentichino i cori delle campane veneziane nei giorni di vigilia e in quelli di festa: fra tutte dominano quelle di S. Marco, che, se squillano in blocco, compresa la *Marangona*, la città vibra di echi profondi, mentre quelle del Redentore risvegliano sottili sentimenti di nostalgia e le altre di S. Francesco della Vigna giungono velate di lontananza

Le feste patronali nelle isole diventano feste collettive. Si veda Burano quando, il 21 giugno, si celebrano i santi patroni Albano, Domenico e Orso, santi marinari, con una settimana intensa di preparazione tra riti sacri e banchetti di polenta e pesce lungo le calli luminose. Alla sera della festa la processione giunge con gli stendardi delle confraternite sulle rive della laguna per benedire le barche dei pescatori soprattutto con il braccio di S. Albano, miracolisticamente approdato all'isola assieme alle reliquie dei compagni. Anche a Malamocco nella seconda domenica di luglio viene benedetta la flottiglia pescherreccia, innanzi al mare aperto. La protezione la dà la Madonna di Marina, una spettrale statua lignea della Vergine in sfarzosi abiti, condotta in processione lungo le vie dell'isola, tra rulli di tamburi e squilli di fanfare, e recitazione del Rosario, sollevata sull'alto podio da Malamocchini autentici. Al di là di Malamocco, lungo l'esilissimo lido da Pellestrina a Chioggia, altre feste marinare si susseguono d'estate. A Pellestrina ogni anno, tra il 4 e il 5 agosto, vien ricordata l'apparizione della Madonna a Natalino de' Muti nel 1716. Ella volle il bel tempietto rivierasco disegnato dal Tirali, in compenso della vittoria concessa contro i Turchi. È la festa nazionale dei Pellestrinotti, che arrivano alla loro isola da ogni parte d'Italia o del mondo per ritrovare nella fede avita la propria identità lagunare: tanto più se si chiamano Nadalin o Nadalina, frequentissimo onomastico in onore dell'antico compaesano miracolato. A Chioggia, o la piccola Venezia, le feste di rilievo accadono, l'11 giugno, per i santi patroni Felice e Fortunato, oltretutto di largo impiego nell'onomastica locale. Le loro statue policrome escono in processione sopra un alto podio lungo il corso della cittadina, tra sventolii di gonfaloni e bandiere di confraternite, tra clangore di bande, in scampanio continuo.

Altre processioni si svolgono a Chioggia in onore della Madonna, o nella terza domenica di luglio (del Carmelo) o nella prima domenica di ottobre (del Rosario). Quest'ultima chiude la stagione estiva nel ricordo che l'autunno non è lontano, onde la ricca serie di proverbi all'uopo. Per la sua immagine, inanellata e a *dressa* (treccia), dai calamistri femminili, e condotta in giro per le calli, si imbiancano i muri delle case, si dipinge in azzurro il nome di Maria, si espongono ai davanzali i drappi festaioli. Lasciate le lagune, altre feste e tradizioni rileviamo lungo la riviera del Brenta, da Malcontenta a Mira verso Padova, località piene di trasparenti luminosità, utili nelle lotte campanilistiche tra le due città in sfide verbali, giacché i Veneziani gridavano ai Padovani: *Padova mira, malcontenta, Venezia*, e i Padovani rimbeccavano con un sottile spostamento di virgola: *Venezia malcontenta, mira Padova*. Si tratta per lo più di feste paesane e patronali, come il Redentoretto alla Malcontenta nella terza domenica di luglio; S. Rocheto a Oriago e la fiera di S. Rocco a Dolo, il 16 agosto; S. Valentino, il 14 febbraio, a Sambruson, la festa dei *morosi* (fidanzati) che apre la stagione; dell'Apparizione, il 25 marzo, a Borbiago di Mira, dove si scende nell'umida cripta del santuario; della Madonna dei Mulini a Dolo; di S. Marco a Ponte di Brenta.

L'artigianato

Per l'artigianato locale poco rimane in Venezia città delle antiche caratteristiche di arsenalotti o di squeraroli. Questi ultimi sono rimasti, appena appena, in qualche squero tipico, come quello di S. Trovaso, dove si varano e si riparano le gondole – forse dal greco «kóndyle» (conchiglia) o dal latino «cýmbula» (barchetta) – documentate sin dal 1094 in un atto del doge Vitale Falier, mentre sa di leggenda l'esistenza loro sin dal 697, anno elettivo del primo doge di Venezia. Per costruire la gondola esiste una tecnica specifica, propria dei cosiddetti maestri d'ascia, tramandata di padre in figlio. Essa è a misura fissa, lunga m 10.85 e larga 1.42, con peso variante tra 4 e 5 quintali, capace fino a 6 persone. Lavorata a fondo piatto, scivola leggera sulle acque degli stretti canali veneziani senza mai rovesciarsi, manovrata a poppa con tocco di impercettibile perizia dal gondoliere in maglietta policroma e cappello di paglia a nastri di seta azzurri o rosso scarlatto, il quale preme o arresta il remo sulla caratteristica forcola (lo scalmo), mentre a prua il ferro alabardato a sei punte, quante i sestieri cittadini, svolge funzione bilanciante.

Di rado ora nel silenzio dei canali echeggiano le voci del gondoliere: *a-oel* per indicare attenzione, *siá stali* (ferma a destra), *siá premi* (ferma a sinistra), *siá de longo* (va dritto); più raro ancora riappare il *felze*, cioè la cappotta smontabile, in lana nera e fiocchi di seta, dai finestrini laterali, adoprata un tempo in condizioni atmosferiche non buone. Invece la gondola è dipinta ancora tutta in nero, non per indicare il lutto cittadino dopo la grande pestilenza del 1630, come vorrebbe una tradizione, bensì per ordinanza del Senato dell'8 ottobre 1562. Ai traghetti del Canal Grande è scomparso il *ganzèr*, l'omino gentile, già vecchio gondoliere, il quale con *el ganzo* o bastone uncinato, aiuta la gondola ad accostarsi a riva.

Dell'antico artigianato veneziano rimane ricordo spesso nella toponomastica locale, in calle dei *Fabri*, del *Tentor*, dei *Boteri*, dei

Saoneri, nella *Frezaria* (frecce lavorate), e meno spesso nelle antiche Scuole, confraternite di cui ancora si conserva l'edificio. Si vedano i *Batiloro* a S. Stae, i *Calegheri* (calzolai) a S.Tomà, i *Luganegheri* (salumai) alle Zattere, i *Mureri* (muratori) a S. Samuele, i *Pistori* (fornai) a S. Maurizio, i *Varoteri* (pellicciai) a S. Margherita. Quello odierno si scopre nelle isole che inghirlandano la città. A Murano vigoreggia ancora quello dei cristalli e vetri soffiati. Le fornaci che li sfornano furono trasferite qui nel 1291 da Venezia per ordine del Senato, allo scopo di porre fine ai frequenti incendi dell'abitato. Il massimo splendore muranese si ebbe nel corso dei secoli decimosettimo e decimottavo per riprendere in parte nel nostro. Uscivano da queste fornaci pezzi di bellezza raffinata, secondo tecniche segrete che ogni maestro vetraio tramandava ai figli o al garzone di bottega: ed erano i vetri smaltati, i calcedoni, che imitavano le pietre dure, i lattimi bianco-densi, i rugosi a ghiaccio, i cristallini di rame con polvere d'oro, gli opalescenti e gli azzurrini a trasparenza perfetta; le murrine policrome; le conterie, ottenute a perle variopinte per lo più a forme allungate, eseguite abilmente, un tempo, ma in parte ancora, dalle donne, le cosiddette *impiraresse* o *perlère*. Di questo mondo, spesso a livello artistico, resta documentazione nella splendida coppa Barovier e nei pezzi del museo vetrario di Murano. Oggi le circa 260 imprese vetrarie muranesi continuano l'antica tradizione, con tecniche nuove (come nei vetri a lume) e con un rapporto di committenza ovviamente del tutto diverso rispetto al passato.

Fiorente fu un tempo l'arte della porcellana, iniziatasi nel 1720 con esiti di alto livello nelle manifatture dei Vezzi e dei Cozzi; questi ultimi praticavano pure la tecnica a terraglia per servizi da tavola e piastrelle. Altre arti sono state quelle degli *oresi* (orefici) in raffinate tecniche a pietre dure, a smalti, ad argenti sbalzati e bulinati, che in parte si possono contemplare nel Tesoro di S. Marco e di altre chiese cittadine. Si aggiungano i lavori in bronzo, i peltri per i piatti da mensa, e i rami (utensili in rame lavorato) di colorito effetto nelle cucine isolane da Burano a Pellestrina sino alle propaggini casalinghe lungo la riviera del Brenta. Né si dimentichi l'artiginato ligneo con risultato di prim'ordine nei cori monastici e nella statuaria settecentesca, con le varianti a lacca, dove i maestri veneziani primeggiarono in assoluto nell'Italia settecentesca. Per l'arte libraria basti solo il nome dei cinquecenteschi Manuzio, un'autentica dinastia di tipografi-editori. Da allora Venezia, sino alla sua caduta, fu l'indiscussa capitale dell'editoria mondiale, con celebri tipografie, con edizioni di opere monumentali di elegantissimo effetto tipografico, e di rilegatura a cuoio, a metallo, a legno, impreziosite dalle incisioni ad acquaforte dovute spesso a insigni maestri (si pensi solo ai settecenteschi Tiepolo, Piazzetta e Zucchi).

Burano è rinomata per l'arte del merletto, o piccoli merli a imitazione delle merlature delle mura medievali. Si ritiene che la tec-

nica, a trama complicata, sia sorta da quella delle reti da pesca
trasportata in chiave ornamentale. Ad essa si dedicavano nobildonne, fanciulle e monache dei conventi e popolane (le merlet-
taie), raggiungendo via via risultati sempre più preziosi da ga-
reggiare e battere la concorrenza francese, fiamminga e inglese.
Decaduta questa attività con la fine della Repubblica, rinacque a
Burano sullo scorcio del secolo scorso in apposita scuola e museo,
anche se oggi dal cliente si tende a preferire il merletto a produzione industriale.

Il merletto si lavora in tecniche varie: ad ago in Venezia e Burano con
circa venti metodi diversi: punto Burano, punto Venezia, punto «rose-
line», punto controtagliato ecc., riproducendo nel passato tele famose di
Tiziano e Tintoretto (Marietta, figlia di quest'ultimo, fu nota merlettaia); a
fuselli e tombolo in Pellestrina intrecciando sino a 120 fili su bastoncini
(*fuseli*) fissati a spillo sul tombolo o *balon*, con effetti di trame ad intreccio
fantasioso; a filé in Chioggia, riempiendo ad ago gli spazi vuoti ottenuti da
una reticella (*filé*) fissa ad un telaio; era un merletto piuttosto ruvido,
usato nelle vestimenta ecclesiastiche.

La cucina

Si discute fra i gastronomi se esista una cucina veneziana specifica. Certo è che nei testi classici della civiltà lagunare, dai trat-
tatisti del Cinquecenteo alle notazioni del Goldoni e del Gallina, si
colgono larghe indicazioni. La cucina veneziana e lagunare si
basa, com'è ovvio, sui prodotti marinari, sul pesce e sui suoi derivati, in particolare sul risotto di pesce, caratteristico dal sottile
profumo salmastro, nelle sue varianti più diverse, quali a *peoci*
(mitili), a *cape* (frutti di mare), a scampi, a *bisato* (anguilla), a *se-
poline*, piccole seppie che annerano con la vescichetta dell'inchio-
stro. Il pesce si degusta anche in tanti altri modi, riconducibili ai
due basilari, arrostito in graticola (*grea*) o fritto all'olio, specialmente acquistato dai *fritolini* o friggipesce, accartocciato alla
svelta, da sgranocchiare camminando, con polenta: cioè la tipica
polenta e pesce. Si ricordino poi il branzino, la bosega e il pesce
azzurro, quali le sardine, soprattutto se pescate all'alba, i *sfogi*
(sogliole), i *gó* e i gamberi di impiego remotamente medievale,
nelle forme, questi ultimi, più svariate: dalla *masaneta* alla *moleca*, secondo la stagione di pesca, alla *grancèola* o granchio gigante. Non si dimentichino le *sardelle* o sardine nella versione *in
saor* (in sapore), insaporite e macerate da cipolle e aceto secondo
una ricetta plurisecolare, capaci di conservarsi per le lunghe na-
vigazioni di un tempo, utile preventivo, allora, contro lo scor-
buto, e ora gustosissimo piatto locale. Alla cucina del pesce va
collegato il *bacalà*, cioè il merluzzo. A Venezia, e nel Veneto in
parte, lo si gusta mantecato, in un insieme di latte e fior di farina,

sbattuto per ore e ore col cucchiaio di legno sino a farlo diventare come una mantèca, cioè la pomata settecentesca, profumata, deliziosa e di facile digestione. Dagli orti di Murano, delle isole e dell'estuario arrivano in città altri ingredienti basilari della cucina veneziana: si vedano i *bisi* (piselli), nella caratteristica minestra di *risi e bisi* con prezzemolo, pancetta e fogliette di finocchio cotto in brodo di carne; o i fagioli accostati alla pasta in brodo (*pasta e fasiòi*); i carciofi, noti meglio come *articiochi*, un tempo fiorenti lungo le ortaglie del Lido, dove ora sorgono ville e palazzi. Diffusi in passato, ma ora quasi dimenticati, il gustosissimo *risoto in cavroman* a base di schiena di castrato e pomodoro, il *risoto a la sbiraglia* con pezzettini di pollo a lesso e parmigiano, la deliziosa *fongadina*, cioè polmone in umido e polenta, la bizantina *spienza*, cioè la fettina di milza.

Sanno di orto le insalate più disparate, delizia e croce della cucina veneziana cinquecentesca, anche se, allora e ora, gonfiano il ventre, onde è preferibile il radicchio, specialmente il rosso robusto di Treviso. D'autunno poi diventa piacevolissima la zucca (meglio se è *baruca*), cresciuta negli orti di Chioggia a forma di turbante moresco nelle sue svariate versioni, in minestra di riso (*risi e zuca*), in insalata, oppure bollita e arrostita. È ideale se arrostita e acquistata, assieme alle castagne, dalle *caldaroste*, che la vendono in banchetti all'ombra protettiva di un *sotoportego*.

Se di S. Marco si gustavano i *risi e bisi*, soprattutto sulla tavola del doge, e i ravanelli, della Salute è cibo ufficiale la *castradina* e la *pinocada*. La prima si prepara con *castrà*, o carne di montone affumicata, di preferenza dell'Albania; la seconda costituisce la tortona, o grande torta a pinoli, che rappresenta la variante lagunare della *pinza*, l'antico «panis pinsatus» romano, cotta quest'ultima nelle campagne venete, a Natale, sotto la cenere in impasto di uva passa e farina di polenta, semi di anice, pinoli e zucchero. Regina dei dolciumi veneziani è la *fritola* (frittella), con farina, uva passa e zucchero, fritta, donde il nome, nell'olio bollente, e donde le tante *fritolere* nel mondo goldoniano. Meritano conveniente ricordo i *galani*, il *franfragniche*, variante delle *fritole*, la *bubana*, preparata con i residui dei pasticceri, a forma di budino, dai mille gusti e profumi, ond'è passata nel dialetto a indicare un piacere senza fine. E poi la panna del latte gustata con i *storti* del Dolo, piccoli coni di pastafrolla, lavorati al Dolo lungo la riviera, ritenuti medicamentosi di ogni malanno. E ancora il *baìcolo*, dal nome di un pesciolino esilissimo, riduzione del *biscoto* classico o pane a galletta, da degustarsi nei rinfreschi con vini orientali.

Il dialetto

Il dialetto veneziano, inserito nel vasto territorio dei dialetti neo-
latini e franco-veneti, è grazioso, dolce, insinuante, rapido, come
lo definiva a metà Ottocento il Moroni nel suo noto Dizionario;
dolcezza ricondotta dal Romanin nella sua «Storia documentata
di Venezia» addirittura ad antichissime ascendenze ioniche. Ma
del latino antico mantiene parecchi termini, come gli esemplari,
fra i molti, *calegher* («caligarius», ciabattino); *pistòr* («pìstor»,
fornaio); altri, soprattutto di vita marinara e commerciale, sono
stati imprestati dal bizantino, quali *caréga* (sedia), *bastòsi* (fac-
chini), *spiénza* (milza). Il veneziano conobbe dignità letteraria in
campo poetico, e bastino i nomi del Giustiniani, Venier, Baffo,
Gritti e Buratti; in campo storico giova solo ricordare i celebri
«Diarii» cinquecenteschi del Sanudo; in campo teatrale infine,
con le commedie di Carlo Goldoni e di Giacinto Gallina esso ha
travalicato l'area locale per inserirsi nella letteratura nazionale.
Dal punto di vista della pronuncia si caratterizza con una musicalità cantilenante a suoni molli, vivacissima soprattutto nelle aree
periferiche da Burano a Pellestrina e Chioggia, che si rende evidente in cadenze di tonalità oscillanti a regole fisse, in particolare in bocca alle donne, ai bambini e ai pescatori, quasi che nella
parlata si rinnovi il movimento armonioso delle onde. Si ag-
giunga il raro uso delle consonanti doppie (ma non sempre): in
Venezia i tipici *cossa falo?* (cosa fa?), *cossa diselo?* (cosa dice?), e a
Burano la caratteristica di raddoppiarle anche tre e quattro volte
(si veda l'esemplare *édddilo* per vedilo); e anche l'impiego della
elle, appena scivolata sulle labbra, in *góndola*. Il veneziano preferisce le vocali dolci come la *i* al posto della *e* (*la mi diga*, per *me
diga* del terrafermiero); la caduta delle consonanti interne, sul
tipo dell'esemplare goldoniano *siora mare* (signora madre), *fìo
mio*, *fìa mia* (figlio mio, figlia mia), *bela fìa* (bella ragazza;
giacché il *toso, tosato, tosata* terrafermieri qui sono ignorati).
Inoltre le desinenze dei nomi propri in *er* accentati sull'ultima
sillaba, onde Cornèr, Falièr, Valièr, Condulmèr, Badoèr ecc., e
dei nomi comuni, come *formagèr, librèr, murèr*. Frequente pure
è l'inversione di genere, quale l'uso del maschile per il femminile
italiano come *el pùlese* (la pulce), *el rabiezzo* (la rabbia); *el sem-
piezzo* (la scempiaggine); e viceversa il femminile al posto del maschile, come *la bugada* (il bucato), *la latte* (il latte), *la lume* (il
lume), *la pùpola* (il polpaccio), *la scóppola* (lo scappellotto), *la
strassa* (lo straccio). Altre caratteristiche sono l'uso del compara-
tivo avverbiale *massa* per più, donde *massa grando, massa belo*; i
pronomi personali in *u*, come *nu, vu, lu* (noi, voi, egli); la forma di
cortesia con il pronome inglobato nel verbo, sul tipo di *xestu* (sei),

vustu (vuoi), *fastu* (fai), *distu* (dici), *vienstu* (vieni). Si notino i caratteristici modi di dire avverbiali come *a scotadéo* (a strappa becco), *a burci* (a bizzeffe), *a torzio* (zonzo); *a spìssego magnifico* (a pizzichi e bocconi); *de boto* (più tardi); *sula tardosa* (a tarda ora). Certe voci verbali sono ancor tipiche, quali *sarave, vorave, farave*, vive ancora a Pellestrina per sarei, vorrei, farei; oppure *andao, tornao, magnao* per andato, tornato, mangiato, proprie del veneziano antico e vive ancora a Chioggia, in bocca al popolo. Più di tutto l'ampio uso di *ga* per ha, in funzione ausiliare al posto dell'essere italiano, quindi *nol se ne ga gnanca acorto* (non se ne è nemmeno accorto), come pure l'impersonale impiego di *xe* (è) per i casi più disparati. Certo, il dialetto veneziano da un secolo ad oggi, per cause molteplici, ha subìto una violenta compressione soprattutto sul piano fonetico e lessicale. Certe forme specifiche, come *filgio* per figlio, *molgie* per moglie, sono sparite. Altre si salvano in aree estremamente periferiche ed isolate come Burano, dove si riscontra ancora *zàngola* per catino, *scorosarsi* per inimicarsi, *ròbestega* per antipatica, *partesona* per ambiziosa eccetera.

I modi della visita

Gli accessi a Venezia

L'accesso più frequente a Venezia avviene attraverso il ponte translagunare (ponte della Libertà), per ferrovia e per strada. Con il treno si arriva alla stazione di S. Lucia, che si affaccia direttamente sul Canal Grande (di fronte, gli imbarcaderi delle linee 1, 2, 4 e 5, che consentono di raggiungere ogni parte della città). Per strada (auto private o autobus di linea) si arriva al terminal di piazzale Roma e a quello del Tronchetto. Piazzale Roma è il punto d'arrivo più comodo, ma i parcheggi disponibili sono limitati, soprattutto nei periodi di maggior afflusso turistico e durante i week-end. Conviene quindi generalmente, per chi arriva in auto, dirigersi verso il Tronchetto (uscita a d. dal semaforo immediatamente prima della discesa verso piazzale Roma), dove esiste un grande parcheggio collegato alla città da un mezzo acqueo (linea 34, in funzione solo nel periodo estivo) e da un bus (N. 17) che conduce a piazzale Roma. Da qui ci si può imbarcare sui mezzi acquei (linee 1, 2, 4, 5).

Tronchetto e piazzale Roma, pur essendo i punti di arrivo più prossimi alla città, non sempre sono i più comodi, soprattutto per il fatto che gli arrivi e le uscite si concentrano in determinati periodi della giornata (inizio e fine week-end), rendendo il traffico estremamente congestionato, con la formazione di lunghe file di automezzi in attesa. Un'alternativa, vivamente consigliata nei periodi di maggior affollamento, è quindi quella di lasciare l'auto subito prima del ponte translagunare, in prossimità del cavalcavia di S. Giuliano, dove sono disponibili alcuni parcheggi, e da qui recarsi a piazzale Roma con uno dei numerosi autobus urbani dell'ACTV che collegano la terraferma con Venezia.

Altra possibilità, più interessante, è quella di utilizzare uno dei due terminal che si affacciano sulla gronda lagunare, serviti nella stagione estiva da mezzi acquei che conducono a Venezia in poco più di 20 minuti. Il primo è quello di S. Giuliano, particolarmente conveniente per chi proviene da nord e da est, collegato a Venezia da un motoscafo ACTV (linea 24) che sbarca alla fermata di fondamenta Nuove (10 minuti di cammino per S. Marco o Rialto). L'altro è quello di Fusina, conveniente per chi proviene da sud e ovest, collegato da un mezzo ACTV (linea 16) alla fermata delle Zattere (in prossimità dell'Accademia). La disponibilità di parcheggio è sempre assicurata in entrambi; l'accesso a Venezia è confortevole e consente un inedito e suggestivo arrivo alla città attraverso la Laguna. Vi è poi la possibilità di utilizzare le linee che collegano il litorale del Cavallino a Venezia (N. 12 da Treporti a fondamenta Nuove, e N. 14 da punta Sabbioni a riva degli Schiavoni), attive tutto l'anno, lasciando la macchina in uno dei parcheggi disponibili di fronte agli imbarcaderi. È una soluzione particolarmente conveniente per chi proviene dalle spiagge dell'alto Adriatico.

Con l'aereo si arriva all'aeroporto Marco Polo, ubicato a Tessera, sul bordo della Laguna; l'aeroporto è collegato con il terminal di piazzale Roma da autobus in coincidenza con gli arrivi e le partenze dei voli di linea, ed è anche servito da mezzi urbani dell'ACTV (linea 5 per Venezia, e 15 per Mestre). Sono inoltre disponibili motoscafi privati (taxi) per Venezia e, nel periodo estivo, servizi acquei regolari in coincidenza con i voli di linea per Venezia. La città è servita infine da numerose linee di navigazione, regolari ma più intense durante il periodo estivo (per Iugoslavia, Grecia, Egitto e Mediterraneo orientale, con trasporto automezzi). Le navi approdano alla Stazione Marittima sul canale della Giudecca (raggiungibile anche per auto), o al molo della riva dei Sette Martiri.

Muoversi nella città: con i mezzi pubblici

Dai punti di arrivo a Venezia ci si può inoltrare nella città a piedi, o servendosi delle linee di navigazione dell'ACTV. Queste si sviluppano principalmente lungo tre percorsi: la linea 1 (accelerato) con capolinea a piazzale Roma (e Lido) segue tutto il Canal Grande, toccando quindi i punti più significativi della città; attraversa poi il Bacino di S. Marco, tocca l'isola di Sant'Elena e arriva al Lido dopo aver effettuato (in circa un'ora) 20 fermate. La linea 4 (diretta) segue lo stesso percorso (in circa 40 minuti), ma limitatamente ai mesi estivi, effettuando in minor numero di fermate. La linea 2 (diretto, con capolinea a Rialto) percorre un primo tratto del Canal Grande (verso la Ferrovia e piazzale Roma) e poi, attraverso il rio Nuovo, lo raggiunge nuovamente poco prima dell'Accademia (fermata di S. Samuele) per proseguire fino al Lido con lo stesso itinerario della linea 1, ma fermandosi solo nelle stazioni principali; da Rialto a piazzale Roma impiega 13 minuti; da piazzale Roma al Lido 30 minuti circa. La linea 5 (circolare) segue un terzo itinerario, passando lungo i bordi esterni della città e toccando anche le isole della Giudecca, San Giorgio Maggiore e Murano. Il servizio è svolto in due direzioni: la circolare destra parte da Murano e, dopo aver toccato le fondamenta Nuove, attraversa l'Arsenale, si dirige a S. Zaccaria, raggiunge San Giorgio Maggiore e la Giudecca, arrivando a piazzale Roma e alla Ferrovia attraverso il porto, per poi ritornare sulle fondamenta Nuove percorrendo il canale di Cannaregio; la circolare sinistra svolge il percorso inverso (nell'insieme l'itinerario circolare di Venezia, con inizio e fine alla stazione di fondamenta Nuove, si svolge in un'ora e un quarto).

Data la varietà di percorso e velocità, l'uso di queste tre linee è molto diverso, a seconda delle esigenze: la linea 1, più lenta, serve soprattutto per raggiungere i frequenti pontili posti sui due lati del Canal Grande; è tuttavia un ottimo sistema per apprezzare il canale stesso in tutta la sua lunghezza; la linea 2 è veloce, e soprattutto usata per raggiungere rapidamente i punti più distanti della città; la linea 5 serve per Giudecca, San Giorgio Maggiore e Murano, e per le parti più periferiche di Cannaregio e Castello. Le sponde del Canal Grande sono anche collegate in alcuni punti da un servizio di traghetto svolto con gondole. Le stazioni («stazi») sono: tra la Ferrovia e S. Simeon Piccolo (verso piazzale Roma); tra la Pescheria di Rialto e il campo di S. Sofia (Strada Nuova); tra la riva del Carbon e la riva del Vin (Rialto); tra S. Tomà e S. Angelo; tra S. Barnaba e S. Samuele; tra S. Gregorio e S. Maria Zobenigo (del Giglio). Gli orari variano a stazione a stazione; la frequenza è continua.

I collegamenti con le principali isole della Laguna sono assicurati dai servizi di linea dell'ACTV, in partenza dalla fondamenta Nuove per San Michele, Murano, Burano, Torcello, Vignole, Sant'Erasmo, e da riva degli Schiavoni per Lido, San Servolo, San Lazzaro degli Armeni. Le isole del litorale sono servite anche da ferry-boats, in partenza dal Tronchetto per il Lido, e dal Lido stesso per Pellestrina; sono collegate fra di loro da un servizio misto di autobus e traghetto.

Muoversi nella città: a piedi

Muovendosi a piedi si può raggiungere qualsiasi parte della città, e spesso anche più rapidamente che con i mezzi pubblici. La trama dei percorsi principali è imperniata sui poli urbani di S. Marco e Rialto, e su alcuni centri locali formati da campi e calli dove più intensa è la vita cittadina (S. Stefano, S. Polo, S. Margherita, S. Maria Formosa, S. Luca, Accademia, S. Bartolomeo, S. Lio, Strada Nuova, rio terrà Garibaldi ecc.), oltre che sui punti di accesso dalla terraferma (Ferrovia e piazzale Roma). Più che dalla larghezza delle calli, i percorsi principali sono riconoscibili dall'intensità del movimento pedonale e dalla frequenza dei negozi che vi si affacciano. Le direzioni principali (S. Marco, Rialto, Ferrovia, piazzale Roma) sono ben segnalate da apposite indicazioni stradali. Altre indicazioni segnalano localmente la presenza di monumenti e siti di particolare interesse turistico e culturale. Per raggiungere le diverse parti della città non è comunque indispensabile seguire i percorsi principali, ed anzi una esperienza più interessante è quella di programmare i propri itinerari di visita basandosi su percorsi minori (facilmente individuabili nel corredo di planimetrie allegate alla guida), anche se spesso apparentemente tortuosi. Un buon metodo per ritrovare la propria strada, se ci si perde, è quello di seguire il percorso dove c'è più gente, che sicuramente conduce a uno dei centri. Nei punti più difficili potrete in ogni caso rivolgervi a un abitante della città, dal quale avrete sicuramente una gentile risposta.

È bene comunque ricordare che la città è suddivisa in sei sestieri, ciascuno dei quali ha una numerazione anagrafica propria che parte da 1 e arriva a cifre di qualche migliaio. Tale numerazione non segue necessariamente i percorsi, quanto piuttosto le insule, tanto che è frequente, percorrendo una stessa calle, notare dei salti evidenti nella successione degli anagrafici in corrispondenza di ponti o incroci. I sestieri sono molto estesi, e gli stessi toponimi possono facilmente ripetersi anche all'interno del medesimo sestiere, salvo che per i campi o per alcune calli principali. I sestieri sono suddivisi a loro volta in parrocchie, che costituiscono le unità storicamente più riconoscibili, e tuttora adoperate per ogni riferimento topografico. Dovendo cercare un indirizzo, si badi quindi a individuare anzitutto il sestiere; poi la parrocchia, e solo alla fine l'anagrafico e il nome della calle. Per organizzare i propri movimenti è comunque utile conoscere alcuni termini fondamentali della toponomastica veneziana che spiegano bene la gerarchia e il significato dei diversi spazi (v. pag. 21).

Una visione sicuramente inedita della città si ottiene percorrendola lungo le vie d'acqua, dalle quali si percepiscono alcuni dei suoi elementi più peculiari: come i ponti, dei quali si potranno apprezzare il disegno e la decorazione, pensati in funzione dei tracciati acquei, o le aperture di molti palazzi che sempre rivolgono la loro facciata principale sul canale; e ci si renderà conto della vicinanza di molti luoghi, molto maggiore di quanto non appaia percorrendo la città a piedi. Si ricordi a questo proposito che un giro su una delle gondole a disposizione dei visitatori presso gli «stazi» autorizzati può essere organizzata concordando con il gondoliere il percorso desiderato.

Nei mesi invernali sono frequenti le alte maree, che invadono per alcune ore calli, campi e fondamenta. Le parti più basse della città sono anche quelle di più antica formazione, e quindi in prossimità di Rialto e S. Marco (per le cause dell'acqua alta, v. pag. 39). Il manifestarsi del fenomeno dell'acqua alta è segnalato dal suono di sirene dislocate nei diversi punti della città, con circa due ore di anticipo. In tali emergenze l'Amministrazione comunale provvede a sistemare apposite passerelle lungo i percorsi principali, in modo da poter accedere a tutte le fermate dei mezzi pubblici e ai traghetti. Una cartina con l'indicazione di tali percorsi è esposta presso tutti gli imbarcaderi dell'ACTV. È buona

norma tuttavia premunirsi di stivali per poter circolare liberamente, come d'abitudine fanno gli abitanti, tenendo conto che,
salvo in caso di alte maree eccezionali, i locali pubblici e i negozi
restano aperti.
Essendo una città densamente costruita, Venezia non offre molti
spazi aperti per la sosta e il ristoro, che non siano i campi o le rive
più larghe (alle Zattere o lungo il Bacino di S. Marco). Tra i pochi
spazi verdi vanno segnalati i Giardinetti Reali, adiacenti a piazza
S. Marco; i Giardini Pubblici alla fine della riva degli Schiavoni, e
il successivo parco dell'isola di Sant'Elena. Prossimo alla Stazione ferroviaria c'è il giardino pubblico di Cannaregio (l'accesso
è in prossimità del ponte delle Guglie) e, adiacente a piazzale
Roma, il Giardino già Papadopoli. In molti campi vi sono comunque bar e locali pubblici dove è possibile sedersi, anche all'a-
perto.

Non si dimentichi che Venezia è una città abitata in permanenza da gente
che vi svolge normali attività lavorative, e che usa calli e campi per muoversi quotidianamente; un comportamento civile del turista è dunque necessario, per non perturbarne la vita. Fra le regole elementari da rispet-
tare vi è quella di non intralciare la circolazione dei passanti sostando in
gruppi, specie nelle calli più strette; di non abbandonare i rifiuti lungo il
percorso, utilizzando invece gli appositi contenitori; di tenere un abbiglia-
mento urbano e un comportamento rispettoso delle esigenze altrui, tanto
più essenziale in una città dove le abitazioni si affacciano direttamente su
spazi pubblici ristretti che amplificano i rumori della strada. Si eviti in
ogni caso di utilizzare come sedili i basamenti dei monumenti e le scalinate
di chiese e palazzi, per l'inevitabile deterioramento che ne deriva. E poiché
anche la Laguna e i canali fanno parte dello spazio pubblico, esattamente
come le strade e le piazze nelle altre città, anch'essi vanno rispettati per la
loro peculiarità, evitando di percorrerli con imbarcazioni balneari, e a velocità sostenuta.

Quando a Venezia

Il grande affollamento turistico di Venezia, oramai frequente in
molti periodi dell'anno, può seriamente comprometterne la visita. La stagione turistica si estende infatti da aprile a ottobre,
ma si protrae anche nel periodo invernale in concomitanza delle
feste e delle numerose manifestazioni, e soprattutto del Carnevale. Nei week-end in particolare vi sono serie difficoltà di rice-
zione, è problematico trovare posto ai parcheggi, i mezzi pubblici
sono sovraccarichi, le mostre sovraffollate. Una visita a Venezia
va quindi programmata con un certo anticipo, e il periodo va
scelto con attenzione, sulla base delle motivazioni che la spin-
gono. Se l'obiettivo è quello di vedere la città per conoscerne la
vita, oltre che i monumenti, qualunque epoca è favorevole, a con-

dizione di disporre di un periodo di tempo sufficientemente ampio. In tal caso si può evitare l'affollamento dei principali luoghi d'attrazione approfittandone per visitare le parti meno note della città e della Laguna. Se la disponibilità di tempo è limitata, conviene decisamente evitare il periodo estivo, e avere a disposizione qualche giorno infrasettimanale.

È comunque opportuno prenotare con molto anticipo l'albergo. A Venezia, che pure dispone di una buona struttura ricettiva, non è sempre possibile trovare posto, soprattutto nei periodi del maggior afflusso. Una alternativa può essere quella di sostare nelle località della terraferma (a Mestre, a Marghera, sul Terraglio, lungo la riviera del Brenta), dove vi è oggi una notevole disponibilità ricettiva (alberghi e campeggi), e da dove è possibile raggiungere Venezia con i numerosi autobus di linea dell'ACTV. Altre possibilità sono offerte dalle località del litorale più vicine a Venezia (Cavallino, soprattutto per i campeggi, e Lido), collegate alla città dalle linee di navigazione dell'ACTV. Si tenga però presente che durante i mesi estivi anche queste alternative richiedono prenotazioni con largo anticipo.

La visita alla città può essere motivata dall'interesse per le numerose manifestazioni che vi si svolgono con regolarità nell'arco dell'anno. Le più importanti sono quelle organizzate dalla Biennale, che comprendono la «Biennale Internazionale d'Arte», aperta nei mesi estivi nei padiglioni dei Giardini Pubblici a Castello e in altri luoghi espositivi della città, la «Mostra Internazionale del Cinema», che si svolge al palazzo del Cinema del Lido (le principali proiezioni vengono replicate a Venezia e Mestre), e altre iniziative culturali organizzate di anno in anno nei settori Teatro, Musica e Architettura. Altrettanto rilevanti sono le mostre d'arte organizzate a palazzo Grassi dall'«Istituto Internazionale di Cultura», e dal Comune di Venezia a Palazzo Ducale o nelle diverse sedi cittadine, in generale aperte da primavera ad autunno. L'Istituto di palazzo Grassi organizza inoltre annualmente la «Mostra Mercato Internazionale dell'Antiquariato», e il «Salone Internazionale dei Mercanti d'Arte». Altre manifestazioni culturali sono organizzate da enti e istituti culturali veneziani, come l'Archivio di Stato, le due Università e la Fondazione Cini, che ospita annualmente nell'isola di San Giorgio Maggiore il «Corso Internazionale d'Alta Cultura». Nel settore dello spettacolo si segnalano soprattutto la stagione lirica e i concerti del teatro La Fenice, insieme a quelli che frequentemente si effettuano in chiese (S. Marco, S. Stae, Frari, Ss. Giovanni e Paolo, S. Maria Zobenigo, S. Maria della Pietà, S. Stefano ecc.), palazzi (Labia, Pisani ecc.) e chiostri (S. Apollonia, S. Giorgio Maggiore eccetera).

Numerose le feste tradizionali legate a occasioni di culto o a tradizioni e ricorrenze storiche (v. anche pag. 108), di notevole richiamo spettacolare per il loro rapporto con l'ambiente urbano e lagunare. Fra le prime: la festa del Redentore (terzo week-end di luglio), con la costruzione del ponte votivo sul canale della Giudecca, dalle Zattere alla chiesa del Redentore, e lo spettacolo pirotecnico nel Bacino di S. Marco; la festa della Salute (21 novembre), con la costruzione del ponte votivo sul Canal Grande. Fra le seconde, la Regata Storica che si svolge in Canal Grande (la prima domenica di settembre), le regate di Murano, Burano e Pellestrina (fra luglio e settembre), e la più recente Vogalonga con la partecipazione di migliaia di imbarcazioni (nell'avanzata primavera). Va infine ricordato il Carnevale, rilanciato negli ultimi anni, che richiama a Venezia decine di migliaia di visitatori, e nel corso del quale si tengono numerosi spettacoli nei teatri e nei campi della città.

Durante il periodo estivo la visita di Venezia può essere collegata con le opportunità di svago e di riposo offerte dalle spiagge del litorale (Cavallino, Lido, Sottomarina) e a quelle del diporto nautico, praticabile con imbarcazioni tradizionali nella Laguna. Per tutti gli altri periodi dell'anno vi sono comunque nel territorio circostante numerose possibilità di escursione, nelle isole minori della Laguna e in alcune località della terraferma (la zona archeologica di Altino, le ville venete sul Brenta, le valli lungo i bordi lagunari ecc.), ricche di tradizioni storiche e popolari che danno luogo a feste e manifestazioni durante tutto l'arco dell'anno.

Itinerari tematici

Un modo efficace per apprezzare la ricchezza culturale e ambientale della città, e al tempo stesso la complessità della sua struttura urbanistica, è quello di effettuarne la visita seguendo – accanto agli itinerari analitici e 'onnicomprensivi' che nella guida, a cominciare da S. Marco, sono organizzati per sestiere – alcuni percorsi tematici che permettono di cogliere aspetti fra i più peculiari di Venezia. Tralasciati i temi più direttamente e organicamente legati alla storia dell'arte (che per un'area urbana di produzione artistica così rilevante si sarebbero tradotti in discutibili partizioni stilistico-epocali, con arbitrarie e troppo riassuntive selezioni di cose), quelli che seguono costituiscono una serie di suggerimenti per un contatto diverso con la città. Senza aver la pretesa di coprire tutti gli interessi che Venezia può suscitare, essi offrono la possibilità di approfondire meglio la conoscenza della città insulare, tenuto conto che gli itinerari di terraferma sono già implicitamente tematici, e che quelli lagunari si riferiscono a realtà urbane minori che possono essere facilmente apprezzate nella loro interezza.

Un'immagine d'insieme. È di grande suggestione cogliere un'immagine d'insieme della città nei suoi rapporti con la Laguna, ciò che si ottiene raggiungendo alcuni punti elevati, o aperti su ampie visuali. I campanili sono in tal senso ottimi punti d'osservazione: come quello di S. Marco, che permette di percepire la forma urbana di Venezia nella sua completezza, e soprattutto quello di S. Giorgio Maggiore, dal quale si può comprendere in tutta la sua estensione lo spazio del Bacino e la ricchezza del complesso marciano. Entrambi sono aperti al pubblico, e serviti da ascensore.

I ponti di Rialto e degli Scalzi sul Canal Grande offrono dalla sommità ampi scorci su questa fondamentale via acquea, e quello dell'Accademia sulla chiesa della Salute e la sua confluenza nel Bacino di S. Marco. Ampie visuali sulla città si hanno pure dalla punta della Dogana e percorrendo la riva dei Sette Martiri fino all'imbocco del rio terrà Garibaldi. Interessante è l'immagine sull'acqua che si percepisce dalla motonave per il Lido (linea ACTV N. 6), e di grande interesse un volo sulla città con uno degli aerei dell'Aeroclub (si effettuano dall'aeroporto Nicelli del Lido, a prezzi relativamente accessibili), per l'ampia prospettiva dell'invaso lagunare nel suo insieme. Nelle isole della Laguna, oltre alle visuali che si percepiscono percorrendo con i mezzi pubblici i principali canali, ottime vedute panoramiche si hanno salendo sui campanili di Torcello e Burano (necessaria l'autorizzazione della Curia), e di Chioggia (campanile del Duomo, aperto al pubblico).

Canali, fondamenta e campi. I canali sono gli elementi costitutivi fondamentali della città, e rappresentano il tramite fra le sue diverse parti e fra la città stessa e l'ambiente lagunare. Per questa ragione Venezia andrebbe vista anzitutto dall'acqua; cosa che si può fare del resto con un giro in gondola ben programmato (e, per il Canal Grande, percorrendolo con uno dei mezzi pubblici di linea).

Il significato delle vie d'acqua si apprezza comunque anche muovendosi a piedi lungo le fondamenta che fiancheggiano i canali principali; quando queste corrono su entrambi i lati, danno luogo a spazi urbani ampi e luminosi, caratterizzati in generale da edifici di maggior pregio; qui più che altrove le fondamenta non rappresentano solo percorsi, ma anche rive e aree di servizio attrezzate per le imbarcazioni ormeggiate. Sono, nel sestiere di Dorsoduro, le fondamenta parallele *della Fornace* e *Soranzo* lungo il rio della Fornace, *Venier* e *Zorzi* lungo il rio delle Piere Bianche o delle Torreselle, *Venier* e *Bragadin* lungo il rio di S. Trovaso, *di Borgo* e *delle Eremite* lungo il rio delle Eremite, *Alberti*, *Squero* e *Gherardini* lungo il rio di S. Barnaba e, infine, quelle che dal campo dei Carmini si sviluppano fino a S. Nicolò dei Mendicoli. Nel sestiere di S. Croce, le fondamenta *Minotto* e *del Gaffaro* lungo il rio del Gaffaro, e *Garzotti* e *Gradenigo* lungo il rio Marin. A Castello, le fondamenta *S. Anna* e *S. Gioacchino* lungo il rio di S. Anna (che un tempo si prolungavano fino al Bacino di

S. Marco e che ora confluiscono sul rio terrà Garibaldi). E infine, a Cannaregio, le fondamenta che si snodano lungo il canale omonimo, collegate fra loro da due fra i più bei ponti di Venezia, ponte delle Guglie e ponte dei Tre Archi.

Vi sono poi i brevi tratti di rive lungo il Canal Grande (all'altezza di Rialto la *riva del Vin* e la *riva del Carbon*, e nella zona del Mercato il *campo della Pescaria* e la *riva dell'Olio*); e anche se aperte su di un solo lato del canale, le tre lunghe fondamenta che attraversano l'intero sestiere di Cannaregio, rivolte a mezzogiorno e simili tra loro per la regolarità del tracciato, ancor oggi luoghi di intensa vita sociale. Le rive più ampie si aprono di fronte agli specchi d'acqua maggiori, e in generale sono attrezzate per l'ormeggio delle imbarcazioni più grandi. Per le ampie visuali che offrono sulla città sono particolarmente interessanti quelle lungo il bordo settentrionale della Giudecca (dal Mulino Stucky fin quasi a San Giorgio Maggiore), con il manufatto ottocentesco in ferro del *ponte Lungo* che scavalca il rio omonimo; le *Zattere* sul lato opposto (dalla Stazione Marittima fino alla punta della Dogana); la *riva degli Schiavoni*, con i suoi prolungamenti fino a Sant'Elena; le *fondamenta Nuove* sul bordo settentrionale della città, aperte sulla Laguna.

L'affaccio sulla Laguna è anche percepibile percorrendo le fondamenta che si snodano lungo i canali che costituiscono i principali attraversamenti acquei della città: il rio della Misericordia a Cannaregio, S. Sebastiano a Dorsoduro (alla fine delle Zattere), e il rio dei Mendicanti e la fondamenta dell'Arsenale rispettivamente a nord e a sud di Castello. Innumerevoli infine i canali minori fiancheggiati da percorsi che offrono scorci significativi per apprezzare il carattere peculiare della città minore. Fra tutti, meritano un cenno quelli lungo le fondamenta di S. Giuseppe, Riello, della Tana, delle Gorle, di S. Lorenzo e dei Preti (a Castello), e del Luganegher e Mocenigo (a S. Croce).

I campi sono gli spazi aperti dove confluiscono i percorsi principali e si concentrano le funzioni pubbliche più importanti, e in generale costituiscono i nuclei originari attorno ai quali si è organizzata storicamente l'edificazione delle insule veneziane. Il più delle volte sono caratterizzati dalla presenza di una chiesa parrocchiale, di uno o più pozzi per la raccolta delle acque piovane, e di un rio o canale che li fiancheggia su un lato. I più significativi per la ricchezza degli elementi architettonici e l'importanza delle funzioni, oltre che per la stessa loro vastità, sono quelli di *S. Margherita* (S. Croce) e *S. Maria Formosa* (Castello), dove permane la funzione del mercato all'aperto; di *S. Polo* (S. Polo) e *S. Stefano* (S. Marco), luoghi di sosta e di gioco molto frequentati e sedi di manifestazioni pubbliche importanti; di *S. Giacomo dell'Orio* (S. Croce) e *S. Pietro di Castello*, organizzati intorno alla chiesa con la presenza di verde e alberature; dei *Ss. Giovanni e Paolo* (Castello) e *dei Frari* (S. Croce), definiti dalle quinte delle grandi chiese gotiche.

Campi minori per dimensione e funzioni, ma non per questo meno interessanti per l'importanza degli elementi architettonici, sono diffusi in tutti i sestieri, e ciascuno con propri motivi di interesse: la pavimentazione parzialmente sopraelevata, che mostra con evidenza la presenza del pozzo e del sistema di raccolta delle acque piovane, nei campi di *S. Beneto* e *S. Angelo* (S. Marco) o *S. Trovaso* (Dorsoduro); lo spazio particolarmente arricchito dal disegno delle pavimentazioni e dell'arredo dei ponti e delle rive nei campi della *Maddalena*, dei *Do Mori* e dell'*Abbazia* (Cannaregio), di *S. Boldo* (S. Croce) e a *campiello Barbaro* (Dorsoduro); lo spazio caratterizzato dalla compresenza della Scuola e della chiesa nei campi *S. Tomà*, *S. Rocco* e *S. Giovanni Evangelista* (S. Croce).
Campo S. Fantin (S. Marco), pur nella sua limitata dimensione, è fulcro di prestigiose istituzioni culturali, come il teatro La Fenice e l'Ateneo Veneto, e lo stesso vale per *campiello Pisani* (S. Marco) per la presenza del Conservatorio Benedetto Marcello; vi sono inoltre campi che, pur privi di architetture eccezionali, offrono ambienti urbani di grande qualità, come *campo S. Maria Mater Domini* (S. Croce) o *campo Bandiera e Moro* (o della Bragora; Castello), mentre altri, pur senza particolari prerogative ambientali, ospitano architetture di eccezionale valore, come *campo S. Zaccaria* e *campo S. Maria Nuova* (Castello). Ve ne sono poi alcuni che non hanno particolari pregi, e tuttavia sono luoghi di incontro frequentissimi, come i *campi S. Luca* e *S. Bartolomio* (S. Marco); e infine altri che ospitano funzioni particolari e uniche nella città, come quelli del *Mercato* di Rialto, o del *Ghetto* (Cannaregio).
Numerose sono infine le corti, pubbliche o private, costituite da spazi aperti attorno ai quali si affacciano gruppi di abitazioni, non di rado con scale all'aperto che conducono ai piani superiori, e vere da pozzo: come la corte del *Forno Vecchio* (a S. Marco), le corti *Barziza del Remer* e del *Teatro Vecchio* (a S. Polo), le corti del *Milion, Bressana, Terraza, Botera* e *del Remer* (a Castello); le corti *de la Comare* e *del Sabion* (a Dorsoduro), e *del Tagiapiera* (a S. Croce).

Scuole, ospizi ed edilizia sociale. Venezia è punteggiata da molti edifici speciali, senza riscontri in altre città, che non sono chiese e palazzi, ma sedi di istituzioni assistenziali e devozionali; essi hanno avuto grande importanza nella vita sociale della città, e ne hanno fortemente caratterizzato lo sviluppo della struttura urbanistica.
Le Scuole sono le sedi di confraternite religiose e di corporazioni di arti e mestieri (v. anche pag. 26), assai diffuse nella città. Fra gli almeno ottanta edifici ancor oggi rintracciabili, pur nella mutata destinazione d'uso, presentano particolare interesse quelli delle otto Scuole Grandi, e cioè di *S. Marco* in campo Ss. Giovanni e Paolo (Castello), di *S. Teodoro* e *S. Fantin* (S. Marco), di *S. Maria della Carità* all'Accademia e *S. Maria del Rosario* ai

Carmini (Dorsoduro), di *S. Rocco* e *S. Giovanni Evangelista* (S. Croce), e di *S. Maria della Misericordia* (Cannaregio).

Fra le Scuole minori a carattere devozionale, quasi sempre prossime a complessi parrocchiali, particolarmente interessanti sono quelle di *S. Martino* (vicino all'Arsenale), *S. Giorgio degli Schiavoni* e *S. Niccolò dei Greci* (Castello), *degli Albanesi* di fianco alla chiesa di S. Maurizio (S. Marco), di *S. Francesco* e *della Passione* in campo dei Frari (S. Croce), e del *Santissimo Sacramento* in campo Ss. Apostoli (Cannaregio). Fra le Scuole sedi di corporazioni, quelle *dei Luganegheri* alle Zattere e *dei Calegheri* a S. Tomà (Dorsoduro), *dei Laneri* in salizzada S. Pantalon, *dei Medici* in campo S. Giacomo dell'Orio e *dei Tiraoro e Battioro* a S. Stae (S. Croce), *dei Mercanti da Vin* a S. Silvestro (S. Polo).

L'importanza delle confraternite è dimostrata anche dai numerosi complessi residenziali costruiti per ospitare le famiglie dei propri membri; normalmente sono costituiti da edifici con appartamenti su più piani disposti in serie, e spesso con botteghe ai piani terreni, in questo non dissimili dai molti altri realizzati da privati come case d'affitto. Fra i non pochi esempi, particolarmente interessanti le case di *corte dei Preti*, in fondamenta della Tana (Castello), costruite dall'Ospedale dei Ss. Pietro e Paolo, di *calle dei Volti* (Cannaregio) dalla Scuola Grande di S. Maria della Carità, e di *Borgoloco S. Lorenzo* (Castello) dal monastero di S. Lorenzo, tutte costituite da una doppia schiera di edifici lungo un percorso comune; le case di *fondamenta dei Cereri* (S. Croce), di proprietà della Scuola Grande di S. Marco, organizzate attorno a una corte interna; e i due complessi della Scuola Grande di S. Rocco, a *S. Stin* e *Castelforte* (S. Croce), più ricchi dei precedenti per l'ampiezza degli alloggi e il decoro dell'architettura. E fra le case d'affitto private, quelle in *calle Riello* a S. Geremia (Cannaregio), quelle dei grandi complessi in *fondamenta dei Cereri*, e a *rio Marin*, lungo la calle Contarina (S. Croce), e quelle più dimesse di *rio delle Burchielle* (S. Croce), di *corte Cordami* alla Giudecca, e di *calle delle Mende* (Dorsoduro). Gli ospizi, detti anche conservatorî, edifici di carattere assistenziale ed educativo, spesso veri ospedali ma non di rado sedi di importanti attività culturali, sono in buon numero ancora rintracciabili nella città, sempre affacciati su ampi canali. Il tipo edilizio più ripetuto è quello caratterizzato da un prospetto principale sul canale con la chiesa al centro e due ali basse e simmetriche ai lati, che racchiude uno o più chiostri e giardini retrostanti. È il caso dell'*ospizio delle Zitelle* alla Giudecca, dell'*ospizio della Pietà* sulla riva degli Schiavoni e di quello di *S. Lazzaro dei Mendicanti* sul rio omonimo (Castello) e *delle Penitenti* sul canale di Cannaregio. Un modello più semplice, almeno per quanto emerge dalla facciata principale, è caratterizzato da lunghi corpi edilizi, con una finestratura regolare: è il caso dell'*ospedale degli Incurabili* alle Zattere (Dorsoduro), e dell'*ospizio di Ca' di Dio* sulla riva degli Schiavoni (Castello).

L'architettura del lavoro.

Venezia offre una buona possibilità di apprezzare le testimonianze delle diverse attività produttive e commerciali che vi si sono sviluppate nel corso della storia. Oltre a quelle diffuse nella città, delle quali rimane traccia nella toponomastica corrente, vi sono alcune importanti concentrazioni, e prima di tutte quella costituita dal complesso dell'*Arsenale*, l'unica porzione della città circondata da mura, che presenta al suo interno una serie cospicua di edifici e di spazi realizzati in epoche diverse che visibilmente testimoniano ancora oggi la ricchezza delle attività legate alla costruzione e all'allestimento delle navi mercantili e militari. Altra cospicua concentrazione di attività produttive è quella di *Murano*, ove fin dalla fine del secolo XIII si sono andate raggruppando vetrerie e conterie, e che ancora oggi costituiscono la più importante presenza industriale nei centri lagunari.

Lo sviluppo industriale ottocentesco è ben documentato dai numerosi manufatti industriali che, a differenza di quanto è avvenuto nelle città di terraferma dove sono stati distrutti per far posto alle espansioni periferiche, rimangono ancor oggi visibili ai margini del tessuto urbano delimitato dalla Laguna. Alla Giudecca emergono i complessi del *mulino Stucky*, della *ex Birreria*, della *Fortuny*, della *Junghans*, dei *cantieri Navali CNOMV*; attorno alle aree portuali, l'*ex Cotonificio Veneziano* e la *Manifattura Tabacchi*; nel sestiere di Cannaregio, l'edificio dell'*ex Macello Comunale* e, soprattutto per la sua vasta estensione, l'area della *ex Saffa*. Tutto il tessuto veneziano è comunque ricco di edifici e manufatti minori che ricordano la presenza di attività produttive e artigianali, particolarmente numerosi lungo i canali principali e i bordi esterni della città (Cannaregio, Castello, Giudecca) per il necessario contatto con la Laguna. Fra i più singolari sono gli squeri per la costruzione di gondole e imbarcazioni lagunari, ancora in funzione sui rii di S. Trovaso e Ognissanti, sul rio dei Mendicanti, e sul canale di S. Pietro di Castello.

Fondachi e magazzini assicuravano infine alla città luoghi adatti al deposito di merci e provviste necessarie allo sviluppo dell'intensa attività commerciale (v. anche pag. 27). I tre *fondachi* utilizzati da comunità straniere dei quali si ha notizia erano sul Canal Grande: quello *dei Tedeschi* a Rialto, che ospita oggi gli uffici delle Poste centrali; quello *dei Turchi* a S. Croce, fra S. Stae e riva di Biasio, profondamente ristrutturato nel secolo scorso per ospitare il Museo di Scienze Naturali; scomparso è quello dei Persiani, adiacente a quello dei Tedeschi, demolito nel 1830. Dei grandi magazzini e depositi restano pochi significativi esemplari: i *Magazzini del Sale* e i *Saloni della Dogana* alle Zattere, il *Magazzino del Megio* (miglio) sul Canal Grande, e qualche deposito di granaglie alla Giudecca.

L'architettura militare. Pur non avendo mai avuto una cerchia di mura, come invece è avvenuto per tutte le altre importanti città di terraferma, Venezia ha sviluppato un potente sistema difensivo, considerato fra i più efficienti del suo tempo, tempestivamente adeguato all'introduzione della polvere da sparo. Questo sistema difensivo interessava il territorio circostante, più

che la città stessa, e mirava soprattutto a controllarne le diverse
vie d'accesso, specie quelle acquee. Ancor oggi infatti son rintracciabili molte delle opere costruite a controllo delle bocche di
porto e lungo il litorale; la più significativa, anche dal punto di
vista emblematico perché posta a difesa dell'Arsenale, è quella
costituita dal *forte di S. Andrea*, sull'isola della Certosa, di fronte
alla quale, sulla punta settentrionale del Lido, si ergeva il complesso del *Castelvecio*, vasto quartiere militare del quale rimangono solo alcuni resti, e tra questi l'edificio del cosiddetto *Serraglio*, la più grande fra le caserme d'Europa all'epoca della sua costruzione (XVI secolo). L'altro caposaldo militare era costituito
dal *forte di S. Felice*, sulla punta settentrionale di Sottomarina, a
difesa dell'accesso di Chioggia, ben conservato nelle sue strutture principali. Altri forti erano agli Alberoni (Lido) e a Ca'
Roman (Pellestrina), e lungo tutto il litorale, oggi largamente rimaneggiati. Interessanti gli ottagoni, piccole isole lagunari a difesa dei canali di accesso, e di particolare rilievo storico ed architettonico la cosiddetta *torre di Massimiliano*, sull'isola di San-
t'Erasmo, di fronte alla bocca di porto di Lido.

Sotto la dominazione austriaca l'antico sistema difensivo di Venezia venne
completamente rinnovato: tracce rilevanti delle opere ottocentesche si
trovano nelle isole minori della Laguna, molte delle quali trasformate in
depositi di materiali militari (polveriere) e caserme, e sul litorale; ma soprattutto nell'immediato entroterra, dove viene realizzata una cintura di
forti intorno a Mestre (*forte Gazzera* a ovest, *forte Carpenedo* a nord, e
Tron a sud), completata dalla grande struttura di *forte Marghera*, a controllo del principale collegamento acqueo, e poi ferroviario, con Venezia.

Le immagini e i luoghi della musica. Un itinerario 'musicale'
per una visita di Venezia è quanto mai stimolante: la storia artistica e politica di Venezia, insieme con la stessa idea 'turistica'
della città, sembrano infatti essere sostenute da una sorta di colonna sonora musicale che è anche una specie di pilastro del mito
stesso – artistico, politico, ambientale – della città. Impossibile
contare le infinite situazioni musicali veneziane, cui le tradizioni
della Repubblica affidavano un duplice compito: l'affermazione
simbolica dell'«armonia» dello stato veneto, continuamente rinnovata nelle manifestazioni celebrative di eccezionali momenti
storici (vittorie militari, grandi consacrazioni di preghiera e scon-
giuro per le pestilenze, grandi feste in onore di visitatori illustri),
e il riconoscimento quotidiano e popolare di questa armonia nel-
l'ambiente sonoro di una città da sempre 'musicale' (non a caso vi
nasce, nel Seicento, il teatro musicale).

Questa grande potenzialità musicale dell'ambiente' tocca tutti i periodi
della storia veneziana e tutti i luoghi della città, e innanzitutto la strada e

le strade d'acqua. Un segno precipuo e diffuso della giovialità artistica di Venezia, irricostruibile oggi che le tradizioni orali del dialetto sono in gran parte interrotte e la città è risorta a un turismo diverso da quello diplomatico e culturale della Serenissima. Il 'segno' di tale musicalità è però così forte e tanto tramandato culturalmente che un itinerario suggestivo attraverso i riti di quel mito ambientale e sonoro che Venezia fu, è ancora possibile, sia riguardando le immagini della vita e delle idee musicali conservate nei musei e nelle chiese, sia percorrendo la città alla scoperta di alcuni luoghi della musica, reperiti e riconosciuti.

Un viaggio 'musicale' nelle gallerie e nelle chiese veneziane riserva incontri quanto mai suggestivi con l'immagine nel tempo della musica veneta: ecco l'orchestra nel cielo della *Incoronazione della Vergine* di Paolo Veneziano (alle Gallerie dell'Accademia), e quella con cori nelle *Incoronazioni* di Donato e Catarino (alla Pinacoteca Querini Stampalia) e di Stefano Veneziano (ancora all'Accademia); ecco l'immagine 'protocollare' della «musica civile» del doge nella fanfara principesca della *Processione in piazza* di Gentile Bellini (all'Accademia).
Ricca l'iconografia strumentale e la descrizione delle innumerevoli situazioni musicali: tamburi e trombe «squarzade» nella scena ufficiale del *S. Giorgio che battezza i Gentili* nel ciclo di Carpaccio (Scuola di S. Giorgio degli Schiavoni); liuto, lira e piffero nell'esecuzione di musica mondana nella *Madonna col Bambino* (ai Frari) e nella *pala* di S. Zaccaria di Giovanni Bellini; un concerto conviviale di viole nelle *Nozze di Cana* di scuola venetogreca (Museo Correr); un duetto strumentale nella *Madonna in trono* di Cima da Conegliano (Accademia); un angelo con viola nella *Sacra Conversazione* di Palma il Vecchio (S. Zaccaria); cromorni, liuto e lira da braccio nella *Presentazione al tempio* di Carpaccio (Accademia); un flauto nel *Guerriero* di Dosso Dossi (Raccolte della Fondazione Cini), e altro flauto di foggia 'moderna' nel *Pastorello* di anonimo del primo Cinquecento (Accademia). L'accordatura del liuto cinquecentesco veneziano è ben illustrata nel *Cristo benedicente* di Bonifacio de' Pitati, e l'esecuzione di musica vocale e strumentale nel *Ricco Epulone* dello stesso Bonifacio (entrambi all'Accademia). Altamente narrativa e simbolica l'allegoria della *Musica* di Paolo Veronese (soffitto della Biblioteca Marciana), che pure descrive un'esecuzione madrigalesca nelle *Nozze mistiche di S. Caterina* (Accademia). Un vero concerto d'archi del secondo Cinquecento è rappresentato nella *Madonna con S. Sebastiano e tre santi*, ancora del Veronese (S. Sebastiano); un duetto di liuto e basso violone, nella tela, sempre del Veronese, con *Sebastiano Venier che ringrazia il Redentore per la vittoria di Lepanto* (sala del Collegio di Palazzo Ducale).

Organo regale, violone e viola da gamba compaiono in una *Assunzione* di scuola veronesiana all'Accademia; un concerto misto, vocale e strumentale, in una *scena angelica* di Palma il Giovane all'oratorio dei Crociferi. Una chitarra a otto corde nel *Suonatore popolare* di Domenico Fetti (Accademia) ci introduce nello spazio seicentesco di questo itinerario iconografico. La musica di circostanza delle cerimonie politiche della Repubblica compare ora nella *Elezione del doge Mocenigo* di Matteo Ingoli (palazzo Mocenigo Robilant); sette musicisti e un concerto d'ampie dimensioni, nelle *Nozze di Cana* del Padovanino (Scuola di S. Marco); una bella viola, nel *Marsia* di Johann Liss (Accademia) e un'altra, nell'*Estasi di S. Francesco* di Girolamo Forabosco (S. Nicolò dei Tolentini), mentre un concerto solistico di liuto nel *Suonatore* di Francesco Maffei (Ca' Rezzonico) introduce al periodo in cui comincia ad affermarsi, in città, la musica-spettacolo dei teatri dell'Opera.

Diversi nuovi temi d'origine teatrale entrano nelle figure musicali di questo periodo: la tromba guerriera nell'*Adorazione dei Magi* di Pietro Ricchi (S. Pietro di Castello) e nel *Giudizio Universale* di Joseph Heintz (S. Antonin di Castello); un liutino a sette corde e due viole (da «brazzo» e da gamba), nell'*Apparizione della Madonna a S. Giovannino e ai Ss. Antonio e Girolamo* di Andrea Celesti (chiesa dell'Ospedaletto); una vera e propria «cappella», accompagnata da un suonatore di chitarrone, nel *Trasporto dei corpi di S. Pancrazio e S. Sabina* di Antonio Zanchi (S. Zaccaria); organo e cantori con viole, arpa, liuto e chitarrone (l'organico dell'accompagnamento delle opere), nella *Visita di papa Benedetto al convento di S. Zaccaria* di Andrea Celesti (pure a S. Zaccaria); un'orchestra a fiati nell'*Oza che cade fulminato* di Antonio Molinari (S. Maria degli Angeli di Murano); l'organo in *S. Cecilia* di Giovanni Segala (S. Martino di Castello); due cantorie barocche nella tiepolesca *Gloria di S. Teresa* (agli Scalzi) e nella *Gloria di S. Domenico* del Piazzetta (Ss. Giovanni e Paolo). I nuovi strumenti patetici della musica degli ospedali (per esempio l'oboe) compaiono nella *Gloria di S. Rocco* del Fontebasso (S. Rocco), e la musica da strada con la popolare chitarra da strimpellamento ne *La polenta* di Pietro Longhi (Museo del Settecento Veneziano), che pure ci presenta ne *Il concerto* (Gallerie dell'Accademia) la situazione musicale più corrente in Venezia: una sonata a tre in un salone patrizio. Infine una specie di enciclopedia della musica veneta in trionfo è l'*Incoronazione della Vergine*, il grande soffitto di Tiepolo nella chiesa costruita accanto all'ospedale della Pietà.

Con la chiesa della Pietà abbiamo raggiunto un luogo dedicato alla memoria del più celebre dei maestri del piacere musicale settecentesco: Antonio Vivaldi. Nell'ospedale vicino alla chiesa (edificata dopo la morte del musicista) Vivaldi era stato uno dei maestri direttori, compositori, istruttori delle «figlie» orfane e musicanti nei concerti; e di questa musica «d'ospedale», suggestiva, elegante, virtuosa, la Pietà è un luogo deputato, ancora oggi visitabile e conservato. Altrettanto vivo, anche nelle pratiche musicali che tuttora vi continuano, è l'Ospedaletto, vicino al campo Ss. Giovanni e Paolo. Altri due ospedali, che avevano nel Settecento goduto della direzione di maestri illustri (quali Cimarosa, Porpora, Galuppi ecc.) avevano sede ai Mendicanti (chiesa e cantoria sono ancora esistenti e visitabili, anche se inglobate nel complesso dell'Ospedale Civile) e agli Incurabili (alle Zattere), dove la chiesa è però scomparsa.

Ma ogni luogo, ogni palazzo, ogni chiesa potrebbe essere indicato come luogo musicale: o di un'«accademia», o di una festa; o di un teatro fastoso e meraviglioso, poi decaduto e scomparso, come il vecchio e il nuovo teatro di S. Cassian (l'uno, dietro le case dei Michiel, dedicato nel tardo Cinquecento alla commedia; l'altro, dietro le case dei Tron, culla dell'opera in musica, a metà Seicento, e sede delle «prime» di Francesco Cavalli); o il teatro dei Ss. Giovanni e Paolo, in calle della Testa (ove furono battezzati capolavori come «L'incoronazione di Poppea» di Monteverdi, e le opere dei maggiori maestri del melodramma veneziano: Cesti, Sartorio, Legrenzi).

Il teatro di S. Luca (detto anche di S. Salvador), in cui erano state rappresentate le opere dei già citati pionieri del melodramma e poi quelle di Ziani, Perti, Caldara, si trova ora riedificato negli stessi luoghi come teatro Goldoni. Perduti e dimenticati, invece, i luoghi dei teatri di S. Moisè e di S. Angelo (quest'ultimo, attivo dal 1686 alla fine del Settecento, era stato gestito, nei primi anni del secolo XVIII, da Vivaldi in veste di impresario e compositore teatrale). Ora trasformato in cinematografo il teatro di S. Benedetto (fondato nel 1755 e centro di musica teatrale «alla moda» nel secondo Settecento, mentre nell'Ottocento aveva contribuito a consolidare la grande fortuna dell'opera romantica e a conservare in Venezia il gusto dell'opera buffa). Il teatro di S. Giovanni Crisostomo, costruito accanto alle case dei Polo, al Milion, è invece tuttora attivo come teatro d'opera e concerti, ed è stato intitolato alla regina del bel canto romantico Maria Malibran.

L'ultimo teatro edificato dalla Serenissima Repubblica, La Fenice, inaugurato nel 1792 con «I giuochi di Agrigento» di Paisiello, fu e continua ad essere ininterrottamente da quei tempi un centro musicale di raro pregio, ospitando la prima apparizione di veri capolavori («Orazi e Curiazi» e «Artemisia» di Cimarosa, «Sigismondo» e «Semiramide» di Rossini, «Il crociato in Egitto» di Meyerbeer, «Belisario» e «Maria di Rudenz» di Donizetti, opere di Bellini tra cui «I Capuleti e i Montecchi», di Verdi tra cui «Ernani», «Attila», «Rigoletto», «Traviata» e «Simon Boccanegra», fino a «La carriera di un libertino» di Stravinsky).

Rinnovatosi in questi anni l'interesse per la grande suggestività della musica nelle chiese veneziane, si sono riaperte alle esecuzioni solenni sia la chiesa dei Ss. Giovanni e Paolo (che già aveva avuto nel Cinque-Seicento una cappella florida e sontuosa), sia la Basilica di S. Marco che, oltre a ricordare nella sua architettura sonorissima la ricerca sperimentale della policoralità marciana dei suoi antichi maestri (da Willaert ai Gabrieli, a Monteverdi),

ha ispirato l'ultimo degli atti di dedizione artistica alla grande
magia del suono della Basilica: il «Canticum Sacrum» che Stravinsky nel 1959 dedicò alla musica veneziana, al suo «luogo» e al
suo mito.

Musei, Istituzioni, Biblioteche

Civico Museo Correr (con Museo del Risorgimento e dell'Ottocento veneziano e Quadreria), pag. 293, Ala Napoleonica, piazza
S. Marco (S. Marco). Orario: feriali 10-16; festivi 9.30-12; chiuso
il martedì.

Collezione Ca' del Duca, pag. 338, Ca' del Duca, corte del Duca
Sforza 3052 (S. Marco). Orario: da aprile a ottobre, lunedì, mercoledì e venerdì, 9.30-12.30; sabato, 15-18.

Collezione Peggy Guggenheim, pag. 415, palazzo Venier dei
Leoni, calle S. Cristoforo 701 (Dorsoduro). Orario: da aprile a ottobre, 12-18; sabato, 12-21; chiusa il martedì.

Galleria Giorgio Franchetti, pag. 480, Ca' d'Oro, calle della Ca'
d'Oro 3922 (Cannaregio). Orario: 9-14; domenica 9-13; chiusa il
lunedì.

Gallerie dell'Accademia, pag. 399, complesso di S. Maria della
Carità, campo della Carità 1023 (Dorsoduro). Orario: feriali,
9-14; festivi, 9-13; chiuse il lunedì.

Museo Archeologico, pag. 287, Procuratie Nuove, piazzetta S.
Marco 17 (S. Marco). Orario: feriali, 9-13.30; festivi, 9-12.30;
chiuso il lunedì.

Museo d'Arte Ebraica, pag. 498, campo del Ghetto Nuovo 2902 B
(Cannaregio). Orario: invernale, 10-12.30; estivo, 10-12.30 e
15-17.30; chiuso il sabato e le altre festività ebraiche.

Museo d'Arte Moderna, pag. 352, Ca' Pesaro, fondamenta Ca'
Pesaro 2076 (S. Croce). Attualmente (1984) in allestimento.

Museo d'Arte Orientale, pag. 353, Ca' Pesaro, fondamenta Ca'
Pesaro 2076 (S. Croce). Attualmente (1984) chiuso.

Museo dell'Arte Vetraria, pag. 647, palazzo Giustinian, fondamenta Giustinian 8 (Murano). Orario: feriali, 10-16; festivi,
9-12.30; chiuso il mercoledì.

Museo Civico di Storia Naturale, pag. 359, fondaco dei Turchi,
salizzada del Fondaco dei Turchi 1730 (S. Croce). Orario: feriali,
9-13.30; festivi, 9-12; chiuso il lunedì e le festività infrasettima-
nali civili e religiose.

Museo Diocesiano di Arte Sacra, pag. 574, ex convento di S. Apollonia, fondamenta S. Apollonia 4312 (Castello). Orario: feriali 10-12.30; in occasione di mostre, 10-12.30 e 15.30-18.

Museo Fortuny, pag. 335, palazzo Fortuny, campo S. Beneto 3780 (S. Marco). Orario: 8.30-14; chiuso la domenica.

Museo dell'Istituto Ellenico, pag. 577, Scuola di S. Nicolò dei Greci, ponte dei Greci 3412 (Castello). Orario: feriali, 9-12.30 e 15.30-18; festivi, 9-12; chiuso il martedì.

Museo del Merletto, pag. 656, piazza Baldassarre Galuppi (Burano). Orario: 9-18; chiuso il martedì.

Museo dell'Opera di Palazzo, pag. 279, Palazzo Ducale, piazzetta S. Marco 1 (S. Marco). Visitabile a richiesta.

Museo di Palazzo Mocenigo, pag. 355, palazzo Mocenigo, salizzada S. Stae 1990-92 (S. Croce). Attualmente (1984) in corso di definizione.

Museo e Pinacoteca di S. Lazzaro degli Armeni, pag. 672, convento di S. Lazzaro degli Armeni (San Lazzaro degli Armeni). Orario: 15-17.

Museo di S. Marco, pag. 247, Basilica di S. Marco (S. Marco). Orario: estivo, 10-17.10; invernale, 10-16.

Museo del Settecento Veneziano, pag. 437, Ca' Rezzonico, fondamenta Rezzonico (Dorsoduro). Orario: feriali, 10-16; festivi, 9.30-12.30; chiuso il venerdì.

Museo Storico Navale, pag. 528, ex Granai della Repubblica, campo S. Biasio 2148-49 (Castello). Orario: da lunedì a venerdì, 8-13; sabato, 8-12; chiuso la domenica e i giorni festivi.

Museo di Torcello, pag. 663, palazzi dell'Archivio e del Consiglio (Torcello). Orario: estivo, 10.30-12.30 e 14-18; invernale, 10.30-12.30 e 14-16.30; chiuso il lunedì.

Palazzo Ducale, pag. 249, piazzetta S. Marco (S. Marco). Orario: estivo, 8.30-18; invernale, 8-14.

Pinacoteca Manfrediniana, pag. 423, palazzo del Seminario patriarcale, campo della Salute 1 (Dorsoduro). La visita viene concessa previo accordo telefonico.

Pinacoteca Querini Stampalia, pag. 547, palazzo Querini Stampalia, campiello Querini Stampalia 4778 (Castello). Orario estivo: feriali, 10-15.45; festivi 10-14.45. Orario invernale: feriali, 10-14.45; festivi 10-14.45. Chiusa il lunedì e le grandi festività.

Raccolta d'Arte dalla Collezione Vittorio Cini, pag. 414, palazzo Cini, campo S. Vio (Dorsoduro). Orario: da aprile a novembre, 14-19. Chiusa il lunedì.

Tesoro di S. Marco, pag. 241, Basilica di S. Marco, piazza S. Marco (S. Marco). Orario: feriali, 10-17; festivi, 14-17.

Scuola Dalmata dei Ss. Giorgio e Trifone (S. Giorgio degli Schiavoni), pag. 578, calle dei Furlani 3259 A (Castello). Orario estivo: feriali, 9.30-12.30 e 15.30-18.30. Orario invernale: feriali 10-12.30 e 15.30-18; festivi 10-12.30. Chiusa il lunedì.

Scuola Grande dei Carmini, pag. 446, campo S. Margherita (Dorsoduro). Orario: 9-12 e 15-18; chiusa la domenica.

Scuola Grande di S. Giovanni Evangelista, pag. 390, campo della Scuola (S. Polo). È concessa la visita previo accordo telefonico i giorni feriali dalle 9.30 alle 12.30; chiusa il sabato e la domenica.

Scuola Grande di S. Rocco, pag. 377, campo S. Rocco (S. Polo). Orario estivo: 9-13 e 15.30-18.30; invernale: 10-13 (il sabato e la domenica anche 15-18).

Scuola di S. Fantin (ex), pag. 312, calle della Verona 1897 B (S. Marco). Orario: dal lunedì al venerdì, 10-12 e 16.30-19; sabato, 10-12; chiusa la domenica, il mese di agosto e fra Natale e Capodanno.

Archivio di Stato, pag. 375, ex convento dei Frari, campo dei Frari 3002 (S. Polo). Orario: dal lunedì al sabato, 9-14; chiuso la domenica e i giorni festivi.

Archivio Storico delle Arti Contemporanee, pag. 350, Ca' Corner della Regina, calle di Ca' Corner 2214 (S. Croce). Orario: dal lunedì al sabato, 9-13; chiuso la domenica e i giorni festivi.

Archivio Storico Comunale, pag. 587, ex convento di S. Maria Celeste, campo della Celestia 2737 F (Castello). Orario: 8.30-13.30; chiuso la domenica e i giorni festivi.

Biblioteca di Arte e Storia Veneziana, pag. 282, Procuratie Nuove, piazza S. Marco 52 (S. Marco). Orario: dal lunedì al venerdì, 9-16.30; sabato, 9.13; chiusa la domenica e i giorni festivi.

Biblioteca della Fondazione Cini, pag. 618, monastero di S. Giorgio Maggiore (San Giorgio Maggiore). Orario: 9-12.45 e 14.10-16.45; chiusa il sabato e i giorni festivi.

Biblioteca dell'Istituto Veneto di Scienze, Lettere e Arti, pag. 321, palazzo Loredan, campo S. Stefano 2945 (S. Marco). Orario, dal lunedì al venerdì, 9-17; chiusa il sabato e i giorni festivi.

Biblioteca Nazionale Marciana, pag. 291, palazzo della Zecca, piazzetta S. Marco 7 (S. Marco). Orario: dal lunedì al venerdì, 9-19; sabato, 9-13.30; chiusa la domenica e i giorni festivi.

Biblioteca Querini Stampalia, pag. 547, palazzo Querini Stampalia, campiello Querini Stampalia 4778 (Castello). Orario: feriali, 10-12 e 14.30-23.30; festivi, 15-19.

Biblioteca di S. Lazzaro degli Armeni, pag. 672, convento di S. Lazzaro degli Armeni (San Lazzaro degli Armeni). Orario: a richiesta, nei giorni feriali, 8.30-12 e 15-17.

Biblioteca del Seminario Patriarcale, pag. 425, palazzo del Seminario patriarcale, campo della Salute 1 (Dorsoduro). Consultazione previo accordo telefonico.

Casa Goldoni (Istituto di studi teatrali), pag. 381, palazzo Centani, calle dei Nomboli 2793 (S. Polo). Orario: dal lunedì al sabato, 8.30-13.30; chiusa la domenica e i giorni festivi.

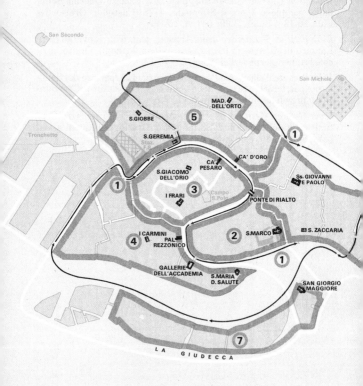

ITINERARI DI VISITA DELLA CITTÀ

Limite dei sestieri

Limite delle zone descritte negli itinerari

 Venezia dall'acqua, pag. 141

2 Il sestiere di S.Marco, pag. 207

3 I sestieri di S.Polo e di S.Croce, pag. 339

4 Il sestiere di Dorsoduro, pag. 394

5 Il sestiere di Cannaregio, pag. 464

6 Il sestiere di Castello, pag. 512

7 Le isole della Giudecca e di San Giorgio Maggiore, pag. 602

BIENNALE INTERNAZ. D'ARTE

San Sérvolo

San Lázzaro degli Armeni

1 Venezia dall'acqua

Venezia è città inserita in un ambiente inconsueto, quello della Laguna, con cui stabilisce un ben definito rapporto, così che non vi è elemento della sua struttura urbanistica ed edilizia (così come non vi è attività) che non risulti più o meno direttamente condizionato dalla presenza dell'acqua. Per questo motivo si propongono come itinerari d'approccio alla città quelli acquei, di cui il primo, poco conosciuto e frequentato dai turisti, ne percorre un anello esterno, mentre il secondo, tradizionalmente noto, la attraversa percorrendo tutto il Canal Grande. Insieme, questi itinerari consentono una lettura complessiva, quasi di sintesi, della città e chiariscono il rapporto tra ciò che è costruito e l'invaso lagunare che lo contiene. Rapporto che si rivela subito dialettico, perché da un lato la città assume diverse connotazioni funzionali, formali e ambientali in rapporto alle diverse configurazioni naturali e fisiche della Laguna (aperta e sconfinata, o delimitata in un bacino o canale), dall'altro quest'ultima viene modellata nel suo contatto con la città, e costretta in spazi acquei ben definiti.

Dove la Laguna appare aperta, con vaghi e lontani confini, la città le offre le spalle, cioè spazi di retro (è il caso del margine nord-occidentale del sestiere di Cannaregio, ma è anche quello, seppure non contemplato nell'itinerario, di tutto il margine sud dell'isola della Giudecca); dove la Laguna appare delimitata da isole, formando un bacino più o meno definito, la città vi si affaccia aprendosi lungo una fondamenta (è il caso delle fondamenta Nuove, di fronte a San Michele e Murano, ma soprattutto quello della riva degli Schiavoni sul Bacino di S. Marco); dove la Laguna è il lungo braccio acqueo tra due lembi di terra, la città la accompagna con un doppio allineamento su fondamenta (è il caso delle Zattere e della prospiciente fondamenta dell'isola della Giudecca, lungo il canale omonimo); infine, dove la Laguna vi si insinua come un fiume interno, la città la rinserra e la costringe dentro una cortina edilizia continua, ed è Canal Grande.

È quindi lungo le linee di contatto con la Laguna, intesa in queste diverse accezioni, che la città si distingue in fasce omogenee (quasi sovrapposte alla varietà e alla complessità interna di ognuna delle insule di cui è composta) che, a seconda se marginali, periferiche o centrali, si differenziano fra loro per diverse tipologie edilizie e caratteri insediativi. Così il bordo settentrionale della città, dove questa appare tutta rivolta verso il proprio interno (eccetto che per il breve tratto delle fondamenta Nuove), si presenta frastagliato per i retri e i giardini di antichi complessi conventuali, gli squeri e i depositi che si susseguono fino all'Arsenale. Unitario si presenta invece il Canal Grande, lunga e sinuosa 'strada' centrale, definita in tutta la sua lunghezza dalla doppia, fastosa palazzata nella quale si inseriscono, esaltandola, i due fulcri 'diversi' di Rialto e della Salute. E altrettando omogeneo è il doppio affaccio lungo il canale della Giudecca, non ancora marginale per la presenza di edifici prestigiosi (come la chiesa del Redentore), ma già periferico nel suo tessuto edilizio dove si giustappongono palazzetti e case modeste, conventi ed edifici protoindustriali.

Comune a entrambi gli itinerari è il loro confluire nel Bacino di S. Marco (solo a Venezia accade che centro e periferia trovino un punto di raccordo), in uno spazio 'urbano', vero prolungamento della piazza e completamento della città, e come tale tutto 'costruito' dai cardini monumentali dell'area marciana, del Palazzo Ducale, della punta della Dogana (con la chiesa della Salute) e della chiesa di S. Giorgio Maggiore.

1.1 La circolare di Venezia

Con partenza dalla Stazione ferroviaria, l'itinerario si sviluppa dapprima (dopo essersi immesso e aver percorso il canale di Cannaregio) lungo il bordo della città affacciato sulla Laguna nord, ampia distesa d'acqua delimitata dai lontani confini della terraferma e delle barene. Attraversata poi la città da nord a sud tagliando all'interno dell'Arsenale, passa sul bordo meridionale, dove la Laguna è invece racchiusa dalla linea del Lido (a sud-est) e si restringe nel Bacino di S. Marco e nel canale della Giudecca. Lungo quest'ultimo l'itinerario prosegue fino a concludersi all'imbarcadero di piazzale Roma, sulla testata occidentale del Canal Grande.

Il percorso unisce attrattive paesaggistiche e ambientali a interessanti notazioni urbanistiche, introducendo una lettura completa della città dall'esterno (nel suo rapporto con la Laguna, con le lente e progressive variazioni insediative lungo le aree marginali), e permettendo di cogliere visuali eccezionali (altrimenti non percepibili) su grandi insiemi architettonici come l'Arsenale e parte degli edifici dell'area marciana. Per il suo carattere non di visita ma di visione ambientale, l'itinerario non fornisce dettagliata descrizione delle emergenze che vengono segnalate, per le quali si rimanda agli itinerari pedonali.

La partenza è dalla fondamenta S. Lucia (prospiciente la Stazione ferroviaria) dove, all'incrocio con la lista di Spagna, in prossimità del ponte degli Scalzi, si trova il pontile d'attracco dei motoscafi della linea 5; per compiere l'intero tragitto è necessario prendere la circolare con direzione Murano e scendere all'imbarcadero delle fondamenta Nuove, dove si cambia mezzo e si prende la circolare destra con direzione S. Marco-Giudecca.

Il motoscafo, percorso in direzione di Rialto un breve tratto del Canal Grande (v. pag. 149 e seguenti), vira a sin. imboccando il canale di Cannaregio, ampio corso d'acqua che taglia il settore NO della città raggiungendo la Laguna nord; fino all'ottocentesca realizzazione del ponte ferroviario translagunare, esso costituiva, con il suo proseguimento, il canale di S. Secondo, la più importante via di collegamento con la terraferma. Subito a sin., prospettanti la fondamenta Labia, si notano la facciata della chiesa di S. Geremia e l'imponente mole del palazzo Labia. Oltre il ponte delle Guglie (dai 4 obelischi in pietra) il canale si presenta affiancato su entrambe le sponde da fondamenta su cui si levano rari (ma notevoli) palazzi giustapposti a edifici di carattere popolare: a sin., il settecentesco palazzo Priuli Venier e il seicentesco palazzo Savorgnan; a d., l'imponente palazzo Nani (sec. XVI). Avendo di fronte, a sfondo, il seicentesco ponte dei Tre Archi (uno dei pochi rimasti con questa caratteristica struttura), si notano poi, a sin., alcuni esempi rimaneggiati di dimore gotiche quattrocentesche con finestre archiacute, mentre a d., subito prima del ponte, si allunga l'imponente mole seicentesca del palazzo Surian. Al di là del ponte, a d., il fronte edilizio è interrotto dal prospetto in mattoni del complesso delle Penitenti, di cui si riconosce l'incompiuta facciata in mattoni della chiesa, affiancata dai due corpi dell'ospizio; a sin., risvoltante sul fronte lagunare, si sviluppa il vasto complesso neoclassico dell'ex Macello Comunale.

Usciti dal canale di Cannaregio, ci si trova improvvisamente immersi nella Laguna nord (delimitata dai lontani confini della terraferma), dal composito paesaggio dominato da elementi naturali, ma anche fortemente antropizzato, dove lunghe file di «bricole» (gruppi di due o più pali) segnalano i canali navigabili. Da ovest a est si riconoscono: la bassa e continua sagoma del ponte della Libertà, parallelo al quale si allunga fino alla terraferma il canale di S. Secondo; la terraferma stessa, dove si stagliano le sagome di recenti interventi di edilizia popolare; le isole di Murano e di San Michele. In direzione est si costeggia il margine settentrionale della città che, oltre il quartiere di edilizia popolare della sacca di S. Girolamo (realizzato all'inizio del '900), si presenta (sino alle fondamenta Nuove) assai discontinuo, caratterizzato com'è dall'alternarsi di spazi verdi (retrostanti a ex complessi conventuali o a palazzi dalle facciate rivolte a sud), capannoni industriali, depositi, squeri e insediamenti popolari, dietro i quali a un tratto si stagliano la cupola e il campanile della chiesa della Madonna dell'Orto. Oltre un giardino sul cui muro di cinta, in angolo, si appoggia un palazzetto (il casino degli Spiriti), si apre la sacca della Misericordia, ampio specchio acqueo (collegato al Canal Grande dai rii di Noale e di S. Felice) dove venivano raccolti i legnami trasportati per fluitazione dal Cadore (a sin., verso la Laguna, appare nella sua migliore angolatura l'isola di San Michele con il continuo muro di mattoni e pietra bianca che recinge il cimitero, e la bianca facciata della chiesa realizzata da Mauro Codussi).

Seguono le fondamenta Nuove, costituite nel sec. XVI, su cui l'insediamento urbano si affaccia definendo un fronte edilizio continuo. Oltre l'ottocentesco ponte sul rio dei Gesuiti (che cambiando nome raggiunge il Canal Grande) il motoscafo attracca al pontile «fondamenta Nuove», dove, per proseguire l'itinerario, bisogna sbarcare e prendere la circolare destra in direzione di S. Marco. Si costeggiano le fondamenta allungate sui ponti sui rii della Panada e dei Mendicanti (canali di penetrazione verso i quartieri centrali ddella città). Al di là di quest'ultimo, e fino al successivo rio (di S. Giustina), si svolge l'ultimo tratto della fondamenta, che delimita a nord il vasto complesso degli Ospedali Civili Riuniti (ingloba gli ex conventi di S. Lazzaro dei Mendicanti, dei Ss. Giovanni e Paolo e di S. Maria del Pianto), di cui sono riconoscibili i padiglioni otto-novecenteschi (dietro il muro di cinta si nota a un tratto la seicentesca facciata della chiesa di S. Maria del Pianto, con timpano curvilineo). Dopo il rio di S. Giustina (che, cambiando nome, collega direttamente la Laguna nord con quella sud) si scorgono i voluminosi gasometri, qui installati nel 1841, dietro i quali emergono la palladiana facciata e l'alto campanile della chiesa di S. Francesco della Vigna.

Oltre un quartiere di edilizia economica e popolare, realizzato nel 1938-39, si profilano le suggestive mura in cotto, merlate, che racchiudono l'antico Arsenale (posto a cerniera tra il versante nord e quello sud della città), vastissimo insieme di edifici monumentali, strutture grandiose e ampi spazi d'acqua (zona militare normalmente non accessibile al pubblico, è parzialmente visitabile, senza richiedere permessi, solo compiendo questo tragitto con la circolare). Virando a d. per un varco aperto nel 1964 per permettere il passaggio dei mezzi pubblici, il motoscafo imbocca all'interno del complesso il rio delle Galeazze, cosiddetto dai cinquecenteschi capannoni che vi si affacciano sui due lati subito dopo il varco (i tre a d. conservano in parte le caratteristiche originarie, mentre quelli di sin., da tre ridotti a due, furono ricostruiti nell'Ottocento). Sulla sin. si notano anche gli ottocenteschi scali scoperti in pietra d'Istria e il lungo prospetto del settecentesco edificio degli Squadratori (gli addetti alla squadratura dell'ossatura delle navi). Si prosegue nella darsena Arsenale Vecchio e, sempre a sin., si notano due pregevoli, ben conservate tettoie acquatiche del 1560 e l'edificio del Bucintoro, del sec. XVI con prospetto ottocentesco (serviva da ricovero per l'imbarcazione dogale). Sulla d., tettoie, resti di altre strutture distrutte da un incendio nel 1920 ed edifici decorati da rilievi e monumenti commemorativi. L'uscita dal recinto arsenalizio avviene attraverso la sua originaria porta d'acqua, serrata fra due torri (ricostruite alla fine del Seicento), e poi lungo il rio dell'Arsenale (attraversato da un ponte in legno, ricostruito come l'originale), ricalcando il percorso che fino all'Ottocento compivano le navi per entrare e uscire dal complesso: a d., l'imponente portale rinascimentale d'accesso all'Arsenale, prospiciente il campo omonimo; a sin., la fondamenta dell'Arsenale, chiusa per un tratto dalle alte mura arsenalizie (l'ottocentesco pronao neoclassico segna l'ingresso all'ex corpo di guardia).

Sottopassato il ponte, si esce nel canale di S. Marco, avendo di fronte l'isola di San Giorgio Maggiore; a sin. la visuale si apre su un tratto della Laguna sud, disseminata di isole minori e delimitata dal lungo litorale del Lido. Si prosegue in direzione ovest, costeggiando a d. il margine meridionale della città che si affaccia sulla riva Ca' di Dio (dove sono i cinquecenteschi ex Depositi del pane e i quattrocenteschi ex Forni Militari, con alta merlatura) e sulla successiva riva degli Schiavoni (dai marinai della Schiavonia, odierna Dalmazia, che qui svolgevano i loro commerci). Il lungo fronte edilizio di quest'ultima, con pochi (anche se notevoli) palazzi antichi, complessi religiosi ed eleganti costruzioni borghesi ottocentesche, rivela ancora oggi le funzioni di questo percorso che, per la sua posizione rispetto all'ingresso dal mare, ebbe fino al periodo napoleonico (quando ne assunse una residenziale) una destinazione commerciale e di concentrazione di servizi, soprattutto assistenziali (anche la settecentesca chiesa di S. Maria della Pietà, di cui emerge la bianca facciata, era parte di un ospizio).

Dopo la fermata «S. Zaccaria» il motoscafo si dirige a sud attraversando il Bacino di S. Marco, prolungamento acqueo del centro politico, religioso, portuale e rappresentativo della città. Definito dai cardini monumentali dell'area marciana (alle spalle), dell'isola di San Giorgio Maggiore (di fronte) e della punta della Dogana, sormontata dalla lucente palla d'oro con la Fortuna (a d.), dall'acqua il Bacino rivela appieno il suo carattere di spazio urbano posto a cerniera tra la città dei sestieri e quella delle isole; qui si apre l'ingresso più prestigioso a Venezia (materialmente segnato dalle colonne della piazzetta S. Marco) e confluiscono i percorsi acquei per il centro commerciale di Rialto (il Canal Grande), la terraferma (il canale della Giudecca), il mare e le parti più interne della Laguna.

Oltrepassata l'isola di San Giorgio Maggiore (dove spiccano l'ele-

gante campanile settecentesco e il volume della chiesa palladiana), si imbocca il canale della Giudecca, per secoli vivacissimo
porto-canale della città e tuttora luogo di attracco di grandi na-
vi-passeggeri, oltre che via d'accesso al porto industriale per le
navi da carico. Largo in media m 300, si allunga per m 1680 fra le
rive dell'isola della Giudecca (a sin.) e del sestiere di Dorsoduro (a
d.), entrambe percorse per tutta la loro lunghezza da ampie fondamenta, allungate su ponti, su cui si allineano compatte cortine
edilizie interrotte da insediamenti religiosi e assistenziali.

Il margine meridionale del sestiere di Dorsoduro è delimitato dalla fondamenta delle Zattere (v. pag. 426). Fatta eccezione per il primo tratto dove,
dominati dalla retrostante parte absidale della chiesa di S. Maria della Salute (Baldassare Longhena), si allungano i bassi corpi, con facciata ottocentesca, degli antichi magazzini della Dogana e degli ex magazzini del
Sale, la fondamenta si presenta definita da una struttura edilizia di carattere prevalentemente popolare, arricchita da qualche palazzo e interrotta
da edifici religiosi, semplici nei loro prospetti se si eccettua l'imponente,
bianca facciata della settecentesca chiesa dei Gesuati. Dopo questa la fondamenta assume il carattere di una bella passeggiata alberata, con notevoli palazzi quattro-cinquecenteschi e costruzioni ottocentesche.

Il motoscafo costeggia il margine settentrionale dell'isola della
Giudecca, definito da una cortina edilizia eterogenea, con case
modeste che si alternano a palazzetti, ex magazzini, insediamenti
religiosi e industriali. Dal fronte emergono, per dimensioni e importanza architettonica, il cinquecentesco complesso palladiano
delle Zitelle (dove la piatta facciata della chiesa, con due campaniletti e cupola, raccorda le due ali dell'ex ospizio) e l'imponente
chiesa del Redentore, del Palladio, di cui si coglie il contrasto fra
l'articolato volume dell'edificio (in intonaco rosso, su cui si levano
i due campaniletti cilindrici e l'alta cupola) e la bianca facciata.
Dopo aver costeggiato un tratto di riva dove la struttura edilizia
è più densa e regolare, il motoscafo attraversa il canale fino al
pontile delle Zattere, consentendo una veduta complessiva dell'i-
sola dominata sull'estremo lembo occidentale dalla mastodontica
costruzione del neogotico ex Mulino Stucky, con pinnacoli, merli
e guglie di carattere nordico. Riattraversato il canale e toccata la
sacca Fisola (estrema propaggine sud-occidentale della città, occupata da un moderno quartiere costruito a partire dal 1956), si
prosegue verso la zona urbana che ha subito le più recenti e cospicue trasformazioni, anticipata, sulla riva d. del canale, dai
bassi magazzini del Punto Franco e dagli ottocenteschi volumi
dell'ex Cotonificio Veneziano e dei capannoni dei Magazzini Generali (unica preesistenza, la disadorna mole della quattrocentesca ex chiesa di S. Marta).
Si volge a d. nel canale della Scomenzera, delimitato a sin. dalla

Stazione Marittima commerciale, realizzata a partire dal 1870 e completata dopo la prima guerra mondiale. A d., dove si allunga la punta di S. Marta, le strutture dello scalo ferroviario, vecchie attrezzature come un pontile della fine dell'Ottocento (con ruote sopra tralicci di ferro) e i serbatoi dell'ex gasometro dei primi del Novecento (epoca cui risale anche l'alta torre poligonale, serbatoio dell'Acquedotto veneziano). Sempre sulla d., oltre l'imbocco del canale di S. Maria Maggiore, si trova la quattrocentesca ex chiesa di S. Andrea della Zirada, suggestiva testimonianza dell'assetto più antico di questa zona. Subito dopo la neoclassica chiesa del Nome di Gesù, il canale è sovrappassato dalle estreme arcate del ponte automobilistico translagunare (a sin., il muro che racchiude l'ex convento di S. Chiara, fino al secolo scorso isolata propaggine occidentale della città) e confluisce nel Canal Grande. A sin., gli edifici facenti capo alla Stazione ferroviaria; a d., il complesso noto come Magazzini Parisi, costituito da cinque corpi di fabbrica simili, di fattura neoclassica, e alcuni palazzetti cinque-seicenteschi. Il motoscafo attracca al pontile «piazzale Roma», lungo la fondamenta di S. Chiara, dove si trova anche l'attracco dei vaporetti che percorrono il Canal Grande.

1.2 Il Canal Grande

Al Canal Grande generalmente si associa uno dei momenti più significativi dell'esperienza che il visitatore riceve in Venezia. Principale percorso acqueo interno e sicuro elemento di riferimento anche topografico, il Canal Grande è infatti, per la sua particolare configurazione urbanistico-edilizia, una struttura tipicamente urbana (è stato definito più volte 'strada') che connette unitariamente le diverse parti della città, ed è contemporaneamente ambiente di ineguagliabile qualità, dove la sinuosità del corso acqueo svela continue variazioni di luci e di visuali lungo la sequenza continua degli straordinari edifici che lo definiscono. Da nord-ovest a sud-est (cioè da S. Chiara al Bacino di S. Marco, distanti in linea d'aria un chilometro e mezzo) il Canal Grande, tracciando due profonde anse (una sorta di «S» rovesciata), si sviluppa per una lunghezza di circa 3800 metri, con larghezza che varia dai 30 ai 70, e profondità massima di poco superiore ai 5 metri (mediamente intorno ai 4). L'attuale suo sviluppo è il risultato di secolari e continue operazioni di escavo del fondo e di allineamento e costipamento delle rive, che hanno ridefinito un originario canale naturale (forse antico alveo di uno dei bracci fluviali che sfociavano in Laguna) sicuramente più ampio. Nel suo snodarsi penetrando nella città compatta, la divide in due parti diseguali (ognuna di tre sestieri), collegate fra loro da tre ponti di cui solo quello di Rialto, gettato sull'ansa centrale, di antica origine (il ponte degli Scalzi e quello dell'Accademia, rispettivamente a nord e a sud, compaiono la prima volta nel sec. XIX). Col suo lungo tracciato, in cui sboccano 45 rii minori, il Canal Grande, oltre a consentire il ricambio della marea nei canali interni, costi-

tuisce la principale arteria di quell'intricata rete di percorsi acquei che
raggiunge ogni parte della città.

Necessario e funzionale in origine alle attività portuali e mercantili, era il
porto-canale della città, dove confluivano le imbarcazioni cariche delle
merci più preziose che venivano raccolte nelle case-fondaco dei più ricchi
mercanti veneziani e successivamente, con l'enorme estensione delle relazioni commerciali, nei fondachi ad uso delle comunità straniere. Col passare del tempo gradatamente perse questo ruolo essenziale (e la ricostruzione del ponte di Rialto, nel 1588 realizzato in pietra e non più levatoio
per il passaggio dei velieri come il precedente, sembra chiudere definitivamente la fase 'antica'), per assumere quello di 'strada' di rappresentanza
lungo la quale la parte emergente della nobiltà veneziana collocava le sue
ricche dimore. Così, a partire dal sec. XV e fino al XVIII, la costruzione di
palazzi succede a quella delle case-fondaco bizantine, esprimendo tutto il
repertorio dei modi gotici, rinascimentali e barocchi tradotti nella peculiarità del linguaggio architettonico veneziano, dove le facciate si aprono,
quanto è più tecnicamente possibile, in leggeri trafori, semplici e lineari
polifore, possenti loggiati, quasi a catturare i riflessi dell'acqua.

Queste architetture, irripetibili e inimmaginabili in qualsiasi altro sito, si
sviluppano in sequenza quasi ininterrotta lungo tutto il Canal Grande,
dove pochi sono gli edifici diversi dai palazzi (vi si aprono direttamente
solo cinque delle numerosissime chiese veneziane e due ex conventi) e pochissimi gli spazi liberi (piccoli campi e angusti giardini, spesso ricavati in
aree prima occupate da palazzi). Il percorso procede quindi con una configurazione compatta e continua, differenziandosi solo in corrispondenza
dei suoi terminali e del punto mediano, in cui si apre il fulcro mercantile di
Rialto. Arricchitosi nel tempo di numerosi elementi di arredo urbano (pontili, ripari coperti, «briccole» e pali, spesso variopinti, per l'attracco delle
imbarcazioni), il Canal Grande si presenta oggi come una trafficata arteria, percorsa nei due sensi dai più disparati mezzi di trasporto pubblici e
privati (dalle gondole ai vaporetti), ormai quasi tutti a motore (e non può
lasciare indifferenti il pericolo costituito per gli edifici dal continuo moto
ondoso).

L'itinerario ha inizio dall'imbocco settentrionale del Canal Grande (pontile
«piazzale Roma» sulla fondamenta di S. Chiara), e lo percorre interamente descrivendone per immagini le due rive. Per facilitare l'individua-
zione dei palazzi viene data la sequenza completa degli edifici (disegnata
nel 1984) corredata da sintetiche didascalie (le descrizioni dettagliate dei
più importanti si trovano ovviamente lungo gli itinerari pedonali, ai quali
si rimanda con l'indicazione del rispettivo numero di pagina). I disegni
sono ordinati secondo il senso di marcia dell'itinerario e rispecchiano fedelmente la situazione: con senso di lettura dal basso verso l'alto, nelle
pagine dispari si troverà la riva destra e in quelle pari la riva sinistra.

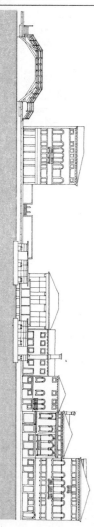

Rio Nuovo: percorso acqueo aperto nel 1933, di rapido collegamento fra il terminal automobilistico di piazzale Roma e il centro della città.

Pontile piazzale Roma dei vaporetti della linea 1.

Terminal piazzale Roma delle linee automobilistiche ACTV.

Pontile piazzale Roma dei motoscafi della linea 5.

Palazzetti cinque-seicenteschi prospicienti la fondamenta S. Chiara.

Edifici sede degli uffici ferroviari (Direzione Compartimentale
delle Ferrovie dello Stato), realizzati alla fine dell'Ottocento
sull'area del complesso conventuale del Corpus Domini demolito nel sec. XIX (fra il 1930 e il
1945 fu aggiunta l'ala in «volta
di canal»).

Fondamenta S. Lucia.

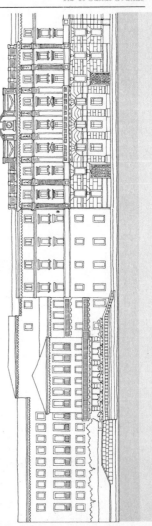

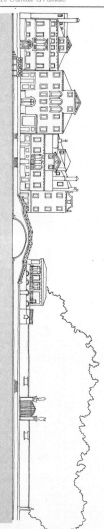

Traghetto per la Stazione ferroviaria.

Fondamenta S. Simeon Piccolo.

Rio dei Tolentini (sul fondo, il campanile di S. Nicolò da Tolentino).

Giardino già Papadopoli: si sviluppa sull'area fino all'inizio del sec. XIX occupata dal complesso conventuale della Croce; un tempo più esteso, fu ridotto alle attuali dimensioni dall'apertura del rio Nuovo.

Stazione ferroviaria Venezia-S. Lucia: sorta nella 2ª metà del sec. XIX sul luogo del complesso conventuale di S. Lucia, fu ricostruita nelle forme attuali nel 1954.

Pontile Ferrovia.

Traghetto per la fondamenta S. Simeon Piccolo.

(Edifici sede di uffici ferroviari).

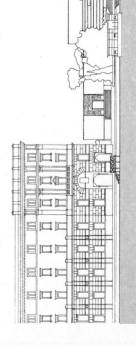

Casa Adoldo: rifabbricata nella 1ª metà del sec. XVI.

Chiesa di S. Simeon Piccolo: ricostruita da Giovanni Scalfarotto nel 1718-38 (pag. 361).

Scuola dei Tessitori di panni di lana: 2ª metà sec. XVI.

Palazzo Diedo, già Emo: della fine del sec. XVII, è attribuito ad Andrea Tirali.

Fondamenta Crotta.

Palazzo Calbo-Crotta: del sec. XV, fu ampliato e rimaneggiato nei secoli successivi; oggi assai manomesso, conserva all'e-
sterno elementi gotici, rinascimentali e
barocchi.

Pontile Ferrovia.

Ponte degli Scalzi: fu costruito in pietra
da Eugenio Miozzi (1934), in sostituzione
di quello in ferro del 1858; misura m 40
di corda e 6.75 di altezza.

Chiesa degli Scalzi: opera di Baldassare
Longhena (1654-72); la monumentale
facciata barocca, eretta da Giuseppe
Sardi (1672-80), è decorata con sculture
attribuite a Bernardo Falcone.

Pontile Ferrovia.

Fondamenta degli Scalzi.

(Stazione ferroviaria Venezia-S. Lucia).

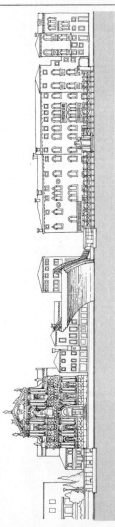

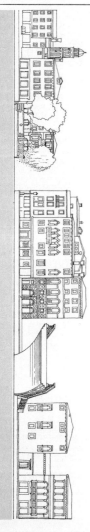

Campo S. Simeon Grande (sul fondo, il campanile della chiesa omonima).

Palazzetto Nigra: architettura di Giovanni Sardi (1904) in stile 'veneto-bizantino'.

Rio Marin: scavato nel sec. XI e allargato nel 1875.

Palazzo costruito da Marino Meo nel 1951-54, sul luogo di un gotico palazzo Foscari, di cui riprende le forme.

Palazzo Foscari: ricostruzione cinquecentesca di un edificio del sec. XII (forse, nel 1375, vi nacque il doge Francesco Foscari).

Palazzo Foscari-Contarini: inizio sec. XVI.

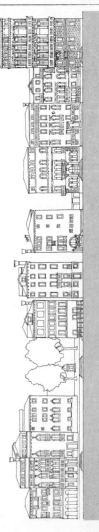

Palazzo Flangini: incompiuto nel lato
sin., fu costruito su progetto di Giuseppe
Sardi nel 1664-82.

Edifici sorti sul luogo del gotico palazzo
Morosini della Tressa, demolito nel sec.
XIX.

Rio terrà dei Sabbioni, interrato nel
1844 (sul fondo, la facciata di palazzo
Zeno, del '700).

Edificio gotico del sec. XVI.

Edificio gotico del sec. XV.

(Fondamenta Crotta).

Palazzo Corner: fine sec. XVI.

Palazzo Gritti: fine sec. XVI.

Riva di Biasio.

Campiello del Remer.

Palazzo Querini: di impianto bizantino e gotico, si presenta notevolmente rimaneggiato in facciata (presumibilmente per interventi ottocenteschi).

Palazzo Emo: sec. XVIII.

Canale di Cannaregio: di rapida comunicazione tra il Canal Grande e la Laguna nord (pag. 143).

Fondamenta di Ca' Labia: vi prospettano le facciate sul canale della chiesa di S. Geremia e di *palazzo Labia (pag. 471); d'angolo, S. Giovanni Nepomuceno, statua di Giovanni Marchiori.

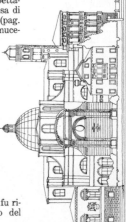

Chiesa di S. Geremia: ricostruita nel '700 da Carlo Corbellini (pag. 470), affaccia sul Canal Grande il retro della cappella di S. Lucia; il campanile è romanico del sec. XIII.

Ex Scuola dei Morti: del sec. XVII, fu ricostruita dopo il bombardamento del 1849.

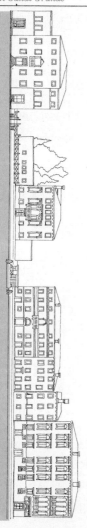

Edifici moderni sorti sull'area di un palazzo Bembo del sec. XVI, di cui a pianoterra rimangono le aperture.

Palazzo Marcello Toderini: metà sec.
XVII.

Pontile riva di Biasio.

Palazzo Zen: ricostruito nelle forme attuali dopo il bombardamento del 1849.

Palazzo Donà-Balbi: sec. XVII.

Pontile S. Marcuola.

Chiesa di S. Marcuola: ricostruita da
Antonio Gaspari e Giorgio Massari
(1728-36), presenta la facciata incompiuta (pag. 473).

Traghetto S. Marcuola.

Palazzo Martinengo-Mandelli: del sec.
XVII, rimaneggiato.

Palazzo Gritti: sec. XVII.

Palazzo Correr Contarini: del sec. XVII,
è detto «Ca' dei Cuori» dallo stemma
della famiglia.

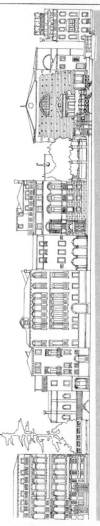

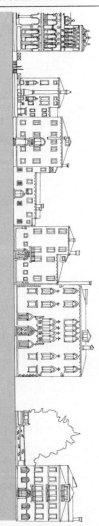

Traghetto Museo.

Casa Correr: modesto edificio del sec. XVII, dove Teodoro Correr riunì la sua raccolta di opere d'arte, primo nucleo del Civico Museo Correr.

Palazzo Giovanelli: gotico del sec. XV.

Rio di S. Zan Degolà: cambiando nome, collega i tratti N e S del Canal Grande.

Palazzo Erizzo alla Maddalena: gotico del sec. XV, successivamente rimaneggiato.

Palazzo Marcello: fu ricostruito a cavallo fra il Seicento e il Settecento. Vi nacque il compositore Benedetto Marcello (1686-1739).

*Palazzo Vendramin-Calergi: imponente costruzione rinascimentale di Mauro Codussi, già conosciuta come «Non Nobis Domine» dalla scritta al pianoterra (pag. 474). A d. si sviluppa il giardino, chiuso dall'ala seicentesca del palazzo (costruita all'inizio del '600 dallo Scamozzi e demolita dalla Signoria per i delitti commessi dai fratelli Grimani nel 1658, fu riedificata dopo il 1660). È sede invernale del Casinò Municipale.

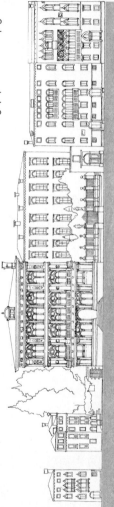

Rio di S. Marcuola.

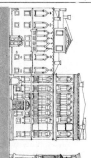

Palazzo Duodo: tardogotico del sec. XV, restaurato nel 1936.

Ca' Tron: 2ª metà sec. XVI. È sede universitaria.

Rio di Ca' Tron.

Palazzo Belloni Battagia: architettura seicentesca di Baldassare Longhena, pag. 355.

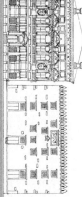

Depositi del Megio (miglio): del sec. XV, erano gli antichi granai della Repubblica.

Rio del Megio.

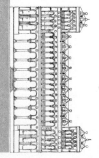

Fondaco dei Turchi: casa-fondaco veneto-bizantina (sec. XII-XIII), radicalmente restaurata nel 1858-69 (pag. 358). È sede del Museo di Storia Naturale.

Palazzo Gussoni-Grimani della Vida: elegante costruzione del '500 attribuita al Sanmicheli; la facciata era stata affrescata da Tintoretto.

Palazzo Ruoda: sec. XVII.

Palazzo Zulian: sec. XVII.

Palazzo Barbarigo: della 2ª metà del '500, fu derivato dall'aggregazione di due edifici; in facciata, tracce di affreschi di Camillo Ballini.

Rio della Maddalena.

Palazzo Molin: sec. XVII.

Palazzo Emo: sec. XVII; in volta di canale presenta il duplice orientamento della facciata.

Palazzo Soranzo Piovene: elegante costruzione rinascimentale (sec. XVI) attribuita a Sante Lombardo.

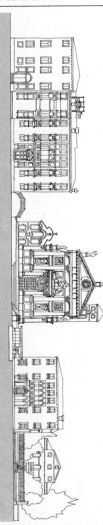

Rio della Pergola.

Palazzo Foscarini-Giovanelli: 2ª metà sec. XVI.

Rio della Rioda.

Scuola dei Tiraoro: la facciata, del 1711, è attribuita a Giacomo Gaspari.

Chiesa di S. Stae: seicentesca, con facciata del 1709 di Domenico Rossi (pag. 353).

Pontile S. Stae.

Palazzo Priuli-Bon: ricostruzione gotica (sec. XV) di edificio veneto-bizantino del sec. XIII, di cui rimangono le 4 arcate sull'acqua.

Giardino aperto sull'area di un palazzo Contarini; sul fondo, edificio rimaneggiato nel sec. XIX.

Palazzo Fontana-Rezzonico: di tardi modi sansoviniani, fu costruito nel XVI e XVII secolo. Nel 1693 vi nacque Carlo Rezzonico, futuro papa Clemente XIII.

Rio di S. Felice: di collegamento con la sacca della Misericordia e la Laguna nord.

Palazzo Contarini-Pisani: ricostruzione seicentesca di edificio di epoca bizantina con prospetto avanzato sul portico terreno (la colonna d'angolo, a d., è del sec. XV).

Palazzo Boldù: ricostruito nel '600, si presenta incompiuto nel lato destro.

Palazzo Da Lezze: archiacuto forse del sec. XVI, affaccia sul Canal Grande il giardino.

Rio di Noale: di collegamento con la sacca della Misericordia e la Laguna nord.

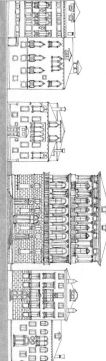

Palazzetto Jona: neogotico dei primi del '900 di Guido Sullam.

Rio di S. Cassiano.

Casa Favretto, già Bragadin: del sec. XIV con cornice veneto-bizantina (sec. XI); fu lo studio del pittore Giacomo Favretto (m. 1887).

*Ca' Corner della Regina: imponente opera di Domenico Rossi iniziata nel 1724 (pag. 349). È sede dell'«Archivio Storico delle Arti Contemporanee» della Biennale di Venezia.

Palazzo Correggio: del '700; la facciata fu rimaneggiata forse da un allievo del Tirali.

Palazzo Sangiantoffetti-Donà: del '700.

Rio di Ca' Pesaro o delle due Torri.

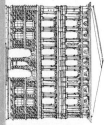

*Ca' Pesaro: notevole esempio di barocco veneziano, fu iniziata dal Longhena nel 1628 e ultimata dal Gaspari (pag. 351). È sede dei Musei di Arte Moderna e di Arte Orientale.

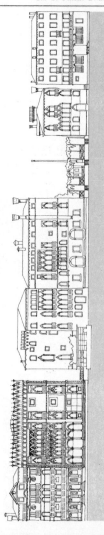

Palazzetto Foscari del Prà: archiacuto del sec. XV, rimaneggiato.

Traghetto S. Sofia.

Campo S. Sofia.

Palazzo Sagredo: di origine bizantina, ristrutturato in epoca gotica (pag. 483).

Palazzo Pesaro: gotico del sec. XV, rimaneggiato e restaurato (1970).

Pontile Ca' d'Oro.

*Ca' d'Oro (dalle dorature della facciata ora scomparse): sontuoso edificio gotico (1422-34), profondamente rimaneggiato nel 1845-50 da G.B. Meduna, il cui restauro è stato ultimato nel 1984 (pag. 479). È sede della Galleria Franchetti.

Palazzo Giusti, già Duodo: costruito da Antonio Visentini intorno al 1776. Aggregato alla Ca' d'Oro, è sede della Galleria Franchetti.

Campo della Pescaria: già sede del mercato del pesce, è ora occupato da quello ortofrutticolo al minuto.

Traghetto Pescaria.

Pescheria: edificio neogotico (1907) di Domenico Rupolo e Cesare Laurenti; è centro del mercato del pesce, dal 1300 ubicato in questa zona.

Rio delle Beccarie: limite occidentale della zona dei mercati di Rialto (pag. 342).

Fondamenta dell'Olio.

Palazzo Brandolin-Morosini: edificio gotico (sec. XV) su impianto bizantino; nel sec. XIX subì notevoli rimaneggiamenti.

Campiello del Remer: è chiuso sul fondo dai resti del veneto-bizantino palazzo Lion-Morosini (pag. 486).

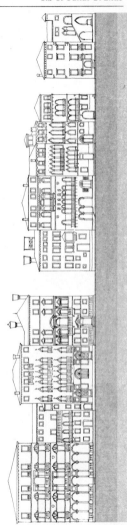

Rio S. Giovanni Crisostomo.

Palazzo Bollani: del tardo '500. Vi abitò Pietro Aretino.

Palazzo Dolfin: è costituito da 2 edifici gotici del sec. XV, sopraelevati nel XVII.

Ca' da Mosto: casa-fondaco veneto-bizantina (sec. XII-XIII), rimaneggiata e alzata di 2 piani; inferiormente conserva elementi bizantini (pag. 486).

Rio dei Ss. Apostoli (sul fondo, il campanile della chiesa omonima).

Palazzo Smith Mangilli-Valmarana: sobria costruzione realizzata da Antonio Visentini nel 1751 (pag. 484).

Palazzo Michiel dal Brusà: edificio gotico, distrutto da un incendio («brusà») e completamente ricostruito nella 2ª metà del '700.

Palazzo Michiel dalle Colonne: edificio veneto-bizantino, ristrutturato alla fine del sec. XVII da Antonio Gaspari mantenendo il porticato originario.

Fabbriche Nuove: lungo edificio, progettato da Sansovino, costruito nel 1554-56 per le Magistrature giudicanti in affari di commercio (pag. 347).

(Campo della Pescaria).

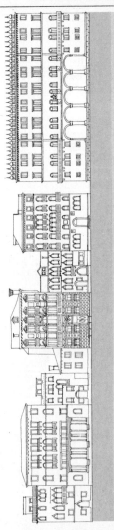

Fontego dei Tedeschi: già esistente al-
l'inizio del sec. XIII, dopo un incendio fu
ricostruito, nel 1505-1508, su progetto
di Girolamo Tedesco e sotto la direzione
di Giorgio Spavento e dello Scarpagnino (pag. 329).

Rio del Fontego dei Tedeschi.

Palazzo Ruzzini: probabilmente della fine dell'Ottocento, sorge sull'area del
fondaco dei Persiani demolito nel 1830.

Casa Perducci: gotica del sec. XV.

Palazzo Civran: armoniosa costruzione
seicentesca.

Palazzo Sernagiotto: edificio signorile
della metà dell'Ottocento.

Ponte di Rialto: dal XII al XIX sec. l'unico lanciato sul Canal Grande; in pietra, a un'arcata di m 28 di luce e 7.50 di altezza, fu così costruito nel 1588-91 su progetto di Antonio Da Ponte (pag. 330).

Palazzo dei Camerlenghi: elegante edificio rinascimentale del 1525-28, forse di Guglielmo Bergamasco (pag. 345).

Fabbriche Vecchie: estesa costruzione porticata, parte del complesso di edifici realizzati dallo Scarpagnino nel 1520-22 (questo corpo separa l'Erbaria da campo S. Giacomo di Rialto).

Erbaria: spazio destinato al mercato ortofrutticolo all'ingrosso.

Palazzo Dolfin Manin: eretto su progetto
di Jacopo Sansovino fra il 1536 e il 1575,
presenta la facciata avanzata sul portico
terreno. È sede della Banca d'Italia.

Pontili Rialto.

Riva del Ferro.

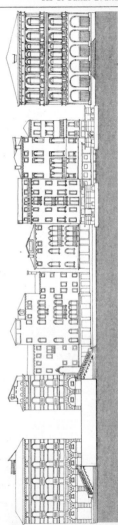

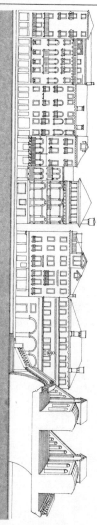

Riva del Vin (pag. 385).

Palazzo dei Dieci Savi: costruzione cinquecentesca dello Scarpagnino (pag. 343).

(Ponte di Rialto).

*Palazzo Loredan: casa-fondaco veneto-bizantina (sec. XII-XIII), rimaneggiata
e alzata di un piano (pag. 331). Con l'attigua Ca' Farsetti è sede del Municipio.

Traghetto Rialto.

Palazzo Dandolo: gotico trecentesco,
pag. 331.

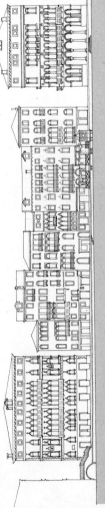

Palazzo Bembo: rimaneggiamento tardogotico (sec. XV) di edificio veneto-bizantino di cui rimangono elementi (pag.
331).

Riva del Carbon.

Rio S. Salvador.

Palazzo Ravà: neogotico (1906) di Giovanni Sardi (pag. 386).

Traghetto S. Silvestro.

Palazzo del 1840-44.

(Riva del Vin).

Palazzo Tron: gotico del sec. XV.

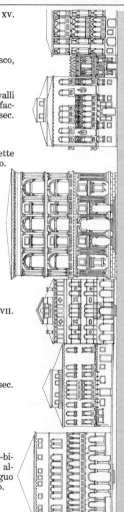

Palazzetto Tron: gotico quattrocentesco, successivamente rimaneggiato.

Palazzo Corner Contarini dai Cavalli (dalla raffigurazione degli stemmi in facciata): elegante edificio gotico del sec. XV, rimaneggiato.

Rio di S. Luca: cambiando nome, mette in comunicazione Rialto con S. Marco.

*Palazzo Grimani: imponente edificio rinascimentale realizzato fra il 1556 e il 1575, su progetto del Sanmicheli e con l'intervento di Giangiacomo de' Grigi per il 2° piano nobile (pag. 333); decorano il portale 2 Vittorie di Alessandro Vittoria. Alloga uffici giudiziari.

Palazzo Corner Valmarana: sec. XVII.

Palazzo Corner Martinengo Ravà: sec. XVIII.

*Ca' Farsetti: casa-fondaco veneto-bizantina (sec. XII-XIII), rimaneggiata e alzata di un piano, pag. 332. Con l'attiguo palazzo Loredan è sede del Municipio.

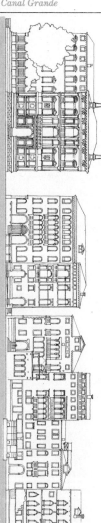

*Palazzo Papadopoli: sontuoso edificio della metà del sec. XVI attribuito a Gian Giacomo de' Grigi; il giardino fu aperto nel sec. XIX (pag. 384).

Rio dei Meloni.

Palazzo Businello: della metà del sec. XIII (ne rimangono le arcate del portico d'acqua e le polifore dei 2 piani superiori), dalla metà del XV ha subito diverse modificazioni.

Palazzo Lanfranchi: del sec. XVII.

Palazzo Barzizza: veneto-bizantino del sec. XIII, rimaneggiato nel XV.

Campiello Pasina.

Pontile S. Silvestro.

Rio dell'Albero.

Palazzo Curti Valmarana: sec. XVII-
XVIII.

Casa Tornielli: sec. XIX.

Rio Michiel.

Palazzo Benzon: del sec. XVIII, rimaneggiato nell'Ottocento.

Traghetto S. Beneto.

Palazzo Martinengo: della metà del sec.
XVI, era un tempo decorato da affreschi
del Pordenone.

(Palazzo Tron).

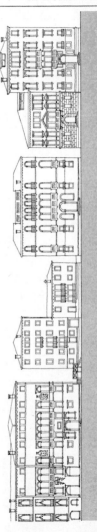

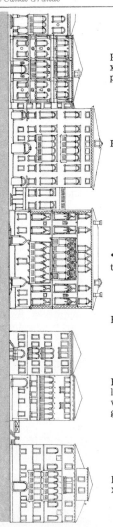

Palazzo Grimani-Marcello: forse del sec. XIII, fu ricostruito all'inizio del '500 su progetto attribuito a Giovanni Buora.

Palazzo Giustinian-Querini: sec. XVI.

*Palazzo Bernardo: elegante edificio gotico del sec. XV.

Rio della Madonnetta.

Palazzo Donà della Madonnetta (dal rilievo del '400 in facciata): casa-fondaco veneto-bizantina del sec. XIII, rimaneggiata.

Palazzo Donà: veneto-bizantino del sec. XIII, rimaneggiato alla fine del '500.

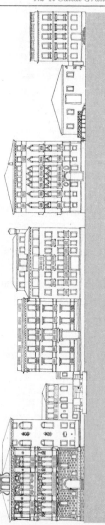

Traghetto S. Tomà.

Palazzo Garzoni: gotico del sec. XV.

Rio S. Angelo.

Casa Barocci: del sec. XIX, fu realizzata
da Pellegrino Oreffice sull'area del teatro S. Angelo.

Pontile S. Angelo.

Campiello del Teatro.

*Palazzo Corner Spinelli: notevole edifi-
cio rinascimentale realizzato intorno al
1490 da Mauro Codussi.

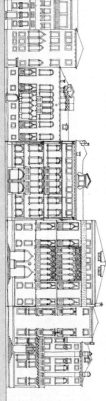

Palazzo Tiepoletto-Passi: del tardo '400, rimaneggiato nel sec. XVI.

Palazzo Tiepolo: del sec. XVI; in facciata, resti di affreschi attribuiti ad Andrea Schiavone.

Palazzo Pisani-Moretta: gotico della 1ª metà del '400 con facciata (rimaneggiata) del '500.

Palazzo Barbarigo della Terrazza: iniziato nel 1568-69 su disegno di Bernardino Contin.

Rio di S. Polo: cambiando nome, collega i tratti S e N del Canal Grande.

Palazzo Cappello-Layard: del sec. XVI; la facciata era ornata di affreschi di Battista Zelotti e di Paolo Veronese. È sede universitaria.

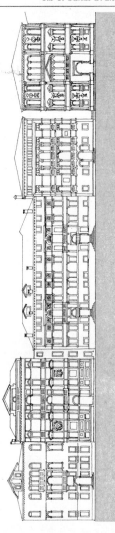

Palazzo Contarini dalle Figure: interessante costruzione rinascimentale della 1ª metà del '500; deve il nome alle 2 cariatidi sopra il portale. Vi soggiornò Andrea Palladio.

Palazzo Mocenigo «Casa Vecchia»: gotico, fu ricostruito nel 1623-25 su progetto di Francesco Contin. Nel 1592 vi soggiornò Giordano Bruno, che fu denunciato al Santo Uffizio dal suo ospite, Giovanni Mocenigo.

Palazzi Mocenigo: questi 2 edifici, gemelli, furono costruiti nella 2ª metà del '500; il lungo prospetto era decorato da affreschi di Benedetto Caliari e Giuseppe Alabardi.

Palazzo Mocenigo «Casa Nuova»: della 2ª metà del '400, fu ricostruito nella 2ª metà del '500 e ultimato per la facciata all'inizio del '600 (la terrazza è moderna).

Palazzo Corner Gheltoff: di origine gotica, fu rimaneggiato e parzialmente rifatto nei secc. XVI-XVII.

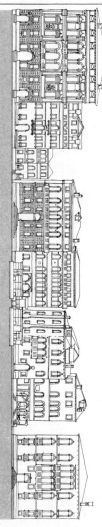

Palazzo Balbi: grandioso edificio del tardo '500 (1582-90), eretto su disegno di Alessandro Vittoria; tradizionale nella struttura, nella decorazione preannuncia l'architettura barocca. È sede della Regione Veneto.

Palazzo Caotorta-Angaran: della fine del '600, è stato ricostruito nel 1956.

Rio della Frescada.

Palazzo Civran: del '600, fu ricostruito nella 1ª metà del '700, forse ad opera di Giorgio Massari.

Palazzo Dandolo: del sec. XVII, rialzato di un piano nel 1924.

Pontile S. Tomà-Frari.

Palazzo Dolfin: gotico, rimaneggiato.

Palazzo Marcello dei Leoni, dai 2 leoni romanici (sec. XIII) murati ai lati della porta.

Traghetto S. Tomà.

Rio S. Tomà.

Palazzo Giustinian-Persico: sec. XVI.

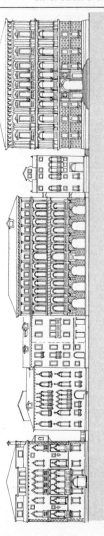

*Palazzo Grassi: elegante costruzione classicheggiante iniziata da Giorgio Massari nel 1749 e ultimata dopo la sua morte (pag. 337). Dal 1951 è sede del centro di cultura omonimo.

Palazzo Moro-Lin (detto «dalle 13 finestre»): massiccia costruzione realizzata dal toscano Sebastiano Mazzoni (c. 1670) per il pittore Pietro Liberi. L'ultimo piano fu aggiunto fra il 1686 e il 1703.

Palazzo Da Lezze: gotico del sec. XV.

Palazzo Nani-Mocenigo, già Erizzo: gotico del sec. XV, in parte ristrutturato.

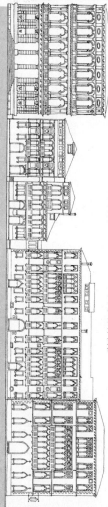

*Ca' Rezzonico: fastoso edificio iniziato nel 1649 da Baldassarre Longhena e ultimato, per il 2° piano, nel 1750 da Giorgio Massari (pag. 437). È sede del Museo del Settecento Veneziano.

Palazzo Bernardo poi Nani: importante costruzione del sec. XVII.

Palazzo Giustinian Bernardo: del sec. XVII, presenta l'ala d. interrotta all'altezza del 1° piano. È sede universitaria.

Palazzi Giustinian: eleganti edifici gotici della 2ª metà del sec. XV; accoppiati simmetricamente, definiscono una lunga facciata aperta da eleganti polifore. Il primo, ora unito a Ca' Foscari, è sede universitaria.

*Ca' Foscari: grandioso edificio realizzato a partire dal 1452; la facciata, ornata di marmi, è una delle più sontuose del gotico veneziano maturo (pag. 444). È sede universitaria.

Rio di Ca' Foscari: di rapido collegamento con il terminal automobilistico di piazzale Roma (si innesta nel rio Nuovo).

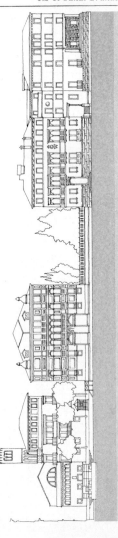

Ca' del Duca: del sec. XIX, incorpora a piano terra una preesistenza quattrocentesca che, iniziata da Bartolomeo Bon per il Cornaro, nel 1461 fu acquisita dal duca Sforza e mai completata (pag. 338).

Palazzo Malipiero: di antica origine, deve l'attuale struttura ai rimaneggiamenti dell'inizio del sec. XVII (è attribuito all'ambito del Longhena).

Traghetto S. Samuele.

Casa Franceschini: costruita e affrescata dal pittore Augusto Sezanne nel 1915.

Chiesa di S. Samuele: del sec. XI, fu ristrutturata nel 1685; campanile romanico-veneto del sec. XII (pag. 337).

Pontile S. Samuele.

Campo S. Samuele.

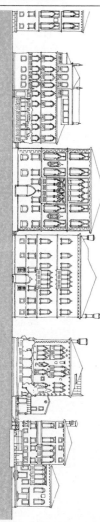

Rio di S. Trovaso: di collegamento col canale della Giudecca.

Casa Mainella: di impianto asimmetrico, con decorazione in cotto ispirata al 1° Rinascimento lombardo, fu realizzata nel 1858 da Lodovico Cadorin.

Palazzo Loredan dell'Ambasciatore: tardogotico del sec. XV, con putti reggiscudo lombardeschi; nel '700 fu dimora degli ambasciatori imperiali.

Palazzo Moro: degli inizi del sec. XVI; l'ultimo piano è sopraelevazione ottocentesca.

Rio Malpaga.

Palazzetto Stern: neogotico della fine del sec. XIX; fu realizzato da Giuseppe Berti sull'area del quattrocentesco palazzo Michiel-Malpaga.

Pontile Ca' Rezzonico e traghetto S. Barnaba.

Palazzetti Contarini-Michiel: sec. XVII.

Rio di S. Barnaba (sul fondo, i campanili di S. Barnaba e dei Carmini).

Ponte dell'Accademia: in legno, fu costruito nel 1934 da Eugenio Miozzi in luogo di quello in ferro del 1854 (pag. 323).

Campo S. Vidal: è chiuso sul fondo dal fianco della chiesa omonima, con campanile cuspidato del sec. XII (pag. 323).

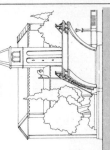

Rio S. Vidal.

Casa Civran Badoer: fine sec. XVII.

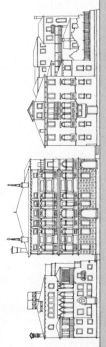

Palazzo Giustinian Lolin: del sec. XIV, fu ristrutturato tra il 1620 e il 1630 da Baldassare Longhena. È sede della Fondazione Levi.

Palazzo Falier: del sec. XV, restaurato, ha 2 ali sporgenti aperte da logge («liagò»).

Rio del Duca.

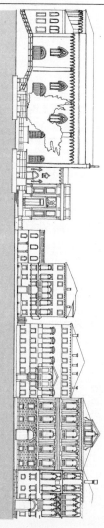

Pontili Accademia.

Campo della Carità: è definito dall'ex
complesso conventuale di **S. Maria della
Carità** (pag. 396), ora sede delle Gallerie
dell'Accademia e dell'Accademia di Belle Arti. Il prospetto dell'ex Scuola Grande è opera del Massari e del Maccaruzzi
(1756-65); l'ex chiesa, gotica del sec. XV,
fu ristrutturata dal Selva a partire dal
1807.

Palazzo Querini: di modi cinquecenteschi, è stato forse costruito nel '700. È
sede del consolato inglese.

Palazzo Gambara: di origine quattrocentesca, fu ristrutturato nel sec. XVII e ancora nel XIX.

Palazzo Contarini degli Scrigni: è costituito da due edifici di epoca diversa. Il
primo è tardogotico del sec. XV; il secondo fu realizzato da Vincenzo Scamozzi a
partire dal 1609 (pag. 431).

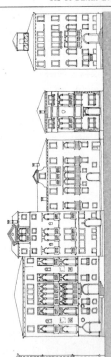

Palazzo Succi: sec. XVII.

Rio di S. Stefano.

Palazzo Pisani: prospiciente il campiello omonimo, fu ultimato con questo affaccio nel 1751 (pag. 322).

Palazzo Benzon-Foscolo: sec. XVII.

Palazzo Barbaro: sec. XVII.

Palazzo Barbaro, ora Curtis: del sec.
XV, rimaneggiato.

Rio dell'Orso.

Palazzo Cavalli Franchetti: del sec.
XV, fu ristrutturato e ampliato alla
fine del sec. XIX da Camillo Boito.

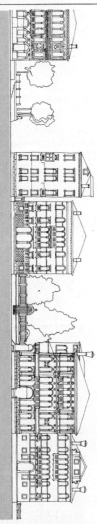

Palazzo Barbarigo: degli inizi del '500, con decorazione musiva ottocentesca (pag. 414).

Campo S. Vio: sul fondo, oratorio edificato nel 1865 su disegno di Giovanni Pividor (pag. 413).

Rio di S. Vio: collega il Canal Grande al canale della Giudecca.

Palazzo Cini: del '500, presenta la facciata principale sull'ortogonale rio di S. Vio. È sede della Raccolta d'arte dalla collezione Vittorio Cini.

Palazzo Balbi-Valier: del sec. XVII, con terrazze al piano terra aggiunte dopo il 1750.

Giardino aperto sull'area del demolito palazzo Paradiso.

Palazzo Contarini dal Zaffo: della fine del '400, è un notevole esempio di architettura del 1° Rinascimento veneziano nella fase di passaggio dal gotico; già attribuito al Codussi, è probabile opera di Giovanni Buora.

Palazzo Brandolin-Rota: della fine del '600.

Palazzetto Minotto: ogivale del sec. xv.

Rio di S. Maurizio.

***Palazzo Corner della Ca'
Granda**: iniziato nel 1533 e non
ancora concluso nel 1556, il possente edificio fu realizzato su
progetto di Jacopo Sansovino
(pag. 316). È sede della Prefettura.

Casina delle Rose: piccolo edificio del
sec. xviii dove ebbe il suo primo studio
Antonio Canova; nel 1915-19 vi dimorò
Gabriele D'Annunzio.

Casa Stecchini: modesto edificio seicentesco.

Fondamenta S. Maurizio.

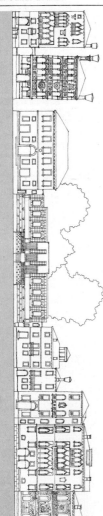

Palazzo Barbaro: del sec. XV, con sopraelevazioni successive (vi abitò Eleonora Duse).

Palazzo Dario: costruito intorno al 1487, presenta la facciata (smontata e rimontata nel sec. XIX) impreziosita da una originale decorazione marmorea con caratteri del primo Rinascimento veneziano.

Rio delle Torreselle.

Edificio ottocentesco sorto sull'area di palazzo Venier delle Torreselle. È sede del consolato americano.

Palazzo Venier dei Leoni: rimasto interrotto al piano terreno, fu progettato nel 1749 da Lorenzo Boschetti (pag. 415). È sede della Collezione Peggy Guggenheim.

Palazzo Centani: sec. XVIII.

Palazzo da Mula: tardogotico della fine del sec. XV, rimaneggiato.

(Palazzo Barbarigo).

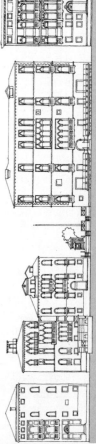

Palazzo Flangini Fini: attribuito ad
Alessandro Tremignon, fu edificato intorno al 1688.

Rio delle Ostreghe.

Palazzo Gritti (ora albergo Gritti Palace): gotico del sec. XV, fu rimaneggiato
nel XIX.

Traghetto S. Maria del Giglio.

Calle del Traghetto.

Pontile S. Maria Zobenigo.

Rio S. Maria Zobenigo.

Palazzo Barbarigo: sec. XVII.

Ex abbazia di S. Gregorio: fondata nel 1160 e più volte ristrutturata (pag. 419); notevole il *portale gotico trecentesco, sormontato da edicola con S. Gregorio in cattedra.

Palazzo Genovese: grande edificio neo-gotico realizzato nel 1892 demolendo parte dell'abbazia di S. Gregorio.

Traghetto S. Gregorio.

Palazzo Benzon, già Orio Semitecolo: gotico del sec. XV (per alcuni forse del XIV), successivamente rimaneggiato.

Palazzo Salviati: edificio ottocentesco, sopraelevato nel 1924, con facciata decorata da mosaici. È sede dell'omonima vetreria.

Rio della Fornace (pag. 418).

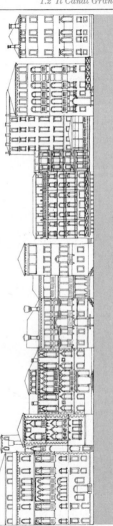

(Palazzo Treves de' Bonfili, v. oltre).

Palazzo Tiepolo (ora albergo Europa): del sec. XVII, rimaneggiato.

Albergo Regina: edificio costruito come albergo nel sec. XIX, rimaneggiato e alzato di un piano.

Palazzo Contarini: gotico del sec. XV.

*Palazzo Contarini Fasan: gotico-fiorito della 2ª metà del '400.

Palazzo Manolesso Ferro: tardogotico del sec. XV, con inserimenti rinascimentali.

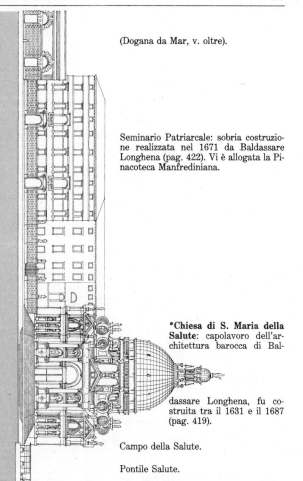

(Dogana da Mar, v. oltre).

Seminario Patriarcale: sobria costruzione realizzata nel 1671 da Baldassare
Longhena (pag. 422). Vi è allogata la Pinacoteca Manfrediniana.

***Chiesa di S. Maria della
Salute**: capolavoro dell'architettura barocca di Bal-

dassare Longhena, fu co-
struita tra il 1631 e il 1687
(pag. 419).

Campo della Salute.

Pontile Salute.

Rio della Salute: vi prospettano le absidi
della quattrocentesca ex chiesa di S.
Gregorio.

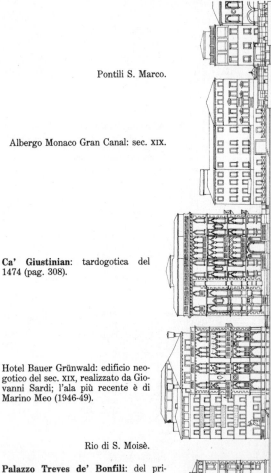

Pontili S. Marco.

Albergo Monaco Gran Canal: sec. XIX.

Ca' Giustinian: tardogotica del 1474 (pag. 308).

Hotel Bauer Grünwald: edificio neogotico del sec. XIX, realizzato da Giovanni Sardi; l'ala più recente è di Marino Meo (1946-49).

Rio di S. Moisè.

Palazzo Treves de' Bonfili: del primo '600, forse del Monopola (pag. 310), volge la lunga facciata sull'ortogonale rio di S. Moisè.

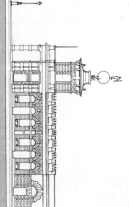

Il complesso della Salute e la punta della Dogana: spartiacque tra il Canal Grande e il canale della Giudecca, segnano scenograficamente l'ingresso al Bacino di S. Marco.

Dogana da Mar: grande edificio a capannoni per lo scalo doganale delle merci provenienti dal mare; già formato nel sec. XV, fu più volte ristrutturato. Il primo tratto di facciata venne rifatto nel 1835-38 da Alvise Pigazzi, mentre il tratto sulla punta risale al 1677 ed è opera di Giuseppe Benoni (sulla torretta, seicentesca scultura di Bernardo Falcone).

Rio della Zecca.

Giardinetto ex Reale: fu aperto nel 1808
sull'area dove sorgevano i Granai di Terranova, allora demoliti per dare aria e
aprire la vista al fronte posteriore delle
Procuratie Nuove, imponente complesso
iniziato nel 1582 e ultimato dopo il 1640
(pag. 292).

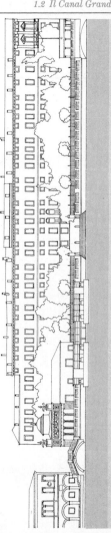

Pontile del «Burchiello» che collega Venezia a Padova.

Coffeehouse: costruzione neoclassica di
Lorenzo Santi del 1815-17. È sede della
Società del Bucintoro.

Rio della Luna.

Fontegheto della Farina: edificio lombardesco del sec. XV, ristrutturato. È sede della Capitaneria di Porto.

Fondamenta del Fontegheto.

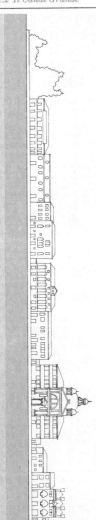

Canale della Grazia: per l'omonima isola
e la bocca di porto di Malamocco.

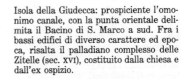

Isola della Giudecca: prospiciente l'omonimo canale, con la punta orientale delimita il Bacino di S. Marco a sud. Fra i
bassi edifici di diverso carattere ed epoca, risalta il palladiano complesso delle
Zitelle (sec. XVI), costituito dalla chiesa e
dall'ex ospizio.

*Palazzo Ducale: sede del governo della Repubblica, qui insediato dal sec. IX, fu ricostruito
nel sec. XII e più volte ristrutturato; volge verso il Bacino il
fronte meridionale, trecentesco,
con notevole balcone di Pier
Paolo e Jacobello Dalle Masegne
(pag. 252).

Piazzetta S. Marco: è delimitata,
verso il Bacino, dalle colonne coi Ss.
Marco e Todaro (pag. 285) e dal
fianco d. della Basilica. Sul fondo si
apre la piazza S. Marco con il campanile, ricostruito dopo il crollo del
1902 (pag. 282), e la torre dell'Orologio, iniziata nel 1496 forse su progetto di Codussi (pag. 281).

Libreria Sansoviniana: iniziata nel
1537 da Sansovino (pag. 285), volge
la facciata sulla piazzetta.

Zecca: massiccio edificio realizzato
su progetto di Jacopo Sansovino
(pag. 291).

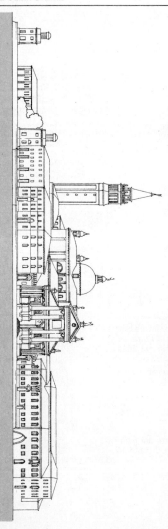

Isola di San Giorgio Maggiore: definisce il limite orientale del Bacino di S. Marco. È dominata dalla articolata mole della chiesa omonima, ideata da Andrea Palladio e realizzata tra il 1565 e il 1611; l'agile campanile fu ricostruito nel Settecento. A d. della facciata si sviluppa l'ala del monastero racchiudente il chiostro palladiano; a sin. sono edifici ottocenteschi già adibiti a dogana. Sul margine nord è il piccolo bacino, con strutture (banchina e torrette) ottocentesche in pietra d'Istria.

Rio del Vin.

Palazzo Dandolo (ora hotel Danieli): tardogotico della metà del sec. XV, rimaneggiato intorno al 1910 (pag. 515).

Pontili S. Zaccaria.

Hotel Danieli Excelsior: costruito
nel 1947-48 su progetto di Virgilio
Vallot (pag. 515).

Palazzo delle Prigioni: del sec. XVI, presenta un'elegante facciata di forme classiche (iniziato da Antonio Da Ponte nel
1589, fu ultimato dai Contin nel 1614;
pag. 515).

Pontile della motonave per il Lido.

Riva degli Schiavoni (pag. 514).

Rio di Palazzo: è attraversato dal ponte
della Paglia del 1360; in alto, il ponte dei
Sospiri (pag. 278).

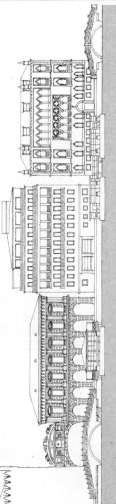

2 Il sestiere di S. Marco

Il sestiere di S. Marco (comprendente anche l'isola di San Giorgio Maggiore, descritta però nell'itinerario 7), uno dei minori per estensione (c. 46 ettari), costituisce una sorta di penisola definita dall'ansa meridionale del Canal Grande e confinante a est e a nord-est con i sestieri di Castello e di Cannaregio. Muove dai due nuclei cardine della struttura urbanistica e monumentale della città: il fitto insediamento realtino, antichissimo cuore commerciale, e l'area marciana, centro della vita pubblica e religiosa della Repubblica. È quindi il sestiere di piazza S. Marco, con tutto quanto la definisce, e del ponte di Rialto; ma anche quello centrale per eccellenza, dove si concentrano spazi commerciali densissimi, dimore patrizie fra le più ricche e rappresentative, antichi e nuovi edifici direzionali e, infine, i più preziosi complessi culturali di cui la città si è andata via via arricchendo: musei, biblioteche e, soprattutto, teatri, tanto numerosi fino al XVIII sec. che la Municipalità veneziana nel 1797 aveva proposto di denominare «Spettacolo» l'area compresa fra Rialto e S. Marco e parallela al Canal Grande.

Tutto ciò si trova distribuito in ambienti e tessuti di grande qualità, individuabili lungo chiare direttrici: dalle fitte e strette calli commerciali, di reminiscenza quasi orientale, disposte fra S. Marco e Rialto (le Mercerie, le calli dei Fabbri e dei Fuseri, la Frezzeria), ai percorsi che si snodano parallelamente al Canal Grande, scanditi dai piccoli campi-sagrato di chiese, semplici o sontuose (S. Salvador, S. Beneto, S. Samuele, S. Maria Zobenigo, S. Moisè); dalla sequenza – nella zona più interna – dei grandi e assolati campi di S. Stefano e S. Angelo, ruotanti, con S. Maurizio, intorno al perno di campo S. Fantin, fino al lunghissimo, eccezionale fronte sul Canal Grande, fitta e continua cortina di palazzi aulici e prestigiosi.

Il tessuto urbano del sestiere, assai complesso e stratificato, si è venuto formando in modo continuo in età bizantina, lungo la direttrice del canale che congiungeva Rialto a S. Marco e dei relativi percorsi pedonali, con i nuclei di S. Bartolomio e di S. Zulian addensati in un sistema di corti affiancate a calli parallele, lasciando nel mezzo il grande nucleo conventuale di S. Salvador. Lungo la direttrice del Canal Grande, fino alla grande ansa, l'urbanizzazione si è sviluppata più lentamente, su terreni originariamente sommersi e paludosi (almeno in parte, come testimonia la presenza di «piscine»), dapprima intorno ai nuclei parrocchiali, già tutti presenti nel sec. XI e man mano, in epoca gotica, disponendosi lungo quelli che stavano diventando i due percorsi fondamentali da S. Samuele (o S. Vidal) ai due poli centrali: l'uno più settentrionale verso S. Salvador e S. Bartolomio, e quindi Rialto, l'altro più meridionale verso S. Marco. Contemporaneamente si completava la ricca edificazione patrizia delle rive di Canal Grande, e nuovi palazzi si addensavano all'interno, soprattutto lungo l'importante rio trasversale di S. Luca e dei Barcaroli.

Nei secoli successivi il sestiere è interessato più di tutti gli altri da un continuo processo di riadattamento e rinnovamento di monumenti ed edifici, e di trasformazioni anche radicali della struttura urbanistica, in ragione della sua centralità e dell'importanza delle funzioni ospitate. Gli interventi, polarizzati dapprima nei nuclei di S. Marco (la piazza è una fabbrica perenne) e di Rialto (in particolare con la costruzione del ponte in pietra del 1588), si dilatano tra il finire del secolo XVIII e il XIX nelle aree contigue, dove con l'apertura del bacino Orseolo e di calle larga XXII Marzo e lo sventramento del campo S. Bartolomio si collocano i nuovi edifici direzionali; mentre in aree più lontane si attua lo sventramento di campo S. Luca, la costruzione del teatro La Fenice a S. Fantin e la realizzazione del primo ponte dell'Accademia, avviando un processo che, se pure in forme meno traumatiche, procede fino ad anni recenti, con l'adattamento e il riuso per funzioni direzionali e culturali della maggior parte dei grandi edifici storici.

Il primo degli itinerari suggeriti si svolge nel cuore della città, estendendosi nella limitata ma densissima area marciana: consente di visitarne i più celebrati monumenti, come la Basilica di S. Marco, il Palazzo Ducale, e le collezioni artistiche del Civico Museo Correr, del Museo Archeologico e della Biblioteca Nazionale Marciana, ricca di manoscritti e volumi antichi. Consente anche di passeggiare e sostare nella piazza, impareggiabile emblema dell'antica magnificenza della Repubblica, ma anche, con i suoi caffè, punto di ritrovo più frequentato.

Il secondo itinerario si allunga nella parte meridionale del sestiere, svolgendosi parallelamente al Canal Grande, da piazza S. Marco fino al ponte dell'Accademia, attraverso un sistema di campi contigui: oltrepassato campo S. Moisè, percorre l'ottocentesca calle larga XXII Marzo e penetra in campo S. Fantin, piccolo e raccolto snodo dei percorsi pedonali del sestiere, dove si aprono l'omonima chiesa, il celebre teatro La Fenice e l'Ateneo Veneto; quindi prosegue attraverso i piccoli campi di S. Maria Zobenigo e di S. Maurizio fino all'ampio e soleggiato campo Morosini (noto come campo S. Stefano), definito dalla chiesa e da notevoli palazzi, intorno al quale si trovano importanti centri culturali come il Conservatorio di Musica Benedetto Marcello, l'Istituto Veneto di Scienze Lettere ed Arti, la Fondazione Levi.

Il terzo itinerario, muovendo ancora da piazza S. Marco, si addentra dapprima nella fitta e densa area commerciale in direzione di Rialto fino al campo S. Bartolomio, percorrendo le Mercerie, campo S. Zulian e campo S. Salvador. Da qui si allunga nella parte settentrionale del sestiere, mantenendosi alle spalle della palazzata affacciata sul Canal Grande o penetrando nel percorso più interno e assai frequentato che confluisce in campo S. Angelo. Di grande interesse sono, oltre al tessuto edilizio dell'area realtina e ai grandi palazzi sul Canal Grande (come palazzo Loredan e Ca' Farsetti) o più interni (come palazzo Contarini del Bovolo), il Museo Fortuny e palazzo Grassi, che ospitano con continuità mostre ed esposizioni di prestigio.

2.1 La piazza S. Marco

Così come si presenta oggi, la ***piazza S. Marco** (pianta a pag. 209) è il risultato di un lungo processo di adattamento, attraverso il quale spazio ed edifici prendono gradatamente forma, modellandosi in rapporto all'evoluzione complessiva della città e rispondendo alle mutevoli esigenze funzionali e di rappresentanza della comunità veneziana.

La sua estesa dimensione deriva dall'esigenza di raccordare urbanisticamente le numerose funzioni pubbliche ospitate negli edifici che vi prospettano, ma esprime anche spazialmente la confluenza corale, in un luogo designato della città, di tutta la comunità in occasione delle numerose cerimonie civili e religiose che vi si svolgono. La piazza va quindi interpretata in rapporto con la fittezza e la densità del tessuto urbanistico veneziano, diradato solo in corrispondenza delle smagliature dei campi. Ma mentre i campi raccolgono le funzioni e gli interessi locali delle comunità parrocchiali, secondo le quali la città tradizionalmente si è venuta articolando, la piazza – l'unico spazio urbano così denominato – è il perno di tutta la città e, attraverso il mare su cui emblematicamente prospetta, di tutto il vastissimo territorio dominato dalla Serenissima, che appunto per via di mare, o di fiume se ci si riferisce alla terraferma, confluisce nel bacino lagunare, e quindi nella piazza.

Il sito è fissato fin dalle origini di Venezia stessa con l'edificazione della primitiva chiesa dedicata a S. Teodoro (fino al sec. IX santo protettore della città) e la successiva localizzazione della residenza del doge. Un sito che non è immediatamente baricentrico rispetto all'ancora informe arcipe-

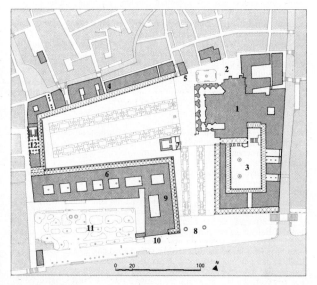

L'area marciana

lago delle piccole isole su cui si vanno consolidando i primi insediamenti, quale invece è Rialto, ma che si definisce subito come evidente punto di convergenza delle principali direttrici lungo le quali si distende l'organismo urbano: direttrici che qui però sono soprattutto acquee, e dalle quali prendono forma man mano i canali diretti alla terraferma (che diverranno poi il Canal Grande e il canale della Giudecca), e quelli verso il Lido e Malamocco che portano agli altri centri della Laguna e al mare aperto. Sicché la piazza va subito intesa come spazio di terra e di acqua. Ma intanto, cosa è da intendersi come piazza?

Anzitutto la complessa articolazione di spazi di cui si compone: perché la piazza convenzionalmente intesa - quella per intenderci che si distende per m 175.50 longitudinalmente di fronte a S. Marco - non è che un elemento di un sistema più ampio di ambienti urbani, legati fra loro da stretti rapporti di interdipendenza funzionale e formale, le cui relazioni spaziali sono sempre fisicamente sottolineate da elementi architettonici che ne evidenziano il passaggio. La piazza fluisce infatti, attraverso la eloquente cerniera del campanile, nella piazzetta e questa a sua volta va intesa nel suo prolungamento sull'ampia fondamenta - il Molo - che dal ponte della Paglia si sviluppa fino ai Giardinetti, segnato dalla presenza delle due colonne collocatevi fin dal 1172. Ma la piazzetta si collega pure con l'ampio cortile del Palazzo Ducale, anch'esso da intendersi come una vera piazza, legandovisi spazialmente attraverso il sistema delle logge, un tempo vere strade pensili, e la direttrice indicata dalla sequenza scenografica che dalla loggetta sansoviniana si allinea con i pilastri acritani e passa attraverso la porta della Carta, concludendosi alla scala dei Giganti. E tornando ora alla piazza strettamente intesa, vi è pure da considerare il suo prolungamento minore lungo il fianco settentrionale della Basilica, visivamente segnato dalla piattaforma del pozzo e dalla presenza dei leoni; e infine la successione di ambienti minori che, partendo dal volto sotto la torre dell'Orologio, comprende gli spazi in parte coperti che dal portico delle Procuratie Vecchie si inoltrano verso la città, fino a quelli di formazione ottocentesca aperti fra l'Ala Napoleonica e la Bocca di Piazza.

Ma la piazza è anche spazio d'acqua, e come tale non può essere intesa se non vi si comprende l'ampia distesa del Bacino: uno spazio che è definito lungo i propri margini più esterni dalle architetture, visualmente disposte a raggiera, che da S. Giorgio Maggiore si succedono fino al Redentore, per concludersi scenograficamente nella punta della Salute. In un ambiente siffatto, la logica degli edifici e dei monumenti non può essere colta che nelle relazioni che li legano reciprocamente, e nei rapporti con gli spazi su cui prospettano. Il che vale non solo per ciò che la piazza è oggi, ma soprattutto per gli eventi attraverso cui ha preso forma nel tempo.

Vediamone quindi la storia, insieme a quella dei suoi monumenti. Il sito dovette essere all'inizio più fortemente segnato dalla presenza dell'acqua (v. pianta a pag. 211): non è improbabile infatti che il fronte meridionale verso il Bacino avesse un andamento diverso da quello attuale e che l'acqua penetrasse, formando una sorta di primitiva darsena (come del resto accadeva lungo molti tratti del Canal Grande), fino al fianco della Basilica, estendendosi per tutta l'area della piazzetta. Ma altre penetrazioni acquee interessavano il luogo: anzitutto il canale Batario, che dal Bacino attraversava la piazza approssimativamente nel mezzo, partendo da quel rio che ancora oggi si vede subito dopo la Zecca, e proseguendo nell'attuale rio dei Ferai al di là delle Procuratie Vecchie. Un altro canale passava tangenzialmente più a ovest, partendo anch'esso dal Bacino lungo l'attuale rio dell'Ascensione e collegandosi con quello che diverrà poi il bacino Orseolo. Se si considera quindi anche il rio di Palazzo, che ancora oggi penetra nella città subito a est del Palazzo Ducale, dobbiamo immaginare l'area della piazza come attraversata trasversalmente da tre canali che collegavano il Bacino con il Canal Grande. A questo sistema trasversale si raccordavano due canali disposti in senso longitudinale: il primo alle spalle delle Procuratie Nuove, fra queste e gli antichi Granai (è quello ancor oggi visibile dietro i Giardinetti); il secondo alle spalle delle Procuratie Vecchie, in parte coincidente con l'attuale rio delle Procuratie, ma che un tempo si prolungava nella sede dell'attuale calle larga S. Marco fino a congiungersi con il rio di Palazzo.

L'area della piazza risultava quindi ottimamente servita dall'acqua, essendo ogni suo lato direttamente accessibile da un canale. Il che può farci pensare, per analogia con lo schema organizzativo tipico del campo veneziano, a funzioni che in origine, oltre che religiose e civili, dovevano essere di carattere commerciale (in questo senso è da intendersi la presenza di un grande pozzo poi coperto con la pavimentazione settecentesca).

Su quest'area convergono anche fin dall'inizio alcuni fra i percorsi pedonali principali, e primo di tutti quello proveniente da Rialto, a cavallo del quale si organizzeranno le Mercerie (si tratta dell'asse su cui prende consistenza la Venezia bizantina del secolo X). E qui si dispongono, fin dall'i-

La piazza nel sec. XI

nizio, le funzioni civili e religiose, ad espressione, in un unico luogo della città, di quel consolidamento del potere all'inizio ancora dipendente da Bisanzio, ma dal cui affrancamento presto emerge la grande città capitale. Chiesa e palazzo sono quindi intimamente legati, e vanno analizzati nel loro reciproco sviluppo.

La chiesa nasce infatti come pertinenza del palazzo, essendo all'inizio nient'altro che la cappella dogale, e anche quando verrà concepita come grande basilica sarà sempre disgiunta dalla sede episcopale, che mantiene (fino al 1807) la sua ubicazione periferica a S. Pietro di Castello. È quindi da intendersi come una emanazione del potere civile, nel senso che appartiene più alla concreta comunità dei Veneziani che a quella astratta, se pure universale, dei Cristiani.

Chiesa di Stato, finanziata interamente dal potere dogale anche nei suoi impreziosimenti successivi, assume la sua attuale consistenza attraverso un susseguirsi di almeno tre iniziative edilizie. La prima si colloca intorno alla prima metà del secolo IX, quando si pone mano alla realizzazione di un primo complesso basilicale per ospitare le spoglie di S. Marco, trafugate secondo la tradizione ad Alessandria d'Egitto e qui solennemente ospitate a partire dall'829, a testimoniare l'avvenuta indipendenza da Bisanzio (l'edificio infatti rimpiazza quello ubicato, secondo gli storici, poco più a nord, grosso modo dove oggi si apre la piazzetta dei Leoni, e dedicato a S. Teodoro). La seconda fondazione, risale alla fine del secolo successivo, quando il doge Pietro Orseolo I interviene sull'edificio preesistente, fortemente danneggiato insieme con il Palazzo Ducale da un furioso incendio scoppiato nell'anno 976; mentre la terza e definitiva avviene a partire dal 1060, sotto il dogado di Domenico Contarini. Tre iniziative susseguitesi quindi nell'arco di circa 250 anni – ma poi proseguite, se si considerano gli interventi successivi, per un periodo di tempo ben più lungo – nel corso delle quali gli elementi strutturali delle edificazioni precedenti vengono utilizzati in quelle successive (come risulta dai tracciati delle fondazioni primitive ancora esistenti sotto le murature attuali); sicché una vera datazione stilistica risulta impossibile, come del resto per gran parte dell'edilizia veneziana.

Il palazzo precede la chiesa, essendo all'inizio probabilmente un elemento isolato di un sistema difensivo più ampio (le tracce di fondazioni più antiche esistenti nella congiunzione con la chiesa vengono comunemente fatte risalire a una struttura di età tardoromana). Nella sua configurazione primitiva – ma non vi sono al proposito testimonianze sicure – si è soliti immaginarlo come un edificio turrito, separato dalla chiesa da un canale, e più piccolo di quello attuale, con il suo lato verso la piazzetta più arretrato e allineato approssimativamente lungo il filo dell'attuale porta della Carta (così come più arretrato doveva essere il fronte sul Bacino, grosso modo coincidente con l'attuale parete meridionale del cortile interno).

Chiesa e palazzo prospettavano sicuramente fin dall'inizio su ampi spazi aperti, la cui estensione doveva essere però assai più ridotta rispetto a quella dell'attuale piazza, e in più parti ancora confusa con le penetrazioni acquee provenienti dal Bacino. Altrettanto indefinito doveva essere il rapporto con il tessuto edilizio circostante, sicuramente molto rado, tanto che i due edifici potevano apparire come volumi isolati e fortemente emergenti, anche per l'accertata presenza del campanile, sul profilo dell'ancora incerta città.

La piazza trae comunque origine dalla presenza della chiesa e del palazzo, ma assume una forma che è approssimativamente confrontabile con quella attuale solo intorno alla seconda metà del secolo XII (v. pianta qui sotto), quando il doge Sebastiano Ziani, nel quadro di una serie di operazioni urbanistiche ed edilizie di vasta portata che interessano gran parte della città, fa interrare il canale Batario, raddoppiando così l'estensione della piazza in lunghezza e definendone il fondale di fronte a S. Marco con la ricollocazione della chiesa di S. Geminiano, prima ubicata in prossimità del canale (si è soliti far coincidere l'atto di nascita di questa chiesa con quello della vicina S. Teodoro, e cioè intorno al 560). Su questo ampio perimetro si dispongono nuovi importanti edifici pubblici, in particolare sul lungo lato a settentrione il fabbricato destinato a ospitare gli uffici e le abitazioni dei procuratori; sul lato meridionale si collocano ospizi ed edifici civili e commerciali che risvoltano sul campanile, sviluppandosi sulla piazzetta, fino al Molo, mentre il lato orientale resta definito dal profilo della Basilica e, verso il Bacino, dalla primitiva mole del Palazzo Ducale.

Da questo momento la storia della piazza si sviluppa quindi come conseguenza delle trasformazioni che avvengono sugli edifici che vi prospettano, alle quali si accompagnano le operazioni di abbellimento e di arredo eseguite negli spazi aperti. Ma occorre distinguere quanto accade per la Basilica e il campanile, progressivamente arricchiti di elementi architettonici e decorativi conservando però le strutture originarie, da quanto in-

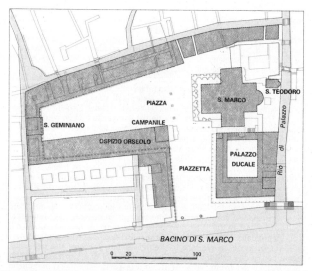

La piazza nella seconda metà del sec. XII

vece succede per tutti gli altri edifici che, se pure in tempi e modi diversi, vengono radicalmente rifatti.

La Basilica raggiunge infatti la sua configurazione finale per aggiunte successive, a partire dall'inizio del secolo XIII, quando al suo nucleo centrale viene aggiunto il nartece, in sostituzione di un portico primitivo; su questo si depositano gradatamente decorazioni sempre più preziose, in un susseguirsi di iniziative che durano fino ai coronamenti cuspidati del secolo XV. Oltre a ciò, per correlare spazialmente l'edificio all'aumentata dimensione della piazza, si provvede, più o meno in corrispondenza con l'erezione del nartece, all'innalzamento delle cupole, allo scopo di rendere visualmente emergente la mole dell'edificio anche rispetto al contemporaneo infittimento del tessuto edilizio circostante. Così come accade per il campanile, che dalla primitiva configurazione turrita (le fondazioni sembrano risalire al secolo IX), assume la forma finale attraverso un susseguirsi di interventi culminanti nella costruzione della slanciata cuspide realizzata all'inizio del '500.

Diverso è quanto accade per gli edifici che definiscono gli altri perimetri della piazza: il lungo fronte delle Procuratie Vecchie è rifatto integralmente a partire dal 1514 con l'erezione della palazzata. Su questo fronte qualche anno prima era stata incastonata la torre dell'Orologio, così da prolungare visualmente il percorso principale verso Rialto con la direttrice al mare, segnata dalle due colonne della piazzetta. Anche il lato occidentale, che fronteggia la Basilica, è interamente rifatto nel sec. XVI con l'innesto della nuova chiesa di S. Geminiano, progettata da Sansovino in sostituzione di quella gotica collocatavi dopo l'ampliamento medievale della piazza (tutto questo fronte verrà ulteriormente ristrutturato all'inizio dell'800). Altrettanto radicali sono gli interventi nel lato meridionale, riedificato a partire dalla metà del '500 nel quadro del completamento degli interventi sansoviniani, iniziati con la costruzione della Libreria sulla piazzetta e della Zecca sul Bacino, e proseguiti con il corpo delle Procuratie Nuove, iniziato dallo Scamozzi intorno al 1582 e compiuto dal Longhena; con il che la piazza subisce un intervento ben più radicale del precedente, se si considera che la nuova sede degli alloggi per i procuratori viene concepita arretrando il filo dei fabbricati rispetto a quello dell'antico ospizio Orseolo, allineato con il corpo del campanile (nel corso dei lavori compiuti nel 1930 sono venute alla luce le fondazioni degli antichi edifici, insieme con brani dell'antica pavimentazione in mattoni, e il perimetro circolare del grande pozzo interrato nel secolo XVII).

La piazza si allarga ora verso la Basilica, e risvolta nella piazzetta sul filo di una continuità architettonica garantita dal modulo della Libreria sansoviniana, così che al campanile, isolato, viene razionalmente affidata la funzione di efficace cerniera fra i due grandi spazi. Anche il fronte del Palazzo Ducale è tutto rifatto in conseguenza degli ampliamenti della piazza avviati sullo scorcio del '200, contestualmente all'avanzamento del Molo verso il Bacino. Il corpo porticato meridionale contenente le grandi aule, realizzato a partire dal 1340, sottolinea il nuovo fronte acqueo ripreso più a occidente dalla enorme mole dei Granai di Terranova (terminati intorno al 1341), in modo da esaltare baricentricamente l'accesso dal mare alla piazza con le due colonne collocatevi fin dal 1172. Poi si pone mano alla realizzazione del fronte verso la Basilica (a partire dal 1424), e qualche anno più tardi (nel 1438), alla esecuzione della porta della Carta.

Così la piazza si espande ulteriormente dentro il palazzo; al primitivo accesso al cortile dal Molo, emblematicamente indicato (per chi lo osservi dal Bacino) dal tracciato verticale costituito dalla grande finestra gotica e dal tabernacolo sovrapposti alla porta del Frumento, si aggiunge quello monumentale dalla piazza, scenograficamente segnato nel Cinquecento dalla successione che lega la Loggetta sansoviniana, collocata alla base del campanile, alla scala dei Giganti lungo l'asse che penetra nel cortile per la porta della Carta e l'arco Foscari.

Le grandi operazioni edilizie avviate a metà del Cinquecento si protraggono per gran parte del secolo successivo, a causa dei tempi lunghi richiesti dalla dimensione stessa degli interventi progettati. Ma contemporaneamente si pone mano alla riqualificazione degli ambienti minori, come accade per la piazzetta dei Leoni, sulla quale a partire dal 1676 si riedifica la chiesa di S. Basso (esistente fin dal secolo X, ma distrutta da un incendio nel 1671), con un intervento del Longhena che, mantenendone immutato l'orientamento, esalta il fianco verso S. Marco sovrapponendovi una facciata monumentale, poi rimasta incompiuta. Subito dopo (1722) si rifà la pavimentazione della piazza, con quell'operazione di ridisegno complessivo, affidata ad Andrea Tirali, che definisce geometricamente la tessitura del grande invaso, raccordandolo a quello minore della piazzetta, e specificandosi fra il lato settentrionale della Basilica e la rinnovata facciata di S. Basso con l'ampia platea del pozzo (ne è autore lo stesso Tirali) e l'installazione (nel 1722) dei due leoni marmorei da cui la piazzetta prenderà il nome (le pavimentazioni precedenti della piazza sono più d'una: la prima risale al 1267, realizzata in mattoni a spina di pesce; l'ultima al 1889, ed è quella attuale, rifatta rispettando il disegno settecentesco del Tirali).

Le fasi principali del processo attraverso cui la piazza prende forma, a partire dall'ampliamento della fine del secolo XII e passando per la profonda ristrutturazione tardocinquecentesca, si susseguono quindi fino alla ripavimentazione settecentesca, concludendosi con le operazioni condotte a partire dall'inizio dell'800, che intaccano la piazza dall'interno, sostituendovi il fronte occidentale, ma soprattutto ne sconvolgono le connessioni con l'esterno. Nel primo decennio dell'Ottocento viene infatti abbattuta la grande mole dei Granai di Terranova (sostituita con un modesto giardino), alterando così l'equilibrio del fronte acqueo un tempo tutto giocato sul bilanciamento degli stessi Granai con il Palazzo Ducale. Contemporaneamente si agisce lungo i bordi interni: già sostituendo con la rigida facciata del Palazzo Patriarcale la più organica saldatura edilizia che prima mediava il raccordo con il tessuto edilizio minore della città; a nord operando sul retro delle Procuratie Vecchie, con l'apertura del bacino Orseolo; a ovest con l'Ala Napoleonica al posto della sansoviniana chiesa di S. Geminiano, e con il nuovo sistema di spazi e percorsi allacciati al nuovo asse rettilineo di calle larga XXII Marzo. L'Ottocento chiude così il ciclo delle grandi trasformazioni urbanistiche ed edilizie della piazza, che assiste nel secolo successivo a pochi e minuti interventi, se si eccettua la ricostruzione del campanile dopo il crollo improvviso del 1902.

Le trasformazioni nell'uso avvenute negli edifici monumentali non ne intaccano il valore architettonico, che anzi talvolta ne risulta esaltato (e valga per tutti l'esempio maggiore della installazione del Museo Correr nelle Procuratie Nuove, e quello minore del negozio Olivetti al pianterreno di quelle Vecchie, dovuti alla maestria di Carlo Scarpa).

Come tutte le piazze, l'articolato sistema di S. Marco trae la propria immagine conclusiva dall'evolversi nel tempo del rapporto fra gli spazi e gli edifici che li definiscono. Ripercorrendone la storia, le facciate che circoscri-
vono l'involucro della piazza, soprattutto quelle appartenenti agli edifici
più antichi, vanno quindi considerate per il loro carattere aperto e modificabile, intendendole cioè come strutture architettoniche sulle quali si sono
depositati nel tempo oggetti ed elementi architettonici di decoro e di arredo, che più degli edifici stessi sono serviti a qualificare gli spazi. Non
altrimenti è da intendersi - e l'esempio valga per tutto - la collocazione nel
1204 della famosa quadriga di cavalli proveniente da Costantinopoli (ora
custodita nel Museo di S. Marco e sostituita da copie), che è quanto di più
estraneo, a voler essere rigorosi, possa concepirsi per la facciata di una
chiesa, ma che invece ne arricchisce sorprendentemente il rapporto con la
piazza. Così come per il suo significato urbanistico è da intendersi il carattere architettonico del nartece che involucra le tre facciate principali della
Basilica: un elemento che più che alla chiesa appartiene alla piazza, dove
non altrimenti è spiegabile il gioco sapiente delle profonde nicchie che,
aprendosi appunto sulla piazza, annullano ogni effetto di facciata, e quindi
di diaframma; né altrimenti si spiega il fatto, tutt'altro che casuale, che la
quota del pavimento del corpo antistante alla chiesa sia stato allineato a
quello esterno della piazza, piuttosto che a quello interno, più elevato, del-
l'edificio. Né infine altrimenti che per il suo significato spaziale si spiega la
collocazione della Loggetta sansoviniana, che più che a una specifica funzione interna, va ascritta alla necessità di radicare il campanile, una volta
isolato dal blocco edilizio che prima lo inglobava, al nuovo contesto determinato dall'accesso dogale al palazzo dopo le sistemazioni cinquecentesche.
Ma oltre che dalle decorazioni degli edifici che vi prospettano, la piazza va
colta per il ruolo preciso dei numerosi oggetti scultorei e architettonici che
nel tempo sono stati collocati in corrispondenza dei diversi spazi di cui si
compone: i due pilastri acritani, portati nel sec. XIII; la pietra del bando; le
due colonne all'imbocco del Bacino, con le basi così riccamente decorate; i
leoni sulla piazzetta omonima; i tre pili porta-stendardo di fronte alla Basilica; la Loggetta sansoviniana e la stessa pavimentazione settecentesca.
Veri elementi di arredo urbano quindi, collocativi stabilmente, ai quali dovrebbero aggiungersi, per comprendere con quanta ricchezza la piazza
fosse concepita, tutti gli arredi mobili che di volta in volta venivano allestiti in occasione degli avvenimenti pubblici più importanti, come processioni, fiere, feste, tanto da realizzare non di rado una sorta di seconda
piazza, interna a quella vera e propria, adattandola così alle diverse circostanze.

La *Basilica di S. Marco. Cappella dogale fino al 1807, quando
divenne cattedrale di Venezia (succedendo a S. Pietro di Castello), la Basilica di S. Marco (pianta a pag. 209; 1) è il luogo nel
quale più di ogni altro ruotò la vita religiosa e pubblica della città,
dove venivano celebrate le più importanti ricorrenze e consacrata la nomina del doge. La sua articolata e complessa struttura, dove coesistono elementi bizantini, romanici e gotici rein-
terpretati in maniera tipicamente veneziana, ma soprattutto la

sovrapposizione di successivi interventi che si perpetuarono per molti secoli a partire dalla sua fondazione, difficilmente consentono di riscontrarne oggi l'originaria fattura.

Fondata nel sec. IX (fu consacrata nell'832) dal doge Giovanni Partecipazio I per custodire le spoglie di S. Marco (secondo la tradizione trafugate nell'828 ad Alessandria d'Egitto dai mercanti Rustico da Torcello e Buono da Malamocco), la chiesa sostituì quella dedicata al primo patrono della città, S. Teodoro, e dovette avere pianta basilicale a tre navate; sempre che – ma qui l'opinione degli storici è divisa – non fosse stata fin dall'inizio concepita a croce greca, quale ci si presenta oggi. Resta in ogni caso il fatto che il tracciato del primo nucleo fu quello su cui si operò per le riedificazioni successive, salvandone le fondazioni, come risulta dagli accertamenti compiuti in occasione dei numerosi restauri. Così che, seguendo la prima ipotesi, il nucleo basilicale sarebbe in ogni caso quello al quale poco più tardi si aggiunsero le due ali laterali, a formare appunto la croce. Di scarso rilievo dovettero essere le operazioni condotte sullo scorcio del X sec., quando la Basilica sembra essere stata riparata per i danni di uno dei frequenti incendi che scoppiavano nella città, allora in gran parte costruita in legno. Mentre sicuramente determinanti per la configurazione finale sono stati gli interventi condotti a partire dall'anno 1060, sotto il dogado di Domenico Contarini, tanto che si può parlare, per questi, di un vero e proprio rifacimento della Basilica (sempre tuttavia riprendendo i tracciati delle fondazioni precedenti). La configurazione della Basilica contariniana è dunque quella di un edificio a croce greca, con una grande cupola centrale e quattro minori in corrispondenza dei bracci della croce, le cui strutture murarie in mattone sono quelle oggi nascoste sotto il manto delle decorazioni marmoree e musive subito dopo applicatevi.
A questo edificio, il cui modello viene indicato dagli storici nella Basilica dei Dodici Apostoli di Costantinopoli, si aggiunse ben presto l'atrio (o nartece), che circondava la chiesa sui tre lati (successivamente nel braccio meridionale furono realizzati il Battistero, nel sec. XIV, e nel 1504-21 la cappella Zen; mentre all'interno fu inserita l'iconostasi e, negli ambienti periferico-settentrionali, ricavate la cappella di S. Isidoro e quella della Madonna dei Mascoli; sul retro venne realizzata nel sec. XV la sagrestia e infine la rinascimentale chiesetta di S. Teodoro. Uno degli interventi esterni che maggiormente modificarono il profilo della Basilica fu, nel sec. XIII, la sopraelevazione delle cupole, con un rivestimento in lastre di piombo poggiante su un'apposita struttura lignea: in questo modo esse assunsero la caratteristica forma a cuffia di foggia orientale ripresa dalla bizantina cappella (ora moschea) dedicata alla Vergine delle Rocce di Costantinopoli. Nel sec. XVI vennero realizzati, ad opera del proto Jacopo Sansovino, vari interventi di restauro atti a consolidare la struttura dell'edificio, mentre non vedeva soste l'opera di arricchimento decorativo. All'inizio del sec. XVII furono trasformati i due altari della Vergine Nicopeia e del Sacramento, ponendo fine ai lavori di completamento, mentre proseguirono gli interventi di conservazione e di restauro (e in alcuni casi di rifacimento) delle decorazioni maggiormente rovinate.
In origine la facciata, imponente proscenio sulla piazza con i suoi cinque arconi in corrispondenza dei portali sormontati da arcate con finestrone centrale, era in cotto con limitate decorazioni marmoree. L'opera di tra-

sformazione, incentivata dalle acquisite ricchezze provenienti dai traffici con l'Oriente, fu compiuta tra l'XI e il XV secolo, con la realizzazione della ricca decorazione musiva e scultorea. I lavori di ripristino e di arricchimento proseguirono senza soluzione di continuità, e numerosi furono i successivi interventi volti a inglobare precedenti distribuzioni in nuovi assetti e a ricostituire le decorazioni abrase. Anche attualmente (1984) sono in corso lavori di restauro al portale maggiore.

Nota fondamentale all'aspetto della basilica sono i mosaici a fondo d'oro che rivestono, oltre a parte della facciata, le volte e le cupole dell'atrio, la parte superiore delle murature, le volte e le cupole dell'interno, per una superficie complessiva di 4240 m². I più antichi si fanno risalire quasi concordemente al dogado di Domenico Selvo (1071-84), ma la massima parte della decorazione musiva fu eseguita nel sec. XII e nel XIII. Nei secc. XIV e XV venivano ancora aggiunte alcune parti isolate, ma soprattutto si dava inizio all'opera di sostituzione delle parti rovinate, ripetendone il soggetto e mantenendo il fondo d'oro, ma abbandonando naturalmente le forme antiche. Tale opera venne proseguita e pressoché ultimata, nei secc. XVI, XVII e XVIII, da abilissime maestranze su cartoni preparati dai maggiori artisti veneti rinascimentali e barocchi, ai quali quasi certamente si unirono nella fase iniziale alcuni maestri toscani come Paolo Uccello e Andrea del Castagno.

Quale chiesa di Stato, per tutta la durata della Repubblica la Basilica di S. Marco fu sotto la diretta giurisdizione del doge e possedeva un clero autonomo, governato da un «primicerio» di nomina dogale e totalmente indipendente dal patriarca, secondo una prassi che i documenti attestano anteriore al Mille. Aveva anche una magistratura speciale, i «procuratori di supra», pure antichissima, incaricata di sorvegliare e amministrare la fabbrica, nominata dal doge e poi dal Gran Consiglio, e un «proto», ovvero un architetto preposto alle opere di conservazione e di abbellimento dell'edificio.

La chiesa, compreso il vestibolo, è lunga m 76.50; la facciata è larga m 51.80, il transetto m 62.60; l'atrio è lungo m 62, largo 6, alto 7.35; l'altezza della cupola centrale è di m 43 all'esterno, m 28.15 all'interno.

La Basilica è aperta normalmente dal mattino al tramonto. La visita turistica (v. pianta pag. 220) è permessa: in estate dalle 9.30 alle 17.30 (la domenica, dalle 14 alle 17.30); in inverno, dalle 10 alle 16. La visita del presbiterio (altar maggiore e pala d'oro) e quella del Tesoro di S. Marco si effettua tutti i giorni (feriali, ore 10-17; festivi, ore 14-17), con biglietto cumulativo. Le gallerie e la loggia sono aperte tutti i giorni: in estate dalle 10 alle 17.10; in inverno dalle 10 alle 16; lo stesso orario di apertura ha il Museo di S. Marco (biglietto cumulativo).

La *facciata presenta una struttura architettonica a due ordini sovrapposti (di cui l'inferiore più avanzato), articolati in cinque grandi arcate. Quelle dell'ordine inferiore, di cui la centrale sfonda nella linea orizzontale la balaustra della sovrastante terrazza, sono inframmezzate da piloni fasciati da un duplice ordine di colonne che rientrano negli sguanci dei portali (di marmi diversi, hanno capitelli in massima parte di provenienza orientale dei secc. XII e XIII). Dietro la facciata emergono le cinque cupole (rialzate nel sec. XIII e concluse da lanterne orientalizzanti con croci a bracci incrociati), mentre la precedono tre altissime antenne sostenute da *pili bronzei*, opera di Alessandro Leopardi (1505).

Di sezione circolare, sono suddivisi orizzontalmente in 3 zone: l'inferiore, formante zoccolatura, reca tutt'intorno composizioni figurate; dall'intermedia emergono 4 animali fantastici alludenti al leone marciano; la superiore, più semplice, reca festoni e nastri. Nel pilo di mezzo, un medaglione con il *profilo del doge Leonardo Loredan*; nello zoccolo, la *Giustizia*, simbolo di Venezia, con l'elefante, l'*Abbondanza* con delfini e cavalli marini e *Pallade*, con l'ulivo. Nel pilo verso la torre dell'Orologio, *Nettuno cui un satiro presenta i frutti della terra*. Nel pilo verso il campanile, *Nereidi e Tritoni recanti i doni del mare*. Sulle antenne si alzano, nelle solennità, la bandiera nazionale e cittadina e, in mezzo, lo stendardo di S. Marco.

L'ordine inferiore si allunga alle estremità con strette arcate a giorno sostenenti gli angoli della terrazza che risvolta sui fianchi della basilica. Quella di sin., detta arco di S. Alipio, poggia verso l'esterno su una colonna isolata con capitello ravennate (sec. VI), che a sua volta sorregge 5 colonnine di porfido; l'arcata di d. si appoggia invece all'esterno su due colonne ravennati-bizantine, ciascuna supportante un fascio di 5 colonnine di marmi diversi. Tra le colonne superiori del pilone di sin. si vede la statuetta di un vecchio che versa l'idria, forse doccione della chiesa primitiva; l'analoga statua nel primo pilone di d. è probabilmente una replica della precedente. In alto, nei mistilinei tra arco e arco, sono murati 6 bassorilievi: da sin., *Ercole e il cinghiale d'Erimanto* (forse antico), *Madonna, S. Giorgio, S. Demetrio, arcangelo Gabriele, Ercole e la cerva*, pregevoli opere bizantine del sec. XII.

Nella PRIMA ARCATA (da sin., 1; pianta a pag. 220) il portale, detto di S. Alipio, ha una incorniciatura del sec. XI, proveniente dalla primitiva basilica, e battenti bronzei a maglia di archetti sovrapposti, opera del maestro veneziano Bertuccio (1300). Il ricco architrave è formato da una serie di rilievi (*Miracolo di Cana, Epifania, Annuncio ai pastori, Cristo e apostoli*, ecc.) inframezzati da edicolette e attribuiti da alcuni al sec. VI e da altri al XII. In alto si inflette un arco ornato all'esterno da bassorilievi con figure di *profeti* tra racemi su fondo dorato, con effetto decorativo di tipo arabo-moresco. Nel lunettone si aprono 5 arcatelle su colonnine accoppiate a nodo, le tre di mezzo con belle transenne a traforo e le altre cieche; sopra di esse, 4 patere coi *simboli degli Evangelisti* (sec. XIV); al sommo, un *S. Giorgio a cavallo* in altorilievo fra 2 patere a traforo. Nella calotta, *Traslazione del corpo di S. Marco nella chiesa*, l'unico mosaico antico rimasto nella facciata (1260-70): vi si vede l'esterno della basilica di quel tempo, già con i cavalli di bronzo, ma col finestrone di mezzo chiuso da arcatelle e transenne e con una sola fila di colonne nella parte inferiore della facciata. La SECONDA ARCATA (2) ha i battenti del portale, a maglia di bronzo e uguali a quelli della prima arcata, firmati e datati da Bertuccio orafo veneziano (1300). Sopra la porta, trifora gotica del tardo Trecento,

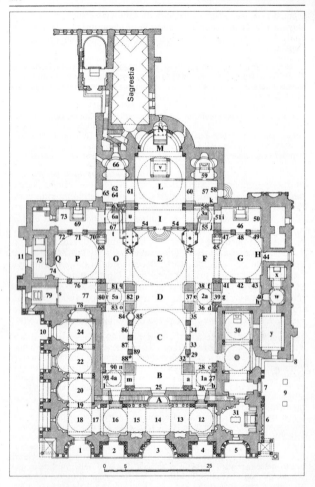

La Basilica di S. Marco

inclusa in un arco ornato da rilievi con *Cristo e 2 profeti*, su fondo a mosaico d'oro e smalti policromi (principio sec. XIII). Nella lunetta, *Il corpo di S. Marco venerato dal doge e dai magistrati veneti*, mosaico di Leopoldo Dal Pozzo su cartone di Sebastiano Ricci (1728).

Al centro si apre la TERZA ARCATA (3), riccamente decorata. I battenti bronzei, a maglia di archetti e a fascioni con teste leonine, sono di arte bizantina del sec. VI. Nella lunetta, tra 2 finestre chiuse da transenne marmoree, *Sogno di S. Marco*, efficace scultura di arte antelamica del sec. XIII. Attorno alla lunetta voltano tre archi in successiva sporgenza, sostenuti da colonne e decorati da ***bassorilievi** che mantengono vaste tracce di policromia e di dorature. Eseguiti, con quelli dell'arco maggiore all'esterno, durante il sec. XIII (prima l'arco minore, poi il mediano infine il maggiore), costituiscono uno dei più importanti cicli della scultura romanica in Italia, ancora influenzata dalla tradizione bizantina e già sensibile alla corrente antelamica. L'arco minore ha, nel sottarco, *Terra, Oceano* e *intrecci con animali* e, sulla fascia esterna, *Le occupazioni della vita dalla fanciullezza alla vecchiaia*. Il secondo arco mostra: nell'intradosso, i *Mesi* e i *segni dello Zodiaco*; nell'estradosso, la *Virtù* e le *Beatitudini*. Il terzo arco reca nel sottarco i *mestieri* e, sulla fascia esterna, *Cristo benedicente tra i profeti*. Contorna la grande semicalotta (in cui, *Cristo in gloria e Giudizio finale*, mosaico rifatto da Liborio Salandri nel 1836, su cartone di Lattanzio Querena) il ricchissimo **arco maggiore**: nell'intradosso, **I Mestieri*, bellissimi bassorilievi rappresentanti le principali occupazioni cittadine (da sin., costruttori di navi, vinai, fornai, beccai, bottai, falegnami, carpentieri, fabbri, pescatori); nella fascia esterna, *Cristo e profeti*, tra volute e racemi. La prima figura a sin. dell'intradosso è il cosiddetto *architetto ignoto*, vecchio con le stampelle in atto di mordersi un dito, che la tradizione identifica con l'architetto di S. Marco (il quale, dopo essersi impegnato a fare la più bella chiesa possibile, a lavoro ultimato si lasciò sfuggire per vanteria che sarebbe stato capace di farne una anche migliore, perdendo così l'impiego).

La QUARTA ARCATA (4) ha battenti bronzei e trifora gotica come nella seconda. Nella lunetta, *Il corpo di S. Marco accolto dai Veneziani*, mosaico su cartone di Pietro Vecchia (c. 1660). Nella QUINTA ARCATA (5) il portale, trasformato in finestra della cappella Zen, ha nell'architrave un *Cristo benedicente*, bassorilievo di arte bizantina (sec. X), proveniente probabilmente dalla chiesa primitiva; al di sopra, un arco inflesso e una lunetta, simili a quelli della prima arcata. In alto, *Trafugamento del corpo di S. Marco*, altro mosaico del Vecchia (c. 1674). Nella chiusura dell'arco, finestrella a tarsia, colonnine, patere e frammenti del sec. XI.

L'ordine superiore (meglio visibile dalla terrazza cui si accede dalle gallerie, v. pag. 246) è sottolineato orizzontalmente dalla terrazza, con balaustrata su esili colonnine, e si presenta articolato in cinque arcate a fondo piano. In quella centrale, chiusa da una finestra a rulli, le colonne poligonali (sec. XI) sono l'unica traccia rimasta dell'antica chiusura ad archi e finestre marmoree, distrutta nell'incendio del 1419 (anteposte a questo finestrone, le copie della quadriga inviata a Venezia da Costantinopoli dal doge Enrico Dandolo nel 1204; gli originali sono esposti nel Museo di S. Marco, v. pag. 248). Le arcate laterali hanno in basso lisci paramenti di lastre marmoree in cui si aprono 4 piccole monofore; in alto i lunettoni sono campiti da mosaici di Alvise Gaetano su cartoni di Maffeo da Verona (1617-18), che ripetono i soggetti di quelli antichi (da sin.: *Deposizione, Discesa al Limbo, Risurrezione* e *Ascensione*). Tutte le arcate sono sormontate da cuspidi, edicole e statue che costituiscono il coronamento gotico iniziato nella seconda metà del sec. XIV e proseguito fino al XV.

Le sculture che si stagliano sulla cornice dell'arcata mediana, *S. Marco* e *angeli*, furono eseguite da Niccolò Lamberti nel sec. XV, mentre dal figlio di questi, Pietro, vennero realizzate le decorazioni della ghiera con *storie della Genesi* e *Profeti* nell'estradosso, *Evangelisti* e *Padri della Chiesa* nell'intradosso. Sugli archi inflessi laterali, fogliami, busti di profeti (attribuiti a Pietro Lamberti e bottega) e, all'innesto degli archi, edicole ogivali, opera iniziata nel 1385 dai Dalle Masegne e conclusa nel secolo successivo; i *santi guerrieri* all'apice delle 4 cuspidi furono rifatti nel 1618 da G.B. Albanese, in sostituzione degli originali rovinati nel terremoto del 1511. Nelle edicole, statue di Pietro Lamberti raffiguranti i 4 *Evangelisti* e, alle due estremità, l'*Angelo annunciante* e l'*Annunciata*, forse di Jacopo della Quercia. Nei mistilinei all'innesto degli archi, 4 doccioni attribuiti a Matteo Raverti o ad altro maestro lombardesco del sec. XV. Nell'angolo della balaustrata verso il Palazzo Ducale, il cosiddetto *conte di Carmagnola*, testa di porfido ritenuta ritratto dell'imperatore Giustiniano II Rinotometus (dal naso mozzo), opera siriaca del sec. VIII.

Il **fianco meridionale** (verso il Palazzo Ducale) aveva fino al sec. XVI due ingressi in corrispondenza delle arcate dell'ordine inferiore. Il primo (6) venne chiuso all'inizio del Cinquecento quando fu realizzata la cappella Zen; si presenta rivestito di lastre marmoree, lombardesche e decorato da rilievi dei secc. XII e XIII. Nella seconda arcata (7) rimane invece il portale d'accesso al Battistero, con battenti bronzei del sec. XIV, sormontato da trifora gotica trecentesca e, più in alto, da una lunetta decorata con patere a mosaico. Nell'ordine superiore le due arcate sono chiuse da una pentafora e una quadrifora ad archi su colonnine con capitelli a cesto; i lunettoni sono ornati da tarsie marmoree a traforo, forse risalenti al sec. XIII. Tra le due arcate, una porta con lunetta a tarsia marmorea (sec. X) e, più sopra, la *Vergine in preghiera*, mosaico del sec. XIII. Il coronamento gotico si completa nelle statue della *Giustizia* e della *Fortezza*; nelle edicole, *S. Antonio abate* e *S. Paolo eremita*, sculture eseguite da Niccolò Lamberti.

Di raccordo tra il fianco della Basilica e la porta della Carta (ingresso al Palazzo Ducale), due lati di un corpo più basso (ora sede del Tesoro di S. Marco), resti di un'antica torre probabilmente parte del primitivo Castello ducale fortificato (sec. IX). Li rivestono lastre marmoree policrome e plutei a bassorilievi veneto-bizantini dei secc. IX-XI; sul fronte del sedile, 2 *putti addentati da dragoni*, bassorilievo della fine del sec. XIII, con due versi in dialetto: «l'om po far e dir in pensar / e vega quelo che li po inchontrar» (l'uomo può fare e dire secondo il suo pensiero, e poi vedrà quello che gli può accadere), esempio tra i più antichi di volgare veneziano; sullo stesso prospetto, animali a risentito rilievo pure della fine del sec. XIII.

Sullo spigolo verso il Palazzo Ducale (8), i **Tetrarchi**, gruppo in porfido di origine ancora incerta, ma probabilmente opera siriaca del IV sec. (le due coppie di guerrieri che si abbracciano sono per alcuni le effigi di Diocleziano e degli altri tre imperatori regnanti con lui sul finire del sec. III; secondo la tradizione popolare – che li ha soprannominati «i «Mori»» – raffigurano 4 saraceni impietriti dopo che tentarono di trafugare il Tesoro di S. Marco).

Scostati dal prospetto, di fronte all'ingresso del Battistero, sorgono i due **pilastri acritani** (9), portati a Venezia da San Giovanni d'Acri dopo il 1256; a fusto quadrangolare decorato con racemi e monogrammi (in parte abrasi) e capitelli a tronco di piramide capovolta, sono per alcuni opera siriaca del sec. VI; per altri invece i pilastri, forse già parte di un accesso alle mura della città palestinese, sarebbero lavoro bizantino-islamico del sec. XII.

Presso l'angolo verso la piazza è la *pietra del bando*, tronco di colonna in porfido proveniente dalla Siria, da cui il «commandador» della Repubblica leggeva alla cittadinanza le leggi e i bandi (fu travolta e spezzata dalle macerie del campanile nel 1902).

Il **fianco settentrionale** (verso la piazzetta dei Leoni) ripete lo schema architettonico della facciata; durante i restauri eseguiti nel sec. XIX venne in parte privato della decorazione originaria. Le arcate, ad eccezione della quarta da d., sono decorate da patere e frammenti di recupero: nel primo arcone da d., *I 12 Apostoli adoranti il trono preparato per il Giudizio Universale*; fra il primo e il secondo, *Alessandro Magno portato in cielo*. Nella quarta arcata (10) si apre l'accesso secondario alla Basilica, la *porta dei Fiori*, ad arco inflesso a doppia curva ornato da rilievi del sec. XIII; nella lunetta, *Presepio* (sec. XIII). Dopo la quarta arcata sporge il corpo di fabbrica corrispondente alle cappelle della Madonna dei Mascoli e di S. Isidoro, decorato a bassorilievi, tra cui *Cristo* e gli *Evangelisti*, di arte bizantina (sec. XII-XIII); sotto la grande arcata (11), chiusa da una cancellata di ferro, la *tomba di Daniele Manin* (m. 1857), realizzata nel 1868 su disegno di Luigi Borro.

Nell'ordine superiore le arcate sono decorate da opere di Niccolò e Pietro Lamberti (sec. XV): al primo sono da attribuire le statue nelle edicole (*Ss. Gregorio, Ambrogio, Agostino e Gerolamo*) e quelle sui vertici degli arconi (*Carità, Fede, Temperanza e Prudenza*, quest'ultima sostituita da una copia realizzata nel 1618 da G.B. Albanese); a Pietro sono attribuiti i doccioni sotto le edicole (secondo altri, di Nanni di Bartolo detto il Rosso).

L'**atrio o nartece della Basilica, cui si accede dal portale maggiore, precede l'ingresso alla chiesa; in origine disposto intorno ai tre lati del piedicroce, venne chiuso sul fianco d., verso la piazzetta, quando furono realizzati il Battistero e la cappella Zen. Il pavimento, in mosaico marmoreo a motivi geometrici, risale al sec. XI-XII (secondo la tradizione, sulla lastra di marmo rosso di fronte all'ingresso centrale il 23 luglio 1177, auspice il doge Sebastiano Ziani, avvenne l'incontro tra il papa Alessandro III e Federico Barbarossa). La successione di campate, divise da arcate a sesto leggermente acuto e chiuse (ad eccezione di quella in corrispondenza del portale maggiore, che ha la volta aperta) da cupole cieche, è decorata da notevoli mosaici in gran parte eseguiti durante i sec. XII e XIII da maestranze venete. I temi svolti nella decorazione musiva, tratti dal Vecchio Testamento, sono, dalla prima campata d.: la Creazione del mondo, storie di Caino e Abele, il Diluvio Universale, la costruzione della torre di Babele, storie di Abramo e storie di Giuseppe (in parte rifatte nel sec. XIX), storie di Mosè.

Nella PRIMA CAMPATA (12), chiusa sul fondo da una porta bronzea a grate polilobate, originario acceso alla cappella Zen, si apre verso la basilica la **porta di S. Clemente*, a due battenti bronzei suddivisi in 28 riquadri rettangolari ornati, ad eccezione di quelli del registro inferiore, da figure di *santi* e iscrizioni in greco ad agemina d'argento, lavoro bizantino del sec. XI proveniente da Costantinopoli (presunto dono dell'imperatore Alessio Comneno). Nella lunetta, *S. Clemente*, mosaico di Valerio Zuccato realizzato nel 1532 su cartone di Tiziano. Ai lati della porta, colonne di pavonazzetto e due coppie di colonne di marmo bianco e nero con notevoli capitelli ad aquile e teste leonine (arte bizantina, sec. VI). La cupola e le lunette della campata sono decorate da pregevoli mosaici, eseguiti intorno al 1230 da un artista che si ispirò alle miniature di una Bibbia paleocristiana (ricollegabile a quella di Cotton del sec. VI); si distinguono dal complesso della decorazione musiva della Basilica per uno stile più accentuatamente romanico. Nella cupola, detta della Genesi, sono rappresentati in 24 riquadri articolati in tre zone, **episodi della Genesi*, dalla creazione del cielo e della terra alla cacciata di Adamo ed Eva dal Paradiso Terrestre; nei pennacchi angolari, 4 *serafini*; nelle lunette, *storie di Caino e Abele*.

La prima arcata (13) è sostenuta, nel lato verso l'interno, da due coppie di colonne con capitelli bizantini, riuniti da frammenti di plutei marmorei collegati da una semicalotta a conchiglia (arte bizantina del sec. IX). Di fronte a queste, in una nicchia, *tomba del doge Vitale Falier* (m. 1096), realizzata con elementi architettonici di recupero forse provenienti dalla basilica primitiva. Nella volta dell'arcata, *storie di Noè e del Diluvio Universale*, mosaici del sec. XIII appartenenti allo stesso ciclo di quelli della prima campata.

Sull'asse mediano della Basilica è impostata la SECONDA CAMPATA (14), l'unica dell'atrio non conclusa da cupola, ma dilatata verso l'alto dal cosiddetto 'pozzo', apertura quadrata, chiusa da vetri, attraverso la quale si vede l'arcone del Paradiso (v. pag. 227). Nel lato verso l'interno la campata forma un'esedra a due ordini di nicchie, dove si aprono il portale maggiore e, ai lati di questo, due piccole porte di accesso alle scale per le gallerie (v. pag. 244). Nelle nicchie, in alto *Madonna* e *6 santi*, in basso *Evangelisti*, mosaici che risalgono alla più antica decorazione della Basilica (XI-XII secolo). I due battenti bronzei del portale sono suddivisi in 48 riquadri e decorati, ad eccezione di quelli del registro inferiore, da figure di *santi* e scritte in latino ad agemina d'argento e smalti; commissionati da Leone da Molino, procuratore di S. Marco dal 1112 al 1138, si devono probabilmente a maestranze venete che presero a modello l'adiacente porta di S. Clemente. Agli spigoli dell'esedra, su esili colonne di marmo greco, 2 *angeli*, sculture marmoree di arte bizantina del sec. XII. I restanti mosaici della campata sono opera dei fratelli Francesco e Valerio Zuccato (sec. XVI): nella calotta sopra il portale, *S. Marco in estasi* (1545), su cartone di Tiziano; su cartoni attribuiti da alcuni al Pordenone, da altri al Salviati, vennero invece realizzati: sopra l'ingresso in alto, *Crocifissione* (1549) e, in basso, *Deposizione*; nella lunetta sin., *Risurrezione di Lazzaro*; nella lunetta d., *Morte della Vergine*; nei pennacchi, *Evangelisti* e *Profeti*.

La seconda arcata (15) è sostenuta verso l'interno da colonne uguali a quelle della prima; nel lato esterno, in una nicchia, *tomba di Felicita Michiel* moglie del doge Vitale Falier (morta nel 1101), realizzata con elementi architettonici di recupero del sec. XI. Nella volta dell'arcata, mosaici dei primi decenni del sec. XIII: a d., *Ebbrezza* e *Morte di Noè*; a sin., *costruzione della torre di Babele* e *Dispersione delle genti*.

Si passa nella TERZA CAMPATA (16), dove si apre la porta bronzea di S. Pietro (nella sovrastante lunetta, *S. Pietro*, mosaico bizantino del XIII sec.); ai lati, due coppie di colonne con capitelli a figure zoomorfe, uguali a quelli della prima campata. Nella cupola e nelle due lunette, *storie di Abramo*, mosaici del 1240-50 di carattere bizantino-romanico; nei pennacchi, *Daniele, Geremia, Ezechiele, Isaia*. La terza arcata (17) presenta nella volta *S. Alipio, S. Simone* e la *Giustizia*, mosaici del 1265 circa.

Segue il braccio sin. dell'atrio, le cui campate formano verso l'esterno esedre suddivise in nicchie minori, secondo il sistema costruttivo originario, un tempo seguito probabilmente anche all'esterno della Basilica. I mosaici di quest'ala, i più tardi del ciclo musivo del Vecchio Testamento, che si conclude con le storie di Giuseppe e di Mosè, vennero realizzati nella seconda metà del XIII sec. e furono in parte rifatti nel XVII o restaurati nell'Ottocento.

Nell'esedra della QUARTA CAMPATA (18) è la *tomba del doge Bartolomeo Gradenigo* (m. 1342), opera gotica di scultore pisano; nella sovrastante calotta, *Giudizio di Salomone*, mosaico di Vincenzo Bianchini (1558?). I mosaici della cupola (*episodi della vita di Giuseppe*) e dei pennacchi angolari (*Samuele, Elia, Abacuc, Nathan*) sono del 1270 circa; di carattere bizantino-romanico, risultano in parte rifatti o restaurati. La quarta arcata (19) è decorata con *S. Foca* e la *Carità*, mosaici del sec. XIII; inoltre, *S. Cristoforo*, mosaico rifatto nel 1674 su cartone di Pietro Vecchia.

L'esedra della QUINTA CAMPATA (20) conserva la *tomba del doge Marino Morosini* (m. 1253), sarcofago composto con elementi decorativi di recupero; nella calotta, *Giuseppe interpreta il sogno del Faraone*, mosaico del sec. XVII su cartone di Pietro Vecchia. Nella cupola e nei pennacchi, *episodi della vita di Giuseppe* (dal suo arrivo alla casa di Putifarre al sogno del Faraone), mosaici eseguiti tra il 1270 e il 1280 e successivamente restaurati. Quinta arcata (21): *Ss. Silvestro, Geminiano, Agnese, Caterina* e la *Speranza*, lavoro del sec. XIII.

Nell'esedra della SESTA CAMPATA (22), *tomba del primicerio Bartolomeo Ricovrati* (m. 1423), lastra in pietra scolpita di arte gotica del sec. XV. Nella calotta, i *Ss. Apollinare* e *Sigismondo* e *S. Francesco stigmatizzato*, mosaici del sec. XVII su cartoni di Pietro Vecchia. Gli altri mosaici della campata sono posteriori al 1270 e rappresentano: nella cupola, *episodi della vita di Giuseppe* (da quando divenne procuratore d'Egitto a quando si riconciliò coi fratelli); nei pennacchi, i 4 *Evangelisti* (notevole il S. Giovanni). Nella sesta arcata (23), i *Ss. Domenico, Nicola, Biagio, Pietro martire* e la *Fede*, mosaici del sec. XIII.

La SETTIMA CAMPATA (24) forma sul lato sin. un'esedra a nicchie tra colonne, dove si apre la porta di S. Giovanni (di accesso al transetto sin. della Basilica, v. pag. 240); nella sovrastante calotta, *Madonna col Bambino tra i Ss. Giovanni e Marco*, mosaico rifatto nell'Ottocento su schemi veneto-bizantini. Nell'esedra sin. si apre la porta dei Fiori: alla parete di fronte, *papa Giovanni XXIII*, busto bronzeo di Giacomo Manzù. Nella semicalotta sin., nella cupola e nella lunetta d., *storie di Mosè*; nei pennacchi, *Salomone, David, Zaccaria, Malachia*, tutti mosaici di scuola veneto-bizantina del sec. XIII, in parte rifatti nel Seicento e restaurati alla fine dell'Ottocento.

L'*interno della Basilica, con la sua complessa decorazione che accompagna e asseconda i movimenti delle masse e delle superfici architettoniche, offre una visione di severa ricchezza, di raccolta suggestione e, insieme, di solennità grandiosa. Per comprenderne chiaramente la struttura, occorre ridurre mentalmente la concezione architettonica alle sue linee fondamentali. La pianta è a croce greca, coperta da 5 cupole, una all'incrocio e una su ciascuno dei 4 bracci, poggianti su possenti arconi a botte sostenuti da poderosi pilastri. Questi sono collegati da arcate su colonne, che dividono ciascun braccio della croce, meno quello del presbiterio, in 3 navate e sostengono le gallerie, riduzione degli antichi matronei. In corrispondenza dei pilastri, le navate laterali sono voltate a cupolette, 4 attorno al quadrato centrale e 2 al principio del piedicroce. Un arricchimento spaziale viene dato dalla presenza della cripta, col conseguente rialzo del presbiterio, e dalle gallerie, che formano un piano più elevato sdoppiando in altezza tutte le zone laterali.

Le colonne che dividono le navate (8 per lato nel piedicroce; 2 negli altri), hanno il fusto di marmo greco e bellissimi capitelli classici o bizantini, dorati e decorati a motivi floreali, animali e simboli. Le gallerie hanno il parapetto verso le navate mediane formato da plutei e transenne, provenienti quasi tutti dalle basiliche primitive o portati dall'Oriente (sec. VI-XI); i parapetti verso le navatelle sono a balaustrata di colonnine sostenuta da cornice ad archetti e mensoline, di tipo romanico.

Tutte le superfici murarie che si elevano al di sopra delle colonne e del rivestimento marmoreo della parte bassa delle pareti, sono decorate da *mosaici a fondo d'oro, in parte originali (sec. XII-XIV), in parte di epoca posteriore. È accertato che all'origine della grande composizione vi fu un unico piano ben definito. Sia stato preso a modello il trattato della pittura, guida iconografica della scuola pittorica del M. Athos, oppure il piano decorativo della Basilica dei Dodici Apostoli di Costantinopoli, la tradizione sempre viva tra i Veneziani di un'unica mente preordinatrice della decorazione musiva di S. Marco corrisponde alla realtà.

Il principale concetto informatore del grandioso ciclo musivo è l'esaltazione della Chiesa di Cristo, attuato nei mosaici delle 3 cupole mediane: nella cupola sopra il presbiterio, la Chiesa preconizzata dai profeti; nella cupola centrale, la Chiesa vivente in Cristo (dalla quale si diramano le varie storie di Gesù e di Maria); nella cupola verso l'ingresso, la Chiesa attuata con la conversione dei popoli mediante la predicazione degli Apostoli; infine, nell'arcone sopra l'ingresso, il Trionfo della Chiesa nel Giudizio Universale. Accanto a questo filone principale e alle sue diramazioni, la decorazione musiva è dedicata all'Esaltazione della Chiesa veneziana attraverso le figure dei santi più popolari tra le genti della Laguna, soprattutto di S. Marco. Nell'atrio sono già stati visti i mosaici, rappresentanti le storie bibliche, quasi un preludio al grande poema dell'interno. Le varie scene hanno iscrizioni esplicative in versi leonini.

A partire dal sec. XII iniziò quel processo di rivestimento della parte inferiore delle pareti con lastre marmoree (segate e connesse in modo da ottenere, con le loro venature, un effetto di tappezzeria), che integrò l'opera di decorazione musiva. Il pavimento (che presenta degli avvallamenti e dei dislivelli dovuti all'assestamento del terreno), a mosaico di marmi, fu realizzato in massima parte durante il sec. XII e in seguito più volte rifatto; gli intarsi marmorei rappresentano animali o figurazioni simboliche, ripetute forme concentriche o disegni geometrici.

Per consentire una più chiara fruizione del complesso apparato decorativo della Basilica, se ne è rigidamente articolata la visita in tre parti. Nella prima sono descritti i mosaici delle cupole e dei soffitti della navata mediana, del transetto e del presbiterio. La seconda parte riguarda l'ordine inferiore della Basilica, di cui si dà la descrizione sistematica, compresi quegli ambienti per la cui visita occorre farsi accompagnare o munirsi di biglietto d'ingresso (le relative modalità verranno indicate nel testo). Nella terza parte sono invece descritti i mosaici delle cupolette e dell'ordine superiore delle pareti delle navate minori, del transetto e del presbiterio che, per la loro ubicazione, sono meglio, e talvolta unicamente, osservabili dalle gallerie.

MOSAICI DELLE VOLTE E DELLE CUPOLE. All'inizio della NAVATA MEDIANA, nell'arcone sopra le gallerie, detto del Paradiso (A), *Esaltazione della Croce, Cristo fra la Vergine e S. Giovanni Battista* e *Giudizio universale*, mosaici rifatti (secondo il soggetto originario) su cartoni di Jacopo Tintoretto, Antonio Vassilacchi detto l'Aliense e Maffeo da Verona (1577-1619), e nuovamente ripresi nell'800. Nel sottarco sopra l'ingresso, o arcone dell'Apocalisse (B), mosaici quasi tutti rifatti nel sec. XIX, con scene dell'Apocalisse: il *Sogno di S. Giovanni col vegliardo fra i 7 candelabri* è moderno; i *7 angeli che proteggono le 7 chiese*, l'*Angelo che trafigge il mostro infernale* e la *Cena mistica dell'Agnello* sono di Francesco e Valerio Zuccato (1561-62 c.); la *Madonna sulla mezzaluna e il drago* e le altre visioni apocalittiche, forse su cartoni di Orazio Vecellio e di Giuseppe Porta detto il Salviati. La cupola della Pentecoste (C) è rivestita di bellissimi mosaici, forse tra i più antichi delle cinque cupole (2ª metà sec. XIII), fortemente influenzati da modelli bizantini. Simboleggiano la Chiesa di Cristo realizzata attraverso la predicazione degli Apostoli. Al centro, lo *Spirito Santo che discende sotto forma di lingue di fuoco sugli Apostoli*, raffigurati seduti più in basso; alla base della cupola, tra le finestre, i vari popoli convertiti, nell'ordine in cui sono citati negli «Atti degli Apostoli». Nei pennacchi angolari, 4 *angeli* levano il labaro inneggiando alla lotta vittoriosa della Chiesa e al trionfo della Fede. Nel sottarco verso la crociera (D): a d., *Giobbe e Geremia* di Giovanni Antonio Bianchini (sec. XVI); a sin., *David e Isaia* di Bartolomeo Bozza. Nella volta, ***scene della Passione**, mosaici del principio del sec. XIII che, per la disposizione delle figure, l'atteggiamento drammatico e la potenza espressiva, si riallacciano più ai modi dell'arte romanica che agli schemi bizantini.

Da d.: *Bacio di Giuda* e *Cattura di Cristo*; *Cristo davanti a Pilato*; *Cristo incoronato di spine e deriso*; *Crocifissione*; *Marie al Sepolcro* (rifacimento del sec. XV-XVI); *Discesa al limbo* (rifatto come il precedente); *Risurrezione*; *Incredulità di Tommaso*.

All'incrocio tra la navata maggiore e il transetto è impostata la *cupola dell'Ascensione (E), dove viene esaltata la Chiesa vivente in Cristo. I mosaici che la rivestono, dell'inizio del sec. XIII, costituiscono una delle più alte e solenni composizioni della decorazione marciana; in essi l'evidente ispirazione bizantina è rielaborata con gusto occidentale e assume forme connesse al mondo figurativo romanico.

Al centro, *Cristo benedicente sale al cielo in un cerchio portato da 4 angeli*; più in basso, la *Vergine tra 2 angeli e i 12 Apostoli*; nella fascia inferiore, tra le monofore, 16 figure femminili, in vivaci e svariati atteggiamenti, simboleggiano le *Virtù* e le *Beatitudini*. Nei pennacchi angolari, i 4 *Evangelisti* (S. Marco e S. Matteo rifatti nel 1843-64), intenti a scrivere i Vangeli e, sotto, i 4 *fiumi* biblici.

Si passa al TRANSETTO DESTRO. Nel sottarco interno (F), da sin., *Entrata in Gerusalemme, *Tentazioni di Cristo nel deserto, Ultima Cena, Lavanda dei piedi*, notevoli mosaici del 1200 circa in cui si fondono influssi bizantini e romanico-nordici, con echi della pittura di scuola romana del sec. X-XI. Inoltre, al centro, *Padre Eterno in gloria* di Jacopo Pasterini e, in basso, *Daniele* (a d.) e *David* (a sin.), del sec. XVII. Nel seguente piccolo sottarco di impostazione della cupola, *Zaccaria* e *Mosè*, mosaici rifatti nel sec. XVI, e *Davide* e *Geremia* del sec. XIV. Segue la cupola di S. Leonardo o del SS. Sacramento (G), rivestita di mosaici del sec. XIII (*Ss. Leonardo, Nicola, Clemente* e *Biagio*); nei pennacchi, le *Ss. Erasma* (sec. XVII), *Eufemia, Dorotea* (sec. XIII), *Tecla* (rifatto da Vincenzo Bastiani nel 1512). Nel piccolo sottarco esterno, i *Ss. Antonio abate, Bernardino, Vincenzo Ferreri* e *Paolo eremita*, mosaici quattrocenteschi influenzati dalla contemporanea pittura toscana; il primo e il terzo sono firmati da Silvestro di Pietro (1458), gli altri da Antonio di Jacopo, scolari di Andrea del Castagno. Al sottarco esterno (H), *Miracoli di Gesù*, mosaici del sec. XVII, opera di Giuseppe Paulutti su cartoni di Giovanni Antonio Fumiani (per i restanti mosaici, v. pag. 233 e pag. 245).
Nel PRESBITERIO, al sottarco interno (I): da sin., *S. Pietro* di Arminio Zuccato; *Epifania, Annunciazione, Risurrezione, Presentazione al tempio, Battesimo*, mosaici rifatti su cartoni di Jacopo Tintoretto (1587-89); *S. Paolo* (sec. XVII). Nel seguente sottarco di impostazione della cupola, *Gesù, 2 angeli* e decorazioni, mosaici rifatti nel sec. XVII. I mosaici della cupola del presbiterio (L) rappresentano la Chiesa preconizzata dai profeti; realizzati nel sec. XII, ad eccezione del medaglione centrale del XIII sec., sono di ispirazione bizantina, ma di stile sempre composito.

Al centro, *Cristo benedicente*; in basso, la *Vergine tra Isaia e Daniele* (che la predissero) e altri 11 *profeti*, ciascuno col cartiglio della propria profezia. Più in basso, tra le finestre, decorazioni floreali simboliche; nei pennacchi, *simboli degli Evangelisti* (restaurati).

Nel successivo piccolo sottarco (M), *agnello* e decorazioni floreali. L'abside (N) presenta: nel catino, *Cristo benedicente in trono*, mosaico rifatto nel 1506 da Pietro di Zorzi sullo schema antico; negli spazi tra le finestre, i *Ss. Nicola, Pietro, Marco, Ermagora*, quasi certamente i più antichi mosaici di S. Marco, realizzati da maestranze di tradizione bizantina prima dell'incendio del 1105 (che rese necessario il rifacimento di tutti i mosaici, meno questi dell'abside e quelli della facciata); all'inizio del Cinquecento furono parzialmente rifatti e restaurati da Pietro di Zorzi (per gli altri mosaici del presbiterio, v. pag. 245).
Si raggiunge quindi il TRANSETTO SINISTRO. Nel sottarco interno

(O): da sin., *S. Michele con la spada sguainata*; *Ultima Cena*, su cartone di Jacopo Tintoretto (1568-71); *Guarigione dell'emorroissa* e *Risurrezione del figlio della vedova di Naim*, su cartone di Giuseppe Salviati; *Cristo in gloria* (rifacimento ottocentesco); *Guarigione del lebbroso*, su cartone di Paolo Veronese; *Nozze di Cana*, su cartone di Tintoretto; *S. Michele che ringuaina la spada*, di Giovanni Antonio Marini su cartone di Paolo Veronese (?). Al piccolo sottarco interno, 4 *Profeti*. La cupola di S. Giovanni Evangelista, o della Madonna (P), è decorata da pregevoli mosaici del principio del sec. XIII, di arte veneto-bizantina con influssi romanici; vi sono rappresentati *episodi della vita di S. Giovanni Evangelista*.

Al centro, croce greca con massime religiose tratte dal sermone della montagna e iscrizione enigmatica; intorno, più in basso, *S. Giovanni Evangelista, Risurrezione di Drusiana, Guarigione di Statteo, Crollo del tempio di Diana, Il santo beve il veleno che fa morire gli avvelenatori, Conversione degli infedeli*. Tra le finestre, simboli degli Evangelisti e di altri. Nei pennacchi: *S. Girolamo* di Leopoldo Dal Pozzo (1740-45), su cartone di G.B. Piazzetta; *S. Gregorio* su cartone di Girolamo Pilotti; *S. Agostino*, rifatto da Leopoldo Dal Pozzo; *S. Ambrogio* del principio del sec. XIII.

Nel sottarco (Q), da d., *Guarigione del paralitico, Cristo nella barca svegliato dagli Apostoli placa la tempesta, Guarigione dell'idropico* e *Pesca miracolosa*, mosaici della fine del sec. XII, di stile più vicino alla tradizione ravennate (gli altri mosaici sono descritti a pag. 238 e pag. 246).

ORDINE INFERIORE DELLA BASILICA. Nella NAVATA MEDIANA, dalla cupola pende un enorme lampadario a doppia croce greca, ricchissima opera di oreficeria bizantina. Nella lunetta sopra il portale centrale (25), *Cristo benedicente in trono tra Maria e S. Marco*, mosaico del 1270 c., parzialmente restaurato, di scuola veneziana con influssi bizantini (è incorniciato da un leggero arco, sostenuto da colonnette poggianti su leoni, e da un'iscrizione in latino che invita i fedeli a entrare). Per un sottarco con i *Ss. Epimaco e Giordano* (mosaico del sec. XIII come gli altri che decorano i sottarchi delle navate minori, in gran parte però restaurati o del tutto rifatti) si passa nella NAVATA DESTRA. Sopra la porta (di S. Clemente, 26), *Madonna orante*, bassorilievo bizantino (sec. XII); nell'andito della stessa, tratto del pavimento originario a mosaico del sec. XIII (entro 6 medaglioni, 2 *cervi*, 2 *cani, colomba* e *aquila*). Alla parete (27), *Cristo fra Maria e il Battista*, pregevole bassorilievo bizantino del sec. XII. Si passa un arcone (28), sostenuto a d. da colonne di marmo greco e rivestito nel sottarco da mosaici del 1250 circa (**Ss. Ilarione* e *Paolo eremita*); a sin., sotto la prima arcata, acquasantiera (29) formata da

una grande vasca monolitica di porfido orientale, su fusto marmoreo. A d., per una porta bronzea, si accede al Battistero e
alla cappella Zen, ambienti il cui restauro è stato ultimato nel
1983.

Il BATTISTERO (30) è un vasto ambiente a tre campate con volta
a cupola, ricavato dalla ristrutturazione (avvenuta sotto il doge
Andrea Dandolo, 1343-54) dell'ala meridionale dell'atrio che si
apriva sulla piazzetta S. Marco. Al centro è il *fonte battesimale*,
realizzato su disegno di Jacopo Sansovino (1545) dai suoi scolari
Tiziano Minio e Desiderio da Firenze; a loro si deve la fusione
del coperchio bronzeo (negli otto comparti, *scene della vita del
Battista* e gli *Evangelisti*) sopra il quale venne successivamente
posta la statua di *S. Giovanni Battista*, opera firmata di Francesco Segala (1575). A d. dell'ingresso, *tomba del doge Giovanni
Soranzo* (m. 1328), di arte gotica veneziana; alla parete di
fronte, *arca del doge Andrea Dandolo* (m. 1354), di arte gotica
veneziana dei De Sanctis (sec. XIV). Davanti all'altare, *lastra
tombale di Jacopo Sansovino*, il più illustre proto di S. Marco, le
cui ceneri furono qui trasportate dall'oratorio del Seminario Patriarcale nel 1929. La mensa dell'altare posa su un blocco di
granito da cui, secondo la tradizione, Cristo avrebbe predicato
alle folle (si dice che venne portato da Tiro nel 1126 dal doge
Domenico Michiel); più in basso, resti di struttura muraria quadrangolare – probabile avanzo di un sacello temporaneo delle
reliquie di un santo (S. Isidoro?) – già decorata da affreschi del
sec. XII con una teoria di santi in stato frammentario (staccati
nel 1983, saranno collocati nel Museo di S. Marco). A d., *Pietà*,
gruppo marmoreo del Trecento; dietro l'altare, *Battesimo di
Gesù* e, ai lati, i *Ss. Giorgio e Teodoro*, entrambi in atto di col-
pire il drago, bassorilievi del sec. XIII-XIV. Le cupole e le volte
sono rivestite di mosaici eseguiti, dal 1343 al 1354, da mosaicisti di scuola veneziana ancora legati all'arte bizantina del secolo precedente, ma già influenzati dai maestri della pittura veneziana contemporanea.

Nel lunettone sopra l'altare, *Gesù crocifisso tra la Madonna, i Ss.
Marco, Giovanni Battista, Giovanni Evangelista e gli offerenti*; nella 1ª
cupola (sopra l'altare), *Cristo in gloria circondato dai 9 ordini celesti*
con le *Virtù* che calpestano la morte e le *podestà* che vincono i demoni;
nei pennacchi, i Dottori della Chiesa latina (*Ss. Gregorio, Agostino, Girolamo, Ambrogio*). Alla 2ª cupola (sopra il fonte battesimale), *Cristo invia
gli apostoli a battezzare* e, sotto, gli *Apostoli*, ciascuno assistito da un
diacono, in atto di battezzare una piccola figura ignuda; nei pennacchi, i
Dottori della Chiesa greca (*Ss. Gregorio Nazianzeno; Basilio*, rifatto nel
1876; *Atanasio; Giovanni Crisostomo*). Nella 3ª cupola, grande testa
crocesignata irraggiante fasci di luce su 8 *Profeti* e sulla capanna di Betlemme. Nei lunettoni laterali e alle pareti della 1ª e 2ª campata, *storie*

di S. Giovanni Battista; nella 3ª campata, *storie della vita di Cristo* (dalla venuta dei Magi al Battesimo), lavoro parzialmente rifatto nell'Ottocento, ma già restaurato forse nel 1425-30 da Paolo Uccello.

Alla parete opposta all'altare del Battistero è l'accesso alla CAPPELLA ZEN (31; già aperta verso la piazzetta S. Marco e vestibolo alla Basilica). Venne realizzata fra il 1504 e il 1521 quale cappella funeraria del cardinale Giovanni Battista Zen (m. 1501), nipote di papa Paolo II, che aveva condizionato il lascito del suo patrimonio alla Repubblica all'esser sepolto in S. Marco. Al centro è il *sepolcro del cardinale*, opera bronzea di Paolo Savin con la figura giacente del defunto e, sui fianchi, putti reggistemmi e la fede, speranza, carità, pietà, munificenza. L'altare, pure in bronzo, è in stile lambardesco (sec. XVI), con ornatissimo baldacchino retto da quattro colonne; nel paliotto, la *Risurrezione* in bassorilievo. Sull'altare, *Madonna della scarpa (da una scarpa donata da un povero e, secondo la tradizione, miracolosamente trasformata in oro), statua bronzea di Antonio Lombardo (1515); ai lati, i *Ss. Pietro e Giovanni Battista*, pregevoli bronzi del Savin. A d. e a sin. dell'altare, *2 leoni* stilofori in marmo rosso veronese, di ambito antelamico. Sopra di essi, *stemmi del cardinale Zen* in mosaico di Pietro di Zorzi (1515), rifatti nella parte inferiore. Alle pareti: *Madonna*, bassorilievo bizantino con epigrafe greca (sec. XI); *angelo*, forse scultura orientale del sec. VI; *Presepio* e *Fuga in Egitto*, frammenti di bassorilievi veneto-romanici (sec. XII); cimasa proveniente dalla basilica del IX sec.; lastre di cipollino o di verde antico con sagome bizantine, ritenute pietre tombali di imperatori di Costantinopoli. I mosaici che decorano la cappella (molto rifatti), vennero eseguiti, prima della costituzione della stessa, alla fine del sec. XIII nello stile più maturo e autonomo raggiunto dalla scuola veneziana (nella calotta dell'abside, *Madonna col Bambino tra 2 angeli*; sotto, entro nicchie lombardesche, *Cristo* e *4 Profeti*, alternati a 4 statuette di *Profeti*, sculture veneto-romaniche del sec. XIII).

Seguono nella navata, alla parete d., incastonati nel rivestimento marmoreo, 5 *riquadri a mosaico (*Ezechiele, Salomone, Madonna orante, David, Isaia*) del 1250 circa, notevole lavoro di scuola veneziana volta qui a interpretare i moduli bizantini secondo stilemi romanici, in una mirabile armonia di linee e colori (per i mosaici dell'ordine superiore, v. pag. 244).

Nei quattro sottarchi a sin. (32, 33, 34, 35), i *Ss. Giuliano, Cesario, Feliciano, Primo*, e motivi ornamentali a mosaico. Nei sottarchi della seconda cupoletta, mosaici restaurati o rifatti (36, *2 santi* anepigrafi; 37, *Ss. Protasio e Gervasio*; 38, *Ss. Cassiano e Ippolito*; 39, *Ss. Maddalena e Caterina*). Sul pilastro angolare, *Madonna col Bambino* detta la Madonna del bacio, bassorilievo (sec. XII?) in parte consunto dai baci dei devoti.

Il TRANSETTO DESTRO è articolato in tre navate, di cui quella sin., chiusa da transenne marmoree e sportelli in metallo, è trasformata in cappella (v. sotto). In fondo alla navata d. è la porta (40) di accesso al Tesoro di S. Marco (v. pag. 241), sormontata da un arco trilobo inflesso (arte moresca del sec. XII-XIII), decorato nella lunetta da un mosaico del XIII sec. (2 *angeli*) che fa da sfondo a una piccola scultura trecentesca (*Ecce Homo*). Nei sottarchi a sin. (41, 42, 43), motivi decorativi e i *Ss. Geminiano e Severo* a mosaico (per i mosaici dell'ordine superiore della parete, v. pag. 245). Il pavimento mantiene frammenti della decorazione originaria del sec. XI (entro due rettangoli, ornati di meandri, 8 medaglioni con due colombe ai lati di una palma). Alla parete di fondo della navata mediana (44), in alto, grandioso *rosone* gotico a raggiera di colonnine e ad archetti intrecciati (metà sec. XV); in basso è la porta di accesso al cosiddetto *andito Foscari*, che collegava la Basilica a Palazzo Ducale (per la visita, rivolgersi al custode).

Nel 1977 (durante lavori di ripristino e ampliamento dell'ambiente del Tesoro), sotto l'intonaco dell'imposta e della volta furono rinvenuti resti di affreschi che costituiscono uno dei rari esempi di pittura veneziana del primo Trecento (nella lunetta sopra l'ingresso, *S. Marco*; nella volta, decorata con un cielo stellato, a sin. *Annunciazione e Natività*, a d. *Crocifissione e Deposizione*). Verso il palazzo, in un archivolto, fascia con motivo ornamentale a ruote, affresco attribuibile a Jacopo Bellini. Alla parete d. è murato un piccolo rilievo trecentesco (2 *angeli adoranti le preziose reliquie del Tesoro*).

All'inizio della navata, addossato al pilastro sin. (45), è l'*altare di S. Giacomo*, elegante opera rinascimentale di arte lombardesca (seconda metà sec. XV) fatta erigere dal doge Cristoforo Moro (1462-71); è a forma di edicola, con la statua di S. Giacomo e, in alto, lunetta a bassorilievo sormontata da statue (attribuite ad Antonio Rizzo). Nella cappella ricavata dalla navata sin. è l'*altare del Sacramento* (46; già di S. Leonardo e poi della Croce, dalla reliquia conservata nel tabernacolo), opera di Tommaso Contin (1617) ricca di marmi preziosi e sormontata da un ciborio a colonne di porfido e di pavonazzetto; i due elaborati candelabri bronzei sono opera di Maffeo Olivieri (1527). Di fronte all'altare, nei tre sottarchi, *Ss. Procopio e Demetrio* (48) e decorazioni ornamentali (47, 49) a mosaico; nelle facce interne dei pilastri, due rettangoli a marmi e a mosaici: quello di sin., con angelo a encausto, ricorda il luogo dove, secondo la tradizione, il 25 giugno 1094 fu rinvenuto il corpo di S. Marco, del cui nascondiglio si era persa memoria durante la ricostruzione della Basilica. Nel sottarco a d. dell'altare (50), 2 *santi vescovi* a mosaico; alla parete, *S. Pietro in trono*, bassorilievo proveniente dall'antico altare di

S. Pietro (v. pag. 237); nell'arcata a sin. (51), *Madonna col Bambino*, grande bassorilievo bizantineggiante del sec. XIII e, nel sottarco, *Ss. Omobono e Bonifacio*, a mosaico. Il pavimento della cappella conserva parte della decorazione musiva originaria del sec. XI-XII (donna che suona la viola, cavallo alato, leone che azzanna il lupo, aquila che assale un quadrupede).

Oltrepassato l'accesso alla cappella di S. Clemente (v. sotto), si passa nella CROCIERA (agli angoli, su mensole sporgenti dagli spigoli dei pilastri che sostengono la cupola centrale, 4 **angeli dell'Apocalisse*, in marmo dorato, di arte antelamica della fine del sec. XII; nel pavimento, lastre di marmo preconnesio, arte later, che segnano i limiti dell'antico coro del sec. XI-XII). Al pilastro a d. del presbiterio si appoggia l'*ambone delle reliquie* (52), di forma poligonale, sorretto da sette colonne di marmi preziosi e con parapetto a lastre di porfido e diaspro, ricomposto, con materiali diversi, all'inizio del sec. XIV (accanto alla scaletta, pregevole pluteo con pavoni, arte bizantina del sec. X); da questo pulpito il doge appena eletto si mostrava al popolo e nelle feste si esponevano le reliquie. In alto, *Madonna col Bambino*, statua trecentesca attribuita a Giovanni Bon. Al pilastro a sin. del presbiterio è addossato l'*ambone doppio* (53), pure ricomposto con materiali diversi nel sec. XIV. È formato da due pulpiti sovrapposti: l'inferiore, per l'Epistola, ottagonale su nove colonne di marmi preziosi e con parapetti di verde antico; il superiore, per il Vangelo, sorretto da sette colonnine, col parapetto formato da cinque plutei semicilindrici e coperto da una cupoletta di tipo orientale, in bronzo dorato, sorretta da sei colonnine in marmo rosso. Il leggio del pulpito inferiore poggia su un angelo turiferario dorato, quello del superiore su un'aquila, due sculture bizantine forse del sec. XII. Il presbiterio (sopraelevato sulla cripta mediante uno stilobate con 16 arcatelle marmoree di arte bizantina del sec. X, resto della primitiva basilica dell'Orseolo; vi si accede dalla cappella di S. Clemente) è separato dal resto della chiesa dall'imponente **iconostasi* (54) in marmi policromi; su un parapetto in lastre marmoree poggiano otto colonne in rosso broccatello veronese, che reggono l'architrave articolato in piedestalli; su questi sono: al centro, una grande *Croce* (m 2.50) a trilobi in bronzo e argento con figure a sbalzo, dell'orafo veneziano Jacopo di Marco Bennato (recto, Cristo e i simboli degli Evangelisti; verso, S. Marco e 4 Dottori della Chiesa), e ai lati, la *Madonna, S. Giovanni* e i 12 *Apostoli*, sculture marmoree dovute a Jacobello e Pier Paolo Dalle Masegne (1396), che possono considerarsi il capolavoro della scultura gotica veneziana.

Per il sottarco (55) coi *Ss. Bacco e Sergio*, mosaici di Lazzaro Bastiani (sec. XV-XVI), e sottopassando la 3ª cupoletta, si sale alla

CAPPELLA DI S. CLEMENTE. È preceduta da un'iconostasi (56) simile a quella del presbiterio, in marmi policromi; l'architrave, sorretto da quattro colonne, è ornato con statue della *Madonna col Bambino* e delle *Ss. Cristina, Chiara, Caterina e Agnese*, sculture del 1397 firmate da Jacobello e Pier Paolo Dalle Masegne (nel sovrastante sottarco, *Ss. Filippo e Giacomo* a mosaico). La cappella è formata da un ambiente quadrato (57), con abside a cinque nicchie, che prende luce dall'alto da un'apertura intorno alla quale gira una cornice a palmette, probabilmente resto della basilica primitiva (sec. IX)). Alla parete d., sopra la porta (58) di comunicazione col Palazzo Ducale, *Abele e Caino*, mosaici di stile veneto-ravennate del sec. XII; più in alto si apre la finestrella da cui il doge poteva assistere privatamente alle funzioni, ed è situata un'iscrizione, frammentaria, con la data 1159, forse posta a ricordo dell'inizio dei lavori di rivestimento delle pareti della Basilica con lastre di marmo. Nella calotta dell'abside (59), *S. Clemente*, mosaico in stile bizantino del sec. XII. All'altare è una pala formata da due riquadri marmorei: in alto, *Madonna* attribuita al Pirgoteles (1465), tra le statue dei *Ss. Marco* e *Bernardino*, forse di altro autore del sec. XV; in basso, i *Ss. Andrea, Jacopo e Nicolò venerati dal doge Andrea Gritti*, già sull'altare della cappella di S. Nicolò in Palazzo Ducale. Nel sottarco (60), *Cristo in trono con la Vergine orante*, mosaico rifatto da Pietro di Zorzi (1509); inferiormente (al pilastro d.), *tabernacolo delle reliquie* in marmi policromi, opera gotica (1387-88) di arte dei Dalle Masegne.

Da qui si accede (ingresso a pagamento; giorni e ore di visita, pag. 218) al PRESBITERIO (per i mosaici, v. pag. 229). A sin., nella zona verso la navata, isolato, il trono patriarcale in legno realizzato nel 1895 su disegno di Pietro Saccardo; alle pareti, in alto, due piccole tribune col parapetto ornato da bassorilievi in bronzo, opera di Jacopo Sansovino (1537-44; *Miracoli* e *Martirio di S. Marco*). A d., separata da una balaustra marmorea ornata da pregevoli *statue bronzee (*Evangelisti* di Jacopo Sansovino, 1550-52; *Patriarchi* di Girolamo Paliari, c. 1614), è la zona mediana. Al centro è l'altar maggiore (*v*), in marmo pario e verde antico, che custodisce l'urna contenente il corpo di S. Marco (visibile dalla grata bronzea), qui trasferita nel 1835 dalla cripta. Sovrasta l'altare un ciborio con baldacchino quadrifronte in verde antico, ornato in alto da 6 statue (sul davanti, *Cristo* fra *S. Marco* e *S. Giovanni*, sec. XIII; dietro, il *Redentore*, sec. XVIII, fra *S. Matteo* e *S. Luca*); lo sorreggono quattro *colonne di alabastro orientale, alte m 3, con capitelli del sec. XII, interamente scolpite con *storie sacre* ispirate ai Vangeli apocrifi e canonici. La critica, unanime nel giudicare tali sculture di straordinario interesse ar-

tistico e iconografico, discorda tuttora nel classificarle come stile
e come epoca: per lo stile le ipotesi variano dal siriaco al ravennate, dal greco al veneziano, con una certa insistenza nel ritenere
le due posteriori di diversa mano di quelle anteriori; per l'epoca si
va dal sec. V al XIII.

Listelli con didascalie latine a caratteri romanici dividono ciascuna colonna in nove zone sovrapposte, nelle quali le figure, ad altorilievo, trovano posto entro nicchie a conchiglia tra colonnine. Colonna posteriore
sin.: *episodi della vita di Maria* (dal Rimprovero del sommo sacerdote a S.
Gioachino allo Sposalizio della Vergine); colonna anteriore sin.: *episodi
della vita di Maria e di Gesù* (dall'Annunciazione alla Moltiplicazione dei
pesci); colonna posteriore d.: *episodi della vita di Gesù*; colonna anteriore
d.: *Passione e morte di Gesù* (dall'Entrata in Gerusalemme alla Trasfigurazione).

Dietro l'altar maggiore (verso il quale si presenta coperta da una
pala feriale, sostituita periodicamente), è la ***pala d'Oro** (m
1.40 × 3.48), elaboratissimo lavoro di oreficeria bizantina e veneziana risultato di vari interventi e modifiche. L'ultimo di questi,
voluto dal futuro doge Andrea Dandolo, fu realizzato nel 1342
dall'orafo veneziano Giovanni Paolo Boninsegna (di cui si scoprì
la firma in un restauro del 1847). A lui si deve la creazione della
notevole struttura gotica, in argento dorato (impreziosita con
perle, smalti e pietre pregiate), a due registri in partiti architettonici su uno o più ordini, entro cui incastonò una ricchissima
serie di smalti bizantini di varie epoche (secc. X-XII). La prima
pala d'oro, ordinata a Costantinopoli dal doge Pietro Orseolo I
(976-78), fu arricchita e ricomposta prima per cura del doge Ordelaffo Falier (1105) e quindi nel 1209 per volere del doge Pietro
Ziani (in questa occasione furono aggiunti i sette grandi smalti
del registro superiore, forse proveniente dal monastero del Pantocrator di Costantinopoli e giunti a Venezia nel 1204, al tempo
della 4ª crociata).

Nel registro superiore sono: al centro, in un riquadro rettangolare, entro
una cornice quadrilobata, l'*arcangelo Michele*, grande smalto bizantino
(metà sec. XII), e tutt'intorno 16 medaglie di *santi*, pure a smalto (sec.
X-XI); a d. e a sin. tre arcatelle con foglie rampanti, su colonnine, incorniciano 6 splendidi grandi smalti, raffiguranti, da sin., l'*Entrata in Gerusalemme*, la *Discesa al Limbo*, la *Crocifissione*, l'*Ascensione*, la *Pentecoste* e
la «*Dormitio Virginis*», anche questi di arte bizantina (metà sec. XII); tra
le arcatelle, alla loro base e alle estremità, altre medaglie a smalto alternate a ornati e incastonature di pietre. Attorno gira una cornice a smusso,
finemente sbalzata, con piccoli busti e piccole medaglie a smalto di santi,
di epoca precedente, forse appartenenti alla pala dell'Orseolo.
Nel registro inferiore, il riquadro centrale include un grande smalto del
Redentore benedicente («Pantocrator»), proveniente da Costantinopoli
(sec. XII), circondato da 4 tondi con gli *Evangelisti* e sormontato da 5

smalti con la *Preparazione del trono* («Etoimasia») in mezzo, e *angeli adoranti* ai lati, tutti di fattura probabilmente veneziana del Trecento (del Boninsegna?). Ai lati e sotto, 39 nicchie tra pinnacoli, su tre ordini con smalti da Costantinopoli: nel più alto (*angeli turiferari*) e nell'inferiore (*Profeti*), ad arco pieno con ghiera carenata; in quello intermedio, ad arco ogivale e cuspide (*Apostoli* e *Santi*). Nei tre smalti sotto il riquadro di mezzo sono raffigurati la *Vergine*, l'*imperatrice Irene* e l'*imperatore Giovanni II Comneno* (quest'ultimo trasformato nel *doge Ordelaffo Falier*); ai lati, due laminette con iscrizioni, in cui sono sinteticamente narrate le vicende della pala. Sopra e ai lati di questo superbo polittico in miniatura, corre una fascia con 27 piccoli riquadri a smalto: in alto, 17 *scene evangeliche* e ai lati, 10 *storie di S. Marco*, appartenenti probabilmente alla pala del Falier (1105), opera di artisti greci a Venezia.
Secondo un inventario del 1796, nella pala sono incastonate 1300 perle, 400 granati, 300 zaffiri, 300 smeraldi, 90 ametiste, 75 balasci, 15 rubini, 4 topazi, 2 cammei e più di 80 smalti.

La zona absidale del presbiterio, nella quale si aprono tre nicchioni, è decorata da colonne con capitelli bizantini del sec. XI (fra queste, alle pareti, coro seicentesco con 6 statue di *santi* in terracotta bronzata, di Pietro da Salò). Nel nicchione centrale, preceduto da sei colonne in marmi pregiati e in alabastro (di notevole trasparenza) reggenti l'architrave del baldacchino, distrutto, è l'elegante *altare del Sacramento*, con «antipendium» di diaspro orientale. Lo decorano *S. Francesco* e *S. Bernardino*, piccole sculture di Lorenzo Bregno (principio sec. XVI); lo sportello in bronzo dorato del tabernacolo (*Cristo fra gli angeli*) è opera di Jacopo Sansovino. Altro capolavoro dello stesso è la *porta della sagrestia, in bronzo (1546-69), che si apre nel nicchione di sinistra (nei riquadri, due bassorilievi con *Cristo deposto* e *Risurrezione*, firmata; nella cornice, teste di *Evangelisti* e *Profeti*, autoritratto e ritratti dell'*Aretino, Tiziano, Veronese, Palladio*).
Sottopassando l'arco (61) che si apre alla parete sin. del presbiterio (nella volta, *papa Pelagio II concede a Elia, patriarca di Grado, la giurisdizione dell'Istria e della Dalmazia*, a mosaico; in basso a d., *tabernacolo delle reliquie*, opera gotica del 1387-92, dei Dalle Masegne), si accede alla CAPPELLA DI S. PIETRO. Simmetrica alla cappella di S. Clemente, è come questa composta da un ambiente a pianta quadrata (62), con abside a cinque nicchie, preceduto da iconostasi (63) di marmi policromi ornata con statue di *Maria* e delle *Ss. Maddalena, Cecilia, Elena* e *Margherita*, dei Dalle Masegne (fine sec. XIV). Nel sottarco (64), *Ss. Andrea* e *Matteo* a mosaico; nella lunetta alla parete sin. (65), *Ss. Teodoro* e *Pantaleone* pure a mosaico (sotto si apre la porta che immette nel cortiletto dove sorge la chiesetta di S. Teodoro, v. pag. 238). Nel catino absidale, *S. Pietro*, mosaico del sec. XIII; all'altare, *S. Pietro adorato da 2 procuratori*, pala marmorea ri-

composta del sec. XIV; dietro, nella nicchia mediana (66) fra due colonne con capitelli bizantini, è l'accesso alla sagrestia.

La SAGRESTIA è un'elegante costruzione rinascimentale di Giorgio Spavento (1486-90), con volta a vele su slanciati piedritti, rivestita di mosaici di Marco Luciano Rizzo, Alberto Giglio e Francesco Zuccato, su cartoni di Tiziano e altri artisti. Nella volta, *Cristo fra i 4 Evangelisti* e, intorno, *Profeti*; nelle lunette alle pareti maggiori, i 12 *Apostoli*, *S. Marco* e *S. Paolo*; sopra la porta d'ingresso, *Padre Eterno in gloria*, di Jacopo Pasterini su cartone del Padovanino (1619-21); nelle sovrastanti lunette, la *Vergine* e i *Ss.Teodoro e Giorgio*. In fondo alla sagrestia, alle pareti, armadi rinascimentali (1496) con intagli e intarsi di Antonio e Paolo da Mantova (sugli armadi ai lati, *storie di S. Marco* e prospettive) e di Sebastiano Schiavone e Bernardino Ferrante (vedute prospettiche).

Dalla cappella di S. Pietro, per la porta alla parete sin. e un vestibolo, si passa in un cortiletto, dominato a d. da un poderoso contrafforte della Basilica, eretto nel sec. XVI. Infissi nei muri, frammenti architettonici e decorativi di varie epoche (secc. XI-XVI), recuperati dalle successive ricostruzioni o restauri della Basilica. In fondo è la chiesetta di *S. Teodoro*, costruita in forme rinascimentali alla fine del Quattrocento da Giorgio Spavento. Nella lunetta sopra il portale, *S. Teodoro*, mosaico tardoquattrocentesco su cartone di Lazzaro Bastiani. L'interno è a pianta rettangolare, con volte a crociera e abside articolata in cinque alte nicchie; alla parete sin., **Adorazione del Bambino*, splendida tela di G.B. Tiepolo (1732).

Dalla cappella di S. Pietro, si scende sotto la 6ª cupoletta. A d. è la scaletta che scende alla CRIPTA della Basilica contariniana (sec. XI), dove nel 1094 venne deposto il corpo di S. Marco, dal 1835 custodito nell'altar maggiore (per la visita, rivolgersi al custode).

Il vasto ambiente, che occupa l'area sottostante al presbiterio e alle cappelle laterali, ha volte a crociera sostenute dai muri perimetrali e da 50 basse colonne di marmo greco con capitelli cubici arrotondati. Al centro, in uno spazio delimitato da plutei marmorei, è l'altare con la *Vergine col Bambino e i Ss. Pietro, Marco, Caterina e Orsola*, rilievo marmoreo del 1494, forse del Pirgoteles, già pala della confraternita dei Mascoli che qui ebbe sede dal 1222 al 1618 (le volte di fronte all'altare mantengono resti di affreschi tardogotici). Dietro l'altare, grande masso di pietra entro cui, durante i restauri del 1811, fu rinvenuta la cassa con le ossa di S. Marco. Davanti a questa cripta, verso il centro della Basilica, si apre un altro ambiente più basso (dislivello m 0.37), forse cripta della Basilica del sec. IX.

Dalla 6ª cupoletta, per il sottarco (67) con *Elia e Mosè*, mosaici di Lorenzo Ceccato (1593), si accede al TRANSETTO SINISTRO (per i mosaici v. pag. 230 e 246). Al pilone d. (68) è addossato l'**altare di S. Paolo*, elegante lavoro di scultura rinascimentale commissionato, come il simmetrico altare di S. Giacomo, dal doge Cristoforo Moro; il paliotto marmoreo col bassorilievo della *Conversione di S. Paolo* è attribuito a Pietro Lombardo; la statua di *S. Paolo* è lombardesca. Segue la CAPPELLA DELLA MADONNA NI-

COPEIA (69), ricavata dalla chiusura, con transenne di marmi scuri e sportelli metallici, della navata destra. Nei sottarchi, mosaici decorativi (70, 72), i *Ss. Canzio e Canziano* (71), *Macario e Antonio* (73). Ai lati dell'altare, candelabri bronzei di Camillo Alberti (1520); alla parete d., *Madonna col Bambino*, a quella sin., *santi*, due bassorilievi di arte bizantina del sec. XI-XII. Sull'altare, opera di Tommaso Contin (1617), con ciborio sorretto da preziose colonne, è l'immagine, ritenuta miracolosa, della **Madonna Nicopeia** (operatrice di vittoria), pittura bizantina su tavola della 1ᵃ metà del sec. XII, entro preziosa cornice, scompartita in 16 riquadri con figure di *santi* a smalto (sec. XI-XIII); del 1618 è la cornice esterna conclusa da timpano con *angeli* d'argento.

È detta anche «Odegetria», la Conduttrice, in quanto tali immagini venivano portate dagli imperatori di Bisanzio in testa all'esercito. Si pensa che appartenesse al convento di S. Giovanni teologo di Costantinopoli, e che sia stata portata a Venezia come parte del bottino della 4ᵃ crociata (1204); dal 1234 è presente in S. Marco. Da secoli considerata protettrice di Venezia, l'immagine viene esposta sull'altar maggiore nelle feste solenni. Di solito è chiusa in una custodia in bronzo con le immagini a rilievo dei *Ss. Giovanni Evangelista e Luca*.

Alla parete di fondo della navata centrale del transetto, è la porta (74), con cancelli bronzei trecenteschi, ornata negli stipiti da rilievi veneto-romanici del sec. XIII, d'accesso alla *CAPPELLA DI S. ISIDORO (75). Venne costruita (1354-55) per volere del doge Andrea Dandolo per custodire il corpo di S. Isidoro, portato da Chio a Venezia nel 1125 dal doge Domenico Michiel, e rimasto occultato fino al 1342. L'interno, a pianta rettangolare con volta a botte, è decorato in alto da *mosaici del sec. XIV, di vigorosa fattura tardoromanica. Nelle lunette: alla parete di fondo, sopra l'altare, iscrizione relativa alla costruzione della cappella e *Cristo tra i Ss. Marco e Isodoro*; di fronte, *Madonna col Bambino tra i Ss. Nicola e Giovanni Battista*. Alle pareti maggiori, su due ordini, *episodi della vita di S. Isidoro, trasporto e sepoltura*.

Parete d., zona superiore: Partenza del santo da Alessandria con Amenione, Arrivo a Chio, I due santi pregano, Il santo esorcizza Valeria e Afra, Il santo battezza le donne di Chio; zona inferiore: Il santo dal re Anumeriano, Il santo gettato in fornace, Il santo legato alla coda di un cavallo, Decollazione del santo. Parete sin., zona superiore: Arrivo a Chio del doge Domenico Michiel, Il prete Cerbano trafuga il corpo del santo, Il doge rimprovera Cerbano, Trasporto del corpo del santo su navi veneziane; zona inferiore: Sepoltura del santo, Il corpo del santo portato in S. Marco.

Entro arcosolio marmoreo decorato all'esterno da *Angelo annunziante* e *Annunciata* (belle statue di arte veneziana del Trecento), e nell'intradosso da allegorie in rilievo di fattura medievalizzante, è l'altare. Sopra si trova il sarcofago contenente le reliquie del santo, ornato sul prospetto dalle figure in altorilievo del *Redentore* e dei *Ss. Giovanni Battista* e *Isidoro*, e da formelle con *episodi della vita di S. Isidoro*; sopra il sarcofago è la *figura giacente del santo*, scultura riferibile alla scuola dei De Sanctis (sec. XIV), e alla parete, angelo turiferario.

Nella navata sin. del transetto (nel sottarco mediano, 76, *Ss. Giustina e Marina* a mosaico), dietro la seconda colonna (77), *acquasantiera* in marmo greco con angeli, notevole opera romanica forse del sec. XII. Quasi di fronte è la porta (78) della Madonna (o di S. Giovanni), che immette nell'atrio: nella sovrastante lunetta, inscritta in un arco polilobato di tipo moresco, *S. Giovanni Evangelista*, mosaico del sec. XIII (nel pavimento, frammento della decorazione musiva primitiva del sec. XI-XII, con due galli che portano sopra un bastone la volpe, allegoria dell'astuzia vinta dalla vigilanza). In fondo alla navata è l'ingresso alla *CAPPELLA DELLA MADONNA DEI MASCOLI (79; chiedere al custode), cosiddetta perché dal 1618 sede di una confraternita di soli uomini. Fondata nel 1430, la cappella presenta la parte alta rivestita di *mosaici, tra i più interessanti della Basilica sia per la perfezione tecnica sia perché considerati quasi anello di congiunzione tra l'antica scuola veneta e quella rinascimentale; la loro attribuzione pone problemi di non sempre facile soluzione.

Nella lunetta, *Annunciazione*; a sin., *Natività di Maria* e *Presentazione al tempio*, opera di Michele Giambono già firmata e datata (1430-50). A d., la *Visitazione* e il *Transito di Maria* che, se pure parzialmente si devono allo stesso Giambono, vengono attribuiti variamente: la Visitazione a Jacopo Bellini con riflessi mantegneschi; nel Transito sembra che al Giambono e al Bellini siano da attribuire solo il gruppo degli Apostoli a d., mentre le altre più monumentali figure possono riferirsi alla ideazione di Andrea del Castagno, presente a Venezia nel 1432. A quest'ultimo sembra si possa attribuire anche l'architettura classicheggiante, con le bellissime teste nei clipei dell'arco di trionfo.

A d. dell'ingresso della cappella, *Madonna orante*, bassorilievo bizantino; l'altare (datato 1430), in stile gotico fiorito attribuito a Giovanni Bon, è sormontato da un trittico marmoreo con statue della *Madonna* e dei *Ss. Marco e Giovanni Evangelista* e, nel paliotto, 2 angeli incensieri.

Proseguendo la visita, per il sottarco (80) con i *Ss. Basso e Ubaldo* a mosaico e, al pilastro, altro bassorilievo bizantino (*Madonna orante*), si passa sotto la 5ª cupoletta. Nel sottarco a sin. (81), i *Ss. Paolo e Giovanni* a mosaico; al pilastro, *Madonna col Bambino*, grande bassorilievo di arte veneziana bizantineggiante del sec. XIV (detta «Madonna dello schioppo» dall'ex voto appesovi). Nel sottarco di fronte (82), i *Ss. Modesto e Vito*.

Per il sottarco a d. (83), coi *Ss. Giuliano martire e Basilissa* a mosaico, si passa nella NAVATA SINISTRA del piedicroce. Sotto la quarta arcata (84) è il cosiddetto *capitello del Crocifisso, edicola esagonale formata da sei colonne di marmo africano bianco e nero, con capitelli bizantini dorati, sostenenti, su archetti a sesto rialzato, una bassa piramide marmorea sormontata da un prezioso blocco di agata orientale (cm 31 di diametro); sulle colonne frontali, *Angelo annunciante* e *Annunciata*, due piccole sculture trecentesche. All'altare, *Crocifisso* ligneo dipinto, opera veneto-toscana del sec. XIII (secondo una tradizione fu invece portato nel 1205 da Costantinopoli; è considerato miracoloso perché avrebbe sanguinato dopo asser stato colpito con una pugnalata da un popolano di Cannaregio). Si continua nella navata, separata dalla mediana da archi su colonne, nei cui intradossi (85, 86, 87, 88), mosaici con i *Ss. Nazario e Feliciano, Felice e Fermo*, e decorazioni ornamentali. Sotto l'ultima arcata (89), acquasantiera con vasca di marmo bardiglio su fusto di verde antico. Alla parete d., incastonati nel rivestimento marmoreo, 5 *riquadri a mosaico del 1250 c., notevole espressione di arte romanico-gotica italiana (al centro, *Cristo benedicente*; ai lati i *profeti Geremia, Michea, Gioele e Osea*). Per il seguente sottarco (90) coi *Ss. Paolo e Gerardo martiri* a mosaico, si passa sotto la 4ª cupoletta. Nel sottarco sin., *Ss. Giorgio e Teodoro* a mosaico; alla parete (91), *Madonna orante*, bassorilievo bizantino, e quattro colonne sempre bizantine. Sul fondo si apre la porta di S. Pietro che immette nell'atrio.

In fondo alla navata d. del braccio d. del transetto è l'accesso (40) al ***Tesoro di S. Marco**, costituito nel sec. XIII con la raccolta di oggetti liturgici e reliquiari portati a Venezia dopo la conquista di Costantinopoli (1204). Continuamente accresciuto – nonostante il furto perpetrato dal cretese Stamati nel 1448 e il saccheggio del 1797, seguito alla caduta della Repubblica – rimane uno dei più ricchi tesori della Cristianità, soprattutto per il cospicuo numero di pezzi di oreficeria liturgica bizantina dei secc. XI e XII. Aperto al pubblico nel 1884, occupa tre piccoli ambienti (antitesoro, santuario e tesoro) restaurati nel 1938. Giorni e ore di visita, pag. 218.

Si accede all'ANTITESORO (w; adibito anche a biglietteria), piccolo andito dove sono collocate: una statua di *S. Marco* in argento cesellato, opera di Francesco Francesconi (1804); la cosiddetta *cattedra di S. Marco*, monolito di marmo cipollino orientale, d'arte alessandrina (sec. VI-VII), secondo una tradizione donata nel 630 dall'imperatore Eraclio, che l'avrebbe asportata da Alessandria, al patriarca di Grado, Primicerio (vi sono raffigurati: l'albero della vita, l'agnello mistico, i 4 fiumi biblici e i simboli dei 4 Evangelisti). A sin. dell'antitesoro, è la porta che immette nel SANTUARIO

(x; attualmente, 1984, chiuso per salvaguardare la sacralità del luogo).
Entro undici nicchie ricavate nello spessore dei muri, sono custoditi circa
115 reliquiari, con reliquie relative alla Passione e a vari santi venerati dai
Veneziani. Vi sono notevoli lavori di oreficeria bizantina dal sec. X al XIII
(fra questi, il cosiddetto *braccio di S. Pantaleone*, con pietre, filigrana e
smalti del sec. X), e pregevoli opere di arte gotica veneziana del sec.
XIV-XV. Sopra l'altare del 1530, *Cristo benedicente e gli apostoli*, grande
altorilievo marmoreo, per alcuni di arte romanica del sec. XII-XIII, per altri
opera bizantina (sec. VI?). Sotto la figura di Cristo, tabernacolo pensile
contenente il *reliquiario* del preziosissimo sangue di Cristo, inviato a Venezia dal doge Enrico Dandolo nel 1204 (entro un ostensorio gotico del
sec. XIV e XV è un vasetto vitreo chiuso da un disco di diaspro, legato in oro
con smalto del sec. XI, rappresentante la Crocifissione). Appesa di fronte,
lampada gotica trecentesca; al sommo della parete, 2 *angeli che sorreggono Cristo benedicente in gloria*, rilievo analogo per stile al precedente.
A d. dell'antitesoro è il TESORO (y) propriamente detto, ambiente a pianta
quadrangolare che, per lo spessore del muro verso ovest, è ritenuto il resto
di una delle torri angolari del Castello ducale del IX secolo. La sistemazione della sala è attualmente (1984) da considerarsi non definitiva. Nella
grande vetrina centrale a tre moduli, ordinata nel 1982, è esposta una significativa scelta delle opere di maggior rilievo. Nel primo modulo, verso
l'ingresso, al ripiano inferiore, *vaso* in alabastro con coperchio di arte egiziana (500-300 a.C.) e altro *vaso* in alabastro di arte egiziana (1600-1000
a.C.); al ripiano superiore, 2 *anfore* (una in sardonica, l'altra in agata) di
arte persiana (IV-V sec.) o bizantina (VII sec.); in alto, *lampada* in cristallo
di rocca, di arte romana della fine del sec. IV con montatura bizantina.
Seguendo a d. il primo modulo, dal basso, *coppa* in cristallo di rocca, arte
romana (sec. I); *ampolla* in onice, sempre di arte romana (II-III sec.), e *secchio* diatrete in vetro con scena mitologica, arte bizantina (VI-VII sec.?).
Nella prima zona del secondo modulo, sempre dal basso, *icona della Crocifissione* di arte bizantina del sec. XI-XIII, con iscrizioni e smalti del sec.
XI-XII ricomposti e incorniciati nell'Ottocento, e altra *icona della Crocifissione* in lamina d'oro a sbalzo, opera bizantina del sec. XII, con cornice interna veneziana (XIII sec.) e cornice esterna ottocentesca; *stauroteca della
santa Croce*, arte bizantina della fine del sec. XIII. Nella seconda zona è
una serie di *calici*, provenienti da Costantinopoli, dei secc.X-XI e XII (notevole il calice in calcedonia di Sisinnio, del 963 circa); sono inoltre un'*acquasantiera* in cristallo di rocca, opera bizantina del sec. X-XI, e un *vaso* in
vetro dipinto con scene mitologiche (Costantinopoli, sec. XI).
Nel terzo modulo: *navicella* in pietra (Costantinopoli, sec. X-XI); *patena* in
alabastro (Costantinopoli, sec. XI?); *lampada* in vetro, arte bizantina (sec.
X-XI); *patena* in vetro a nido d'ape (Costantinopoli, sec. X-XI); *lampada* in
vetro a dischi e punti salienti, forse appartenuta a S. Zaccaria, arcivescovo
d'Imeretia (montatura moderna). Al settore seguente, al ripiano inferiore,
bruciaprofumo in argento sbalzato e dorato, a forma di tempio cupolato,
opera d'arte romanico-bizantina dell'Italia meridionale (sec. XII-XIII);
inoltre, 16 smalti con busti di *santi*, di arte bizantina dei secc. X-XII, e *calice* in argento dorato e cristallo di rocca (arte bizantina sec. X-XI); al secondo ripiano, *patena* in vetro con manico (Costantinopoli, sec. XI-XII) e
calice in vetro (Costantinopoli, sec. X-XI); al terzo ripiano: *patena* in alabastro (Costantinopoli, sec. X-XI); *corona* votiva dell'imperatore Leone VI

(Costantinopoli, sec. X), già adattata a sostegno di un'edicola in cristallo di rocca (Costantinopoli, sec. X-XI?), mediante montatura veneziana del 1300 circa (dentro era la statuetta della Vergine in argento dorato, posta sullo stesso ripiano). Il settore sin. del terzo modulo conserva, dal basso, *patena* in onice-agata (arte bizantina, sec. XI-XII) e *lampada* in vetro (arte bizantina sec. X-XI); vaso in vetro (Costantinopoli, sec. X-XI); *lampada* in cristallo di rocca a forma di pesce, arte bizantina del sec. X-XI con sistema di sospensione moderna, e altra *lampada* in avorio (Costantinopoli, sec. X). Segue il settore sin. del secondo modulo: nella prima zona è una serie di *calici* dei secc. X, XI e XII; nella seconda zona, dal basso: *icona dell'arcangelo Michele* (Costantinopoli, 1ª metà sec. XI); *icona dell'arcangelo Michele*, a mezzo busto (Costantinopoli, 1ª metà sec. XI) con cornice interna in filigrana d'argento, lavoro veneziano del sec. XIII e cornice esterna ottocentesca con smalti bizantini del sec. XI. Nel seguente settore sin. del primo modulo: *busto di Giove Serapide* in alabastro, arte egiziana del sec. II; *vaso* in porfido nero (arte egiziana, 3500-2800 a.C.); *secchio* diatrete in vetro con scena di caccia, lavoro bizantino (sec. VI-VII?).

Nelle vetrine alle pareti, ancora da ordinare in modo definitivo, sono attualmente esposti oggetti liturgici e lavori di oreficeria di varie epoche e stile (i più antichi, di arte bizantina del sec. X-XI). Fra le varie opere esposte: nella 2ª vetrina da d., un vaso in argento dorato, custodia dell'ampolla della reliquia del preziosissimo sangue (Costantinopoli, sec. XI), e 4 *icone* con decorazione musiva in miniatura (frammenti); arte bizantina sec. XIV); nella 3ª vetrina, *cassettina reliquario* in argento dorato coi gigli di Francia, realizzata a Parigi intorno al 1370, già appartenuta a Carlo VIII e bottino della battaglia di Fornovo (1495), e *legatura del Vangelo di S. Marco* in argento sbalzato, lavoro di arte veneziana del secondo quarto del sec. XIV (recto, *S. Marco riceve da S. Pietro l'ordine di scrivere il Vangelo*; verso, la *Crocifissione* e *S. Pietro consegna il pastorale al vescovo Ermagora presentato da S. Marco*). Nella 5ª vetrina: *stocco* (Roma, 1689) donato da papa Alessandro VII a Francesco Morosini il Peloponnesiaco; *croce* astile in cristallo di rocca e argento dorato (firmata Jacopo di Filippo padovano, 1484), con base del sec. XVII; legatura di evangeliario con *Cristo in trono e i simboli degli Evangelisti*, in argento sbalzato (1230-40 c.); la *rosa d'oro* firmata dall'orafo romano Filippo Borgognoni, donata alla Basilica nel 1833 da papa Gregorio XVII. Alla parete d., sopra un piedestallo, *urna* in diorite, opera di arte egiziana (465-425 a.C.) proveniente da Persepoli, che secondo una tradizione conteneva le ceneri di Artaserse I. Alla parete sin., alle estremità, 2 *candelabri* in argento dorato dono del doge Cristoforo Moro, di ricchissima fattura gotico-veneziana; presso questi, più al centro, 2 colonne di marmo verde antico, con notevoli capitelli dorati, su cui sono l'*Annunciata* e l'*arcangelo Gabriele*, belle sculture della cerchia dei Dalle Masegne. Tra le colonne, in basso, paliotto di S. Marco in argento dorato, già sull'altar maggiore della Basilica: è opera di arte veneziana del sec. XIII-XIV pesantemente rimaneggiata fra il 1855 e il 1880 (vi sono raffigurati, nell'ordine superiore, *Cristo benedicente tra la Vergine e santi*; nell'ordine inferiore, *S. Marco* ed *episodi della vita del santo*). In alto, *paliotto in argento dorato a sbalzo e cesello, di arte veneziana (inizi sec XV), donato dal papa Gregorio XII – il veneziano Angelo Correr – alla cattedrale di S.

Pietro di Castello (vi sono raffigurati, su due ordini, *Cristo in trono fra gli Apostoli*, e *S. Pietro*, altri *santi* ed emblemi papali).
Presso la porta d'ingresso, sopra un piedestallo, *ciborio da altare in marmo preconnesio, opera alessandrina forse del sec. VI (l'infisso liturgico riproduce il ciborio del Santo Sepolcro di Gerusalemme: l'«Anastasis»).

MOSAICI DELLE CUPOLETTE E DELL'ORDINE SUPERIORE DELLE PARETI. Dall'atrio, per la piccola porta a d. del portale maggiore si accede alle scale che salgono all'interno della chiesa all'altezza delle gallerie, dove sono situati anche gli ambienti del Museo di S. Marco (giorni e ore di visita, pag. 135). Lasciando alle spalle i primi tre ambienti del Museo (pag. 247), si inizia la visita dalla prima cupoletta (1a) della NAVATA DESTRA del piedicroce. Nel sottarco sin. (*a*), *figure* simboliche, mosaici del 1585; nella cupola, *Cristo sorretto da angeli e dagli Evangelisti* (questo mosaico e quelli delle altre cupolette non specificati, sono del sec. XVI-XVII); nella lunetta d. (*b*), *angeli araldi e Profeti*, mosaico del 1615-20 su cartone di Maffeo da Verona, autore anche del cartone del mosaico (con *L'omaggio dei potenti della terra a Cristo in trono*) del sottarco (*c*), che si sottopassa proseguendo lungo le gallerie. Alla parete d., nel lunettone, *S. Simeone apostolo abbatte la statua del sole* e *S. Giuda apostolo quella della luna*, mosaico del principio del sec. XIII, di stile composito; inferiormente a questo, la vasta scena, in 6 episodi, dell'**Orazione nell'orto*, realizzata intorno al 1220 e che, per ispirazione ed esecuzione, è uno dei più alti prodotti della scuola romanico-gotico veneziana. Nel grande sottarco, la *Sinagoga* e la *Chiesa* affrontate, mosaici rifatti su cartoni di Tintoretto e dell'Aliense. Seguono, *storie degli apostoli*, gruppo di mosaici della 1ª metà del sec. XIV, ancora nella tradizione bizantino-ravennate della scuola veneziana, con evidenti ricordi paleocristiani.

Da sin.: S. Filippo apostolo predica tra gli Sciti, Fa abbattere gli idoli, Subisce il martirio e Viene sepolto a Hierapoli; S. Giacomo minore fatto precipitare dal tempio dai Farisei, Finito con un colpo di scure e sepolto; Predicazione in India di S. Bartolomeo e suo martirio; S. Matteo battezza il re d'Etiopia Fulvano e la sua famiglia e viene ucciso mentre celebra la messa (interessante l'altare, illuminato dalla lampada, con il calice a due anse e il messale aperto).

Per il sottarco (*d*) con la *Strage degli innocenti*, su cartone di Pietro Vecchia (1652-53), si passa sotto la seconda cupoletta (2a), con *Gesù, Maria* e *angeli*. Nel sottarco sin. (*e*), i *Ss. Leumone ed Ermolao, Cosimo e Damiano*, su cartone di Domenico Tintoretto (1603-1609); nel sottarco di fronte (*f*), i *Ss. Liberale e Basilio*, su cartone di Pietro Vecchia, autore anche dei cartoni del sottarco di d. (*g*), coi *Ss. Costantino, Elena* e *Sepoltura di S. Marco*. La

galleria prosegue nella navata d. del TRANSETTO DESTRO. Nel lunettone tra le finestre, *Presentazione di Maria al Tempio*, mosaico del sec. XVII. Alla sottostante parete, **Preghiera per impetrare dal cielo il ritrovamento del corpo di S. Marco* e il *Ritrovamento miracoloso*, mosaici di grande interesse in quanto prodotti
dalla scuola veneziana della 2ª metà del sec. XIII, tendente ad assorbire gli influssi bizantini più maturi per rielaborarli e creare
un proprio linguaggio. Interessante è il tentativo di rendere i costumi del tempo e di riprodurre l'interno della Basilica.

Nella prima scena, ove si vede il ciborio e un ambone simile a quello doppio
situato all'innesto del braccio sin. del transetto, i fedeli pregano genu-
flessi, dietro il vescovo e il doge, sullo sfondo delle colonne, delle gallerie e
delle cupole. Nella seconda scena, su uno sfondo simile, si vede, tra l'ambone dell'epistola e, in primo piano, il campanile, il santo che si palesa miracolosamente sporgendo il braccio da una colonna, presenti il vescovo e il
doge.

Nel grande sottarco, altre *storie di Maria* del sec. XVII; inoltre, i
profeti Geremia e *Gioele*, su cartoni di Girolamo Pilotti (1634).
Nel sottarco di fondo (*h*), 4 busti di *sante* e i *Ss. Silvestro* e *Apollinare*, su cartoni di Maffeo da Verona e del Padovanino (sec.
XVII). Le gallerie passano sotto il grande rosone gotico, decorato
nel sottarco dai mosaici descritti a pag. 229, e proseguono nella
navata sin. del transetto destro. Nel lunettone, *Cristo nelle
acque, Guarigione del paralitico* e, inferiormente, 6 *storie di S.
Leonardo eremita*, tutti mosaici rifatti nel sec. XVII su cartoni di
Pietro Vecchia. Nel sottarco, *Gesù e la samaritana, La samaritana mostra Gesù ai concittadini* (parzialmente rifatto da Vincenzo Bastiani al principio del sec. XVI), *Moltiplicazione dei pani
e dei pesci, Vocazione di Zaccheo*, mosaici della 1ª metà del sec.
XIII di forme legate alla tradizione ravennate, con persistenti ricordi paleocristiani (furono restaurati nel sec. XV-XVI). Inoltre, i
profeti Osea e Amos e, in una lunetta, *Sacrificio di Abramo*, mosaici rifatti da Vincenzo Bastiani. Per il sottarco (*i*), coi *Ss. Michele e Gabriele* (mosaici del principio del sec. XIII), *Giorgio e Teodoro*, si passa sotto la terza cupoletta (3a), nel cui sottarco a sin.
(*j*), i *Ss. Bernardino da Siena e Antonio da Padova*; in quello a d.
(*k*), i *Ss. Fabiano e Sebastiano*. Si continua nella galleria destra
del PRESBITERIO. Alla parete, sopra la cappella di S. Clemente
(pag. 235), *S. Clemente papa celebra la Messa* (spiato dal pagano
Sisinio che perseguitava la propria moglie cristiana), mosaico
della 2ª metà del sec. XII, di stile veneto-bizantino, ma dichiaratamente legato alla tradizione ravennate. Nel grande sottarco,
*Trafugamento del corpo di S. Marco da Alessandria a Venezia,
mosaici della stessa corrente del precedente, ma anteriori (prin-

cipio sec. XII) e ritenuti da alcuni (con quelli dell'abside, pag. 229)
i più antichi della basilica.

Tribuno e Rustico, assistiti dai loro complici alessandrini, pongono il corpo
del santo in una cassa; trasportano questa gridando «manzir», cioè carne
di maiale; il ribrezzo dei doganieri per la merce immonda; il naviglio che
s'allontana da Alessandria; la burrasca in mare in vicinanza dell'estuario;
l'accoglienza festosa a Venezia.

Si retrocede fino alla prima cupoletta della navata destra del piedicroce. Saliti alcuni gradini, tenendo a d., si raggiunge l'ampia
galleria soprastante l'atrio, da dove sono meglio osservabili i mosaici dell'arcone del Paradiso, pag. 227; ai lati del pozzo è sistemato il moderno organo (da qui si può uscire sulla terrazza aperta
sulla piazza e la piazzetta; vi si può osservare, più da vicino, la
decorazione scultorea dell'ordine superiore dell'esterno della Basilica). Attraversata la galleria e lasciata a sin. la seconda ala del
Museo di S. Marco (v. pag. 247), si scendono a d. alcuni gradini
raggiungendo la prima cupoletta (4a) della NAVATA SINISTRA del
piedicroce. La decora un mosaico con la *Sapienza divina e 4 an-*
geli; nei pennacchi, gli *Evangelisti*; nella lunetta a sin. (*l*), i *Ss.*
Agricola e Vitale, mosaici tutti su cartone di Pietro Vecchia; nel
sottarco a d. (*m*), il *Re dei re e la gloria celeste* di Francesco Zuccato; nel sottarco di fronte (*n*), *S. Giovanni Damasceno*, su cartone di Jacopo Tintoretto (1589), e *S. Atanasio*, su cartone di Domenico Tintoretto (1595-97).

Si prosegue nelle gallerie soprastanti la navata sin., fianeheg-
giando la parete decorata da mosaici rifatti nel Seicento, che continuano le storie degli Apostoli. Nel lunettone: i *Ss. Pietro e*
Paolo davanti a Nerone e loro martirio, su cartoni di Palma il
Giovane; sotto, *Gloria del Paradiso*, su cartoni di Girolamo Pilotti (1628-31). Nel sottarco, *Gioele* (1627) *e S. Metodio*; *Predica-*
zione di S. Giacomo Maggiore e suo martirio davanti a Domi-
ziano; *Morte di S. Andrea apostolo*; *S. Tommaso apostolo da-*
vanti a re Gundaforo e sua morte; *Cristo*, mosaici su cartoni del-
l'Aliense, del Padovanino e di Tizianello (1601). Si raggiunge la
seconda cupoletta di sin. (5a). Nella volta, *Cristo e 4 angeli*; nel
sottarco di accesso (*o*), i *Ss. Bacco e Sergio*, su cartoni di Girolamo
Pilotti (1635-36); nel sottarco a d. (*p*), i *Ss. Sinforiano e Nico-*
strato, Castorio e Claudio, su cartoni di Domenico Tintoretto (1597-99); nel sottarco di fronte (*q*), i *Ss. Martiniano e Pro-*
cesso, di Domenico Bianchini; nel sottarco di sin. (*r*), i *Ss. Teo-*
doro, Procopio, Eustachio, Teopista, su cartoni di Girolamo Pilotti (1636-37). Si prosegue nella navata sin. del TRANSETTO SINI-
STRO. Nel lunettone e nel grande sottarco, *storie di Maria e di*
Gesù secondo i vangeli apocrifi, bellissimi mosaici del principio
del sec. XIII, di stile composito.

Nel lunettone, Sogno di S. Giuseppe, Fuga in Egitto, Gesù e i Dottori (di poco anteriori); nel grande sottarco, Preghiera di Zaccaria, Giuseppe scelto come sposo, Visitazione (notare il particolare dell'ancella curiosa, preso dalla Cattedrale di Parenzo), Giuseppe rimprovera Maria, Annunciazione (con Maria al pozzo), Maria riceve dal sommo sacerdote la porpora per tingere i velari del tempio, Sogno di S. Giuseppe, Viaggio a Betlemme.

Inoltre, sempre nel lunettone, 6 *storie di Susanna e Daniele*, mosaici realizzati su cartoni di Jacopo Tintoretto (restaurati nel 1750 da Pietro Monaco), e nel sottarco, i *profeti Osea e Mosè*, su cartone di Jacopo Tintoretto (1590). Nel sottarco alla parete di fondo (s), busti di *Gesù* e di 9 *santi* e, a figura intera, le *Ss. Lucia e Giustina*, mosaici su cartoni di Domenico Tintoretto. Fiancheggiando la parete di fondo del transetto sin., decorata con un grande mosaico raffigurante l'Albero genealogico di Maria, opera dei mosaicisti Bianchini, su cartone del Salviati (1542-51), si raggiunge la galleria sovrastante la navata d. del transetto. Nel lunettone, *Cristo caccia i profanatori dal tempio*; sotto, *Istituzione dell'Eucarestia* e *Cristo in Emmaus in abiti da pellegrino*; nel sottarco, l'*Adultera, episodi della vita di Gesù* e i *profeti Geremia e Davide*, mosaici rifatti nel '600 su cartoni di Pietro Vecchia, dell'Aliense e di Leando Bassano. Segue la terza cupoletta sin. (6a): nel sottarco d'accesso (t), *Madonna col Bambino e angeli*; in quello a d. (u), *S. Giuseppe*, mosaici rifatti nel sec. XVI-XVII. Si passa nella galleria sinistra del PRESBITERIO: nel lunettone e nel sottarco, *fatti della vita di S. Pietro* e della *vita dei Ss. Marco ed Ermagora*, mosaici del principio del sec. XIII, rifatti nel 1879.

Il **Museo di S. Marco** è sistemato al piano delle gallerie e occupa tre ambienti in corrispondenza del Battistero, della cappella Zen e della prima campata dell'atrio, e un altro sovrastante le cinque campate dell'atrio verso l'angolo di S. Alipio. Comprende una notevole raccolta di opere d'arte e di interesse storico, in prevalenza suppellettili liturgiche, provenienti dalla Basilica e già custodite nel Tesoro o nella sagrestia. Attualmente (1984) è in corso di riallestimento. Giorni e ore di visita, pag. 135.

Le prime tre sale verso l'angolo sud della Basilica mantengono in parte l'ordinamento del 1961 e devono essere riordinate. La SALETTA I, a pianta rettangolare, sovrasta il Battistero e prende luce da una quadrifora rivolta verso la piazzetta di S. Marco. Vi sono raccolti frammenti di mosaici dei secc. XII, XIII e XIV, tolti dalla Basilica in epoche diverse, un frammento di arazzo fiammingo del sec. XV, corali miniati del sec. XV e contrabbasso del liutaio Gaspare da Salò (2ª metà sec. XVI). La SALA II, soprastante la cappella Zen, è absidata e illuminata da una grande pentafora orientata verso la piazzetta; vi sono esposti altri frammenti di mosaici (sec. XIII-XIV) e una *pala feriale (paliotto sostitutivo della pala d'Oro) dipinta da Paolo Veneziano con la collaborazione dei figli Luca e Giovanni, firmata e datata 1345

(a due ordini, vi sono rappresentati: in alto, *Cristo, la Vergine e santi*; in basso, 7 *storie della vita di S. Marco*). Questo ambiente si apre nella SALA III, a pianta quadrata, corrispondente alla prima campata dell'atrio. Vi sono: 2 paliotti d'altare ricamati, il primo raffigurante *Cristo morto fra 2 angeli e i simboli degli Evangelisti* (le parti figurate sono di età bizantina, sec. XII, riportate su stoffa ricamata nel Settecento), il secondo con gli *arcangeli Michele e Raffaele*, opera bizantina del sec. XII (l'iscrizione in greco ricorda il donatore Costantino Comneno, cugino dell'imperatore Emanuele); un bellissimo arazzo fiammingo (frammentario) del '400 con aggiunto lo stemma del donatore, il cardinale Zen (*Incoronazione di un imperatore del Sacro Romano Impero*, forse Sigismondo); la *Madonna del latte*, tavola di madonnero veneto-rodioto (sec. XIII-XIV); inoltre, *tappeti persiani* del sec. XV (tessuti in seta su trama di fili d'oro e d'argento, furono donati dagli ambasciatori di Persia nel 1603 e nel 1622) e stole e paramenti ornati da preziosi merletti a punto Burano e Milano (sec. XVII).
La SALA verso l'angolo nord della Basilica (in allestimento, 1984) è costituita dalla successione di cinque campate, suddivise da arconi e coperte da calotte in cotto a vista. Hanno trovato qui definitiva sistemazione i 4 *cavalli* della quadriga di S. Marco, in bronzo dorato, per alcuni capolavoro della statuaria romana d'epoca costantiniana (IV sec.), per altri opera greca di ambito lisippeo (IV-III sec. a.C.). Giunsero a Venezia nel 1204, quale parte del bottino fatto da Enrico Dandolo nella conquista di Costantinopoli (durante la 4ᵃ crociata), ove erano collocati nell'ippodromo su alti piedistalli che li salvarono dall'incendio appiccato dai crociati durante l'assedio della città. Secondo una versione i cavalli giunsero a Costantinopoli direttamente da Chio; secondo un'altra dalla Grecia furono portati a Roma, dove servirono per coronamento all'arco trionfale di Nerone, poi a quello di Traiano; Costantino (o Teodosio II) li avrebbe poi inviati a Costantinopoli. A Venezia furono conservati dapprima nell'Arsenale e quindi, intorno al 1250, collocati sulla terrazza della Basilica prospiciente la piazza, dove rimasero fino al 1798, quando Napoleone li portò a Parigi, prima davanti alle Tuileries, poi, dopo il 1805, sull'Arco di Trionfo del Carrousel. Tornarono a Venezia nel 1815 e furono ricollocati sulla facciata della basilica, da dove vennero spostati nel corso delle guerre del 1915-18 e 1940-45. Ritirati nel 1974 e sottoposti a restauro (ultimato nel 1982), per preservarli da ulteriori danneggiamenti è stata decisa la loro collocazione all'interno della Basilica.
Nella sala troveranno anche posto: 2 bellissimi arazzi eseguiti, su cartoni di Jacopo Sansovino, da Jan Rost (1551), arazziere fiammingo alla corte ducale di Firenze; raffigurano i *Ss. Marco, Giorgio e Nicola sullo sfondo di Venezia* e *episodi della vita di S. Marco*; *Cristo e gli apostoli*, altro paliotto sostitutivo della pala d'Oro, opera di Maffeo da Verona; paliotto d'altare tessuto dall'arazziere Marco Argimoni, su cartone di Alessandro Allori (1595; *La Vergine col Bambino e i Ss. Marco, Girolamo e Giuseppe*); altro paliotto votivo del doge Alvise Mocenigo, datato 1571 e realizzato su cartone di Domenico Tintoretto; 10 *scene della Passione*, arazzi gotici di manifattura forse fiamminga, su cartoni di Niccolò di Pietro (c. 1420), dono del cardinale Zen (sono contornati da una larga fascia a motivi floreali e foglie d'acanto, includenti il simbolo di S. Marco); inoltre, arredi lignei, insegne processionali, frammenti musivi già nella Basilica e una *teoria di santi*, affresco del sec. XII già nel Battistero.

A sin. della Basilica si apre la **piazzetta dei Leoni** (pianta a pag. 209; 2), dai due leoni di marmo rosso di Verona realizzati da Giovanni Bonazza nel 1722, ora dedicata a papa Giovanni XXIII; rialzata per favorire la raccolta dell'acqua piovana, presenta al centro una vera da pozzo eseguita su disegno di Andrea Tirali (1722). Sul fondo, il prospetto neoclassico del *Palazzo Patriarcale*, costruito (su progetto di Lorenzo Santi) tra il 1837 e il 1870 demolendo un complesso di epoca gotica che copriva la facciata di un'appendice nord del Palazzo Ducale (questo si allungava infatti oltre la Basilica, fino alla calle della Canonica, con la seicentesca sala dei Banchetti), e adattando questa preesistenza alla nuova destinazione; con il suo volume compatto e isolato dagli edifici circostanti, il palazzo interrompe la continuità architettonica dell'area marciana.

All'interno rimane la *sala dei Banchetti*, realizzata da Bartolomeo Monopola tra il 1618 e il 1683 (rimaneggiata nel 1750 circa), un tempo comunicante con la camera degli Stucchi di Palazzo Ducale mediante un corridoio pensile poi demolito. Nel palazzo sono attualmente (1984) in deposito il ciclo delle *Storie di S. Caterina*, di Jacopo Tintoretto, e altri dipinti provenienti dalla chiesa di S. Caterina (a Cannaregio), da tempo chiusa al culto. Per la visita rivolgersi in portineria.

Emerge dalla sequenza di case del fronte N della piazzetta, il prospetto laterale della ex chiesa di *S. Basso*, realizzato a partire dal 1676 da Baldassare Longhena, probabile autore dell'intero rifacimento; distrutta da un incendio forse nel 1671, la chiesa ha la modesta facciata sulla calle S. Basso. All'interno (spogliato degli arredi e restaurato nel 1951-52) ad aula rettangolare con altari laterali, troveranno sistemazione le *portelle dell'antico organo di S. Marco, dipinte da Gentile Bellini alla fine del sec. XV e raffiguranti i Ss. Marco, Teodoro, Girolamo e Francesco (sono ora in deposito presso il Museo Diocesano di Arte Sacra).

Il *Palazzo Ducale.

Adiacente alla Basilica, a d., sorge il Palazzo Ducale (pianta a pag. 209; 3), espressione insigne della vita della Repubblica, residenza dogale, sede del governo e palazzo di giustizia, la cui struttura riassume, al di là del suo sviluppo architettonico, la più vasta vicenda dello Stato veneziano dalle origini fino alla caduta. Per la qualità formale, il significato storico-politico, la straordinaria concentrazione di opere d'arte che racchiude (quasi tutte osservabili nella collocazione originaria), costituisce uno dei momenti fondamentali della conoscenza della città e della sua cultura. Giorni e ore di visita, pag. 135.

Quando, nel sec. IX, il governo della Repubblica si trasferì da Rivo Alto e si insediò nell'area prospiciente il Bacino, in una collocazione più consona al controllo degli accessi dal mare, il palazzo doveva avere l'aspetto di un castello con una struttura fortificata a pianta quasi quadrata, circondata da mura, agli angoli delle quali si ergevano 4 torri di avvistamento. All'in-

terno delle mura l'area doveva essere occupata da una serie di costruzioni
che ospitavano la residenza dogale, le sale per le riunioni degli organi di
governo, il palazzo di giustizia, le prigioni, la primitiva cappella palatina, le
scuderie e le abitazioni delle guardie e del personale del palazzo, secondo il
modello medievale della «curtis» autosufficiente. Le possibili ipotesi circa
la distribuzione interna e la struttura dell'originario palazzo, sono ancora
oggetto di dibattito tra gli studiosi: dai rilievi eseguiti durante i restauri, si
presume che potesse avere un'estensione non molto dissimile dall'attuale,
anche se l'organizzazione dello spazio e i prospetti sono venuti modifican-
dosi in seguito alle successive, radicali ristrutturazioni. Incendiato nel 976
dalla rivolta popolare che arse anche la Basilica di S. Marco, fu subito ricostruito dal doge Pietro Orseolo I e, da Pietro Orseolo II, decorato e arricchito con una cappella sfarzosa, ammirata dall'imperatore Ottone III durante la sua visita nel 998.
Nel 1105 il palazzo subì danni da un secondo incendio (uno dei molti della
sua lunga storia) che si sviluppò nel sestiere di Castello, ma fu subito ripristinato nelle sue funzioni; solo pochi anni dopo tuttavia, durante il dogado
di Sebastiano Ziani (1172-78), se ne intraprese il rifacimento come nuovo
palazzo 'comune', con una vasta sala per il Maggior Consiglio sul fronte
verso il Molo. La struttura architettonica del complesso venne così a perdere l'impronta di castello fortificato per acquisire (durante il XII secolo e
il seguente), con la dilatata apertura dei loggiati, le caratteristiche delle
contemporanee architetture veneto-bizantine presenti in città.
Risalgono alla fine del sec. XIII, e sono tra i primi documenti pervenutici, i
decreti per l'ampliamento della sala del Maggior Consiglio e di alcuni altri
ambienti adibiti a uffici per il governo, segni di un impulso al rinnovamento del complesso che si protrarrà per tutto il secolo successivo. Nel
1340 ebbe inizio la ricostruzione della stessa sala del Maggior Consiglio
(poi affrescata, tra il 1365 e il 1367, dal Guariento), dando così vita, con
altri interventi, alla formazione di un primo nucleo dell'attuale struttura
nella parte che prospetta sul Bacino e si sviluppa verso la piazzetta; all'i-
nizio del sec. XV il prospetto verso il Bacino era completato, con la decorazione del finestrone centrale (sovrastante la cuspide del Frumento) eseguita
da Pier Paolo e Jacobello Dalle Masegne (1400-1404). Gli artefici della realizzazione dell'intero complesso sono rimasti sconosciuti: nei documenti
superstiti ritroviamo i nomi di Filippo Calendario e Pietro Baseggio, ma si
può ritenere che anch'essi facessero parte di un più vasto gruppo di architetti e lapicidi che lavorò alla vasta ristrutturazione.
Il fronte verso la piazzetta, appartenente all'antico «palacium ad jus red-
dendum», era nel frattempo in condizioni tali di precarietà strutturale che
ne venne stabilita la ricostruzione. I lavori iniziarono nel 1424 e il prospetto si allungò, secondo lo stesso modulo costruttivo e decorativo del
corpo sul Bacino, fino a congiungersi alla Basilica attraverso la porta della
Carta, costruita di lì a poco; il punto di sutura fra l'edificio preesistente e il
nuovo fu abilmente nascosto (nel porticato a piano terra, mascherando lo
spessore dell'antico muro perimetrale con una colonna più larga; nella
loggia, realizzando una polistila e chiudendo l'occhio sovrastante con il rilievo della Giustizia). Le maestranze impegnate in tali lavori furono toscane (i Lamberti), lombarde (Paolo Bregno e Matteo de Raverti) e veneziane (i Bon).
A Giovanni e a Bartolomeo Bon si deve anche la realizzazione della porta

della Carta, iniziata nel 1438 secondo il gusto aulico del tempo, e del porticato Foscari, d'accesso al cortile, che termina con l'arco Foscari, costruito tra il 1450 e il 1470 con la collaborazione dei Bregno e di Antonio Rizzo. Slanciato nel suo prospetto con alti pinnacoli e guglie e decorato con rilievi scultorei, l'arco è l'estrema testimonianza di quel gusto gotico che verrà via via sostituito dall'impianto più dichiaratamente rinascimentale dell'ala est del palazzo (dove era l'appartamento del doge), ricostruita in seguito a un incendio (1483) da Antonio Rizzo. Compiuto il prospetto lungo il rio di Palazzo, lo stesso Rizzo realizzerà poi nel cortile, l'imponente prospetto con porticato e loggia superiore aperta da arcate, cui addossa la monumentale scala dei Giganti (dalle statue di Marte e Nettuno, di Jacopo Sansovino, qui collocate nel 1566).

Accusato di peculato, Antonio Rizzo fuggì da Venezia nel 1498, e i lavori proseguirono sotto la direzione di Pietro Lombardo, cui successero Giorgio Spavento e Antonio Abbondi detto lo Scarpagnino. Con quest'ultimo collaborò Jacopo Sansovino per la costruzione della scala d'Oro (d'accesso alle sale di rappresentanza e al palazzo di giustizia) e della finestra centrale del prospetto sulla piazzetta, realizzata nel 1536 sotto il dogado di Andrea Gritti. Durante il rifacimento operato nell'ala est del palazzo venne demolita anche l'antica cappella di S. Niccolò e ricostruita, su progetto di Giorgio Spavento, la facciata sul cortile dei Senatori. Sempre al XVI secolo risale l'ampliamento del palazzo verso le case dei Canonici, progettato da Giorgio Spavento con le due facciate lungo il rio e verso il cortile, dove la sopraelevazione della cornice di gronda corrisponde al rifacimento delle sale del Senato, dell'Anticollegio e della Quattro Porte, deciso dopo l'incendio del 1574. Nel 1577 un altro incendio distrusse la sala del Maggior Consiglio e danneggiò le facciate sul Molo e sulla piazzetta in modo tanto grave che si prospettò l'ipotesi della totale ricostruzione del palazzo. Si preferì però optare per una ristrutturazione che rispettasse l'aspetto architettonico precedente; i lavori, diretti dal proto Antonio Da Ponte, compresero anche il rifacimento dei cicli pittorici andati distrutti. L'ultimo fondamentale intervento venne eseguito all'inizio del '600 da Bartolomeo Monopola, che aprì con una serie di arcate il porticato dei fronti gotici nel cortile, fino allora chiuse da pareti di cotto. Nel 1608 il Monopola eliminò la scala Foscara (vicino alla porta della Carta) che saliva alla loggia, sostituendola con una scala interna, e realizzò (sopra il porticato Foscari), la facciata dell'Orologio. Sempre al Monopola si deve il completamento dell'arco Foscari e l'ampliamento dell'appartamento dogale con la sala dei Banchetti, raggiungibile attraverso un passaggio pensile dietro le absidi della Basilica (la sala, ristrutturata, è dall'Ottocento, quando venne demolito il passaggio, parte del Palazzo Patriarcale, v. pag. 249). Nel 1773 la pavimentazione del cortile, precedentemente in cotto a spina di pesce, venne sostituita con una riquadratura in pietra d'Istria, seguendo quanto era già stato fatto nella piazza cinquant'anni prima.

Alla caduta della Repubblica il palazzo divenne sede, durante i governi napoleonico e austriaco, della Biblioteca Marciana, del Museo Archeologico e dell'Istituto Veneto di Scienze, Lettere ed Arti. Trasferiti anche questi organismi tra la fine del secolo scorso e l'inizio del '900, nel 1923, per decreto governativo, il palazzo fu riaffidato alla città di Venezia ed è ora museo e sede di importanti mostre d'arte. L'intervento di risanamento globale cui, a partire dal 1984, è interessato dovrebbe concludersi, se-

condo le previsioni, nel 1990. I lavori, riguardanti anche la situazione degli
ambienti interni (dipinti, arredi, soffitti ecc.), si svolgeranno a scacchiera,
così da non bloccare la visita del complesso.

Le due **facciate** principali, che si svolgono uguali sul Molo e sulla
piazzetta formando un angolo retto, sono caratterizzate da un
porticato terreno, ad ampie arcate a sesto acuto, e da un loggiato
aperto, ad archi inflessi doppi rispetto a quelli del porticato. La
parte superiore dei prospetti, dove la decorazione in marmi
bianchi, grigi e rossi crea un motivo geometrico a croce, è aperta
da ampie finestre ogivali e da occhi a quadrilobo e conclusa da
una merlatura veneto-bizantina ad antefisse mistilinee alternate
a sottili pinnacoli.
La FACCIATA MERIDIONALE (verso il Molo), lunga m 71.50, è trecentesca e venne restaurata in seguito all'incendio del 1577,
quando andarono distrutte le tripartizioni a forature e trafori che
prima caratterizzavano le finestre. Il notevole balcone centrale
(rimasto integro), realizzato tra il 1400 e il 1404 da Pier Paolo e
Jacobello Dalle Masegne, è decorato nelle nicchie dei pinnacoli
dalle statue di *S. Teodoro*, *S. Giorgio* (rifatta nel 1767 da Alvise
Pellegrini), delle *Virtù Cardinali* e, nelle nicchie del coronamento, dei *Ss. Marco, Pietro e Paolo*; sopra il finestrone ogivale
un occhio racchiude il gruppo della *Carità* e ai lati, oltre alle
targhe recanti la data e il nome del doge Michele Steno, le figure
dell'*Annunciazione*; al sommo della struttura è la statua della
Giustizia, raffigurazione simbolica di Venezia, opera di Alessandro Vittoria del 1579 (a questa data risale il rifacimento del
coronamento a merlatura del prospetto). La data 1344, scolpita
sul capitello d'angolo verso la piazzetta, documenta la fine dei
lavori di realizzazione del portico e della sovrastante loggia.
La FACCIATA OCCIDENTALE (verso la piazzetta), lunga m 75, ripete le forme della meridionale. La parte d., fino alla 6ª colonna
del portico, è più antica della seguente, che fu costruita nella 1ª
metà del sec. XV; il prospetto venne restaurato da Antonio Da
Ponte dopo l'incendio del 1577. Al centro dell'ordine superiore è
il balcone, costruito dallo Scarpagnino e dal Sansovino nel 1536
su modello di quello verso il Molo: le sculture che lo adornano
sono opera di Pietro da Salò e Danese Cattaneo, eccetto la statua
della *Giustizia*, nel fastigio, e il *Mercurio*, nella nicchia superiore
sin., che furono scolpite da Alessandro Vittoria nel 1579 (il
gruppo del *doge Andrea Gritti onorante il leone di S. Marco* è
una copia dell'originale abbattuto nel 1797). A d. del balcone, in
alto, 2 monofore gotiche della prima costruzione, conservate dal
Da Ponte. Dalla 9ª arcata della loggia, a partire da sin., ricono-

scibile dalle 2 colonne di marmo rosso di Verona, venivano lette le sentenze di morte.

Notevole è la decorazione plastica dei due prospetti, dove capitelli e rilievi angolari costituiscono un complesso e raffinato organismo simbolico. All'angolo verso il ponte della Paglia (al termine del Molo), in basso, l'*Ebbrezza di Noè* (uno dei figli è scolpito al di là dell'arcata, verso il rio), rilievo di scultori lombardi del sec. xiv-xv; in alto, l'*arcangelo Raffaele* (simbolo del commercio) e *Tobiolo*, di maestri locali del sec. xiv. Sull'angolo verso la piazzetta, rilievi della fine del sec. xiv raffiguranti: in basso, **Adamo ed Eva*; in alto, l'*arcangelo Michele con la spada sguainata* (simbolo della guerra). Sul terzo angolo, verso la porta della Carta, il **Giudizio di Salomone*, attribuito a Jacopo della Quercia, e sopra, l'*arcangelo Gabriele* (simbolo della pace) nella maniera del Bregno. Raffigurazioni simboliche formano pure i soggetti dei 36 capitelli del porticato terreno, opera di lapicidi trecenteschi; alcuni furono sostituiti da copie (gli originali sono conservati nel Museo dell'Opera di Palazzo) durante una vasta opera di restauro realizzata nella seconda metà dell'Ottocento.

I soggetti dei capitelli, cominciando dall'angolo verso il ponte della Paglia sono: *Infanzia e arte del barbiere*; *Uccelli*; *Teste di cavalieri e crociati*; *Infanzia*; *Busti di imperatori*; *Teste di donna*; *Vizi e virtù*; *Suonatori e mostri*; *Virtù*; *Vizi*; *Uccelli*; *Vizi e virtù*; *Teste leonine*; *Animali*; *Dame e cavalieri*; *Teste virili*; *Sapienti*; *Pianeti e la creazione dell'uomo* (d'angolo); *Santi martiri e scultori*; *Animali con la preda*; *Mestieri*; *Le età dell'uomo*; *Popoli*; *Il matrimonio e la paternità*. Segue quindi una serie di capitelli quattrocenteschi, realizzati durante i lavori di prolungamento del fronte sulla piazzetta, alcuni dei quali sono repliche di quelli trecenteschi: *I mesi dell'anno*; *Dame e cavalieri*; *Cesti di frutta*, *Vizi e virtù*; *Vizi*; *Mostri*; *Pensatori e legulei*; *Vizi e virtù*; *Uccelli*; *Fanciulli*; *Legislatori*. Il tondo a rilievo raffigurante *Venezia nelle sembianze della Giustizia*, che chiude il quadrilobo sopra la 12ª colonna della loggia del fronte occidentale, è opera di scultori lombardi.

Si stacca nettamente dai prospetti principali la FACCIATA ORIENTALE (sul rio di Palazzo), che presenta il primo tratto (visibile dal ponte della Canonica, v. pag. 573) ancora trecentesco, in laterizi nudi e sobriamente decorato, e il secondo (visibile dal ponte della Paglia, v. pag. 514), ricostruito dopo l'incendio del 1483 da Pietro Lombardo e dallo Scarpagnino su progetto di Antonio Rizzo, in elegante stile rinascimentale, rivestito di marmi e riccamente decorato (su questo lato il Palazzo è unito alle Prigioni dal ponte dei Sospiri, passaggio coperto che attraversa il rio, v. pag. 278).

Nella breve ala che collega il prospetto occidentale del Palazzo Ducale alla Basilica di S. Marco, si apre (v. pianta pag. 255) la ***porta della Carta** (così chiamata da un probabile deposito delle 'carte' dell'Archivio statale, qui ubicato, o dalla presenza degli uffici degli scrivani), maestoso e ricchissimo ingresso principale

al palazzo (gli altri sono dal portico del Molo e dal rio di Palazzo).
Il portale, commissionato a Giovanni e Bartolomeo Bon nel 1438,
originariamente policromo, è decorato nelle nicchie con statue:
in basso, la *Temperanza* e la *Fortezza* attribuite a Pietro Lamberti; in alto la *Prudenza* e la *Carità* attribuite ad Antonio
Bregno; dei Bon sono, sull'occhio dell'arco inflesso, il *S. Marco* e,
sul vertice del coronamento, la *Giustizia*, che fino al sec. XVII si
stagliava contro il cielo (il muro retrostante fu eretto da Bartolomeo Monopola ai tempi della demolizione della scala Foscara e
della costruzione della scala interna che porta alla sala dello
Scrutinio). Sopra il portale, il *doge Foscari inginocchiato di
fronte al leone 'andante'*, copia di Luigi Ferrari (1885) realizzata
in sostituzione dell'originale distrutto durante i moti del 1797.
La porta della Carta immette nel *porticato Foscari*, aperto a d.
verso il cortile e sul fondo verso la scala dei Giganti; costruito dai
Bon fruendo di strutture preesistenti, è a 6 arcate con volte a
crociera cordonate (alla parete sin., *Madonna col Bambino*, dipinto del sec. XV, e 2 lapidi: una col Plebiscito del 1866, l'altra col
bollettino della Vittoria del 1918). Al suo termine è l'*arco Foscari*, realizzato fra il 1450 e il 1470 con la collaborazione dei
Bregno e di Antonio Rizzo.

Estrema testimonianza del gusto gotico, l'imponente struttura è a due ordini distinti da una balaustrata aggettante e ornati da una ricca decorazione scultorea. Sul fronte principale, verso la scala dei Giganti, tra i pilastri con colonnine angolari (nelle nicchie, Adamo ed Eva, copie bronzee
delle statue del Rizzo conservate nel palazzo), si apre l'arco a tutto sesto e
a forte strombatura, sormontato da un nicchione ad arco ribassato, fiancheggiato da pilastri marmorei terminanti in cuspidi con statue ornamentali della 2ª metà del '400. Il coronamento termina con una guglia piramidale con la statua di *S. Marco*.
Nel fianco verso il cortile, statua di *Francesco Maria I Della Rovere*, condottiero al servizio della Repubblica, eseguita da Giovanni Bandini nel
1587, e copia bronzea dell'alfiere, notevole scultura attribuita al Rizzo e
conservata nel palazzo.

Sopra il porticato, verso il cortile, si sviluppa la *facciata dell'Orologio*, realizzata tra il 1608 e il 1615 da Bartolomeo Monopola,
che inserì motivi gotici nell'impianto classicheggiante, ornato
nelle nicchie da 6 statue di età romana donate dal procuratore
Federico Contarini (1613). Essa definisce il fronte nord del **cortile**, anch'esso 'piazza', maestoso per le dimensioni e la nobiltà
dei prospetti che lo delimitano. La facciata principale, a est,
venne iniziata durante il dogado di Marco Barbarigo (1485-86) su
progetto di Antonio Rizzo (cui si deve la ricostruzione di quest'ala del Palazzo, v. pag. 251); sviluppata in altezza su 4 piani e
un sottotetto, ha un porticato ad arcate a tutto sesto su pilastri

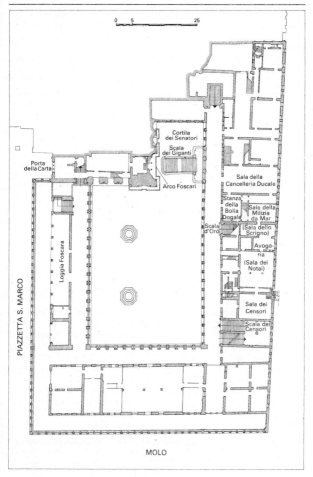

Palazzo Ducale: cortili e piano delle logge

ottagonali, un loggiato ad archi acuti su fasci di colonne al 1°
piano, e due piani di finestre centinate. La ricchissima decorazione a festoni, candelabre e patere di marmi policromi è opera di
Pietro Lombardo (che successe al Rizzo nel 1489), coadiuvato dai
figli Antonio e Tullio; l'estremità d. del prospetto fu ultimata
dallo Scarpagnino. Interrompe il ritmo delle logge e del portico
la monumentale ***scala dei Giganti**, costruita tra il 1484 e il 1501
su progetto di Antonio Rizzo; deve il nome alle 2 imponenti
statue di *Nettuno* e di *Marte*, simboli della potenza marittima e
terrestre, scolpite da Jacopo Sansovino nel 1554 e qui poste nel
1566.

La scala sale direttamente al loggiato del 1° piano, all'altezza del quale si
apre un ripiano sostenuto da arcate, che frontalmente recano gli stemmi
del doge Agostino Barbarigo (1486-1501) tra piccole vittorie. Qui si svolgeva la solenne cerimonia dell'incoronazione ducale, quando il nuovo doge
giurava fedeltà alle leggi raccolte nella promissione ducale e riceveva,
dalle mani del più anziano dei consiglieri, la «zoia» o berretto ducale.

A sin. della scala dei Giganti si apre il piccolo **cortile dei Senatori**, definito nel lato settentrionale da una elegantissima costruzione rinascimentale realizzata, sul portico già esistente, da Giorgio Spavento intorno al
1505 (corrisponde alla chiesetta di S. Niccolò, oratorio privato del doge);
aperta da finestre con timpano triangolare, riprende nella trabeazione i
motivi decorativi della loggia dell'ala est del palazzo.

I prospetti che chiudono il cortile a sud e a ovest presentano al 1°
piano una loggia continua, trecentesca, testimonianza dell'antico
palazzo 'comune' (notevoli i capitelli a blocco unico); il porticato
terreno fu realizzato a partire dal 1602 da Bartolomeo Monopola
che, con un'arditissima operazione di ingegneria, riuscì ad aprire
su questi fronti, prima chiusi, il portico a imitazione di quelli già
esistenti (i grandiosi finestroni del 1° piano nobile, che danno
luce alle sale del Maggior Consiglio e dello Scrutinio, furono eseguiti dopo l'incendio del 1577). Al centro del cortile, la cui originaria pavimentazione in cotto a spina di pesce venne rifatta nel
1773 in pietra d'Istria, sono due notevoli ***vere da pozzo**, fuse in
bronzo da Alfonso Alberghetti (quella più vicina al porticato Foscari, del 1559) e da Niccolò dei Conti (1556).

La prima presenta una decorazione a stemmi e cariatidi (e, all'interno,
ornati incisi e la firma dell'autore); la seconda è ornata con figure allegoriche, i miracoli dell'acqua santa e il ritratto del doge Francesco Venier
(anche in questa la superficie interna reca inciso un bell'ornato, con intreccio di rami e foglie d'acanto, e la firma dell'autore).

Per la scala dei Censori (nell'angolo SE del portico) si sale al
PIANO DELLE LOGGE (v. pianta pag. 255), che contornano il cortile su tre lati e la facciata del palazzo verso la piazzetta e il Molo.

Verso la piazzetta si apre la *loggia Foscara* o della Giustizia (attualmente, 1984, chiusa per restauri), realizzata sotto il doge Francesco Foscari (1423-57): nel tratto mediano, dove la loggia si raddoppia, durante le feste per l'incoronazione delle dogaresse si tenevano le mostre delle corporazioni d'arti e mestieri. Sopra i capitelli gotici delle colonne del filare interno, grosse travature rafforzate da barbacani fungono da rompitratta a sostegno del pavimento della sala dello Scrutinio. In fondo, dall'angolo SO, notevole vista sul Bacino. Nella prosecuzione della loggia verso il Molo, *Madonna del frumento* con lo stemma Mocenigo, delicato bassorilievo lombardesco della 2ª metà del sec. XV, cosidetto perché proveniente dal Magistrato alle «biave».

Voltando a d. si raggiunge l'imbocco della scala d'Oro, d'accesso ai piani superiori (la loggia prosegue fino all'innesto della scala dei Giganti, in asse con la quale, alla parete, è una lapide in ricordo della visita nel 1574 di Enrico III re di Francia e di Polonia, elegantemente incorniciata con figure muliebri e putti, opera di Alessandro Vittoria). La **scala d'Oro**, iniziata dopo il 1554 su progetto di Jacopo Sansovino, fu ultimata nel 1558: era riservata ai magistrati e ai personaggi illustri.

L'arco d'accesso è affiancato da due colonne che sostengono gruppi marmorei raffiguranti *Ercole che uccide l'Idra* e *Atlante che sostiene il mondo*, opere di Tiziano Aspetti. La scala è coperta da volta a botte ornata da splendidi stucchi dorati (da cui il nome) di Alessandro Vittoria, terminati nel 1566, che includono affreschi decorativi di G.B. Franco (*Glorificazione della difesa di Cipro e di Creta*, nelle rampe inferiore, e *Virtù richieste ai buoni governanti* in quelle superiori). Le due statue entro nicchie in corrispondenza del pianerottolo del 2° piano nobile, raffigurano l'*Abbondanza* e la *Carità* e sono opera di Francesco Segala.

La visita degli interni parte dal ripiano a metà della 1ª rampa, dal quale si segue a d. un successivo tratto di scala che sbocca nella galleria del PRIMO PIANO NOBILE (v. pianta pag. 258); da qui, a d., si accede al gruppo di ambienti che, ricostruiti dopo l'incendio del 1483 da Antonio Rizzo e dai Lombardo, costituivano l'**appartamento ducale**, abitato per primo, dall'inizio del 1493, dal doge Agostino Barbarigo (1486-1501). L'arredo originario è andato completamente perduto per quel che riguarda le opere mobili, e i dipinti esposti sono di diversa provenienza. L'appartamento è spesso adibito a mostre d'arte temporanee.
Si entra nella *SALA DEGLI SCARLATTI, una delle più belle del palazzo, decorata sotto la direzione di Pietro Lombardo e cosidetta perché qui si riunivano in attesa del doge i consiglieri ducali, alti dignitari del suo seguito, che vestivano appunto toghe scarlatte. *Soffitto elegantissimo a fiori d'oro su fondo azzurro, dei fratelli Biagio e Pietro da Faenza (1506); la volta a mezza botte (origine dell'erronea tradizione che qui fosse l'alcova del doge) fu aggiunta sotto il dogado di Andrea Gritti (1523-38).

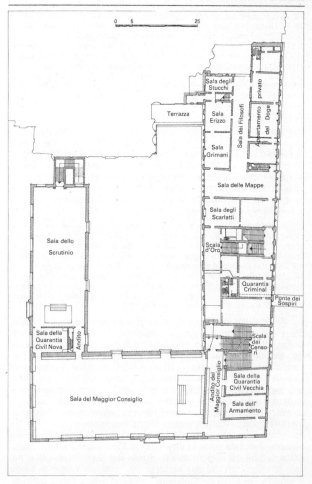

Palazzo Ducale: primo piano nobile

Alle pareti: sopra l'ingresso, *Il doge Leonardo Loredan ai piedi della Vergine, assistito dai Ss. Marco, Leonardo e altro santo*, finissimo bassorilievo di mano, in parte almeno, di Pietro Lombardo; sulla porta di fronte, *Madonna col Bambino*, stucco colorato di scuola padovana della fine del sec. XV. A sin., mirabile camino di Tullio e Antonio Lombardo (1507 c.) con elegantissimi fregi e lo stemma di Agostino Barbarigo. Per la porta di fronte si entra nella SALA DELLE MAPPE o dello Scudo, anticamera dell'appartamento ducale, dove veniva esposto lo stemma del doge in carica (vi rimane quello dell'ultimo doge, Lodovico Manin). Qui e nella adiacente sala degli Scudieri sostavano gli scudieri e le guardie addette alla persona del doge (la decorazione fu rifatta nel 1762). Alle pareti, tavole geografiche del cosmografo veneziano Francesco Grisellini, con figurazioni allegoriche di Giustino Menescardi. Dalla d. dello stemma, fino alle finestre: *costa dal Labrador alla Florida*; *Arabia*; *Mediterraneo dall'Egitto alla Caramania*; *Mediterraneo da Barcellona alla Caramania*; *Scozia, Islanda e Scandinavia*; *Estremo Oriente*, con l'indicazione dei viaggi di Marco Polo e di altri Veneziani; *Asia dall'Egeo alla Tartaria* e, fra le arcate delle finestre, ritratti di navigatori. Per la porta di fronte si passa alla SALA GRIMANI, che veniva utilizzata per le udienze private; prende il nome dallo stemma Grimani aggiunto più tardi nel bellissimo soffitto ligneo del primo '500, a rosoni e nastri intrecciati e dorati su fondo azzurro; intorno, fregio con figure allegoriche, opera di Andrea Vicentino (c. 1590). Notevole, alla parete sin., l'elegante camino marmoreo di Tullio e Antonio Lombardo (la cappa, su cui è collocato lo stemma del doge Pasquale Cicogna, è rifacimento della fine del Cinquecento). Alle pareti: *Madonna orante* su fondo oro, di anonimo del sec. XIV; *Cristo compianto* di Giovanni Bellini (firmato; 1472?); *Cristo deriso* di Quentin Metsys (dei primi anni del sec. XVI). Segue la SALA ERIZZO, che deve il nome allo stemma del doge Francesco Erizzo (1631-46), incastonato nella decorazione barocca sovrapposta al bel camino, analogo a quello della sala precedente e probabilmente degli stessi autori. Anche il soffitto è analogo a quello della sala Grimani, mentre il fregio a putti è opera seicentesca di G.B. Lorenzetti. A parete, 3 dipinti attribuiti a Gerolamo Bassano: *L'arca di Noè*, *La salita al Calvario* e *La presentazione al tempio* (fine sec. XVI).

Le finestre danno su una terrazza trasformata in giardino pensile forse dal doge Leonardo Loredan e soprastante la cappella di S. Niccolò, riservata al doge e sistemata nel palazzetto prospiciente il cortile dei Senatori.

La SALA DEGLI STUCCHI o Priuli prende il nome dai magnifici stucchi a cariatidi della volta, eseguiti sotto il dogado di Pietro

Grimani (1741-52), e dallo stemma del doge Lorenzo Priuli (1556-59), posto sull'elegante camino cinquecentesco a marmi colorati. Alle pareti: *Ritratto di Enrico III di Francia*, eseguito forse da Tintoretto durante la sosta del sovrano a Venezia (1574) mentre si recava dalla Polonia alla Francia per essere incoronato; *Salita al Calvario* di Giuseppe Salviati (metà del XVI sec.); *Preghiera nell'orto* dello stesso; *Adorazione dei pastori* di Leandro Bassano (inizio sec. XVII); *Circoncisione* e *Noli me tangere*, due opere di Giuseppe Salviati; *Cristo morto sorretto da angeli* di pittore vicino ai modi del Pordenone (c. 1530); *Sacra Famiglia* del Salviati; *Adorazione dei Magi*, copia antica da Bonifacio de' Pitati. Dalle finestre, interessante vista sulle absidi della Basilica di S. Marco, coll'originario paramento in cotto, contornate da archetti su colonnine (sec. XVI). Si passa a d. nella SALA DEI FILOSOFI, lungo andito che deve il nome a 12 tele con figure di filosofi, dipinte da vari artisti (fra cui Tintoretto e Veronese) per la Biblioteca Marciana e qui collocate nel '700 quando la Biblioteca vi fu trasferita per pochi decenni; riportate le tele al posto d'origine, furono qui esposte mediocri pitture con figure allegoriche, già in altre sale del palazzo. Gli stucchi sono del 1762. A d. una scala sale alla cappella privata del doge, v. pag. 266: sopra la porta, dalla parte della scala, *S. Cristoforo**, affresco di Tiziano dipinto (1523-24) per incarico del doge Andrea Gritti, insieme alla decorazione della cappella di S. Niccolò. A sin. una porta immette in tre stanze che facevano parte dell'abitazione privata del doge e che prospettano nel rio di Palazzo. La prima è la SALA DELLE VOLTE, cosiddetta dal caratteristico soffitto con volta a crociera; vi sono esposti tre significativi esempi pittorici dello stemma di Venezia, il *'leone andante'*, realizzati da Vittore Carpaccio (1516), Donato Veneziano (1459) e Jacobello del Fiore (1415). Segue la SALA CORNER, dai dipinti relativi a episodi di dogi della famiglia Corner. Notevole il soffitto, con travatura a vista decorata con motivi ornamentali in oro, e il prezioso camino, con stemma della famiglia Barbarigo, opera del Lombardo. Alle pareti, *Il doge Giovanni I Corner si reca a S. Giorgio* e *Il banchetto del doge Giovanni I Corner*, opere di Filippo Zaniberti (c. 1625), e *Il doge Giovanni II Corner in ginocchio davanti alla Vergine* di Antonio Balestra (1717). Si passa quindi nella SALA DEI RITRATTI, con bel camino ideato e scolpito da Antonio e Tullio Lombardo nei primi anni del XVI secolo; sono qui collocati alcuni ritratti anonimi di dogi e una tela raffigurante l'*Inferno*, opera di Hendrik met de Bles eseguita prima del 1521. Segue, riattraversata di fronte la sala delle Mappe, la SALA DEGLI SCUDIERI, in cui sostavano gli aiutanti e le guardie del doge; alle pareti, due dipinti di Domenico Tintoretto: *Il doge Marino Grimani* con la *Giunta della Scuola dei Calegheri* (c. 1600) e *Il doge Giovanni Bembo, il Guardiano e i rappresentanti della Scuola dei Calegheri davanti alla Vergine* (1617-20).

Si esce nel 2° ripiano della scala d'Oro e si sale al SECONDO PIANO NOBILE (pianta a pag. 262; per la decorazione della scala, v. pag. 257). Esso occupa tutta l'ala orientale dell'edificio che si affaccia sul rio di Palazzo, ricostruita da Antonio Rizzo dopo l'incendio del 1483 e successivamente restaurata, dopo gli altri incendi del 1574 e del 1577, sotto il proto di palazzo Antonio Da Ponte e in gran parte su progetti di Andrea Palladio e Giovanni Antonio Rusconi. Comprende le sale del Collegio e del Senato, la chiesetta, le sale del Consiglio dei Dieci e l'Armeria. Dalla scala d'Oro si entra nell'ATRIO QUADRATO, ambiente d'ingresso riordinato sotto il dogado di Gerolamo Priuli tra il 1559 e il 1567. Al centro del notevole soffitto ligneo intagliato, *Il doge Gerolamo Priuli riceve dalla Giustizia la bilancia e la spada*, di Jacopo Tintoretto (1565-67); intorno, 4 scene bibliche (*Giudizio di Salomone, La regina di Saba davanti a Salomone, Sansone sconfigge l'esercito nemico, Ester davanti ad Assuero*) in chiaroscuro e 4 putti raffiguranti le stagioni, opere di Jacopo Tintoretto con prevalente intervento della bottega. Alle pareti: *Cristo prega nell'orto* e *S. Giovanni Evangelista scrive l'Apocalisse*, opere della bottega di Paolo Veronese; *L'angelo annuncia ai pastori la nascita di Cristo* di Gerolamo Bassano (fine sec. XVI) e *Adamo ed Eva nel Paradiso Terrestre*, ancora della bottega di Paolo Veronese (questi dipinti sono collocati al posto delle quattro Allegorie di Tintoretto, ora esposte nell'anticollegio). A d. si passa nella SALA DELLE QUATTRO PORTE, anticamera d'onore per le sale della Signoria e del Senato. Costruita da Antonio Da Ponte (1575) su progetto di Palladio e di Giovanni Antonio Rusconi, ha 4 porte monumentali, adorne ciascuna di coppie di colonne marmoree e di 3 statue allegoriche, mediocri opere cinquecentesche (le migliori sono quelle sulla porta dell'anticollegio, realizzate da Alessandro Vittoria e raffiguranti l'*Eloquenza*, la *Vigilanza* e la *Facondia*). Il ricchissimo soffitto a botte, ideato da Palladio, è ornato da stucchi di G.B. Cambi e da affreschi (alterati da restauri) di Jacopo Tintoretto (1578-81).

Al centro, *Giove, circondato dagli dei, affida a Venezia il dominio dell'Adriatico*; nei 2 tondi ai lati, *Giunone offre a Venezia il pavone e il fulmine*, simboli della grandezza e dell'autorità, e *Venezia circondata dalle Virtù*; negli 8 ovali intorno, allegorie di città e regioni soggette a Venezia: *Treviso* in pace; *Vicenza* con i prodotti della terra, *Altino* con le antichità, il *Friuli* che ringuaina la spada e *Padova* con i libri (queste 4 rifatte da Francesco Ruschi nel '600); *Verona* con l'anfiteatro, l'*Istria* incoronata e *Brescia* in armatura (queste 3 rifatte da Antonio Paoletti, sec. XIX).

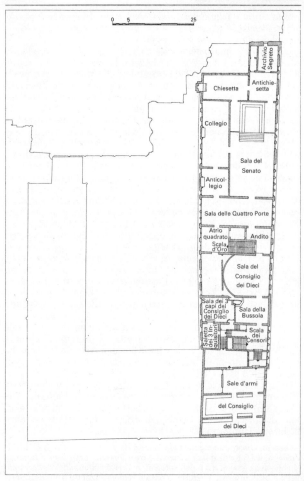

Palazzo Ducale: secondo piano nobile

Alla parete dell'ingresso: a d. della porta, *Il doge Marino Grimani in preghiera davanti alla Vergine con i Ss. Marco, Marina e Sebastiano*, tela di Giovanni Contarini (firmata); in mezzo, **Il doge Antonio Grimani in ginocchio davanti alla Fede, presente S. Marco*, celebre tela di Tiziano commissionata all'artista dal doge Francesco Venier (1554-56) in onore di Antonio Grimani (ancora incompiuto nel 1566, quando lo vide il Vasari, dopo la morte di Tiziano, avvenuta nel 1576, il dipinto fu ultimato e allargato, con l'aggiunta delle figure alle estremità, forse dal nipote Marco Vecellio); segue, a sin., la tela con *I Veneziani condotti dal Gattamelata conquistano Verona* (nel 1430), di Giovanni Contarini. Sopra le finestre verso il rio, *Venezia che riceve l'omaggio di Nettuno*, copia dell'originale dipinto da G.B. Tiepolo fra il 1745 e il 1750, posto sul cavalletto in basso. Nella grande parete che segue: *Il doge Pasquale Cicogna riceve doni da un ambasciatore persiano*, di Carletto e Gabriele Caliari; *Enrico III re di Francia e Polonia, accompagnato dal doge Alvise I Mocenigo, è accolto dal patriarca Giovanni Trevisan, nel 1574, a S. Nicolò di Lido*, interessante tela di Andrea Vicentino (vi si vedono il Bucintoro e l'arco d'onore eretto per l'occasione da Palladio); *I legati di Norimberga ricevono dal doge Leonardo Loredan, nel 1508, la copia delle leggi venete*, di Carletto e Gabriele Caliari. Sopra le finestre, *Venezia si regge sul mondo* di Niccolò Bambini.

Per la porta di fronte all'ingresso si passa nell'*ANTICOLLEGIO, dove sostavano i personaggi illustri in attesa di essere introdotti alla presenza del doge. Dopo l'incendio del 1574 fu ricostruito su progetto di Palladio e dello Scamozzi. Nella ricchissima volta, decorata da stucchi di Marco del Moro, *Venezia distribuisce ricompense e onori*, affresco assai rovinato del Veronese (1577); al sommo delle pareti, grande fregio a stucchi di Alessandro Vittoria, con riquadri in affresco del Montemezzano e di Marco del Moro.

Tra le finestre, camino monumentale con 2 telamoni marmorei, figure efebiche e putti, su disegno di Vincenzo Scamozzi, e, sul frontespizio, *Venere chiede a Vulcano le armi per Enea*, sculture di Tiziano Aspetti; alla parete, ornamentazione a stucco con nudi tra volute ornamentali. Alle pareti, ai lati della porta d'accesso, ***Mercurio e le Grazie** e la *Fucina di Vulcano* e, a quelle di fronte, **Minerva scaccia Marte* e ***Il ritrovamento di Arianna**, 4 opere di Jacopo Tintoretto dipinte intorno al 1577 per l'atrio quadrato e qui poste nel 1713. Alla parete di fronte alle finestre: a d., *Ritorno di Giacobbe in terra di Canaan* di Jacopo Bassano; a sin., ***Ratto d'Europa** di Paolo Veronese (1580). Per la porta sormontata da *Venezia* tra la *Con-*

cordia e la *Gloria*, 3 statue di Alessandro Vittoria, si passa nella
*SALA DEL COLLEGIO, realizzata da Antonio Da Ponte su pro-
getto di Palladio e del Rusconi.

In quest'aula sedeva la Signoria: il doge, i 6 consiglieri, i savi, i capi del
Consiglio dei Dieci e il cancelliere grande, che costituivano il Collegio, una
delle supreme magistrature; qui erano ricevuti gli ambasciatori, i legati, i
patrizi.

Il *soffitto (v. schema qui sotto) è scompartito in cassettonato, con sontuose incorniciature intagliate e dorate, di Francesco Bello, che incastonano notevoli dipinti di Paolo Veronese
(1575-78).

Nell'ovale al centro, 1 *Allegoria della Fede «Rei Publicae Fundamentum»*
e, in basso, un *sacrificio antico*; sopra la tribuna, 2 ***Venezia in trono ono-
rata dalla Giustizia e dalla Pace**; sopra l'ingresso, 3 *Marte e Nettuno*;
intorno, 4 *Prosperità*; 5 *Fedeltà*; 6 *Vigilanza*; 7 *Mansuetudine*; 8 **Dialettica*; 9 *Semplicità*; 10 *Ricompensa*; 11 *Moderazione* e altre figure minori. Il
fregio con *putti* e *allegorie* è opera di Francesco Montemezzano (fine sec.
XVI).

Pareti. Sopra l'ingresso, *Andrea Gritti, assistito da S. Marco,
dinanzi a Maria e ai Ss. Bernardino, Luigi e Marina*, di Jacopo
Tintoretto. Alla parete d., da d.: **Sposalizio di S. Caterina, il
doge Francesco Donà orante, i Ss. Marco e Francesco e le allegorie della Prudenza, Temperanza, Eloquenza e Carità; Il doge
Nicola Da Ponte, assistito dai Ss. Marco e Nicola, invoca Maria
in gloria tra i Ss. Antonio abate e Giuseppe; Il doge Alvise Mocenigo, assistito da S. Marco,
prega Cristo per la cessazione
della peste del 1576*, opere di
Tintoretto (le 2 ultime con
aiuti). Sopra la tribuna, tuttora
quella originaria dove sedeva il
Consiglio, **Sebastiano Venier
assistito dai Ss. Mauro e Giustina tra la Fede e Venezia,
ringrazia il Redentore per la
vittoria di Lepanto*, di Paolo
Veronese (1581-82); ai lati, i
*Ss. Sebastiano e Giustina e fi-
gure allegoriche*, chiaroscuri
dello stesso (1582). Seguono,
Venezia e la virtù di Carletto
Caliari e *figura allegorica* a
chiaroscuro dello stesso (1590-
95). Tra le finestre, camino

Palazzo Ducale: soffitti delle sale
del Collegio e del Senato

marmoreo con *Ercole* e *Mercurio*, statue di Girolamo Campagna.

Per la porta di fronte alle finestre si passa nella ‛*SALA DEL SENATO o dei Pregadi*, ricostruita dal Da Ponte dopo l'incendio del 1574 in cui andarono distrutte opere di Carpaccio, Giorgione e Tiziano. Il soffitto (v. schema pag. 264) è una fastosa creazione con grosse e aggettanti cornici intagliate e dorate su disegno di Cristoforo Sorte (1581). I dipinti che vi sono incastonati, come quelli delle pareti, furono quasi tutti eseguiti tra il 1585 e il 1595: 1 *Venezia seduta tra gli dei riceve i doni del mare*, di Jacopo e Domenico Tintoretto (1581-84); 2 *Il doge accoglie storici e poeti*, dell'Aliense; 3 *Venere soprintende all'opera dei Ciclopi nella fucina di Vulcano*, di Andrea Vicentino; 4 *Il doge Pasquale Cicogna adora l'Eucarestia in occasione della consacrazione della chiesa del Redentore*, di Tommaso Dolabella; 5 *Il Valore Militare* di Marco Vecellio; 6 *La Libertà* dello stesso; 7 *I maestri della Zecca coniano monete sorvegliati dai provveditori*, di Marco Vecellio; 8 *La Verità* e 9 la *Sapienza* di Jacopo Tintoretto. Negli scomparti minori, 2 *filosofi* di Palma il Giovane e 2 *guerrieri* del Vicentino.

Intorno alla sala, i seggi senatoriali, rinnovati nel sec. XVIII: su questi sedevano i senatori (detti anche «pregadi» perché nei primi tempi venivano «pregati» di partecipare alle riunioni), il cui numero di 60, quando fu costituito il senato nel sec. XIII, fu in seguito raddoppiato. Sulla tribuna prendeva posto la Signoria e al centro il doge.

Pareti. Sopra la tribuna: *Cristo morto sostenuto dagli angeli e adorato dai dogi Pietro Lando e Marcantonio Trevisan*, di Jacopo Tintoretto e aiuti (1590); ai lati, *Equità* e *Intelligenza*, chiaroscuri di Jacopo Palma il Giovane; ai lati del trono, *Cicerone pronuncia la sua arringa contro Catilina e Demostene pronuncia la sua arringa contro Eschine*, chiaroscuri di Giandomenico Tiepolo (1776). Di fronte alle finestre: da d., *Obbedienza*, chiaroscuro di Palma il Giovane; *Il doge Francesco Venier presenta a Venezia l'omaggio di Brescia, Udine, Padova e Verona*, dello stesso; *Il doge Pasquale Cicogna assistito da S. Marco supplica Cristo, presenti la Fede, la Pace e la Giustizia*, dello stesso; *Allegoria della lega di Cambrai*, pure di Palma il Giovane.

Vi è raffigurata Venezia che, assistita dal doge Leonardo Loredan, alza la spada contro l'Europa, che si difende con uno scudo su cui sono le insegne dell'imperatore, del papa, di Francia e di Spagna, tutti riuniti in quell'epoca contro la Serenissima. Nello sfondo Padova, la prima città recuperata da Venezia.

Il doge Pietro Loredan, assistito dai Ss. Pietro, Marco e Ludovico, chiede alla Madonna la cessazione della carestia, di scuola del Tintoretto. Parete di fronte alla tribuna: *I dogi Lorenzo e Gi-*

rolamo Priuli, assistiti dai Ss. Lorenzo e Girolamo, adorano Cristo tra Maria e S. Marco, di Palma il Giovane. Parete delle finestre: *S. Lorenzo Giustiniani, primo patriarca di Venezia, impartisce la benedizione in S. Pietro di Castello*, di Marco Vecellio. I chiaroscuri con la *Pace*, la *Giustizia*, la *Prudenza* e il *filosofo Tolomeo* sono del Palma.

Per la porta a d. della tribuna si accede all'ANTICHIESETTA, decorata da stucchi e da pitture. Nel soffitto, il *Buon governo della Repubblica*, allegorie affrescate da Jacopo Guarana (1767) e in parte rifatte da Carlo Bevilacqua. Alle pareti, il *Corpo di S. Marco venerato, al suo arrivo a Venezia, dalla Signoria*, 3 cartoni di Sebastiano Ricci per il mosaico della facciata di S. Marco (1728). La porticina che si apre sul lato N comunica con gli antichi locali dell'Archivio segreto, poi direzione di polizia sotto l'Austria, quando, in una cella ora scomparsa, vi fu rinchiuso, durante il processo del 1821, Silvio Pellico.
A sin. si passa nella CHIESETTA, già sala di raccolta delle sculture donate dal cardinale Grimani nel 1523 (ora nel Museo Archeologico), e trasformata in luogo di culto nel 1593 da Vincenzo Scamozzi. Nel 1766 fu decorata con affreschi di Jacopo Guarana e riquadrature di Girolamo e Agostino Mengozzi Colonna. Sull'altare, *Madonna col Bambino e putti*, gruppo marmoreo di Jacopo Sansovino.

Dalla sala del Senato si ritorna nella sala delle Quattro Porte, che si attraversa per entrare in un andito, dal quale si passa nella parte del palazzo destinata all'esercizio della Giustizia.
La SALA DEL CONSIGLIO DEI DIECI è la prima degli uffici di questa magistratura, istituita dopo la congiura di Baiamonte Tiepolo del 1310 per salvaguardare la sicurezza politica dello Stato. Era presieduta dal doge e formata di 10 membri e 6 consiglieri; la «zonta» di 20 nobili fatta dopo la congiura di Marin Faliero del 1355 fu abolita nel sec. XVI. A quell'epoca risale la sistemazione di queste stanze. Nel soffitto riccamente intagliato e dorato (v.

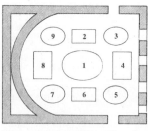

Palazzo Ducale: soffitto della sala del Consiglio dei Dieci

schema accanto), eseguito tra il 1553 e il 1554: al centro, 1 *Giove fulmina i Vizi*, copia ottocentesca del capolavoro di Paolo Veronese, la prima opera da lui eseguita a Venezia, asportato nel 1797 dai Francesi e ora al Louvre; intorno, 2 *Mercurio e Minerva* di G.B. Ponchino; 3 *Nettuno su cocchio marino* dello stesso; 4 *Venere* (Venezia) *fra Marte e Nettuno* di G.B. Zelotti; 5 *Giove e Giunone* dello stesso; 6

Giunone che offre il corno ducale, gemme e oro a Venezia, di Paolo Veronese (inviato da Napoleone a Bruxelles nel 1797 e restituito dal Belgio nel 1920); 7 *Venezia sul globo e sul leone* dello Zelotti; 8 *Matrona con nell'alto divinità, che spezza ceppi e catene*, del Veronese; 9 *Vecchio orientale con turbante seduto presso una giovane donna*, dello stesso. Le pareti, decorate in alto da un fregio di putti, stemmi e figure allegoriche di G.B. Zelotti, sono rivestite in basso da un alto zoccolo ligneo ad anfiteatro. Sopra questo, a sin.: *Incontro di Carlo V e Clemente VII nel 1530 a Bologna*, di Marco Vecellio (1604); a d., *Papa Alessandro III benedice il doge Sebastiano Ziani, vincitore nel 1176 della battaglia di punta Salvore*, di Francesco e Leandro Bassano (1592); in fondo, *Adorazione dei Magi* dell'Aliense (c. 1600). Segue la SALA DELLA BUSSOLA, anticamera del Consiglio dei Dieci e degli inquisitori di Stato, dove si giungeva generalmente dalla scala dei Censori (pag. 256). Nel soffitto: al centro, *S. Marco tra le Virtù teologali*, copia di Giulio Carlini dell'originale del Veronese ora al Louvre; intorno, *episodi della storia romana*, chiaroscuri di bottega di Paolo Veronese. Tra le finestre, camino marmoreo su disegno del Sansovino, con 2 telamoni: quello di sin. di Pietro Grazioli da Salò e l'altro di Danese Cattaneo. Alla parete di fondo, *Il doge Leonardo Donato, assistito da S. Marco, venera la Vergine*, di Marco Vecellio; alla parete d., *Il Carmagnola conquista Brescia* e a quella sin., *Il Carmagnola conquista Bergamo*, 2 opere dell'Aliense, autore anche dei monocromi con ghirlande e allegorie della fama. A d. della porta che mette sulla scala dei Censori, sportello corrispondente alla bocca per le denunce segrete.

Passando per la bussola si va nella SALA DEI TRE CAPI DEL CONSIGLIO DEI DIECI, che erano eletti ogni mese tra i membri del consiglio e avevano l'incarico di aprire le denunce e di convocare il consiglio. Negli scomparti del soffitto: al centro, ottagono con *La Virtù che vince i Vizi* di G.B. Zelotti; intorno: *La punizione del falsario* di Paolo Veronese; *La Giustizia vince la ribellione* di G.B. Ponchino; *La Vittoria vince il peccato* di Paolo Veronese; *Il Sacrilegio travolto nel baratro* di G.B. Ponchino. I monocromi a soggetto allegorico raffigurano: il *Commercio* (Paolo Veronese); un *fiume* (G.B. Zelotti); un episodio storico (Paolo Veronese); la *battaglia* (Paolo Veronese); un *fiume* (G.B. Zelotti); un'*arringa* (Paolo Veronese). Alle pareti: *Cristo compianto dagli angeli*, opera di Antonello de Saliba, copia del quadro di Antonello da Messina ora al Museo Correr; seguono opere di Hieronymus Bosch: *L'ascesa all'Empireo, Il Paradiso terrestre, La caduta dei dannati, L'inferno, Trittico di S. Liberata* (tutti eseguiti tra il 1500 e il 1504) e il *Trittico degli Eremiti* eseguito nel 1505. Tra le finestre, camino simile a quello della sala precedente, pure con due cariatidi: quella di sin. di Danese Cattaneo, l'altra di Domenico Grazioli.

La porta a sin. delle finestre comunica, mediante alcuni gradini, con la SALETTA DEI TRE INQUISITORI DI STATO, magistratura istituita nel sec. XVI per trattare i più delicati affari dello Stato e che, insieme al Consiglio dei Dieci, esercitava la più temuta autorità esecutiva (la saletta comunicava mediante una scaletta interna, con la soprastante camera del Tormento e, mediante un altro passaggio occulto, con il ponte dei Sospiri e le Prigioni). Nel soffitto, *Ritorno del figliuol prodigo* al centro e, ai lati, la *Fede*, la *Legge*, la *Giustizia* e la *Concordia*, opere di Jacopo Tintoretto eseguite tra il 1566 e il 1567. Dalla sala della Bussola si esce sul ripiano della scala dei Censori, lo si attraversa e si sale di fronte una breve scala che porta alle SALE D'ARMI DEL CONSIGLIO DEI DIECI. Vi è esposta una raccolta organica di armi da guerra, per la massima parte dei secc. XV-XVI, qui riunite fin dall'origine non per mostra, ma per uso.

Il deposito d'armi del Palazzo Ducale esisteva già nel 1317 e venne collocato in questi ambienti verso il 1532, perché ritenuti più sicuri e occulti. Saccheggiato alla caduta della Repubblica nel 1797 e ridotto a un quarto circa della sua consistenza, consta di 2031 pezzi.

Nella SALA I sono esposte, montate su cavalli, 2 armature da cavaliere: quella di fronte, magnifica per forma e decorazione è detta *armatura del Gattamelata*, per quanto stilisticamente non corrisponda al tempo del celebre condottiero, essendo opera del Cinquecento, probabilmente di produzione lombarda; l'altra *armatura* è della fine del sec. XVI e pare sia appartenuta al senatore Francesco Duodo. Alle pareti, 4 *fanali dorati* provenienti da galeoni turchi conquistati a Cipro nel 1668 e, a sin. della porta che immette nella sala successiva, *celata* a becco di passero, singolare e raro lavoro del sec. XIV.

SALA II. Nel mezzo, *colubrina* completa di affusto e di attrezzi, fusa intorno alla metà del '500 e attribuibile a fattura tedesca; è ornata con rilievi e viticci e conserva tracce delle dorature originarie. Nella parete di fondo, entro l'originaria cornice architettonica dello Scamozzi, la celebre *armatura di guerra di Enrico IV di Francia*, da lui donata alla Repubblica nel 1603. Accanto alla finestra, l'*armatura di un fanciullo*, trovata nel campo di battaglia di Marignano nel 1515, e una *micciera* per 106 micce, in rame traforato e sbalzato, firmata da G.B. Comino e datata 1521. Contro le pareti laterali, i *busti* in bronzo dei dogi *Sebastiano Venier* e *Agostino Barbarigo* di Tiziano Aspetti (1571). Pende dal soffitto una *bandiera turca*, lunga c. 10 m, trofeo della battaglia di Lepanto. Lungo le pareti, nella rastrelliera, serie di spadoni a due mani del principio del sec. XVI, falcioni del sec. XV, corsesche, alabarde, scuri a martello, partigiane; bellissime rotelle veneziane di cuoio cotto con impressioni e dorature; spade, spadoncini, mazze ferrate, pistole, terzette, ecc., tutte armi del sec. XVI; 4 mezze armature, testiere di cavallo.

Dalle porte ai lati della nicchia con l'armatura di Enrico di Francia si può passare in un ambiente ove resta una parete della famosa prigione della «Torresella», coperta da interessanti iscrizioni di mano dei personaggi che vi furono rinchiusi nel '400; fra esse, il «disce pati» (impara a soffrire) con la firma di Luchino da Cremona, del 1458.

La SALA III, detta del Morosini, è stata ricostruita secondo le antiche forme, ripristinando la disposizione seicentesca delle armi. Nella parete di fondo, *busto* in bronzo *di Francesco Morosini* il Peloponnesiaco, dedicatogli dal Senato nel 1687, mentre era ancora in vita, opera del genovese Filippo Parodi (una replica in marmo è al Museo Correr). Attorno, entro scaffalature: corsesche, alabarde, falcioni, picche e altre armi d'asta; spadoni a due mani, spade specialmente quattrocentesche; balestre da posta e a mano, con numerosi turcassi colmi di frecce, archi, corazze, petti e schiene, morioni e bacinetti, terzette, pistole, ecc.; tutto, per la massima parte del sec. XVI. Sopra colonne isolate, due notevolissime mezze armature da torneo di casa sforzesca, opera dei celebri Missaglia di Milano. Presso la finestra, due singolari armi da fuoco del principio del '600: archibugio a miccia (o mitragliatrice) a venti canne, dovuto a Giovanni Maria Bergamini (1517), e un cannoncino (o petriera) a cinque colpi, con culatta a revolver (principio del '600).

SALA IV, detta di Marcantonio Bragadin. Nelle vetrine a d.: cimeli e armi preziose; magnifici morioni a punta o a cresta del '500, finemente incisi; archibugi persiani ageminati; fiaschette da polvere; pistole; archibugetti; due stocchi papali, uno offerto al doge Francesco Foscari (1450), l'altro al doge Cristoforo Moro (1469); corazzina ricoperta di broccato, designata come di Enrico Dandolo; belle spade dei secc. XIV-XVI; scudi veneziani di pelle impressa e colorata; altro persiano con agemina d'oro; turcassi veneziani; un collare di tortura ornatissimo; armi turchesche, ecc. Sopra le vetrine, 3 bandiere turchesche del sec. XV-XVI. L'altro armadio contiene pure una serie notevole di morioni del '500; spade, strisce, stocchi dei più celebri armaioli dei secc. XV-XVI; archibugi, balestre, armi miste da fuoco e da taglio, rotelle, cimeli vari, ecc. Nella parete di fronte alle vetrine continua, in rastrelliera, la serie di picche, alabarde, martelli a scure, partigiane, falcioni ecc., dei secc. XV-XVI. Sopra la vetrina di d., esemplare unico e prezioso, è una *celata trecentesca a «becco di passero» tutta d'un sol pezzo. Nella rastrelliera tra la porta e le finestre di fondo, fra armi notevoli per valore storico e artistico, due grevi spadoni a due mani, probabilmente arnesi da carnefice; il primo è designato come quello che nel 1355 mozzò la testa al doge Marin Faliero. Nella parete di fondo, a d., *busto* in bronzo *di Marcantonio Bragadin*, l'eroe di Famagosta, opera di Tiziano Aspetti; l'altro busto, di marmo, è *Ritratto dell'ammiraglio Girolamo Pesato*, opera di Alessandro Vittoria. La bandiera turca, di seta e con scritta araba, appesa alla parete di fondo, è trofeo di scontri avvenuti in Friuli alla fine del Quattrocento; ai lati, 2 *code di pascià* (code di cavallo), insegna di grado turco.

Ripercorse le sale dell'armeria, osservare sopra la porta d'ingresso il *busto* marmoreo *del generale da mar Sebastiano Venier*, vincitore della battaglia di Lepanto, poi eletto doge, opera di Alessandro Vittoria (1577-78). La porta sul ripiano della scala dei Censori ha una bella serratura in bronzo, con tracce di doratura e la sigla C X (Consiglio dei Dieci). Si scende a sin. la scala dei

Censori, che sbocca nel piano delle logge presso la sala dei Censori. La prima rampa riporta al primo piano nobile, dal quale si è già visitata l'ala orientale, corrispondente all'appartamento del doge (v. pag. 257); restano da visitare la sala del Maggior Consiglio e, nell'ala occidentale, le sale della Quarantia Civil Nova e dello Scrutinio (v. pianta a pag. 258).

Dal ripiano della scala si entra nell'ANDITO DEL MAGGIOR CONSIGLIO, ampio ambiente che si prolunga sul fondo con un braccio trasversale (il «liagò») con ricco soffitto dorato a travature (metà del sec. XVI), illuminato da 2 ampi finestroni a trifore gotiche prospicienti il Molo. Alla parete sin.: in mezzo, *Trasfigurazione*; a sin., *La gente di mare offre un modello di galera a S. Giustina, La guerra e marinai*; a d., *Il doge Giovanni Bembo dinanzi a Venezia tra figure allegoriche*, opere di Domenico Tintoretto allusive alla battaglia di Lepanto; a Sebastiano Bombelli va assegnata la tela con *Venezia in ginocchio davanti alla Vergine Concetta*. Alla parete d.: in mezzo, *Il doge Marcantonio Memmo dinanzi alla Vergine col Bambino, tra i Ss. Marco, Antonio abate, Rocco e Nicola e seguito dalle figure simboliche di Vicenza, Verona, Brescia, Bergamo e Palmanova*, di Palma il Giovane, di cui pure, alle estremità, i chiaroscuri della *Religione* e della *Concordia* (opere firmate e datate 1615).

A sin. dell'andito si aprono le sale della Quarantia Civil Vecchia e dell'Armamento. La SALA DELLA QUARANTIA CIVIL VECCHIA è uno dei più antichi ambienti del palazzo, la cui decorazione risale però al sec. XVII.

Era sede della Quarantia Civil Vecchia, magistratura composta di 40 membri e depositaria della massima autorità della Repubblica, prima dell'istituzione del Senato nel sec. XIII; dopo le rimase la giurisdizione sugli affari civili della città e del dogado.

Pareti. Sopra l'ingresso: *Venezia, circondata da Fede, Carità, Speranza, Libertà e Giustizia, riceve lo scettro del dominio*, di G.B. Lorenzetti (c. 1660). Parete d.: *Mosè fa distruggere il vitello d'oro* e *Mosè punisce gli idolatri*, di Andrea Celesti (1682-85). Parete sin.: al centro, *Madonna col Bambino*, tabernacolo su tavola (sec. XV); intorno, grande tela allegorica di Pietro Malombra (in alto, *Padre Eterno e 2 contraddittori*; a sin., *Venezia circondata dalle Virtù accoglie le suppliche dei cittadini*; a d., *Mercurio guida giovani incatenati e vecchi cadenti, seguiti dal genio della Carità*). La SALA DELL'ARMAMENTO, o del Guariento, era in origine deposito di armi e munizioni. Vi è esposto quanto resta del *Paradiso*, grandioso affresco realizzato dal Guariento tra il 1365 e il 1367 per la sala del Maggior Consiglio; rovinato dall'incendio del 1577, fu coperto dal telero di Tintoretto, di analogo

soggetto, e nel 1903 strappato e qui collocato (vi si distinguono:
al centro, l'Incoronazione della Vergine; ai lati, santi e profeti;
intorno e in basso, angeli e beati). Nel «liagò» sono state collocate le *statue di Adamo e di Eva (firmata), capolavori della
scultura veneziana del Rinascimento, realizzate nel 1464 da Antonio Rizzo per l'arco Foscari (v. pag. 254), dove era pure collocata la terza statua che qui si vede, l'*alfiere, attribuita al Rizzo.
A d. si passa nella *SALA DEL MAGGIOR CONSIGLIO, la più vasta
del palazzo (lunga m 52.70, larga m 24.65, alta m 11.50), di cui
occupa l'ala meridionale. Il grandioso ambiente, ricostruito dopo
l'incendio del 1577 da Antonio Da Ponte, illuminato da 7 finestroni ogivali (5 prospettanti sul Molo, 2 sulla piazzetta) e da 2
rettangolari (aperti nel lato verso il cortile nel sec. XVII), presenta le pareti e il soffitto decorati da grandi tele realizzate dai
maggiori pittori veneti della seconda metà del '500: i soggetti furono indicati dal monaco camaldolese Girolamo dei Bardi e dallo
storico veneziano Francesco Sansovino.

Il primitivo salone, iniziato nel 1340 e ultimato entro il 1355 (fu però inaugurato nel 1423 dal doge Francesco Foscari), presentava una altrettanto
ricca decorazione, completamente distrutta dall'incendio del 1577, costituita dall'affresco del Guariento (v. sopra) e da più tardi dipinti dei maggiori maestri veneziani dei secc. XV e XVI.
Il Maggior Consiglio nacque dal Consiglio dei Savi, istituito dal doge
Pietro Polani nel 1143 c. e che si sostituì progressivamente all'assemblea
popolare in tutte le funzioni legislative. Col tempo esso divenne di fatto
l'assemblea plenaria di tutte le cariche dello Stato, aggregando a sé per le
deliberazioni comuni i diversi collegi dei pregadi, della quarantia civil, ecc.
Contemporaneamente le funzioni politiche, malgrado vigesse sempre l'elezione popolare, si andavano restringendo ad un certo numero di famiglie
patrizie. Cosicché, alla fine del sec. XIII e al principio del XIV, a sanzionare
una situazione ormai stabilita di fatto, alcuni decreti, riassunti tradizionalmente nella cosiddetta «serrata del Maggior Consiglio» (1297), attuarono
la definitiva trasformazione dello Stato: fu abolito il sistema elettivo e il
Consiglio dei Savi fu trasformato in Maggior Consiglio, la cui appartenenza venne riservata ai nobili iscritti nel Libro d'Oro e al di sopra dei 25
anni di età; inoltre, il Maggior Consiglio si sostituiva alla votazione popolare per l'elezione di tutte le altre cariche. La repubblica di Venezia diventava così una rigida aristocrazia e il Maggior Consiglio la fonte di tutti i
poteri e l'espressione della sovranità dello Stato. Naturalmente il gran numero dei suoi membri (oscillanti intorno ai 1500) non permetteva di trattare le questioni in assemblea generale. Si formarono pertanto ristrette
commissioni, incaricate dei lavori preparatori, riservandosi alle riunioni
plenarie le votazioni.
Durante le sedute il doge prendeva posto al centro del Tribunale tra i 6
consiglieri e attorno a lui si disponevano i capi del Consiglio dei Dieci e
della Quarantia Criminale, gli avogadori di Comune e i censori. I membri
del Maggior Consiglio si disponevano su doppi banchi affiancati in 9 file
longitudinali; a metà della sala vi erano 2 tribune per gli oratori. Eccezio-

nalmente la sala servì a conviti e feste pubbliche, con luminarie, balli e orchestra, come per la venuta di Enrico III (1574) e per l'incoronazione della dogaressa Morosina Morosini Grimani (1595). Dopo il 1797 vi tenne le sue sedute la municipalità democratica; poi vi fu collocata la Biblioteca Marciana. Nel 1848-49 vi si riunì l'assemblea del libero governo provvisorio che il 12 aprile 1849 vi decretò la resistenza «ad ogni costo» contro lo straniero (targa di bronzo del 1881).

La PARETE E (di fondo, dietro la tribuna) è interamente coperta dal **Paradiso**, grandiosa tela di m 7.45 × 24.65, dipinta tra il 1588 e il 1594 da Jacopo Tintoretto e dal figlio Domenico, con la collaborazione di Palma il Giovane e di altri aiuti (l'opera venne eseguita nel salone della Scuola Vecchia della Misericordia, a Cannaregio, su tele staccate e successivamente qui montate); nel gennaio del 1983 la vasta composizione è stata asportata per il restauro.

Prima di affidare l'incarico a Tintoretto, il Senato si era rivolto a Paolo Veronese e a Francesco Bassano, invitandoli a preparare ciascuno un bozzetto (ora rispettivamente conservati al Museo di Lilla e all'Ermitage di Leningrado) per il grande dipinto. I due avrebbero dovuto associare a loro opera, ma la sopravvenuta morte del Veronese (1588) portò il Senato a chiamare l'allora settantenne Tintoretto, che preparò il bozzetto oggi al Louvre.

Sulla PARETE N (verso il cortile, a d. volgendo le spalle al Paradiso), in una serie di tele è rappresentata la partecipazione del doge Sebastiano Ziani alla lotta tra il papa Alessandro III e l'imperatore Federico Barbarossa, partecipazione puramente leggendaria, anche se la contesa offrì a Venezia l'occasione per una grande affermazione politica. Dalla tribuna verso il fondo: 1 *Il doge Sebastiano Ziani riconosce il papa Alessandro III fuggito a Venezia nel convento della Carità*, 2 *Gli ambasciatori del Papa e di Venezia partono per recare al Barbarossa proposte di pace*, entrambi di Benedetto e Carletto Caliari; 3 *Il papa in S. Marco dona al doge Ziani il cero bianco, uno dei segni dell'autorità dogale*, di Leandro Bassano; 4 *Gli ambasciatori ricevuti in Pavia dal Barbarossa chiedono la pace per il papa Alessandro III*, di Jacopo Tintoretto e aiuti; 5 *Il doge, sul punto di salpare con la flotta contro il Barbarossa, riceve dal Papa la spada benedetta*, di Francesco Bassano; 6 *Il doge, sul punto di partire con l'armata, benedetto dal Papa*, di Paolo Fiammingo; 7 *Vittoria di punta Salvore e cattura di Ottone, figlio del Barbarossa, e di molti baroni*, di Domenico Tintoretto; 8 *Il doge presenta Ottone al Papa e riceve l'anello con cui ogni anno si celebrerà poi lo sposalizio del mare*, di Andrea Vicentino; 9 *Il Papa permette a Ottone di recarsi presso il padre per trattare la pace*, di Palma il Giovane; 10 *Nell'atrio di S. Marco il Barbarossa bacia il piede al Papa*, di

Federico Zuccari (firmato e datato 1582-1603); 11 *Il Papa giunge su navi veneziane ad Ancona, accompagnato dal Barbarossa e dal doge, e dona a questo un'ombrella d'oro, altro simbolo d'autorità,* di Girolamo Gambarato.

PARETE O (di fronte al Paradiso). Da d.: 1 *In S. Giovanni in Laterano il Papa dona al doge 8 stendardi bianchi, rossi e turchini, trombe, cuscino e sedia d'oro* (tutti attributi di dignità dogale), di Giulio del Moro; 2 *Ritorno vittorioso da Chioggia del doge Andrea Contarini, dopo la disfatta dei Genovesi,* una delle ultime opere del Veronese; sopra le finestre, 2 *figure allegoriche* di Marco Vecellio; 3 *Baldovino incoronato nella piazza di S. Sofia* dell'Aliense (ultima tela del ciclo svolto sulla parete seguente).

PARETE S (verso il Molo). Vi è rappresentata la partecipazione di Venezia alla 4ª crociata (ma qui l'elencazione delle tele segue un ordine inverso). Dal fondo verso la tribuna: 1 *In S. Sofia i Crociati eleggono imperatore d'Oriente Baldovino di Fiandra,* di Andrea Vicentino; 2 *Presa di Costantinopoli,* di Domenico Tintoretto; 3 *Assalto di Costantinopoli,* di Palma il Giovane; 4 *Alessio Comneno, figlio del diseredato imperatore di Costantinopoli, giunge a Zara a invocare l'aiuto dei Crociati per scacciare dal trono lo zio Alessio usurpatore e rimettervi il proprio padre Isacco,* di Andrea Vicentino; 5 *Resa di Zara,* di Domenico Tintoretto; 6 *I Crociati, al comando del doge, assalgono Zara,* di Andrea Vicentino; 7 **Il doge Enrico Dandolo nonagenario e i capitani dei Crociati giurano in S. Marco i patti,* iniziata da Carlo Saraceni, compiuta e firmata da Jean Le Clerc.

Nella parte alta di tre pareti, al di sopra dei quadri, Jacopo e Domenico Tintoretto dipinsero, a gruppi di due, i ritratti dei dogi, da Obelerio Antenoreo (il 9° doge, eletto nell'804, che secondo alcuni cronisti avrebbe portato la sede del governo a Rialto) a Francesco Venier (1554-56); gran parte dei ritratti sono immaginari. Sulla parete O, in luogo del ritratto di Marin Faliero, decapitato nel 1355 per aver congiurato contro lo Stato, si trova su fondo nero l'iscrizione: «Hic est locus Marini Falethri, decapitati pro criminibus». Sul soffitto, in corrispondenza di ogni ritratto, il relativo stemma.

Il SOFFITTO (v. schema pag. 274), eseguito su progetto di Cristoforo Sorte durante il dogado di Nicolò Da Ponte (1578-85), presenta imponenti cornici intagliate e dorate, che racchiudono 35 dipinti su tela disposti in tre file longitudinali. Fila laterale sin. (dalla tribuna al fondo, lungo le 5 finestre verso il Molo): 1 *Antonio Loredan dirige l'assalto per liberare Scutari dall'assedio di Maometto II* (1474), di Paolo Veronese; 2 *L'esercito e la flotta veneziani, comandati da Damiano Modo, espugnano le difese del duca Ercole I d'Este a Polesella* (1482-84), di Francesco Bassano;

3 *Vittore Soranzo porta la flotta veneziana sul Po alla vittoria di Argenta (1482) contro le milizie del duca Ercole I d'Este,* di Jacopo Tintoretto e aiuti; 4 *Jacopo Marcello conquista Gallipoli in Puglia sgominando le truppe aragonesi del re di Napoli (1494),* dello stesso; 5 *Giorgio Cornaro e Bartolomeo d'Alviano sconfig-*

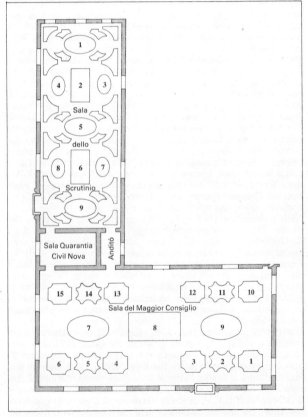

Palazzo Ducale: soffitti delle sale del Maggior Consiglio e dello Scrutinio

gono nel Cadore gli imperiali di Massimiliano I (1508), di Francesco Bassano; 6 *Andrea Gritti riprende Padova alle truppe della lega di Cambrai entrandovi da porta Codalunga* (1510), di Palma il Giovane. Fila mediana (dal fondo alla tribuna): 7 *Venezia, incoronata dalla Vittoria, accoglie i popoli vinti e le province soggette che circondano il suo trono regale,* di Palma il Giovane; 8 *Venezia, circondata da deità marine, porge un ramo d'ulivo al doge Nicolò Da Ponte che le presenta gli omaggi del senato e i doni delle province soggette,* di Jacopo Tintoretto e aiuti; 9 ***Apoteosi di Venezia circondata da divinità e incoronata dalla Vittoria,** di Paolo Veronese. Fila laterale d. (dalla tribuna al fondo lungo la parete verso il cortile e le sale seguenti): 10 *Pietro Mocenigo prepara l'assalto per prendere Smirne ai Turchi* (1471), di Paolo Veronese; 11 *Michele Attendolo guida i Veneziani alla vittoria di Casalmaggiore sui Viscontei* (1446), di Francesco Bassano; 12 *Stefano Contarini conduce la flotta veneziana del lago di Garda alla vittoria di Riva sulla flotta viscontea* (1440), di Jacopo Tintoretto e aiuti; 13 *I Veneziani guidati da Francesco Barbaro aiutano i Bresciani a rompere l'assedio di Filippo Maria Visconti* (1438), dello stesso; 14 *Il Carmagnola guida i Veneziani alla vittoria di Maclodio contro le truppe milanesi di Filippo Maria Visconti* (1426), di Francesco Bassano; 15 *Francesco Bembo guida la flotta veneziana del Po alla vittoria di Cremona contro i Viscontei* (1427) , di Palma il Giovane.

Nei 20 scomparti minori, chiaroscuri raffiguranti fatti storici, figure allegoriche e trofei d'armi, opera di Pietro Longo, Palma il Giovane, Andrea Vicentino, Francesco Montemezzano, Leonardo Corona e dell'Aliense.

Per l'ultima porta in fondo a d. (diagonalmente opposta all'ingresso) si passa nella SALA DELLA QUARANTIA CIVIL NOVA, magistratura di 40 consiglieri, istituita nel 1492 e funzionante come tribunale d'appello per le cause civili riguardanti la terraferma e i possedimenti d'oltremare. Soffitto a travatura dorata della fine del sec. XVI. Sopra la nicchia della tribuna, tabernacolo rinascimentale con una *Madonna,* dell'inizio del sec. XIV; ai lati di questo, *Venezia fra le Virtù affida alla Giustizia la soluzione delle controversie,* di Antonio del Foler (c. 1600). Parete sin.: *La Celebrità posa il corno ducale sopra il modello di Venezia presentatole da Nettuno e sostenuto da 5 putti;* ai lati, le *Virtù* e la *Giustizia scaccia i Vizi,* quadri di maniera, ma di efficace chiaroscuro, di G.B. Lorenzetti. Altri dipinti di anonimi seicenteschi raffigurano la *Legge,* la *Vergine Annunciata* e l'*Angelo annunciante.* Parete d.: *La Giustizia spoglia la Verità dei veli posti dall'Avarizia, dall'Invidia, dall'Inganno e dalla Bugia,* di Filippo Zaniberti (in basso, il ritratto di un magistrato della Quarantia).

Se la sala è chiusa, si passa per l'andito a lato di questa, con il soffitto decorato da Camillo Ballini: *Venezia incoronata dalla gloria* (allusione a Lepanto); *La guerra e la pace*.

Per la porta di fronte si accede alla SALA DELLO SCRUTINIO, edificata, come il resto dell'ala O del palazzo, sotto il dogado di Francesco Foscari (1423-57), e nel 1532 destinata allo scrutinio delle votazioni del Maggior Consiglio e alle operazioni per l'elezione del doge. Dopo l'incendio del 1577 fu rifatta da Antonio Da Ponte e decorata con dipinti di scuola di Jacopo Tintoretto e di Paolo Veronese.

Il solenne *arco trionfale* nel fondo, di tipo classico romano, fu eretto su disegno di Antonio Gaspari, per onorare Francesco Morosini il Peloponnesiaco (m. 1694). È decorato negli scomparti da allegorie del doge vittorioso, dipinte da Gregorio Lazzarini: *La Pace incorona la Difesa e la Costanza; La Religione offre al doge lo stocco e il pileo benedetti; Il Merito offre al doge i bastoni di comando relativi ai gradi d'onore accordatigli dalla Repubblica; Il doge accompagna la Morea a rendere omaggio a Venezia; La Vittoria navale; La Vittoria terrestre*.

Alla parete di fronte all'arco di trionfo: **Giudizio Universale*, grande tela di Palma il Giovane (1587-92); al centro, lapide marmorea con massime di virtù politiche in latino e lo stemma di Francesco Foscari; nelle lunette del sovrastante fregio, 4 *Evangelisti* e 4 *Profeti* dovuti ad Andrea Vicentino. Alle pareti laterali, 10 grandi tele che illustrano le gesta dei Veneziani nelle loro conquiste marinare in Oriente, anche qui, come nella sala del Maggior Consiglio, secondo lo schema del monaco fiorentino Girolamo dei Bardi. Per lo più convenzionali, si collocano nell'ambito manieristico del tardo Cinquecento.
Parete O (a sin., verso la piazzetta): da d., *I Veneti difendono la Laguna contro Pipino* (809), di Andrea Vicentino; *Vittoria dei Veneti nel canal Orfano su Pipino* (809), dello stesso (due fatti nei quali la realtà storica si confonde con la leggenda); *Vittoria dei Veneziani, condotti dal doge Domenico Michiel, a Giaffa di Soria* (1123), di Sante Peranda; *Lo stesso doge Michiel fa sbarcare le vele e i timoni della flotta, per assicurare i Crociati che le galere veneziane non si sarebbero allontanate senza aver conquistato Tiro* (1123), dell'Aliense; *Vittoria navale dei Veneziani, chiamati in aiuto dall'imperatore Emanuele Comneno, sulla flotta del re normanno Ruggero II a Capo Maleo in Grecia* (1148), di Marco Vecellio; sopra le finestre, figure allegoriche di Andrea Vicentino, Marco Vecellio, Sebastiano Ricci e dell'Aliense.
Parete E (verso il cortile) da d.: *Vittoria dell'esercito veneziano a Zara contro gli Ungheresi* (1346), quadro potente di concezione e di tecnica, di Jacopo Tintoretto; *I Veneziani, condotti da Vettor*

Pisani, prendono Càttaro (1378), di Andrea Vicentino; *Vittoria di Lepanto* (1571; Sebastiano Venier è rappresentato armato a capo scoperto sulla poppa della sua galea, in primo piano a d.), dello stesso; *Francesco Cornaro dopo la vittoria di Lepanto ordina la demolizione del Castello di Margariti in Albania*, di Pietro Bellotti; *Vittoria di Lorenzo Marcello sui Turchi ai Dardanelli* (1656; dal colossale schiavo nel mezzo, il popolo indicò il dipinto col nome di «schiavo del Liberi»), di Pietro Liberi.

Il soffitto sontuoso, ma più pesante dei precedenti, racchiude nelle cornici intagliate e dorate 33 tele con allegorie, trofei e, nei comparti maggiori, la raffigurazione delle lotte di Venezia contro le altre repubbliche marinare. Incominciando dal lato sopra l'arco di trionfo (v. schema pag. 274): 1 *Vittoria sui Pisani nelle acque di Rodi* (1098) di Andrea Vicentino; 2 *Acri tolta ai Genovesi* (1256) di Francesco Montemezzano; 3 *Il doge Domenico Michiel ricusa il dominio di Sicilia* (1128) di Niccolò Bambini; 4 *Morte di Ordelaffo Falier sotto le mura di Zara* (1118) dell'Aliense; 5 *Vittoria dei Veneziani sui Genovesi presso Trapani* (1265) di Camillo Ballini; 6 *I Veneziani comandati da Giovanni Soranzo, tolgono Caffa ai Genovesi* (1296), di Giulio del Moro; 7 *Il doge Enrico Dandolo rifiuta la corona d'Oriente* (1204) dello stesso; 8 *Pietro Ziani rifiuta il dogado per farsi monaco* (1229) dell'Aliense; 9 *I Veneziani conquistano Padova a Francesco da Carrara* (1405), una delle migliori opere di Francesco Bassano; tutt'intorno al soffitto, *Virtù*, dei detti artisti; intorno ai numeri 9, 5 e 1, 12 *figure allegoriche* attribuite a Giulio Licinio.

Fra le pareti e il soffitto, a completare la serie iniziata nella sala del Maggior Consiglio, corre un fregio con i ritratti dei dogi, da Lorenzo Priuli (1556-59) a Lodovico Manin (1789-97); i primi 7 sono opera di Jacopo Tintoretto e aiuti, i rimanenti di pittori contemporanei ai singoli dogi.

Si ripercorre la sala dello Scrutinio e, passando per la porta di sin., si attraversa l'andito con soffitto decorato (v. pag. 276) che sbocca nella sala del Maggior Consiglio. Si segue quindi tutto il lato sin. di questa e si attraversa uno stretto passaggio segreto (dal quale una guardia sorvegliava il cortile durante le sedute del Maggior Consiglio), raggiungendo il ripiano della scala dei Censori. Passatolo, si attraversano successivamente a sin. due porte e, a d., si entra nella SALA DELLA QUARANTIA CRIMINAL. L'ambiente, dove una magistratura di 40 membri giudicava i crimini non pertinenti al Consiglio dei Dieci, conserva il soffitto originario con travature a vista, ornate e dorate alla sansovina; alla parete, *Annunciazione* di Jacopo Palma il Giovane, inizio sec. XVII (il tribunale e i seggi sono stati ricomposti sulla scorta di un antico dipinto). Seguono le sale del Magistrato al Criminal e del

Magistrato alle Leggi. Da quest'ultima si passa in una SALETTA, che riceve luce dalla galleria dell'appartamento ducale, dove sono collocate due lunette, una con la *Madonna col Bambino e S. Giovannino* di Tiziano (1525-30) e l'altra con il *Redentore* di Giuseppe Salviati, affreschi staccati e assai deperiti, eseguiti per la sala dei Senatori. Da qui uno stretto corridoio conduce alle Prigioni Nuove (v. pag. 515) attraverso il **ponte dei Sospiri**, che scavalca il rio di Palazzo.

Costruito per volere del doge Marino Grimani forse su disegno di Antonio Contin (c. 1602), è percorso internamente da due stretti corridoi sovrapposti, il superiore proveniente dalla sala della Quarantia e da quelle del Tribunale, l'inferiore diretto agli uffici dell'Avogaria al piano delle Logge. Veniva utilizzato per trasferire i detenuti in attesa di giudizio dal nuovo edificio delle prigioni (edificato al di là del rio) agli uffici dei tribunali allogati nel Palazzo Ducale. Il nome è probabile creazione fantasiosa del periodo romantico.

Le PRIGIONI VECCHIE (utilizzate fino all'edificazione delle Nuove, al di là del rio di Palazzo, v. pag. 515) si dividevano in 'piombi', situati sotto i tetti di piombo del palazzo e ora scomparsi, e in 'pozzi', posti in basso a piano terra e riservati ai condannati per i reati più gravi e ai prigionieri politici.

Per una stretta scaletta si scende fino alle 18 celle dei 'pozzi', dette anche «orbe» o «forti», indicate da numeri romani capovolti e divise in due piani (il più basso a livello delle acque del rio di Palazzo). Le celle, costruite in blocchi di pietra istriana e in parte rivestite internamente di tavole d'abete così da sembrare vere e proprie bare, hanno per unica apertura quella praticata nel muro verso il corridoio, che serviva alle guardie per introdurre il cibo e sorvegliare i prigionieri, e sono fornite solamente di un rozzo tavolaccio. Anche dopo la costruzione delle nuove prigioni, queste vennero talvolta usate dal Tribunale dei Dieci durante le istruttorie e i processi.

Ripassato il ponte dei Sospiri per il corridoio inferiore, si scende al piano delle Logge (a metà dell'ala orientale, v. pianta pag. 255) nel primo del gruppo di ambienti che costituisce l'«Avogaria», la SALA DEI CENSORI (magistratura di due membri che doveva inquisire sui costumi della nobiltà e impedire i brogli elettorali). Lungo le pareti corre una cornice in legno con gli stemmi dei 266 censori che si sono succeduti dal 1517 al 1629; sulla parete di fondo, *Madonna col Bambino* di scuola vivarinesca e *ritratti di censori* di Domenico Tintoretto e Pietro Malombra; alle altre pareti, *ritratti di censori* degli stessi e *Venezia adorante l'Immacolata* di Sebastiano Bombelli (1693). Si passa nella SALA DEI NOTAI, dove è un orologio ligneo che segna nel quadrante solo 6 ore e ha una cartella lignea che ricorda ai magistrati la gravità della loro carica. Alla parete sopra la porta d'accesso: al centro, *Cristo risorto e 3 avogadori* di Jacopo Tintoretto, con la collaborazione del figlio Domenico per i ritratti; a d., *S. Marco in gloria con i simboli della Giustizia e 3 avogadori e 2 notai*, di Domenico Tintoretto; a sin., *La Vergine in gloria e 3 avogadori* di Leandro Bassano. Alle altre pareti, *ritratti di 2 notai* di Domenico Tintoretto, autore anche delle successive tre opere: *Cristo, le virtù e 3 avogadori e 1 notaio*; *S. Marco in gloria e 3 avogadori e 1 notaio*; *ritratti di 3 avogadori e 1 notaio*; seguono: *ritratti di 3 avogadori* di Pietro Uberti; i *Ss. Antonio abate, Pietro, Gerolamo e 3 avogadori* di Sebastiano Bombelli; *La Vergine in gloria e 6 avogadori* di Tiberio Tinelli e aiuto.

Segue la SALA DELLO SCRIGNO, cosiddetta perché in uno scrigno si conservavano i registri anagrafici dei nobili (Libro d'Oro) e delle famiglie cittadine (Libro d'Argento); alle pareti, *ritratti di avogadori* di pittori del Sei e Settecento: Pietro Uberti, Vincenzo Guarana, Niccolò Ranieri e Alessandro Longhi. Nella seguente SALA DELLA MILIZIA DA MAR, dove risiedevano i tre presidenti della Milizia che ingaggiavano gli uomini per la marina militare, le tele sono settecentesche: *Adorazione dei Magi* e *La regina di Saba davanti a re Salomone*, di anonimo pittore tiepolesco; *Discesa dello Spirito Santo* della bottega di Sebastiano Ricci; *S. Marco Evangelista* di anonimo. Nella stretta STANZA DEL SEGRETARIO ALLE VOCI si notano: *Madonna col Bambino* di Boccaccio Boccaccino e *Cristo risorto* (frammento) di Domenico Tintoretto. Al di là di un andito, si passa nella STANZA DELLA BOLLA DOGALE, dove sono conservati *ritratti di avogadori* e *di notai* di Pietro de Mera, Sebastiano Bombelli, Niccolò Cassana, Domenico Tintoretto e anonimo. A richiesta si può visitare la SALA DELLA CANCELLERIA DUCALE, dove si riuniva il Collegio dei notai, nella quale Camillo Ballini dipinse il fregio con le *costellazioni dello Zodiaco* su sfondi di paesaggio e Francesco Hayez affrescò la serie di *figure mitologiche* (1821).

Al piano terreno del palazzo, in alcuni ambienti dell'ala rivolta verso il Molo e di quella verso la piazzetta, è sistemato il **Museo dell'Opera di Palazzo** (per la visita rivolgersi in portineria). Nella 1ª SALA, con volte a crociera (sec. XVI), sono esposti i pezzi originali di colonne e capitelli che furono sostituiti da copie in occasione del grande restauro delle facciate esterne del palazzo (1875 e 1887). Nella 2ª SALA, a metà della parete di fronte, si vede, rimessa a giorno, una colonna appartenente all'antica fabbrica del tempo dei dogi Ziani (fine sec. XII-principio sec. XIII), che era stata inclusa nel muro di una successiva ricostruzione: il capitello, a tronco di piramide capovolta, ha due facce scalpellate a filo muro; la base è a 60 cm sotto il livello stradale. Alle pareti di questa e della seguente 3ª SALA, frammenti ornamentali, probabilmente contemporanei alla colonna. In più file, 13 colonne della costruzione del sec. XIV, con i capitelli ornati di teste umane, di animali, di figure allegoriche, ecc., sostituiti nel restauro con copie. Nella seconda parte del museo, rivolta verso la piazzetta, sono esposti i rilievi delle fronti del palazzo e il modello delle complesse puntellazioni e armature lignee usate per il grande restauro degli anni 1876-84. Si attraversa uno stretto passaggio praticato nel grosso muro (1.06 m) di pietra che nel Medioevo probabilmente faceva parte del muro esterno di tramontana del palazzo. Negli ambienti successivi, che in antico costituivano le scuderie: ricomposizione di un elemento del traforo della loggia con relativi capitelli, con pezzi originali; ricomposizione di un tratto della merlatura; 28 capitelli originali della loggia, che nel restauro di fine '800 furono sostituiti da fedeli copie; architrave della porta della Carta recante inciso il nome dell'esecutore della stessa, Bartolomeo Bon; la *testa* marmorea *del doge Francesco Foscari*, già facente parte dell'altorilievo con il Leone di S. Marco, sopra la porta della Carta, distrutto alla caduta della Repubblica.

Definiscono il fronte settentrionale della piazza le **Procuratie Vecchie** (pianta a pag. 209; 4), con un prospetto che si allunga per m 152, a due piani di finestre continue poggianti su un portico di 50 arcate a tutto sesto; il coronamento è a vasi alternati ad antefisse. Il complesso, residenza dei procuratori di S. Marco, edificato nel sec. XII a un piano con un prospetto modulare ripetuto fin oltre la torre dell'Orologio (v. pag. 281), fu interamente rifatto a partire dal 1514; a lungo attribuito a Mauro Codussi, il relativo progetto (ispirato alla precedente costruzione veneto-bizantina) potrebbe essere assegnato al toscano Giovanni Celestro. Dopo il 1517 i lavori proseguirono sotto la direzione di Bartolomeo Bon e Guglielmo Bergamasco, finché nel 1532 fu richiesto a Jacopo Sansovino di sopraelevare l'edificio di un piano e di completarne la realizzazione risvoltando l'angolo sul lato ovest della piazza, fino ad affiancarsi alla facciata della chiesa di S. Geminiano, da lui stesso riedificata qualche anno prima (quest'ala, ultimata nel 1538, venne demolita nel 1810, due anni dopo la chiesa). Da tempo destinato a sede di uffici e di negozi, il complesso presenta gli ambienti interni rimaneggiati e ristrutturati.

I procuratori di S. Marco costituivano la più alta magistratura dello Stato dopo il doge, istituita nel sec. XI per soprintendere alla conservazione e costruzione della Basilica di S. Marco, presso la quale i procuratori erano tenuti a risiedere. Nel 1442 i suoi membri furono portati a 9 e distinti in tre gruppi: procuratori «de supra» (con giurisdizione sulla Basilica e sulla piazza); procuratori «de citra» e «de ultra» (per l'amministrazione dei beni della Basilica situati rispettivamente di qua e al di là del Canal Grande).

Nell'Ottocento, quando vennero realizzati gli ultimi importanti interventi di ristrutturazione della piazza, culminati nella costruzione dell'Ala Napoleonica (v. pag. 293), si intrapresero pure operazioni urbanistiche che coinvolsero in senso più esteso l'area marciana. Una di queste fu l'apertura a nord-ovest, alle spalle delle Procuratie Vecchie, del *bacino Orseolo*, realizzato (1863) con l'intento di creare un approdo per gondole vicino alla piazza (vi si perviene attraverso l'estremo sottoportico occidentale). L'opera di sventramento dell'isola edilizia e la creazione delle fondamenta Orseolo costituirono in realtà solo il punto di partenza per una operazione assai più vasta, che prevedeva la realizzazione di un rapido percorso S. Marco-S. Luca-Rialto. Ciò comportò una ristrutturazione e una riedificazione pressoché globale (avvenuta fra il 1870 e l'inizio del '900) dell'area, che già aveva visto alcuni anni prima, con la demolizione dell'antico ospizio e la ricostruzione dell'albergo Cavalletto, una modificazione della destinazione d'uso.

Proseguendo lungo la fondamenta Orseolo, varcato a d. il *ponte Tron* (del 1840-44), si raggiunge *campo S. Gallo* o Rusolo, storpiatura di Orseolo (dalla famiglia che possedeva alcune case in quest'area), dove dal 1581 era stato trasferito l'ospizio del doge Pietro (Orseolo) prima ubicato in piazza S. Marco, in asse col campanile. Di tale complesso, divenuto in seguito ricovero per donne povere (Orsoline di S. Gallo), rimane unicamente l'*oratorio*, dedicato a *S. Gallo*, ridotto nelle forme attuali nel 1703 (sconsacrato, è utilizzato come deposito). Al centro del campo, vera da pozzo del sec. XIV.

Il lungo prospetto delle Procuratie si interrompe con la **torre dell'Orologio** (5), alzata in corrispondenza dell'imbocco delle Mercerie che conducono a Rialto. Voluto dal Senato della Repubblica per il nuovo orologio che veniva a sostituire il precedente a martello (già sulla facciata della Basilica), il corpo centrale della torre fu realizzato, fra il 1496 e il 1499 su probabile progetto di Mauro Codussi, sostituendo due arcate dell'edificio bizantino delle Procuratie Vecchie. Nel 1755 si aggiunsero le colonne di sostegno per consolidare la struttura, e i due corpi laterali (1506) vennero sopraelevati, oltre le terrazze, da Giorgio Massari. Salita a pagamento, ore 9-12 e 15-17 (l'ingresso è al di là dell'arco, al N. 147 della Merceria dell'Orologio).

La parte centrale, su più piani dove si distribuiscono i complessi meccanismi dell'orologio realizzato alla fine del sec. XV da Gianpaolo Ranieri di Reggio Emilia e da suo figlio Giancarlo, termina con una terrazza. Qui due statue in bronzo (i «Mori», dal colore scuro del metallo), fuse da Ambrogio delle Ancore nel 1497, forse su modelli di Paolo Savin, battono le ore con lunghi martelli su una grande campana (1497). Immediatamente sopra l'arco, il quadrante dell'orologio, a smalti e dorature, indica le ore, le fasi lunari e il moto del sole nello Zodiaco. Al piano sopra questo, con piccola terrazza semicircolare, entro l'edicola a nicchia e colonnine, *Madonna col Bambino*, bronzo dorato forse di Alessandro Leopardi; ai lati, 2 finestrelle dove vengono indicate le ore (con scatti ogni 5 minuti). Durante la settimana dell'Ascensione, dalla porta laterale di sin. escono ogni ora, preceduti da un angelo, i Re Magi, che un ingegnoso meccanismo interno fa inchinare davanti alla statua della Madonna e rientrare dalla porta opposta. Nell'ordine superiore, il leone di S. Marco, a tutto rilievo, dorato e in campo azzurro stellato d'oro, di fronte al quale fino al 1797 si trovava la statua di Agostino Barbarigo, simbolo del potere politico.

La torre ebbe anche un preciso significato urbanistico, divenendo al tempo stesso ingresso monumentale alla città, atto a sottolineare l'importanza del percorso delle Mercerie (di collegamento tra il centro del potere politi-

co-religioso e quello commerciale), e scenografico sfondo chiuso-aperto
(con il prolungamento dell'asse ortogonale alla Basilica), alle vedute del
Bacino.

Il lato meridionale della piazza è occupato dall'imponente complesso delle **Procuratie Nuove** (6), così chiamate perché realizzate successivamente alle Vecchie (e in sostituzione di queste) quale residenza dei procuratori di S. Marco. Iniziate da Vincenzo
Scamozzi nel 1582 nell'area dove sorgevano, prima della demolizione, l'ospizio Orseolo e le fabbriche attigue, presentano la facciata allineata con il prospetto settentrionale della Libreria Sansoviniana, di cui continuarono il partito architettonico con l'aggiunta di un piano (in questo modo lo Scamozzi si discostò da un
progetto elaborato da Sansovino ai tempi della costruzione della
Libreria, v. pag. 286, che prevedeva la creazione di un fronte unico dal Molo fino alla chiesa di S. Geminiano). I lavori, interrotti
alla morte dello Scamozzi (1616) alle prime 10 arcate (decorate,
sui timpani delle finestre del 2° piano, da statue coricate di scuola del Sansovino), vennero continuati da Marco Carità e, dal
1640, da Baldassare Longhena, che li concluse realizzando anche
il fianco verso calle larga dell'Ascensione (di fronte all'attuale albergo Luna), con un piano terreno aperto con fornici a bugnato e
mascheroni in chiave d'arco. La pianta dell'edificio si articola intorno a cinque cortili interni.

Il complesso, adibito a Palazzo Reale in età napoleonica, ospita attualmente, al 1° e al 2° piano, alcune sale del Civico Museo Correr, quelle del Museo del Risorgimento e del Museo Archeologico (per le visite, v. rispettivamente alle pag. 293, 298 e 287), nonché gli uffici della Direzione dei Musei
Civici Veneziani e della Soprintendenza ai Beni artistici e storici di Venezia. Vi è inoltre allogata la ricca Biblioteca di arte e storia veneziana del
Museo Correr (ingresso al N. 52; giorni e orari di apertura, pag. 136). Nei
cortili, vere da pozzo provenienti da campi e corti della città, insieme a
transenne, capitelli e un sarcofago medievali e altomedievali, il tutto ascri-
vibile al patrimonio del Museo Correr.

Sotto i portici, tra i numerosi negozi, il settecentesco **caffè Florian**, ristrutturato nell'Ottocento, che ha mantenuto nell'arredo interno il fascino
del ritrovo frequentato e descritto da letterati e viaggiatori famosi.

L'area di contiguità fra la piazza S. Marco vera e propria e la
piazzetta che si prolunga verso il Molo, è contrassegnata dalla
svettante presenza del **campanile di S. Marco** (7), la cui posizione isolata trae spiegazione: dalla sua probabile origine come trasformazione di un'antica torre di avvistamento (tracce di fondazioni del sec. IX); dal riassetto edilizio conseguente all'edificazione della Libreria Sansoviniana, che vide la demolizione degli edifici precedentemente allineati con lo stesso campanile.

A una prima ricostruzione, databile alla seconda metà del sec. XII durante il dogado di Vitale II Michiel, seguirono restauri e altri parziali rifacimenti. Poi, dopo i danni provocati da un fulmine nel 1489, Giorgio Spavento ne progettò la ristrutturazione, attuata sotto la direzione di Bartolomeo Bon (1511-14) con l'aggiunta di una più alta cella campanaria, aperta da quadrifore, e con alto tamburo decorato dai rilievi della Giustizia e di due leoni andanti; sul tamburo venne collocata la cuspide piramidale, rivestita in rame e sormontata dall'arcangelo Gabriele (che Luigi Zandomeneghi rifarà poi nel 1822 a somiglianza di quello del 1513), posto su una piattaforma girevole a indicare la direzione dei venti (raggiunse allora l'altezza di quasi 100 metri).

L'allargamento improvviso di una sbrecciatura (forse originata da un fulmine caduto nel 1745) ne determinò il crollo il mattino del 14 luglio 1902. La ricostruzione «come era e dove era», deliberata la sera stessa dal Consiglio comunale, fu condotta a termine fra il 1903 e il 1912 sotto la direzione di Luca Beltrami e Gaetano Moretti.

Fedelmente riprodotta la struttura esterna, nell'uso dei materiali e nell'impiego delle tecniche si tenne conto delle più moderne leggi di statica e di sicurezza, tanto che il nuovo manufatto, oltre che assai più saldo, risultò rispetto all'antico meno pesante di circa 2000 tonnellate.

Nel crollo andarono distrutti anche l'angolo nord della Libreria Sansoviniana, la Loggetta, la pietra del Bando (sull'angolo della Basilica) e le campane. Queste, ad eccezione dell'unica superstite (la «marangona»), vennero rifuse e donate alla città dal papa Pio X, già patriarca di Venezia.

La SALITA AL CAMPANILE (a pagamento) si compie o in ascensore o a piedi per una comoda cordonata a spirale di 36 rampe. Dalla cella campanaria si gode un magnifico *panorama di Venezia, che si offre interamente alla vista, immersa nella Laguna e circondata dalle isole minori. Al di là del Lido si estende il mare aperto; dalla parte opposta si alza all'orizzonte la corona delle Prealpi (col massiccio del Grappa) e delle Alpi (con atmosfera molto limpida si giunge a scorgere le Pale di S. Martino); a O, il caratteristico profilo dei colli Euganei.

LATO O: sotto, la piazza nei tre lati a portici. Lontano, da sin., la linea della Giudecca, dalla chiesa delle Zitelle al Mulino Stucky, con le chiese del Redentore e di S. Eufemia. Più vicino si apre l'ingresso del Canal Grande, con la Dogana, il Seminario, la Salute che grandeggia magnifica, le absidi di S. Gregorio, poi la chiesa dei Gesuati e il campanile di S. Moisè. Un poco più a d., la facciata di S. Maria del Giglio; ancora più a d., l'estremità della facciata di S. Vidal col basso campanile e, nella stessa direzione, il campanile di Ognissanti. Poi a d. l'alto campanile di S. Stefano e, più da vicino, La Fenice; più lontano, i campanili di S. Barnaba, i Carmini, S. Sebastiano, l'Angelo Raffaele. L'occhio corre alla chiesa e al campanile dei Frari, a sin. dei quali, il campanile di S. Pantalon e, più dappresso, l'ele-

gantissima scala del Bòvolo; a d., il campanile di S. Polo. Lontano, il
grande edificio della Direzione delle Ferrovie, poi a d. la verde cupola di S.
Simeon Piccolo, la facciata degli Scalzi, il ponte della ferrovia, a sin. del
quale è il ponte automobilistico.

LATO N: sotto, le Procuratie Vecchie, la torre dell'Orologio, parte della
Basilica. Più lontano, riprendendo dal ponte della ferrovia, il campanile di
S. Giacomo dell'Orio e, più in qua, quelli di S. Silvestro e di S. Aponal; più
a d., lontano, S. Geremia e il palazzo Labia, poi 4 campanili romanici,
quindi la cupola verde della Maddalena e una linea di palazzi sul Canal
Grande, tra i quali si distingue benissimo la Ca' d'Oro. A d. di questa, più
vicino, il campanile di S. Bartolomio; richiama lontano l'occhio il bel campanile della Madonna dell'Orto con la parte superiore della facciata della
chiesa e, nella stessa direzione, il grande palazzo Lezze e la grezza Abbazia
della Misericordia. Più a d., il campanile dei Ss. Apostoli e, alquanto più a
d., i Gesuiti; a d. ancora, il fianco magnifico dei Ss. Giovanni e Paolo, alla
cui sin. la Scuola Grande di S. Marco; dietro, l'isola di San Michele; più
lontano, Murano; vicino, il bizzarro campanile di S. Maria Formosa.

LATO E: sotto, le 5 cupole di S. Marco, il Palazzo Ducale, la lunata riva
degli Schiavoni fino ai Giardini. Lontano, l'abside dei Ss. Giovanni e Paolo,
la facciata barocca dell'Ospedaletto e la facciata grezza di S. Lorenzo, che
copre quasi completamente S. Francesco della Vigna, ma non l'agile campanile cuspidato. All'orizzonte velato della Laguna, Mazzorbo, Torcello,
Burano, San Francesco del Deserto. Vicino, i grandi edifici e gli specchi
d'acqua dell'Arsenale; più dappresso, facciata, cupola e campanile di S.
Giorgio dei Greci e, subito a d., il campanile di S. Antonino; quindi, quasi
del tutto scoperta, la facciata di S. Zaccaria col campaniletto romanico, poi
il fianco della Pietà e, lontano, i campanili di S. Giovanni in Bragora e di S.
Pietro di Castello; poi, poco prima del verde dei Giardini, S. Giuseppe.

LATO S: sotto, l'angolo di Palazzo Ducale, la piazzetta, i tetti della Libreria
Vecchia e della Zecca, l'ex giardinetto reale. Di fronte, il Bacino di S.
Marco, nel cui mezzo San Giorgio Maggiore, che il canale della Grazia di-
vide dalla Giudecca. Lontano, il litorale di Lido e di Malamocco verso
Chioggia; sparse nella laguna, le isolette di San Lazzaro degli Armeni, San
Servolo, Santo Spirito, Poveglia, San Clemente, La Grazia.

Alla base del campanile è la ***Loggetta** che Jacopo Sansovino co-
struì, nel 1537-49, in luogo di una più antica Loggia dei Nobili già
situata a ridosso del fianco di S. Basso e qui trasferita all'inizio
del sec. XVI (divenne poi, nel 1569, sede del Corpo di guardia
degli Arsenalotti). Travolta dal crollo del campanile (1902), è
stata ricomposta con i frammenti originali ricuperati. Il prospetto a 3 grandi arcate inframmezzate da nicchie con le statue
in bronzo di *Minerva, Apollo, Mercurio* e la *Pace*, opere firmate
del Sansovino (1540-45), venne trasformato nel 1663 mediante la
costruzione dell'antistante terrazza con balaustra, chiusa da un
elegante cancello bronzeo di Antonio Gai (1735-37). I rilievi del-
l'attico raffigurano, ai lati l'*isola di Candia* e l'*isola di Cipro*, al
centro *Venezia sotto forma di Giustizia*, tutte opere, insieme alle
altre decorazioni minori, di scultori seguaci del Sansovino (Giro-

lamo Lombardo, Tiziano Minio e Danese Cattaneo). I rilievi coi *putti* alle estremità sono aggiunte di Antonio Gai (1750). All'interno, raccolto ambiente a pianta rettangolare, nella nicchia di fronte all'ingresso, *Madonna col Bambino e S. Giovannino*, gruppo in terracotta di Jacopo Sansovino (firmato; ridotto in minutissimi pezzi nel crollo del campanile, è stato ricomposto salvo il S. Giovannino, la cui testa andò perduta).

I fianchi furono completati con rivestimenti marmorei in occasione della ricostruzione moderna. Non venne invece mai attuato il progetto del Sansovino di continuare la loggetta anche sugli altri lati del campanile, in luogo delle botteghe che vi rimasero fino alla fine del secolo scorso.

Sul fondo della piazzetta, tra questa e il Molo, si stagliano 2 *colonne* monolitiche (8), di granito orientale, poggianti su basi scolpite raffiguranti i *mestieri* (sec. XVI) e concluse da capitelli veneto-bizantini, su cui sono posti il Leone di S. Marco e la statua di S. Todaro (Teodoro), primo patrono della città.

Il *Leone di S. Marco*, portato a Parigi nel 1797 e restituito nel 1815 (ma così deteriorato che Bartolomeo Ferrari ne rifuse molte parti e lo rinforzò con un'armatura interna), è di origine ignota, per alcuni studiosi «chimera» di provenienza cinese, trasformata nel simbolo della Repubblica con l'aggiunta delle ali. La statua di *S. Todaro* è una fedele copia dell'originale (conservato in Palazzo Ducale), realizzato con frammenti di provenienza diversa, integrati nel sec. XV da maestri lapicidi lombardi. Le due colonne, che costituiscono un riferimento simbolico nell'iconografia della piazzetta, giunsero a Venezia (da Costantinopoli o dalla Siria) nel sec. XII, e fino al XVI erano accerchiate da botteghe; nello spazio tra le colonne veniva montato il palco per le esecuzioni capitali.

Il fronte occidentale della piazzetta è definito dal prospetto della **Libreria Sansoviniana** o Marciana (9), realizzata, su disegno di Jacopo Sansovino a partire dal 1537, per accogliere la Biblioteca, cui aveva pensato per primo Francesco Petrarca (1362), istituita con la donazione del cardinale Bessarione (dal 1905 la Biblioteca è allogata anche negli ambienti della Zecca, con ingresso dal N. 7 del porticato sansoviniano, v. pag. 291). L'edificio, incompiuto alla morte dell'architetto fiorentino (1570), venne completato nell'ala verso il Molo, tra il 1583 e il 1588, da Vincenzo Scamozzi. La facciata, a due ordini, con porticato dorico e finestrato inframmezzato da colonne ioniche, ripropone nel linguaggio classicista l'apertura chiaroscurale delle logge veneziane; ornata da un'armonica decorazione scultorea (Danese Cattaneo, Pietro da Salò, Tommaso e Girolamo Lombardo), è conclusa da una terrazza delimitata da una balaustra con 3 obelischi angolari e statue di divinità mitologiche di Tiziano Minio, Tommaso e Girolamo Lombardo, Danese Cattaneo, Bartolomeo Ammannati e Alessandro Vittoria.

Il progetto della Libreria era parte, nell'elaborazione sansoviniana, di un più vasto piano di ristrutturazione che prevedeva una reinvenzione dello spazio marciano nella sua globalità, con la realizzazione di un fronte continuo e unitario dal Molo fino alla chiesa di S. Geminiano (sul lato della piazza fronteggiante la Basilica). Se la costruzione della Libreria – con facciata sulla piazzetta e, quali elementi di raccordo fra i differenti spazi urbani, due voltatesta sulla piazza e sul Molo – risultò coerente alla concezione originaria, questa venne invece disattesa dallo Scamozzi con l'aggiunta di un piano al corpo delle Procuratie Nuove. Egualmente indifferente al disegno primitivo sembra essere la soluzione adottata sul lato verso il Molo, dove il corpo della Libreria mal si raccorda con quello della Zecca, tanto da renderne verosimile l'attribuzione ancora allo Scamozzi, se è vero che probabile intenzione del Sansovino era di attestare il corpo stesso in posizione più arretrata, allineandolo con il fronte meridionale del Palazzo Ducale. Nel progetto sansoviniano era inoltre prevista la copertura dell'edificio con una volta a botte, che crollò durante i lavori; questi, interrotti per una decina d'anni, ripresero con la costruzione di un soffitto piano.

Dal portale mediano (N. 13) sotto il portico, fiancheggiato da 2 gigantesche *cariatidi*, opera di Alessandro Vittoria (1553-55) e di Lorenzo Rubini quella di d., di Gianantonio Vicentino quella di sin., si accede alle sale d'onore, antica sede della Biblioteca e ora usate per mostre temporanee. Si sale il monumentale **scalone** a due rampe, con volte a stucchi bianchi e oro eseguiti da Alessandro Vittoria secondo i temi allegorico-mitologici presenti nel progetto originario, che incorniciano piccoli affreschi decorativi di G.B. Franco (nella 1ᵃ rampa) e di Battista del Moro (nella 2ᵃ). Alla sommità si apre il **vestibolo**: al centro del soffitto, decorato a prospettiva architettonica da Cristoforo e Stefano Rosa (1550-60), la *Sapienza*, tarda opera di Tiziano realizzata intorno al 1564 (l'ambiente prima adibito ad aula di filosofia e di letterature classiche, fu rimaneggiato dallo Scamozzi per accogliere la collezione di antichità del cardinale Grimani, ora al Museo Archeologico).

Per una porta sormontata dall'epigrafe che ricorda il trasporto in questa sede dei codici del cardinale Bessarione (1553), si passa nel **salone**, grandioso spazio (m 26.40 × 10.65) architettato da Sansovino. Alle pareti, la serie originaria di tele rappresentanti *filosofi* entro finte nicchie, per un certo tempo collocate nella sala dei Filosofi di Palazzo Ducale: ai lati dell'ingresso, 2 *filosofi* di Paolo Veronese; alla parete sin., 2 *filosofi* di Andrea Schiavone e 4 di Jacopo Tintoretto; nella parete di fondo il *filosofo* di sin. è di Tintoretto, mentre quello di d. è di scuola; alla parete delle finestre, tele di minore importanza dovute ad altri artisti. Nel soffitto, a volta ribassata, quadrature dorate di G.B. Franco incorniciano dipinti di soggetto allegorico eseguiti da 7 pittori (tra i quali Paolo Veronese), scelti nel 1556-57 da Tiziano e Sansovino. Ciascun pittore eseguì una fila di tre scomparti, cominciando dal lato sopra l'ingresso: 1ᵃ fila, *Natura e Stagioni, Natura con Pallade e Giove* e *La religione e gli dei*, di Giovanni Demio; 2ᵃ fila, *L'Arte con Mercurio e Nettuno, Pallade ed Ercole* e *La Fortuna*, di Giuseppe Porta detto il Salviati; 3ᵃ fila, *L'Agricoltura e dei, Diana e Atteone* e *La Sollecitudine, la Fatica e l'Esercizio*, di G.B. Franco; 4ᵃ fila, *La Vigilanza e la Pazienza, La Gloria e la Beatitudine* e *La Scultura* (rifatta nel sec. XVII da Bernardo Strozzi), di Giulio Licinio; 5ᵃ fila, *La*

Matematica, La Bontà e la Virtù e Atlante, l'Astrologia, la Geometria e il Nilo (rifatto dal Padovanino nel sec. XVII), di G.B. Zelotti; 6ª fila, *Il Canto, *La Musica e L'Onore*, di Paolo Veronese (che vinse la collana d'oro posta in palio tra i 7 pittori da Tiziano e dal Sansovino); 7ª fila, *Il Principato, La Milizia e Il Sacerdozio*, di Andrea Schiavone.

Dal N. 17 del portico della Libreria si accede a un cortile dello Scamozzi, alto e stretto, con portico architravato e tre ordini di logge (sotto il portico, la statua detta di *Agrippa*). Per la scala in fondo si sale al ***Museo Archeologico**, ordinato in alcuni ambienti delle Procuratie Nuove; comprende una scelta e consistente raccolta di sculture greche, di frammenti architettonici e scultorei romani, di epigrafi, marmi, busti, e una collezione numismatica con monete romane del periodo repubblicano dal sec. III al I avanti Cristo. Presso il museo, di proprietà statale, è depositato parte del materiale della collezione archeologica del Civico Museo Correr (reperti di età neolitica e del Bronzo, antichità egizie e assiro-babilonesi, arte greca, etrusca e romana). Giorni e ore di visita, pag. 134.

Il museo ebbe origine dal lascito del cardinale Domenico Grimani, che nel 1523 donò per testamento alla Serenissima, oltre al breviario Grimani (v. pag. 292), i marmi e i bronzi in gran parte rinvenuti a Roma che egli aveva depositati temporaneamente in S. Chiara di Murano. Queste sculture furono in seguito riunite in una sala superiore del Palazzo Ducale. Nel 1587, il nipote Giovanni Grimani, patriarca di Aquileia, donò altre sculture, pure provenienti da Roma, da Aquileia e particolarmente dalla Grecia, che egli teneva nel palazzo Grimani a S. Maria Formosa. La raccolta, così accresciuta, fu da Vincenzo Scamozzi e da Federico Contarini procuratore 'de supra', sistemata nell'antisala della Libreria, dove continuò ad arricchirsi per lasciti delle famiglie Contarini, Nani, Zulian, Molin e con la raccolta proveniente dal soppresso monastero di S. Giovanni di Verdara di Padova. Nel 1812 la collezione fu trasferita a Palazzo Ducale, più volte cambiando di ambiente e di ordinamento, finché nel 1924 ebbe la sede attuale, in un piano delle Procuratie Nuove.

SALA I (loggia delle epigrafi): 2 decreto degli Ateniesi di Delo in onore di Eubulo, figlio di Demetrio da Maratona (sec. II a.C.); 3 frammento di fregio architettonico romano, con *Tritone e Nereide* (sec. I d.C.); 5 trattato di alleanza fra la città di Latos e Olunte (adoperato come cornice nella facciata di S. Marco; sec. II a.C.); 6 epigrafe contenente parti dei trattati d'alleanza fra Hierapytna (Creta) e le città di Lyttos e Rodi, nonché un decreto di Hierapytna in favore di Magnesia sul Meandro (sec. II a.C.). Interessante frammento di piede colossale, di fattura romana di età imperiale.
SALA II (collezione numismatica): A d.: tesoretto di denari romani repubblicani (da Meolo, Venezia), disposti cronologicamente dal sec. III al I a.C., col dritto e il rovescio per ogni tipo. A sin., una serie della monetazione romana. Sopra la porta di passaggio alla sala III, epigrafe dettata dal Bembo a ricordo del lascito Grimani.
SALA III (opere arcaiche e arcaistiche): 1 statua di *Artemide*, copia romana da originale greco di stile arcaico ionico (fine sec. VI a.C.), notevole per

l'elegante ritmo del panneggio (la testa, in gesso, riproduce quella di altra replica, trovata a Pompei); 2 *testa di Hermes*, copia romana da originale di bronzo del 480-50 a.C.; 3 *testa dell'Afrodite Sosandra di Calamide*, copia romana di un originale greco che si crede sia quello di Calamide, già entro i Propilei sull'Acropoli di Atene (il velo e il busto sono di restauro); 4 *testa di Kore*, copia romana da originale bronzeo di arte attica della metà del V sec. a.C.; 5, 6 due *Cariatidi* (la 2ª, come Melpomene), di arte arcaistica (sec. I a.C.); 10 *triplice erma di Ecate*, intorno alla quale danzano le Horai (Stagioni), delizioso originale di arte arcaistica del sec. III a.C. Al centro, 11, base di candelabro a sezione triangolare, con fanciulle danzanti a finissimo rilievo, opera romana di età augustea.

SALA IV (statue Grimani): è qui collocata una serie di originali greci dei secc. V-IV a.C. che permette di studiare l'evoluzione del tipo di figura femminile stante, nel periodo più glorioso dell'arte greca, particolarmente per le diverse soluzioni date al problema di rendere il panneggio del chitone: 1 *statua muliebre acefala*; 2 *statua acefala di Demetra*; 3 *statua acefala muliebre*, nello stile delle sculture del tempio di Figalia (ultimo quarto del sec. V a.C.); 4 *statua con testa non pertinente*; 5 *Demetra* (fine sec. V-principio IV a.C.); 6 *Demetra Grimani*, fresco originale della 1ª metà del sec. IV a.C.; 7 *statua acefala* probabilmente di *orante*; 8 *statua acefala*, della 1ª metà del sec. IV a.C.; 9 *statua acefala*; 10 **statua acefala di Athena*, originale attico del 430 c. a.C., che riproduce, invertita, l'Athena fidiaca del Partenone (438); 11 *L'Abbondanza Grimani*, pregevole originale della 2ª metà del sec. V a.C., rappresentante Kore, dea della giovinezza.

SALA V (del campanile): 1 *Apollo Liceo*, bella copia romana, ricomposta con vari frammenti, dell'originale di Prassitele (sec. IV a.C.) che era in Atene; 2 *testa di Athena*, originale prossimo all'arte di Kresila (2ª metà sec. V a.C.); 3 *testa di Tyche*, opera romana ispirata a un tipo del sec. V a.C.; 4 *testa femminile*, di età romana, da tipo della metà del sec. IV a.C.; 5 *busto di Athena*, replica di età romana, da probabile originale bronzeo di Kresila, della 2ª metà del sec. V a.C.; 7 *rilievo votivo ad Ares e Afrodite* (fine sec. V a.C.); 9 *rilievo con banchetto funerario*, della metà del sec. V a.C.; 10 frammento di altro *rilievo funerario*, pure di arte attica del sec. V a.C.; 11 *rilievo di sacrificio a Herakles*, originale attico della 2ª metà del sec. V a.C. (notare che l'artista, per distinguere il semidio dagli uomini, lo ha rappresentato molto più grande di questi); 12 *busto di Esculapio*, arte romana da originale greco di bronzo della 2ª metà del sec. V a.C.; 14 *rilievo funerario*, della metà del sec. IV a.C. (notare la dolce serenità della donna nell'atto di togliere il velo da un cofanetto); 15 *testa di Apollo*, replica romana di un originale probabilmente prassitelico; 16 piccolo *busto di Apollo*, originale greco di età ellenistica; 18 *testa di Apollo*, copia romana da originale prassitelico; 19 *busto di Athena*, replica romana di probabile bronzo di Kresila, della 2ª metà del sec. V a.C.; 20 *testa di Athena*, probabilmente originale prossimo all'arte di Scopa (sec. IV a.C.; osservare l'espressione patetica ottenuta con l'affondare l'angolo interno degli occhi e i fori per gli orecchini di metallo); 21 *testa di Meleagro*, replica, di età romana, dall'originale scopadeo (430 a.C.); 22 *testa di Herakles*, pure da originale di Scopa; 23 colossale *statua femminile*, opera decorativa romana derivata da tipi del sec. IV a.C. (Nike?); nel mezzo, 26 *busto di Dioniso*, di età romana, probabile replica di un tipo prassitelico (sec. IV a.C.).

SALA VI (del Dioniso; opere del sec. IV a.C.): 3 *testa di giovinetta*; 4 *Eros che incorda l'arco*, replica romana di un'opera di bronzo attribuita a Lisippo; 5 *testa di satiretto*, replica di un tipo attribuito a uno scolaro di Lisippo; 6 *fanciullo che prega*, bronzo del '500, copia di un'opera di Boedas figlio di Lisippo (fine sec. IV a.C.); 7 *Apollo citaredo*, copia romana da originale della scuola di Lisippo; 20 **Dioniso e un satiro*, derivazione romana con altri esemplari analoghi, da originale di età prassitelica; 9 *Dioscuro*, opera romana di epoca imperiale ispirata a originale greco; 10 *testa di Sileno*, copia da originale di bronzo del sec. IV-III a.C.; 11 *testa di principe ellenistico*, opera romana da originale della fine del sec. IV a.C.; 12 *testa di principe*, come il precedente, basalto romano da originale bronzeo; 14 *testa di pugile*, arte di transizione al pieno ellenismo (sec. III a.C.); *erma virile*, copia da originale di arte greca del sec. III a.C.; sopra la porta della sala seguente, 16 *Ganimede rapito dall'aquila*, probabilmente derivato da un originale di Leocare. Nel centro della sala, **ara Grimani*, interessantissima opera di tarda età ellenistica, di grande virtuosismo tecnico e con soggetti bacchici (sec. I a.C.): davanti, *Satiro e Menade ebbri*; a d., *Satiro e Menade che si baciano*; dietro, *Menade che suona il «trigonon» e Satiro che l'accompagna con lo schioccar delle dita*; a sin., *Menade che suona la lira e Satiro che l'ascolta*.

SALA VII (delle piccole sculture; età ellenistica): 1 base di candelabro; 2 *stele funebre di Lisandra*, fine sec. II a.C. (i bambini giocano con una tartaruga presso la madre pensosa); 3 base di candelabro, sec. III; 4 *stele funebre di Demetrios* (sec. II-I a.C.); 11 *statua dell'Oceano*, fine lavoro romano di età imperiale; 12 *busto virile*, del principio sec. III, che lontanamente ricorda l'espressione del Laocoonte; 9 *Narciso*, da originale lisippeo di bronzo o d'argento; 7 *frammento di figura panneggiata*, originale tardo-ellenistico (sec. II a.C.); 8 *statua acefala di Afrodite*, di opulenta ed elegante fattura; 13 base di candelabro, di abile tecnica (sec. I a.C.); 16 *statuetta d'Asclepio*, opera greca di tardo ellenismo; 18 *testa d'Iside*, bella opera originale della fine sec. IV o principio sec. III a.C.; 20 *statuetta d'Igea*, analoga a N. 16; 21, 24 basi di candelabro, del sec. I avanti Cristo. In vetrina, gemme, cammei e corniole, tra cui il celebre **cammeo Zulian*, in agata intagliata a due strati, opera di età ellenistica: raffigura la testa di Giove Egioco ed è uno dei capolavori della glittica antica (proviene dalle rovine di Efeso e fu acquistato a Smirne, alla fine del sec. XVIII, da Girolamo Zulian). Inoltre: piccola *testa* presunta *di Cleopatra*, in cristallo di rocca; *testa di divinità cornuta*, bronzo etrusco del sec. V a.C.; *testina virile* in porfido, di arte egiziana di età romana.

SALA VIII (dei Galli). Al centro, 23, 24, 25, **Gallo ferito*, **Gallo caduto*, **Gallo morto*, libere imitazioni della fine del III sec. a.C. di originali di arte pergamena; questi facevano parte di un grandioso gruppo donato intorno al 200 a.C. da Attalo, re di Pergamo, alla città di Atene in ricordo delle sue vittorie sui Galli. 22 **Ulisse che spia Diomede mentre rapisce il Palladio*, magnifica copia di originale pre-pergameno; 1 frammento di un gruppo di *Eros e Psiche*, replica di una nota opera della scuola di Lisippo; 3 *Leda col cigno*, replica romana di un originale probabilmente pittorico, già celebre per l'audacia del soggetto; 5 frammento di un gruppo erotico di *Sileno ed Ermafrodito*; 11 *statua di Musa*, fine sec. II a.C., trasformata dal restauratore in Cleopatra; 12 *statuetta funeraria femminile*, opera mediocre cui fu adattata una bellissima testa, non appartenente, originale del sec. II a.C.; 13 *rilievo votivo ad Atti e Cibele*, opera della fine dell'ellenismo (notare anche qui la sproporzione tra le figure delle divinità e quelle della devota e dell'ancella); 14 *testa di ragazzo*, probabile ritratto funerario del principio sec. I a.C., singolare per l'espressione malinconica.

Sala IX (dei busti): 1 *Pompeo*, copia dell'età claudia di un originale di stile ellenistico tardo; 2 *ritratto femminile* (Antonia Minore?); 4 *Tiberio*; 5 *Caligola*; 11 *Dama dell'epoca dei Flavi*; 9 *Ritratto femminile idealizzato* (*Livia?*); 13 *Traiano*, forse uno dei migliori ritratti del grande imperatore; 17 *Faustina Maggiore*; 21 *Adriano*; 22 *Ritratto di Domiziano* su busto del '500; 25 *Caracalla*; 26 *Ritratto di ignoto*, età claudia; 30 *Ritratto di ignoto*, età repubblicana; 28 *Agrippina Maggiore*; 29 *Augusto*, con leggera barba, forse in segno di lutto per la sconfitta di Varo.

Sala X (dei busti): 14 *ritratto muliebre*, del periodo traianeo, con tipica acconciatura; 2 *ritratto di fanciullo*, arte romana di età claudia; 3 presunto **Vitellio**, uno dei più illustri esemplari, perfettamente conservato, dell'arte ritrattistica romana (età adrianea); 4 *ritratto giovanile di Caracalla*; 8 *ritratto muliebre*, con caratteristica acconciatura; 9 *Commodo giovane* (169-192 d.C.); 10 *Lucio Vero* (161-169 d.C.); 11 *ritratto di giovane* (sec. III d.C.); 12 *ritratto di ignoto* (metà III sec. d.C.); 13, 14 *busti di ignoto* (III sec. d.C.).

Sala XI: 5 testata di sarcofago con il *Ratto di Proserpina*, arte romana del sec. II; 9 rilievo con *Banchetto funebre*, arte greca del sec. IV a.C.; 6 frammento di sarcofago rappresentante una *Battaglia fra Greci e barbari*, arte attica del sec. II dopo Cristo. Verso la finestra, una vetrina con alcuni oggetti di particolare interesse; *statuetta di imperatore*, opera romana del sec. I; elementi di un trittico in avorio con le figure dei *Ss. Giovanni e Paolo* ed elementi di un dittico pure in avorio con le figure dei *Ss. Teodoro e Giorgio*, lavori d'arte bizantina. In una custodia di vetro, isolata, *cassetta per reliquie*, di arte paleocristiana del sec. V, in avorio raffigurante: sul coperchio, *Gesù tra i Ss. Pietro e Paolo*, che consegna al primo la nuova legge; sul lato anteriore, i *Ss.Pietro e Paolo e gli Evangelisti*, che acclamano alla Croce; su un lato, *Due coniugi*, che accompagnano per la prima volta il loro figlio in chiesa; sul lato posteriore, *Adoratio Crucis* davanti alla tomba di S. Pietro. La cassetta, eseguita probabilmente a Roma, fu rinvenuta (1906) nell'altare-reliquiario della chiesa di S. Ermacora nel villaggio di Samagher (Pola).

Sala XII: 2 *testa femminile*, arte alessandrina del sec. III-II a.C.; 4 *statua di Afrodite* (?), buona rielaborazione romana di un originale ellenistico, con testa ritratto di età traianea, non pertinente. Sala XIII: 3 bassorilievo con la raffigurazione di *Mitra che sacrifica il toro*, arte romana del principio del sec. II. Sala XIV: 1 *Satiri che pigiano uva*, falso rinascimentale (?); 12 *Scena di vendemmia*, arte romano-cristiana (sec. V). Sala XV, iscrizioni latine: 14 *urna cineraria di A. Orcivius Hermes*, età flavia; 6 *urna cineraria di Caecilia Romana*, sec. I; 17 *iscrizione funeraria di Q. Aemilius Secundus*, legato imperiale in Siria (sec. I). Sala XVI: opere di incerta attribuzione o di rielaborazione moderna.

Sala XVII (questa e le sale seguenti contengono, in deposito, la Collezione Archeologica del Museo Correr): 2, 5 *rilievi* sepolcrali e votivi di arte greca; 7 *torso di Zeus Heliopolitanus*, forma ellenizzata del dio siriaco Hadad. Sala XVIII (sculture): 1 *Pan*, di arte attica del sec. III-II a.C.; 2 *testa di Zeus Serapis* (sec. III a.C.); 3 *statuetta femminile* acefala, di marmo greco, originale attico della fine del sec. V a.C.; 4 *statuetta femmi-*

nile acefala, di arte attica della 2ª metà del sec. IV a.C.; 5 *Artemide*, di arte attica del sec. IV a.C.; 6 *testa muliebre*, replica di originale della cerchia di Scopa (sec. IV-III a.C.); 9 *Pan*, di arte attica (sec. III-II a.C.); 10 *scena di genere*, mosaico di arte alessandrina (?); 16 *testa di fanciullo*, di arte romana (metà sec. I d.C.); 17 e 18 *teste di africani*, in basalto, di arte egizia (sec. I a.C.); 20 *testa di Hermes barbato*, copia dell'originale di Alkamenes (450 a.C.); 22 *Ares*, probabile copia di originale greco del III sec. a.C. In vetrina, vasi e crateri di arte etrusca, campana, pestana, apula e volterrana (sec. VI-III a.C.). La SALA XIX, di ceramiche e bronzi, è in allestimento. SALA XX (antichità egizie e assiro-babilonesi): 3 mummia egiziana maschile, con maschera di stucco dorato; 4 mummia forse femminile. Nella 1ª vetrina: *gruppo di coniugi* in granito rosa (frammentario); frammenti di 2 statuine; 3 raffigurazioni di *Iside*; statuina di *Osiride*; *statuette di Anhur, Horu, Arpocrate, Panthea*, ecc. Nella 2ª vetrina: statuette di vario materiale e canopo di terracotta con coperchio a protome umana. Alle pareti, rilievi assiri provenienti da Ninive, mattoni col nome di Nabucodonosor. Usciti dal museo, ai piedi dello scalone, iscrizioni sepolcrali cristiane e vera da pozzo del sec. IX.

Al N. 7 del portico della Libreria si apre l'ingresso, realizzato dallo Scamozzi (ai lati, due telamoni di Tiziano Aspetti e Girolamo Campagna), al palazzo già della **Zecca** (10), con facciata sul Molo affiancata alla testata S della stessa Libreria; dal 1905 è sede della Biblioteca Nazionale Marciana (v. sotto).

La presenza a S. Marco della Zecca, dove venivano coniate le monete della Repubblica, è documentata dal 1277; ancora attiva durante la dominazione francese e austriaca, se ne decretò la soppressione nel 1870.

La fabbrica attuale, che venne inserita in un tessuto urbano definito da numerose botteghe e da un lato dei Granai di Terranova (demoliti in epoca napoleonica), si deve anch'essa a un progetto di Jacopo Sansovino. Di forme severe e massicce, presenta una facciata in pietra bianca lavorata a bugne che in origine doveva svilupparsi su due piani, con portico ad arcate su pilastri a quello terreno e finestre architravate spartite da semicolonne doriche al superiore; l'ultimo piano fu elevato tra il 1558 e il 1566 (allinea finestre a timpano, scandite da semicolonne ioniche). L'edificio si articola intorno a un cortile interno rettangolare (di 10 arcate per 5), con loggia superiore, sul quale si affacciavano i magazzini e i laboratori (chiuso da lucernario, è adibito a sala di lettura della Biblioteca).

La **Biblioteca Nazionale Marciana**, alla cui fondazione Francesco Petrarca aveva pensato nel 1362, trae origine dalla donazione del cardinale Bessarione, patriarca di Costantinopoli, che nel 1468 lasciò alla Repubblica la sua biblioteca, una delle più insigni del Rinascimento, composta da circa un migliaio di codici greci e latini. Dal sec. XVI al XVIII si arricchì coi lasciti delle biblio-

teche Contarini, Recanati, Farsetti e Nani, l'incorporazione di
parte delle biblioteche di conventi soppressi, l'inclusione delle biblioteche di Jacopo Morelli e Apostolo Zeno e, nel 1912, con il
lascito Teza, costituito da libri orientali, dizionari e grammatiche
di quasi tutte le lingue del mondo. Attualmente conta circa
900 000 volumi (di cui 3000 incunaboli e la collezione quasi completa delle mille edizioni Aldine) e circa 13 000 manoscritti (di cui
1200 greci). Giorni e orari di apertura, pag. 137.

La Biblioteca, per la quale la Repubblica aveva stabilito la costruzione
della Libreria del Sansovino (v. pag. 285), subì vari traslochi e attualmente
occupa il piano terreno e i piani superiori del palazzo della Zecca (dove
erano i depositi monetari e gli uffici per i provveditori di Zecca), parte del-
l'ala delle Procuratie Nuove che si affaccia sul Giardinetto Reale, e l'intero
primo piano della Libreria.
Tra le opere di maggior rilievo è il celebre *breviario Grimani, uno dei più
pregevoli codici d'Europa per l'eccellenza delle miniature e il perfetto
stato di conservazione; fu miniato da artisti fiamminghi della scuola di
Gand e di Bruges, probabilmente della fine del sec. XV o dell'inizio del XVI.
Consta di 831 fogli di pergamena comprendenti il calendario (con 24 miniature a piena pagina ritraenti aspetti della vita signorile e campestre nei
12 mesi dell'anno) e 69 grandi rappresentazioni di fatti del Vecchio e del
Nuovo Testamento, dei misteri della religione e della vita dei santi. È
ignoto il nome del committente. Nella rilegatura in velluto rosso e orna-
menti in argento dorato, a cesello, sono incastonati i ritratti di Antonio
Grimani e del cardinale Domenico Grimani, che ebbe il breviario o da un
Antonio siciliano reduce dalle Fiandre o dal papa Sisto IV, e lo legò morendo alla Repubblica (1523), lasciandolo però in possesso al nipote Marino
fino all'estinzione del ramo maschile. Questa avvenne con la morte del patriarca Giovanni (1592) e allora il prezioso cimelio fu consegnato alla Serenissima. Tra i nomi dei miniatori si son fatti quelli di Memling e di Gerard
Horenbout, mentre la critica più recente propone quelli di Jan Gossaert
detto Mabuse e di Alexandre e Simon Bening.
Preziosa è anche la raccolta di legature bizantine (già ricoprenti antichi
libri liturgici di S. Marco), veneziane (di commissioni dogali), italiane e
straniere, dal sec. X al XVIII. Inoltre alla Biblioteca appartiene il mappa-
mondo del camaldolese fra' Mauro, compiuto nel 1459 nell'isola di San Michele.

Oltrepassata la facciata della Zecca si prosegue lungo il Molo, che offre
un'impareggiabile vista sull'isola di San Giorgio Maggiore, con l'omonima
chiesa palladiana, sull'estremità orientale dell'isola della Giudecca e sulla
punta della Dogana, mentre verso est si allunga il profilo della città fino ai
Giardini e, oltre, al Lido. Attraversato il ponte della Pescaria (il canale è
ciò che rimane di quello che fino al sec. XII, inoltrandosi nella piazza S.
Marco, ne definiva il lato occidentale), oltre l'edificio che ospita la sede
della Compagnia della Vela (una delle più antiche società veliche italiane),
si raggiunge il *Giardinetto Reale* (11), realizzato in periodo napoleonico
(1808) per dare spazio e aprire la vista al fronte delle Procuratie Nuove
rivolto verso il Molo (fino allora l'area era occupata dalla grande mole dei
Granai di Terranova, costruzione merlata in mattoni del sec. XIV). Prose-

guendo, si arriva alla *Coffeehouse*, elegante costruzione neoclassica realizzata nel 1815-17 da Lorenzo Santi (attualmente è sede della Società del Bucintoro).

Poco più avanti, oltre il pontile del «Burchiello» (che collega Venezia a Padova), varcato il ponte sul rio della Luna si scende sulla fondamenta del Fonteghetto (pontili dei vaporetti e motoscafi che percorrono il Canal Grande). Subito a d. l'*ex Fonteghetto della Farina* (nel sec. XVIII sede dell'Accademia di Pittura e Scultura e ora Capitaneria di Porto), edificio lombardesco del sec. XV più volte ristrutturato; conserva all'interno un soffitto affrescato da Jacopo Guarana (1773).

Sul lato opposto alla Basilica la piazza S. Marco è chiusa dall'**Ala Napoleonica**, o Fabbrica Nuova (12), risultato di una complessa operazione, condotta nel primo Ottocento, sull'area dove l'antica (e poi rifatta da Jacopo Sansovino) chiesa di S. Geminiano era posta a congiunzione dei prolungamenti occidentali delle Procuratie Vecchie e Nuove; demoliti la chiesa (1808) e il primo dei due prolungamenti (1810), su progetto di Giuseppe Maria Soli si edificò la Fabbrica Nuova, di cui l'altro prolungamento, modificato e abilmente adattato, costituì l'ala sinistra.

L'operazione rispondeva agli intenti autocelebrativi napoleonici che, per realizzare un nuovo apparato degno di ospitare il Palazzo Reale, avevano già alterato l'area marciana con la demolizione, sul fronte verso il Molo, dei Granai di Terranova (v. sopra); la sistemazione degli appartamenti reali prevedeva anche la creazione di un sontuoso salone da ballo e di un ingresso monumentale, per i quali numerosi architetti avevano presentato differenti disegni.

Attuate le demolizioni, e cambiata così l'intera prospettiva dell'ala minore della piazza, fra i progetti presi in considerazione venne preferito quello del Soli, che più tradizionalmente completava l'intero fronte con la ripetizione dell'impianto architettonico delle Procuratie Nuove, aggiungendovi un alto attico coronato da 14 statue (Antonio Bosa e Domenico Banti) di *imperatori romani*. I lavori terminarono nel 1814 (alla caduta di Napoleone) per la facciata sulla piazza, e vennero ultimati negli anni successivi per il prospetto posteriore che, più sobrio e lineare, è decorato in alto da statue di divinità pagane.

Dal 1922 l'edificio ospita la parte più consistente del ***Civico Museo Correr**, che a un'importante pinacoteca unisce un'interessante raccolta di cimeli storici, oggetti d'arte e documenti intesi a rievocare la storia della Repubblica veneta. Giorni e ore di visita, pag. 134.

Costituito nel 1830 con le collezioni di arte e di storia lasciate alla città dal patrizio veneziano Teodoro Correr (1750-1830), il museo si accrebbe in continuazione con lasciti, donazioni e acquisti; nel 1898 fu trasferito dalla primitiva sede di palazzo Correr all'attiguo, più ampio fondaco dei Turchi

e infine (1922) nella sede attuale. L'ulteriore ampliamento delle collezioni
portò alla decisione di trasferirne alcune in altre sedi: nel 1932 il fondo
vetrario andò ad arricchire le collezioni del Museo Vetrario di Murano; nel
1936 venne inaugurato in un'ala delle Procuratie Nuove il Museo del Risorgimento; nel medesimo anno le collezioni settecentesche furono trasferite e riordinate a Ca' Rezzonico. Inoltre la collezione archeologica passò
in deposito al Museo Archeologico, mentre i cimeli e il materiale bibliografico di carattere teatrale vennero raccolti nell'Istituto e Museo Teatrale
«Casa Goldoni» (inaugurato nel 1953). Attualmente (1984) il patrimonio
che qui si visita è organizzato su due piani: al 1° si trovano le collezioni
storiche; al 2° (che si sviluppa anche nelle Procuratie Nuove), il Museo del
Risorgimento e la Quadreria.

Dal portico mediano (*dell'Ascensione*) si sale a d. il monumentale
scalone a due rampe, opera di Giuseppe Maria Soli e Giovanni
Antolini, ultimato nel 1814; il soffitto con la *Gloria di Nettuno* fu
affrescato da Sebastiano Santi. Dal pianerottolo al 1° piano si
passa in un'antisala dove si apre l'accesso al sontuoso **salone Napoleonico** (1822), ideato da Lorenzo Santi e decorato con
stucchi, dorature e chiaroscuri in stile neoclassico di Giuseppe
Borsato; nel soffitto *La pace circondata dalle virtù* è opera di
Odorico Politi (il salone, già sala da Ballo del Palazzo Reale e in
seguito salone d'Onore del Comune, è attualmente adibito a mostre d'arte temporanee e a conferenze).

Dall'antisala si passa nell'ambiente adibito a biglietteria (alla parete,
pianta di Venezia dipinta su tela, di Joseph Heintz il Giovane), e si accede
quindi alla GALLERIA o Loggia Napoleonica, dove sono esposti alcuni degli
esempi più significativi fra le vedute prospettiche e le piante di Venezia
dalla fine del Quattrocento a tutto l'Ottocento. Di particolare interesse:
alla parete sin., *pianta topografica della città* di Bernardo e Gaetano Cam-
batti (1856) e, alla parete d., *veduta di Venezia* di Erhard Reenwich (1486);
veduta di Venezia siglata T.K. (c. 1620); *veduta di Venezia* di Giovanni
Merlo (1696); *pianta topografica* di Ludovico Ughi (1729, ed. 1779); *pian-
ta-veduta* di Giorgio Fossati (1743). Nel successivo andito di passaggio è
esposto il *ritratto* del fondatore del museo, *Teodoro Correr*, opera di Bernardino Castelli.
A sin. si accede alla SALA 1 (Canoviana). L'ambiente mantiene la decorazione neoclassica risalente alle modifiche del periodo napoleonico e di
quello immediatamente successivo. La decorazione del soffitto è opera di
Giuseppe Borsato con la collaborazione di G.B. Canal per le parti di figura;
alle pareti, pannelli decorativi con figurazioni allegoriche di Francesco
Hayez e di Giancarlo Bevilacqua. Nella sala sono esposte opere e bozzetti
di Antonio Canova; in particolare, significativo il gruppo scultoreo raffigurante *Dedalo e Icaro*, opera giovanile (c. 1779) ancora caratterizzata da
ricordi pre-neoclassici.
SALA 2 (Neoclassica), con decorazione originale eseguita agli inizi dell'Ottocento. Sul soffitto, affresco raffigurante l'*Olimpo* di Giancarlo Bevilacqua; alle pareti, tra cornici dorate, fregi e motivi neoclassici, piccoli
tondi con vedute di Milano e Venezia, le città capitali del Regno Lombar-

do-Veneto, raffinate opere di Giuseppe Borsato. In mezzo, *tavolo rotondo di stile Impero con ripiano di porcellana di Sèvres (sec. XIX) con scene mitologiche, tra cui, al centro, *Giudizio di Paride*.

SALA 3. Alle pareti, dossali lignei seicenteschi provenienti dalla chiesa di Ognissanti; sopra i dossali, di fronte, grande tela raffigurante *L'arrivo a Palazzo Ducale della dogaressa Morosina Morosini Grimani*, opera di Andrea Vicentino eseguita per ricordare il fastoso evento avvenuto nel 1597. Alla parete opposta, altra grande tela con *L'arrivo di Caterina Cornaro regina di Cipro* di Antonio Vassilacchi detto l'Aliense (sec. XVII). Sopra la porta che dà nella saletta successiva sono collocate due ante d'organo provenienti dalla chiesa di S. Michele in Isola, rappresentanti *episodi della vita del doge Pietro Orseolo*, opera dei pittori bresciani Giovanni e Bernardino da Asola (1526).

SALA 4. Alle pareti, piccola raccolta di marmi che documenta la tipologia del *Leone di S. Marco*, stemma della città, nei vari tipi 'andante', visto di profilo, e 'in maestà', visto di fronte e senza il corpo (detto in dialetto 'a moleca', perché le ali stilizzate attorno alla testa fanno pensare a un granchio). Inoltre, lapide con testa di leone con la fessura per infilarvi le denunce. Tra le finestre della parete di fondo, *Vergine in trono* (fine sec. XV), rilievo originariamente collocato nel lazzaretto sito nell'isola di Poveglia. Al centro della sala, sovrapporta del portale del lazzaretto vecchio, scultura di Guglielmo Bergamasco (1525).

SALA 5 (dedicata all'autorità dogale). A d., *Insegna dell'arte dei barbieri* di pittore veneto del sec. XVIII. Nella porta-vetrina, ricca urna in legno dorato usata per l'elezione del doge; corno dogale della fine del '400; cappello di paglia e canestro usati per le cerimonie pubbliche. A sin. della vetrina, *Ritratto del doge Leonardo Loredan*, frammento di arazzo di seta celebrante la sua incoronazione (1501). Sulla parete d., *Processione dogale*, silografia di Matteo Pagan (1599), illustrante la processione che si svolgeva in piazza S. Marco il lunedì dell'Angelo, a cui partecipavano, con il doge, le massime autorità religiose e civili dello Stato. Sulla parete sin., ritratti di dogi, tra cui *Antonio Venier* e *Michele Steno* di Lazzaro Bastiani. Nelle vetrine sono esposti documenti (in originale e facsimile) riguardanti la complicata procedura dell'elezione del doge, volumi di «Promissioni» (le formule di rito all'atto dell'incoronazione) e di «Commissioni» (le istruzioni date dal doge ai funzionari e agli ambasciatori).

SALA 6 (dei fasti dogali). A d.: *Visita del doge al monastero di S. Zaccaria*, copia ottocentesca da una stampa tratta da un disegno del Canaletto; *Processione per la festa del Redentore*, tela di Joseph Heintz il Giovane; *Udienza nella sala del Maggior Consiglio*, attribuita allo stesso; *Il doge e la Signoria* di pittore veneto del sec. XVIII; *La consegna dell'anello di S. Marco al doge Bartolomeo Gradenigo*, copia da un dipinto di Paris Bordon (conservato all'Accademia), opera di Giovanni Antonio Guardi; *La regata in Canal Grande* e *L'andata del Bucintoro al Lido per la festa dell'Ascensione*, due piccole vedute di un seguace del Canaletto; *L'udienza del doge*, di pittore veneto del sec. XVIII.

SALA 7 (delle commissioni dogali). Alle pareti, la serie delle monumentali librerie seicentesche in noce massiccio su due ordini con colonne corinzie scanalate, proveniente dal soppresso convento dei Teatini a Venezia: vi sono custodite numerose «Commissioni» dogali. Al centro della sala, vetrine con altre «Commissioni» dalle stupende legature.

SALA 8: rassegna di costumi originali appartenuti ai più alti magistrati della Repubblica dei secc. XVII-XVIII. Notevoli soprattutto, tra le finestre, la veste in panno scarlatto che veniva indossata dal doge il Venerdì Santo per le cerimonie in S. Marco, chiamata «veste di corruccio» (lutto), e le vesti in panno rosso scuro che venivano indossate dai senatori. Alle pareti, *ritratti* di senatori, procuratori e capitani da mar nelle vesti ufficiali (sec. XVIII), provenienti da Ca' Morosini.

SALA 9. Anche qui sono esposte vesti appartenute a magistrati della Repubblica e dipinti di notevole interesse artistico e documentario: *Ritratto del doge Francesco Foscari* di Lazzaro Bastiani: *Ritratto della dogaressa Morosina Morosini Grimani* di Palma il Giovane; *S. Giustina con i camerlenghi e i loro segretari* di Jacopo Tintoretto e aiuti; *Processione in piazza S. Marco* di Cesare Vecellio, fratello minore di Tiziano; *Il doge Priuli in visita alla Scuola dei Calegheri* di seguace di Paris Bordon; *Ritratto del senatore Angelo Memmo* di Alessandro Longhi.

SALA 10 (dei ritratti di dogi). Sono esposti sette ritratti settecenteschi: a d., *Paolo Renier* di Ludovico Gallina (1779); *Lodovico Manin* di Bernardino Castelli; *La dogaressa Valier* di pittore veneto del sec. XVIII; *Paolo Renier* forse del Castelli; *Silvestro Valier* d'ignoto del sec. XVIII; *Marco Foscarini*, attribuito a Nazario Nazzari; *L'udienza del doge Pietro Grimani* di Pietro Longhi.

SALA 11 (numismatica e stendardi). Nelle vetrine è esposta la notevole rassegna della monetazione della Repubblica a partire dagli esempi risalenti al XII secolo. Di particolare interesse la raccolta delle *oselle* (di cui il Correr conserva la collezione completa), medaglie in oro o in argento coniate annualmente per ricordare il dono di uccelli di palude (da cui il nome) che il doge offriva ai nobili in occasione del Capodanno; tra le finestre, forziere ligneo del '400. Alle pareti, da d.: *Doge in 'pozzetto'*, di pittore veneto settecentesco, che ricorda l'antica consuetudine della donazione di monete al popolo da parte del doge neoeletto; stendardo di galeazza in seta rossa e oro con il leone alato e lo stemma del doge Domenico Contarini (1659-75); bandiera a due code, di arte bellunese del sec. XVII; stendardo navale (sec. XVII).

SALA 12. Nel piccolo corridoio sono esposti quattro ritratti; da d.: *G.B. Venier* di Domenico Pasquali (1761); *Sebastiano Venier* di Gregorio Lazzarini (1705); *Senatore* di pittore veneto del sec. XVI; *Vincenzo Querini* di Bartolomeo Nazzari. SALA 13 (dedicata alla battaglia di Lepanto). Al centro, modello di galera veneziana. Alle pareti, da d.: *busto del capitano Francesco Duodo*, terracotta bronzata di Alessandro Vittoria; stendardo cinquecentesco appartenuto alle truppe di terra della Repubblica; dipinti di anonimo della fine del sec. XVI che ricordano la battaglia di Lepanto; *Ritratto di Sebastiano Venier*, comandante della flotta veneziana a Lepanto, di Andrea Vicentino.

SALA 14 (dedicata al Bucintoro). Al centro, oltre a un grande fanale di galera già appartenuto al casato Boldù, modello settecentesco dell'ultimo Bucintoro. Alle pareti, *schieramenti navali veneziani e turchi*, due grandi tele seicentesche di autore ignoto; inoltre, resti della decorazione dell'ultimo Bucintoro (1729), opere di Antonio Corradini e della sua bottega e, sopra la porta, bandiera a cinque code in seta rossa, appartenuta all'ultimo Bucintoro. Altri ricordi della vita navale della Repubblica sono ravvisabili anche nelle due cime di pennoni e nei modelli di nave posti nelle vetrine a giorno. SALA 15 (Arsenale). A d., *pianta* acquerellata *dell'Arsenale* di Antonio di Natale (sec. XVII); insegne delle Arti dei Remieri e dei Calafati (fra le più rappresentative tra quelle attive nell'Arsenale); *Ritratto di generale*, attribuito a Bartolomeo Nazzari; *Ritratto di Angelo Memmo IV* di Alessandro Longhi, firmato e datato 1769; insegna dell'Arte dei Marangoni da nave (falegnami addetti alla costruzione dei fasciami) e due piccole vedute della *Porta dell'Arsenale*, incise da Michele Marieschi e da Giacomo Franco.

SALA 16 (commercio e navigazione). Al centro della sala, due grandi globi, terrestre e celeste, di Vincenzo Coronelli (1688-93), cosmografo della Serenissima. Alle pareti, da d.: drappo serico turco con motto del Corano; leone marciano ligneo (sec. XVII), originariamente in una cantoria della basilica di S. Marco; *Veduta di Costantinopoli* di anonimo seicentesco; tappeto serico giapponese azzurro con decorazioni in oro; altro quadro con *allegoria del trattato antiturco del 1684*; statua lignea dorata, copia ottocentesca del ritratto all'orientale di Marco Polo, conservato nel tempio dei Geni a Canton. Nelle vetrine, documentazione relativa alla navigazione (portolani, carte nautiche ecc.) e al commercio, nonché ceramiche orientali (Persia e Cina, secc. XIV-XVIII).

SALA 17 (armeria). Sono esposte armi e armature di diversa epoca e provenienza; particolarmente notevoli le seconde (sec. XVI e XVII). Alle pareti, arazzi fiamminghi cinquecenteschi con *Sposalizio della Vergine* e *Storie di Ester e Assuero*. SALA 18 (armeria). Allineati in asta, falcioni da parata veneziani adorni di decorazioni incise o bulinate, per lo più risalenti al XVI secolo. Nella vetrina sono esposti alcuni dei pezzi più preziosi della raccolta: scudo rotondo ageminato in oro (Persia, sec. XVI), fucili turchi, pugnali veneziani, stili da bombardieri e «Kriss» malese.

SALA 19. In questa e nelle sale seguenti sono esposti cimeli che ricordano il doge Francesco Morosini detto il Peloponnesiaco, provenienti dal palazzo di famiglia a S. Stefano. Al centro della sala, triplice fanale da galera (sec. XVII), della nave della famiglia Morosini. Alle pareti, raccolta di modellini di cannone, stemma del Morosini in legno dorato, bandiere turche bottino di guerra e dipinti di Alessandro Piazza (sec. XVII) che ricordano episodi della vita del Morosini.

SALA 20. Sullo sfondo, *busto del Morosini*, replica in marmo del ritratto in bronzo eseguito da Filippo Parodi nel 1687 ed esposto nella sala III dell'Armeria di Palazzo Ducale. Alle pareti, *Ritratto del Morosini a cavallo* di Giovanni Carboncino (c. 1688), e trofei di guerra (particolarmente interessante la serie degli scudi turchi, un elmo persiano dorato e inciso forse cinquecentesco e una scimitarra russa con scritte e fodero gemmato). Nella sala sono anche collocati piccoli cannoni per navi: significativo quello a canna multipla, tra le finestre, denominato «organo» (sec. XVII).

SALA 21. Nella vetrinetta, il corno dogale, il bastone di comando, la spada con lama incisa e il libretto di preghiere contenente una pistola appartenuti a Francesco Morosini. Allo stesso doge apparteneva pure l'inginocchiatoio intagliato e decorato e il vessillo di seta (visibile sulle due facce) con la *Madonna Nicopeia, Crocifisso, leone di S. Marco e santi*, opera di prete Vittore da Corfù, entrambi provenienti dalla nave ammiraglia del Morosini. Completano l'arredo due *allegorie del potere militare* e *del potere civile*, di Gregorio Lazzarini, e un *Ritratto del Morosini in abito da guerra* (modi di Bartolomeo Nazzari, c. 1750). Nel passaggio alla sala seguente è esposta una grande *pianta di Venezia* dipinta su tela, opera anonima seicentesca.

SALA 22, con una serie di tele (sec. XVII-XVIII) che ricordano le imprese belliche del doge Francesco Morosini, provenienti da palazzo Morosini a S. Stefano. SALA 23. Al centro, entro vetrina, modello di galera proveniente dalla raccolta Morosini; alle pareti continua la serie dei dipinti celebrativi delle gesta del Morosini. All'uscita della sala, a d., sono collocate due statue femminili acefale in marmo, probabilmente opera d'età ellenistica, provenienti anch'esse dalla raccolta Morosini.

SECONDO PIANO. Sulla parete, grande stemma in rame sbalzato della nobile famiglia Valmarana; a sin. si accede al **Museo del Risorgimento e dell'Ottocento veneziano**. Riaperto nel 1980, abbraccia un arco di tempo che va dalla fine del Settecento (caduta della Repubblica, 1797) agli anni immediatamente seguenti l'annessione di Venezia al Regno d'Italia, e privilegia le tappe fondamentali della storia della città rispetto a un panorama generico sul Risorgimento italiano.

Nella SALA 1, dedicata alla Massoneria, si individuano le premesse per la diffusione delle idee democratiche in Venezia prima della caduta della Repubblica. Vi sono esposti oggetti e documenti recanti insegne massoniche; particolarmente interessante l'elenco degli affiliati alla loggia massonica di Rio Marin, sciolta nel 1785. Inoltre, documenti e stampe relativi alla caduta della Repubblica e alla Municipalità provvisoria (12 maggio-17 ottobre 1797). SALA 2. Ancora documenti e immagini relativi alla Municipalità provvisoria (particolarmente gustose le satire antidemocratiche e antiaristocratiche); seguono immagini relative al primo periodo di dominazione austriaca (1798-1806).

SALA 3 (Venezia e la dominazione napoleonica, 1806-14). Ricordi e cimeli della venuta a Venezia di Napoleone (1807), e delle trasformazioni urbanistiche operate nella città (in particolare la costruzione dell'Ala Napoleonica in piazza S. Marco); inoltre, medaglie e proclami riferibili allo stesso periodo. Alla parete d., tra le finestre, busti di *Napoleone* e *Maria Luisa* di Angelo Pizzi. SALA 4 (secondo periodo della dominazione austriaca, 1814-48). Altri documenti e cimeli riguardanti la trasformazione urbanistica della città (tra cui la costruzione del ponte ferroviario translagunare, inaugurato nel 1846, e il rinforzo delle dighe foranee) e la concessione del porto franco a tutta l'area cittadina. Inoltre, documenti riguardanti l'opposizione al dominio austriaco (che sfocerà nell'insurrezione del 1848), con particolare riguardo alla Carboneria (si veda il provvedimento di condanna al carcere di Silvio Pellico del 21 febbraio 1822). Notevoli anche i *ritratti di Attilio* ed *Emilio Bandiera* (fucilati dai Borboni nel 1844 dopo un tentativo insurrezionale in Calabria), opera di Pompeo Molmenti.

SALA 5 (l'insurrezione di Venezia, 17-23 marzo 1848): documenti e dipinti che ricordano le giornate della temporanea liberazione della città. Ragguardevole anche la serie delle armi e degli oggetti appartenuti al corredo militare delle truppe venete. Dopo un piccolo andito con stampe raffiguranti episodi del 1848, si passa nella SALA 6 (la fase politica dell'insurrezione veneziana, aprile 1848-marzo 1849). Vi sono conservate testimonianze della politica del governo provvisorio, tesa a stringere alleanze con gli altri Stati italiani (si vedano i ritratti di papa Pio IX e di re Carlo Alberto di Savoia), oltre a stampe e dipinti riguardanti avvenimenti del periodo. Al centro, modello di mulino funzionante con l'alternanza delle maree, progettato da Avon Caffi per sopperire alla mancanza di approvvigionamenti.

SALA 7 (l'assedio di Venezia e la resa, 2 aprile-22 agosto 1849). Alla parete d., *La resistenza ad ogni costo*, grande tela di G.B. Della Libera, che ricorda l'assemblea tenuta in Palazzo Ducale in cui fu decisa la resistenza a oltranza all'assedio posto dalle truppe austriache. Inoltre, documenti e immagini della difesa della città e dei bombardamenti a cui fu sottoposta nel 1848-49. SALA 8 (il terzo periodo di dominazione austriaca, 1849-66; l'annessione al Regno d'Italia, 1866). Notevoli due stampe (*Ritorno degli Austriaci a Venezia* e *La riconsegna di Venezia agli Austriaci*) che testimoniano la penosa condizione in cui si trovava la città al momento del ritorno delle truppe d'occupazione. Inoltre, l'avviso del 17 ottobre 1866, relativo all'entrata delle truppe italiane a Venezia, e i biglietti propagandistici del plebiscito popolare per l'annessione al Regno d'Italia, svoltosi il 21 ottobre 1866.

SALA 9 (dedicata a Daniele Manin, principale promotore dell'insurrezione veneziana). Fra l'altro, *ritratto di Daniele Manin* di Ary Scheffer, lettere autografe e documenti, due dipinti di G.B. Della Libera che testimoniano il ritorno a Venezia delle ceneri del Manin (morto in esilio a Parigi), l'*Inaugurazione del monumento a Daniele Manin* di Giacomo Favretto; inoltre, la scrivania, oggetti personali e scritti del Manin. Le tre sale successive vengono adibite a esposizioni temporanee e conferenze.

Ritornati sul pianerottolo della scala, si accede alle sale che accolgono la Pinacoteca o *Quadreria*, riaperta nel 1960 per l'allestimento di Carlo Scarpa. Dall'ingresso, dove è esposto un capitello con figure leonine datato 1363 e trasformato in vasca, si accede a d. alla SALA 1 (arte veneto-bizantina): al centro la *cassa* lignea *della beata Giuliana di Collalto* (m. 1262), decorata all'interno dalla *Santa in devozione davanti ai Ss. Biagio e Cataldo* (titolari della demolita chiesa della Giudecca da dove proviene la cassa), probabilmente il primo esempio di pittura veneziana su tavola, attribuita a un pittore di cultura bizantina del sec. XIII (la decorazione esterna è del sec. XVIII). Alle pareti: *Crocifissione* di pittore bizantino del sec. XIV; *S. Andrea* e *S. Giovanni Battista*, in cui convivono influssi bizantini e macedoni (metà sec. XIV), e *Cristo crocifisso*, bel rilievo marmoreo di scultore veneto del '300. SALA 2 (pittori veneti del Trecento): da sin., trittico con portelle apribili con *Crocifissione, storie di Cristo e della Vergine*, assegnabile a pittore veneziano del sec. XIV influenzato dalla pittura dell'Italia centrale; *Madonna, Pietà e santi*, trittico che denota l'influenza dell'arte cretese nel mondo artistico veneziano del '300, come la successiva *Madonna* del sec. XV; seguono, di Paolo Veneziano (la maggior personalità del '300 veneziano, mediatore tra la cultura bizantina e gli influssi di terraferma), le parti laterali di un polittico con 6 *santi*, e una tavola con *S. Giovanni Battista*; di pittore fortemente influenzato dalla cultura greca è la seguente *Madonna col Bambino* (sec. XIV); tra le finestre, *S. Giovanni Battista*, tavola di pittore vicino ai modi di Lorenzo Veneziano, e *S. Pietro* di ignoto vicino alle opere di Paolo Veneziano.

SALA 3 (di Lorenzo Veneziano): dell'artista, con la cui opera la pittura veneziana uscì dall'orbita bizantina per rivolgersi ai modelli della terraferma, sono esposti i comparti centrali di due polittici: a sin., *Figure e storie di santi* della fine del sec. XIV con influssi della scuola bolognese e, a d., *Gesù che consegna le chiavi a S. Pietro* (datato gennaio 1369), con influssi del padovano Guariento; sulla parete di fondo, *S. Basilio, S. Giacomo, S. Nicola* e *S. Daniele*, attribuiti a Jacobello di Bonomo, seguace di Lorenzo.

SALA 4 (del gotico fiorito): al centro, 3 pinnacoli in pietra, originariamente a coronamento di un altare, databili alla metà del sec. XIV. Quindi da sin.: frammento di portale del sec. XV già a palazzo Bernardo a S. Polo; frammenti di balaustra della fine del sec. XIV-inizio XV; frammenti di affresco databili intorno alla metà del sec. XIV, staccati da una casa di S. Giuliano con resti di una decorazione con *Virtù e figure allegoriche*, opera di artista di cultura nordica; il *Doge Antonio Venier*, statuetta marmorea di Jacobello Dalle Masegne.

SALA 5. Nella prima sezione (della pittura gotica) sono esposti dipinti della fine del sec. XIV-inizio XV, che rientrano nell'ambito della cultura gotica: al centro, *Croce dipinta* iconograficamente prossima alla tradizione dei mosaicisti di S. Marco; alle pareti, da d., *Madonna e 2 santi* da assegnare al Maestro dell'Arengo, pittore riminese del '300; *Incoronazione della Vergine* di artista bolognese della 2ª metà del '300; *Crocifissione con santi, apostoli e profeti*, opera notevole per la fusione di elementi iconografici di carattere bizantino con elementi coloristici emiliani e nordici; *Annunciazione, morte della Vergine e santi*, ancona a comparti (frammento di polittico privo della parte centrale) di pittore veneto della fine del sec. XIV; *Vergine, Crocifissione, Annunciazione e santi*, piccolo trittico dove riferimenti riminesi si assommano ad accenti greco-veneti; *Madonna col Bambino e storie di Cristo e santi*, databile all'inizio del sec. XV. La seconda sezione (Stefano Veneziano e i pittori gotici) è incentrata sugli sviluppi estremi del gotico nei pittori veneti, con particolare riguardo alla personalità di Stefano Veneziano (detto Pievan di S. Agnese), prossima al gusto del gotico internazionale: da d., *L'arcangelo Michele*, piccola tavola del sec. XIV da attribuire a un seguace del padovano Guariento; dello stesso ambito, ma più tarda è la seguente tavola con 4 *santi* (in origine predella di un polittico); dall'ambiente padovano derivano anche le tre tavolette con

Santo profeta, Madonna annunciata e *Arcangelo Michele*, parti di polittico smembrato di pittore veneto dell'inizio del sec. XV, e i 4 *santi* assegnabili a Jacobello di Bonomo; di gusto emiliano è la piccola tavola con i *Ss. Cristoforo, Bernardino e Rocco* (fine sec. XIV); di Stefano Veneziano sono il *S. Cristoforo*, opera della maturità (1385), e la *Madonna col Bambino in trono* (1369), dove le influenze di Paolo Veneziano e del Guariento sono filtrate attraverso un gusto decorativo.

SALA 6. Nella prima sezione (il gotico internazionale: le origini) è documentata la cultura del gotico internazionale, giunto a Venezia tramite le esperienze dei pittori veronesi: da sin., *Madonna col Bambino nel giardino* di ignoto della 1ª metà del sec. XV; *angeli musicanti* da assegnare a Stefano da Verona, il più importante tramite tra la cultura nordica e quella veneta; *Natività* e *Madonna col Bambino e S. Giovanni Battista*, in cui si evidenziano influssi di Michele Giambono; *Martirio di S. Mamante* e *Morte di S. Mamante*, due piccole tavole di Francesco de' Franceschi (parti di un polittico). Nella seconda sezione (il gotico internazionale: i protagonisti Michele Giambono e Jacobello del Fiore), da sin.: *Madonna col Bambino* di Michele Giambono; *Ss. Ermagora* e *Fortunato*, tavole del pittore toscano Matteo Giovannetti; *Madonna col Bambino* di Jacobello del Fiore, fondamentale per la comprensione del periodo formativo del pittore; *Storie di Alatiel* di maestro toscano attivo alla metà del sec. XV (Maestro dei Cassoni Jarves).

SALA 7 (di Cosmè Tura): del pittore, la personalità di maggior spicco dell'ambiente culturale ferrarese della 2ª metà del sec. XV, è qui esposta la **Pietà* (c. 1468), dipinto in cui sono ravvisabili tutte le diverse componenti che confluirono nell'arte del Tura, dal plasticismo di Piero della Francesca alle novità della cultura padovana riformata dalla presenza di Donatello, all'attenzione per il colorismo nordico; a un pittore ferrarese prossimo al Tura va assegnato il piccolo *Ritratto d'uomo* (c. 1450), caratterizzato da un'estrema cura del particolare, di evidente ascendenza fiamminga. SALA 8. Prima sezione (i Ferraresi): da sin., *Ritratto di giovane* da assegnare a Baldassarre Estense (ritrattista della corte di Ferrara); *Profilo di donna* forse di Angelo Maccagnino; *Morte di S. Girolamo* di anonimo ferrarese del sec. XV; *Cristo alla colonna* firmato da Pietro da Vicenza; *Madonna col Bambino* di Giorgio Chiulinovich detto Schiavone; *Madonna col Bambino*, tavola di anonimo della fine del sec. XV. Nella seconda sezione (di Bartolomeo Vivarini e Leonardo Boldrini), del primo, formatosi a Padova alla scuola dello Squarcione, e sensibile soprattutto all'arte di Andrea Mantegna, sono esposte (alla parete di fronte all'ingresso) la *Madonna col Bambino* (c. 1460), dove sul tradizionale fondo oro si staglia la figura mantegnesca, e la più tarda *Madonna col Bambino in trono* (c. 1470); al suo seguace Leonardo Boldrini vanno assegnate le altre tre opere presenti nella sala, raffiguranti il *Presepe*, la *Presentazione al tempio* (c. 1475) e il trittico con la *Madonna tra S. Girolamo e S. Agostino* (c. 1490, cornice originale). Sala 9 (sculture lignee del Quattrocento). Questa sala, detta delle «quattro porte», è uno dei pochi ambienti delle Procuratie Nuove che ha conservato sostanzialmente intatta la struttura originaria della costruzione dello Scamozzi (fine sec. XVI), con l'unica aggiunta delle due porte laterali (ora murate) risalenti al Settecento. I mobili e le sedie sono dei secc. XVI e XVII; i due grandi lampadari, di fabbrica muranese del Settecento. Sono esposti, da sin.: paliotto dorato e dipinto con *storie del Vecchio e Nuovo Testamento*, firmato da Bartolomeo di Paolo e Caterino d'Andrea (principio sec. XV); portale gotico a due battenti (fine XIV-inizio XV sec.), proveniente dalla cappella del Volto Santo presso l'Istituto Canal Marovich ai Servi; *S. Antonio da Padova*, statua lignea della metà del '400; ancona d'altare intagliata, dorata e dipinta, con la *Madonna e 2 santi* e, nella predella, *Cristo in Pietà tra la Vergine e S. Giovanni*, di Giovanni Pietro di S. Vito e Bartolomeo dall'Occhio (c. 1480); in alto, *Madonna della Misericordia* (sec. XVI); tra le porte murate, *Madonna col Bambino*, in cartapesta e stucco, opera di Jacopo Sansovino.

Sala 10 (dei pittori fiamminghi del sec. XV). Il museo possiede una significativa raccolta di opere dei primitivi fiamminghi, importanti per verificare quali siano stati i rapporti tra l'arte fiamminga e quella veneta. Da sin.: *Adorazione dei Magi*, da attribuire a Pieter Bruegel il Giovane; ad anonimo fiammingo del sec. XV, seguace di Bosch, va assegnata la successiva tavola con *Cristo al Limbo*, come pure ad anonimo pittore fiammingo quattrocentesco vanno assegnati i due dipinti con *Inferno* e *Trasfigurazione*; la *Madonna in trono tra due santi* e il *S. Giovanni con S. Caterina e un devoto* sono opere del sec. XV che si segnalano per il gusto coloristico e l'attenta resa dei particolari; seguono due opere di analogo soggetto (*Madonna col Bambino*), la prima di pittore vicino ai modi di Rogier van der Weyden, la seconda all'arte di Dierick Bouts; tra le finestre, due portelle dell'inizio del sec. XVI dipinte su entrambi i lati (recto, *Annunciazione*; verso, 2 *santi*). Sala 11 (di Antonello da Messina). La presenza a Venezia di Antonello da Messina (1475-76) fu decisiva per l'avvio della grande stagione rinascimentale veneziana: dalla sua opera, che accoglie elementi fiamminghi e toscani, i pittori veneti appresero la tecnica ad olio che favoriva una precisione di segno realistico e la rigorosa prospettiva. È qui esposta l'unica opera, tra quelle dipinte da Antonello durante il suo soggiorno veneziano, rimasta in città: la *Pietà, che, pur mutila e danneggiata da antichi restauri, conserva tutto il fascino e la potenza espressiva del linguaggio figurativo antonelliano. A conferma dello stretto legame con i pittori fiamminghi contemporanei, sono in questa sala ordinate anche la *Crocifissione di Hugo van der Goes, capolavoro di intensa drammaticità, e la Madonna col Bambino di Dierick Bouts, raffinata nel colore e nell'attenzione per i particolari.

Nella SALA 12 (dei pittori fiamminghi e tedeschi) sono collocate opere di pittori fiamminghi e tedeschi attivi nella prima metà del Cinquecento: da sin., Convegno di suonatori attribuito a Pieter Coeck van Aelst; Tentazioni di S. Antonio di Hendrick met de Bles detto il Civetta; Adorazione dei Magi di anonimo tedesco (sec. XVI); Cristo risorto di un seguace di Lucas Cranach; Ritratto di donna, finissima opera forse del tedesco Bartholomeus Bruyn il Vecchio; due tavole con S. Barbara e S. Caterina, resti di un polittico smembrato da attribuire a Jost Amman da Ravensburg (c. 1430); Natività e Presentazione di Gesù al tempio, di Rueland Früauf il Vecchio, e Vergine col Bambino, parte centrale di un altarolo a portelle opera di Hans Fries. Dalla sala 12 si passa a d. nella SALA 13 (i Bellini), dove sono opere dei tre grandi maestri della famiglia Bellini: il capostipite Jacopo e i suoi due figli, Gentile e Giovanni. A d., *Crocifissione (dopo 1450) di Jacopo, in cui è evidente come il pittore, formatosi in ambiente gotico, fosse giunto alla fine della carriera a rinnovare il suo linguaggio figurativo nella direzione del nuovo stile rinascimentale; seguono un Ritratto di santo laureato e il frammento con il doge Orseolo in abito da monaco e la dogaressa Felicita Malipiero, opere da assegnare ad artisti della cerchia di Giovanni. Di Giovanni sono 4 importantissime opere, tutte risalenti al periodo giovanile: su cavalletto, *Madonna col Bambino (1460-64), splendida per l'efficacia e la nitidezza dei colori; Pietà (1455-60); Trasfigurazione, mutila nella parte superiore e dopo il Ritratto del doge (v. sotto), su cavalletto, Crocifissione (c. 1455), con evidenti caratteri mantegneschi nelle figure della Vergine e S. Giovanni. Sempre su cavalletto è il Ritratto del doge Giovanni Mocenigo (c. 1479), opera non finita di Gentile, famoso tra i contemporanei come grande ritrattista.

Riattraversate la sala 12 e la 9, si passa nella SALA 14 (di Alvise Vivarini e dei minori del tardo Quattrocento). Di Alvise Vivarini, importante tramite per l'adozione a Venezia del linguaggio pittorico padovano e segnatamente mantegnesco, è esposto su cavalletto il *S. Antonio da Padova (cornice originale), opera notevole per la delicatezza e limpidezza del colore. Alle pareti, da sin.: Sacra conversazione (1498) del vivarinesco Giovanni di Martino

da Udine; *Sacra conversazione* di Cima da Conegliano (assai
guasta, conserva una suggestiva evidenza volumetrica e smalto
coloristico); a Benedetto Diana, seguace di Gentile Bellini, va assegnato *Cristo in pietà* e a Pietro Duja, anch'egli erede dell'arte
belliniana, la successiva *Madonna col Bambino e 2 santi*; seguono, *Madonna che allatta il Bambino* (c. 1488) del vivarinesco
Jacopo da Valenza; *Madonna col Bambino* da assegnare a Pietro
Duja; *S. Giustina* di Bartolomeo Montagna; *Madonna adorante
il Bambino* di Jacopo da Valenza; *Madonna col Bambino e S. Giuseppe* di Bartolomeo Montagna; del continuatore di Alvise,
Marco Basaiti, sono la *Madonna col Bambino e donatore* e il piccolo *Ritratto d'uomo con berretto* (su cavalletto); di anonimo di
chiara derivazione antonelliana è l'altro piccolo *Ritratto di giovane*. La SALA 15 (di Vittore Carpaccio) è dedicata a uno dei più
famosi capolavori di Carpaccio: **Due dame veneziane* (noto
anche col titolo Le cortigiane), opera della maturità del pittore,
da datare tra il 1510 e il 1515; a parete, *S. Pietro martire*, parte
di polittico (disperso in vari musei) dipinto da Carpaccio nel 1514.
Nella SALA 16 (Carpaccio e i minori del primo Cinquecento) sono
due opere di Carpaccio e una scelta di dipinti del primo Cinquecento: da sin., *Visitazione*, telero dipinto da Carpaccio intorno al
1504 per la Scuola degli Albanesi; su cavalletto, *Ritratto di uomo
col berretto rosso*, opera giovanile dello stesso, ancora nell'orbita
ferrarese e fiamminga; ancora a cavalletto *Ritratto di giovane*
belliniano; a parete, *Madonna col Bambino e Annunciazione* e
Annunciazione, opere del seguace di Carpaccio, Lazzaro Bastiani; a parete, *Presentazione al Tempio* di Vincenzo da Treviso
(o Dalle Destre); *Circoncisione di Gesù* di Marco Marziale con
evidenti influenze nordiche; *Cristo portacroce* di Marco Palmezzano (1525); *S. Martino e il mendico* di Giovanni Mansueti (collaboratore di Gentile Bellini); *Madonna col Bambino* di un seguace
di Francesco Bissolo; su cavalletto, *Madonna col Bambino*, opera
firmata da Pasqualino Veneto (seguace di Cima). SALA 17 (Lorenzo Lotto e il Rinascimento maturo): su cavalletto, *Madonna,
col Bambino*, opera di Lorenzo Lotto singolarmente arcaica nel-
l'iconografia, ma ravvivata da notevole raffinatezza di colori e
sensibilità poetica; alle pareti da sin., *Natività* (frammento) di Girolamo da Santacroce; *Visione di S. Girolamo* e *Madonna col
Bambino e S. Giovannino*, due opere di Francesco da Santacroce; *Madonna col Bambino tra santi* e *Madonna col Bambino* di
Boccaccio Boccaccino. Completano la sala tre sculture cinquecentesche: *busto di giovane*, bronzo forse di Andrea Riccio; *busto
di uomo*, marmo forse di Giovanni Dalmata; *lapide dell'umanista
Antonio Sabellico* della bottega di Pietro Lombardo. Nelle vetrine: strumenti scientifici e oggetti in avorio e metallo di lavora-

zione tedesca e francese dei secc. dal XIV al XVII; *Ritratto d'uomo* di pittore veneto cinquecentesco, sui modi del Moroni.

SALA 18 (madonneri greci del XVI e XVII sec.): caratteristica comune ai madonneri greci è la commistione tra elementi arcaici della tradizione greca ed elementi (soprattutto coloristici) tratti dalla contemporanea cultura veneziana. Da sin.: *Ultima Cena* e *S. Agostino in preghiera* di pittore vicino ai modi del Greco; *Madonna in trono tra i Ss. Giovanni Battista e Agostino* di Giovanni Permeniate (2ª metà sec. XVII); *S. Spiridione* di Emanuele Zane (1636); *Sunamite al bagno* e *Natività*, attribuite a Theodoros Pulakis (metà sec. XVII); *Nozze di Cana*, copia libera cinquecentesca dell'opera di uguale soggetto di Tintoretto, ora alla chiesa della Salute.
SALA 19 (ceramiche cinquecentesche). A parete, a sin., *Cena di S. Domenico*, imponente opera di Leandro Bassano (c. 1569) proveniente dal refettorio del monastero dei Ss. Giovanni e Paolo. Nelle vetrine è un'ampia raccolta di ceramiche cinquecentesche divise per centri di produzione; particolarmente significativi: tra le finestre, una grande vasca con *Nettuno su cavallo marino*, di fabbrica pesarese; nelle altre vetrine, un piatto con il *Giudizio di Paride* di Flaminio Fontana, il *Ratto di Elena*, piastra di fabbrica faentina, e le opere di Francesco Xanto Avelli.
SALA 20 (Biblioteca): le pareti sono rivestite da armadi su due ordini, di gusto classicheggiante, risalenti alla 2ª metà del sec. XVIII, originariamente a palazzo Manin; vi sono conservati libri antichi di diversa epoca e provenienza. Il leggio in bronzo a forma d'acquila in stile gotico è lavoro inglese del sec. XV (proviene dal monastero dei Ss. Giovanni e Paolo); tra le finestre, *busto di Tommaso Rangone* di Alessandro Vittoria. Nella SALA 21 (ceramiche veneziane) è esposto il famoso *servizio Ridolfi*, composto da 17 pezzi decorati con scene mitologiche e allegoriche, già attribuito al ceramista Niccolò Pellipario e ora più propriamente assegnato ad anonimo ceramista veneziano del primo Cinquecento.
Nella SALA 22 (bronzetti e medaglie del Rinascimento) sono opere databili dalla metà del sec. XV ai primi decenni del XVII. Vi sono rappresentate le più importanti personalità, come: Bartolomeo Bellano, seguace di Donatello, e il suo allievo Andrea Riccio; Jacopo Sansovino e Alessandro Vittoria (suo è il picchiotto da porta con *Nettuno e i cavalli marini*), i maggiori scultori del Rinascimento maturo; Tiziano Aspetti e Gerolamo Campagna, del quale è da considerare soprattutto la serie di statuine provenienti dalla chiesa di S. Lorenzo. Nelle vetrine al centro, alcuni esempi dei più famosi medaglisti quattrocenteschi: Pisanello, Matteo de' Pasti e Sperandio Savelli. Le sale successive, dette «sale nuove», sono adibite a mostre temporanee: attraversandole si accede allo scalone interno che conduce all'uscita.

2.2 Da S. Marco a S. Stefano per calle larga XXII Marzo e campo S. Fantin

Si esce da piazza S. Marco attraversando, dal lato opposto alla Basilica, il portico che immette in *calle larga dell'Ascensione*; di antica urbanizzazione, fu ristrutturata nel sec. XIX dopo la co-

struzione dell'Ala Napoleonica, che vi prospetta la facciata posteriore (v. pag. 293). Di fronte a questa sorge, N. 1241, il basso
edificio già *Corpo di Guardia dell'Ascensione* (attualmente,
1984, sede di uffici postali), eretto intorno al 1838, su progetto di
Lorenzo Santi e Alvise Pigazzi, per volere della casa imperiale e
dichiarati motivi di sicurezza; il complesso, che fu molto lodato
dai contemporanei, con le sue semplici forme e studiato decoro,
concorre a definire elegantemente lo spazio. Dell'assetto originario di quest'area rimane solo, in fondo a d., N. 1239-42, l'*ex
albergo del Selvadego* (ora sede delle Assicurazioni Generali), architettura veneto-bizantina con finestre ad arco appuntito sull'e-
stradosso della ghiera; all'ultimo piano conserva la loggia coperta («liagò»).

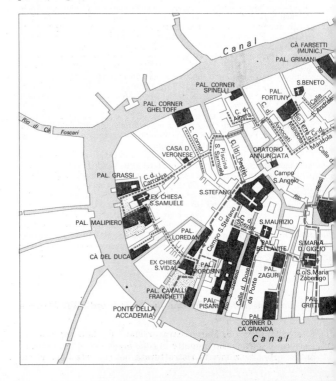

A sin., nell'area occupata dall'ottocentesco albergo Luna, sorgeva anticamente la chiesa di S. Maria in Broglio (successivamente dedicata a S. Maria dell'Ascensione, da cui il toponimo della calle), con annesso convento che, destinato nel sec. XIV ad albergo («della Luna») per gli ambasciatori stranieri in visita a Venezia, venne demolito nel 1824.

Si prosegue verso O per la breve calle seconda dell'Ascensione (dalla quale divergono a sin. calle Vallaresso e, poco più avanti a d., la Frezzeria), che conduce alla salizzada S. Moisè.

In *calle Vallaresso* a d., N. 1332, è l'ingresso al teatro del Ridotto, allogato in *palazzo Dandolo*, sede dal 1708 al 1774 del famoso **Ridotto**, ritrovo e casa da gioco dei nobili veneziani e stranieri, raffigurato in quadri del Longhi e del Guardi; restaurato nel 1768 da Bernardino Maccaruzzi, mantiene la ricca decorazione settecentesca con affreschi di Jacopo Guarana e stucchi, disegnati dal Maccaruzzi, di Francesco Re. Al termine della calle, a sin., l'*Harry's bar*, celebre locale aperto nel 1931 (fu frequentato da Ernest Hemingway). Dal pontile dei vaporetti che percorrono il Canal Grande, bella veduta sul Bacino di S. Marco.

La *Frezzeria* è un frequentato percorso a destinazione commerciale, di collegamento con la zona realtina (anticamente vi erano concentrate le botteghe dei fabbricanti di frecce, da cui il toponimo). Seguendola per buon tratto e volgendo quindi a sin. nella piscina di Frezzeria, si raggiunge, N. 1665, il ristorante *La Colomba*, nelle cui sale sono esposte opere di artisti moderni (visita concessa). Negli ambienti del piano terra, lavori di Paola Consolo, Anton Zoran Music, Remo Brindisi, Bruno Saetti, Giuseppe Santomaso, Emilio Scanavino, Filippo De Pisis, Carlo Carrà, Massimo Campigli, Giorgio De Chirico, Giuseppe Capogrossi, Virgilio Guidi, Luciano Minguzzi ecc.; nelle sale superiori sono presenti, con altri, Marc Chagall, Oscar Kokoschka, Mario Sironi, Gregorio Sciltian, Carrà, De Chirico, De Pisis, Fiorenzo Tomea e Cesare Maccari.

Salizzada S. Moisè, dalla metà del secolo scorso testa di ponte della massiccia ristrutturazione di quest'area centrale (che si concluderà nel 1880 con l'apertura di calle larga XXII Marzo, v. pag. 310), è caratterizzata da alcuni edifici ottocenteschi. Da notare, al N. 1491, una casa per abitazioni ed esercizi commerciali costruita nel 1853 su progetto di Giovanni Fuin, con eleganti ringhiere e infissi in ferro battuto.

Di fronte a questo edificio si apre verso il Canal Grande la *calle del Ridotto*, dal Ridotto di palazzo Dandolo (v. sopra) che qui volge il retro (N. 1362). A d., N. 1364 A, è l'ingresso da terra di *Ca' Giustinian*, palazzo tardogotico del 1474 che si affaccia sul Canal Grande (v. pag. 200) con un prospetto aperto su tre piani da quadrifore con poggioli; trasformato in albergo intorno al 1820, annoverò fra i suoi ospiti Giuseppe Verdi, Marcel Proust e Théophile Gautier. Attualmente è proprietà del Comune e sede di uffici della Biennale.

La salizzada termina nel campo S. Moisè, aperto sul rio dei Barcaroli e dominato dall'imponente facciata della chiesa di S.

Moisè. Fondata secondo la tradizione nel sec. VIII, fu ricostruita nel IX e ancora nel XII, mentre al Seicento risalgono gli ultimi lavori di trasformazione: rifacimento dell'interno nel 1632; risistemazione della facciata (Alessandro Tremignon) nel 1668. Questa riprende strutturalmente moduli precedenti, ma realizza, attraverso la decorazione e l'iconografia delle statue (di Heinrich Meyring), una quinta scenografica espressione estrema del barocco veneziano; la celebrazione fastosa della famiglia committente, i Fini (i cui busti, posti sui rispettivi monumenti sepolcrali al di sopra dei portali, fanno dell'intero complesso un monumento-cenotafio autocelebrativo), si completa nell'imponente stemma sul timpano. A d. della chiesa rimane l'antico campanile trecentesco, a canna scanalata con cella campanaria a bifore e cuspide su tamburo ottagonale.

L'interno è un'unica navata rettangolare, con soffitto a volta, conclusa da presbiterio e due cappelle laterali rettangolari; le pareti sono scandite da alte lesene corinzie che reggono una cornice aggettante sopra la quale si aprono le finestre termali. Nel soffitto, *Visione di Mosè*, ritenuta opera giovanile di Niccolò Bambini. Controfacciata: sopra l'ingresso, *organo di* Gaetano Callido (1801), con parapetto decorato da *storie di Mosè* attribuite a Francesco Pittoni e Francesco Migliori; a d., *Crocifissione* di Girolamo Brusaferro; a sin., *Martirio di S. Stefano* di Sante Piatti; in basso, *Pietà*, gruppo marmoreo di Antonio Corradini (1723). Al 1° altare d., *Adorazione dei Magi* dal carraccesco Giuseppe Diamantini; segue un pulpito ornato da bassorilievi marmorei, con figure allegoriche della *Chiesa cristiana* e della *Chiesa ebraica*, opera di Alvise Tagliapietra (1732); al 2° altare, *Invenzione della Croce* di Pietro Liberi.

La SAGRESTIA è un ambiente settecentesco ornato da pitture, dossali lignei e stucchi: all'altare, paliotto bronzeo raffigurante *Cristo trasportato dagli angeli, l'Eterno in gloria e le pie donne*, capolavoro dei genovesi Niccolò e Sebastiano Roccatagliata (1633); alle pareti, piccole tele settecentesche: da d., *S. Paolo* di Saverio Dalla Rosa; *S. Matteo* di Michelangelo Morlaiter; *S. Francesco di Paola* di Antonio Marinetti detto il Chioggiotto; *S. Marco* di Vincenzo Guarana; *La Vergine addolorata* di Giuseppe Angeli; *S. Vincenzo Ferreri* del Morlaiter; *S. Luca* di G.B. Tosolini; *S. Rocco* dell'Angeli; *S. Antonio da Padova* del Chioggiotto; *S. Giovanni Evangelista* di G.B. Canal; *S. Carlo Borromeo* del Morlaiter; *S. Pietro* di Francesco Maggiotto; nel soffitto, *Pietà* di Alberto Calvetti (sec. XVII).

Nella cappella a d. della maggiore, nel soffitto, *La Vergine in gloria e S. Antonio da Padova*, affresco di Jacopo Guarana; ai lati, *Assunta* e *Presentazione di Maria al Tempio*, tele del sec. XVIII (deteriorate). Nel presbiterio l'altar maggiore, macchinosa opera barocca disegnata da Alessandro Tremignon e scolpita da Heinrich Meyring, raffigura il *Monte Sinai con Mosè che riceve le tavole della legge*; alla parete d., *Castigo dei serpenti* di Giovanni Antonio Pellegrini e, a quella sin., *Mosè sul monte Sinai* di Girolamo Brusaferro; ricco coro ligneo intagliato del sec. XVII. Nella cappella a sin. della maggiore, altare del 1634 con sculture degli inizi del '600, della scuola di Alessandro Vittoria (forse di Giulio del Moro); a sin., *Lavanda dei piedi*, tarda opera di Jacopo Tintoretto; a d., *Ultima Cena* attribuita a

Palma il Giovane. Al 2° altare sin., *La Vergine e santi* di Antonio Molinari (1693-96); segue, sopra la porta laterale, *monumento di Cristoforo Ivano-*
:vich canonico di S. Marco (1688), scultura di Marco Beltrame (?); al 1° altare, *Nascita di Maria*, pala attribuibile a Maffeo da Verona.

Sul campo, N. 1436, prospetta il piccolo edificio dell'*ex Scuola dei Fabbri*, fondato nel sec. XVI e più volte rimaneggiato (sul portale, rilievo raffigurante l'*Angelo che regge un drappo con il calice eucaristico*): fa parte dell'ottocentesco hotel Bauer-Grünwald, con prospetto sul Canal Grande (v. pag. 200), che volge sul campo l'ala più recente, con copertura in travertino e colonne in marmo chiaro, costruita fra il 1946 e il 1949.

Varcato sul ponte S. Moisè il rio dei Barcaroli (importante canale di attraversamento urbano tra S. Marco e Rialto), si scende nella *calle larga XXII Marzo* (data che ricorda la cacciata degli Austriaci da Venezia nel 1848), aperta a partire dal 1875 (e già allargata nel 1880) come via di rapido collegamento fra S. Moisè, S. Maria Zobenigo e quindi S. Stefano. La realizzazione della via (come comunemente è chiamata) si collega agli obiettivi di una politica urbanistica che prevedeva non solo il riammodernamento (e quindi una nuova funzionalità) dei percorsi pedonali del centro, attraverso la ristrutturazione e lo sventramento di alcune aree nodali della città, ma aveva anche dichiarati intenti speculativi. I lavori iniziarono dal fronte meridionale, i cui edifici furono ricostruiti in gran parte su progetto di Francesco Balduin, che vi adottò prospetti ispirati a moduli lombardeschi (esemplare è quello di testata, dopo il ponte a sinistra). Domina il fronte nord, N.2032-34, l'imponente *palazzo della Borsa e della Camera di Commercio*, realizzato nel 1924-26 con minutissima decorazione scolpita.

Ai piedi del ponte S. Moisè si apre a sin. il campiello Barozzi, con vera da pozzo degli inizi del sec. XV recante lo stemma della famiglia Pesaro (proviene dal palazzo Fortuny, già Pesaro degli Orfei). Da qui, seguendo il sottoportico, si giunge nell'ampia *corte Barozzi*, con vera da pozzo seicentesca. Al N. 2155-58 è il **palazzo Treves de' Bonfili** (visita concessa), costruito, in luogo di una casa-fontego bizantina di proprietà della famiglia Barozzi, agli inizi del '600 forse su disegno di Bartolomeo Monopola. Nel 1827 venne acquistato dai Treves che, negli anni immediatamente successivi, diedero inizio ai lavori di trasformazione dell'interno, rendendolo uno dei più completi e omogenei esempi di dimora neoclassica. Furono allora realizzati lo scalone, la specola e la grande sala absidata, appositamente disegnata e decorata da Giuseppe Borsato per accogliere le due colossali statue di Antonio Canova raffiguranti *Ettore* (1808-16) e *Aiace* (1811-12). Altri ambienti sono decorati a stucchi e affreschi di Giuseppe Borsato e Giovanni Demin, in collaborazione con Sebastiano Santi. Per il prospetto sul Canal Grande, v. pag. 200.

Si segue, a sin. del palazzo della Borsa, la calle del Sartor da Veste e, attraversato il ponte delle Veste sul rio omonimo, si arriva nel *campo S. Fantin*, di antichissima formazione e ancora oggi uno dei perni intorno al quale ruotano i percorsi interni del sestiere di S. Marco. Posto al centro di una piccola insula circondata da ampi canali, il campo è soprattutto caratterizzato dalla presenza del teatro La Fenice e della chiesa di S. Fantin, che con i loro aggetti quasi si fronteggiano dividendolo in due porzioni minori; sul fondo spicca la bianca facciata dell'ex Scuola di S. Fantin, che ne definisce architettonicamente il lato settentrionale (le due vere da pozzo, in pietra d'Istria, sono del sec. XV).

La rinascimentale chiesa di *S. Fantin, già documentata nel sec. XII, fu ricostruita nel 1507, con lascito del cardinale G.B. Zeno (m. 1501), dallo Scarpagnino. Alla sua morte (1549), i lavori proseguirono fino al 1564 sotto la direzione di Jacopo Sansovino, che realizzò il presbiterio e l'abside (liberata dalle case che la chiudevano durante i restauri del 1951). Secondo recenti studi la chiesa sarebbe invece stata progettata da Pietro Lombardo e i lavori, iniziati nei primi anni del sec. XVI da Sebastiano Mariani, dallo Scarpagnino e da Antonio Sorella, si sarebbero protratti per più di due secoli.

L'elegante interno è a tre navate, precedute da vestibolo e coperte da volte a botte e a crociera, impostate su slanciati pilastri con addossate lesene corinzie su alti plinti reggenti arcate a tutto sesto. Nel vestibolo, alla parete d., *Annunciazione* di Cesare dalle Ninfe; sulla controfacciata, cantoria marmorea, forse di Jacopo Sansovino, datata 1563, e organo settecentesco. Navata destra: all'inizio, *monumento di Paresano Paresani* (m. 1609), con busto di Giulio del Moro; al 1° altare, *Un gesuita e un canonico adoranti il Sacro Cuore* di Liberale Cozza (1815); sopra la porta laterale, *I Ss. Giovanni Evangelista, Rocco e Teodoro intercedono presso la Vergine per la cessazione della peste del 1630, presente il parroco Giovanni Pomelli*, grande tela di Joseph Heintz il Giovane. Nel braccio d. del transetto, *Deposizione* di Palma il Giovane, già sull'altar maggiore. All'altare a d. del presbiterio, *Madonna col Bambino* su fondo oro, tavola del sec. XVI (?) di artista veneto-cretese; sopra questa, nella lunetta dell'arco, *Transito di Giuseppe* (sec. XVIII). Il presbiterio, armoniosa creazione di Sansovino, lievemente rialzato, è coperto da cupola impostata sopra 4 colonne corinzie scanalate e termina con un'abside semicircolare, nella quale si apre una serie continua di monofore centinate; ai lati, due pergami ottagonali, datati 1562 e 1564. All'altar maggiore, due statue in marmo (*S. Fantin* e *S. Marta*) di Giuseppe Torretti (1756). Alla parete d., *urna sepolcrale di Bernardino Martini* (m. 1518) in stile lombardesco; sopra la porta della sagrestia, *urna sepolcrale di Vinciguerra Dandolo* (m. 1517), elegante opera della bottega di Tullio Lombardo; a fianco della porta, *Sacra Famiglia*, piccolo quadro di Francesco Bissolo (?). Alla parete sin., *Il doge Alvise Mocenigo ringrazia la Madonna dopo la vittoria di Lepanto*, grande tela di Palma il Giovane.

Alla parete del braccio sin. del transetto, *Crocifissione*, vasta tela di Leonardo Corona, che ha tratto ispirazione dalla più famosa tela di Tintoretto nella Scuola di S. Rocco. Navata sinistra: presso la porta, acquasantiera ricavata da un capitello romanico figurato, di marmo greco (sec. XII); sopra la porta, *Ultima Cena* di Andrea Vicentino; all'ultimo altare, *Visitazione* di Sante Peranda e, alla parete di fianco al vestibolo, *S. Gaetano da Thiene davanti alla Vergine* di Alberto Calvetti.

Il teatro **La Fenice**, costruito nel 1790-92 su progetto di Giannantonio Selva, nel 1836 venne quasi completamente distrutto da un incendio (si salvarono i muri perimetrali e parte dell'ingresso) e fu ripristinato da Tommaso e G.B. Meduna che rielaborarono il progetto originario (nuovi interventi vennero realizzati a partire dal 1936 da Eugenio Miozzi). Presenta una facciata neoclassica, preceduta da un'ampia gradinata che si sviluppa nel campo, aperta da un pronao a 4 colonne corinzie, coronato da balaustra; nelle nicchie, la *Danza* e la *Musica*, sculture di G.B. Meduna, autore anche dei rilievi con maschere muliebri che le sovrastano, e del fregio centrale con l'emblema della Fenice (per il prospetto verso il canale, v. pag. 314).

Sotto il pronao e nell'atrio, busti e lapidi in onore di *Antonio Selva* (1837), *Carlo Goldoni* (busto di Luigi Zandomeneghi, 1836), *Gioacchino Rossini*, *Giuseppe Verdi*, *Ermanno Wolff-Ferrari* (busto di Otello Bertazzolo, 1948). All'interno, eleganti sale tra cui la neoclassica *sala Apollinea* del Selva. La vasta *sala del Teatro*, sfalsata rispetto all'asse d'ingresso, a quattro ordini di palchi e galleria, capace di 1500 posti, è riccamente ornata da stucchi, dorature e dipinti restaurati, come quelli di altri ambienti, nel 1936.

A sin. del teatro si apre la corte S. Gaetano, su cui prospetta *casa Molin*, edificio gotico del sec. XV con scala scoperta e resti veneto-bizantini del sec. XIII.

La **Scuola di S. Fantin** fu in origine sede della confraternita di S. Girolamo e di S. Maria della Giustizia, detta di S. Fantin dalla vicina chiesa (per l'ufficio assolto dai confratelli di accompagnare al supplizio i condannati a morte, era anche denominata Scuola dei «picai» cioè impiccati, o della «buona morte»); dal 1812 è sede dell'*Ateneo Veneto*, accademia scientifico-letteraria fondata da Napoleone. L'attuale edificio venne costruito dopo un incendio (1562) su progetto di Antonio Contin (1592-1600), probabilmente modificato da Alessandro Vittoria; a lavori appena iniziati il Contin morì e gli subentrò il fratello Tommaso (1600-1604), che modificò ulteriormente il progetto originario. Presenta una facciata in pietra d'Istria a due ordini di semicolonne ioniche e corinzie appaiate, con nicchie e ampie finestre; il coronamento, a timpano, è decorato da una *Crocifissione* ad altorilievo di Andrea dell'Aquila e da tre statue (la *Vergine* e *2 angeli*) di Alessandro Vittoria e scolari, eseguite nel 1583-84.

A sin. della facciata (dall'altra parte, a d., edificio neogotico di G.B. Meduna), in calle della Verona N. 1897 B, si apre l'accesso all'edificio (giorni e ore di visita, pag. 136). Al piano terreno, nell'AULA MAGNA, già oratorio della Scuola aperto al pubblico: sul soffitto, entro 13 scomparti lignei, *I suffragi per le anime del purgatorio* e *Dottori* e *Padri della Chiesa*, di Palma il Giovane (1600); alle pareti, sopra i dossali marmorei, 9 *episodi della Passione* e 2 *Profeti*, opere di Leonardo Corona (meno l'*Ecce Homo* di Baldassare d'Anna), e *Il ritorno del figliol prodigo* e *Il buon samaritano*, entrambe di Antonio Zanchi; inoltre, alla parete di fondo, entro una nicchia a conchiglia, *ritratto di Tommaso Rangone*, bronzo di Alessandro Vittoria; alla parete sin., *ritratti di Nicolò* (m. 1569) e *di Apollonio Massa* (m. 1572), scolpiti dal Vittoria. Nell'attigua SALA DEL CONSIGLIO, ex sagrestia nuova: alle pareti, 2 *Profeti* di Palma il Giovane; *L'arcangelo Gabriele*, frammento attribuibile allo stesso; *La Vergine appare a S. Girolamo* di Francesco Fontebasso; *Il medico Giampietro Pellegrini* di Alessandro Longhi. Al 1° piano, di fronte allo scalone, la SALA TOMMASEO, già Albergo piccolo della Scuola (costruito nel 1664-65); reca nel soffitto su un'unica grandissima tela raffigurante *Il giudizio universale*, tra le più vigorose opere di Antonio Zanchi (1674). Alla parete a d. della porta, *Gesù caccia i mercanti dal Tempio*, vasta raffigurazione pure dello Zanchi (1667), per la quale il Consiglio dei Dieci decretò l'inamovibilità; alle altre pareti, *Gesù libera l'ossesso* di Giovanni Segala, *Risurrezione di Lazzaro* di Ermanno Zerest, *La cena in casa del fariseo* di Francesco Fontebasso, *Davide* e *Golia* di Ermanno Stroifi e 2 *Sibille* di Palma il Giovane. Nella vicina SALA DI LETTURA, già Albergo grande: alla parete sin., tele della scuola di Paolo Veronese (Benedetto e Carletto Caliari, Alvise dal Friso?) raffiguranti *storie di Maria*; alla parete in fondo a d., *S. Giovanni Evangelista* (frammento), *S. Marco* (frammento), *La Vergine appare a S. Girolamo* e *S. Girolamo riceve doni dai mercanti*, 4 opere di Jacopo Tintoretto; nella sala sono inoltre alcuni monumenti funebri e commemorativi di medici, fra cui il *monumento del chirurgo Francesco Paiola* di Luigi Zandomeneghi.

Seguendo per breve tratto calle della Verona, si raggiunge il rio omonimo. Dal ponte sono visibili a d.: sulla fondamenta, al N. 3667, il portale barocco di *palazzo Marcello*, già Mora; in fondo, la bella facciata ogivale del quattrocentesco palazzo Contarini del Bòvolo, v. pag. 334.

Si esce dal campo S. Fantin seguendo a d. del teatro la calle della Fenice. Dopo breve si apre a d. *campiello* Marinoni o *della Fenice*, chiuso sul fondo da un edificio commemorativo (N. 1930 A; ora albergo), costruito nel 1869 e caratterizzato dall'inserimento di proiettili e piccoli cannoni usati dagli Austriaci durante il bombardamento di Venezia nel 1849; al centro, sopra l'ingresso, ritratto in bronzo di Daniele Manin, a ricordo della proclamazione della resistenza di Venezia all'Austria (2 aprile 1849). In fondo alla calle si prende a sin. il sottoportico S. Cristoforo, aperto sul rio della Verona (di fronte, i due prospetti sul rio di un palazzo del sec. XV), che si varca sul ponte S. Cristoforo. Percorsa la seguente fondamenta omonima, e lasciato a d. il ponte che scende nella calle Caotorta, di collegamento con campo S. Angelo (v. pag. 335), si segue a sin. il ramo I dei Calegheri (calzolai), rag-

giungendo il piccolo e raccolto campiello omonimo con vera da
pozzo del sec. XIV-XV. In fondo a sin., attraversato il ponte sul rio
S. Maria Zobenigo, si prosegue per la *fondamenta della Fenice*.
Dall'altra parte del rio, il prospetto verso il canale del teatro La
Fenice (v. pag. 312), realizzato dal Selva riprendendo in modo ri-
goroso motivi dell'architettura classica: presenta bugnato al
piano terra e, nelle lunette, *putti* monocromi di G.B. Meduna.
Dopo breve si volge a d. nella calle del Piovan che termina nell'allungato *campo S. Maria Zobenigo*, in realtà formato da due spazi
di cui quello più interno caratterizzato dalla presenza della chiesa
e dalla base dell'incompiuto campanile; lo spazio più esterno (che
assume il nome di calle del Traghetto), di forma allungata, si affaccia sul Canal Grande (da questa riva, il 21 novembre, festa
della Madonna della Salute – v. pag. 110 – viene gettato un ponte
di barche che, collegando le due sponde del Canale, raggiunge il
campo della Salute).

La chiesa di **S. Maria del Giglio** o **Zobenigo**, dal nome della famiglia Jubanico che la fondò nel sec. X, più volte ristrutturata, fu
ricostruita nella 2ª metà del '600. La facciata venne edificata tra
il 1678 e il 1683 su progetto di Giuseppe Sardi (iscrizione sul
fianco sin., in alto), a spese e in gloria della famiglia Barbaro, di
cui riflette gli intenti autocelebrativi nella decorazione; a due ordini di semicolonne binate, di stile ionico e corinzio, su alti stilobati, e conclusa da timpano curvilineo, per il gioco degli aggetti
risalta imponente lungo la stretta visuale che si incanala nella
calle del Traghetto. Nell'ordine inferiore profonde nicchie accolgono le statue dei 4 fratelli di Antonio Barbaro, capitano da mar
(m. 1679), la cui effigie, ultima opera di Josse Le Court, è posta
nel comparto centrale dell'ordine superiore (dove, nelle nicchie
laterali, sono statue allegoriche dell'*Onore* e della *Virtù*). Altre
statue allegoriche, sempre del Le Court, sono sui raccordi laterali e sui cornicioni del coronamento. Negli specchi dei basamenti
delle semicolonne, bassorilievi con episodi della vita di Antonio
Barbaro e i luoghi dove svolse incarichi politici per conto della
Repubblica: in basso, 6 vedute planimetriche di città italiane e
dalmate (*Zara, Candia, Padova, Roma, Corfù* e *Spalato*); in alto,
scene di battaglie navali e imbarcazioni. Isolata sulla sin. è la
base dell'incompiuto campanile, ricostruito in luogo del preesistente demolito nel 1774 perché pericolante.

L'interno è a un'unica navata rettangolare, con 3 cappelle per lato e soffitto piano, ornato da tre incorniciature con grandi tele dipinte tra il 1690
e il 1696 da Antonio Zanchi (*Nascita della Vergine, Incoronazione, Assunzione*). Sulla controfacciata, sopra l'ingresso, *Ultima Cena* di Giulio del
Moro e, ai lati, 4 *sibille* di Giuseppe Porta detto il Salviati. A sin. della
porta, *S. Girolamo nella grotta*, piccolo rilievo marmoreo lombardesco

(fine sec. XV) e *Cristo risorto*, statua di Giulio del Moro (firmata). Tutt'intorno, le stazioni della *Via Crucis* del 1755-56, dipinte da Francesco Zugno (1ª e 14ª stazione), G.B. Crosato (2ª e 13ª), Domenico Maggiotto (3ª e 12ª), Francesco Fontebasso (4ª e 11ª), Giuseppe Angeli (5ª e 10ª), Gaspare Diziani (6ª e 9ª), Jacopo Marieschi (7ª e 8ª); sopra il cornicione della spartizione architettonica, tele di Antonio Zanchi e di G.B. Volpato, seguace dei Bassano. Al 1° altare d., *La Vergine col Bambino, S. Antonio e martirio di S. Eugenio*, di Carl Loth. Segue l'accesso alla CAPPELLA MOLIN (restaurata nel 1975): nell'andito, *busto di Girolamo Molin* di Alessandro Vittoria e, alle pareti, *S. Vincenzo Ferreri* di G.B. Piazzetta e Giuseppe Angeli (1750) e 6 ritratti di parroci dell'Ottocento; nella cappella, sul soffitto, *Madonna* attribuita a Domenico Tintoretto; alle pareti, sopra i dossali lignei adattati a vetrine di oggetti liturgici e reliquiari, tra le altre tele: *Madonna col Bambino e S. Giovannino* di Peter Paul Rubens e *Flagellazione, Cristo deriso, Orazione nell'orto, Il miracolo della figlia di Naim* e *Deposizione*, opere di Giovanni Antonio Pellegrini; alle pareti ai lati dell'altare, *Salita al Calvario* dello stesso Pellegrini e *Ulisse riconosciuto dal cane Argo* di Antonio Zanchi.

Al 2° altare d., *S. Gregorio Barbarigo*, statua di Giovanni Maria Morlaiter; dopo il battistero, con ricco baldacchino a colonne tortili e vasca di marmo greco, al 3° altare, *Visitazione* di Palma il Giovane. Si passa alla SAGRESTIA, piccolo interessante ambiente seicentesco: alla parete dell'ingresso, *Adorazione dei pastori* di artista veneto del sec. XVII; alla parete d., *Annunciazione*, piccola tavola forse di Andrea Schiavone, e in alto, *Abramo che insegna l'astrologia agli Egizi*, una delle più interessanti tele di Antonio Zanchi; alla parete di fronte, sopra un cassettone seicentesco e uno stipo in ebano con intarsi di pietre dure, *Adorazione dei Magi* di Pietro Vecchia; sopra l'altare, *S. Giovanni Battista*, statua settecentesca già nel battistero.

Nel presbiterio, alla parete sin., *monumento di Marco Giulio Contarini* (m. 1580) di Alessandro Vittoria; all'altar maggiore, l'*arcangelo Gabriele* e l'*Annunciata*, statue di Heinrich Meyring; dietro l'altare, *organo* (decorato a strumenti musicali e putti) con, inserite sulla cantoria, piccole tele di Antonio Zanchi (l'*Eterno, Annunciazione* e *angeli*); sotto l'organo, *Annunciazione* del Salviati; ai lati, i 4 *Evangelisti*, già portelle dell'organo, vigorose figure a coppia di Jacopo Tintoretto (1552), e *L'Addolorata* di Sebastiano Ricci. Al 3° altare sin., *Cristo e i Ss. Francesco di Paola e Giustina* di Tintoretto; al 2°, *Immacolata*, statua attribuita a Giovanni Maria Morlaiter; al 1°, *Martirio di S. Antonino*, pala di Antonio Zanchi.

Oltre la chiesa il campo si allunga fino al Canal Grande, su cui si affaccia a sin. il gotico *palazzo Gritti* (ora albergo), restaurato nell'Ottocento e decorato internamente da Giuseppe Borsato e Sebastiano Santi (per il prospetto sul Canal Grande, v. pag. 196).

Costeggiando il fianco sin. della chiesa, varcato il ponte Feltrina sul rio di S. Maria Zobenigo o dei Furlani, si raggiunge il *campiello della Feltrina*, toponimo derivato dalla destinazione ad albergo per i cittadini di Feltre del quattrocentesco *palazzo Malipiero* (N. 2514). Passato il ponte Zaguri, si volge a sin. nella *fondamenta Corner Zaguri* all'inizio della quale, N. 2631-32, è il *pa-*

lazzo Zaguri (ora sede di un istituto scolastico), costruzione gotica della fine del sec. XIV, rimaneggiata nel '500, con due prospetti (il secondo su campo S. Maurizio, v. sotto) a due piani di elegantissime polifore. Più avanti, N. 2662, è l'imponente portale d'accesso al **palazzo Corner della Ca' Granda**, sede della Prefettura e del Consiglio provinciale. Il grandioso edificio venne costruito, in luogo di una preesistente dimora già dei Malombra, distrutta da un incendio nel 1532, su progetto di Jacopo Sansovino per Jacopo Cornaro, nipote di Caterina Cornaro regina di Cipro; iniziato nel 1533 e non ancora concluso nel 1556, è planimetricamente organizzato su una successione di ambienti che, dalla facciata sul Canal Grande (v. pag. 194), attraverso un atrio e un profondo corridoio portano al cortile di forma rigorosamente quadrata.

Questo, di notevole eleganza, è definito dai fronti interni che presentano un forte bugnato al pianoterra e due piani articolati da lesene ioniche e corinzie e percorsi da terrazze continue (la statua sul pozzo è del Cabianca). All'interno del palazzo, privato di quanto era commerciabile quando fu venduto al Demanio (1812), rimane qualche ambiente coi soffitti affrescati, fra cui quello dipinto nella seconda metà del Seicento da Giovanni Segala; nel salone, soffitto con *Il Trionfo di Venezia* e fregio lungo m 42, di Giuseppe Vizzotto Alberti e Vincenzo De Stefani (1897).

Tornati al ponte Zaguri, si segue a sin. la calle omonima che sbocca nel *campo S. Maurizio*, di antica formazione e definito dai prospetti di notevoli edifici (la vera da pozzo è del 1521). A d., N. 2667-68, l'ogivale palazzo Zaguri (v. sopra). Di fronte, N. 2760, il *palazzo Bellavite*, edificato nella seconda metà del '500, in luogo dell'antico campanile della chiesa, per Dionisio Bellavite su progetto attribuibile a Bartolomeo Monopola; la facciata di modi sansoviniani è a due ordini di serliane (un tempo era decorata con affreschi di Paolo Veronese, di cui non resta traccia); all'interno si conservano affreschi neoclassici di Pier Antonio Novelli del 1793. Al N. 2757-59, il *palazzo Molin*, edificio tardogotico del sec. XV modificato alla fine del '500 nell'ultimo piano e con l'aggiunta dei poggioli. Chiude il fronte N del campo la chiesa di *S. Maurizio*: di antica fondazione, fu ricostruita tra il 1785 e il 1806 su disegno di Pietro Zaguri (m. 1804), con l'intervento successivo di Giannantonio Selva e Antonio Diedo. La facciata, neoclassica, realizzata dal Selva ad eccezione del portale centrale e delle finestre laterali, del Diedo, è decorata da rilievi e statue di Giovanni Ferrari e Luigi Zandomeneghi (dietro la chiesa, a d., spicca il campanile pendente di S. Stefano, v. pag. 320).

L'interno, del Selva, ispirato alla demolita chiesa sansoviniana di S. Geminiano, è a croce greca inscritta in un quadrato con abside semicircolare, spartito da semicolonne d'ordine corinzio; presenta cupola centrale e cupolette cieche nei bracci. Dietro l'altar maggiore, disegnato dal Selva, con tabernacolo marmoreo a forma di tempietto circolare tra 2 angeli di Domenico Fadiga, è una pala col *Martirio di S. Maurizio* della bottega di Paolo Veronese (Heredes Pauli). All'altare a d. del maggiore, *S. Giuseppe e altri santi* di Antonio Vianello; a quello di sin., *S. Teresa* di Alessandro Milesi (1935). Alle pareti d. e sin. della chiesa, sono, rispettivamente, l'organo e un pulpito disegnati dal Selva e decorati con monocromi di Giuseppe Borsato (sulla cantoria dell'organo, *Storia dell'arca santa*; sul pulpito, *S. Paolo che predica all'aeropago e David in corsa*). Nella sagrestia, che conserva l'originario carattere settecentesco: *S. Maurizio in gloria* e *2 storie della vita di S. Maurizio*, opere di Francesco Zugno, e *Veduta del campo S. Maurizio* e *Interno della chiesa antica* di Francesco Battaglioli (con la collaborazione dello Zugno per le figure?).

Il campo è collegato al Canal Grande dalla *calle del Dose da Ponte* dove, N. 2746, è il **palazzo Da Ponte**, notevole edificio tardorinascimentale costruito nel 1578 dal doge Nicolò da Ponte su disegno di Antonio Da Ponte; la facciata, a due piani di serliane, era decorata con affreschi (di cui sono state rinvenute tracce nel restauro del 1982-83) di Giulio Cesare Lombardo, da alcuni identificati col Procaccini. Danneggiato da un incendio nel 1801, venne restaurato da Giannantonio Selva; ulteriori, consistenti trasformazioni all'interno furono eseguite intorno alla metà dell'Ottocento per volere degli allora proprietari, la famiglia Giustinian.

Si esce dal campo S. Maurizio seguendo, a d. del palazzo Bellavite, la stretta calle del Piovan dove, N. 2762, è l'*ex Scuola degli Albanesi* (ora abitazione privata), della fine del sec. xv; intorno al 1531 fu decorata in facciata con gli stemmi delle famiglie Loredan e Da Lezze, e con eleganti rilievi di scuola lombardesca raffiguranti la *Vergine col Bambino* tra *S. Gallo* e *S. Maurizio* e *Il sultano Maometto osserva il castello di Scutari* (dal 1780 sede della Scuola dei Pistori, fornai, alla soppressione di questa, nel 1808, l'edificio venne spogliato dei ricchi arredi, tra cui il ciclo con scene della vita della Vergine dipinto da Carpaccio). Varcato sul ponte S. Maurizio il rio del Santissimo o di S. Stefano, che con inconsueta soluzione passa sotto il coro della chiesa di S. Stefano (dal ponte, a sin., i prospetti sul rio dei palazzi Morosini e Pisani, v. pag. 321), per la seguente calle del Spezier si giunge in campo Francesco Morosini, comunemente denominato, come in passato, **campo S. Stefano**. Uno dei più grandi della città e importante punto di incontro di due fra i principali percorsi di attraversamento urbano (verso S. Marco e verso Rialto), l'invaso è caratterizzato da una struttura planimetrica articolata e complessa, costituita da un insieme di spazi disposti in successione dalla chiesa di S. Stefano al ponte dell'Accademia.

Il campo propriamente detto, di forma allungata, a ventaglio, è a sua volta ripartito in due porzioni, di cui la più ampia caratterizzata da due grandi vere da pozzo del 1724 e dalla presenza mediana del *monumento a Niccolò*

Tommaseo (con statua bronzea di Francesco Barzaghi), qui collocato nel 1882; la porzione minore, prossima alla ex chiesa di S. Vidal, è definita sul fondo dalla cancellata del giardino del palazzo Cavalli Franchetti. Ad esso si collegano vari spazi minori, come il campiello Pisani, che introduce all'omonimo palazzo, il campiello Loredan e il campo S. Vidal, sul quale si innesta il ponte dell'Accademia. Lateralmente il campo è servito da due rii maggiori (di S. Vidal, a nord-ovest, e di S. Stefano, a sud-est) e da uno minore (senza sbocco) che penetrano dal Canal Grande.

All'estremità d. prospetta il fianco sud, con resti quasi illeggibili di un affresco di Girolamo Pellegrini (*Vergine e santi*), della gotica chiesa di *S. Stefano, maestoso edificio costruito a partire dal 1294 dagli Eremitani Agostiniani e profondamente modificato all'inizio del Quattrocento, quando fu eretta anche l'attuale facciata. Questa, in mattoni a vista, tripartita da lesene e con la parte centrale avanzata rispetto alle laterali, è aperta da alte bifore con pregevoli cornici in terracotta e da due rosoni; in alto, lungo la gronda, una serie di archetti pensili a tutto sesto e, ai vertici del tetto, edicole marmoree del primo decennio del '400. Inferiormente è il bellissimo portale a lieve strombatura, con, fra due guglie in marmo bianco, arco polilobato decorato da mosse foglie d'acanto (racchiudenti al centro un angelo con cartiglio) e concluso al vertice dalla figura dell'Eterno Padre; di varia datazione e attribuzione, è per alcuni opera della bottega di Bartolomeo Bon, realizzata tra il 1438 e il 1442.

L'interno (rimaneggiato nel sec. XV e ancora durante il XVII, quando vennero posti i nuovi altari e i monumenti funebri lungo le pareti laterali) è a pianta basilicale, diviso in tre navate da colonne di marmo greco e rosso di Verona, disposte in alternanza cromatica, con capitelli policromi dorati sostenenti archi ogivali. Questi sono decorati sull'estradosso da affreschi a fiorami gotici e figure di santi agostiniani (probabile opera di scuola padovana della metà del '400). La navata mediana, con le pareti a losanghe policrome (analoghe all'esterno di Palazzo Ducale) raccordate da «catene» lignee decorate, è conclusa dal bellissimo *soffitto* ligneo a carena di nave, ornato da rosoni di un tipo piuttosto raro, simili a quelli degli Eremitani a Padova o di S. Fermo a Verona; nel pavimento, *sigillo tombale del doge Francesco Morosini*, il Peloponnesiaco, attribuito a Filippo Parodi (1694). Sulla controfacciata, sopra il portale, grande *monumento di Domenico Contarini*, con statua equestre del defunto in legno dorato (1650); a sin., *monumento del senatore Antonio Zorzi* (m. 1588), nella maniera di Alessandro Vittoria; a d., *monumento di Giacomo Surian*, rinascimentale (1488-93), ad arcosolio: su alto basamento decorato con teschi e festoni, sostenuta da grifi, è l'arca con la statua giacente del defunto, sopra la quale, nella lunetta, è un bassorilievo con la *Vergine, santi e il Surian inginocchiato*.

Nella navata d.: al 1° altare, *Natività di Maria*, pala di Niccolò Bambini; al 2°, i *Ss. Antonio abate, Luigi Gonzaga e Francesco Saverio* di Giuseppe Angeli; al 3°, *L'Immacolata tra i Ss. Giovanni Nepomuceno e Lucia* di Jacopo Marieschi; al 4°, *S. Agostino combatte le eresie* di Giustino Menescardi. Segue, alla parete, un'edicola con la *Madonna col Bambino tra S. Giacomo maggiore e S. Giacomo minore e gli offerenti Jacopo ed Eugenio Surian*, pregevole bassorilievo in bronzo di scuola lombardesca (c. 1490). Per un portale rinascimentale del 1525, con formelle in bronzo di Pier Luigi Sopelsa (1982), si accede alla SAGRESTIA, grande vano a pseudovolta. Alla parete d'ingresso, tele di Gaspare Diziani (*Fuga in Egitto, Adorazione dei pastori* e *Strage degli innocenti*). A quella d.: *Ultima Cena, Lavanda dei piedi* e *Orazione nell'orto*, tre grandi tele di Jacopo Tintoretto già nella soppressa chiesa di S. Margherita; **Crocifisso*, tavola di Paolo Veneziano (c. 1348) già nella chiesa di S. Samuele; *Battesimo di Gesù* di Pomponio Amalteo. Alla parete di fondo, in alto, *Lapidazione di S. Stefano*, vasta tela di Sante Peranda. All'altare, *Crocifisso*, pala della scuola del Piazzetta (Giuseppe Angeli ?), e *S. Antonio da Padova* e *S. Giovanni Battista*, statue lombardesche. Alle pareti ai lati dell'altare, *S. Pietro* e *S. Lorenzo*, parti di polittico di Bartolomeo Vivarini, e due cassearmadio per le reliquie. Quella di d. ospita l'icona della *Madonna «Ortocosta»* (delle Grazie), immagine bizantina portata a Venezia dalla Morea da Francesco Barbaro nel 1541 (già in S. Samuele, è stata qui collocata nel 1977): è una tavola a encausto rivestita di una «camicia» d'argento dorato di arte orientale del sec. XIII-XIV; le formelle a sbalzo con l'*Annunciazione* sono del 1356; la cornice, con figure a sbalzo degli *apostoli*, è lavoro di oreficeria veneziana della fine del sec. XVI. Alla parete sin.: *Sacra Famiglia con S. Caterina d'Alessandria* attribuita a Palma il Vecchio, ma per altri opera di Bonifacio de' Pitati; *Risurrezione* di ignoto tintorettesco; *S. Michele arcangelo*, rilievo marmoreo del sec. XV; 4 grandi *ritratti di cardinali agostiniani*, da taluni ritenuti opera giovanile (o di bottega) di Sebastiano Mazzoni, da altri di Matteo Ingoli; stemma ligneo della famiglia Morosini; sopra la porta d'accesso alla sagrestia minore (v. sotto), frammenti di sculture fra cui *S. Sebastiano*, probabile opera di Tullio Lombardo, e (alla maniera lombardesca) *S. Nicola da Tolentino* e *S. Ambrogio*. Il grande mobile in radica di noce, con l'immagine di S. Agostino sul frontale, è della seconda metà del Seicento (al di sopra, *S. Girolamo* e *S. Andrea apostolo*, piccole sculture lignee della fine del '400). Nella sagrestia minore, sopra la porta, *Vergine col Bambino* e *2 angeli* del sec. XV; alle pareti, *S. Giovanni Battista* e *S. Girolamo* e *Matrimonio mistico di S. Caterina*, già attribuiti a Marco Basaiti ma opera di artista lombardo dell'inizio del '500.

Tornati in chiesa, la visita continua con la cappella a d. della maggiore, dove l'*altare del Sacramento* (già nella demolita chiesa di S. Angelo), opera di Giulio del Moro con sculture in bronzo (*S. Pietro, S. Marco* e *angeli* coi simboli della Passione) e in marmo (il *Redentore* e *2 angeli*), posteriormente presenta un rilievo con *Cristo* pure di Giulio del Moro; alla parete d., dipinto con *santi* di Leonardo Corona (c. 1590), resto di tavola, rinvenuta nei restauri del 1971, che stava a rinforzo della pala sull'altare della Cintura (il 1° sin.).

Il presbiterio, sopraelevato sull'antica cripta, è ad archi ogivali con volte a crociera e termina in una grande abside poligonale del principio del Quattrocento (ai lati, 2 grandi candelabri in bronzo, di cui uno, datato 1577, è della bottega di Alessandro Vittoria). Alle pareti, resti dell'antico coro marmoreo (fino all'inizio del sec. XVII posto, come quello della chiesa dei Frari, nella navata mediana), ornato nelle nicchie e sopra la trabeazione da statue degli apostoli e altri santi (iniziato da Vittore Gambello, venne ultimato dai Lombardo). Il maestoso altar maggiore (variamente attribuito a Girolamo Campagna e ad Alvise Panizza), con grande ciborio, è incorniciato da una triplice arcata classicheggiante; nelle arcate laterali, *S. Marco* e *S. Chiara*, grandi sculture in legno attribuite a Girolamo Campagna; in alto sulla trabeazione, *Annunciazione*, buone sculture della cerchia di Antonio Rizzo, e i *Ss. Agostino* e *Stefano*, forse dell'antico coro, ascritte alla bottega dei Lombardo; il bel paliotto con motivi floreali a intarsi marmorei è opera del 1666. Nell'abside sono gli stalli lignei del coro, goticizzanti, intagliati da Leonardo Scalamanzo e completati da Francesco e Marco Cozzi, che ha firmato e datato (1488) l'opera.

Nella cappella a sin. della maggiore, a d., *monumento del giureconsulto G.B. Ferretti*, attribuito a Michele Sanmicheli (1557). All'inizio della navata sin. è l'accesso alla cappella del Battista (già Contarini), adibita a Battistero nel 1810, quando allo scopo vennero qui trasferiti, dalla chiesa di S. Angelo, il battistero con vasca in pietra di paragone e *S. Giovanni Battista*, scultura di Giulio del Moro (1592); alla parete, *stele funeraria di Giovanni Falier* di Antonio Canova (1808). Oltre la porta che immette nel chiostro dell'ex convento (v. sotto), sormontata dal *monumento al condottiero Bartolomeo d'Alviano* (m. 1515), fatto erigere dal Senato su progetto di Baldassare Longhena (1629-33), al 5° altare, *Madonna in gloria col Bambino e i Ss. Marco, Pietro e Foca*, pala di Girolamo Brusaferro (1737); al 4°, *Martirio di S. Stefano* di Antonio Foler; al 3°, entro cornice in marmo nero con putti in marmo bianco, circondata da una tela con l'*Incoronazione della Vergine* di ignoto autore del tardo '500, *S. Nicolò da Tolentino*, statua di scuola lombardesca della seconda metà del Quattrocento, e (tra le colonne) *S. Paolo* e *S. Girolamo* (firmata), statue di Pietro Lombardo; al 2° altare (decorato in alto dalla scultura dell'*Eterno Padre*), *Deposizione dalla Croce* di Teodoro Matteini; al 1°, *Madonna della cintura e santi agostiniani*, pala del tardo '500 forse di Leonardo Corona.

Dalla porta laterale della navata sin. si esce nell'elegante **chiostro**, edificato dopo l'incendio del 1529 su progetto attribuito allo Scarpagnino; rialzato al centro (vera da pozzo) e cinto da un portico a colonne ioniche architravate, aveva le facciate affrescate dal Pordenone con scene del Vecchio e Nuovo Testamento (resti di affreschi, staccati, sono alla Galleria Franchetti). Sotto il portico, monumenti funerari, tra i quali la trecentesca *urna del doge Andrea Contarini* (m. 1382). Dal braccio d. un lungo corridoio che scavalca il rio immette nel 2° chiostro, trecentesco con capitelli a rosetta, architravi lignei e vera da pozzo. Il convento, soppresso nel 1810, è sede degli uffici dell'Intendenza di Finanza.

Dal chiostro cinquecentesco, sul lato opposto alla chiesa, per un portale gotico sormontato all'esterno da una lunetta con *S. Agostino e frati*, opera di scuola padovana del sec. XV (oppure seguendo a sin. della facciata di S. Stefano la calle e il ponte dei Frati), si esce in campo S. Angelo (descritto a pag. 335), da dove è visibile il *campanile* della chiesa. Questo, uno dei più alti di Venezia, notevolmente inclinato, risale per la metà inferiore al sec. XV; la parte superiore, costruita nel 1544, con cella campanaria a trifore rinascimentali, venne rifatta alla sommità dopo i danni provocati da un fulmine nel 1585.

Di fronte alla facciata della chiesa rimane, trasformato in bar, l'edificio (N. 3467) già sede della *Scuola di S. Stefano* o dei laneri, sul cui portale è un piccolo rilievo gotico del sec. XV (*S. Stefano adorato dai confratelli*); nel 1806, alla soppressione della confraternita andò disperso il ciclo con le storie di S. Stefano dipinto da Carpaccio (delle quattro tele superstiti, tre fanno parte di collezioni pubbliche straniere, mentre la quarta – Disputa coi dottori – è alla Pinacoteca di Brera a Milano). A d. dell'edificio si svolge la *calle del Pestrin* (lattivendolo), a sin. della quale, sopraelevato, è il campiello Nuovo, un tempo cimitero del convento degli Agostiniani di S. Stefano, aperto al transito nel 1838 (lapide); è definito dal fianco di una casa ottocentesca con decorazioni in cotto. Poco più avanti si apre a d. la *corte delle Pinzocchere*, dal nome delle terziarie agostiniane che qui abitavano; gli edifici che la compongono erano di proprietà della famiglia Da Lezze (stemma sull'ingresso della corte e sulla vera da pozzo).

Si torna nel campo S. Stefano. A sin., N. 2802-2803, il prospetto di *palazzo Morosini*, costituito da due antichi edifici con corte comune, unificati alla fine del sec. XVII, forse su progetto di Antonio Gaspari, per volere del doge Francesco Morosini, il Peloponnesiaco; l'ingresso alla corte è segnalato sul campo dall'interessante portale in pietra d'Istria, con decorazioni a soggetto bellico, in ricordo delle vittorie del Peloponnesiaco (alle sue imprese nel Mediterraneo allude invece l'ippocampo nella chiave di volta dell'accesso sul rio, v. pag. 317).

Nel 1894, estintasi la famiglia Morosini, gli eredi, conti Gattemburg di Salisburgo, vendettero all'asta le ricche raccolte e gli arredi del palazzo, che andarono dispersi, fatta eccezione per alcuni cimeli del doge e per l'archivio della famiglia che, acquistati dal Comune, sono conservati al Civico Museo Correr. In quella occasione venne venduto anche il soffitto affrescato da G.B. Tiepolo intorno al 1760 con l'Apoteosi del Peloponnesiaco; finito a Budapest, dal 1953 è tornato in Italia e decora il salone della Giunta di palazzo Isimbardi a Milano.

Sull'altro lato del campo, al N. 2945, è il *palazzo Loredan*, già Mocenigo, edificio gotico ricostruito in forme rinascimentali, dopo il 1536, su progetto dello Scarpagnino (la lunga facciata, con bella polifora a otto arcate su colonne e balconata, priva di particolare rilievo architettonico, era stata affrescata dal Salviati e dal Giallo da Firenze); il ricco prospetto laterale d., di modi palladiani, fu realizzato nel 1618 ed è attribuito a Giovanni Grapiglia.

Il palazzo è sede dell'*Istituto Veneto di Scienze, Lettere e Arti*, fondato nel 1810 come sezione dell'analogo Istituto di Milano e in seguito (1838) divenuto autonomo. Esplica la propria attività con manifestazioni culturali e la pubblicazione di riviste periodiche; possiede una Biblioteca di oltre 185 000 volumi e opuscoli (giorni e orario di apertura, pag. 136).

Sul fronte opposto si apre il campiello Pisani, definito, come una sorta di corte privata, da due portali a bugnato con teste in chiave di volta, e dominato dall'imponente prospetto di **palazzo**

Pisani. Iniziato nei primi anni del sec. XVII, forse da Bartolomeo Monopola, questo venne ultimato, dopo gli interventi di ampliamento e sopraelevazione attuati nel 1728 da Girolamo Frigimelica (che per i Pisani stava costruendo la grandiosa villa di Stra), nel 1751 con la realizzazione della stretta facciata sul Canal Grande (v. pag. 192); radicali rinnovamenti furono apportati nel 1793 da Bernardino Maccaruzzi agli ambienti interni. La facciata, parzialmente rifatta dopo il terremoto del 1634, è a bugnato liscio di pietra d'Istria, con alte bifore a balcone (ornate da mascheroni nelle serraglie degli archi) e serliane al centro; la decorazione scultorea figurata fu probabilmente realizzata nei laboratori attivi a Venezia tra la metà del Seicento e l'inizio del Settecento. Estintasi la famiglia Pisani (1880), il palazzo venne acquistato dal Demanio e dal 1897 destinato a sede del Liceo Musicale, attuale *Conservatorio di Musica Benedetto Marcello*.

La complessa struttura interna, ideata probabilmente dagli stessi committenti (alcuni dei quali si dilettavano di architettura), si sviluppa in lunghezza intorno a due cortili, separati da un'ala a due piani con un loggiato aperto (questa organizzazione è sintomatica dello sforzo eseguito dalla famiglia Pisani per ottenere, attraverso una successione di corpi di fabbrica e di corti realizzati in tempi diversi, un affaccio seppure esiguo sul Canal Grande). L'interno, spogliato del lussuoso arredo e delle raccolte d'arte, mantiene alcuni ambienti decorati a stucchi, dorature e affreschi di pittori del Settecento (Jacopo Guarana, Francesco Zugno, Sebastiano Ricci, Gregorio Lazzarini, Camillo Ballini). Nella cappella, affreschi dello Zugno e *Sacra Famiglia* di Giuseppe Angeli; alle pareti, tele di Palma il Giovane, del Padovanino, dell'Aliense, di Carl Loth, di Carletto Caliari, dei Bassano e di Domenico Campagnola (?), alcune delle quali in deposito dalle Gallerie dell'Accademia. Assai nobile il classicheggiante salone da ballo, utilizzato come sala dei concerti; corso da un ordine di colonne scanalate con capitelli compositi e da una sovrastante galleria, ha il soffitto affrescato da Vittorio Bressanin.

Al termine del campo S. Stefano, sulla d., prospetta la chiesa di **S. Vidal**, corruzione dialettale di S. Vitale; fondata forse nel sec. XI-XII, fu ricostruita tra il 1696 e il 1700 su progetto di Antonio Gaspari e ultimata nel 1734-37 da Andrea Tirali, autore della facciata. Questa, prevista dal Gaspari come sontuoso monumento-cenotafio del doge Francesco Morosini, fu invece realizzata in semplici modi palladiani: in pietra bianca, presenta il corpo mediano tripartito da quattro slanciate colonne corinzie, su alti plinti, addossate a un ordine minore di lesene. Lungo il fianco sin. rimane l'antico campanile del sec. XII, in mattoni con cuspide piramidale: alla base, iscrizione romana forse proveniente dall'Arena di Pola e, sopra la porta, frammento di cornice del sec. XII e *S. Gregorio*, tondo a rilievo del '400. L'edificio, sconsacrato e sede del Centro d'arte S. Vidal, conserva l'originario apparato decorativo (sono consentite le visite).

L'interno è ad aula rettangolare con cappelle absidali e soffitto a volta. Sulla controfacciata: a sin., *Cristo nell'orto confortato dagli angeli*, tela di G.B. Mariotti; a d., *Annunciazione* di Andrea Vicentino (?). Al 1° altare d., *La Trinità e i Ss. Pietro e Francesco da Paola* di Giannantonio Pellegrini; al 2°, *Annunciazione*, pala marmorea di Antonio Tarsia, tra *S. Domenico* e *S. Rosa*, statue dello stesso (firmate); al 3°, **L'Arcangelo Raffaele e i Ss. Antonio da Padova e Luigi* di G.B. Piazzetta (c. 1730). All'altar maggiore, *Fede e Fortezza*, statue di Antonio Gai; alla parete, **S. Vitale a cavallo e 8 santi* di Vittore Carpaccio (firmato e datato 1514). Al 3° altare sin., *L'Immacolata* di Sebastiano Ricci (1732); al 2°, **Il Crocifisso e gli apostoli*, pala di Giulia Lama, scolara del Piazzetta; al 1°, *Ss. Rocco e Sebastiano* di Angelo Trevisani. Su cavalletto, *Ritratto di sacerdote* di Alessandro Longhi. Nella sagrestia, sopra i dossali di noce, *Martirio di S. Vitale* di Gregorio Lazzarini.

Si prosegue attraversando, a sin. della chiesa, il *campo S. Vidal*, chiuso a d. dal rio omonimo e a sin. dalla cancellata in ferro che recinge il giardino del quattrocentesco *palazzo Cavalli Franchetti*, con prospetto sul Canal Grande (v. pag. 192), pesantemente ristrutturato e ampliato alla fine dell'Ottocento da Camillo Boito, autore del sontuoso scalone. Dal campo, scavalca il Canal Grande il **ponte dell'Accademia**, in legno, a un'unica arcata, costruito nel 1934 su progetto di Eugenio Miozzi in sostituzione di quello in ferro realizzato nel 1854 da Alfredo Neville; la struttura, da sempre considerata provvisoria (doveva essere sostituita nel giro di pochi anni da un ponte in pietra, progettato da Giuseppe Torres), si presenta attualmente (1984) notevolmente degradata. Attraversando il ponte, da cui si ha un'incantevole vista (a d. sui palazzi del Canal Grande; a sin. sull'ultimo tratto dello stesso Canal Grande, fino alla punta della Dogana e all'apertura del Bacino di S. Marco), si scende nel campo della Carità di fronte all'ex chiesa sede delle Gallerie dell'Accademia (v. pag. 396).

2.3 Da S. Marco a S. Stefano per le Mercerie, campo Manin e S. Samuele

Dalla piazza S. Marco, sottopassato l'arco della torre dell'Orologio (per la pianta dell'itinerario, v. pag. 307), si imboccano le **Mercerie**, il più antico percorso di rapido collegamento tra il centro politico-religioso di S. Marco e quello mercantile di Rialto; abitato fin dalle origini da artigiani le cui occupazioni gravitavano nell'ambito dei traffici realtini, mantiene tuttora l'antica destinazione commerciale da cui trae il toponimo. Divise in cinque tratti (da sud-est a nord-ovest: merceria dell'Orologio, di S. Zulian, del Capitello, di S. Salvador e 2 Aprile), le Mercerie, già selciate nel sec. XIII, costituiscono l'asse su cui prese consistenza la Venezia bizantina del sec. X e sono caratterizzate da una compatta struttura edilizia distribuita su strette e frequenti calli. All'inizio della *merceria dell'Orologio*, a sin. (N. 149) è l'arco che immette nel sottoportico del Cappello: sull'estradosso il rilievo della «vecchia col morter» (mortaio) ricorda l'episodio, avvenuto durante la sommossa condotta da Baiamonte Tiepolo contro il doge Pietro Gradenigo (15 giugno 1310), di cui fu vittima l'alfiere che guidava i congiurati, colpito da un mortaio fatto cadere da un'anziana donna da una finestra (sul selciato una pietra bianca indica il punto di caduta). Poco più avanti si apre a d. la calle larga S. Marco, che segue il percorso del canale che innestandosi nel rio delle Procuratie abbracciava la piazza lungo tutto il suo arco settentrionale. Al termine della merceria dell'Orologio (di fronte, edificio gotico del sec. XV), lasciato a sin. il percorso per il ponte dei Ferali (v. sotto), si volge a d. entrando nel *campo S. Zulian*, dominato dal prospetto della chiesa di **S. Zulian**, corruzione dialettale di S. Giuliano. Fondata secondo la tradizione nell'829 e rifatta in forma basilicale a tre navate dopo l'incendio del 1105, deve l'attuale struttura alla ricostruzione realizzata, su commissione dello scienziato e filosofo Tommaso Rangone, da Jacopo Sansovino (1553-55), coadiuvato da Alessandro Vittoria per le parti scultoree e l'ordine superiore della facciata. Questa, assai dilatata, rivestita in pietra d'Istria, a due ordini di semicolonne e coronamento a timpano triangolare, presenta sul portale, tra i simboli delle discipline da lui studiate, la bella *statua di Tommaso Rangone*, bronzo per alcuni di Jacopo Sansovino (1554), per altri del Vittoria: è questo il primo esempio di chiesa veneziana in cui il monumento celebrativo del committente sostituisce le consuete sculture di carattere religioso.

L'interno è un'unica navata a pianta quadrata conclusa da due cappelle absidali e presbiterio; nel ricco soffitto ligneo intagliato (1585), *Gloria di S. Giuliano* di Palma il Giovane, *Virtù* di Leonardo Corona e *S. Giovanni* di Pietro Mera. Sulla controfacciata, organo a cantoria del sec. XVI. Alla parete d.: al 1° altare, i *Ss. Rocco, Marco e Girolamo*, e in alto *Pietà*, pala di Paolo Veronese (1584); segue, sopra la porta laterale, *S. Girolamo* di Leandro Bassano; al 2°, decorato con la *Natività di Maria*, paliotto marmoreo di Alessandro Vittoria, e con i *Ss. Daniele e Caterina d'Alessandria*, statue dello stesso (siglate), è una pala di Palma il Giovane (*Assunta*). Nella cappella a d. della maggiore, i *Ss. Giovanni Evangelista, Giuseppe e Antonio* ancora di Palma il Giovane. Nel presbiterio: all'altar maggiore, *Incoronazione della Vergine e santi* di Girolamo da Santacroce (firmata); alle pareti, *Miracolo di S. Giuliano* e *Martirio del santo*, due grandi scenografiche tele di Antonio Zanchi (1674). A sin. della maggiore è la *cappella del Sacramento*, architettata da Giovanni Antonio Rusconi, con volta a stucchi di Alessandro Vittoria (c. 1583): nell'estradosso dell'arco, *Risurre-*

zione di Palma il Giovane; sull'altare, la *Pietà, altorilievo marmoreo, e la *Vergine Maria* e la *Maddalena*, statue in terracotta patinata, opere di Gerolamo Campagna. Alla parete sin.: al 2° altare, il *Sacro Cuore adorato da 3 santi* di Vincenzo Guarana; al 1°, *Madonna in trono e 4 santi* di Boccaccio Boccacino (firmata).

Usciti dalla chiesa si può effettuare una breve deviazione per il percorso che, in asse con l'ingresso principale, oltre il ponte dei Ferali raggiunge calle Fiubera, da cui diverge a d. *calle degli Armeni*. Al termine di questa, entro un sottoportico ligneo settecentesco, N. 965 B, è l'anonimo ingresso della chiesa di **S. Croce degli Armeni**, officiata dai Mechitaristi dell'isola di San Lazzaro degli Armeni. L'edificio, quattrocentesco, fu ampliato alla fine del Seicento su progetto di Antonio Pastori: privo di facciata, è inglobato nell'insediamento abitativo già della comunità armena. L'interno (aperto solo la domenica mattina), preceduto da un breve vestibolo, è a pianta quadrata, con cupola centrale e slanciata lanterna, presbiterio e 2 altari; i marmi intarsiati, gli stucchi policromi e i dipinti creano un effetto di coerenza stilistica con l'architettura. Sui pennacchi e le lunette sottostanti alla cupola, gli *Evangelisti* (1697) ed *episodi della vita di Maria e Cristo* (1698), di Niccolò Bambini (?); all'altare d., *S. Gregorio vescovo battezza il re e la regina* con ai margini *episodi della vita del santo*, opera di Gregorio Lazzarini; all'altar maggiore, *L'invenzione della croce* di Andrea Celesti; all'altare sin., *Assunta*, pure del Celesti (1691).

Oltre il sottoportico è il sinuoso *rio terrà delle Colonne* (da dove si vede il campanile della chiesa), interrato nel 1840-44; mantiene verso il fondo l'interessante soluzione a portico, piuttosto frequente nelle case lungo i rii, che consentiva di guadagnare spazio ai piani superiori portandoli a filo del canale, sovrappassando la fondamenta.

L'itinerario principale prosegue percorrendo verso nord-ovest la *merceria di S. Zulian* e varcando il rio dei Baretteri (cappellai) sul ponte omonimo, uno dei più larghi della città, in rapporto alla sezione del canale, per il confluirvi di 5 percorsi pedonali tutti fuori asse. Nel sottoportico a d. (delle Acque), al N. 4939 si apre l'ingresso al *Ridotto della procuratoressa Venier*, famoso luogo di convegno dell'elegante società veneziana settecentesca, che mantiene all'interno l'originaria decorazione a stucchi policromi, pitture e parte degli arredi (ora abitazione privata, ne è concessa la visita). Si continua nella *merceria del Capitello*, dal piccolo tabernacolo settecentesco, con figura della *Madonna col Bambino* di Matteo Ingoli (c. 1630), posto sulla parete esterna dell'abside di S. Salvador (v. sotto). A sin. è una bella casa gotica del sec. XV, con ingresso da una corte interna (al N. 4866 dell'ortogonale calle delle Ballotte), da dove si vede il cinquecentesco campanile a cella quadrata della chiesa di S. Salvador (in fondo a calle delle Ballotte, in prossimità del ponte omonimo, edificio con iscrizione che ricorda il dono dello stesso alla Scuola di S. Maria dei Mercanti da parte del procuratore Antonio Tron, nel 1523; lo stemma Tron a mosaico è di Crisogono Novello e nipoti). Al termine della merceria del Capitello si tiene a d. e subito a sin. nella *merceria di S. Salvador*, con botteghe addossate al fianco della chiesa omonima, raggiungendo il *campo S. Salvador* (al centro, colonna commemorativa innalzata nel 1898 per celebrare il cinquantenario della cacciata degli Austriaci dalla città). Sulla sin. prospetta la chiesa di *S. Salvador: di antica origine e più volte ristrutturata, deve l'attuale grandiosa struttura alla ricostruzione realizzata nel 1506-34 da Giorgio Spavento (che eresse la sola tribuna), cui successe Tullio Lombardo e quindi Jacopo Sansovino; nel 1574 lo Scamozzi, per migliorare l'illuminazione, aprì una lanterna su ciascuna delle tre cupole. La ricca facciata fu eseguita (con lascito del mercante Jacopo Galli) nel 1663 su disegno di Giuseppe Sardi: preceduta da una scalinata, è a due ordini separati dall'alta trabeazione aggettante, retta da semicolonne corinzie; la parte superiore e il timpano triangolare di coronamento sono decorati da statue ed elementi ornamentali di Bernardo Falcone (2ª metà sec. XVII). Lungo il fianco sin. si apre il bel portale laterale, con protiro lombardesco del 1532, decorato nel sottarco da un affresco della *Trasfigurazione* di Francesco Vecellio (?). Posteriormente si erge il campanile (v. pag. 325).

L'armonioso interno, di vaste proporzioni, a tre navate concluse da absidi, è scandito dalla ripetizione seriale di un modulo a pianta centrale, sottolineato dal disegno del pavimento a tarsie marmoree e dalla copertura a cupola che ne dilata lo spazio. Navata d.: al 1° altare, *Crocifisso* bronzeo, tra le sculture marmoree della *Madonna* e *S. Giovanni* e, in alto, l'*Eterno Padre*, opere della seconda metà del sec. XVII; segue il *monumento del procuratore Andrea Dolfin e di Benedetta Pisani Dolfin*, vasta composizione già baroccheggiante di Giulio del Moro, con statue del Salvatore (firmata) e dei Ss. Andrea e Benedetto (i ritratti dei defunti sono attribuiti a Gerolamo Campagna); dopo il 2° altare, con *Madonna col Bambino e angeli*, gruppo marmoreo del Campagna, è il *monumento del doge Francesco Venier* di Jacopo Sansovino (1556-61), con statua giacente del defunto fra la Carità e la *Speranza (quest'ultima, scolpita dall'artista quasi ottuagenario, è firmata per esteso) e, nella lunetta, Pietà fra S. Francesco e il doge di Alessandro Vittoria; al 3° altare, entro bella cornice marmorea disegnata da Sansovino, *Annunciazione, dipinta da Tiziano nel 1566 e firmata dal maestro «fecit fecit», secondo la tradizione a sottolineare la sua instancabile attività.
Transetto d.: alla parete di fondo, *monumento di Caterina Cornaro regina di Cipro*, opera semplice e grandiosa di Bernardino Contin (1580-84), con il bassorilievo della Cornaro deponente la corona di Cipro nelle mani del doge Agostino Barbarigo; alle altre pareti, altari con pale di Francesco Fontebasso (a sin., *S. Lorenzo Giustiniani e altri santi*) e di Girolamo Brusaferro (a d., *Ss. Rocco, Lorenzo, Francesco di Sales e Anna*). Nell'attigua SAGRESTIA, costruita da Giorgio Spavento in belle forme rinascimentali, una serie continua di bifore incorona e illumina l'ambiente che è decorato con affreschi di Francesco Vecellio (nel soffitto, *Il Salvatore e angeli* e, nelle bifore cieche, soggetti decorativi a piante e uccelli); sugli armadi,

statue lignee del sec. XVIII e, su cavalletto, *Madonna col Bambino* del sec. XVI. Affreschi di carattere ornamentale decorano anche la piccola antisagrestia, con cupola, dove è un lavello cinquecentesco. Da qui si sale al campanile, donde bel panorama sulla città.

Nella cappella a d. della maggiore: all'altare, urna con le ceneri di S. Teodoro, primo patrono della città; dietro, *S. Teodoro*, pala di Pietro Mera; alla parete d., *Martirio di S. Teodoro*, grande tela attribuita a Paris Bordone. Nel presbiterio, all'altar maggiore, opera rinascimentale di Guglielmo Bergamasco (1534), una *Trasfigurazione* di Tiziano (c. 1560) copre una *pala d'argento cesellato e dorato, con figure di *santi* e la *Trasfigurazione*, notevole lavoro di oreficeria veneziana del XIV sec., rimaneggiato nel XV (è visibile solo dal 3 al 15 agosto e nelle feste principali). Nella cappella a sin. della maggiore: nel catino dell'abside, *Un vescovo e un canonico inginocchiati davanti al Santissimo*, opera musiva di Crisogono Novello (datata 1523), resto di una più vasta decorazione che si estendeva all'abside della cappella maggiore; alla parete sin., *Cena in Emmaus*, copia antica di un originale di Giovanni Bellini del 1490. Nel transetto sin.: alla parete di fondo, *monumento dei cardinali Marco, Francesco e Andrea Cornaro*, di Bernardino Contin (1570), con statue in parte di Giulio del Moro; sotto, dietro il battistero, *Battesimo di Gesù* di Niccolò Renieri e, all'altare a sin., *La Pietà, S. Carlo Borromeo e gli offerenti Bontempelli dal Calice*, di Sante Peranda. Al 3° altare della navata sin., disegnato da Alessandro Vittoria, autore anche delle statue dei *Ss. Rocco e Sebastiano*, la pala con la *Madonna, S. Antonio abate e altri santi* è di Palma il Giovane. Segue, a contorno della porta laterale, di Jacopo Sansovino (1530), il prospetto dell'organo ricco di marmi con le statue di *S. Girolamo* (a sin., di Danese Cattaneo) e di *S. Lorenzo* (a d., di Jacopo Fantoni detto il Colonna); le *portelle sono decorate con tele di Francesco Vecellio (1530): esternamente, i *Ss. Agostino e Teodoro*; internamente, *Risurrezione* e *Trasfigurazione*. Al 2° altare, di Guglielmo Bergamasco, *S. Girolamo*, statua di Tommaso da Lugano, scolaro di Sansovino. Alla parete seguente è il *monumento dei dogi Lorenzo e Gerolamo Priuli*, opera in forme classiche di Cesare Franco (1578-82), con statue dei Ss. Lorenzo e Girolamo di Giulio del Moro. Al 1° altare, *Ss. Nicolò, Leonardo e il beato Arcangelo Canetoli*, pala iniziata da G.B. Piazzetta e terminata alla sua morte (1754) da Domenico Maggiotto.

Sul campo, a d. della chiesa, al N. 4826 è il portale d'ingresso all'*ex convento di S. Salvador* (ora sede della Direzione dei Telefoni), eretto nel sec. XVI su una vasta area, compresa tra la chiesa e il rio di S. Salvador, che si allunga per circa m 80; il complesso si articola intorno a due chiostri, di cui il primo, attribuito a Jacopo Sansovino, presenta un alto loggiato su colonne toscane, due piani di piccole finestre e vera da pozzo ottagonale in marmo rosa; all'interno (visitabile previa richiesta scritta alla Direzione) rimane al 1° piano il grandioso salone dell'antico *refettorio*, con soffitto affrescato da Polidoro da Lanciano.

Sul fronte meridionale del campo prospetta la *Scuola Grande di S. Teodoro* (sede dell'Associazione culturale omonima e utilizzata per esposizioni temporanee), la cui costruzione, iniziata nel 1578 su progetto di Simeone Sorella, proseguì sotto la direzione di

Tommaso Contin e poi di altri architetti (tra i quali Baldassare Longhena, autore del fianco sin.) fino agli ultimi decenni del XVII secolo. La facciata, per lascito del mercante Jacopo Galli, venne realizzata nel 1655 su progetto di Giuseppe Sardi: a due ordini di semicolonne binate e conclusa da timpano, è ornata da statue (*S. Teodoro* e *4 angeli*) di Bernardo Falcone.

All'interno, sulla parete d. del vasto salone del piano terreno (con soffitto a travature e pavimento in lastroni di pietra), si aprono due imponenti portali, con mascheroni in chiave d'arco e timpano triangolare; danno accesso alle due rampe del monumentale scalone, decorato alle pareti da nicchie con statue del *Martirio di S. Cristoforo* dell'Aliense e dell'*Adorazione dei magi* di Antonio Balestra; sul soffitto, l'*Eterno* di Tommaso Cassani Bugoni. Al 1° piano è la Sala capitolare, con soffitto decorato da affreschi del Cassani Bugoni (1765), incorniciati da stucchi; vi sono conservate due portelle d'organo di Palma il Giovane raffiguranti l'*Annunciazione*. Sulla d. è la saletta dell'Albergo, con soffitto ligneo intagliato includente tre tele: *L'angelo che regge la Croce* di Antonio Molinari; *La Trinità e la Vergine* di Giovanni Segala; *S. Teodoro in gloria* di Gregorio Lazzarini.

Dal campo, lasciata a sin. calle larga Mazzini, aperta nel sec. XIX e definita a sin. dal fianco di palazzo Dolfin Manin (v. pag. 331), si prosegue lungo l'ultimo tratto delle Mercerie (*2 Aprile*), allargato nel 1884 demolendo il fronte settentrionale (progetto di Consiglio Fano e Domenico Colognese). Dopo breve si sbocca nel **campo S. Bartolomio** (S. Bartolomeo), nodo dei percorsi pedonali da e per Rialto, S. Marco, S. Stefano e la Ferrovia; già sede di mercato e di attività commerciali (attestate dalla presenza sul Canal Grande di palazzi-fondachi, come quello dei Tedeschi, v. sotto), e tradizionale punto d'incontro dei Veneziani, il campo ha subito nel tempo numerose modificazioni, dovute al mutarsi della sua destinazione e allo sviluppo edilizio che ne ha frazionato l'originaria struttura.

La costruzione in pietra del ponte di Rialto (v. pag. 330) e la ristrutturazione del vicino complesso di S. Salvador, crearono i presupposti per la trasformazione dell'assetto di quest'area, che continuò fino al secolo scorso; nel 1838 furono demolite le schiere di case del fronte nord, per ampliare lo spazio e migliorare così la fluidità dei percorsi pedonali.

Al centro del campo, che si apre a sin., verso il ponte di Rialto, nella salizzada Pio X (v. pag. 329), è il *monumento* dedicato al commediografo veneziano *Carlo Goldoni* (1883): la statua bronzea è di Antonio Dal Zotto, il piedestallo 'rococò' di Pellegrino Oreffice. Sul fronte d. prospettano l'*ex stabilimento* di confezioni *Barbaro* (ora Banca Commerciale Italiana), progettato da Enrico Pellanda nel 1896 in stile lombardesco, e il *palazzo Moro*, pregevole esempio di dimora patrizia trecentesca, con facciata in cotto ed esafora ogivale al piano nobile. Sul fondo del campo (a sin., d'angolo, N. 5377, palazzetto neogotico con balconi in ferro battuto) divergono calle del fontego dei Tedeschi (a sin., verso il Canal Grande) e *salizzada del fontego dei Tedeschi*, sulle quali prospettano, rispettivamente, il fianco (con portale sormontato dal Leone marciano) e il retro (dove si apre l'ingresso, N. 5554) del fondaco o **fontego dei Tedeschi**, oggi occupato dalla Direzione provinciale delle Poste e Telecomunicazioni. L'edificio, sede dei mercanti tedeschi che venivano a Venezia e loro emporio, testimonia con la sua semplice imponenza il prestigio di cui godeva la comunità tedesca, sia per l'importanza del suo mercato per i commerci veneziani, sia per gli scambi culturali e artistici. Esistente già all'inizio del sec. XIII, il complesso, in seguito a un incendio, venne ricostruito su progetto di Girolamo Tedesco e sotto la direzione di Giorgio Spavento e dello Scarpagnino (1505-1508).

A pianta quadrata, si articola intorno a un unico vasto cortile (chiuso da un lucernario nel 1937) a tre piani di logge ad arcate a tutto sesto, sui lati del quale erano disposti i magazzini e le botteghe (vi rimane l'antica vera da pozzo). La facciata sulla salizzada e quella sul Canal Grande (v. pag. 172) - quest'ultima si rifà nell'articolazione alla tradizione veneto-bizantina (tripartita, con portico centrale, era affiancata da due torrette demolite all'inizio del sec. XIX) – erano decorate da affreschi di Giorgione e Tiziano (andati persi ad eccezione di un frammento, ora alle Gallerie dell'Accademia).

Tornati nel campo, si imbocca a d. la *salizzada Pio X*, dove a sin., N. 5346, si apre il portale laterale (con timpano spezzato e statua entro nicchia) della chiesa di **S. Bartolomio**, per lungo tempo utilizzata dalla comunità tedesca che qui aveva la propria cappella (v. sotto). Sorta nel 1170 in luogo di una chiesa del sec. IX dedicata a S. Demetrio, più volte ristrutturata, deve l'aspetto attuale ai restauri eseguiti nel 1723 (originariamente isolata al centro di un'area percorsa da calli, si presenta ormai inglobata in un fitto nucleo di insediamenti edilizi). La facciata, prospettante sulla calle dei Bombaseri (venditori di bambagia), è affiancata a sin. dal campanile barocco con cuspide a bulbo, costruito tra il 1747 e il 1754 su disegno di Giovanni Scalfarotto, cui è attribuibile anche il portale, a risentita bugnatura, con mascherone 'antidiavolo' in chiave di volta.

L'interno, a croce latina, è a tre navate scandite da pilastri con semicolonne su alti plinti, e cupola. A sin. della porta laterale, *S. Sinibaldo* e S. *Ludovico* e, ai lati del 2° altare d., *S. Sebastiano* e S. *Bartolomeo*, splendide figure risaltanti dal fondo di finte nicchie, già portelle dell'organo della chiesa dipinte da Sebastiano del Piombo (1507-1509) sotto l'influsso di Giorgione. Al 1° altare d., *Crocifisso* bronzeo di Melchior Barthel e, ai lati, la *Madonna* e S. *Giovanni*, statue marmoree siglate H.M.F. (Heinrich Meyring fecit). Nel braccio d. del transetto, *Il castigo dei serpenti* di Palma il Giovane e la *Caduta della manna*, grande tela di Sante Peranda (che sovrasta l'elegante portale in legno intagliato con cornice marmorea, del sec. XVII, d'accesso alla sagrestia, dove rimangono gli originari arredi seicenteschi). Nella cappella a d. della maggiore, già della comunità tedesca, all'altare figurava una Madonna col Rosario, dipinta da Dürer nel 1505 su commissione del mercante tedesco Cristoforo Fugger (sepolto nella chiesa): portata a Praga per volere dell'imperatore Rodolfo II d'Asburgo (è esposta al Museo Nazionale), è stata sostituita da un'*Annunciazione con l'Eterno e angeli* di Johann Rottenhammer (firmata Rottamer), pittore bavarese seguace di Tintoretto; alle pareti, *Visitazione* di Sante Peranda e *Morte della Vergine* di Pietro Vecchia.

Nel presbiterio, all'altare, con tabernacolo e angeli settecenteschi, *Martirio di S. Bartolomeo* di Palma il Giovane; alle pareti, due grandi tele dello stesso (*S. Bartolomeo battezza il re e la regina d'Armenia* e *S. Bartolomeo bastonato dai manigoldi*); il comparto del soffitto con *S. Bartolomeo in gloria* è opera di Michelangelo Morlaiter. Nella cappella a sin. della maggiore, *La Vergine e S. Francesco Saverio* di Antonio Balestra. Nel braccio sin. del transetto, ricco confessionale barocco con colonnine tortili e putti reggenti un drappo (sec. XVII). All'altare della navata sin., *S. Mattia apostolo* di Leonardo Corona.

La salizzada conduce ai piedi del **ponte di Rialto**, gettato sul Canal Grande nel suo punto più stretto, e fino all'Ottocento unico tramite pedonale di collegamento fra le due parti della città. Originariamente in legno, fu ricostruito in pietra tra il 1588 e il 1591 su progetto e sotto la direzione di Antonio Da Ponte, che realizzò un'imponente struttura a una sola arcata di m 28 di luce e 7.50 di altezza, divisa in tre percorsi pedonali a gradinate da due ali di botteghe raccordate al centro da due archi con teste in chiavi di volta (sui fianchi, bassorilievi della fine del sec. XVI: *Annunciata* e *arcangelo Gabriele* di Agostino Rubini; *S. Marco* e *S. Teodoro* di Tiziano Aspetti).

Dal punto di vista urbanistico il ponte, in asse con la salizzada per campo S. Bartolomio e l'opposta ruga degli Orefici (nel sestiere di S. Polo, v. pag. 345), determinò un'ampia direttrice che non solo collegò le due sponde del Canal Grande, ma unì in un unico sistema le due zone commerciali in esse ubicate (questo risultato fu ottenuto variando l'asse della precedente struttura lignea e sventrando parte del tessuto urbano verso il campo S. Bartolomio). I notevoli problemi di ordine tecnico legati alle grosse spinte che l'unica pesante arcata produceva sulle opposte rive, portarono alla loro ricostruzione e rafforzamento (ogni testata poggia su 6000 pali); l'opera costò alla Repubblica 250 000 ducati.

La tradizione fa risalire l'origine del ponte al dogado di Sebastiano Ziani (1172-78) e ricorda che nel 1180 era stato qui gettato, da Nicolò Barattieri, un primo ponte su chiatte (detto il «quartarolo», dalla moneta di pedaggio). Nel 1264 venne costruito un ponte stabile, in legno, distrutto nel 1310 dai confederati nella congiura di Baiamonte Tiepolo. Restaurato, crollò nel 1444 e fu riedificato, sempre in legno, a un unico passaggio con due ali di botteghe e la parte centrale mobile, onde permettere il passaggio dei natanti con alberatura (è così raffigurato nel *Miracolo della Croce*, te-

lero di Carpaccio conservato alle Gallerie dell'Accademia). Per le sue condizioni precarie, già nel 1514 fra' Giocondo, nel suo progetto per il mercato di Rialto, ne propose il rifacimento. Deliberatane la ricostruzione
(1524), la Repubblica bandì un concorso cui parteciparono i più insigni architetti dell'epoca (Sansovino, Palladio, Michelangelo, Vignola e in seguito
Scamozzi, Boldù e Da Ponte); i progetti furono presentati a partire dal
1554 e, non senza contrasti, venne scelto quello di Antonio Da Ponte,
proto della Magistratura del Sale.

Salita la rampa di raccordo del ponte, si scende subito a sin. nello
spazio triangolare della pescaria S. Bartolomeo e si prosegue
lungo la *riva del Ferro* (principale punto d'arrivo al centro della
città con i numerosi pontili dei vaporetti e dei motoscafi che percorrono il Canal Grande). Al termine, scavalca la fondamenta il
sottoportego Manin del *palazzo Dolfin Manin* (sede della Banca
d'Italia, che nel 1968-71 ne ha finanziato il restauro), eretto per
Giovanni Dolfin, procuratore di S. Marco, fra il 1536 e il 1575, su
progetto di Jacopo Sansovino; tra il 1787 e il 1801 fu ristrutturato, per incarico di Lodovico Manin (l'ultimo doge), da Giannantonio Selva che, lasciando inalterata la facciata sul Canal Grande
(v. pag. 174), modificò gli interni in stile neoclassico (sul fianco
sin., prospettante su calle larga Mazzini, *monumento a Giuseppe
Mazzini*, grande rilievo bronzeo del 1951 di Francesco Modena).
Passato il sottoportico e varcato il rio S. Salvador sul ponte
Manin, si raggiunge la *riva del Carbon* (dall'attracco delle barche
per il trasporto e la vendita del carbone). Subito a sin., N. 4792, il
palazzo Bembo, rimaneggiamento tardogotico (sec. xv) di edificio
veneto-bizantino di cui rimangono tracce nella cornice e nella fascia decorativa dei piani inferiori; presenta in facciata due piani
di pentafore accostate e, in angolo, un'edicola bizantina esempio
di riuso di materiali da costruzione (vi abitò il cardinale Pietro
Bembo, poeta e letterato vissuto a cavallo tra xv e xvi secolo).
Poco più avanti, al N. 4172, il *palazzo Dandolo*, stretta e alta costruzione gotica trecentesca a due piani di quadrifore, con epigrafe a ricordo del doge Enrico Dandolo che, cieco, capitanò la 4ª
crociata e condusse alla conquista di Costantinopoli, dove morì
nel 1205 (il retro di questo edificio e dei limitrofi, prospettante su
corte del Teatro, v. pag. 333, è caratterizzato da un articolato
gioco di scale esterne, che raggiungono i diversi ingressi del
primo piano). Seguono i veneto-bizantini (sec. xii-xiii) palazzo
Loredan (N. 4137) e Ca' Farsetti (N. 4136), uniti da un cavalcavia
e, dal sec. xix, adibiti a sede del Municipio e di uffici pubblici.

Palazzo Loredan, fino all'inizio del '700 residenza della famiglia Corner
Piscopia (sul fianco sin. una lapide ricorda che la laurea ottenuta il 25
giugno 1678 da Elena Lucrezia Cornaro Piscopia, fu la prima conferita a
una donna), passato quindi ai Loredan, venne acquistato dalla Municipa-

lità nel 1868. Presenta la facciata aperta da un porticato terreno ad archi rialzati e il primo piano a loggiato continuo; le balconate e gli ultimi due piani sono aggiunte posteriori. Nel sottoportico, il masso in pietra d'Istria e la colonna romana che, asportati nel 1947 dalla tomba di Nazario Sauro a Pola, furono portati a Venezia nel 1954. Al primo piano, nel salone del Consiglio: sopra le porte, *putti che giocano* di Gregorio Lazzarini; alle pareti, *La nascita della Vergine* di Benedetto Caliari e 4 tele centinate (*Ss. Vincenzo Ferreri e Jacopo, Giovanni Battista e Girolamo, Vittore, Costantino e Alessandro, Antonio abate, Andrea e Alvise*) e una *Adorazione dei Magi*, opere della tarda maturità di Bonifacio Veronese e della sua bottega.

Ca' Farsetti, già dei Dandolo e dalla fine del sec. XVII di proprietà della famiglia Farsetti, dal sec. XVIII fu sede dell'Accademia Farsetti, frequentata da artisti (fra cui il giovane Canova) e ricca di una raccolta di calchi in gesso di sculture antiche che, in seguito, fu trasferita alle Gallerie dell'Accademia. Nel 1826 l'edificio passò alla Municipalità che vi insediò, da Palazzo Ducale, i propri uffici. La facciata presenta il piano terra aperto da un portico ad archi rialzati e un loggiato continuo al piano nobile (restaurato nel 1874). Internamente, in fondo all'atrio, si innesta lo scalone a due rampe progettato da Andrea Tirali nel sec. XVIII e decorato con affreschi (nel soffitto, *Trionfo delle Arti, Trionfo della Poesia* e *Trionfo della Nobiltà e della Virtù*, di Francesco Fontebasso o di Mattia Bortoloni). Al primo piano, nel salone, ornato da stucchi settecenteschi, le tele ovali sopra le porte raffigurano: nella parete di fronte all'ingresso, *Nettuno* (di Antonio Zanchi), *Ercole* (di Carl Loth) e *Venere* (di Antonio Zanchi ?); sulla parete opposta, *Minerva* (Loth), *Saturno* (Zanchi) e *Marte* (Zanchi). Alle pareti, da quella di fronte e da d. a sin.: *Giuditta e Oloferne* di Felice Boscarati; *Il pietoso samaritano* di Carl Loth; *Davide con la testa di Golia* del Boscarati; *Ottone I e S. Romualdo* di Vincenzo Guarana; *La strage degli innocenti* di Bartolomeo Tarsia; *Betsabea e David* del Boscarati; *Mosè tratto dalle acque* dello stesso (?). Nella sala della Giunta, *Bacco e Arianna*, soffitto di Antonio Balestra (?). Nell'anticamera, sovrapporte con *Sacrificio di Isacco, Diocleziano col centurione Sebastiano* e *Lot con le figlie*, opere attribuite al Balestra; nel soffitto, *Trionfo di Cerere* di Costantino Cedini. Nell'ufficio del Sindaco, *Il Giorno e la Notte*, soffitto di Francesco Fontebasso; *Il procuratore Angelo Correr nominato podestà di Vicenza* di Alessandro Maganza; *Antonio e Cleopatra* e *Catone Uticense* di Antonio Molinari.

Tornati a palazzo Bembo (v. pag. 331), si prende a d. della facciata la stretta calle Bembo, al termine della quale è la *calle del Teatro*, o *de la Comedia*, che si segue verso d. (a sin., d'angolo con la calle dei Fabbri, direttrice di rapido collegamento per piazza S. Marco, edificio a destinazione commerciale costruito nel 1859 da G.B. Meduna in stile eclettico). Calle del Teatro è chiusa sulla d. dal moderno e anonimo prospetto del *teatro Carlo Goldoni*, sorto nel sec. XVI per volere della famiglia Vendramin (si chiamava allora teatro S. Luca e S. Salvador); più volte ristrutturato e diversamente intitolato (nel 1833 era il teatro

Apollo, e solo dal 1875 ha l'attuale denominazione), divenuto inagibile, fu chiuso nel 1947 e ricostruito fra il 1969 e il 1979 su progetto di Vittorio Morpurgo. A sin. della facciata il breve ramo del Teatro conduce nella *corte del Teatro*, chiusa sul fondo dal retro dell'ogivale palazzo Dandolo (v. pag. 331).

Al termine di calle del Teatro si segue a sin. la calle del Forno raggiungendo *campo S. Luca* (punto di confluenza dei percorsi pedonali da e per Rialto, il ponte dell'Accademia e S. Marco), su cui prospettano edifici realizzati a partire dagli anni '70 dell'Ottocento, nel corso della ristrutturazione dell'area. A d., N. 4590, *Ca' Bortoluzzi Grillo*, dell'inizio del '900, decorata sopra il portale da un bassorilievo bizantineggiante (*Madonna*) opera di Domenico Rupolo (1913). Sul fondo del campo, il prospetto del vasto edificio della Cassa di Risparmio (v. pag. 334), a d. del quale la *salizzada S. Luca*, e poi il tratto sin. del *ramo della Salizzada* (di fronte, edificio neogotico costruito il secolo scorso utilizzando materiali antichi), conducono al campo Manin (v. pag. 334).

Il tratto di d. del ramo della Salizzada sbocca nel *campiello della Chiesa* (al N. 4038 portale con cuspide in terracotta, duecentesco ingresso al palazzo Magno). A d. prospetta parte del fianco della chiesa di **S. Luca**, con facciata sulla fondamenta della Chiesa prospiciente il rio di S. Luca. Di antica origine, più volte rinnovata e ricostruita nel sec. XVI, fu ristrutturata nelle forme attuali nel 1832, quando venne rifatta la facciata e la decorazione pittorica interna. Posteriormente si erge il quattrocentesco campanile in cotto. L'interno, rettangolare a una navata, decorato da affreschi di Sebastiano Santi, conserva: al 1° altare d., *Madonna in trono col Bambino*, terracotta ricomposta attribuita a Michele da Firenze (inizi sec. XV); al 2°, *S. Paterniano e santi* di pittore veneto del '700; nella cappella laterale d., *Madonna in gloria e santi* di Palma il Giovane; all'altar maggior, *Madonna in gloria e S. Luca*, pala di Paolo Veronese (1581); al 2° altare sin., *Miracolo di S. Lorenzo Giustiniani* di Carl Loth e *S. Caterina*, scultura lombardesca del '400; al 1°, *Ss. Luigi, Cecilia e Margherita* di Niccolò Renieri. Nella chiesa trovò sepoltura Pietro Aretino (m. 1556), la cui tomba non è però reperibile. Nel corridoio che conduce alla sagrestia, *monumento funebre di Carl Loth* di Heinrich Meyring.

Chiude la fondamenta l'ingresso da terra (N. 4041) del rinascimentale **palazzo Grimani**, sede di uffici giudiziari, con facciata sul Canal Grande (v. pag. 178). A pianta rettangolare, con unico ampio atrio centrale e scala laterale e cortile, l'imponente edificio fu costruito, a partire dal 1556 su progetto di Michele Sanmicheli, per il procuratore Girolamo Grimani, mentre a Giangiacomo de' Grigi si deve la costruzione del secondo piano (il palazzo fu ultimato nel 1575 sotto la direzione di Giovanni Antonio Rusconi). Di fronte, dall'altra parte del rio di S. Luca, la facciata lombardesca di *palazzo Contarini*, già Corner, opera di Sante Lombardo (sec. XVI); all'interno, sede degli uffici della Compagnia delle Acque, rimangono alcuni soffitti affrescati da Francesco Fontebasso, uno di Gaspare Diziani e stucchi del sec. XVII-XVIII.

Attraversato il rio sul ponte del Teatro (a sin., in fondo, la facciata sul rio

di palazzo Contarini del Bòvolo, v. sotto), si scende nel piccolo spazio su
cui prospetta il moderno edificio del cinema teatro Rossini, edificato sul-
l'area del teatro omonimo (già di S. Beneto) costruito da Giovanni Francesco Costa nel 1756 e restaurato nel 1875. Da qui, per il sottoportico e
calle delle Muneghe e la seguente calle S. Andrea, volgendo a d., si raggiunge il campo S. Beneto (v. sotto).

Il *campo Manin* ha assunto l'attuale conformazione dopo la profonda ristrutturazione del tessuto edilizio circostante, avvenuta
a partire dal 1869 su progetto di Giorgio Casarini; oltre alla demolizione di una schiera di case sul fronte nord, scomparvero la
chiesa di S. Paternian (che dava il nome al campo) e la sua torre
campanaria (pentagonale, del sec. X). Il nuovo spazio venne intitolato a Daniele Manin, il leader dell'insurrezione e della resistenza antiaustriaca di Venezia del 1848-49, la cui casa sorgeva
al di là del rio (epigrafe); a lui è dedicato il *monumento* bronzeo al
centro del campo, opera di Luigi Borro (1875). Il fronte orientale
è definito dalla facciata del *palazzo della Cassa di Risparmio*,
che occupa l'intero isolato fino a campo S. Luca; edificato nel sec.
XIX da Enrico Trevisanato, l'ala su campo Manin è rifacimento di
Pierluigi Nervi e Angelo Scattolin (1968). Prevalgono, nelle altre
fronti del campo, le facciate neogotiche e neorinascimentali tipiche del gusto in auge sul finire dell'Ottocento.

Lungo la palazzata meridionale si apre la *calle della Vida*, seguendo la
quale si raggiunge l'ingresso (N. 4299) di *palazzo Contarini del Bòvolo*, di
proprietà dell'IRE (Istituzioni di Ricovero ed Educazione), costruito tra il
XV e il XVI secolo con struttura gotica e facciata archiacuta sul rio di S.
Luca. Nella corte (dalla stretta calle Contarini del Bòvolo, a sin. dell'ingresso) è notevole la *scala esterna, a chiocciola («bòvolo» in veneto), elegante opera rinascimentale di Giovanni Candi (c. 1499): si snoda in una
torre cilindrica aperta con un motivo di archetti su colonne, ripreso e dilatato nel ritmo ripetuto degli archi in pietra dei loggiati ai piani (nel recinto,
vere da pozzo e arche provenienti dalla demolita chiesa di S. Paternian).

Si esce dal campo Manin varcando il rio di S. Luca che, proseguendo in quello dei Barcaroli, evita lungo il percorso acqueo da
Rialto a S. Marco l'ansa del Canal Grande; oltre il ponte (della
Cortesia) si prosegue dritti per calle della Cortesia e *calle della
Màndola*. Al termine di questa, tenendo a d. nel rio terrà della
Màndola e ancora a d. nel ramo degli Orfei, si entra (in fondo a
sin.) nel piccolo *campo S. Beneto* (S. Benedetto), interessante per
la pavimentazione rialzata in corrispondenza del pozzo di cui rimane la vera. A sin. prospetta l'imponente facciata di **palazzo**
Pesaro degli Orfei, ora **Fortuny**, bella costruzione ogivale del
sec. XV, con grande ettafora su colonne al 1° e 2° piano, e trifora
al 3° (più sobria la facciata posteriore, prospiciente il rio Michiel).
L'edificio, chiamato degli Orfei perché sede nel sec. XVIII della

Società Filarmonica «L'Apollinea», venne acquistato all'inizio di questo secolo da Mariano Fortuny y Madrazo, pittore, scenografo e collezionista spagnolo, e donato dalla sua vedova al Comune (1956) per essere destinato a iniziative di carattere artistico.

Dal cortile (ingresso lungo il fianco sin., al N. 3780 di ramo degli Orfei), con scala esterna e loggiati sovrapposti su colonnine di legno, si accede al palazzo. Al 1° piano è allogato il *Museo Fortuny* (giorni e ore di visita, pag. 135), dove, nei locali lasciati come li aveva arredati Mariano Fortuny, sono esposte sue opere (dipinti, tessuti stampati, sistemi di illuminazione, «maquettes» teatrali che illustrano il sistema della 'cupola Fortuny'), arredi e collezioni di varie epoche. Ai piani superiori hanno sede il *Centro di documentazione fotografica* e la *Donazione Virgilio Guidi* (aperta durante il periodo estivo), che raccoglie circa 80 opere dell'artista romano.

Sull'altro fronte del campo sorge la chiesa di *S. Beneto* (Ss. Benedetto e Scolastica), fondata nel sec. XI e ricostruita nel 1619 (venne consacrata e intitolata ai due santi nel 1694); la semplice facciata è tripartita da lesene corinzie su cui poggia l'architrave aggettante e un timpano triangolare.

L'interno è a navata unica con presbiterio. Sulla controfacciata, organo settecentesco con cantoria lignea. Al 1° altare d., *Crocifisso* in avorio del sec. XVIII; al 2°, **Martirio di S. Sebastiano*, pala di Bernardo Strozzi; al 3°, *Madonna* bizantina in argento a sbalzo. Ai lati del presbiterio, *S. Benedetto raccomanda a Maria un parroco della chiesa* e *S. Benedetto con S. Giovanni Battista e le virtù teologali*, due tele di Sebastiano Mazzoni. Al ricco altar maggiore, *La Madonna e i Ss. Michele e Domenico*, pala attribuita a Carlo Maratta. Al 2° altare sin., *Madonna e 5 santi* di Giovanni Antonio Fumiani (firmato e datato 1668); al 1°, *S. Francesco di Paola* di Gian Domenico Tiepolo.
Adiacente alla chiesa è il *palazzo Martinengo*, piccolo edificio del sec. XVII.

Ritornati nella calle della Màndola, seguendo a d. la calle del Spezier si sbocca nell'ampio **campo S. Angelo** (S. Anzolo), dilatato nel 1837 con la demolizione dell'antica chiesa dell'Angelo Michele che ne occupava la porzione sud-ovest; anche qui la pavimentazione è fortemente rialzata per facilitare la raccolta dell'acqua piovana nei due grandi pozzi, con vere della fine del sec. XV. Definiscono urbanisticamente l'invaso: sul fondo, oltre il rio, il campanile della chiesa di S. Stefano e il prospetto con portale gotico dell'omonimo convento; sugli altri fronti, notevoli edifici il cui spaccato cronologico va dal sec. XV, cui risalgono gli ogivali *palazzo Duodo* (N. 3584), dove morì Domenico Cimarosa, e *palazzo Gritti* (di fronte, N. 3832), al XVII, quando venne edificato *palazzo Trevisan-Pisani* (N. 3831), fino alle ottocentesche abitazioni verso calle Caotorta. In fondo a d. (N. 3817) sorge l'*oratorio dell'Annunciata*, fondato dai Morosini nel sec. X e in seguito più volte ristrutturato (come nel 1528, data riportata sull'architrave dell'ingresso); fu sede della Scuola dei Sotti (zoppi) fino alla sua soppressione.

All'interno, a pianta rettangolare: di fronte all'entrata, un altare moderno con grande e pregevole *Crocifisso* ligneo di scuola veneziana del '400; a d., contro un'absidiola e una triplice arcatella, sarcofago di un governatore di S. Angelo; a sin., all'altar maggiore, *Annunciazione* di Antonio Triva.

Si prosegue seguendo, a d. di palazzo Gritti, la *calle degli Avvocati*, interessante spina gotica riordinata durante i secc. XVII e XVIII con interventi ripetuti di case a schiera mono e bifamiliari. A circa metà del percorso, lasciata a d. calle Pesaro, che oltre il rio Michiel (vista sul retro di palazzo Fortuny) raggiunge campo S. Beneto (v. pag. 334), si prende a sin. il ramo Michiel; quindi, varcato il ponte dell'Albero, a d. la fondamenta omonima e la calle dell'Albero fino alla *corte dell'Albero*, a pianta irregolare. Vi prospettano abitazioni popolari a due piani e, numeri 3883-3886, l'imponente facciata di *casa Nardi*, complesso di abitazioni in stile 'veneto-bizantino' realizzato tra il 1909 e il 1913 su progetto di G. Alessandri e Vittorio Fantucci.

La corte si apre verso il Canal Grande (pontile dei vaporetti) nel ramo e campiello del Teatro, che rimandano al teatro S. Angelo demolito nel sec. XVIII. Al N. 3870 è il *palazzo Sandi*, costruito intorno al 1720 da Domenico Rossi: dalla sobria facciata, è famoso per la decorazione ad affresco del salone al piano nobile con la *Storia di Orfeo*, opera giovanile di G.B. Tiepolo (allo stesso si devono gli affreschi di due ambienti minori). Al N. 3877 si apre l'ingresso da terra del *palazzo Corner Spinelli*, realizzato da Mauro Codussi intorno al 1490 con notevole prospetto sul Canal Grande (v. pag. 182); l'interno fu rimaneggiato dal Sanmicheli nel 1542. Sempre sul Canal Grande affaccia l'ottocentesca *casa Barocci*, di Pellegrino Oreffice, sorta sull'area del teatro.

Si esce dalla corte dell'Albero seguendo, a fianco di casa Nardi, il *ramo Narisi* e si prosegue per la fondamenta e il sottoportico Narisi. Al termine di questo, lasciati a sin. ponte e calle del Pestrin (v. pag. 321), si tiene dritto e, varcato su un moderno ponte storto l'innesto dei rii dell'Anzolo e dei Garzoni, si raggiunge la *piscina S. Samuele*. A d., N. 3395, il gotico *palazzo Pisani* e, in fondo a sin., N. 3431, il *palazzo Querini*, del sec. XV, largamente ricostruito e rialzato di due piani (una lapide ricorda l'esploratore Francesco Querini, morto nel 1904 durante la spedizione polare capitanata dal Duca degli Abruzzi). Si continua imboccando, a sin. di palazzo Pisani, il *ramo di Piscina*, in fondo al quale divergono a d. calle Corner e a sin. calle Crosera.

La *calle Corner*, o del Magazen, termina nella corte (con raro puteale veneto-bizantino del sec. X) di *palazzo Corner-Gheltoff*, edificio gotico rimaneggiato con scala esterna rifatta; la facciata sul Canal Grande (v. pag. 184) è del sec. XVI-XVII.

Nella *calle Crosera*, al N. 3127, edificio trecentesco fino al sec. XV sede della *Scuola dei Calegheri* (calzolai), in seguito trasferita in campo S. Tomà, il cui emblema, la scarpa, rimane sul pilastro d'angolo; interessante il rilievo con l'*Annunciazione* e quelli con l'*Annunciata* e l'*Angelo annunciante* (sugli stipiti dell'antico ingresso, N. 3128 A).

Nella successiva *salizzada S. Samuele*, al N. 3338, la casa dove visse, e morì il 19 aprile 1588, Paolo Veronese (lapide). Poco più avanti, a sin., N. 3216, l'antico edificio già sede della *Scuola dei Mureri* (muratori), su cui rimane il rilievo con gli emblemi dell'arte (squadra e martello) e, sull'architrave del portale d'ingresso, la dicitura «La scola dei m(ureri)». La salizzada continua nella calle delle Carrozze che termina nel *campo S. Samuele*, aperto sul Canal Grande (pontile dei motoscafi; vista, da d. a sin., da Ca' Foscari al ponte dell'Accademia); lo definiscono i prospetti del palazzo Grassi (a d.), della chiesa di S. Samuele (sul lato opposto al Canale) e del palazzo Malipiero (a sin.). **Palazzo Grassi**, dal 1951 sede del Centro di Cultura omonimo, è una grande, elegante costruzione classicheggiante realizzata da Giorgio Massari a partire dal 1749 e completata dopo la sua morte. A pianta non usuale a Venezia, il corpo di fabbrica si sviluppa intorno a un vasto cortile quadrato (chiuso nel 1951 da una vetrata), dal quale, in asse con l'ingresso dall'acqua, si diparte l'imponente scalone, affrescato da Michelangelo Morlaiter con gruppi di figure che si affacciano da finte balconate (in una sala al primo piano, *Apoteosi della famiglia Grassi*, soffitto attribuito a Fabio Canal). Nel giardino è stato realizzato un teatro all'aperto (per la facciata sul Canal Grande, v. pag. 186).

La chiesa di **S. Samuele**, del sec. XI, notevolmente rimaneggiata nel 1685, ha la facciata aperta da una grande finestra termale e preceduta da un più basso corpo di fabbrica che funge da atrio (la fila di finestre ad arco venne realizzata durante i restauri del 1952). Sul fianco d. (parzialmente nascosto dalla *casa Franceschini*, costruita e affrescata nel 1915 dal pittore Augusto Sezanne) rimane il **campanile* romanico-veneto del sec. XII, con cella a trifore su colonnine pulvinate, coronamento ad archetti e cuspide piramidale.

L'interno (utilizzato per manifestazioni artistiche) è a tre navate; rifatto nel sec. XVII, mantiene la quattrocentesca abside gotica, interamente decorata da affreschi di scuola padovana tardo-mantegnesca. L'arco trionfale è ornato da una serie di 13 lunette di autori diversi, tra i quali Gaspare Diziani, Fabio Canal, Giustino Menescardi e Niccolò Bambini; sugli altari, pale (attualmente, 1984, in restauro) di Daniel Heintz e di Pietro e Marco Liberi.

Solo poche tracce rimangono della primitiva costruzione veneto-
bizantina di *palazzo Malipiero*, che, rialzato di un piano nel sec.
XV, venne rimaneggiato nelle forme attuali all'inizio del sec. XVII
(è attribuito all'ambito di Baldassare Longhena); sul campo, portale seicentesco con lo stemma della famiglia e altro portale ogivale con fregi del sec. XII-XIII (per la facciata sul Canal Grande, v.
pag. 188). Si prende a sin. la calle Malipiero e si prosegue, volgendo subito a d., costeggiando il palazzo (una lapide in alto a d.
ricorda che in questa calle, il 2 aprile 1725, nacque Giacomo Casanova); passato il sottoportico si raggiunge *ramo calle del
Teatro*, dal famoso teatro S. Samuele che vide i primi successi di
Carlo Goldoni (costruito nel 1655 dai Grimani, venne demolito
alla fine del secolo scorso e la sua area è ora occupata da un edificio scolastico).

Tenendo a d. si sbocca nella *corte del Duca Sforza*, aperta sul Canal
Grande presso la *Ca' del Duca* (da Francesco Sforza duca di Milano, che
nel 1461 aveva acquistato l'area dalla famiglia Cornaro). L'attuale edificio, del sec. XIX, ingloba i resti della preesistenza quattrocentesca, iniziata da Bartolomeo Bon per i Cornaro e mai completata (ne rimangono
evidenti tracce nel poderoso bugnato a punta di diamante e nei rocchi di
colonna sul Canal Grande, v. pag. 188). In alcuni locali è allogata la *collezione Ca' del Duca*, privata, comprendente interessanti raccolte di arte
orientale e di porcellane del Settecento (ingresso al N. 3052; giorni e ore di
visita, pag. 134).

Volgendo a sin. e quindi subito a d. nel sottoportico delle Scuole,
si passa il ponte e si prosegue dritti nella calle del Frutarol (frut-
tivendolo). Dopo il ponte Vitturi si sbocca nel campiello Loredan
aperto su campo S. Stefano (v. pag. 317).

3 I sestieri di S. Polo e di S. Croce

Unificati nella trattazione per i caratteri di omogeneità che presentano, i confinanti sestieri di S. Polo (c. 33 ettari) e di S. Croce (c. 94 ettari) costituiscono, nella parte più interna della città, una vasta area (di cui rispettivamente occupano la porzione sud-orientale e nord-occidentale) delimitata a sud dal sestiere di Dorsoduro, a ovest dal canale della Scomenzera e per gli altri margini dal Canal Grande. Nel definire gli itinerari di visita non si è rigidamente tenuto conto dei confini della zona, preferendo assumere come linea di demarcazione sud-occidentale il rio Nuovo e lasciare ad altra trattazione l'estremo lembo occidentale del sestiere di S. Croce (questa scelta ha d'altra parte comportato l'inglobamento di due piccole porzioni del sestiere di Dorsoduro, una delle quali è costituita dalla parrocchia di S. Pantalon).

L'area è innanzitutto caratterizzata dalla presenza del Canal Grande con la lunghissima, prestigiosa palazzata che, iniziando in tono più modesto a S. Simeon Piccolo, si va via via infittendo di episodi aulici, e si interrompe solo in prossimità del fulcro di Rialto, polo commerciale della città, con l'ampia fondamenta e i mercati che si prolungano in fitte calli disposte a scacchiera.

All'interno di questa fascia si distinguono due zone, dalla struttura urbanistico-edilizia differente, separate fra loro dal rio di S. Polo che, cambiando nome, mette in comunicazione il tratto settentrionale del Canal Grande con quello intermedio. La prima, a est del rio, si estende subito a ridosso di Rialto ed è legata allo sviluppo mercantile del polo realtino; di antichissima formazione, questa zona presenta una struttura urbanistica fittissima dove si mescolano palazzi e antiche abitazioni popolari, e si concentrano numerose chiese aperte su piccoli campi, se si eccettuano gli episodi di più ampio respiro di campo S. Giacomo dell'Orio e di campo S. Polo. La seconda zona, a ovest del rio, caratterizzata per lungo tempo da un tessuto edilizio più rado e poi in parte interessata da un'edificazione recente, ha il suo fulcro nell'eccezionale insieme monumentale dei complessi religiosi (e assistenziali) dei Frari, di S. Rocco e di S. Giovanni Evangelista.

Anche in questi sestieri lo sviluppo urbano si caratterizzò fino al sec. XI con la formazione di nuclei autosufficienti, organizzati intorno alla chiesa e collegati fra loro da percorsi pedonali ricavati sugli argini dei canali (le parrocchie più antiche sorsero vicino a Rialto e lungo il rio di S. Polo). Tra l'XI e il XIII sec. si attuò il primo sviluppo dell'area gravitante su Rialto, determinato dalla nuova ubicazione del mercato che, fino al 1097, era nella zona di S. Bartolomio, nel sestiere di S. Marco (nel sec. XII, a collegamento di queste aree, fu gettato sul Canal Grande un ponte di barche, più tardi sostituito da uno stabile in legno); l'urbanizzazione della zona realtina vide il sorgere, oltre che di attrezzature commerciali, di case-fondaco di famiglie patrizie (attestate sul Canal Grande) e di complessi popolari (interni) abitati dagli operai occupati nelle attività del mercato.

Nei secoli successivi, al consolidamento urbano e delle funzioni economiche della zona di Rialto (dalla fine del sec. XVI collegata all'altra riva da un ponte di pietra), fecero riscontro: la progressiva configurazione della

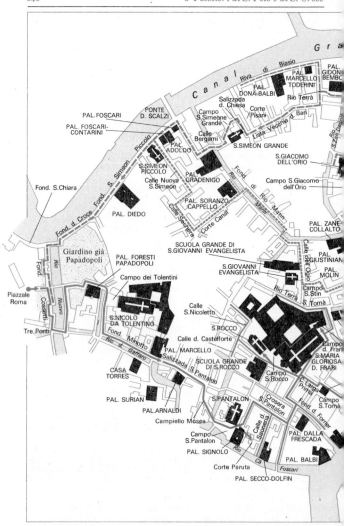

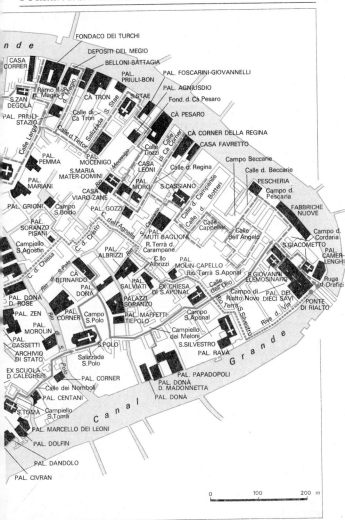

FONDACO DEI TURCHI

DEPOSITI DEL MEGIO

BELLONI-BATTAGIA

nde

CASA
CORRER

S.ZAN
DEGOLA

PAL. PRIULI-
STAZIO

Ramo II
d. Magio
Calle di
Cà Tron

PAL.
PRIULI-BON

CÀ TRON

S.STAE

Calle d.Tintor

Salizzada
S. Stae

PAL. FOSCARINI-GIOVANNELLI

PAL. AGNIUSDIO

Fond. d. Cà Pesaro

CÀ PESARO

Calle Larga

Calle di Cà Corner

Calle
Tiozzi

CASA
LEONI

Calle d. Regina

CÀ CORNER DELLA REGINA

CASA FAVRETTO

Campo Beccarie

Calle d. Beccarie

PESCHERIA

Campo d.
Pescaria

FABBRICHE
NUOVE

PAL.
PEMMA

PAL.
MOCENIGO

S.MARIA
MATER-DOMINI

PAL.
MARIANI

CASA
VIARO-ZANE

PAL. GRIONI

PAL.
SORANZO
PISANI

Campo
S.Boldo

PAL. GOZZI

C. dell'Agnella

PAL.
MORO

S.CASSIANO

Calle d. Campaniel

Calle d. Botteri

PAL.
MUTI-BAGLIONI

Calle
Cappeller

Calle
dell'Angelo

Campo d.
Cordaria

S.GIACOMETTO

PAL.
CAMER-
LENGHI

Campiello
S.Agostin

C. d. Chiesa

C. d. Cristo

PAL.
ALBRIZZI

CÀ
BERNARDO

PAL.
DONÀ

R. Terrà d.
Carampane

C.llo
Albrizzi

PAL.
MOLIN-CAPELLO

Rio Terrà S.Aponal

Calle
dell'Olio

S.GIOVANNI
ELEMOSINARO

PAL. DEI
DIECI SAVI

Ruga
d. Orefici

Rio d. S.Polo

PAL.
SALVIATI

EX CHIESA
DI S.APONAL

Campo di
Rialto Novo

Rio Terrà

Rive d. Vin

PONTE
DI RIALTO

PAL. DONÀ
D. ROSE

PAL. ZEN

PAL.
MOROLIN

PAL.
CASSETTI

ARCHIVIO
DI STATO

EX SCUOLA
D. CALEGHERI

PAL.
CORNER

Campo
S.Polo

S.POLO

Salizzada
S.Polo

PALAZZI
SORANZO

PAL. MAFFETTI-
TIEPOLO

Campo
S.Aponal

Campiello
dei Meloni

S.SILVESTRO

PAL. RAVA

Rio d. S.Silvestro

PAL. CORNER

Calle dei Nomboli

PAL. CENTANI

S.TOMA

Campiello
S.Toma

PAL. MARCELLO DEI LEONI

PAL. DOLFIN

PAL. DANDOLO

PAL. CIVRAN

PAL. PAPADOPOLI

PAL. DONÀ
D. MADONNETTA

PAL. DONÀ

Canal

Grande

0   100   200 m

fascia edilizia lungo il Canal Grande (con l'edificazione di grandi palazzi); il consolidamento dei percorsi pedonali più importanti e l'organizzazione degli spazi collettivi dei campi; l'espandersi dell'edilizia abitativa, che si sviluppò in altezza nelle aree già completamente occupate e che, gradatamente, si impossessò di tutti i terreni disponibili, anche sulle insule più lontane dal centro realtino. Fu però solo a partire dalla prima metà del sec. XIX che le zone intorno al complesso conventuale dei Frari, e tra il rio Marin e il complesso dei Tolentini, ancora libere per vaste superfici, furono interamente occupate da insediamenti industriali (successivamente smantellati) e da nuclei di abitazioni popolari, organizzati su ampi percorsi pedonali.

La visita dei due sestieri è articolata in tre itinerari, che si svolgono senza soluzione di continuità in entrambi. I primi due si sviluppano lungo le direttrici principali che mettono in comunicazione il fulcro realtino e l'area di piazzale Roma. Il primo, con partenza da Rialto, percorre la fascia nord dei sestieri, a tratti costeggiando i retri della palazzata del Canal Grande (raggiungibile quando è affiancato da fondamenta) e a tratti addentrandosi nel tessuto più interno. Vi si segnalano, oltre alla zona di Rialto (dalla funzionale struttura insediativa), alcuni eleganti palazzi sul Canal Grande (Ca' Corner della Regina; Ca' Pesaro, dove verranno riaperti il Museo d'Arte Moderna e il Museo d'Arte Orientale; il Fondaco dei Turchi, sede del Museo di Storia Naturale) e più interni (come il palazzo Mocenigo); inoltre, fra gli insediamenti religiosi, vanno ricordate le chiese di S. Giacometto (S. Giacomo di Rialto), S. Maria Mater Domini e S. Giacomo dell'Orio.

Il secondo itinerario, con partenza da piazzale Roma, percorre invece la fascia meridionale dei due sestieri, toccando gli imponenti fulcri dei Frari e di campo S. Polo, e ricalcando un percorso da qualche tempo sempre più caratterizzato dalla presenza di attività terziarie e servizi culturali. Oltre che per i numerosi e notevoli palazzi, l'itinerario si segnala per gli insediamenti religiosi di grande interesse (come quello dei Tolentini), con il fulcro del complesso monumentale di S. Maria Gloriosa dei Frari (chiesa e convento) e di S. Rocco (chiesa e Scuola Grande), costituito da notevoli edifici dove sono raccolte opere d'arte fra le più importanti della città.

Il terzo itinerario invece, partendo da Rialto e raggiungendo la Stazione ferroviaria, taglia in diagonale l'area dei due sestieri; di carattere più ambientale, permette di cogliere le differenze dei tessuti urbani attraversati, da quello prospettante la riva del Vin a Rialto, su cui erano attestate le case-fondaco risalenti alla prima edificazione bizantina, fino ai moderni insediamenti che si dispongono alle spalle della chiesa di S. Simeon Piccolo. Rilevanti, fra gli episodi monumentali, il complesso di S. Giovanni Evangelista e i palazzi Albrizzi e Gradenigo. La pianta relativa ai tre itinerari è alle pagine precedenti.

3.1 Da Rialto a piazzale Roma per S. Cassiano, S. Stae, S. Giacomo dell'Orio e S. Simeon Piccolo

Dal ponte di Rialto (v. pag. 330) si accede al sestiere di S. Polo scendendo nella zona di Rialto, uno degli ambienti più interessanti e caratteristici della città e, secondo la tradizione, uno dei primi insediamenti della stessa (cui diede il nome, «Rivoaltus», prima che assumesse definitivamente quello di Venezia). Nel 1097 l'insula realtina (anche per la sua posizione baricentrica e ottimamente servita dal Canal Grande, nella cui ansa centrale si allunga) divenne sede del nuovo mercato generale. Negli anni successivi, per specifiche esigenze di carattere funzionale, nell'area si concentrarono oltre alle attività commerciali (coi mercati all'ingrosso e al minuto, e le numerose botteghe per la lavorazione e lo smercio dei preziosi prodotti di importazione quali l'oro, le spezie e i tessuti), quelle finanziarie (coi Banchi pubblici e privati, una sorta di borsa merci e le agenzie degli assicuratori marittimi) e le sedi delle più importanti magistrature legate alle attività economiche; questo concorso di funzioni e interessi (ancora oggi ricordati nella toponomastica), definirono Rialto come centro operativo del commercio su cui si basavano le fortune della Serenissima (la zona, pur avendo perso molte delle funzioni originarie, rimane tuttora un attivo centro di mercato all'ingrosso e al minuto).

Funzionale fu anche l'organizzazione urbana di Rialto, che fin dai primi secoli assunse una particolare configurazione (pianta a pag. 344) a lunghe calli alternate a calli corte (con funzioni di servizio) e a campi, dove l'assenza totale di ponti e i frequenti passaggi di collegamento fra i vari spazi (e fra questi e il Canal Grande), rendevano più semplici e rapidi gli spostamenti delle merci scaricate lungo le rive.

Poco rimane delle originarie strutture dell'insediamento che, dopo il rovinoso incendio del 1514, fu completamente ricostruito su progetto dello Scarpagnino. Questi ripropose in sostanza la precedente organizzazione urbanistica, sia per l'uso, peculiare di Venezia, di riutilizzare i muri e le fondazioni dei manufatti preesistenti, sia perché essa rispondeva adeguatamente alle esigenze del centro commerciale (l'aspetto della zona fu allora ulteriormente definito dalla costruzione delle Fabbriche Vecchie, del palazzo dei Camerlenghi, delle Fabbriche Nuove e dalla ricostruzione in pietra del ponte di Rialto, continuazione dei mercati in direzione di S. Marco). Così ancora oggi l'immagine complessiva della zona, pur nella mutata veste architettonica, ripropone l'antico sedime, dove si distinguono un tessuto a isolati paralleli lunghi e stretti, di origine più antica, impostato sulla riva del Vin, dove erano le case-fondaco di epoca bizantina, e di fianco al campo della Pescaria, e uno di matrice gotica, a isolati di minori dimensioni, interni, dove erano le modeste abitazioni di coloro che lavoravano nel mercato (questa giustapposizione di tessuti testimonia un modello insediativo che, privilegiando la funzionalità di un alloggio prossimo al posto di lavoro, ammetteva uno stretto contatto tra ceti sociali diversi).

Ai piedi del ponte di Rialto, a sin., sorge il *palazzo dei Dieci Savi* (magistrati preposti alle tasse), ricostruito dallo Scarpagnino

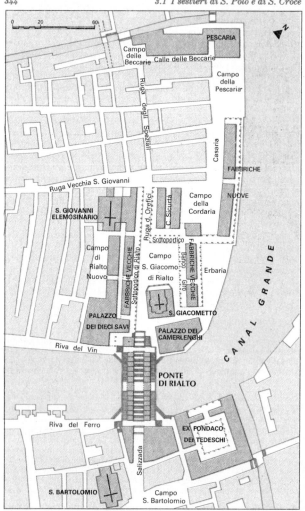

Rialto: il ponte e i mercati

dopo l'incendio del 1514, con un pianterreno porticato e due piani superiori caratterizzati dalla lunga sequenza di finestre rettangolari; sull'angolo, la *Giustizia*, statua marmorea della fine del sec. XVI. A d., il rinascimentale *palazzo dei Camerlenghi*, dove erano allogati gli uffici dei magistrati incaricati di provvedere alle finanze dello Stato e, al pianterreno, le prigioni (è ora sede della Corte dei Conti); attestato sulla riva del Canal Grande (v. pag. 173), di cui segue l'andamento, fu costruito nel 1525-28, forse da Guglielmo Bergamasco, nello stesso luogo dove sorgeva la precedente sede dei Camerlenghi (le facciate sono aperte da eleganti finestre, ormai prive delle decorazioni in marmi policromi che risaltavano sulle pareti in pietra bianca). Si prosegue dritti nella *ruga degli Orefici* (dei Oresi), famosa un tempo per i laboratori di oreficeria e argenteria, delimitata a sin. dagli edifici delle *Fabbriche Vecchie*, costruiti nel 1520-22 dallo Scarpagnino, con piano terreno porticato (sottoportico di Rialto) e due piani superiori, destinati a uffici, ritmati dalle aperture di semplici finestre rettangolari. Dopo breve si apre a d. il *campo S. Giacomo di Rialto*, centro delle attività finanziarie e commerciali della Repubblica e ancora oggi sede di mercato. A d. prospetta la facciata della chiesa di **S. Giacometto** (S. Giacomo di Rialto), sorta nel sec. XII ma ritenuta dalla tradizione (che la fa risalire al sec. V-VI) la più antica di Venezia; sfuggita all'incendio del 1514 e più volte restaurata (nel 1531 e nel 1601), dell'edificio originario conserva ancora il porticato, con architrave di legno sorretto da 5 colonne con capitelli gotici a foglie, uno degli ultimi esempi rimasti di una struttura frequente nelle prime chiese veneziane. Il porticato precede la facciata in cotto, sormontata da un campaniletto a vela, che presenta al centro un grande orologio costruito nella 1ª metà del sec. XV (e rifatto nel 1749), sopra il quale, in un piccolo tabernacolo del sec. XV, è una *Madonna col Bambino*.

L'interno, rimaneggiato nel sec. XVII e sopraelevato a causa delle continue inondazioni, mantiene la primitiva struttura a croce greca, inscritta in un quadrato, con cupola centrale; risalgono alla fase medievale anche le colonne, di marmo greco e cipollino, e i capitelli. All'altare d., dei «Garbeladori» (vagliatori di grano), *Annunciazione* di Marco Vecellio (firmata), tra lo *Sposalizio della Vergine* dello stesso, e la *Natività di Maria* di Leandro Bassano (in restauro, 1984). All'altar maggiore, *S. Giacomo apostolo*, statua in marmo di Alessandro Vittoria, e nelle due cappelle ai lati della maggiore, *S. Antonio* e *S. Francesco*, di Leonardo Gavagnin. All'altare sin., degli Orefici, disegnato da Vincenzo Scamozzi, *S. Antonio abate, figure allegoriche, putti portaceri, candelabri*, notevoli bronzi di Girolamo Campagna (1604). Alla parete sin., a un piccolo altare ligneo, *Pietà*, tela attribuita a Carlo Dolci.

Definiscono gli altri due lati del campo ulteriori edifici delle Fabbriche Vecchie (v. sopra), aperti al piano terra dal sottoportico
del Banco Giro; qui trovavano posto i tavoli dei banchieri presso i
quali i mercanti effettuavano i propri pagamenti mediante il trasferimento dei crediti sui libri bancari (questo servizio venne in
seguito assicurato direttamente dal governo, con l'istituzione di
banche pubbliche: il Banco della Piazza, nel 1587, e il Banco del
Giro, nel 1619). Contro il portico di fronte alla chiesa si trova la
statua del cosiddetto *Gobbo di Rialto*, di Pietro da Salò (sec. XVI),
figura inginocchiata che sostiene la scaletta d'accesso alla colonna del Bando, in granito egiziano, dall'alto della quale il «co-
mandador» dava lettura delle leggi e delle sentenze.

Nel sec. XIII, per alleggerire la sempre più consistente mole dei traffici che
si addensavano ai piedi del ponte di Rialto e intorno alla chiesa di S. Giacometto, venne organizzato il *campo di Rialto Novo* (lo si raggiunge dalla
ruga degli Orefici, volgendo a sin. all'arcata del sottoportico di Rialto segnata col N. 39 e tenendo dritto nei rami quarto e quinto del Parangon).
Oggi quieta e isolata appendice di alcune attività del mercato, il campo
presenta al centro un puteale in marmo rosa di Verona (sec. XVI); sulla d.,
al N. 554, prospetta l'edificio dell'*ex Scuola dei Oresi* (orefici) con, sopra il
portale, lunetta in ferro battuto con l'iscrizione S.O. (Scuola Oresi).

Al termine della ruga degli Orefici, lasciata a d. la calle Cesare
Battisti (v. sotto), si volge a sin. seguendo per breve tratto la
ruga vecchia S. Giovanni che, con le successive rughetta del Ravano e calle dell'Olio, costituisce da sempre il principale percorso
pedonale tra Rialto e S. Polo.

Arretrato rispetto alla riva del Canal Grande a causa della struttura
stretta e profonda delle case-fondaco bizantine attestatevi, il tracciato
deve l'attuale assetto al caotico processo di edificazione del periodo gotico,
quando furono occupati gli spazi rimasti liberi alle spalle di quelle unità
edilizie (i caratteri formali derivano in gran parte da successive ricostruzioni cinquecentesche).

A sin., ricavato nella spessa cortina edilizia, è (N. 479) l'andito
d'ingresso alla chiesa di **S. Giovanni Elemosinario**, fondata tra
il IX e il X sec. e ricostruita nel XII; completamente distrutta dalle
fiamme nel 1514, fu riedificata tra il 1527 e il 1538 probabilmente
dallo Scarpagnino. Dall'incendio si salvò l'alto campanile, costruito in cotto nel 1398-1401, con cella campanaria a grandi monofore ogivali.

L'interno (attualmente, 1984, non agibile), di elegante e semplice architettura, è a croce greca inscritta in un quadrato, con copertura a volte (a
botte e a crociera) e cupola centrale; il piano del presbiterio è sopraelevato
sulla cripta. A sin. della porta maggiore, *Crocifissione*, grande tela di Leonardo Corona. Al 1° altare d., *Madonna col Bambino*, scultura marmorea
di Luigi Zandomeneghi (1834); alla parete, *Caduta della manna* del Co-

rona (1590). Nella cappella a d. della maggiore, i *Ss. Caterina, Sebastiano e Rocco cui un angelo mostra il cammino*, opera firmata del Pordenone (c. 1535), dipinta in gara con Tiziano. L'adiacente sagrestia ha nel soffitto *S. Agostino*, e all'altare *Madonna e S. Filippo*, di G.B. Pittoni.

Sulla cupola centrale, affreschi attribuiti al Pordenone, rinvenuti nel 1984. Nel presbiterio, all'altar maggiore (del 1633), *S. Giovanni Elemosinario* di Tiziano (c. 1535) e, nella sovrastante lunetta, *Risurrezione di Cristo* di Leonardo Corona; alle pareti, *Orazione nell'Orto* e *Crocifissione* dello stesso e, a sin., *Lavanda dei piedi* dell'Aliense. Nella cappella a sin. della maggiore, *Pietà*, gruppo marmoreo quattrocentesco. Seguono alla parete sin. della chiesa, *Costantino che reca la croce* di Palma il Giovane e, sopra la porta laterale, *Visita del doge Leonardo Donato alla chiesa*, *S. Giovanni Elemosinario* e *S. Marco*, tre pannelli di Marco Vecellio, già portelle dell'antico organo; al di sotto, *Presepio*, frammento di rilievo forse di arte antelamica (sec. XII-XIII); a lato della porta, *Epifania* di Carlo Ridolfi.

Ritornati alla ruga degli Orefici e attraversatala, si prosegue dritto nelle *calli Cesare Battisti* e *dei Varoteri*, al cui termine si apre a d. il *campo della Cordaria*, interamente occupato dalle bancarelle della frutta e delle verdure e dalle costruzioni 'provvisorie' del mercato ortofrutticolo all'ingrosso. È chiuso verso il Canal Grande dal lungo edificio delle *Fabbriche Nuove*, realizzato nel 1554-56, su progetto di Jacopo Sansovino, per le Magistrature giudicanti in affari di commercio (è ora sede di Uffici giudiziari); il complesso, leggermente curvilineo per seguire l'andamento della riva, presenta il prospetto sul Canal Grande (v. pag. 171) aperto da un portico a bugnato sormontato da due piani di finestre timpanate, scandite da lesene e sottolineate da fasce marcapiano (la facciata sul campo è più semplice).

Il campo della Cordaria è collegato a d. all'Erbaria e, a sin., alla Casaria e al campo della Pescaria (v. sotto), rispettivamente sedi dei mercati di frutta e ortaggi, di formaggi e del pesce; la funzionalità di questa sistemazione è data dall'affaccio diretto sul Canal Grande degli spazi destinati ai mercati all'ingrosso (che facilita le operazioni di rifornimento), e dalla contiguità dei mercati al minuto (che semplifica il trasporto delle merci ai banchi di vendita). Se si intende visitare i vari settori del mercato, è necessario effettuare la visita il mattino.

Tenendo a sin., attraversata la Casaria si raggiunge il *campo della Pescaria*, aperto sul Canal Grande con ampia vista sulla palazzata opposta (v. pag. 168). Sul fondo sorge la *Pescheria*, edificio porticato ad ampie arcate ogivali e loggiato superiore, costruito nel 1907 in forme neogotiche su progetto di Domenico Rupolo e Cesare Laurenti, autore della statua in bronzo di *S. Pietro* sull'angolo sin. del lato verso il Canal Grande.

A sin. della Pescheria si segue la *calle delle Beccarie* (detta Panateria), che porta al campo omonimo (v. sotto), già centro del Macello pubblico. La calle è delimitata a d. dalle arcate dell'edificio dove si svolge il mercato del pesce al minuto (preparato sulla riva del parallelo rio delle Beccarie), che sorge in luogo della *casa* già dei *Querini*, confiscata e in parte distrutta in seguito alla congiura di Baiamonte Tiepolo (1310) cui avevano partecipato alcuni membri di quella famiglia; dell'ala non demolita (che fu dapprima adibita a macello e poi ricostruita per diventare mercato del pesce), rimangono le arcate e la trifora duecentesche sul fronte verso il *campo delle Beccarie* (al centro, vera da pozzo del sec. XVI).

Imboccando in fondo al campo a sin. la *calle dell'Angelo* (de l'Anzolo), si entra in un'area dell'insula di Rialto caratterizzata dall'antico tessuto di origine gotica formatosi come insediamento degli addetti al mercato realtino. La necessità di ricavare il maggior numero di abitazioni in una zona così ristretta, ne ha determinato la struttura, quasi totalmente priva di spazi collettivi (corti o campielli), e articolata su stretti e tortuosi percorsi pedonali di accesso agli alti blocchi edilizi, molti dei quali avanzano sulla calle con la facciata a sbalzo su barbacani (al termine della calle, in fondo al campiello S. Mattio, a sin., è la calle del Manganer, dove, inglobati nell'edificio al N. 880, rimangono resti dell'antica chiesa di S. Mattio demolita nell'Ottocento).

In fondo al campo, a d., si varca il ponte sul rio delle Beccarie; a sin. la sinuosa calle del Cappeller conduce nell'ampia *calle dei Botteri* (dai bottai che vi lavoravano), che si segue nel tratto di sinistra. Al N. 1565, un palazzo archiacuto con portale gotico e archivolto in terracotta (sec. XV); al N. 1560, il seicentesco *palazzo Priuli-Pesaro*.

A d. di quest'ultimo è la *calle di Ca' Raspi* dove, subito prima del ponte omonimo, a d., N. 1557, sorge il *palazzo Raspi*, costruzione del tardo Cinquecento con portale gotico del sec. XV; di fronte, al N. 898, è un palazzetto, forse dei Sansoni, con elementi architettonici di varie epoche, tra cui una cornice bizantina del sec. IX, finestre gotiche trilobate e un coevo scudo con cimiero.

Si volge a d. nella calle di Ca' Muti, poi ancora a d. nella *calle di Ca' Muti o Ca' Baglioni* (nel tratto di sin. di questa si apre al N. 1866 l'ingresso da terra del *palazzo Muti-Baglioni*, imponente costruzione della fine del sec. XVI con facciata seicentesca sul parallelo rio di S. Cassiano, v. pag. 349), che sbocca nel *campo S. Cassiano*. Sul fondo, l'anonimo fianco d. della chiesa di **S. Cassiano**, fondata forse nel sec. X e più volte rimaneggiata e trasformata (nell'Ottocento venne abbattuto il porticato che precedeva la facciata e sistemato il fianco prospettante il campo); tracce della costruzione originaria si possono forse individuare nei due stipiti marmorei veneto-bizantini del portale sulla facciata. A d. della zona absidale, verso la calle del Campanile, si leva il campa-

nile, del sec. XIII, con base a grossi massi squadrati, canna in laterizi e cella campanaria in stile gotico (sec. XV).

L'interno, che deve l'attuale aspetto agli interventi di restauro dell'inizio
del sec. XVII, è a tre navate di uguale altezza, divise da colonne corinzie,
con soffitti a crociere ribassate, altari laterali e cappelle ai lati del presbiterio. Nel soffitto, *Gloria di S. Cassiano*, affresco del tiepolesco Costantino Cedini; sopra le cappelle laterali, *storie di Abramo*, grandi lunette monocrome ritenute di Giandomenico Tiepolo. Sopra l'ingresso, sul parapetto della cantoria dell'organo, 3 *storie di S. Cassiano* attribuite ad Andrea Schiavone. Nella navata d.: al 1° altare, *S. Giovanni Battista tra i
Ss. Pietro, Paolo, Marco e Girolamo*, tavola di Rocco Marconi; al 3°, *Crocifisso* ligneo di anonimo dell'inizio del '500. Nella cappella a d. della maggiore, all'altare, *Visitazione* di Leandro Bassano e, alle pareti, *Annuncio a
S. Zaccaria e Natività di Maria* dello stesso Bassano (1620), interessanti
anche per i ritratti dei 12 confratelli della Scuola della Visitazione.
Nel presbiterio: all'altar maggiore, opera barocca di Bartolomeo Nardi e
Heinrich Meyring (1684-89), ricco di marmi e sculture, *Risurrezione con i
Ss. Cassiano e Cecilia*, pala attribuita a Jacopo Tintoretto (1575); alle pareti, *Discesa al Limbo* e ***Crocifissione** (1568), dello stesso. Si prosegue
lungo la navata sinistra: al 2° altare, *Cristo in croce e santi* di Matteo Ponzone. Segue la porta d'accesso a un piccolo andito che immette a sin. nella
sagrestia (reliquiari e arredi sacri), e a d. nella CAPPELLA dell'abate Carlo
del Medico, che la commissionò nel 1746 (è stata restaurata nel 1968). Il
piccolo ambiente, ricco di marmi, ha il soffitto affrescato da G.B. Pittoni
(*S. Cassiano e S. Cecilia*); all'altare, *Madonna in gloria e santi*, opera firmata e datata (1763) dello stesso, e alle pareti, sopra i dossali in noce,
Martirio di S. Cassiano di Antonio Balestra e *Orazione nell'orto* di
Leandro Bassano, Ancora nella navata sin., al 1° altare, *S. Antonio e il
Bambino* di Lattanzio Querena.

Percorrendo la *calle del Campanile*, su cui prospettano la zona absidale e il
campanile della chiesa (v. sopra), poi la seconda calle a sin. (calle di Ca'
Michiel) e, subito a d., la calle del Teatro Vecchio, oltre un portale ad arco
(N. 1812) si entra nella *corte del Teatro Vecchio* (dal Teatro Vecchio o Michiel, uno dei primi di Venezia, che, fondato intorno al 1580, sorgeva in
quest'area). Su un lato rimangono (murate) le arcate di un portico bizantino duecentesco; anche il puteale in marmo rosa è del sec. XIII.
La calle del Campanile sbocca sulla *fondamenta dell'Olio*, sulla riva del
Canal Grande (v. pag. 169), da cui si ha una bella veduta frontale della Ca'
d'Oro e, a d. del pontile del vaporetto, dei palazzi Pesaro e Sagredo.

Si esce dal campo S. Cassiano varcando il rio omonimo (di confine fra i sestieri di S. Polo e di S. Croce) sul ponte Giovanni
Andrea della Croce (a sin., l'imponente facciata sul rio di palazzo
Muti-Baglioni, v. pag. 348). Passato un campiello e il sottoportico
della siora Bettina, si sbocca nella *calle della Regina*.
Il tratto d. si innesta nella *calle di Ca' Corner* (a sin. il *ramo* e la
calle del Correggio portano alla corte omonima, con pavimentazione in cotto e un notevole puteale trecentesco). In fondo a d.,
N. 2214, è l'ingresso da terra di **Ca' Corner della Regina**, monu-

mentale opera di Domenico Rossi, edificata a partire dal 1724 sull'area di una preesistente dimora della famiglia Corner; l'imponente facciata prospettante il Canal Grande (v. pag. 167; la si vede dall'imbarcadero posto al termine della calle) presenta il piano terra e l'ammezzato a bugne, con grossi mascheroni sugli architravi delle finestre, e due piani superiori articolati da colonne ioniche e corinzie; il ritmo delle colonne e il poggiolo continuo che gira sui fianchi, si ispirano al Longhena della vicina Ca' Pesaro. Il palazzo apparteneva al ramo della famiglia Corner che diede i natali alla famosa Caterina (1454-1510) regina di Cipro; nel 1975 è stato acquistato dalla Biennale di Venezia e destinato a sede dell'Archivio Storico delle Arti Contemporanee (giorni e orario di apertura, pag. 136).

L'*Archivio Storico delle Arti Contemporanee*, che ha assunto l'attuale denominazione nel 1973, comprende: una ricca biblioteca (di volumi d'arte contemporanea, di cataloghi di esposizioni italiane e straniere, di spartiti, copioni e riviste d'arte), con annessa emeroteca; la fototeca, di cui fa anche parte la raccolta delle riproduzioni fotografiche di quasi tutte le opere presentate alle esposizioni della Biennale dal 1895; la cineteca; la disco-nastroteca; inoltre, le collezioni artistiche e archivistiche.
Del fondo artistico della Biennale costituito da pitture, affreschi, mosaici, sculture, calchi, vetri, opere grafiche, disegni, serigrafie, bozzetti, multipli, nell'atrio a piano terra sono esposte alcune opere scelte. Al piano nobile del palazzo, dove sono allogate la biblioteca, la fototeca e la disco-nastroteca, gli ampi saloni mantengono la ricca decorazione a stucchi e affreschi di Costantino Cedini e Vincenzo Colomba (*episodi della vita di Caterina Cornaro*) e a prospettive di Domenico Fossati.

Dallo sbocco del sottoportico della siora Bettina nella calle della Regina (v. pag. 349), si segue il tratto SO di quest'ultima, su cui prospetta, N. 2265, l'archiacuto *palazzo Moro* del sec. XV (nel cortile, scala esterna in gotico veneziano). Dopo breve si prende a d. il *ramo della Regina* (al N. 2267, ingresso del seicentesco *palazzo Manzoni*), che si innesta nel ponte S. Maria Mater Domini da cui, voltandosi, si possono osservare: a sin. i prospetti sul rio dei sopracitati palazzi Moro e Manzoni; a d. la facciata del cinquecentesco *palazzo Gozzi*, dove abitarono i fratelli Gasparo e Carlo Gozzi, noti letterati del sec. XVIII.
Oltre il ponte si apre il piccolo *campo S. Maria Mater Domini*, uno dei più caratteristici della città, definito da edifici risalenti al periodo tardobizantino e al primo gotico (al centro, vera da pozzo quattrocentesca).

A sin., N. 2174-75, la *casa Zane*, costruzione veneto-bizantina del sec. XIII con quadrifora, patere e croci infisse; conserva uno dei pochi tetti sporgenti rimasti a Venezia. Di fronte, N. 2177, la bizantino-gotica *casa Barbaro* del sec. XIV, con quadrifora ed archi trilobati. Di fronte al ponte, N. 2120-22, la *casa Viaro-Zane* già dei Querini, con belle pentafore; al primo

piano, gotico (sec. XIV), si sovrappone un secondo piano rinascimentale
(sulla facciata rimane lo stemma dei Viaro e la sagoma del Leone marciano, scalpellato, infisso dallo Stato, si pensa, per segnare le case confi-
scate alle famiglie che avevano partecipato alla congiura di Baiamonte
Tiepolo).

A d. del campo, prospettante la calle della Chiesa (al N. 2180, la
casa Leoni, con elementi gotici e rinascimentali), è la rinascimentale chiesa di **S. Maria Mater Domini**, ricostruita nella prima
metà del '500 su probabile progetto di Giovanni Buora; l'armoniosa facciata in pietra d'Istria è attribuita a Jacopo Sansovino.
A sin. della chiesa si vede la parte terminale del campanile, ricostruito nelle forme attuali nel 1740 dopo l'improvviso crollo della
preesistente struttura.

Attualmente (1984) la chiesa non è aperta e i dipinti sono stati ritirati in
attesa del restauro dell'edificio; la visita che si dà di seguito è la più vicina
a quella che si potrà effettuare quando verranno ricollocate le opere.
L'interno è a croce greca a tre navate, con cupola all'incrocio di queste col
transetto e vasta abside centrale affiancata da due absidi minori. Al 1°
altare d., dossale marmoreo con le statue dei *Ss. Pietro e Paolo* di Lorenzo
Bregno (1524) e di *S. Andrea* dovuta ad Antonio Minello de' Bardi; al 2°,
*S. Cristina circondata da angeli adora in ginocchio Cristo risorto, capolavoro di Vincenzo Catena (1520). Nel transetto d., *Ultima Cena*, copia ottocentesca da Bonifacio de' Pitati. Nell'abside mediana, dietro l'altar maggiore, *Madonna col Bambino*, stucco colorato e dorato di arte toscana del
'400. Nell'abside sin., altare marmoreo del sec. XV con *S. Marco e S. Giovanni*, statuette di Lorenzo Bregno, e cornice dorata col Padre Eterno e
angeli. Nel transetto sin., **Invenzione della croce*, opera giovanile di Jacopo Tintoretto; sotto, *Madonna orante* avente sul petto un tondo con la
testa di Gesù, finissimo bassorilievo marmoreo su fondo oro, di arte bizantineggiante del sec. XIII. Al 1° altare sin., *Trasfigurazione* di Francesco
Bissolo (1512).
Nella Fabbriceria, *Madonna col Bambino*, stendardo processionale di Antonio Dini, eseguito in arazzo da un dipinto di G.B. Tiepolo (1762).

Si prosegue imboccando, in fondo alla calle della Chiesa, il sottoportico del Fenestrer e, oltre la corte Tiozzi, a sin., la calle Tiozzi
(al N. 2084, portale gotico con bel fregio), che sbocca nella *fondamenta Ca' Pesaro*, all'altezza del ponte del Forner, sul rio della
Pergola. Al di là del rio sorge il *palazzo Agnusdio* (dalla patera
con l'agnello evangelico posta sopra l'approdo), della fine del sec.
XIV, con notevole **pentafora ogivale ornata con l'*Annunciazione*
e *simboli degli Evangelisti*, bassorilievi del sec. XIV-XV; l'ingresso
da terra (N. 2060) presenta il portale con fregi adattati del sec.
XIII e lunetta con *angeli reggistemmi*, interessante rilievo del
primo '400.
La fondamenta porta all'ingresso da terra di **Ca' Pesaro*, capolavoro del barocco veneziano, un tempo dimora della famiglia Pe-

saro e ora sede del Museo d'Arte Moderna e del Museo d'Arte
Orientale (attualmente, 1984, il complesso è in restauro e le raccolte non sono visitabili).

L'edificio deriva dalla ristrutturazione di tre palazzi contigui, di origine
medievale, acquisiti dai Pesaro tra il 1558 e il 1628. I lavori iniziarono
nello stesso 1628 su progetto di Baldassare Longhena (che li seguì fino alla
realizzazione del primo piano), e alla sua morte furono portati avanti (e
conclusi intorno al 1710) da Antonio Gaspari, che introdusse notevoli variazioni al disegno originario e realizzò il fianco sin., prospettante il rio
delle 2 Torri. La facciata sul Canal Grande (v. pag. 167) presenta, sopra
una zoccolatura scandita da protomi leonine e mostruose, un alto basamento a bugne a punta di diamante, aperto da due file di finestre e da due
grandi portali ornati da figure a mascheroni; i due piani superiori sono
percorsi da imponenti aperture ed eleganti balaustre e poggioli. La ricchezza degli elementi scultorei crea un complesso gioco scenografico, che
viene concluso dal cornicione decorato con fregi.
L'ingresso da terra, del Longhena, immette nel CORTILE su cui prospetta
la facciata posteriore con porticato a bugne e ordini sovrapposti di logge.
Il disegno della pavimentazione del cortile si deve probabilmente al Longhena, mentre il *pozzo* (sormontato da una statua di *Apollo* di Danese Cattaneo) è attribuibile a Jacopo Sansovino (è stato qui trasferito nel 1905
dall'ex palazzo della Zecca). Un superbo ANDRONE, con soffitto a travature
sorretto da colonne bugnate, attraversa tutto il pianterreno fino alla facciata sul Canal Grande, dove si apre sulla scalinata d'approdo con due
grandiose arcate a tutto sesto. A sin. il monumentale scalone, qui spostato
dal Gaspari, sale ai piani superiori, dove verranno riordinati il Museo
d'Arte Moderna e il Museo d'Arte Orientale (in ambienti del primo piano
nobile rimane parte della decorazione originaria, fra cui un soffitto ligneo
riccamente intagliato che include le *Glorie della famiglia Pesaro*, dipinto
di Niccolò Bambini del 1682).

Il **Museo d'Arte Moderna** (sezione dei Musei Civici), qui allogato dal 1902,
venne istituito nel 1897. Il nucleo iniziale della raccolta, costituito in gran
parte da una selezione delle opere esposte alle prime Biennali, è stato di
continuo arricchito con acquisti e donazioni, fino a configurarsi, per numero e qualità delle opere, come una delle maggiori collezioni di pittura,
scultura e grafica italiane e straniere dalla fine dell'Ottocento a oggi.
Mentre, fino alla chiusura avvenuta nel 1983, l'ordinamento della collezione rispecchiava la sua genesi, alla riapertura il museo avrà una nuova
organizzazione, che evidenzierà la sua funzione di Galleria d'arte contemporanea italiana e straniera. Vi sono esposte opere dei maggiori artisti del Novecento, fra cui: per i dipinti Mario De Luigi, Giuseppe
Ajmone, Franco Gentilini, Karel Appel, Ennio Morlotti, Giuseppe Santomaso, Emilio Vedova, Music, Renato Birolli, Afro Basaldella, Virgilio
Guidi, Emilio Scanavino, Fausto Pirandello, Giorgio Morandi, Bruno Cassinari, Gino Meloni, Fiorenzo Tomea, Gastone Breddo, Fortunato Depero,
Gino Rossi, Pio Semeghini, Constant Permeke, Umberto Boccioni, Alberto Savinio, Giorgio De Chirico, Carlo Carrà, Felice Casorati, Mario Si-
roni, Massimo Campigli, Ottone Rosai, Arturo Tosi, Juan Miró, Yves
Tanguy, Victor Brauner, Filippo De Pisis, George Grosz, Moïse Kisling,
Maurice de Vlaminck, Georges Rouault, Marc Chagall, Raoul Dufy, André

Derain, Cuno Amiet, Alfred Manessier, Albert Marquet, Emil Nolde, Osvaldo Licini, Vasilij Kandinskij, Paul Klee, Max Ernst, Gustav Klimt, Sebastian Matta, Mark Tobey, Enrico Prampolini; per le sculture Emilio Greco, Carlo Ramous, Henry Moore, Francesco Messina, Agenore Fabbri, Eduardo Chillida, Lynn Chadwick, Arturo Martini, Leoncillo Leonardi, Luciano Minguzzi, Jean Arp, Aldo Calò, Ossip Zadkine, Andrea Cascella, Arnaldo Pomodoro, Alexander Calder, Arman, Quinto Ghermandi, Pericle Fazzini.

La grossa sezione di opere ottocentesche di artisti quali Medardo Rosso, Giuseppe Pellizza, Francesco Hayez, Giacomo Favretto, Telemaco Signorini, Giovanni Fattori, Giuseppe De Nittis, Auguste Rodin, Jean-Baptiste-Camille Corot, Pierre Bonnard e altri, troverà forse futura sistemazione in un autonomo Museo dell'Ottocento.

Il ***Museo d'Arte Orientale** è una delle maggiori collezioni d'arte giapponese del periodo Yedo (o Edo: 1614-1868), con sezioni dedicate anche ad altre aree asiatiche quali Cina (porcellane e giade) e Indonesia (armi, stoffe, figure del teatro delle ombre).

La raccolta fu costituita negli ultimi decenni del sec. XIX da Enrico di Borbone, conte di Bardi, durante i suoi viaggi in Asia condotti attraverso India, Indocina, isole della Sonda, Cina e Giappone. Gli oggetti allora raccolti (circa 30 000 pezzi) vennero sistemati a palazzo Vendramin Calergi, residenza del Borbone, e alla sua morte (1906), dopo alterne vicende, passarono in proprietà di un antiquario viennese che ne iniziò la vendita all'asta. Nel 1918 la collezione fu riconosciuta al governo italiano in riparazione dei danni di guerra e, dal 1929, è ospitata nella sede attuale (in futuro verrà trasferita in palazzo Marcello, dove troverà adeguata sistemazione anche quanto è custodito nei depositi). La maggior parte delle sale è dedicata all'arte giapponese e vi sono ordinati: un cospicuo nucleo di armature (da parata e da guerra); una collezione di lame (notevole per quantità e qualità dei materiali) che documenta la produzione dal XIII al XIX secolo; vari accessori per il montaggio delle armi; preziosi oggetti d'uso comune; lacche; paraventi, dei secc. XVII e XVIII, di scuola «Tosa» (fondata nella 1ª metà del sec. XIII); dipinti di scuola «Ukiyoye» (cioè «pittura della vita che passa») e «kakemono» (dipinti rettangolari stretti e lunghi, realizzati su materiale cartaceo). In altre sale sono ordinate ceramiche persiane e cinesi; una collezione di spade giavanesi; argenti, porcellane, tessuti e marionette siamesi.

Si varca, di fronte all'ingresso da terra di Ca' Pesaro, il ponte omonimo e, percorsa la calle di Ca' Pesaro, si volge a d. nel sottoportico Giovanelli; al termine di questo il ponte in ferro Giovanelli, sul rio della Rioda (vi prospetta il fianco del *palazzo Foscarini-Giovanelli*, della seconda metà del sec. XVI, con facciata sul Canal Grande, v. pag. 165), conduce nel *campo S. Stae*, aperto sul Canal Grande e dominato dalla facciata barocca della chiesa di S. **Stae** (S. Eustachio). È una ricostruzione della seconda metà del sec. XVII, su progetto di Giovanni Grassi, con orientamento perpendicolare a quello del preesistente edificio (sec. XII). La facciata fu rifatta nel 1709 per volontà del doge Alvise II Mocenigo,

dopo un concorso vinto da Domenico Rossi con l'attuale prospetto tripartito da alte colonne corinzie sostenenti il timpano
triangolare; negli intercolumni, sul grandioso portale, sulle colonne ai lati della facciata e sul fastigio, gruppi scultorei e statue
di Giuseppe Torretto, Antonio Tarsia, Pietro Baratta, del Cabianca, dei Groppelli e di Antonio Corradini (di quest'ultimo sono
le statue terminali raffiguranti il *Redentore*, la *Fede*, col capo coperto, e la *Speranza*). Lungo il fianco d. si leva il campanile in
cotto del sec. XVII; la scultura con l'*angelo* è duecentesca. La
chiesa, restaurata nel 1977-79, è spesso utilizzata per mostre e
concerti; è possibile visitarla nei giorni feriali dalle 9.30 alle
12.30.

L'interno, realizzato da Giovanni Grassi su reminiscenze palladiane, è a
un'unica ampia navata, con soffitto a volta, profonda abside e 3 cappelle
per lato; alle pareti e sugli altari, interessante complesso di tele della
prima metà del Settecento. Al 1° altare d., *Madonna e i Ss. Lorenzo Giustiniani, Antonio da Padova e Francesco d'Assisi*, di Niccolò Bambini; al
2°, *S. Eustachio* di Giuseppe Camerata (alunno del Lazzarini e influenzato
dai Fiamminghi); al 3°, *S. Eustachio in gloria* di Antonio Balestra e, nel
soffitto della cappella, *Trionfo della Fede* di Bartolomeo Letterini.
Il PRESBITERIO presenta il soffitto decorato da una vasta tela di Bartolomeo Letterini (*Adorazione del Sacramento*). Alle pareti: in posizione
centrale, *Caduta della manna* (a d.) e *Sacrificio di Melchisedec* (a sin.), tele
di Giuseppe Angeli, sopra e sotto le quali è collocata una serie di 12 dipinti
più piccoli, tutti dedicati agli apostoli: a d. in basso, *Martirio di S. Bartolomeo* di G.B. Tiepolo (c. 1721), *S. Paolo assunto in trono* di Gregorio Lazzarini, *S. Andrea crocifisso* di Giovanni Pellegrini; in alto, *S. Filippo per-
cosso da un soldato* di Pietro Uberti, *Comunione di S. Giacomo Minore* di
Niccolò Bambini, *Martirio di S. Tommaso* di G.B. Pittoni; a sin. in basso,
Martirio di S. Giacomo Maggiore di G.B. Piazzetta, *Liberazione di S.
Pietro* di Sebastiano Ricci, *Martirio di S. Giovanni* di Antonio Balestra; in
alto, *S. Matteo* di Silvestro Manaigo, *S. Taddeo* di G.B. Mariotti, *S. Simeone* di Angelo Trevisani. Ricco altar maggiore, con tabernacolo su co-
lonne, ornato da sculture; nel paliotto, *Cristo deposto e angeli* di Giuseppe
Torretto.
A sin. del presbiterio è la sagrestia, con *Cristo morto* di Pietro Vecchia,
Traiano ordina a S. Eustachio di adorare gli idoli di G.B. Pittoni,
Traiano ordina a S. Eustachio di combattere di Giustino Menescardi. Al-
l'altare della 3ª cappella sin., *Crocifisso* marmoreo di Giuseppe Torretto; a
quelli della 2ª, *Assunta* di Francesco Migliori, e della 1ª, *Ss. Andrea e Ca-
terina* di Jacopo Amigoni.
Adiacente alla chiesa, a sin., l'originale facciata della *Scuola dei Tiraoro e
Battioro*, datata 1711 e attribuita a Giacomo Gaspari. Dall'imbarcadero
del vaporetto si vede a fianco del campo, sulla d., la facciata sul Canal
Grande del palazzo Priuli-Bon (v. pag. 165).

Si segue a d. della chiesa la *salizzada S. Stae* che, col suo proseguimento (salizzada Carminati), definisce un lungo percorso rettilineo derivato dalla particolare conformazione dell'insula di S.

Stae, sviluppata in profondità e priva di canali di attraversamento.

Volgendo dopo breve a d. nella calle di Ca' Tron e, oltre il N. 1960, ancora a d. nella *calle Dandolo*, si accede alla corte omonima, dove (N. 1957) si apre l'ingresso da terra di **Ca' Tron**, ora dell'Istituto universitario di Architettura; della 2ª metà del sec. XVI, il palazzo fu ampliato nel '700 con una lussuosa sala da ballo non più esistente; nel salone al piano nobile, dipinti di Louis Dorigny.

Sulla salizzada prospettano, a d., N. 1920, un edificio con resti duecenteschi e di fronte, N. 1990-92, il *palazzo Mocenigo*, imponente costruzione seicentesca caratterizzata da monumentali facciate (l'altra dà sul retrostante rio); abitato fino a tempi recenti da esponenti della famiglia (una delle più antiche e potenti della città, cui ha dato 7 dogi), nel 1954, dal conte Alvise Nicolò Mocenigo, è stato legato al Comune. Attualmente (1984) sono in corso lavori di ristrutturazione per adattarlo a Museo ambientale, a Tessilteca e a Biblioteca.

L'interno presenta il pianterreno attraversato dall'ampio portico (che collega l'ingresso da terra a quello dal rio) decorato da grandi panche lignee e busti settecenteschi, sulla d. del quale lo scalone monumentale sale al piano nobile. Dal salone, con *ritratti* di personaggi celebri della famiglia (secc. XVII e XVIII), si passa a d. nel cosiddetto APPARTAMENTO DELLA CONTESSA, che conserva il ricco arredo originario; particolarmente notevoli, alcuni dipinti (*Sacra conversazione* di scuola belliniana e *Scena mitologica* del primo Cinquecento, nella camera da letto; grandi *Scene di battaglie* settecentesche nei salotti), i soffitti affrescati da vari artisti (fra i quali Jacopo Guarana e G.B. Canal) e la mobilia, per lo più settecentesca, tra cui spicca una grande cornice intagliata e dorata attribuibile ad Antonio Corradini (inquadra il ritratto di un procuratore di S. Marco).

Al termine della salizzada si prende a d. la *calle del Tintor* e, oltre il ponte omonimo, ancora a d. la calle del Megio, che sbocca in riva al Canal Grande (v. pag. 163): vi prospettano, a d. il palazzo Belloni-Battagia e a sin., sulla breve fondamenta, i Depositi del Megio.

Il *palazzo Belloni-Battagia*, architettura seicentesca di Baldassare Longhena, presenta la facciata, ricca di decorazioni, conclusa da due alti pinnacoli e aperta al piano nobile da alte porte-finestre con timpani spezzati; gli interni furono rimaneggiati ai primi dell'Ottocento e affrescati da vari artisti, fra cui Giuseppe Borsato e G.B. Canal.
La fabbrica dei *Depositi del Megio* (miglio), antichi granai della Repubblica, risale al sec. XV; sulla severa facciata in mattoni, con piccole finestre e coronamento merlato, grande *leone marciano*, copia moderna di Carlo Lorenzetti dell'originale asportato alla caduta della Repubblica. Dal termine della fondamenta, al di là del rio, il prospetto sul Canal Grande del fondaco dei Turchi (v. pag. 358).

Ripercorsa la calle del Megio, si tiene a d. nel ramo del Megio; quindi, varcato il ponte omonimo e lasciata a d. la fondamenta del Megio (v. pag. 358), si segue a sin. la *calle Larga*: al N. 1666, il seicentesco *palazzo Mutti delle Contrade* e, al N. 1661-62, i *palazzi Badoer*, gotici con rimaneggiamenti rinascimentali. Si sbocca nel *campo S. Giacomo dell'Orio*, parzialmente alberato, articolato in tre spazi differenti dalla particolare posizione della chiesa (orientata), la cui facciata volge verso il più raccolto campo-sagrato prospiciente il rio che da essa prende il nome; anche il campanile, con la sua direttrice verticale, costituisce un elemento architettonico-scenografico. Nella cortina edilizia che definisce e racchiude il campo, si notano: al N. 1621-24 il *palazzo Pemma*, terminato all'inizio del Settecento (ora dell'Istituto universitario di Architettura); al N. 1584-86 il seicentesco *palazzo Mariani*; le tre vere da pozzo (una in marmo di Verona e due in pietra d'Istria) sono del sec. XVI.

Il campo ha sempre avuto un ruolo importante nella vita del sestiere, e ancora oggi, rappresenta un polo di aggregazione per gli abitanti della zona, che ricordano il loro patrono il 25 luglio con una festa popolare. Incerto è il significato del termine «Orio»: per alcuni verrebbe da rio, per altri rievocherebbe la presenza di un albero d'alloro o la famiglia Orio che qui abitava.

La chiesa di **S. Giacomo dell'Orio**, di antichissima fondazione (sec. X ?), fu totalmente ricostruita nel 1225 ed ebbe, tra il XIV e il XVII sec., varie aggiunte e trasformazioni. Sul fianco sin. si innalza il campanile, del sec. XIII, con canna aperta da piccole bifore con capitelli a stampelle e cella campanaria a quadrifore. Della stessa epoca rimane l'abside maggiore, spartita da lesene collegate da archetti pensili (le colonnine superiori furono collocate durante i restauri del 1903) e decorata al centro da una patera veneto-bizantina pure duecentesca; le altre due absidi furono erette in tempi diversi: quella d. (a sin. di chi guarda) nell'ultimo decennio del '500; quella sin. nel 1624; girate le absidi, appare il prospetto del transetto d., del sec. XIV, con la parte centrale più alta rispetto alle laterali, a spiovente (la croce in marmo greco è lavoro veneto-bizantino). La semplice facciata a intonaco, coperta su due lati dall'abitazione del «piovan» (parroco), reca murate in alto una croce e una patera bizantine; sul portale, *S. Giacomo*, piccola scultura del sec. XVII.

L'interno, a croce latina, è diviso in tre navate da colonne poggianti direttamente sul pavimento, con capitelli a becco di civetta (sec. XIV) che sostengono archi a tutto sesto nel piediecroce e ogivali nel transetto, assai sviluppato e tripartito nel braccio destro. Il notevole soffitto ligneo, a carena di nave, è del sec. XIV, mentre più tardi (1ª metà sec. XVI) sono i rivestimenti lignei dorati e intagliati che corrono lungo la navata centrale e decorano gli intradossi degli archi. Nella stessa navata centrale, *acquasantiera* quadrilobata, in marmo cipollino delle cave dell'Anatolia (sec. XIII), e (in fondo a sin.) *pulpito* lombardesco a forma di calice ottagonale (è addossato a una colonna con capitello ravennate del sec. VI); dall'arco santo pende un *Crocifisso* ligneo trecentesco su tavola sagomata, opera di Paolo Veneziano (proviene dalla chiesa di S. Luca). Sulla controfacciata, *organo* cinquecentesco, rifatto nella 2ª metà del sec. XVIII da Gaetano Callido, decorato sulla cantoria da 3 dipinti (*Disputa di Gesù, Chiamata degli apostoli* e *Martirio di S. Giacomo*) attribuiti ad Andrea Schiavone; della sua scuola sono le due tavole centinate, con i *profeti Aggeo* e *Zaccaria*, poste sotto l'organo ai lati della porta.

NAVATA DESTRA: alla parete, *Miracolo della Vergine* di Gaetano Zompini, cui segue un'*Ultima Cena* di anonimo del secondo '500; all'altare, barocco, *Madonna*, scultura lignea della 1ª metà del sec. XV. Nel TRANSETTO D. spicca una colonna in verde antico, con base e capitello ionici, proveniente forse da un edificio romano; alla parete d., *Madonna orante*, scultura della 2ª metà del '200, e (in alto) grande telero con la *Moltiplicazione dei pani e dei pesci*, forse di Palma il Giovane; alla parete di fondo, sopra la porta laterale d. *urna di Clara Priuli*, di arte lombardesca del '500, e al settecentesco altare *Madonna col Bambino in gloria e santi*, pala di G.B. Pittoni; alla parete sin., *Cristo sostenuto da un angelo* di Palma il Giovane. Presso la porta laterale sin. si apre l'accesso alla SAGRESTIA NUOVA (per la visita rivolgersi al custode), eretta dopo il 1903 in luogo della cinquecentesca Scuola di S. Giacomo. Nel soffitto, entro 5 comparti dorati, tele dipinte nel 1577 da Paolo Veronese per lo spazio antistante alla cappella a d. della maggiore (al centro, la *Fede con lo Spirito Santo* e, ai lati, *S. Gregorio Magno, S. Girolamo, S. Agostino* e *S. Ambrogio*). Fra le varie opere qui conservate: alla parete d'ingresso, *Madonna col Bambino e i Ss. Giovanni Battista e Nicola da Bari*, di Francesco Bassano il Giovane; alla parete d., *Presentazione di Gesù al Tempio* di Francesco Zugno; alla parete di fondo, *Crocifisso tra la Madonna e S. Giovanni*, piccola tela di Palma il Giovane, e frammento ligneo, dorato su fondo azzurro, della 1ª metà del '500, sopra il quale è una *Predicazione del Battista* di Francesco Bassano (c. 1570); alla parete di fronte alla finestra, *Agonia di Cristo nell'Orto* forse del Tizianello.

Tornati in chiesa, si raggiunge la cappella del Santissimo (a d. della maggiore), iniziata nell'ultimo decennio del '500, già ultimata nel 1604 e riordinata nel sec. XVIII. Nei pennacchi della cupola (affrescata da Jacopo Guarana), tondi con i 4 *Evangelisti* di artista veneto del sec. XVII; alle pareti: nelle lunette in alto, a d. *Flagellazione* del Tizianello, a sin. *Ecce Homo* di Giulio del Moro (firmato); in basso, due opere di Palma il Giovane (a sin., *Cristo e la Veronica*; a d., *Deposizione nel sepolcro*). Nel PRESBITERIO (decorato alle pareti da grandi croci in marmi policromi, di arte lombardesca del principio del sec. XVI), alla parete absidale, **Madonna col Bambino e i Ss. Andrea, Giacomo Maggiore, Cosma e Damiano*, opera firmata e datata (1546) di Lorenzo Lotto; inferiormente a questa, *Martirio di S. Giacomo apostolo*, bassorilievo dell'inizio del '700, già paliotto dell'altar maggiore demolito nel 1960. Nella cappella absidale sin., ampliata nel 1621-24, all'altare, *Addolorata* di Lorenzo Gramiccia (firmata e datata 1770); alla parete d., *Daniele* e *David*, monocromi di Gualtiero Padovano, retro delle portelle dell'antico organo di cui, alla parete sin., è il recto, con *S. Giovanni Evangelista* e *S. Giacomo*, dipinti attribuibili ad Andrea Schiavone.

Una porta sormontata da una *Madonna col Bambino e donatore*, rilievo quattrocentesco, e da un *angelo* del sec. XIII, immette nella SAGRESTIA VECCHIA, decorata dal ciclo di dipinti, rappresentanti il Mistero Eucaristico, realizzato da Palma il Giovane tra il 1575 e il 1581, su commissione del parroco Giovanni Maria Da Ponte: nel soffitto, *Eucarestia* e i 4 *Evangelisti*; alle pareti, *Deposizione, Passaggio del Mar Rosso, Madonna e santi e l'offerente, Adorazione del serpente, Raccolta della manna, Elia e un angelo, Il banchetto pasquale ebraico*. Tornati in chiesa, si noti sulla parete a d. *Ss. Sebastiano, Rocco e Lorenzo*, tavola di Giovanni Buonconsiglio (firmata), e (in basso) *Madonna annunciata*, scultura trecentesca. Nel TRANSETTO SIN., adibito a cappella in onore di S. Lorenzo Martire: all'altare, *Ss. Lorenzo, Girolamo e Prospero*, pala dipinta da Paolo Veronese nel 1572 per i Malipiero; alle pareti, *S. Lorenzo mostra a Valeriano i poveri beneficati dalla Chiesa* e il *Martirio del santo*, dipinti di Palma il Giovane (alla parete sin., affreschi che si fanno risalire al sec. XII, strappati dalla chiesa di S. Giovanni Decollato).
Si procede lungo la NAVATA SIN., su cui si apre l'ingresso al *Battistero*, realizzato nel sec. XVI per volontà del parroco Giovanni Maria Da Ponte, il cui stemma è posto sul portale timpanato; la vasca in marmo rosso di Verona è cinquecentesca, come la statua bronzea del *Risorto* sull'altare. Sopra l'ingresso all'andito della porta laterale, con stipiti in marmo anatolico, è una piccola tela con *S. Girolamo Emiliani* di Giuseppe Camerata (nell'andito, alla parete d., *Crocifisso* ligneo di scuola toscana della 2ª metà del '300). Segue, alla parete, *Miracolo di S. Giacomo che risuscita il gallo*, attribuito ad Antonio Palma. All'altare sin., tardoseicentesco, *Crocifisso* e paliotto con la *Vergine sostenuta e confortata dalle pie donne*, opere attribuite a Pietro Baratta.

Dal ponte del Megio (v. pag. 356), si prende verso nord la *fondamenta del Megio*: subito a sin., N. 1757, la cinquecentesca *casa Sanudo*, dove nel 1536 morì il cronista veneziano Marin Sanudo; a d., dall'altra parte del rio, il bianco prospetto del *palazzo Priuli-Stazio*, costruito alla fine del sec. XVI pare su disegno di Jacopo Sansovino. Si segue a sin. il ramo II del Megio e quindi a d. la *salizzada del Fondaco dei Turchi*. Lasciati a sin. la stretta calle dei Preti (v. pag. 359) e poco oltre, N. 1705-20, l'ingresso da terra della seicentesca casa Correr (v. pag. 161), si raggiunge la riva del Canal Grande, dove a d. prospetta il **fondaco dei Turchi**, tipico esempio di casa-fondaco veneto-bizantina del sec. XII-XIII. L'attuale edificio è l'infelice risultato del radicale restauro compiuto fra il 1858 e il 1869 ad opera di Federico Berchet, che ricompose la facciata (pag. 163), caratterizzata dal gioco serrato delle arcate (10 nel portico e 18 nella loggia), conclusa ai lati da torri e coronata da merlatura. Il palazzo, acquistato dalla Repubblica 1381 per i duchi di Ferrara, poi passato in proprietà a varie famiglie patrizie, nel 1621 venne affittato dal governo e destinato a emporio dei Turchi, che lo tennero fino al 1838. Nel 1858 fu acquistato dal Comune di Venezia e, dopo i restauri, destinato a sede museale (fino al 1922 ospitò il Civico Museo Correr). Ora ospita il *Museo Civico di Storia Naturale*, costituito dalla raccolta già aggregata al Museo Correr, da quelle di proprietà dell'Istituto Veneto di Scienze, Lettere e Arti e da altro materiale scientifico; comprende collezioni di fossili, di minerali, di mammiferi e, in particolare, di fauna marina; inoltre, importanti raccolte botaniche (erbari), una raccolta etnografica e collezioni entomologiche. Giorni e ore di visita, v. pag. 134.

Attualmente (1984) sono in corso lavori di ristrutturazione delle sale ·di esposizione che occupano parte del piano terreno e il secondo piano.
Al piano terreno è allestita una saletta di museologia con oggetti rappresentativi di vari rapporti tra l'uomo e la natura; notevoli i 2 *basilischi*, animali immaginari ricostruiti da naturalisti agli inizi della zoologia moderna. Superato il 1° piano, dove sono le *collezioni botaniche* (tra cui gli erbari Zanardini, Contarini e Kellner) e la *Biblioteca*, con un buon numero di opere scientifiche classiche (chiedere il permesso alla Direzione), si sale al 2° piano. La SALA 1 è dedicata all'origine della vita, ai protozoi e all'esame dei primi gruppi di invertebrati; notevoli un diorama sugli invertebrati del Paleozoico, uno sugli invertebrati dei fondali marini adriatici, un granchio gigantesco e una vetrina di coralli e madrepore. La SALA 2 è dedicata all'esame sistematico e morfologico degli artropodi (insetti, ragni, crostacei, ecc.). Nella SALA 3 sono esposti gli echinodermi (ricci, stelle marine, ecc.) e i primi cordati; comprende anche una vetrina in cui sono evidenziate le varie forme e strutture degli invertebrati. La SALA 4 (in allestimento) è dedicata ai pesci primitivi, di cui sono esposti alcuni modelli in ambiente, e ai pesci cartilaginei (squali, razze, ecc.). Nella SALA 5 (in allestimento) sono i pesci ossei; notevoli un diorama sui pesci abissali, e un calco di Latimeria (appartenente a un gruppo di pesci, i Celacantidi, da cui sarebbero derivati i vertebrati terrestri).
Le sale fin qui indicate offrono un'immagine filogenetica della zoologia; per completare il quadro sono previste successive sale dedicate agli anfibi, rettili, uccelli e mammiferi, con ampio risalto agli aspetti faunistici locali. Altre sale approfondiscono temi più specialistici. In particolare la sala che ospita 2 grandi e importanti fossili del Cretaceo, e precisamente un coccodrillo («sarcosuchus imperator») e un dinosauro («auronosaurus nigeriensis», specie prima sconosciuta) scavati nel 1973 dalla spedizione Ligabue nel deserto del Ténéré (Niger orientale). Altre sale specialistiche sono dedicate agli insetti, ai molluschi, alla pesca nella Laguna di Venezia (è conservata anche un'imbarcazione lagunare preromana, ricavata da un unico tronco di quercia); particolarmente importante il materiale etnografico esposto, tra cui la collezione Miani, costituita da oggetti di varie tribù raccolti dall'esploratore veneto Giovanni Miani nel corso del suo primo viaggio alla ricerca delle sorgenti del Nilo (1859-60).

Ripercorsa la salizzada del Fondaco dei Turchi si segue verso ovest la stretta calle dei Preti (a d. la calle di Ca' Correr termina nell'alberata corte omonima), che sbocca nel *campo S. Giovanni Decollato* (S. Zan Degolà). Vi prospetta la chiesa di *S. Giovanni*

Decollato, la cui origine si ritiene risalga al sec. X-XI; più volte restaurata e parzialmente modificata, presenta la facciata, rimaneggiata nel '700, a semplice disegno tripartito, con le due ali laterali, corrispondenti alle navate minori, raccordate al corpo centrale da volute. Il campanile, incorporato nella zona absidale, sostituisce l'originario che si innalzava in mezzo al campo. In attesa di interventi di restauro, attualmente (1984) la chiesa è chiusa al culto (rivolgendosi al parroco della vicina chiesa di S. Giacomo dell'Orio, si può visitare l'interno; a pianta basilicale, è diviso in tre navate da colonne di marmo greco, con capitelli e pulvini in stile bizantino del sec. XI, su cui si impostano le arcate ogivali; il soffitto è a carena di nave).

Si esce dal campo varcando il ponte di S. Zan Degolà sul rio omonimo (a d., il *palazzo Gidoni-Bembo*, del sec. XVII, con trifora e portale sormontati da timpani), e si prosegue nella sinuosa calle di Ca' Bembo che porta nel *rio Terrà*, di cui si segue il tratto di sinistra.

Verso d. il rio Terrà sbocca sulla *riva di Biasio*, uno dei rari tratti di fondamenta che costeggiano il Canal Grande, con ampia vista sulla palazzata opposta dove, a sin., si apre l'imboccatura del canale di Cannaregio. Sulla riva prospettano i palazzi (per la descrizione v. pagg. 159 e 157): Marcello-Toderini (N. 1289), Zen (N. 1290), Donà-Baldi (N. 1299; attualmente, 1984, in restauro, è destinato a sede del Provveditorato agli Studi), Corner (N. 1302), Gritti (N. 1303).

Dopo breve si volge a d. nel campiello Riello e si prosegue percorrendo la *lista vecchia dei Bari*, che attraversa un tessuto urbano di origine gotica costituito da abitazioni popolari (verso la fine del percorso, a d., un portale gotico del sec. XIII, con cuspide su piedritti e capitelli romanici, segna l'ingresso alla lunga *corte Pisani* che sbocca sul Canal Grande). Si segue quindi a d. la *salizzada della Chiesa* (chiusa a sin. dal retro della chiesa di S. Simeon Grande, v. sotto) e, a sin., il sottoportico omonimo (a d., murato, rilievo di un *Vescovo in preghiera*, pietra tombale dell'inizio del sec. XV). Lasciato a d. il lungo campo S. Simeone Grande, aperto sul Canal Grande, si tiene a sin. per il *campo Santo* (in origine cimitero), su cui prospetta la facciata della chiesa di **S. Simeon Grande** (S. Simeone Profeta), così denominata per distinguerla dalla non lontana chiesa di S. Simeon Piccolo (v. pag. 361), la cui originaria consistenza edilizia era probabilmente di proporzioni minori. La chiesa, forse di antica fondazione (sec. X ?), a partire dai primi anni del sec. XVIII ha avuto radicali restauri e numerose modificazioni ad opera di Domenico Margutti e Giorgio Massari; la modesta facciata neoclassica, tripartita da semicolonne corinzie e conclusa da timpano, fu realizzata nel 1861. Il campanile è del sec. XVIII.

L'interno, a pianta basilicale, è diviso in tre navate da arcate a tutto sesto, su colonne antiche con capitelli bizantini; sopra le colonne, statue degli *Apostoli* (sec. XIX); il soffitto è a volta ribassata a crociere. Sulla controfacciata, cantoria marmorea settecentesca sorretta da 4 colonne con capitelli corinzi dorati. Navata destra: all'inizio, a parete, *Presentazione al Tempio e committenti*, pala di Palma il Giovane; dopo il 1° altare si apre la moderna cappellina del Battistero, con ai lati 2 tondi a bassorilievo del sec. XV con l'*Annunciata* e l'*Angelo annunciante*; in fondo alla navata, *angelo*, scultura di scuola lombardesca del sec. XV. La cappella a d. della maggiore è decorata ad affresco (Giovanni Scajaro). Nella cappella a sin. della maggiore, sarcofago su cui è stata adattata la statua giacente di *S. Simeone*, sormontata da una epigrafe leonina (1317) che la fece attribuire a Marco Romano, di arte di Matteo Raverti (principio sec. XV).
Alla parete del braccio sin. del transetto si apre la notevole porta, in legno intagliato a girali di fiori (nei tondi, *Presentazione di Maria al Tempio* e *Presentazione di Gesù*), che immette nella sagrestia: all'altare, *Trinità*, tavola attribuita a Giovanni Mansueti. Si prosegue lungo la navata sin.: al 2° altare, *Annunciazione* di seguace di Palma il Giovane; al 1°, *Visitazione* di Leonardo Corona; alla parete, *Ultima Cena* di Jacopo Tintoretto.

Attraversato il campo, lasciata a sin. la fondamenta di rio Marin o dei Garzoti (v. pag. 392), si varca, sull'ottocentesco ponte de la Bergama, il rio Marin.

Prende il nome da Marin Dandolo (che lo fece scavare nel sec. XI) e venne allargato e sistemato nella forma attuale nel 1875; fiancheggiato da due fondamenta per quasi tutto il suo percorso, è uno dei rii più caratteristici della città, su cui prospettano edifici monumentali alternati a costruzioni minori, spesso di pregevole architettura (dal ponte, a sin., si vedono i prospetti sul rio dei palazzi Gradenigo e, più oltre, Soranzo-Cappello, v. pag. 392).

Per la calle Bergami e, a d., la calle lunga Chioverette, si raggiunge il Canal Grande, attraversato in questo tratto dal *ponte degli Scalzi*, che scende nella fondamenta omonima (pontili dei vaporetti e dei motoscafi), nel sestiere di Cannaregio. In pietra d'Istria, il ponte fu costruito nel 1934, su progetto di Eugenio Miozzi, in sostituzione di quello in ferro voluto dall'Amministrazione austriaca nel 1858; l'unica arcata misura m 40 di corda, m 6.75 di altezza e, in chiave d'arco, solo cm 80 di spessore.
Lasciato a d. un moderno edificio costruito nel 1951-54 su progetto di Marino Meo (riprendendo le forme di un gotico palazzo Foscari che, fino alla costruzione del ponte in pietra, sorgeva in quest'area), si segue a sin. la *fondamenta S. Simeone Piccolo*.
Oltre i cinquecenteschi palazzi Foscari (N. 715), Foscari-Contarini (N. 714-13) e Adoldo (N. 712), descritti alle pag. 155 e 153, lasciato a sin. l'ampio campiello della Comare, l'itinerario tocca la chiesa di **S. Simeon Piccolo** (dedicata ai Ss. Apostoli Simeone e Giuda). Fu costruita nel 1718-38 da Giovanni Scalfarotto, dopo

la demolizione dell'edificio originario del sec. IX; a pianta circolare, poggia su un alto stilobate ed è preceduta da un pronao (tetrastilo corinzio, tra pilastri angolari a fascio di lesene) decorato nel timpano dal *Martirio dei Santi titolari*, bassorilievo marmoreo del Cabianca; l'alta cupola, rivestita di lastre di rame, termina con una lanterna conclusa al vertice da una statua del *Redentore*.

L'interno, a pianta circolare a un ordine di lesene e colonne corinzie sostenente l'alto tamburo della cupola (nelle nicchie, statue degli *Evangelisti* di artista veneto del sec. XVIII), presenta 4 altari simmetrici e 2 pergami; in fondo si apre il presbiterio allungato ai lati da 2 absidi. Al 1° altare d., *Ss. Francesco da Paola e Gaetano da Thiene* di Antonio Marinetti; al 2°, *Ss. Simeone, Giuda e Giovanni Battista* di Francesco Polazzo. All'altar maggiore, ricco di marmi, elegante tabernacolo tra le statue dei *Ss. Simeone e Mattia* (sec. XVIII); alla retrostante parete, cantoria d'organo settecentesco e, alle pareti delle absidi, nicchie con statue di *Apostoli*. Dall'abside d. si accede alla sagrestia, dove è custodito un *Crocifisso* marmoreo attribuito a Giovanni Marchiori; nell'adiacente antisagrestia, sul *lavabo*, opera giovanile di Tommaso Temanza, *Piscina probatica*, elegante rilievo del Marchiori (firmato).

A d. della chiesa, N. 697, sorge la facciata della *ex Scuola dei Tessitori dei panni di lana* (2ª metà del sec. XVI), decorata in alto da patere con *S. Simeone* e *S. Taddeo*, patroni della confraternita, che fu soppressa nel 1787 (nell'area retrostante alla Scuola, fino all'attuale campo della Lana, v. pag. 392, erano concentrate le numerose attività connesse alla lavorazione della lana). Si prosegue lungo la fondamenta, dove al N. 561 è il *palazzo Diedo*, già Emo, della fine del sec. XVII e attribuito ad Andrea Tirali (la facciata, incompleta, presenta il motivo del loggiato centrale sormontato da timpano triangolare). In fondo, saliti i primi gradini del ponte della Croce e oltrepassata a sin. la fondamenta dei Tolentini (che conduce alla chiesa omonima, v. pag. 363), si varca direttamente il rio dei Tolentini e si prosegue lungo la *fondamenta della Croce*, chiusa a sin. dal muro di cinta del Giardino già Papadopoli (v. pag. 363). Al termine della fondamenta un ponte di legno scavalca il *rio Nuovo*, aperto nel 1932-33 e inaugurato contemporaneamente al ponte stradale translagunare e al terminal del piazzale Roma (v. pag. 461).

La creazione di questo rio, voluto per accorciare le distanze tra il nuovo terminal e il Bacino di S. Marco (sbocca infatti in «volta di Canal», a fianco di Ca' Foscari), comportò notevoli sventramenti, che furono oggetto di accese polemiche; è opera di Eugenio Miozzi, che modificò in parte il tracciato di un precedente progetto Fantucci.

Varcato il ponte (di fronte, l'alto muro in mattoni con una grande arcata racchiudente tre aperture ogivali, è forse resto di una

struttura difensiva di origine bizantina, molto rimaneggiata), si
scende all'incrocio della *fondamenta S. Chiara*, aperta sul Canal
Grande, con la *fondamenta Cossetti*, prospiciente il rio Nuovo,
che definiscono rispettivamente il confine settentrionale e orientale dell'area di piazzale Roma (v. pag. 461). Sulla fondamenta S.
Chiara sono gli approdi dei vaporetti (linee 1 e turistiche) che
percorrono il Canal Grande; sulla fondamenta Cossetti, i pontili
dei motoscafi della linea 2 che, percorso il rio Nuovo, si immettono nel Canal Grande.

3.2 Da piazzale Roma a Rialto per S. Nicolò da Tolentino, i Frari e S. Polo

Da piazzale Roma (per la descrizione del piazzale, v. pag. 461; per
la pianta dell'itinerario, pag. 340) si raggiunge la fondamenta
Cossetti (v. sopra), che si segue verso sud. Al termine, nel punto
in cui il rio delle Burchielle (a ovest; v. pag. 461) e il rio del Gaffaro (a est) sboccano nel rio Nuovo (v. pag. 362), si innestano i
Tre Ponti, singolare incrocio di manufatti in pietra e in legno che
scavalcano i tre rii. Dal ponte sul rio Nuovo, tenendo a sin., si
varca il rio del Gaffaro scendendo in prossimità del campiello La-
vadori de Lana, definito dal retro del palazzo Condulmer (v.
sotto). Si percorre per breve tratto la fondamenta, chiusa a d. dal
muro di cinta del *Giardino* già *Papadopoli*, ora comunale, cui si
accede volgendo a d. nel viale che lo attraversa.

Sistemato nel 1834 su disegno di Francesco Bagnara (e ancora nel 1863), il
giardino si stende sull'area dove sorgeva il complesso conventuale della
Croce, demolito nel 1810. Notevolmente più esteso, fu ridotto alle attuali
dimensioni per l'apertura del rio Nuovo nel 1932-33. A sin., fra gli alberi,
monumento a Pietro Paleocapa (1788-1869), insigne studioso di problemi
idraulici. A d., il prospetto sul giardino del *palazzo Foresti-Papadopoli*
(ora sede scolastica), del tardo '500.

Fuori del giardino, lasciata a d. la fondamenta Condulmer, su cui
prospettano le facciate del palazzo Foresti-Papadopoli (N. 250; v.
sopra) e del settecentesco *palazzo Condulmer* (N. 251), con frontone semicircolare (appartenne alla famiglia di papa Eugenio IV,
eletto nel 1431), si varca il rio dei Tolentini sul ponte omonimo.
Tenendo a d. si giunge in breve nel *campo dei Tolentini*, delimitato verso il rio dall'elegante balaustra dell'approdo a gradinata,
disegnata da Andrea Tirali. Sul campo domina la chiesa di **S. Nicolò da Tolentino**, progettata e iniziata da Vincenzo Scamozzi
(1591-95) e portata a termine (1602) dai Teatini che l'avevano
commissionata; la facciata, incompiuta, è preceduta da un

pronao esastilo corinzio, concluso da timpano, aggiunto da Andrea Tirali (1706-1714).

L'interno, di Vincenzo Scamozzi, è a croce latina a una navata, con tre cappelle per lato; la sontuosa decorazione che riveste completamente le pareti di stucchi e pitture fu aggiunta nel Sei-Settecento. All'innesto dei bracci rimane il tamburo della cupola, demolita nel sec. XVIII e sostituita da un soffitto piano affrescato da Gaetano Zompini e Girolamo Mengozzi Colonna. Sulla controfacciata, sopra la porta d'ingresso, *Deposizione* di Giovanni Contarini; a d. dell'ingresso, *S. Sebastiano* attribuito a Sante Peranda e i *Ss. Basilio e Giovanni Crisostomo* di Palma il Giovane; a sin. dell'ingresso, *S. Agnese davanti al Signore* di Odoardo Fialetti e la *Madonna con S. Andrea Avellino* di Palma il Giovane. All'inizio della parete d., *S. Andrea Avellino* ancora di Palma il Giovane. Nella 1ᵃ cappella a d.: all'altare, *Estasi di S. Andrea Avellino* di Sante Peranda (nelle nicchie ai lati, *Temperanza* e *Fortezza*, sculture ottocentesche); alle pareti, *Il santo trasportato oltre un fiume* e *Il santo caduto da cavallo sorretto dagli angeli*, del Padovanino. Nella 2ᵃ cappella: nel soffitto, *Gloria di angeli*, affresco di autore ignoto del sec. XVIII; all'altare, *S. Carlo Borromeo tra angeli* di Camillo Procaccini; alle pareti, *S. Carlo benedice una famiglia* e *Il santo salva una fanciulla*, dello stesso. Nella 3ᵃ cappella: all'altare, *Epifania* di Sante Peranda; alle pareti, *Banchetto di Erode* e *Decollazione di S. Giovanni Battista* (notare che la scena del martirio è relegata sul fondo, mentre in primo piano, all'arrivo di Salomè con la testa del Battista, conversa una nobile compagnia), due opere nella maniera di Bonifacio de' Pitati. Alla parete seguente, *S. Lorenzo Giustiniani* di scuola di Palma il Giovane.

Nella cappella del braccio d. del transetto: all'altare, *Madonna e santi* di Palma il Giovane; alle pareti, 2 fastosi *monumenti della famiglia Corner* (sec. XVIII). Alle pareti all'esterno della cappella: a d., *Tobiolo e l'angelo* di G.B. Ferrarese (finito dal Padovanino) e *S. Lucia* di Sante Peranda; a sin., *S. Giuliana* di Palma il Giovane e *S. Francesco ricreato dal suono di un angelo* di Girolamo Forabosco. Nel presbiterio: grandioso altar maggiore seicentesco di Baldassare Longhena, con 2 grandi *angeli* in marmo dovuti a Josse Le Court (alla retrostante parete, imponente organo settecentesco); alla parete d., *Annunciazione* di Luca Giordano; alla parete sin., *monumento del patriarca Francesco Morosini* (m. 1678), fastosa opera barocca di Filippo Parodi; nel soffitto, *Gloria di S. Gaetano*, affresco di Mattia Bortoloni. Alle pareti all'esterno del presbiterio: a d., *S. Gregorio Magno e angeli* di Girolamo Forabosco e il *Beato Giovanni Marinoni* di Palma il Giovane; a sin., *S. Gaetano* di Palma il Giovane e *S. Girolamo visitato da un angelo* del fiammingo Johann Liss, uno dei precorritori del Settecento veneziano.

Nella cappella del braccio sin. del transetto: all'altare, *S. Gaetano circondato dalle Virtù che incatenano i Vizi* di Sante Peranda. Alle pareti esterne: a d., *Carità di S. Lorenzo* di Bernardo Strozzi e *Angelo custode* di Pietro Damini; a sin., il *Beato Paolo Buriali* di Niccolò Renieri e *S. Maria Maddalena de' Pazzi* di Sante Peranda. Nella 3ᵃ cappella: all'altare, *Martirio di S. Cecilia* di Camillo Procaccini; alle pareti, *Ss. Agata e Apollonia* e *Storie di S. Cecilia* di Palma il Giovane. Nella 2ᵃ cappella: all'altare, *Cristo in gloria tra la Madonna e S. Pietro* di Palma il Giovane, autore anche delle tele alle pareti. Nella 1ª cappella, alle pareti, tele di Sante Peranda.

Addossato al fianco sin. della chiesa, prospetta sul campazzo dei Tolentini l'*ex convento* dei Teatini, costruito su progetto di Vincenzo Scamozzi (è sede dell'Istituto universitario di Architettura). Restaurato nel 1961-63 da Daniele Calabi (a Carlo Scarpa si deve invece il progetto dell'ingresso dal campazzo, solo attualmente, 1984, in fase di realizzazione), il complesso mantiene all'interno il bel chiostro seicentesco con vera da pozzo. Nell'Aula Magna sono ordinate, con allestimento di Carlo Scarpa, opere di vari artisti moderni tra cui Emilio Vedova, Armando Pizzinato e Mario De Luigi.

Si esce dal campo seguendo il tratto meridionale della fondamenta dei Tolentini e quindi a sin. la *fondamenta Minotto*, aperta sul rio del Gaffaro (uno dei più interessanti esempi di canale affiancato su entrambe le rive da fondamenta). L'edificazione in linea continua presenta episodi molto differenziati, dove a casette unifamiliari si alternano costruzioni di maggiore dimensione ed eleganza. Al N. 151, il gotico *palazzo Oddoni*, del sec. XV, con quadrifora con poggiolo; al N. 143, il seicentesco *palazzo Minotto*, con eleganti inferriate al pianoterra (di fronte, dall'altra parte del rio, la neo-bizantina *casa Torres*, realizzata da Giuseppe Torres nel 1907-1908); al N. 134, il *palazzo Marcello*, notevole costruzione quattrocentesca. Dove il rio volge a d., d'angolo, elegante casa gotica trecentesca con le arcate del portico sull'acqua di gusto bizantino (in fondo a d., al di là del rio, l'alto prospetto di *palazzo Surian*, con due trifore seicentesche sovrapposte). Si tiene dritto nella *salizzada S. Pantalon*, su cui prospettano: a sin., N. 131-131 A, l'*ex Scuola dei Laneri*, ricostruita da Baldassare Longhena nel 1631-33; a d., N. 34-35, il seicentesco *palazzo* della famiglia *Arnaldi*. Preso a d. il ramo campo Mosca, e attraversato diagonalmente il *campiello Mosca*, oltre il ponte sul rio di S. Pantalon si scende nel *campo S. Pantalon*, aperto a sud sul rio di Ca' Foscari.

Sul fronte settentrionale del campo si erge l'incompiuta facciata in mattoni della chiesa di **S. Pantalon** (S. Pantaleone), fondata probabilmente nel sec. XI; ricostruita una prima volta nel XIII, fu rifatta nelle forme attuali, tra il 1684 e il 1704, da Francesco Comino. Dietro il fianco d. si leva l'alto campanile settecentesco, opera di Bartolomeo Scalfarotto, la cella sormontata da tamburo circolare concluso da cupola semiovoidale.

L'interno è un'unica ampia navata con un ordine di semicolonne addossate a pilastri, tra cui si aprono tre cappelle intercomunicanti per lato. Il vasto soffitto (che si prolunga anche nel presbiterio) è decorato da 40 tele (*Martirio* e *Gloria di S. Pantaleone*), fastosa composizione prospettica di Giovanni Antonio Fumiani, che vi lavorò dal 1680 al 1704. Nei mistilinei all'esterno degli archi delle cappelle, *Apostoli* e, alle pareti, *Scene bibliche*, del sec. XVIII.

Sulla controfacciata: *organo* settecentesco concluso da timpano spezzato decorato al centro dalla *Madonna* e ai lati da *angeli* musicanti; a d. dell'ingresso, *Risurrezione di Lazzaro* di Antonio Balestra, *Cristo e la Maddalena* di Gregorio Lazzarini e la *Giustizia* di Alessandro Longhi; a sin., *Cristo ridona la parola a un muto* di Angelo Trevisani, *La conversione di Pietro* di Giovanni Fazioli e la *Fortezza* di Nicola Baldissini; nell'angolo, *S. Pietro e il gallo* del Fazioli e la *Temperanza* del Baldissini. Nella 1ª cappella d. (nei pennacchi all'esterno, gli *apostoli Filippo e Bartolomeo*, dipinti da Jacopo Guarana nel 1779), nel soffitto, *Cristo in gloria* di Giovanni Antonio Fumiani; alle pareti, *Natività di Maria* e *Presentazione al tempio*, rilievi marmorei attribuiti a Giovanni Bonazza, autore anche dell'altare, a ricche volute e fogliami di marmo giallo, con le statue di *S. Anna* e dei *Ss. Gioacchino e Giuseppe*. Nella 2ª cappella: all'altare, *S. Pantaleone risana un fanciullo*, forse ultimo lavoro di Paolo Veronese; alle pareti, *Decollazione* e *Miracolo di S. Pantaleone* di Palma il Giovane; nel lunettone di d., il *santo in prigione* del Fumiani; nel lunettone di sin., *Miracolo del santo* di Gregorio Lazzarini. Nella 3ª cappella (nei pennacchi esterni, *Ss. Taddeo e Matteo*, dipinti da Alessandro Longhi nel 1780), all'altare, *S. Bernardino riceve dagli angeli il simbolo di Cristo*, di Paolo Veronese; alla parete sin., *S. Bernardino fonda l'Ospedale di Siena*, della bottega di Paolo Veronese; alla parete d., quadro di analogo soggetto di G.B. Lambranzi. Sopra le porte ai lati del presbiterio, *Paesaggi* di Luca Carlevarijs e, in alto, due opere di Vincenzo Guarana (a d., *Cristo appare alla Maddalena* e, a sin., *Cena di Emmaus*). All'altare della sagrestia, *Cristo deposto*, tavola attribuita al Padovanino; alla parete, 2 *santi* attribuiti a Giovanni Buonconsiglio.

Nel presbiterio: nel soffitto, *Trionfo dell'Eucarestia* di Giovanni Antonio Fumiani; il grandioso altar maggiore di Giuseppe Sardi (1668-71), ricco di marmi e bronzi, è decorato da statue di Tommaso Ruer (*Ss. Pietro, Paolo, Giovanni Battista* e *Giovanni Evangelista*); alla parete sin., *Moltiplicazione dei pani* di Antonio Molinari; alla parete d., *La piscina probatica* di Louis Chéron; alla parete dietro l'altar maggiore, *Gesù in casa di Maria e Marta*, del Fumiani, e (sotto) *Lavanda dei piedi* e *Ultima cena*, opere della bottega di Palma il Giovane. A sin. della maggiore si apre la CAPPELLA DEL SANTO CHIODO: alla parete d., **Incoronazione di Maria* di Antonio Vivarini e Giovanni d'Alemagna (1444); altare marmoreo di scuola dei Bon (sec. XV), con figure di *santi* nei pinnacoli e una statuetta della *Madonna*, di scuola pisana del '300; nel paliotto, *Deposizione*, altorilievo marmoreo attribuito a Marino Cedrini. Attiguo è l'ORATORIO DELLA SANTA CASA DI LORETO (per la visita rivolgersi al custode), realizzato nella 1ª metà del sec. XVIII e decorato da un ciclo di affreschi giovanili di Pietro Longhi raffiguranti la *Madonna di Loreto*; vi si conserva una *Madonna col Bambino*, scultura in marmo policromo seicentesco di imitazione gotica.

Nella 3ª cappella sin. (nei pennacchi esterni, *Ss. Pietro e Andrea* di Pietro Longhi): all'altare, *La Trinità*, *S. Giovanni Battista* e *S. Pietro* di Gregorio Lazzarini; alle pareti, tele di scuola veneta della fine del sec. XVII; sul soffitto tele del Fumiani. Tra la 3ª e la 2ª cappella, il *Salvatore*, busto marmoreo di arte lombarda del sec. XVI. Nella 2ª cappella (nei pennacchi esterni, gli *apostoli Jacopo Maggiore e Jacopo Minore* di Vincenzo Guarana), all'altare, *Deposizione di Cristo*, opera di Giovanni Antonio Fumiani, rimaneggiata nel XIX sec.; dello stesso sono gli ovali alle pareti (a d. *Il bacio di Giuda*, a sin. *Derisione di Cristo*), e le tre tele con *La Fede, La Speranza* e *La Carità*. Nella 1ª cappella (sui pennacchi esterni, gli *apostoli Tommaso* e *Jacopo* di Alessandro Tonioli), all'altare, *Immacolata* di Niccolò Bambini; alle pareti, *Parabola del buon Samaritano* e *Angelo che punisce gli Ebrei* di Gregorio Lazzarini; del Fumiani, i tre comparti con l'*Eterno* e *Angeli* del soffitto. Seguono, alla parete sin., *Cristo libera un indemoniato* di Angelo Trevisani e l'*Angelo appare a S. Pietro* di Giovanni Fazioli. Sopra la porta del Battistero, la *Prudenza* di Alessandro Longhi; all'interno, *Battesimo di Cristo e decollazione del Battista*, rilievo quattrocentesco.

Sul campo, N. 3708-3707. il *palazzo Signolo*, poi Loredan, del sec. XVI ma successivamente rimaneggiato, con pentafora con poggiolo al piano nobile (sull'angolo verso il rio, tabella in pietra con indicate le lunghezze minime consentite dei pesci posti in vendita al mercato). Dall'altra parte del rio di Ca' Foscari, prospetto gotico con elegante trifora ad archi trilobati e portale bizantineggiante, testata del complesso edilizio bizantino della corte del Fontego (v. pag. 445).

Si segue a d. della chiesa la *calle S. Pantalon*. Subito a d., nel *campiello Angaran* (N. 3718), la *casa Angaran*, con medaglione marmoreo (forse del sec. X) rappresentante un imperatore bizantino (a sin. di questo edificio il sottoportico Paruta conduce nella suggestiva *corte Paruta*, con porticato ligneo su colonne in pietra con capitelli a foglie d'acqua). In fondo alla calle S. Pantalon si prende a d. la *crosera S. Pantalon*: sulla d., N. 3820-21, edificio gotico rimaneggiato, con portale dalle decorazioni in cotto (sec. XV).

Poco oltre diverge a d. la calle della Saoneria dove, N. 3825 E, si apre l'ingresso da terra del seicentesco *palazzo Secco-Dolfin*, con facciata, attribuita per il 2° piano a Domenico Rossi, prospiciente il rio di Ca' Foscari (è sede della foresteria di Ca' Foscari); mantiene all'interno il notevole salone, decorato da grandi specchiere, stucchi e affreschi (utilizzato quale Aula Magna dell'Università, è visitabile previa autorizzazione della Direzione).

Si arriva a un incrocio dove divergono, a sin. la calle della Donna Onesta (v. sotto), e a d. la calle larga Foscari, definita sulla sin. dal lungo, anonimo prospetto dell'edificio, di Brenno Del Giudice (1932-34), sede del Comando dei Vigili del Fuoco (al termine, oltre il ponte sul rio di Ca' Foscari, si raggiunge Ca' Foscari, v. pag. 444).

Oltre l'incrocio, sul tratto terminale di crosera S. Pantalon, a sin. (N. 3911) si apre il bel portale archiacuto del *palazzo Dalla Frescada*, della metà del sec. XV, con notevole prospetto sul rio omonimo. L'edificio, sede del Seminario di Diritto dell'Università di Venezia, mantiene all'interno ambienti con pregevole decorazione a stucchi.

Dalla *calle della Donna Onesta*, oltre il ponte sul rio della Frescada si volge a d. nella *fondamenta del Forner*. Al N. 2925, palazzetto cinquecentesco con trifora e poggiolo; al N. 2902, il cinquecentesco *palazzetto Madonna*, con rilievo della *Madonna*
entro edicola rinascimentale (varcando il ponte al termine della
fondamenta, per la calle Venier o Balbi si raggiunge l'ingresso da
terra, N. 3901, di palazzo Balbi, con facciata sul Canal Grande, v.
pag. 185). Ritornati al ponte in ferro, si segue verso NO la fondamenta per poi piegare a d., lungo la *calle stretta Gallipoli* (o de
Ca' Lipoli), fino a un crocicchio. Da questo, a sin., la salizzada S.
Rocco, chiusa dalle absidi della chiesa dei Frari, conduce al
campo S. Rocco (v. pag. 375). Tenendo invece dritto nello *stretto
Gallipoli*, dominato dal fianco sin. della chiesa, si arriva nel
campo dei Frari, allungato fino al rio omonimo e definito, oltre
che dalla maestosa mole di S. Maria Gloriosa dei Frari, da una
cortina edilizia di pregio: al N. 2998-99, il prospetto, originario
del 1593, dell'ex Scuola della Passione; al N. 3005, a chiusura del
campo dirimpetto al rio, un edificio del sec. XV, rimaneggiato,
dove erano allogate le Scuole dei Milanesi e di S. Francesco.
*S. Maria Gloriosa dei Frari, o S. Maria Assunta, è uno degli
episodi monumentali più importanti della città, e notevole è il
complesso di opere d'arte (dipinti e sculture) che racchiude, testimonianza di cinque secoli di cultura e di storia della Serenissima.
Iniziata nel 1340 e ultimata nell'arco di un secolo, sorse in sostituzione di una precedente chiesa (più piccola e con orientamento
opposto) edificata a metà del sec. XIII dai frati Minori Francescani (Frari). Reca evidenti, nell'intreccio di forme semplici e severe del primo gotico con motivi più eleganti e raffinati del gotico
quattrocentesco, i segni dei mutamenti del gusto architettonico
intervenuti nel corso della sua vicenda costruttiva.

L'area su cui si dispongono la chiesa e l'attiguo ex convento fu donata dal
doge Jacopo Tiepolo nel 1236 ai frati Minori Francescani, giunti a Venezia
intorno al 1220; era occupata in gran parte da una palude che si stendeva
fino alla zona di S. Giovanni Evangelista (era detta Lago Badoer, dal nome
dei proprietari), presso la quale sussisteva, abbandonata, un'antica abbazia benedettina. In questa si insediò la nuova comunità religiosa che,
subito impegnata in una complessa operazione di bonifica e di sistemazione della zona, acquisì nel secolo successivo prestigio e importanza,
come testimonia la decisione di ricostruire in forme più grandiose la chiesa
primitiva.
Il complesso dei Frari, con quelli di S. Giovanni Evangelista, di S. Rocco e
di S. Nicoletto, definì un «continuum» edilizio, oltre il quale i terreni della
grande insula furono utilizzati a orti e giardini; solo nella seconda metà del
sec. XIX insediamenti industriali, prima, e nuove vie di collegamento con la
Stazione ferroviaria, poi, spezzeranno l'unità di questo secolare sistema
costituito da strutture ecclesiastiche, assistenziali e spazi verdi.

La facciata, tripartita da lesene, è conclusa da un coronamento mistilineo con tre edicole cuspidate; grande occhio centrale e due minori ai lati. Il portale, archiacuto, a sguanci decorati, è affiancato da pilieri in pietra d'Istria che reggono le statue della *Madonna col Bambino*, attribuita a Bartolomeo Bon o a Pietro Lamberti, e di *S. Francesco* di scuola dei Bon; sulla cuspide, *Cristo risorto* di Alessandro Vittoria. Lungo il fianco sin., ritmato da pilastri e a vetrate, emergono i volumi della cappella Emiliani (eretta nel 1432) e, alla testata del transetto, della cappella Corner, con portale ogivale dal coronamento di foglie rampanti (nella lunetta, *Madonna tra 2 angeli*, bassorilievo attribuito a Pietro Lamberti). Sovrasta la chiesa il *campanile*, costruito tra il 1361 e il 1396 su progetto di Jacopo Celega e completato dal figlio di questi, Pier Paolo; in cotto, con cella campanaria a trifore, è concluso da un tamburo ottagonale ad archetti ciechi (di m 70, è il più alto di Venezia dopo quello di S. Marco).

Alla chiesa si accede generalmente dal fianco sin.; la visita turistica (orario estivo, feriali 9-12 e 14.30-18 e festivi 15-18; invernale, feriali 9.30-12 e 15-17.30 e festivi 15-17.30) è a pagamento, gratuita la domenica pomeriggio.

L'**interno** (pianta, pag. 370), di m 98 di lunghezza, 46 di larghezza (al transetto) e 28 di altezza, è a croce latina, diviso in tre navate da 12 piloni che sorreggono archi ogivali collegati all'imposta da 'catene' lignee; in alto, sotto le volte a crociera con nervature in cotto, si aprono bifore gotiche; alle pareti delle navate sono addossati grandi monumenti funebri e altari. Il transetto è aperto in 7 cappelle absidali (la maggiore e 6 laterali), che erano affidate a confraternite o a importanti famiglie.

Nella NAVATA MEDIANA, davanti al presbiterio, rimane nella posizione originaria il ***coro dei frati**: iniziato in forme ancora gotiche dalla bottega dei Bon, fu ultimato in stile rinascimentale dai Lombardo nel 1475. Il recinto marmoreo, spartito da eleganti lesene in comparti dorati, con figure di *Santi* e *Profeti*, si apre sul fronte in un'armoniosa arcata classica; sopra la cornice, *Crocifisso* ligneo e statue marmoree della *Madonna*, di *S. Giovanni Battista* e degli *Apostoli*; agli angoli, 2 pulpiti marmorei con angeli sorreggenti i leggii, tutte sculture di bottega dei Lombardo, meno le figure dei Padri della Chiesa, sotto il pulpito d., di mano di Pietro Lombardo (alle pareti laterali del recinto, tele di Andrea Vicentino). All'interno del recinto, 124 stalli lignei di Marco Cozzi (1468), con rilievi con Cristo, la Vergine e santi (probabilmente di collaboratore tedesco), a intarsi. Ai lati, in alto, 2 *organi* settecenteschi, uno di Gaetano Callido (1795) e uno di G.B. Piaggia (1732).

FACCIATA INTERNA. A sin. dell'ingresso (1), *monumento di Alvise Pasqualigo*, procuratore di S. Marco (m. 1528), di Lorenzo Bregno; a d. (2), *monumento di Pietro Bernardo* (m. 1538), di Tullio Lombardo e aiuti, sormontato dal gruppo di *S. Pietro che presenta a Cristo il defunto*; sopra il portale (3), il barocco *monumento di Girolamo Garzoni* (m. 1688 all'assedio di Negroponte), di marmi policromi, carico di ornati e statue allegoriche; nella parte alta della parete, 8 tele raffiguranti *episodi della vita di santi francescani* di Flaminio Floriano (sec. XVII) e, più in basso a sin., *Gloria di S. Francesco* di Pietro Vecchia.

NAVATA DESTRA. Al 1° altare (4), opera alquanto pesante realizzata su progetto di Baldassare Longhena (1673), statue di Josse Le Court; alla pa-

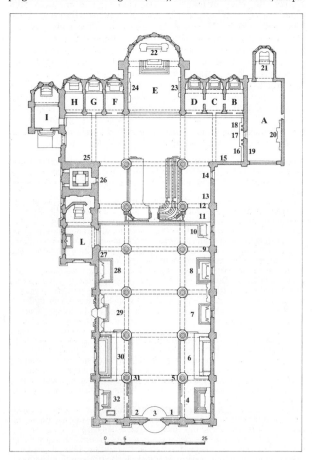

La chiesa di S. Maria Gloriosa dei Frari

rete, a d., *Miracolo di S. Antonio da Padova*, grande tela di Francesco Rosa (1670). Davanti al 1° pilone (5), acquasantiera con la *Mansuetudine*, statuetta in bronzo di Girolamo Campagna (1593). Nella 2ª campata (6), *monumento a Tiziano*, opera accademica di Luigi e Pietro Zandomeneghi (1838-52), eretta sul posto dove, secondo la tradizione, è sepolto il maestro (a forma di arco trionfale, è ornato da statue allegoriche e da bassorilievi riproducenti 3 opere di Tiziano: l'Assunta, S. Pietro martire, Martirio di S. Lorenzo). Al 2° altare (7), rinascimentale, *Presentazione di Maria al tempio e santi* di Giuseppe Salviati. Nella 4ª campata, il *monumento di Almerigo d'Este*, capitano nella guerra di Candia (m. 1660); al 3° altare (8), *S. Giuseppe da Copertino adorante la croce*, pala di Giuseppe Nogari e *S. Girolamo*, marmo di Alessandro Vittoria (firmato), già parte di un insieme architettonico e scultoreo oggi disperso (nelle nicchie ai lati, 2 profeti in stucco). Segue (9) l'*urna di Jacopo Barbaro*, capitano nella guerra del 1480 contro i Turchi (m. 1511), di semplice stile lombardesco. Nella 5ª campata, al 4° altare (10), *Martirio di S. Caterina*, pala di Palma il Giovane. Seguono: (11), *monumento a Marco Zen*, vescovo di Torcello (m. 1641), di ignoto settecentesco; (12), *monumento di Giuseppe Bottari*, vescovo di Pola, di Antonio Pittoni (1708); accanto (13), *monumento di Benedetto Brugnolo* di Legnago (m. 1505), elegante opera lombardesca attribuita a Giovanni Maria Mosca, col ritratto del defunto. Sopra la porta del chiostro (14), *urna* lignea, probabilmente di *Luigi dalla Torre*, ritenuta invece, popolarmente, quella del conte di Carmagnola, il condottiero della Serenissima fatto decapitare dalla Signoria per tradimento.

BRACCIO D. DEL TRANSETTO. Alla parete (15), *monumento a Jacopo Marcello*, generalissimo morto all'assalto di Gallipoli (1484), di Pietro Lombardo e aiuti: sopra l'urna, sorretta da 3 piccole figure virili, sono le statue del defunto in piedi e 2 paggi portascudo; al di sopra, *Trionfo dell'eroe*, affresco monocromo alla maniera di Domenico Morone. Alla parete seguente (16), *monumento del beato Pacifico* (frate Scipione Bon, il leggendario compagno di S. Francesco), attribuito a Nanni di Bartolo e a Michele da Firenze (1437): l'urna pensile, in marmo già dorato, è ornata da bassorilievi (*Risurrezione* e *Discesa al Limbo*) e da statuette (*Virtù*); al di sopra, entro ricchissima lunetta gotica con busti di santi, bassorilievo col *Battesimo di Gesù*; al vertice, statuetta (più antica, sec. XIV) della *Madonna col Bambino*; alla parete, in alto, *Annunciazione*, affresco imitante quello del Pisanello in S. Fermo a Verona e attribuito, come il finto drappeggio tenuto da angeli, a Giovanni Charlier.

Segue la porta della sagrestia, inquadrata dal (17) *monumento di Benedetto Pesaro*, capitano da mar (m. 1503 a Corfù), elegante opera rinascimentale, con la *statua del defunto* armato di Lorenzo Bregno, tra *Marte* di Baccio da Montelupo, *Nettuno* e rilievi simbolici. A sin. (18), *monumento di Paolo Savelli*, patrizio romano al servizio della Repubblica (m. 1405): l'urna gotica, ornata con statue di *angeli* e della *Madonna col Bambino*, è sormontata dalla statua equestre del defunto, in legno dorato e policromo (è la prima statua onoraria dei capitani di ventura della Serenissima). La SAGRESTIA (A), fatta costruire dalla famiglia Pesaro intorno alla metà del sec. XV, è un vasto ambiente rettangolare sfondato in una cappellina absidata. A d., accanto alla porta (19), *tabernacolo della reliquia del Sangue di Cristo*, opera marmorea del sec. XV: la portella in bronzo del ciborio, con il bassorilievo di *S. Maria Maddalena*, è inquadrata in una finta prospettiva architettonica, a sua volta incorniciata da finissimi rilievi floreali; ai lati, *S. Francesco* e *S. Giovanni Battista*, mirabili statuine attribuite a Tullio Lombardo; al di sopra, altorilievo con *Cristo sorretto da 2 angeli*. Di fronte (20), il fastoso *altare delle Reliquie*, eretto a cura di fra' Antonio Pittoni (1711), con *Crocifissione, Discesa dalla croce* e *Deposizione nel sepolcro*, grandi bassorilievi marmorei del Cabianca, e in alto, 2 *angeli* in legno dorato di Andrea Brustolon. Alle pareti: sulla porta a d. dell'altare che immette nella sala Capitolare (v. sotto), *Madonna* del Sassoferrato; a sin. dell'altare, *Sposalizio di S. Caterina*, tavoletta attribuita a Francesco da Santacroce; in fondo, lavabo lombardesco del sec. XVI e *La visita della regina di Saba a Salomone* di Bonifacio de' Pitati. Intorno all'arco trionfale della cappellina, *Annunciazione* di Jacopo da Montagnana, autore probabilmente anche della decorazione monocroma delle pareti e della volta. All'altare (21), **Madonna in trono col Bambino coi Ss. Niccolò, Pietro, Benedetto e Marco e 2 angeli musicanti**, trittico di Giovanni Bellini (firmato e datato 1488) entro cornice originale intagliata da Jacopo da Faenza. Seguono alle pareti, *Adorazione dei Magi* di Bonifacio de' Pitati e *Deposizione* di Niccolò Frangipane (1593).

L'attigua SALA CAPITOLARE è un vasto ambiente gotico, illuminato da finestre a trifore su colonnine binate, aperte sul chiostro della Trinità (v. pag. 375). Alla parete è il gotico *monumento del doge Francesco Dandolo* (m. 1339), decorato sull'urna pensile da un bassorilievo trecentesco su schema iconografico bizantino (*Morte della Vergine*); nella lunetta, *Il doge e la dogaressa Elisabetta presentati alla Madonna dai Ss. Francesco ed Elisabetta*. Nella sala sono custoditi: un *orologio* di Stefano Panata, entro cassa lignea intagliata da Francesco Pianta il Giovane con i segni dello zodiaco e le quattro età dell'uomo; un grande *Crocifisso* ligneo dipinto (sec. XVI ?). Nella vetrina, vesti sacerdotali seicentesche, reliquiari gotici e oggetti liturgici dal sec. XIV al XVIII.

CAPPELLE ABSIDALI DI DESTRA. Nella **cappella Bernardo** (B): all'altare, *Madonna col Bambino e i Ss. Pietro, Paolo, Andrea e Nicola* (in alto, *Pietà*), polittico di Bartolomeo Vivarini (firmato e datato 1482) entro cornice originale; alla parete d., *urna di Girolamo e Lorenzo Bernardo*, di arte gotica del principio del '400 (destinata un secolo dopo ai 2 defunti). Nella **cappella del Sacramento** (C): a d., *tomba di Duccio degli Alberti*, ambasciatore fiorentino a Venezia (m. 1336), di arte gotica del sec. XIV; a sin., *tomba Trevisan* (1337), pure di arte gotica. Segue la **cappella dei Fiorentini** (D): sull'altare, del 1436, polittico in legno dorato e dipinto con, nella nicchia centrale, **S. Giovanni Battista**, notevole scultura lignea di Donatello (c. 1450), ridipinta nell'Ottocento.

Il PRESBITERIO (E) fu ricostruito nel sec. XV con profonda e altissima abside a costoloni e grandi finestre ogivali. Due di queste furono murate quando venne sistemata dietro l'altar maggiore (22), costruito nel 1516, la grande e celebre pala dell'**Assunta**, che Tiziano (cui era stata commessa nel 1516) portò a termine nel 1518. Stupenda nella concezione della composizione dove, al sublime distacco della Vergine che ascende al cielo, fanno contrasto l'agitato stuolo degli Apostoli e la calma celeste delle sfere superiori, l'opera è tra i massimi capolavori del maestro cadorino, anche per la tonalità calda e vibrante del colore, dove dominano il rosso, in tutte le sfumature, e l'oro.

Alla parete d., su uno sfondo di finta tappezzeria (23), *monumento del *doge Francesco Foscari* (m. 1457), di Antonio e Paolo Bregno, nello stile di transizione dal gotico fiorito al Rinascimento. L'urna pensile, collocata sotto un padiglione marmoreo sorretto da 2 paggi reggiscudo e sormontata dalla *statua* giacente *del defunto* attorniata dalle *Virtù cardinali*, è ornata nei riquadri del prospetto da busti delle *Virtù teologali* e, nei fianchi, da *S. Marco* e *S. Francesco* (?); in alto, *Il Redentore con l'anima del defunto tra Gabriele e l'Annunciata*. Alla parete sin. (24), ***monumento del doge Niccolò Tron** (m. 1473), di Antonio Rizzo e aiuti (c. 1476), capolavoro del Rinascimento veneziano. Consta di un prospetto marmoreo a più ordini, terminante con un arco a tutto sesto; nelle 3 nicchie in basso, *statua del doge* in piedi, la *Carità* (a sin.) e la *Prudenza*, tutte di mano del Rizzo; nelle nicchie laterali e in quelle sotto l'arco, statue di paggi reggiscudo e figure allegoriche; al centro, l'urna pensile con la *statua* giacente *del defunto*; nella lunetta, il *Redentore* e, intorno, l'*Eterno*, l'*arcangelo Gabriele* e l'*Annunciata*.

CAPPELLE ABSIDALI DI SINISTRA. Nella **cappella di S. Francesco** (F): all'altare, *Madonna col Bambino in trono tra i Ss. Antonio e Lodovico da Tolosa, Francesco e Bonaventura*, di Bernardino Licinio (1535); alla parete d., *Onorio III conferma l'Ordine di S. Francesco* di Palma il Giovane e, sotto, *urna* trecentesca di Niccolò Leoni (m. 1356); alla parete sin., *Estasi di S. Francesco* di Andrea Vicentino e *5 Santi francescani* di Bernardino Licinio. Nella **cappella Trevisan** (G): all'altare, trittico ligneo con le statue dei *Ss. Antonio, Michele* e *Sebastiano*, di arte veneziana del sec. XV; alla parete d., *monumento di Melchiorre Trevisan* (m. 1500 a Cefalonia), con la statua del condottiero attribuita a Lorenzo Bregno; alla parete sin., l'*Immacolata e santi*, grande tela di Giuseppe Angeli.

Nella **cappella dei Milanesi** (H): sul pavimento, *sigilli sepolcrali* dei confratelli lombardi e *tomba di Claudio Monteverdi* (m. 1643); alla parete d., *S. Ambrogio scaccia gli Ariani* di Giovanni Contarini (firmata); alla parete sin., *S. Ambrogio impedisce a Teodosio I di entrare nel tempio*, del Tizianello; all'altare, **S. Ambrogio in trono tra angeli musicanti e 8 santi* (in alto, *Incoronazione della Madonna*), pala di Alvise Vivarini compiuta da Marco Basaiti nel 1503 (il distico dipinto dice: «Quod Vivarine tua fatale morte nequisti – Marcus Basaitus nobile prompsit opus»). Segue la **cappella Corner** o di S. Marco (I), aggiunta all'originario organismo della chiesa nel 1417. Alla parete di fronte, *monumento di Federico Corner* (m. 1378), benemerito della Repubblica durante la guerra contro Genova, in stile rinascimentale, attribuito a un seguace di Donatello: su uno sfondo a putti a chiaroscuro (affrescati forse dal Mantegna giovane) è l'edicola ornata da un angelo ad altorilievo reggente il cartiglio con la dedica della cappella al Corner. A sin., il fonte battesimale, decorato sul coperchio da *S. Giovanni Battista*, statua marmorea di Jacopo Sansovino (1554); alla parete, *Cristo al Limbo* di Palma il Giovane. All'altare, **S. Marco in trono tra angeli musicanti e i Ss. Giovanni Battista e Gerolamo, Niccolò e Paolo*, trittico di Bartolomeo Vivarini (firmato e datato 1474), forse in parte con l'aiuto della bottega. Alle finestre, resti di vetrate del sec. XV con la *Madonna e 5 santi*.

BRACCIO SIN. DEL TRANSETTO. Sopra la porta, *Strage degli Innocenti* di Andrea Celesti; ai lati, *Crocifisso* e *Giudizio finale*, due opere di Andrea Vicentino. Alla parete sin. (25), *monumento di Generosa Orsini Zen*, lavoro di arte lombardesca; sotto, dossale gotico in legno intagliato, attri-

buito a Lorenzo e Cristoforo da Lendinara (sec. XV); presso il coro, acquasantiera con *S. Francesco*, piccola statua bronzea cinquecentesca.

NAVATA SINISTRA. Sopra la porta del campanile (26), lunetta con *Madonna
e santi*, bassorilievo databile intorno al 1390; alla parete, *Sante e Santi
francescani*, grande tela di Pietro Negri entro cornice marmorea del 1670.
Segue la grande arcata gotica, a fogliami dipinti, d'accesso alla **cappella
Emiliani** o di S. Pietro (L), aggiunta nel 1432 per volontà del vescovo di
Vicenza, Miani o Emiliani. All'altare, grande dossale marmoreo a 2 ordini
di 5 nicchie ciascuno (nel superiore i busti della *Madonna col Bambino* e di
4 *santi*; nell'inferiore le statue di *S. Pietro* e di 4 *santi*), mediocre lavoro
alla maniera dei Dalle Masegne (sec. XV); alla parete di fronte all'ingresso,
monumento del vescovo Pietro Miani o Emiliani, dello stesso stile ed
epoca. Sopra la porta d'uscita, *Crocifisso* del sec. XIV. Si continua con il
monumento di Jacopo Pesaro (27), vescovo di Pafo (Cipro) e comandante
veneziano contro i Turchi (m. 1547), in stile tardo-rinascimentale; nel pilastro di fronte, *Madonna col Bambino*, statuetta alla maniera pisana. Al 2°
altare (28), la ***Madonna di Ca' Pesaro**, notevole pala di Tiziano dipinta
nel 1526: su uno sfondo con 2 enormi colonne che si perdono nell'alto, dove
piccoli angeli sorreggono la croce, le figure dei Ss. Francesco d'Assisi, Antonio da Padova e Pietro e di diversi personaggi della famiglia Pesaro at-
torniano la Madonna seduta in trono col Bambino, luminoso vertice di una
ideale piramide; a sin., un armigero solleva la bandiera di Casa Pesaro e
costringe all'omaggio un prigioniero turco.

Tutta la parete della campata seguente, intorno alla porta laterale (29), è
occupata dal *mausoleo del doge Giovanni Pesaro* (m. 1659), colossale
«macchina» ideata da Baldassare Longhena in marmi policromi, con giganteschi telamoni di mori e caricata di gruppi e figure allegoriche, anche
macabre, sculture marmoree dovute in parte a Melchior Barthel (1669).
Nella penultima campata (30), *monumento di Antonio Canova* (m. 1822),
eseguito dai suoi discepoli (Bartolomeo Ferrari, Rinaldo Rinaldi, Luigi
Zandomeneghi, Jacopo De Martini e Antonio Bosa) nel 1827, su un disegno del maestro, ideato per la tomba di Tiziano. Ha la forma di una piramide innalzata su una base a gradinata ove, intorno alla porta aperta del
mausoleo, sono le statue delle Arti, il leone di S. Marco e il Genio; nell'interno, entro vaso di porfido, è il cuore dell'artista (il corpo è nel Tempio di
Possagno). Al 1° pilone (31), acquasantiera con statuetta di *S. Antonio da
Padova*, bronzo di Girolamo Campagna (1593). Al 1° altare (32), seicentesco, *Crocifisso* e sculture attribuite a Josse Le Court.

A d. della chiesa si estende il grande complesso dell'*ex convento
dei Frari*, detto Ca' Granda, cui si accedeva dal portale gotico
(N. 3003) adiacente alla chiesa; di antica origine, più volte ampliato e ristrutturato (senza modificare l'impianto originario), è
costituito da alti corpi di fabbrica articolati intorno a due chiostri
(della SS. Trinità e di S. Antonio). Il convento, soppresso nel
1810 con decreto napoleonico, dal 1815 è sede dell'Archivio di
Stato; furono allora intrapresi i lavori di sistemazione dell'intero
complesso, cui sovrintese Lorenzo Santi che disegnò anche la
nuova facciata neoclassica sul retrostante rio terrà S. Tomà (v.
sotto).

Serve da accesso al complesso e all'Archivio di Stato (alla Direzione del quale va richiesto il permesso per la visita ai chiostri) il portale al N. 3002, che si apre nell'uniforme prospetto, con fasce marcapiano e 4 finestre a tutto sesto con teste femminili in chiave di volta, derivato da successivi interventi di ristrutturazione delle Scuole di S. Antonio (1439) e dei Fiorentini (1430).

Il 1° *chiostro, della SS. Trinità* (dal fregio sul pozzo), è definito da un porticato a grandi arcate concluso da terrazza balaustrata, edificato a cavallo del Sei-Settecento; al centro, monumentale pozzo di Antonio Pittoni (1714), con statue del Cabianca (dal portico si accede al «refettorio d'estate», vasto ambiente realizzato nel 1480, diviso in due da alte colonne con capitelli gotici che sostengono il soffitto con volte a crociera; restaurato nel 1982, verrà adibito a sala di studio). Attiguo è il *chiostro di S. Antonio*, attribuito a Sansovino, con porticato impostato su snelli pilastri che sostengono arcate a tutto sesto; al centro, pozzo con statua di *S. Antonio* del sec. XVII (da qui si passa in un terzo, piccolo chiostro intorno al quale si articola il convento di S. Nicolò dei Frari o della Lattuga, in ricordo di una guarigione dovuta all'aver mangiato della lattuga nell'orto dei frati francescani; edificato insieme all'omonima chiesa nel 1332, venne soppresso nel 1806 e quindi incorporato nell'Archivio di Stato).

L'**Archivio di Stato** (giorni e orario di apertura, v. pag. 136), uno dei più importanti del mondo, raccoglie (in 300 ambienti) circa 15 milioni di volumi e filze relativi alla storia di Venezia. Vi sono conservati, in particolare: gli archivi dei consigli e delle magistrature, uffici e cariche veneziani dal sec. IX (e regolarmente dal sec. XIII) al 1797; gli archivi dei governi succedutisi dopo la caduta della Repubblica; quelli delle corporazioni (Arti e Scuole) soppresse; l'archivio notarile con protocolli dal tardo Duecento e atti dal sec. XI; archivi gentilizi. Di primaria importanza sono i fondi del Maggior Consiglio, del Senato, del Collegio, del Consiglio dei Dieci, la «Secreta» e la Cancelleria Ducale; quelli delle varie magistrature, della Zecca e dell'Arsenale; le «Lettere Principi», scritte da sovrani stranieri, i «firmani» e documenti turchi; le serie di mappe e cartografie dal sec. XVI.

Dal campo, varcato sul rio omonimo il ponte dei Frari (edificato nel 1428 e ricostruito nell'Ottocento nell'identica forma), si segue a sin. la fondamenta dei Frari, chiusa a d. dall'alta mole del seicentesco *palazzo Cassetti* (degradato). Proseguendo oltre il ponte S. Stin (a d., i prospetti sul rio del palazzo Cassetti e del quattrocentesco *palazzo Zen*, a sin. si raggiunge il *rio terrà S. Tomà*. Sul lato sin., la lunga facciata dell'Archivio di Stato (v. sopra); su quello d., N. 2554, il semplice prospetto dell'ala meridionale del *palazzo Badoer* (di proprietà dell'Istituto universitario di Architettura), che si sviluppa all'interno con un impianto planimetrico anomalo, realizzato tra il XVII e il XVIII sec. con uno schema a Z: il corpo centrale (lasciato a ampia sala) sorge sull'area del cimitero della vicina chiesa di S. Giovanni Evangelista.

Aggirando le absidi della chiesa dei Frari, per la salizzada S. Rocco si raggiunge il *campo S. Rocco* che, non servito da canali, si allunga in forma triangolare tra architetture pubbliche di va-

lore: a d. le absidi stesse dei Frari e la Scuoletta di S. Rocco; a
sin. e sul fondo la Scuola Grande e la chiesa di S. Rocco. Un
tempo spazio concluso e raccolto, oltre che vivace centro di vita
sociale, fu snaturato nell'aspetto e nel carattere dall'intervento
ottocentesco che, spezzando la stretta unità fra la chiesa e la
Scuola, ricavò un passaggio e inserì il campo nel percorso pedonale di collegamento diretto fra questa zona interna e la nuova
Stazione ferroviaria.

La storia del complesso di S. Rocco è legata alla peste del 1477. Nel 1478
venne istituita la Scuola di devozione intitolata a S. Rocco (protettore
degli appestati), i cui confratelli avevano il compito di prestare soccorso e
assistenza durante le epidemie. Nel 1489, avendo raggiunto un considerevole numero di adepti (anche per il trasferimento, nel 1485, delle reliquie
del santo a Venezia), venne dichiarata Scuola Grande e, stretti accordi coi
Francescani dell'attigua chiesa dei Frari, iniziò la costruzione di una propria chiesa e sede (la 'Scuoletta'). Questa, accresciutasi la venerazione del
santo e l'importanza della confraternita, venne successivamente trasferita nel nuovo, più grande edificio costruito, a partire dal 1516, sul fronte
meridionale del campo.

Ogni anno, il 16 agosto, festa del santo, la Signoria si recava a S. Rocco
per assistere alla messa e quindi si trasferiva nella Scuola, dove la confraternita offriva un banchetto; i fori ancora oggi visibili lungo le liste di
marmo del selciato, delimitano il 'corridoio' entro cui passava la processione (nei fori erano infilati i pali di sostegno del velario di protezione dal
sole).

La chiesa di **S. Rocco**, edificata in forme rinascimentali da Bartolomeo Bon a partire dal 1489 (e consacrata nel 1508), fu radicalmente ristrutturata nel 1725 da Giovanni Scalfarotto. Anche
la facciata venne smantellata, e fu ricostruita tra il 1765 e il 1771
su progetto di Bernardino Maccaruzzi, ispirato nelle sue linee generali al prospetto dell'attigua Scuola; tripartita da due ordini di
colonne corinzie, e conclusa al centro da timpano curvilineo, è decorata da statue e rilievi: nelle nicchie in basso, *S. Pietro Orseolo*
e *S. Gherardo Sagredo*, statue di Giovanni Marchiori (firmate); in
quelle in alto, *S. Lorenzo Giustiniani* e il *beato Gregorio Barbarigo*, statue di Antonio Gai; fra queste, *S. Rocco che assiste gli
infermi*, altorilievo di Giovanni Maria Morlaiter; sul coronamento, *S. Rocco* di Giuseppe Torretti e, ai lati, i *beati Pietro Aco-
tanto* e *Girolamo Emiliani*, del Morlaiter. Il portale, a timpano
triangolare, ha nella lunetta un bassorilievo in bronzo (S. Rocco
in gloria), replica moderna dell'originale marmoreo del Marchiori
custodito in chiesa. Sul fianco sin. sono inseriti alcuni elementi
decorativi del portale maggiore della facciata originaria; il campanile, con cella a bifore, appartiene alla fase rinascimentale.

L'interno, rimaneggiato dallo Scalfarotto, è a una navata con due altari
cinquecenteschi per lato (a colonne corinzie binate e timpano); il presbi-

terio con cupola e le cappelle ai lati della maggiore risalgono alla costruzione del Bon. Nel soffitto, *La carità di S. Rocco*, vasta tela di Giovanni
Antonio Fumiani. Sulla controfacciata: ai lati dell'ingresso, entro nicchie,
Davide con la testa di Golia e *S. Cecilia*, statue di Giovanni Marchiori (firmate; 1743); pure ai lati della porta, *Annunciazione* e *S. Rocco presentato
al papa*, già portelle dell'antico organo dipinte da Jacopo Tintoretto
(1577-86); al di sopra, *Ricognizione del corpo di S. Rocco* e *Visita del doge
alla chiesa nel 1576*, due lunette attribuite a Giuseppe Angeli. Al 1° altare
d., *S. Francesco di Paola risuscita un bambino* di Sebastiano Ricci; alla
parete seguente, **La piscina probatica* (1559) e *S. Rocco condotto in carcere* (tele del 1577-84), tutte opere di Jacopo Tintoretto; al 2° altare, *S.
Antonio che riattacca un piede a un giovinetto*, pala di Francesco Trevisani. Nella cappella a d. della maggiore: all'altare, *S. Pio X benedicente*,
pala di Felice Carena (1954); alla parete sin., *S. Rocco in gloria*, lunetta
marmorea di Giovanni Marchiori (1743), già sul portale esterno.
Le pareti del presbiterio sono decorate da grandi tele di Jacopo Tintoretto: a d., **S. Rocco risana gli appestati* (1549) e *S. Rocco risana gli animali* (1567); a sin., *S. Rocco confortato dall'angelo* (avanti il 1567) e *S.
Rocco nel deserto*. Altar maggiore rinascimentale in marmi preziosi, di
Venturino Fantoni e figli (1517-24): nell'urna, sormontata dalla statua in
marmo di *S. Rocco*, attribuita a Bartolomeo di Francesco da Bergamo, e
ornata sul fronte da tre dipinti di Andrea Schiavone (*Storie di S. Rocco*), si
conservano le reliquie del santo; nelle nicchie laterali, *S. Pantaleone* e *S.
Sebastiano*, sculture di Giovanni Maria Morlaiter. Ai lati dell'altare,
gruppi di putti, unico resto degli affreschi del Pordenone che decoravano il
presbiterio e la cupola (quelli della lunetta dell'abside e della cupola furono
rifatti nel sec. XVIII da Giuseppe Angeli). I ricchi dossali lignei intagliati
sono attribuiti in parte a Giovanni Marchiori.
Dopo la cappella laterale sin. si apre l'ingresso al corridoio della sagrestia,
con il *monumento di Pellegrino Baselli* (1517) di Bartolomeo Bon e, a sin.,
S. Sebastiano, affresco del Pordenone (1529). La sagrestia, di Giorgio Fossati (1748), è adorna di stucchi settecenteschi e di pitture di Francesco
Fontebasso (nel soffitto, *Gloria di S. Rocco*, le 3 *Virtù teologali* e un *angelo*).
Si torna in chiesa: al 2° altare sin., *Annunciazione* di Francesco Solimena;
alla parete seguente, *Cacciata dei mercanti dal Tempio* di Giovanni Antonio Fumiani e, in alto, *Ss. Martino e Cristoforo*, tavola del Pordenone
(1528), tra la *Strage degli innocenti* e altra affollata scena, affreschi dello
stesso; al 1° altare, *Invenzione della Croce*, opera tarda di Sebastiano
Ricci.

A d. della chiesa sorge il piccolo edificio della *Scuoletta di S. Rocco*, eretta
alla fine del sec. XV come luogo di riunione della omonima confraternita
(nella nicchia, statua di *S. Rocco*).

La *Scuola Grande di S. Rocco fu costruita, a partire dal 1516,
su progetto di Bartolomeo Bon, che diresse i lavori fino al 1524
quando fu sollevato dall'incarico per divergenze col Capitolo (a
lui si devono il piano terreno della fabbrica e l'ordine inferiore
della facciata con il porticato laterale). I lavori proseguirono
sotto la direzione di Sante Lombardo e, dal 1527 fino alla sua

morte (1549), dello Scarpagnino che, in linea di massima, ultimò
la costruzione con l'erezione del piano superiore (col rispettivo
prospetto sul campo) e della facciata posteriore; ulteriori lavori
di rifinitura furono eseguiti fra il 1549 e il 1560 da Gian Giacomo
de' Grigi.

La facciata sul campo riflette in modo eloquente la diversità di linguaggio
del Bon e dello Scarpagnino: il prospetto del pianterreno infatti, con le
bifore e le decorazioni marmoree che rimandano al Codussi e al gusto del
primo Rinascimento, appare più semplice e meno carico di dettagli del
piano superiore (iniziato per la parte architettonica nel 1535, data sul capitello d'angolo), dove la ricchezza e la varietà dei motivi ornamentali sembrano anticipare il barocco. Dello Scarpagnino è pure il portale maggiore
con timpano triangolare. Più coerente si presenta la facciata posteriore,
con portico aperto sul rio e semplici lesene.

Chiusa alla caduta della Repubblica, la Scuola venne riaperta nel
1806; all'interno conserva l'importante decorazione pittorica originale costituita, fra l'altro, dal notevole ciclo di teleri dipinto da
Jacopo Tintoretto tra il 1564 e il 1587, testimonianza fra le più
significative del manierismo italiano di ambito sacro (vi si accede
dal portale del fianco d.; giorni e ore di visita, pag. 136). Passato
il salone terreno (che, per seguire l'ordine cronologico della decorazione, si visiterà al ritorno), si sale al piano superiore. Il grandioso SCALONE, ideato dallo Scarpagnino (1544-46), è a due
rampe parallele che, dopo il pianerottolo, si riuniscono in un'u-
nica rampa larga il doppio, con volta a botte interrotta da cupoletta (affrescata, come i pennacchi, da Girolamo Pellegrini); alle
pareti: a d., *La peste del 1630*, di grandioso impianto scenografico, capolavoro di Antonio Zanchi (firmato e datato 1666); a sin.,
*Venezia e suoi santi patroni pregano la Vergine perché faccia ces-
sare il flagello* di Pietro Negri (1673). Al termine dello scalone,
per una elegantissima arcata marmorea a colonne binate, si
entra nel salone Maggiore, pag. 379. Da questo, per un ricco portale in fondo alla parete sin., si passa nella SALA DELL'ALBERGO,
la prima decorata da Tintoretto (1564-66).

Al concorso, bandito nel 1564 per la decorazione del comparto centrale del
soffitto, avevano partecipato Paolo Veronese, Andrea Schiavone, Giuseppe Salviati, Federico Zuccari e Tintoretto. Quest'ultimo, in luogo del
bozzetto, presentò già posta in opera la tela compiuta e, per calmare le
proteste, dichiarò di volerla offrire a S. Rocco. In seguito, vinte le resistenze di una corrente avversa, gli venne affidata l'intera decorazione del-
l'ambiente.

Nel ricchissimo soffitto ligneo intagliato e dorato, *S. Rocco in
gloria*; nei comparti minori, Virtù, cherubini e allegorie delle
Scuole Grandi di S. Marco, S. Giovanni Evangelista, S. Teodoro

e della Misericordia; intorno, fregio a festoni di frutta e putti (un frammento di questo, trovato in occasione di restauri ripiegato dietro un telaio, è visibile su un pancone). Sulla parete di fronte all'ingresso, *Crocifissione, una delle poche opere firmate e datate (1565) del maestro. Alla parete d'ingresso: *Cristo davanti a Pilato, Ecce Homo e Salita al Calvario; alle pareti laterali, entro finte nicchie, 2 Profeti.

Intorno alla sala, in basso, dossali lignei cinquecenteschi intagliati. Su cavalletti, *Cristo portacroce, dipinto variamente attribuito a Giorgione e a Tiziano (già nella chiesa di S. Rocco e venerato come miracoloso), e Ecce Homo, opera giovanile di Tiziano.

Si torna nel SALONE MAGGIORE, grandioso ambiente rettangolare illuminato da bifore; fu decorato da Tintoretto tra il 1576 e il 1581 (a d. della porta dell'Albergo, *Autoritratto del maestro, dipinto nel 1573). Negli scomparti del ricco soffitto, in legno intagliato e dorato, sono 21 tele dipinte da Tintoretto tra il 1576 e il 1578. Procedendo dal fondo verso l'altare: Adamo ed Eva, Visione di Mosè, Mosè fa scaturire l'acqua dalla rupe, Passaggio del Mar Rosso, Giona esce dal ventre della balena, Visione di Ezechiele, Il castigo dei serpenti (la prima opera dipinta per questa sala), Visione di Giacobbe, Sacrificio di Isacco, Elia nutrito dagli angeli, Caduta della manna, Eliseo distribuisce i pani, La Pasqua degli Ebrei; negli scomparti minori romboidali, 8 dipinti a chiaroscuro, in gran parte ridipinti da Giuseppe Angeli nel sec. XVIII.
Alle pareti, tra le finestre, *storie del Nuovo Testamento realizzate da Tintoretto fra il 1578 e il 1581: di fronte all'ingresso (dall'angolo di fronte all'altare, a sin.), Ultima Cena, Orazione nell'orto, Risurrezione, Battesimo, Natività; di fronte all'altare, S. Sebastiano e S. Rocco; alla parete d'ingresso (da d. a sin.), Cristo tentato, Piscina probatica, Ascensione, Risurrezione di Lazzaro, Moltiplicazione dei pani e dei pesci.

All'altare, eretto da Francesco Fossati nel 1588, Gloria di S. Rocco di Tintoretto, tra S. Sebastiano e S. Giovanni Evangelista, statue di Girolamo Campagna; dello stesso i 2 Profeti, incompiuti, sulla balaustrata, chiusa da portelle in bronzo di Giuseppe Filiberti. Ai lati, su cavalletto, Annunciazione di Tiziano (1525) e Visitazione di Tintoretto; davanti alla balaustrata, pure su cavalletto, *Abramo e gli angeli e Agar abbandonata, opere giovanili di G.B. Tiepolo. Alle pareti del presbiterio, dossali in legno con 24 Storie di S. Rocco, intagliate da Giovanni Marchiori (1741), uno dei capolavori della scultura veneziana del '700. Intorno alla sala, dossali lignei intagliati, contro i quali sono disposte, alla parete di fronte all'ingresso, 12 cariatidi in legno, scolpite da Francesco Pianta il Giovane, tra cui, verso l'altare, la divertente caricatura di Jacopo Tintoretto e l'autoritratto del Pianta, in atto di levarsi la maschera. Alla parete di fronte all'altare,

Giosuè, curiosa statua lignea pure del Pianta. Inoltre: baldacchino processionale della Scuola in broccato d'oro (1705) e fanaloni. Il pavimento in
marmi policromi venne rifatto su disegno di Pietro Saccardo nel 1885-90.
Nella parete dell'ingresso, tra lo scalone e l'altare, si apre l'accesso alla
CANCELLERIA (attualmente, 1984, chiusa in attesa di restauri), elegante
ambiente settecentesco: nel ricco soffitto a stucchi, *S. Rocco in gloria* di
Giuseppe Angeli e, alla parete, *S. Rocco* di Bernardo Strozzi. Dalla porta a
d. dello scalone si sale all'ambiente costruito, nel 1775 da Giorgio Fossati,
per custodire il Tesoro della Scuola (attualmente, 1984, chiuso in attesa di
restauri); questo, costituito da un nucleo di oreficerie e suppellettili sacre
(resto della più ricca raccolta, parzialmente dispersa dopo la soppressione
della confraternita), è in parte esposto nel salone terreno.

Si scende nel vasto SALONE TERRENO, diviso in tre navate da due
file di colonne corinzie, su plinti ottagonali di marmi policromi; le
8 grandi tele che decorano l'ambiente furono le ultime dipinte da
Tintoretto per la Scuola (1583-87). Da sin.: *Annunciazione, Epifania, *Fuga in Egitto, Strage degli innocenti, *S. Maria Maddalena, *S. Maria Egiziaca, Circoncisione, Assunzione (sotto
questa tela si apre l'accesso alla sala del Guardiano di Matin, tipico ambiente settecentesco con dossali e armadi lignei alle pareti). All'altare in fondo alla sala, *S. Rocco*, statua di Girolamo
Campagna (1587), e ai lati, 4 *Santi*, piccole statue di scuola lombardesca del principio del sec. XVI; nelle bacheche al centro, porcellane e oggetti liturgici facenti parte del Tesoro (v. sopra).

Usciti dalla Scuola, seguendo a sin. della chiesa la calle del Tintoretto si
raggiunge un incrocio dove divergono a sin. la calle di Castelforte e a d. la
calle S. Nicoletto. Al termine della *calle di Calstelforte* si apre a sin. il
campo omonimo, suggestivo incrocio di rii con l'approdo a gradinata.
Chiuso sul fondo dal portico laterale della Scuola Grande di S. Rocco, è
definito a sin., N. 3105-3108, da un cinquecentesco edificio per abitazioni
costruito dallo Scarpagnino per la confraternita di S. Rocco (mono-
gramma in facciata).
La *calle S. Nicoletto* si addentra nella zona un tempo chiamata «chiovere
di S. Rocco» (dai chiodi, o paletti di legno, su cui si tiravano le corde per
stendere) e appartenente al convento dei Frari (il toponimo della calle deriva dal piccolo complesso conventuale di S. Nicolò della Lattuga, qui
eretto nel 1332; parzialmente demolito dopo la soppressione napoleonica,
è ora inglobato nell'Archivio di Stato). Prendendo a sin. il ramo S. Nicoletto, si raggiunge la *calle dietro l'Archivio*, limite orientale di una vasta
area (già parte delle «chiovere») occupata a metà del sec. XIX dall'insediamento industriale «Società Neville»; dopo la liquidazione di quest'ultima,
la zona passò al Comune che vi fece edificare un quartiere di edilizia popolare, realizzato fra il 1909 e il 1912 mutuando elementi della tradizione
costruttiva veneziana (i lunghi, paralleli corpi di fabbrica sono intervallati
da calli e giardini comuni).

Dal crocicchio presso il transetto sin. della chiesa dei Frari (v.
pag. 368), si segue verso SE la *calle larga Prima*, con gli edifici

del fronte sin. sporgenti su barbacani. Volgendo a sin. e quindi a d. nel ramo dei Calegheri, si sbocca nel *campo S. Tomà*, di forma rettangolare, sui cui prospettano l'ex Scuola dei Calegheri (subito a d.) e la chiesa di S. Tomà (sul fondo).

L'*ex Scuola dei Calegheri* (calzolai; ora, 1984, in restauro) fu costruita nella 2ª metà del sec. XV, con una semplice facciata a capanna in mattoni a vista; nella lunetta del portale, *S. Marco che guarisce S. Aniano*, patrono della confraternita, bassorilievo datato 1478 attribuito a Pietro Lombardo. Sopra a questo, nel 1928, è stata inserita una *Madonna della Misericordia adorata dai confratelli*, databile alla metà del sec. XIV. All'interno, nella sala superiore, rimangono resti di affreschi quattrocenteschi (*Annunciazione* e *Santi*).

La chiesa di *S. Tomà* (S. Tommaso), fondata nel sec. IX, fu più volte ricostruita e rimaneggiata (l'ultima nel sec. XVIII); l'attuale prospetto venne progettato da Francesco Bognolo nel 1742. Sul fianco sin., *Madonna della Misericordia*, bassorilievo marmoreo del sec. XV; sul fianco d., frammento di un sarcofago Priuli del 1375 (a d. della chiesa sorgeva il campanile trecentesco; demolito per motivi statici, ne è visibile la parte inferiore su cui è stato costruito un campaniletto a vela). L'interno (attualmente, 1984, chiuso al culto e in restauro), a una navata d'aspetto tipicamente settecentesco, ha il soffitto decorato da un affresco di Jacopo Guarana (*Martirio di S. Tommaso*); all'altar maggiore, *Incredulità di S. Tommaso* di Antonio Zanchi e, ai lati, *Ss. Pietro* e *Tommaso*, sculture di Gerolamo Campagna (1616).

Prendendo a d. della chiesa la calle del Campaniel, e quindi a sin. la stretta calle del Traghetto Vecchio, si raggiunge il pontile dei vaporetti che percorrono il Canal Grande (volgendo le spalle al canale, dal pontile si vedono a d. palazzo Dolfin e, a sin., i palazzi Dandolo e Civran, v. pag. 185).

Si esce dal campo percorrendo, a sin. della chiesa, la calle del Traghetto che, dopo breve, si apre a sin. nel campiello S. Tomà (v. sotto). Proseguendo da qui lungo la calle, lasciato a sin. il ponte sul rio S. Tomà (dal ponte si vede a sin. la facciata archiacuta del palazzo Centani, v. sotto), a d., per la fondamenta del Traghetto (al N. 2812, l'imponente prospetto del seicentesco *palazzo Morosini*), si arriva al Canal Grande: a d., N. 2810, il *palazzo Marcello dei Leoni*, cosiddetto dai due leoni, frammenti romanici del sec. XIII, murati ai lati della porta.

Attraversato il *campiello S. Tomà* (v. sopra), si segue a d. la fondamenta omonima e, oltre il ponte S. Tomà, la *calle dei Nomboli*. A d., N. 2793, si apre l'ogivale portale del quattrocentesco **palazzo Centani** (già Rizzo e Zentani), dove il 26 febbraio 1707 nacque Carlo Goldoni.

Acquistato nel 1914 da un comitato di cittadini, il palazzo fu donato alla città nel 1931 e dal 1953 ospita l'Istituto di studi teatrali «*Casa Goldoni*», che raccoglie i cimeli e il materiale bibliografico di carattere teatrale di proprietà dei Civici Musei (giorni e orario di apertura, pag. 137). Nel cortile, elegante scala scoperta quattrocentesca e vera da pozzo con teste leonine.

Al termine della calle il rio terrà dei Nomboli, a sin., e la calle dei
Saoneri, a d., portano al rio di S. Polo, importante corso d'acqua
che, cambiando nome, taglia da S a N i sestieri di S. Polo e di S.
Croce; mettendo in comunicazione il tratto meridionale del Canal
Grande con quello settentrionale, rappresenta una via di rapido
collegamento fra la zona di S. Marco e quella di Cannaregio. Dal
ponte, rifatto nel 1775, si osservano: a sin., il poderoso affaccio
sul rio di palazzo Corner (v. pag. 383) e, sulla riva opposta, l'originale facciata in mattoni a vista del *palazzo Morolin* (sec. XV-XVI),
con elementi architettonici di epoche diverse; a d., un altro *palazzo Corner*, con tre grandi balconi rinascimentali.

Al di là del ponte si continua nella *salizzada S. Polo*, su cui prospettano: a d. il campanile della chiesa omonima; a sin., oltre la
calle e corte del Cafetier (v. sotto), la settecentesca facciata del-
l'oratorio del Crocifisso, incorporato nella chiesa di **S. Polo** (S.
Paolo Apostolo), che sulla salizzada volge il fianco destro. Fondata nel sec. IX col prospetto verso il rio di S. Polo, venne modificata nel sec. XV con l'inserimento di elementi gotici sull'originario impianto bizantino. Nel 1804 si attuò, a cura di Davide
Rossi, un radicale intervento di ristrutturazione che adattò
forme e rivestimenti neoclassici al preesistente organismo; nel-
l'occasione venne anche rifatto il paramento esterno della zona
absidale (nell'edicola cinquecentesca, statua di S. Paolo). Della
costruzione quattrocentesca rimangono: in facciata, il rosone e il
rilievo di un angelo (sono visibili dalla corte del Cafetier, v. sopra,
salendo le scale di abitazioni private che occupano questo spazio,
antico campo-sagrato); le monofore delle navate e, lungo il fianco
d., il portale archiacuto. Questo, decorato con figure di angeli e
motivi floreali, è attribuito a Bartolomeo Bon (o alla sua bottega).

Il campanile fu eretto nel 1362; a canna lesenata in cotto, con
cella campanaria a trifore, tamburo poligonale concluso da cuspide conica, è decorato alla base da 2 *leoni* stilofori, forse del
primitivo portale della chiesa (sec. XII).

All'interno un restauro del 1930 ha cancellato in parte la fase neoclassica.
A pianta basilicale, è diviso in tre navate da colonne ottocentesche, architravate, reggenti il soffitto ligneo a carena di nave (sec. XV) della navata
centrale (in quelle laterali la copertura è a travicelli). Sulla controfacciata,
organo di Gaetano Callido (1763); a sin., *Ultima Cena* di Jacopo Tintoretto
e, a d., *Battesimo di Costantino* di Paolo Piazza. Al 1° altare d., *Assunta e
santi* di Jacopo Tintoretto e bottega; al 2°, *Madonna col Bambino*, marmo
di Pietro Zandomeneghi.
A d. della maggiore si apre la cappella del Sacramento, elegante costruzione di arte lombardesca, decorata, nel semicatino dell'abside e nella
volta, da affreschi settecenteschi; alle pareti, *Lavanda dei Piedi*, *Preghiera nell'orto*, *Salita al Calvario* e *Deposizione*, opere del Salviati. Nel

presbiterio, all'altar maggiore, *Crocifisso* dipinto su tavola sagomata, di arte veneziana del primo Quattrocento, fra i *Ss. Paolo e Antonio abate*, sculture bronzee di Alessandro Vittoria; in fondo all'abside, *Conversione di S. Paolo* di Palma il Giovane, di cui sono anche le tele alle pareti (a d., *Tentazione di S. Antonio abate e Liberazione del santo*; a sin., *Consegna delle chiavi a S. Pietro* e *Il santo invia S. Marco a predicare ad Aquileia*). Nella cappella a sin. della maggiore, *Sposalizio della Vergine*, pala di Paolo Veronese. Al 3° altare sin., *Predica di S. Paolo* di Paolo Piazza; al 2°, *La Vergine appare a S. Giovanni Nepomuceno* di G.B. Tiepolo (1754). All'inizio della navata sin., frammenti ornamentali della chiesa più antica. Dalla controfacciata, per quello che era l'ingresso principale della chiesa, si accede al settecentesco oratorio del Crocifisso. Vi sono custodite tutte opere di Giandomenico Tiepolo: verso il settecentesco altare, *S. Stefano, S. Domenico, S. Marco e S. Filippo Neri*; lungo le altre pareti, *Via Crucis* (1749); nel soffitto, *Gloria di angeli* e *Risurrezione di Cristo*.

La zona absidale della chiesa prospetta sul vasto **campo S. Polo**, il più grande della città, la cui forma a parziale emiciclo fu determinata dall'andamento curvilineo di un rio (interrato nel 1761) che correva lungo la palazzata orientale. Ancora oggi vivace centro di vita quotidiana, di manifestazioni e di spettacoli, il campo fu in passato teatro di feste popolari, cacce al toro, cerimonie religiose, spettacoli teatrali, oltre che sede secondaria di mercato.

Il processo di urbanizzazione di questa zona iniziò nel IX sec. con la crescita del primitivo nucleo attestato sul rio S. Polo e sull'ortogonale (a S) rio Priuli; successivamente si sviluppò il settore settentrionale. Nel '400 venne edificata la palazzata orientale, uno dei maggiori episodi d'edilizia civile del gotico veneziano; è costituita da una serie di unità edilizie giustapposte, con il medesimo impianto articolato intorno a corti interne (prima dell'interramento del rio, v. sopra, erano collegate al campo da ponti privati).

Si costeggia il fronte occidentale del campo, definito dal retro della chiesa e da edifici privi di particolari pregi architettonici, fra cui un'alta casa di abitazioni ottocentesca. Oltre la stretta calle Corner, sul fronte N, si apre, N. 2128, l'ingresso dell'imponente *palazzo Corner*, sede della Guardia di Finanza; costruito da Michele Sanmicheli intorno alla metà del sec. XVI, affaccia sul rio di S. Polo (v. pag. 382) un elegante prospetto con bugnato a pianoterra e due piani a balconata con alta serliana al centro. Seguono l'*ex tipografia Tasso* (1840), con sobria facciata neoclassica conclusa da terrazza con statue sulla balaustrata, e (N. 2168) un altro edificio concluso da balaustrata dove nell'Ottocento era allogata una fabbrica di birra (rimane l'insegna a mosaico).

Prendendo a d. di quest'ultimo il rio terrà S. Antonio, per i successivi ramo e calle di Ca' Bernardo si raggiunge il ponte omonimo: a sin., la bella facciata archiacuta di *Ca' Bernardo* (sec. XV), cui si accede dal portale go-

tico sul ponte (N. 2195) o dalla calle (N. 2184), dove il portale immette
nella corte porticata con scala a chiocciola in pietra.

All'inizio del lato orientale, N. 2177, *palazzo Donà*, del primo
'500, con portale archiacuto del sec. XIV. Seguono, numeri
2170-71 e 2169, i due *palazzi Soranzo*, cospicui esempi di architettura gotica; mentre nel primo, dell'inizio del '400, gli elementi
costruttivi e ornamentali risentono ancora della lezione trecentesca (in modo particolare negli architravi dei due portali), nel
secondo, della metà del sec. XV, la ricerca compositiva e gli elementi decorativi rimandano al gotico fiorito (notevole l'ottafora
al 1° piano). Al N. 1957, il *palazzo Maffetti-Tiepolo*, ricostruzione
tardoseicentesca, attribuibile a Domenico Rossi, di un edificio
trecentesco di cui conserva l'impianto planimetrico; la facciata,
con bugnato a pianoterra, è caratterizzata dal ritmo serrato dei
balconi con teste in chiave d'arco. Infine, all'inizio del fronte sud,
N. 1991, un'elegante costruzione rinascimentale con bifora lombardesca d'angolo.

Si esce dal campo S. Polo seguendo, dall'angolo SE, il sottoportico e la calle della Madonnetta; nel successivo *campiello dei Meloni*, definito da abitazioni di origine gotica, con un fronte avanzato su barbacani, sulla d., d'angolo con la calle larga della Malvasia, raro esempio di edificio medievale a blocco costituito da
tre unità abitative indipendenti.

La calle larga della Malvasia termina nella *calle Papadopoli*, che si imbocca verso destra. A sin., N. 1365, l'ingresso al giardino del *palazzo Papadopoli*, già Coccina e Tiepolo, elegante costruzione attribuita a Gian
Giacomo de' Grigi (metà sec. XVI) pesantemente ristrutturata nel 1874-75;
della struttura originaria mantiene l'elegante facciata sul Canal Grande
(v. pag. 179), con due piani di serliane affiancate da finestre timpanate, e
concluse da guglie (attualmente, 1984, è sede del Provveditorato agli
Studi).
Al termine della calle Papadopoli si innesta la calle Dolera atorno al Brusà,
in fondo alla quale è l'ingresso (con stemma gotico della famiglia Petriani)
della *corte Petriana*, in origine spazio privato, con notevole vera da pozzo
rinascimentale; parte del blocco edilizio conserva l'originale struttura gotica (qui, nel 1650, sorse un teatro di origine borghese per rappresentazioni di opere in musica). La seguente calle del traghetto della Madonnetta
raggiunge il Canal Grande, su cui prospettano i *palazzi Donà della Madonnetta* e *Donà*, che definiscono rispettivamente il lato d. e sin. della calle;
tipici esempi di case-fondaco, risalgono all'edificazione tardobizantina
(sec. XIII) delle rive del Canal Grande tra Rialto e S. Polo; le facciate (v.
pag. 181) conservano elementi della costruzione originaria.

Dal fondo del campiello dei Meloni, varcando il rio omonimo, la
stretta calle di Mezzo conduce a d. al suggestivo *campo S.
Aponal*. È dominato sul fondo dal campanile e dal prospetto della
chiesa di *S. Aponal* (S. Apollinare), attualmente (1984) sede

dell'Archivio del Comune e non visitabile. Eretta nel sec. XI e ricostruita in forme gotiche nel XV, presenta una semplice facciata in mattoni a vista, tripartita da lesene, con coronamento mistilineo ornato da 5 edicole con statue; in alto, *Crocifisso* marmoreo del tardo '300 e, sopra il portale (1943), *Cristo in croce, santi e scene della vita di Cristo*, rilievo marmoreo (1294 ?) qui inserito da altra sede. Il campanile, di origine veneto-bizantina, con cella a trifore, fu modificato nella parte terminale nel 1467, con l'aggiunta del tamburo ottagonale con tetto a falde.

A sin. della chiesa, N. 1252, edificio rimaneggiato già sede della Scuola dei Tagliapietra; decorato in alto da un rilievo con 4 santi, presenta l'originario portale, ridotto a finestra, con iscrizione scolpita sull'architrave.
Sul fronte N del campo si apre il sottoportico della Madonna, con epigrafe in legno posta nel 1830 a ricordo del soggiorno a Venezia nel 1177 di papa Alessandro III.

Si segue a d. della chiesa la calle dell'Olio e, lasciato a d. il rio terrà S. Silvestro che conduce al campo omonimo (v. pag. 386), si prosegue nella rughetta del Ravano e nella successiva ruga vecchia S. Giovanni (v. pag. 346). Al termine di questo percorso, che avvicinandosi a Rialto si allarga progressivamente con le facciate degli edifici avanzate su barbacani, volgendo a d. nella ruga degli Orefici si raggiunge il ponte di Rialto (v. pag. 330).

3.3 Da Rialto al ponte degli Scalzi per la riva del Vin e S. Giovanni Evangelista

Dal ponte di Rialto si tiene verso SO (per la pianta dell'itinerario, v. pag. 341), imboccando la *riva del Vin* che, con l'opposta riva del Carbon, definisce l'unico tratto (dopo quello della Stazione ferroviaria) in cui il Canal Grande è affiancato da percorsi pedonali su entrambe le sponde. Un tempo caratterizzata da case-fondaco bizantine di famiglie patrizie, la riva si presenta oggi delimitata da edifici di modesto interesse architettonico, alcuni ricostruiti nell'Ottocento (il palazzo al N. 737 è del 1840-44). L'organizzazione dei blocchi edilizi, sviluppati in profondità in lunghi e stretti isolati alternati a calli di servizio (serrate da alti prospetti sporgenti su barbacani), ricalca il tessuto urbano di origine bizantina, consolidato in epoca gotica con l'edificazione delle unità fondiarie che si svolgevano alle spalle degli edifici attestati sul Canal Grande. Modificazioni di diversa entità hanno interessato l'opposta riva del Canal Grande, dove si riconoscono, da d. a sin., i palazzi Dolfin-Manin, Bembo, Loredan e Ca' Farsetti (v. pagg. 174, 176, 178). Quasi al termine della riva, si apre a d. l'ampio rio terrà S. Silvestro.

Nell'ultimo tratto della riva del Vin, sul fondo, N. 1099, si trova l'ingresso al giardino del neogotico *palazzo Ravà*, opera di Giovanni Sardi (1906). È questo il sito dove un tempo sorgeva il palazzo dei patriarchi di Grado, che tennero qui la loro dimora dal 1156 al 1451 (in quell'anno, soppresso il titolo gradese, la cattedra vescovile veneziana di S. Pietro di Castello fu innalzata al titolo patriarcale).

Si prosegue lungo il *rio terrà S. Silvestro*, interrato nel 1844-45 nel corso della complessa operazione di modifica del sistema viario condotta dal secondo governo austriaco privilegiando i percorsi pedonali rispetto a quelli acquei; in questa zona furono chiusi i canali che, collegando il Canal Grande (a SE) al rio delle Beccarie (a NO), separavano nettamente l'insediamento realtino dalle zone di S. Silvestro e di S. Aponal.

Nel tratto successivo, che volge a sin., si vede la chiesa di *S. Silvestro*, fondata nel sec. IX, più volte ristrutturata e completamente ricostruita, con cambio di orientamento, fra il 1837 e il 1843 su progetto di Lorenzo Santi (nulla rimane delle fasi precedenti, eccettuato, forse, il frammento di colonna con capitello veneto-bizantino murato nella parete verso il rio terrà). La facciata (ultimata nel 1909) a due ordini di lesene, doriche e corinzie, conclusa da timpano, è ornata da grandi stemmi e dalla statua di S. Silvestro. Sulla d., inglobato nella fabbrica, il campanile a canna lesenata, con cella a bifore.

Il neoclassico interno, realizzato dal Santi con l'intervento successivo di G.B. Meduna, è a una navata con le pareti scandite da lesene di marmo giallo, come le colonne sostenenti l'arco sopra l'ingresso e l'arco santo. Al 1° altare d., *Battesimo di Gesù* di Jacopo Tintoretto (c. 1580); al 2°, *Sacra Famiglia* di Carl Loth (1681). Fra i due altari, chiuso da un cancello in ferro, è l'ingresso all'ex SCUOLA DEI MERCANTI DI VINO, costruzione del sec. XVI (da alcuni attribuita a Giannantonio Ciona) in origine indipendente dalla chiesa (per la visita rivolgersi al custode); dalla sala inferiore, adattata a Battistero, si accede a quella superiore, decorata da tele di Gaspar Rem (alle pareti) e di Gaspare Diziani (nel soffitto).

All'altar maggiore, 2 *angeli* adoranti, marmi di Luigi Ferrari (sec. XIX). Al 2° altare sin., *S. Silvestro battezza Costantino* di Sebastiano Santi; al 1°, *S. Tommaso Becket in trono e angeli suonatori*, tavola di Girolamo da Santacroce del 1520 (non pertinente alla chiesa), *tra i Ss. Giovanni Battista e Francesco*, aggiunti nel sec. XIX da Leonardo Gavagnin. All'inizio della parete sin., *Madonna in trono, Santi* e piccole *Storie sacre*, polittico di arte veneziana del sec. XIV, rimaneggiato nel 1796 (proviene dalla Scuola dei Mercanti di vino).

Di fronte alla facciata della chiesa, al N. 1022, sorge il cinquecentesco *palazzo Valier*, dove si suppone abbia abitato Giorgione (la dimora del quale, per altri, era invece nel vicino palazzo al N. 1091).

Il fianco d. della chiesa prospetta sul *campo S. Silvestro*, definito da belle costruzioni gotiche e rinascimentali, ma parzialmente snaturato nella fisionomia dagli interventi ottocenteschi; a testimoniarne l'antica funzione di centro artigianale e commerciale rimane l'ex Scuola dei Mercanti di vino (addossata al fianco della chiesa e ad essa incorporata, v. sopra).

In asse con la facciata della chiesa, si segue verso NO l'ultimo tratto del rio terrà S. Silvestro. Attraversata la calle dell'Olio (v. pag. 385), si tiene dritto nel sinuoso *rio terrà S. Aponal*, parzialmente interrato nel 1844-45 insieme ad altri due rii (targa su un edificio a d., d'angolo con la calle dell'Orso), nel quadro della modifica del sistema viario realizzata dal secondo governo austriaco (v. pag. 386). Al termine sul ponte Storto, gettato sulla confluenza del rio di S. Aponal col rio delle Beccarie, dal quale, a d., sulla curva del canale, si vede il lombardesco *palazzo Molin-Capello*, del principio del sec. XVI (vi nacque e abitò Bianca Capello che, fuggita nel 1563 a Firenze con un gentiluomo di casa Salviati, divenne poi moglie del granduca di Toscana, Francesco I de' Medici). Di fronte al ponte, N. 1510-1510 A, edificio restaurato nell'Ottocento e decorato da 2 busti di imperatori romani, 4 patere bizantine e 2 bassorilievi con teste leonine e girali. Scesi dal ponte sulla fondamenta (bella veduta sul rio di S. Aponal, definito da architetture di epoche diverse e attraversato, sul fondo, dal caratteristico ponte della Furatola, dalle «furatole», botteghe dove si vendeva pesce fritto), si segue subito a d. la calle Tamossi, già del Banco Salviati, dal *palazzo Salviati* (a sin.) dove la famiglia fiorentina teneva gli uffici della propria banca. Dopo breve si apre a sin. il *campiello Albrizzi*, su cui prospetta, N. 1940, l'imponente **palazzo Albrizzi**, già dei Bonomo, costruito negli ultimi anni del sec. XVI e ingrandito verso terra nella 2ª metà del XVIII (per questo intervento furono demolite alcune casette addossate al palazzo, ottenendo l'attuale campiello che concedeva maggiore evidenza alla facciata). Il prospetto sul retrostante rio di S. Cassiano (v. sotto) è collegato da un ponte aereo al giardino annesso al palazzo, ricavato nell'area dove sorgeva il teatro di S. Cassiano demolito nel 1812. Nel palazzo visse Isabella Teotochi Albrizzi, che aveva qui il suo salotto letterario frequentato fra gli altri da Ippolito Pindemonte, Ugo Foscolo e Antonio Canova.

Sobrio all'esterno, l'edificio si presenta internamente come uno dei più fastosi e meglio conservati della città, con ambienti caratterizzati dall'abbondante decorazione a stucchi ad altorilievo e dalla vivace policromia (è visitabile a richiesta). Dal portico terreno, dove è un fanale di galera dell'ammiraglio Angelo Emo, una scala a due rampe, chiusa in alto da un elegante cancello settecentesco, sale al salone centrale. Nel soffitto e alle pareti, stupendi stucchi di Abbondio Stazio incorniciano tele con soggetti storici e biblici di Pietro Liberi, di Antonio Zanchi (*Sansone e Dalila* e *La morte di Dario*) e, forse, di Luca Giordano (c. 1670). Nelle sale: mobili e tappezzerie del '700; lampadari di Murano; *Ritratto della famiglia Albrizzi* e *Scene di genere* di Pietro Longhi; *Ritratto della famiglia Barbarigo* attribuito ad Alessandro Longhi; *busto di Elena* di Antonio Canova (1812). Nell'ultima sala, elegante soffitto a stucchi raffigurante un grande padiglione retto da 24 putti in volo, opera attribuita ad Abbondio Stazio e a Carpoforo Mazzetti-Tencalla.

Verso NE, per la calle Albrizzi, si raggiunge in breve il *rio terrà delle Carampane* (di fronte, N. 1900, notevole portale architravato del sec. XVI), toponimo che deriva da Ca' Rampani, cinquecentesco palazzo (prospetta a d., N. 1518 C) già della nobile famiglia omonima. Al N. 1513 B e C, interessante esempio di edilizia civile minore del primo periodo gotico. Al termine del tratto occidentale del rio terrà si segue a d. la fondamenta prospiciente il rio di S. Cassiano, che si scavalca sul ponte delle Tette (dal seno scoperto che le prostitute esibivano dalle finestre di un vicino postribolo): a sin., l'elegante prospetto sul rio, a due piani di serliane, del palazzo Albrizzi (v. sopra). Percorse, in prosecuzione, la calle dell'Agnella e, oltre il ponte omonimo (voltandosi si vedono: a sin., il cinquecentesco *palazzo Agnella*; a d. l'archiacuto *palazzo Sagredo*), la calle di Ca' Bonvicini, si va a sin. nella calle Longa; quindi, varcato il ponte del Forner (storto a collegamento di due insule coi percorsi pedonali non posti in asse), per la calle del Cristo si sbocca nella calle del Scaleter. Da qui, lasciato a sin. il tratto che raggiunge in breve il campo S. Polo (v. pag. 383), si tiene a d. per il rio terrà Secondo, che si segue a sin. (v. sotto).

Attraversando il rio terrà e, dalla calle del Calice, volgendo a d. e poi subito a sin., si sbocca nel tranquillo e suggestivo *campo S. Boldo* (S. Uboldo), aperto sul rio omonimo (al centro, vera da pozzo settecentesca). Fino a tutto il Settecento punto di passaggio obbligato del percorso di rapido collegamento fra i campi S. Polo (a sud-est) e S. Giacomo dell'Orio (a nord-ovest), il campo risulta oggi emarginato rispetto alla nuova viabilità determinata dall'interramento di alcuni canali di servizio alla zona. Vi prospettava l'antica chiesa di S. Boldo, demolita nel 1826, di cui non rimane che il trecentesco campanile in cotto (privato della cella campanaria e della cuspide; è ora ridotto ad abitazioni private). A sin. di questo, al N. 2271, è il *palazzo Grioni*, del sec. XVII, con alta facciata a serliane sovrapposte. Completano la definizione dello spazio urbano il fondale costituito dalle facciate degli edifici sorti al di là dello slargo del rio di S. Boldo e l'innesto in diagonale del ponte che si salda alla fondamenta opposta. Da questa si vede, oltre il rio, un edificio con inseriti i resti (la fascia in pietra del basamento, il portale con testa in chiave d'arco e, forse, le colonne tortili addossate agli angoli) del seicentesco palazzo Grimani, demolito ai primi dell'Ottocento.

Il *rio terrà Secondo*, con la seguente calle della Chiesa, introduce nel cuore dell'antica parrocchia di S. Agostin, area di urbanizzazione bizantina, consolidata e trasformata in epoca gotica. Al N. 2311, palazzetto gotico della metà del sec. XV, in cui era allogata la tipografia del famoso editore e stampatore Aldo Manuzio il Vecchio (lapide). Di fronte, d'angolo col rio terrà Primo, è il gotico *palazzo Soranzo Pisani*, con finestra archiacuta e rilievo raffigurante la *Fede e la Giustizia in trono* (sec. XIV). Poco più avanti si aprono, sempre sulla d., in successione, il campo S. Agostin (dove sorgevano le case dei Tiepolo, demolite per ordine della Signoria dopo la congiura di Baiamonte nel 1310) e il *campiello S. Agostin*, su cui prospettavano rispettivamente le absidi e la facciata dell'omonima chiesa, fondata nel sec. X e demolita nel 1873 (l'area è ora occupata da edifici residenziali).

Il campiello si apre sul rio di S. Agostin (proseguimento settentrionale del rio di S. Polo, v. pag. 382), qui attraversato da due ponti che si saldano ai percorsi pedonali dell'insula opposta. Al di là del rio si vedono: a sin., il cinquecentesco *palazzo Donà delle Rose*, con grande stemma sulla porta d'acqua (parzialmente chiusa); a d., il *palazzo Molin* (di antica origine, con la facciata rifatta nel 1806), il seicentesco *palazzo Giustinian* e il *palazzo Zane-Collalto*, ristrutturazione del sec. XVII di un edificio di origine trecentesca (la bianca facciata, con bugnato a pianoterra, è opera di Baldassare Longhena del 1665). Varcato il rio sul ponte di Ca' Donà, per la seguente calle di Ca' Donà o del Spizier, si sbocca nel *campo S. Stin* (S. Stefano confessore), dall'omonima chiesa che lo chiudeva a sin., abbattuta dopo il 1810. Definito da edifici di origine gotica (alcuni dei quali pesantemente rimaneggiati), presenta al centro una bella vera da pozzo poligonale (1508), decorata coi rilievi dei *Ss. Stefano confessore, Giacomo* e *Barbara*. Attraversato il campo in diagonale, si imbocca in fondo a d. la calle del Tabacco; al termine, lasciata a sin. la calle del Magazen, che raggiunge in breve il rio terrà S. Tomà (v. pag. 375), si segue a d. la *calle dell'Ogio* o del Cafetier. Dopo breve si apre a sin. il campiello di S. Giovanni Evangelista (v. sotto), elegante 'ingresso' al campiello delle Scuole, già corte interna, privata, del complesso di S. Giovanni Evangelista (chiesa e Scuola).

L'origine del complesso risale al sec. XII (secondo la tradizione al X) quando, su un'area della famiglia Badoer (proprietaria di vasti fondi in questa zona, v. pag. 368), e forse per loro iniziativa, venne edificata la chiesa di S. Giovanni Evangelista. In questa, nel 1307, trasferì la propria sede la confraternita omonima (fondata nel 1261 presso la chiesa di S. Aponal) che, nel 1340, ottenne in affitto alcuni locali del vicino ospizio Badoer (sorto anni prima a N della chiesa) e li ristrutturò secondo le proprie esigenze (fu allora creato il salone terreno). Solo nel 1414 la confraternita, notevolmente cresciuta d'importanza (anche in seguito alla donazione, del 1369, di una reliquia della Croce ritenuta miracolosa), ottenne, a condizione di crearne uno nuovo, l'intera proprietà dell'ospizio e poté immedia-

tamente iniziare i lavori per la nuova sede (completati nel 1420). A partire
dal 1464 fu ricostruita in forme gotiche la chiesa e, in ultimo, fu sistemato
lo spazio fra la chiesa e la Scuola, con l'erezione del setto marmoreo che
definì i due campielli, uno d'accesso (di S. Giovanni Evangelista) e uno privato (della Scuola).

Il *campiello di S. Giovanni Evangelista* fu sistemato fra il 1478 e
il 1481 da Pietro Lombardo, che realizzò un armonioso ambiente
rinascimentale, a ornate lesene corinzie reggenti l'elegante trabeazione; il setto marmoreo, dove si aprono il portale (chiuso fino
all'Ottocento da un cancello) e due finestre timpanate, è decorato, nella lunetta del coronamento curvilineo, dall'*Aquila* (simbolo dell'evangelista Giovanni) e, sulla trabeazione, da 2 *angeli*
adoranti la *Croce* (a ricordo della reliquia custodita nella Scuola),
posta al vertice del coronamento. Il pilo portastendardo è del
1553.
Il *campiello della Scuola* è definito, a sin., dal fianco sin. della
chiesa di S. Giovanni Evangelista e, a d., dal prospetto della
Scuola Grande di S. Giovanni Evangelista, che risvolta sul fondo
affiancandosi a un'ala del palazzo Badoer (v. pag. 375) scaval-
cante la calle di uscita dal campiello col suo porticato (sottoportico Vitalba).
La chiesa di *S. Giovanni Evangelista*, di antica origine, ricostruita nel sec. XV, deve l'attuale aspetto alle ristrutturazioni
succedutesi dal sec. XVII al XVIII (un radicale rimaneggiamento fu
eseguito nel 1758-59 ad opera di Bernardino Maccaruzzi), quando
venne pure rinnovato il campanile.

L'interno, a una navata, mantiene della costruzione gotica il presbiterio e
l'abside con volta a costoloni. Sopra la porta, *tomba di Gian Andrea Badoer* di Danese Cattaneo. Al centro del soffitto, *Esaltazione della Croce* di
Jacopo Marieschi. Nel presbiterio, ai lati, 2 angeli cerofori del '700; alla
parete d., *Cristo crocifisso e devoti* di Domenico Tintoretto (1626); alla parete sin., *Ultima Cena* di Jacopo Marieschi; all'altar maggiore, *S. Giovanni Evangelista, il Padre Eterno e Maria* di Pietro Liberi; entro i comparti dell'abside, *Annunciazione, S. Giovanni Battista* e *S. Giovanni
Evangelista*, portelle dell'antico organo dipinte da Pietro Liberi.

La **Scuola Grande di S. Giovanni Evangelista**, allogata dal Trecento in un edificio preesistente (v. sopra), si differenzia nella
struttura dalle altre Scuole veneziane e vi sono leggibili le strati-
ficazioni connesse ai molti interventi di cui è stata oggetto dal
XIV al XVIII secolo. Così sul prospetto si giustappongono elementi
decorativi di epoche e stili diversi, dai rilievi del 1349 (con la contemporanea epigrafe) raffiguranti la *Madonna col Bambino* e *S.
Giovanni Evangelista adorato dai confratelli*, alle finestre di
arte gotica fiorita, alla bifora e al portale rinascimentale (realiz-

zati rispettivamente nel 1498 e nel 1512 su disegno di Mauro Codussi), alla finestra ovale settecentesca.

In seguito alla soppressione della confraternita (1806), l'edificio fu spogliato di gran parte della decorazione pittorica (arricchita dal sec. XV di notevoli opere d'arte); salvato dalla demolizione da un gruppo di cittadini che lo acquistò nel 1856, divenne sede della Società delle Arti Edificatorie e, in seguito, riassunse il titolo di Scuola Grande e di Arciconfraternita (nel 1981 ha avuto un radicale restauro). Giorni e ore di visita, pag. 136.

Il vasto ambiente del SALONE TERRENO, trecentesco con rimaneggiamenti successivi, è diviso in due navate da colonne con capitelli gotici; vi è esposta una piccola collezione di marmi medievali e di frammenti architettonici e decorativi. Si sale a d. lo SCALONE, magnifica opera rinascimentale di Mauro Codussi (1498), a due rampe convergenti, con volta a botte, ornato di intagli e nielli e illuminato da una bella bifora con resto di vetrata quattrocentesca (*Madonna col Bambino*). Si sbocca nel grandioso SALONE SUPERIORE, già Albergo della Scuola e poi sala dei Convocati, un tempo ornato da dipinti di Jacopo Bellini, ora dispersi; deve l'attuale aspetto alla ristrutturazione operata nel 1727 da Giorgio Massari maggiorandone l'altezza e aggiungendo la fila di aperture ovali (il pavimento fu rifatto a intarsi nel 1753). Nel soffitto, *scene dell'Apocalisse*, di Giuseppe Angeli (autore dell'ovato centrale), Gaspare Diziani, Jacopo Marieschi, Jacopo Guarana e Giandomenico Tiepolo (autore dei due comparti d'angolo, opposti all'altare). Alle pareti: *storie di S. Giovanni Evangelista* di Domenico Tintoretto, Sante Peranda, Andrea Vicentino; *Adorazione dei Magi* attribuita a Pietro Longhi giovane; *Presepio* di Antonio Balestra. Sul marmoreo altare, di Giorgio Massari, *S. Giovanni Evangelista*, statua di Giovanni Maria Morlaiter del 1732 (dalle porte a d. e a sin. dell'altare, si accede alla sagrestia e alla cancelleria, eleganti ambienti settecenteschi decorati da stucchi alle pareti e al soffitto).

Per la porta che si apre nella parete di fronte all'altare, si passa nell'ORATORIO DELLA CROCE, un tempo ornato dai famosi teleri con i Miracoli della Croce di Gentile Bellini, Vittore Carpaccio e altri, ora alle Gallerie dell'Accademia (v. pag. 409). L'attuale decorazione a stucchi del soffitto è del sec. XVIII, la restante del XIX. Nel soffitto, *Trionfo della Croce* di Francesco Maggiotto. All'altare, entro magnifico reliquiario gotico d'argento dorato, capolavoro di oreficeria veneziana del 1379, si conserva la preziosa reliquia della Santa Croce, donata alla confraternita nel 1369 da Philippe de Meizières, cancelliere del regno di Cipro; di fianco all'altare, asta lignea intagliata (sec. XV) su cui si portava in processione la reliquia. Segue la SALA DELL'ALBERGO, con dossali in noce, decorata con 4 *storie dell'Apocalisse* dipinte da Palma il Giovane; il *Crocifisso* ligneo è del sec. XVI. In fondo si apre un'altra piccola sala decorata da affreschi di Jacopo Guarana e stucchi.

Dal campiello, oltre il sottoportico Vitalba (v. pag. 390) si raggiunge la calle della Lacca: l'edificio che la scavalca corrisponde all'*ospizio Badoer*, qui ricostruito dopo che il precedente, prospiciente il campiello della Scuola, era passato in proprietà alla confraternita (ancora oggi mantiene la funzione originaria).

Dal campiello di S. Giovanni Evangelista si segue verso nord la calle dell'Ogio, su cui si aprono la corte del Calderer (a d.) e la corte Nova (a sin.), che mantengono l'antica pavimentazione in cotto. Al termine si volge a sin. nella fondamenta della Latte e, oltre l'ottocentesco ponte omonimo (a sin., vista su un fianco della Scuola Grande di S. Giovanni Evangelista), si prende a d. il ponte del Cristo (a sin., vista sul rio Marin, v. pag. 361) scendendo nel campiello del Cristo. Da qui, verso nord-ovest, lungo la *fondamenta di rio Marin*, o dei Garzoti (cardatori di lana), si riconoscono nella palazzata della fondamenta opposta: al N. 837, il settecentesco *palazzo Malipiero*; al N. 802-803, il lungo blocco edilizio costituito dalle *case Contarini* (2ª metà sec. XVI), con finestre a serliana e stemma scalpellato; ai numeri 800 e 782, due casette quattrocentesche con finestre ogivali. Sulla fondamenta che si percorre, ai numeri 887 e 889, sorgono due palazzetti cinquecenteschi. All'altezza del secondo, si varca a sin. il ponte Cappello o dei Garzoti (l'ultimo tratto della fondamenta raggiunge il campo Santo, su cui prospetta la chiesa di S. Simeon Grande, v. pag. 360), ai piedi del quale si segue a d. la breve *fondamenta di Ca' Gradenigo*. Subito a sin., al N. 770, prospetta il *palazzo Soranzo-Cappello*, costruzione del tardo '500, o dei primi del '600, il cui androne si apre sul vasto giardino ricordato da Gabriele d'Annunzio nel romanzo «Il fuoco» (sia gli interni che il giardino versano in cattivo stato di conservazione). Chiude la fondamenta, N. 768, il portale, sormontato da trofei, d'accesso alla corte privata (con approdo per le barche) del *palazzo Gradenigo*, con portale a timpano spezzato includente lo stemma di famiglia. L'imponente fabbrica, della metà del sec. XVII, fu realizzata da Domenico Margutti, forse su progetto del suo maestro, Baldassare Longhena (al linguaggio di quest'ultimo si rifanno, sul prospetto sul rio, le monofore e le polifore con teste in chiave d'arco); l'adiacente giardino, un tempo uno dei più estesi della città, venne notevolmente ridotto dal taglio della calle nuova di S. Simeone (v. sotto). Si prosegue imboccando, a sin. del palazzo Soranzo-Cappello, il campiello dei Nerini e tenendo dritto nella corte Canal, notevole esempio di calle-corte (alle estremità, vere da pozzo settecentesche). Al termine si prende a d. la calle Sechera, aperta a sin. nel campo della Lana, esempio di calle-corte di recente formazione (giardini e prati della zona erano usati un tempo come stenditoi e asciugatoi dei filati tinteggiati, posti sopra cavalletti di legno ordinati in lunghe file parallele). Seguono le «chiovere» (dai chiodi o paletti di legno su cui si tiravano le corde per stendere) di S. Simon, già campiello delle Muneghe, e (a d.) il ramo delle Chioverette (sul fondo, ingresso al giardino di palazzo Gradenigo, v. sopra), dal quale diverge a sin. la *calle nuova di S. Simeone*, aperta sull'area del giardino di palazzo Gradenigo per creare un percorso di rapido collegamento tra la zona dei Frari-S. Rocco (a sud) e la Ferrovia (a nord); è definita da edifici di carattere popolare costruiti intorno al 1920. In fondo al percorso, a d., N. 706-712, sorge il *palazzo dell'INAIL*, costruito da Giuseppe Samonà e Egle Renata Trincanato (1951-56), con facciata scandita da una struttura reticolare in calcestruzzo. Raggiunta la fondamenta S. Simeon Piccolo, sul Canal Grande, la si segue verso d. fino al ponte degli Scalzi (v. pag. 361), che scende nella fondamenta omonima nel sestiere di Cannaregio (pontili dei vaporetti e motoscafi).

4 Il sestiere di Dorsoduro

Il sestiere di Dorsoduro, cosiddetto secondo la tradizione perché formato da terreno molto solido e rialzato rispetto al circostante, occupa un'area di 92.25 ettari, definita a N dai sestieri di S. Croce e di S. Polo e dall'ultimo tratto del Canal Grande (che ne delimita anche la zona E), a S dal canale della Giudecca, a O dal canale della Scomenzera. Nello stabilire gli ambiti di svolgimento degli itinerari non si è rigidamente tenuto conto dei confini del sestiere, preferendo assumere come linea di demarcazione nord-occidentale il rio Nuovo; così, mentre si è lasciata ad altra trattazione l'area di S. Pantalon, la visita della parte occidentale di Dorsoduro si prolunga qui nel sestiere di S. Croce, in una zona che, come la prima, è stata interessata da pesanti interventi otto-novecenteschi.

Pur marginale rispetto alle aree centrali di Rialto e S. Marco, il sestiere di Dorsoduro presenta elementi fortemente caratterizzanti dell'intera scena urbana, sia nei tessuti edilizi, sia nei singoli episodi monumentali. Al di là dei fatti eccezionali o della omogeneità del tessuto edilizio delle varie insule, nella zona si trovano diversificati ambienti urbani, individuabili in fronti continue lungo i canali, in aree interne articolate intorno a campi e chiese, in aree marginali più eterogenee. Ecco allora la prestigiosa palazzata lungo il Canal Grande, dall'ultima ansa fino alla punta della Dogana, con alcuni palazzi tra i più cospicui della città, interrotta dal complesso della Carità, ai piedi del ponte dell'Accademia, e conclusa dall'eccezionale fulcro urbanistico formato dalla basilica della Salute e dalla punta della Dogana.

E ancora, sul canale della Giudecca, la lunghissima fondamenta delle Zattere (oggi bella passeggiata con vista sull'isola della Giudecca), un tempo vivace zona portuale, sulla quale si allineano gli ex magazzini della Dogana e del Sale (i Saloni) e complessi conventuali come lo Spirito Santo, l'ex ospedale degli Incurabili e i Gesuati. All'interno di queste fasce si riconoscono le insule con il loro impianto distributivo, lunghe e regolari spine nella parte verso la punta, più irregolari e complesse nella parte mediana del sestiere; qui il tessuto edilizio si arricchisce di palazzi e chiese in corrispondenza dei rii di collegamento più importanti, come quello di S. Trovaso e di S. Margherita, mentre l'elemento funzionalmente emergente è il campo di S. Margherita, vasta area sestierale di mercato e di ritrovo, che si prolunga nel complesso dei Carmini, con chiesa e Scuola di grandissimo interesse.

A queste zone relativamente omogenee si aggancia la parte occidentale del sestiere, dove la struttura di insediamenti popolari di antichissima formazione, organizzati intorno alle chiese dell'Angelo Raffaele e di S. Nicolò dei Mendicoli, si innesta, o si scontra, con gli interventi e i manufatti realizzati nella fase proto-industriale otto-novecentesca (dai fatiscenti impianti del Gasometro a quelli dell'Acquedotto, alle grandi costruzioni dell'ex Cotonificio veneziano, ai Magazzini Generali, considerevoli sia sotto il profilo dell'archeologia industriale sia per l'impatto con il paesaggio veneziano).

Nel sestiere, secondo la più accreditata tradizione, la formazione dei primi nuclei abitati ebbe inizio a ovest nelle insule di S. Nicolò dei Mendicoli e dell'Angelo Raffaele, la cui origine si fa risalire al VII secolo. Entro il secolo XI si definirono gli altri nuclei, ancora circoscritti, di S. Margherita, S. Barnaba, S. Trovaso, S. Agnese, S. Vio e S. Gregorio: la fondazione delle relative chiese e parrocchie fu il fulcro e/o la ratifica dell'avvenuto insediamento. Successivamente la struttura urbana si rafforzò attraverso i complessi conventuali, formati da chiesa e monastero e spesso da una Scuola; sorti quasi tutti entro il sec. XV o nei primi anni del '500, si distribuirono in prevalenza nelle zone periferiche occidentali (Ognissanti, Carmini, S. Sebastiano, S. Maria Maggiore) e lungo il canale della Giudecca (Spirito Santo, S. Maria della Visitazione, S. Marta); pochi sul Canal Grande (la Carità, S. Gregorio, la Trinità). In quegli stessi anni si definirono alcune direttrici unitarie di urbanizzazione: da una parte la palazzata lungo il Canal Grande, dall'altra la lunga riva delle Zattere, importante zona portuale dove la Dogana da Mar, costruita sulla punta omonima nel sec. XV, è la principale delle attrezzature portuali.

Dal '500 al '700 anche questo sestiere è interessato da interventi tendenti al rinnovamento edilizio, con caratteri più rappresentativi e scenografici: il rifacimento di moltissime chiese (solo quella settecentesca dei Gesuati è costruita ex novo rispettando la preesistente), la ricostruzione o la nuova edificazione di palazzi più sontuosi (non solo sul Canal Grande, ma anche lungo i rii interni), il cinquecentesco intervento pubblico della marginatura e pavimentazione della fondamenta delle Zattere. Questo spirito raggiunge l'acme nel tardo '600 con la costruzione della chiesa della Salute, che – con il contemporaneo rifacimento della punta della Dogana – diventa elemento emergente della scena urbana del Bacino di S. Marco.

Nel corso dell'800 la localizzazione nel complesso della Carità dell'Accademia di Belle Arti e delle Gallerie dell'Accademia, la costruzione del ponte omonimo e l'interramento di molti rii, inseriscono la parte centro-orientale del sestiere nell'ambito degli interessi più vitali e delle maggiori spinte economiche concentrati nel sestiere di S. Marco, con previsti e probabilmente calcolati effetti sul mercato immobiliare (è da questo momento che l'area dall'Accademia alla Salute diventa una delle più ambite dagli stranieri). Contemporaneamente l'estrema zona occidentale, sempre più marginale, viene investita da radicali interventi di trasformazione, che ne confermano il carattere popolare. Dopo l'imbonimento della vastissima sacca dell'Angelo, a monte della punta di S. Marta, l'arrivo della ferrovia a S. Chiara (1846) comporta alcuni decenni più tardi la costruzione della Stazione Marittima Commerciale con i prolungamenti di S. Marta fino a S. Basegio; ad essa si accompagna la realizzazione di altri consistenti impianti industriali e tecnologici (il Cotonificio, le attrezzature del gas e l'Acquedotto) e infine, nel '900, il quartiere di edilizia popolare di S. Marta; piazzale Roma, aperto nel 1933 con un grande sventramento nel cuore della marginale ma storicamente ben definita insula di S. Andrea della Zirada, è l'ultimo degli interventi moderni che hanno pesantemente investito la zona. Quest'area, peraltro nodale nell'assetto dell'intera città, si presenta oggi al visitatore in tutta la sua precarietà, mentre non sono stati ancora approntati gli strumenti attuativi per le operazioni di ristrutturazione e riuso, pure previste a livello generale.

La visita di Dorsoduro è articolata in tre itinerari. Il primo ne percorre l'area orientale, con un tracciato che, partendo dal campo della Carità, si

svolge alle spalle della palazzata sul Canal Grande fino a raggiungere il
campo della Salute, da dove prosegue girando intorno alla punta della Dogana e seguendo la fondamenta delle Zattere fino ai Gesuati. Di notevole
interesse culturale sono: il complesso della Carità, con le prestigiose Gallerie dell'Accademia; il palazzo Cini con la Raccolta d'arte dalla collezione
Vittorio Cini; il palazzo Venier dei Leoni, con la Collezione Peggy Guggenheim; la sontuosa chiesa di S. Maria della Salute; le raccolte d'arte del
Seminario patriarcale; la chiesa dei Gesuati, col soffitto di G.B. Tiepolo. Il
secondo itinerario si muove nella parte centrale del sestiere, con inizio dal
campo della Carità; costeggiando rii interni e toccando alcuni notevoli palazzi affacciati sull'ansa meridionale del Canal Grande, fa perno sul campo
S. Margherita e sul complesso dei Carmini, per concludersi nel tratto terminale delle Zattere. Si segnala, in particolare, per il palazzo Rezzonico
sede del Museo del Settecento Veneziano, per la Scuola Grande dei Carmini (con il ricco complesso di pitture di G.B. Tiepolo) e per la chiesa dei
Carmini. Il terzo itinerario conduce nella zona più occidentale della città,
muovendo dalla fondamenta delle Zattere ai Gesuati e, dopo la chiesa di S.
Sebastiano, addentrandosi negli insediamenti popolari dell'Angelo Raffaele e di S. Nicolò dei Mendicoli, per poi passare nelle zone marginali delle
Terese e di S. Maria Maggiore fino a piazzale Roma. Rilevante per cogliere l'impatto fra il tessuto di antica formazione e i cospicui interventi
otto-novecenteschi, l'itinerario si segnala per la visita della chiesa di S.
Sebastiano, con il prestigioso complesso di tele e di affreschi di Paolo Veronese.

4.1 *Dall'Accademia ai Gesuati per la punta della Dogana e la fondamenta delle Zattere*

Al piede meridionale del ponte dell'Accademia (v. pag. 323),
aperto sul Canal Grande, è il *campo della Carità*, divenuto, in seguito alla costruzione dello stesso ponte, luogo di intenso passaggio sul percorso pedonale da e per S. Marco. Il piccolo campo-sagrato è definito dai prospetti principali di quello che era il
complesso edilizio di **S. Maria della Carità** (pianta pag. 398), costituito, con la tipica aggregazione delle tre funzioni collegate,
dalla chiesa, dal monastero e dalla Scuola. Rimasto fino all'inizio
del XVII sec. uno dei più importanti e insigni insediamenti conventuali della città, di continuo arricchito nelle architetture e nel
patrimonio artistico, dopo un lungo periodo di decadimento e abbandono, all'inizio dell'Ottocento venne riattato e parzialmente
trasformato per ospitare l'Accademia di Belle Arti e le Gallerie
dell'Accademia.

Emblematica per le vicende architettoniche e urbanistiche della città è la
storia della formazione del complesso, che si dipana in una molteplicità di
interventi e trasformazioni, anche radicali, svolti però tutti in un ambito
circoscritto e definito pressoché fin dall'origine. Il blocco edilizio occupa

circa un terzo di una lunga e stretta insula attestata sul Canal Grande e già delimitata, a ovest e a est, dai rii della Carità e di S. Agnese (poi rio terrà Foscarini), interrati nel XIX secolo.

A una primitiva chiesa che qui esisteva, nel 1134 venne aggregato il monastero destinato ad accogliere un gruppo di Canonici lateranensi provenienti da Ravenna. Nel 1344 la Scuola dei Battuti, una delle più antiche di Venezia, sorta nel 1260 a S. Leonardo, si trasferì in quest'area e vi eresse la propria sede intitolata a S. Maria della Carità. L'importanza che il complesso stava assumendo e l'appoggio dato dal papa Eugenio IV, il veneziano Gabriele Condulmer, rafforzarono l'insediamento dei Canonici della Carità, che poterono così avviare grandi iniziative. Tra il 1441 e il 1445, sotto la direzione di Bartolomeo Bon, il maggior «tajapiera» di allora, venne costruita la nuova chiesa, nelle forme gotiche che tuttora presenta. Circa un secolo dopo fu decisa la sostituzione del monastero medievale, a quattro chiostri, con una nuova, grandiosa costruzione che veniva affidata ad Andrea Palladio e iniziata intorno al 1555. Ma quest'opera, mai portata a compimento coincidendo la sua esecuzione con l'inizio della decadenza del monastero, nel 1630 venne parzialmente distrutta da un incendio.

Alla fine del Settecento l'imponente complesso edilizio era in parte abbandonato e in rovina (il campanile era crollato nel 1744) e solo la Scuola rimaneva operante e prospera. Nel 1806, sanzionata dal governo francese la soppressione degli istituti religiosi, l'insediamento apparve adatto a ospitare l'Accademia di Belle Arti che, sorta nel 1750 come Accademia dei pittori e scultori (sotto la direzione del Piazzetta e, dal 1756, di G.B. Tiepolo) con sede al Fonteghetto della Farina, presso S. Marco (ora Capitaneria di Porto), riceveva nel 1807 nuovo ordinamento e impulso. I lavori per riadattare gli edifici esistenti, iniziati nel 1807 con la chiesa (dalla quale furono asportati e dispersi i ricchi arredi, fra cui i monumenti del doge Nicolò Da Ponte e dei fratelli dogi Marco e Agostino Barbarigo), si protrassero fino al 1845 e comportarono anche la realizzazione di nuove parti. Progettati e diretti inizialmente da Giannantonio Selva, cattedratico dell'Accademia, alla morte di questi (1819) furono portati avanti e realizzati dal suo allievo Francesco Lazzari. Si ebbero manomissioni anche pesanti del complesso originario, ma si riuscì comunque a collegare in modo abbastanza funzionale i diversi edifici, cucendo insieme elementi architettonici di grande interesse e adattandoli, con notevole duttilità, ai nuovi usi.

Della chiesa di *S. Maria della Carità* (A) rimane la struttura essenziale della quattrocentesca costruzione ogivale in cotto, a un'unica navata, con tre cappelle absidali poligonali, facciata a triplice cuspide e cornice a elaborati archetti pensili. Nulla resta invece della ricchissima decorazione in pietra, realizzata da Bartolomeo Bon e dalla sua bottega, in parte caduta (come i campaniletti e le edicole che coronavano la facciata) e in parte rimossa durante la ristrutturazione ottocentesca (la lunetta marmorea che decorava il portale, demolito, è custodita nel Seminario Patriarcale, v. pag. 423). Agli interventi curati dal Selva a partire dal 1807 si devono le grandi finestre a lunettone, aperte per dare luce ai nuovi ambienti creati all'interno con la divisione in due piani mediante soppalco (al piano terra, aule dell'Accademia; al primo piano, sale di esposizione delle Gallerie); le alte bifore sul fianco, ripristinate nel 1912-22, appartengono al sistema di aperture originario. Anche la zona absidale si presenta manomessa da aperture e superfetazioni.

A d. della chiesa è il trecentesco ingresso della Scuola Grande

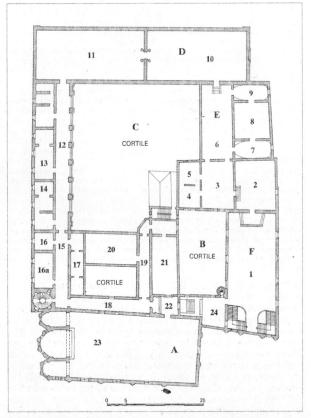

Il complesso di S. Maria della Carità, ora Gallerie dell'Accademia

di S. Maria della Carità, ora accesso all'Accademia di Belle Arti (la visita ai cortili è consentita durante l'orario di apertura dell'Accademia, mentre per visitare gli ambienti interni bisogna richiedere il permesso alla Direzione). Il portale, contornato da tre edicole marmoree del 1377, con i rilievi della *Madonna venerata dai confratelli* e dei *Ss. Leonardo* e *Cristoforo*, patroni del sodalizio, immette nel cortile gotico (B) con portico a travature in legno e barbacani; sulla d., murato, è l'antico accesso al salone al piano terreno della Scuola, sormontato da una lunga iscrizione relativa alle vicende della peste del 1348 e dal simbolo della confraternita (due cerchi concentrici intersecati dalla croce), che si trova ripetuto anche sul pozzo e sulle ali del cortile. Per il portale ogivale aperto sul fondo e un sottoportico si passa nel cortile dell'*ex monastero dei Canonici Lateranensi* (C), iniziato da Palladio nel 1555-56 e da lui progettato in applicazione degli studi compiuti sulla casa dell'antichità classica. Del grandioso edificio (che comprendeva anche un atrio d'accesso al cortile, demolito nell'Ottocento) rimane solo un'ala del chiostro.

In cotto, si presenta scandita su tre piani (portico, loggia e piano finestrato) differenziati dall'uso dell'ordine dorico, ionico e corinzio, con progressivo digradare degli aggetti sottolineato da grossi marcapiani continui. All'interno, verso la chiesa, completano l'ala superstite due ambienti di notevole interesse: il tablino, esplicito riferimento alla sala per ricevere gli ospiti della casa romana, a nicchie e volte complesse; la *scala ovale, che si sviluppa per tutta l'altezza con gradini pensili (utilizzata dal personale delle Gallerie, ne è concessa la visita a piccoli gruppi o a singoli studiosi, previa autorizzazione della Direzione delle stesse).

Agli architetti Selva e Lazzari si devono gli altri corpi edilizi che circondano il cortile attaccandosi all'ala palladiana: la Nuova Pinacoteca (D), progettata dal primo e costruita nel 1821-25 sotto la direzione del secondo; le Sale nuovissime (E), che lo stesso Lazzari realizzò nel 1845 a collegamento con l'ex Scuola.
A d. dell'ingresso dell'Accademia è la facciata della *Scuola Grande di S. Maria della Carità* (F), rifatta insieme allo scalone interno tra il 1756 e il 1765 da Giorgio Massari e Bernardo Maccaruzzi; fu rimaneggiata nel 1830 dal Lazzari, che aprì l'ingresso alle Gallerie dell'Accademia e sostituì l'originario attico curvilineo con uno rettangolare, a fastigio del quale era posto lo stemma imperiale e una grande scultura con Minerva seduta sul leone in seguito trasferita ai giardini pubblici (v. pag. 536). Dell'antica Scuola rimangono all'interno, pressoché integri, due soli ambienti, corrispondenti alle sale 1 e 24 delle Gallerie.

Le ***Gallerie dell'Accademia** (al plurale perché comprendevano, oltre quella di pitture, una raccolta di sculture e una di calchi in

gesso di statue antiche, poi passate all'Accademia) furono istituite nel 1807 e aperte al pubblico nel 1817. Rappresentano la
più completa rassegna di pittura veneziana e veneta dal XIV al
XVIII sec. e, nel panorama museale italiano, una delle pinaco-
teche di maggior prestigio.

Il primo nucleo della raccolta, costituito dai gessi della collezione Farsetti
e dai saggi degli allievi dell'Accademia, venne da subito ampliato con
l'acquisizione dei dipinti provenienti dalle istituzioni civili e religiose soppresse dal regime napoleonico. In seguito si aggiunsero le collezioni lasciate da privati, fra cui notevoli le raccolte Molin (1816), Contarini
(1838), Renier (1850) e Manfrin (1856). Dopo la scissione delle Gallerie
dall'Accademia (1878) e il loro passaggio allo Stato, furono realizzati numerosi e importanti acquisti che, fra l'altro, assicurarono alla raccolta:
nel 1896, la Madonna dello Zodiaco di Cosmè Tura; nel 1900, S. Girolamo
di Jacopo Bassano; nel 1930, Ritratto di gentiluomo di Lorenzo Lotto;
nel 1932, La Tempesta di Giorgione; più di recente: nel 1972, l'Incendio a
S. Marcuola di Francesco Guardi; nel 1977, il Ritratto di famiglia del
procuratore Pisani di Alessandro Longhi; nel 1983, l'Adorazione dei pastori di Jacopo Bassano.

La raccolta venne riordinata nel 1895 e ancora nel 1923. Dopo
la 2ª guerra mondiale, quando ne era direttore Vittorio Moschini, si resero necessari nuovi lavori di sistemazione degli ambienti e di riordino delle opere (che furono selezionate giungendo all'esposizione di solo il 25% del patrimonio artistico delle
Gallerie). I lavori, affidati a Carlo Scarpa, furono compiuti fra il
1945 e il 1948 (con aggiunte e ritocchi fino al 1960) e portarono
all'ordinamento che ancora oggi si vede. Giorni e ore di visita,
pag. 134.

La ristrutturazione comportò la rimozione degli elementi decorativi non
originari e la creazione di ambienti neutri dove, con spazi e luci appro-
priate, ad altezza d'occhio, sono collocati i quadri assemblati per gruppi
omogenei (la disposizione delle sale e le misure di alcune opere rendevano impossibile l'ordinamento strettamente cronologico).

Dall'ingresso si sale l'ampio scalone realizzato nel sec. XVIII e
ornato con le statue della *Fede* e della *Carità* di Giovanni Maria
Morlaiter. Al suo termine si accede alla SALA 1.

Era questa la sala delle riunioni della Scuola. Dell'antica costruzione rimangono alcuni frammenti di fregio ad affresco e il notevole *soffitto ligneo, intagliato e dorato, a cassettoni con teste di serafini, probabile
opera di Marco Cozzi (1461-84); nei tondi, *Padre Eterno* di Alvise Vivarini e 4 *profeti* di Domenico Campagnola (1531), inseriti posteriormente.
Vi è esposto un notevole gruppo di polittici a fondo oro e altre opere che
ben rappresentano il momento di distacco della pittura veneziana dalla
tradizione figurativa bizantina e il suo lento inserimento nell'arte gotico-
internazionale sulla fine del Trecento e nella prima metà del Quattrocento.

Alle pareti sopra lo scalone, *La Giustizia tra gli arcangeli Michele e Gabriele*, grande composizione di Jacobello del Fiore (firmata e datata 1421), e, 1328 *La Madonna del parto*, pala di scuola veneziana della fine del sec. XIV. All'inizio della sala, sul pannello centrale, 21 *Incoronazione della Vergine, storie di Gesù e storie di S. Francesco*, polittico di Paolo Veneziano. Quindi, proseguendo in senso antiorario, su pannello, 786 *Madonna in trono, devoti e angeli* di Paolo Veneziano e, sul retro, 884 *Madonna col Bambino*, tavola di scuola veneziana del sec. XIII. Nella bacheca, 25 *Cristo crocifisso tra la Madre e S. Giovanni e i Ss. Gregorio e Girolamo*, trittico firmato di Jacobello Albergno. Al successivo pannello: recto, 9 *Annunciazione e 4 santi*, polittico di Lorenzo Veneziano (firmato e datato 1371); verso, 16 *Incoronazione della Vergine* di Catarino Veneziano e, 650 *Sposalizio di S. Caterina e santi* di Lorenzo Veneziano (firmato e datato 1359). Nella bacheca, 4 *Incoronazione della Vergine* e *storie di Cristo*, tavole di polittico di scuola veneziana della 2ª metà del '300. Su pannello: 1000 *polittico dell'Apocalisse* di Jacobello Albergno; 21a *Incoronazione della Vergine* di Stefano Veneziano e, 702 *Incoronazione della Vergine e 2 santi*, trittico di Catarino (firmato). Nella bacheca, 26 *Scene della Passione*, 6 tavolette di scuola riminese del '300. Quindi, alla parete d., 1 *Incoronazione di Maria in Paradiso*, grande composizione di Jacobello del Fiore realizzata intorno al 1438 (ai piedi del trono è raffigurato inginocchiato il committente, vescovo Antonio Correr). In fondo alla sala, 9 *Annunciazione, santi e profeti*, polittico a due ordini di Lorenzo Veneziano, datato 1357.

Eseguito per conto di Domenico Lion, raffigurato in preghiera nello scomparto centrale, presenta: nell'ordine inferiore, l'Annunciazione e (da sin.) i Ss. Antonio abate, Giovanni Battista, Paolo, Pietro, Giovanni Evangelista, Maria Maddalena, Domenico e Francesco; nell'ordine superiore, 8 busti di profeti; al centro, il Padre Eterno, tavola di Benedetto Diana sostituita all'originale dispersa; nella predella e nella cornice, busti e figure di santi (10 di queste ultime sono imitazioni ottocentesche).

Sul retro del pannello, *polittico dell'Assunta* di Jacopo Moranzone. Alla parete sin., in fondo, 33 *Incoronazione della Vergine in Paradiso* di Michele Giambono (il cartello con la firma e la data è apocrifo). Su pannello: 14 *Madonna dell'Umiltà, Pietà e i Ss. Francesco e Giacomo*, trittico di scuola veneziana della 2ª metà del '300; retro: 19 *Madonna in trono col Bambino e devoti* di Niccolò di Pietro (firmata e datata 1394), 50 *Matrimonio di S. Monica* di Antonio Vivarini e, 20 *S. Lorenzo* di Niccolò di Pietro. Al centro della sala, in una bacheca, *croce astile di S. Teodoro*, notevole lavoro di oreficeria veneziana del '400, in forme gotiche (il piede in bronzo è opera tardorinascimentale, 1567). Su pan-

nello: 13 *Madonna della Misericordia, devoti e santi*, trittico di
Jacobello del Fiore (firmato e datato 1436); 3 *S. Giacomo Maggiore e i Ss. Michele arcangelo, Luigi di Tolosa, Giovanni Evangelista e il venerabile Filippo Benizi*, pentittico di Michele Giambono (firmato). Alla parete, 24 *Madonna adorante il Bambino,
angeli e santi*, grande polittico di Michele di Matteo (firmato).

A due ordini, vi sono raffigurati: in alto, la Crocifissione tra i Ss. Giovanni
Evangelista, Luca, Matteo e Marco; in basso, la Madonna in trono tra le
Ss. Maria Maddalena, Caterina d'Alessandria, Lucia ed Elena; nei pen-
nacchi, i Dottori della Chiesa; nella fascia al mezzo, busti del Redentore e
di vari santi; nella predella, il ritrovamento della Santa Croce in 5 episodi.
La firma è visibile sotto S. Caterina.

Segue su pannello, 5 e 5a *S. Pietro* (datato 1371) e *S. Marco* (firmato), due opere di Lorenzo Veneziano, e, 17 *Madonna dell'U-
miltà e santi con Annunciazione e un gruppo di confratelli* della
Scuola di S. Giovanni Evangelista, di Giovanni da Bologna.
SALA 2. Fu costruita nel 1875 per esporvi l'Assunta di Tiziano,
pervenuta alle Gallerie all'inizio dell'Ottocento e poi ricollocata
(1919) nella chiesa dei Frari. Ora contiene notevoli pale d'altare
che documentano la pittura religiosa veneziana della 2ª metà del
'400. Alle pareti, da d. a sin., 89 *I diecimila crocifissi del monte
Ararat*, pala di Vittore Carpaccio (firmata e datata 1515); 69
Orazione nell'Orto di Marco Basaiti; 38 ***Sacra conversazione**,
dipinta intorno al 1487 da Giovanni Bellini per il 2° altare d. della
chiesa di S. Giobbe.

Sullo sfondo di un'abside il cui catino a mosaico effonde una luce dorata,
sono collocate, in una convergente scenografia umana: al centro, su un
alto trono, la Vergine col Bambino e ai lati, a sin. i Ss. Francesco, Giovanni
Battista e Giobbe, a d. i Ss. Sebastiano, Ludovico e Domenico; sui gradini
del trono chiudono la composizione 3 angeli musicanti.

Seguono: 39 **Vocazione dei figli di Zebedeo* di Marco Basaiti; 815
Madonna dell'arancio con i Ss. Girolamo e Stefano di Cima da
Conegliano; 44 *Presentazione di Gesù al tempio* di Vittore Carpaccio (firmata e datata 1510); 611 *Incredulità di S. Tommaso e
un santo vescovo* di Cima da Conegliano; 166 *Compianto di Cristo
morto* di Giovanni Bellini; 36 *Madonna in trono col Bambino e
santi* di Cima da Conegliano.
Nella SALA 3 (spesso utilizzata per mostre a rotazione di dipinti
restaurati) sono solitamente esposti: *Sacra conversazione* di Giovanni Cariani; 904 *Madonna col Bambino e oranti* di Niccolò
Rondinelli; 83 *Madonna col Bambino e i Ss. Girolamo e Francesco* di Benedetto Diana; 82 *Sacra conversazione* di Benedetto
Diana (firmata); 603 *Madonna col Bambino e i Ss. Giovanni Battista e Paolo* di Cima da Conegliano; 604 *Cristo deposto, la*

Madre, S. Giovanni, le pie donne e S. Giovanni d'Arimatea, di Cima da Conegliano (firmato); 70 **Madonna col Bambino e i Ss. Giovanni Battista e Caterina*, nella maniera di Giorgione o forse di Sebastiano del Piombo; 602 *I Ss. Cosma, Tecla e Benedetto* di Giovanni Buonconsiglio (firmato e datato 1497); 80 *Madonna in trono col Bambino e Ss. Sebastiano e Girolamo* di Bartolomeo Montagna.

Nella SALA 4 (di Andrea Mantegna e Piero della Francesca) sono esposte opere che attestano l'avvenuto passaggio dell'arte veneziana dal mondo medievale alla civiltà rinascimentale. 610 *Madonna col Bambino e i Ss. Paolo e Giorgio* di Giovanni Bellini (firmata); 586 *Ritratto di giovane con berretto nero* di Hans Memling; 613 **Madonna col Bambino tra S. Caterina e la Maddalena*, stupenda tavola realizzata da Giovanni Bellini intorno al 1490, dove le figure, insistenti su uno sfondo scuro, vengono modellate dalla luce. 591 *Madonna in trono adorante il bimbo dormiente in grembo*, dello stesso; 628 **Madonna dello Zodiaco*, opera giovanile (c. 1455) di Cosmè Tura, di cui bene esprime la vigoria plastica e l'incisività del disegno (la cornice è originale); 835 *Madonna col Bambino* di Jacopo Bellini; 528 *Madonna col Bambino benedicente* dello stesso; 47 **S. Girolamo e un devoto*, opera giovanile (1450 c.) di Piero della Francesca (firmata); 588 **S. Giorgio* di Andrea Mantegna; 583 *Madonna col Bambino benedicente* di Giovanni Bellini (c. 1475).

SALA 5 (di Giovanni Bellini e Giorgione), con, 272 **La vecchia* di Giorgione, dipinta intorno al 1508 (cornice originale), e, 915 **La Tempesta* pure di Giorgione.

Per la novità assoluta della composizione, dove per la prima volta il paesaggio assume una sua autonomia, e l'uso del colore, La Tempesta è tra le opere che maggiormente segnano e influenzano il passaggio della pittura italiana dal Quattrocento al Cinquecento.

Seguono dipinti di Giovanni Bellini: 595 *Perseveranza, Incostanza, Prudenza* (o la Verità), *Maldicenza* e *Summa Virtus* (quest'ultima più probabile opera di Andrea Previtali), cinque piccole tavole a soggetto allegorico, dette dal restello (mobile da toletta) perché forse decoravano quello citato da Vincenzo Catena nel suo testamento; 594 *Madonna col Bambino* (firmata); 596 *Madonna degli alberetti*, firmata e datata 1487; 881 **Madonna col Bambino e gloria di cherubini rossi*, databile dopo il 1488; **La Pietà*, stupenda opera firmata e databile intorno al 1505 (nel paesaggio che fa da sfondo al gruppo della Madre e del Figlio morto, sono raffigurati edifici di Vicenza e Ravenna); 881 **Madonna col Bambino tra S. Giovanni Battista e una santa* (firmata); 87 *Testa del Redentore*, frammento di una pala quasi sicu-

ramente raffigurante la Trasfigurazione (accanto è posto un altro frammento della stessa tavola con la firma dell'artista).
SALA 6. Qui e nelle seguenti sale 7, 8 e 9 sono esposte opere di artisti della prima metà del Cinquecento. 320 *La consegna dell'anello* di Paris Bordone.

Dipinta nel 1534 per la sala dell'Albergo della Scuola Grande di S. Marco, vi è raffigurato un vecchio pescatore che consegna al doge l'anello donatogli da S. Marco a prova del suo incontro col santo, salvatore di Venezia dalla tempesta del 25 febbraio 1340.

305 *Ritratto di gentildonna* di Bernardino Licinio; 321 *Madonna del Carmelo* di Alessandro Bonvicino detto il Moretto; 210 *Madonna dei tesorieri* di Jacopo Tintoretto; 314 *S. Giovanni Battista*, opera firmata realizzata da Tiziano intorno al 1542, nel momento della sua transitoria adesione al manierismo michelangiolesco; 219 *Assunzione*, pala d'altare di Jacopo Tintoretto; 284 *Cristo in trono e santi* di Bonifacio de' Pitati (1530); 943 e 942 *Annunciazione*, dello stesso; 291 *Il ricco Epulone*, sempre del De' Pitati; 302 *S. Pietro in trono e santi*, pala d'altare di Jacopo Palma il Vecchio.
SALA 7: 303 *Ritratto di donna* di Bernardino Licinio; 299 *Ritratto di ignoto* di Giovanni Cariani; 328 *S. Antonio abate e S. Paolo eremita* di Giovanni Girolamo Savoldo (firmato); 332 *S. Giovanni Battista* e, 331 *S. Pietro* di Alessandro Bonvicino; ***Ritratto di gentiluomo** di Lorenzo Lotto; 1025 *Natività* di scuola bresciana del '500; 1327 *Ritratto di Salvo Avanzi* di Antonio Badile.
SALA 8: 95 *Visitazione* di scuola veneziana del '500; *Crocifisso, le Marie e S. Giovanni* di Andrea Previtali; 737 *Pietà e santi* del Romanino (firmata); 639 *Presepio* di Andrea Previtali; 1306 *Cristo e l'adultera* di Rocco Marconi (firmato); 327 *Riposo nella fuga in Egitto* di Francesco Vecellio; 319 *La strage degli Innocenti* di Bonifacio de' Pitati; 147 ***Sacra conversazione** di Palma il Vecchio.

Opera della maturità (1523-25) dell'artista, d'un vigore coloristico e d'una severa impostazione formale prossimi a Tiziano, il quale avrebbe portato a termine la tela e il cui intervento è riconoscibile in special modo nella testa di S Caterina.

Seguono, 315 *Assunzione* di Palma il Vecchio e, 85 *Gesù tra i dottori* di scuola veneta della 1ª metà del '500.
SALA 9: 1305 *Madonna col Bambino e S. Giovannino tra i Ss. Barbara e Omobono* di Bonifacio de' Pitati (firmato e datato 1533); 917 *L'Eterno Padre protegge Venezia*, dello stesso; 458 *Tobiolo e l'arcangelo Raffaele*, di seguace di Tiziano; 1035, 1035a, b, c, *I simboli degli Evangelisti* di Tiziano e della sua bottega.

La SALA 10 venne costruita (insieme alla 11) tra il 1821 e il 1825 da Francesco Lazzari su progetto di Giannantonio Selva. Vi sono esposte opere di Tiziano, Jacopo Tintoretto e Paolo Veronese, i tre maggiori protagonisti della pittura veneziana della 2ª metà del '500. 203 *Convito in casa di Levi, dipinto nel 1573 da Paolo Veronese per i Domenicani dei Ss. Giovanni e Paolo (nel 1983 ne è stato ultimato il restauro).

Fu l'ultima delle grandiose Ultime Cene dipinte dall'artista per i refettori dei conventi veneziani. Per la fastosità della scena e l'atmosfera 'pagana' che dà vita all'avvenimento, inquadrato sotto le arcate di un grandioso porticato, Veronese venne convocato, il 15 luglio 1573, dal Santo Uffizio, di fronte al tribunale dell'Inquisizione, con sospetto d'eresia. L'artista, per non sottostare all'ingiunzione del tribunale di eliminare le figure ritenute sconvenienti per un'Ultima Cena, mutò il titolo del dipinto in quello che ancora oggi mantiene.

831 *Il trafugamento del corpo di S. Marco, telero dipinto nel 1562 da Jacopo Tintoretto per la Scuola Grande di S. Marco, su commissione del Guardian Grande, Tommaso Rangone, che è raffigurato nel personaggio che regge il capo del cadavere. Anche le due tele che seguono, 42 *Miracolo di S. Marco (1548, firmato), e 283 S. Marco salva un saraceno (1562), furono realizzate da Tintoretto per la Scuola Grande di S. Marco; completava la serie un altro telero con il Ritrovamento del corpo di S. Marco, ora alla Pinacoteca di Brera a Milano. 875 Il sogno di S. Marco di Jacopo e Domenico Tintoretto; 221 Madonna in gloria e santi di Jacopo e scolari; 316 S. Lorenzo Giustiniani e altri santi del Pordenone (1532); 213 Crocifissione di Tintoretto; 400 *La Pietà di Tiziano (restaurata nel 1983).

È una delle ultime opere di Tiziano, destinata all'altare del Crocifisso ai Frari, presso il quale egli desiderava essere sepolto, e compiuta dopo la sua morte (1576) da Palma il Giovane. Dipinta mentre la pestilenza faceva strage in Venezia e nella stessa casa del pittore, la vasta tela è significativo esempio degli ultimi raggiungimenti di Tiziano, espressi disgregando le forme in una libera resa pittorica intrisa di luce.

725 La presentazione di Gesù al tempio di Tintoretto.
SALA 11. La grande sala è articolata in due sezioni. Nella prima sono esposte opere di Leandro Bassano, Tintoretto e Paolo Veronese, mentre nella seconda trovano posto dipinti del '600 e settecenteschi di G.B. Tiepolo. 252 Risurrezione di Lazzaro di Leandro Bassano (firmata); 900 La creazione degli animali di Jacopo Tintoretto; in alto, 45 Allegoria di Venezia di Paolo Veronese; 43 *Adamo ed Eva e, 41 *Caino e Abele, due notevoli opere giovanili di Jacopo Tintoretto (furono dipinte intorno al 1550-53, per la Scuola della Trinità); in alto, S. Nicolò accolto vescovo a

Mira di Paolo Veronese; 899 *I Ss. Alvise e Giorgio e la princi-pessa* di Tintoretto; 898 *I Ss. Girolamo e Andrea* dello stesso; in alto, 833 *S. Francesco riceve le stigmate* di Paolo Veronese. Alla parete di fronte, opere di Paolo Veronese: 255 *Calvario*; 37 **Ma-donna in trono e santi*, pala dipinta nel 1562 per la sagrestia di S. Zaccaria; 260 *Annunciazione*; 1324 **Sposalizio mistico di S. Ca-terina*, una delle più armoniose opere dell'artista risolta su ac-cordi cromatici brillanti e trasparenti (1575 c.); su cavalletto, 212 *La battaglia di Lepanto*, già nella chiesa di S. Pietro Martire di Murano, e probabilmente ex voto di Pietro Giustinian di Murano che partecipò a quella battaglia il 7 ottobre 1571.

Nella seconda sezione della sala: su cavalletto, 1358 *Ritratto del procuratore Grimani* di Bernardo Strozzi; 777 *Convito in casa del Fariseo*, dello stesso (1629 c.); 343 *Il castigo dei serpenti*, fregio di G.B. Tiepolo (1732-35) proveniente dalla chiesa dei Ss. Cosma e Damiano alla Giudecca; 462 **S. Elena rinviene la vera Croce*, tondo che decorava il soffitto della chiesa delle Cappuc-cine a Castello, dipinto da Tiepolo intorno al 1745; ai lati di questo, 836 e 837 *Coretti con fedeli oranti*, affreschi trasportati su tela realizzati da Tiepolo (1743-45) per la decorazione della chiesa degli Scalzi; 751 *Crocifissione di S. Pietro* di Luca Gior-dano.

La SALA 12 (del paesaggio settecentesco) occupa il lungo corri-doio dell'ala palladiana dell'ex convento della Carità. A sin.: 721, 722 *Paesaggio con Agar e l'angelo* e *Paesaggio con Tobia e l'an-gelo*, di Giuseppe Zais. A d.: 457, 454, 456 **Paesaggio con tor-rente e figure, Paesaggio con cascata, Paesaggio con cavalli che si abbeverano*, di Marco Ricci; 846, 849 *Ruderi e grande arco, Pae-saggio con villici che danzano*, di Giuseppe Zais; 858 **Il ratto d'Europa* di Francesco Zuccarelli (restaurato nel 1983); 848, 847 *Paesaggio con fiume e ponte, Ruderi di edificio e figura*, di Giu-seppe Zais; 861, 862, 859, 864 *Paesaggio con pastora a cavallo, Paesaggio con fiume e fanciullo che pesca, Baccanale* (in restauro, 1984), *La caccia al toro*, di Francesco Zuccarelli; 455 *Paesaggio con la Maddalena* di Antonio Diziani. A sin.: 459 *Mosè e il roveto ardente*, della bottega di Gaspare Diziani; 1333 *Paesaggio con cacciatori a riposo* dello Zuccarelli; 460 *Mosè e le tavole della Legge* di Gaspare Diziani.

SALA 13 (di Jacopo Bassano). Prima sezione: sul soffitto, 541 *As-sunzione*, di bottega del Veronese; quindi da d.: 713 *Deucalione e Pirra* di Andrea Schiavone; in alto, 415 *Paesaggio con Mosè e il roveto ardente*, della bottega dei Bassano; 1360 *Adorazione dei pastori* di Jacopo Bassano; 714 *Il giudizio di Mida* di Andrea Schiavone; in alto, 410 *Riposo in Egitto* di Jacopo Bassano e aiuti; 1012 *Ritratto di un procuratore Contarini* di Domenico

Tintoretto; 1359 *Madonna col Bambino* di Tiziano (lascito di Leonardo Albertino); 324 *Presentazione di Gesù al tempio* di Andrea Schiavone; 245 *Il procuratore Jacopo Soranzo* e, 233 *Il doge Alvise Mocenigo*, due opere di Jacopo Tintoretto; 901 *Allegoria della natura* dello Schiavone; 268 *Cristo catturato* di Lambert Sustris.

Seconda sezione: su cavalletto, 652 *S. Girolamo in meditazione* di Jacopo Bassano; 660 *La crocifissione di S. Pietro* di Palma il Giovane; 404 *Ritratto di senatore* di Jacopo Bassano; 401 *pala di S. Eleuterio* di Jacopo Bassano; 897 *Ritratto di procuratore* di Jacopo Tintoretto; 1354 *Il Paradiso* di Andrea Michieli d. il Vicentino.

SALA 14 (del Seicento). Prima sezione: 1189 *S. Francesco* di Annibale Carracci; 424 *S. Girolamo* di Bernardo Strozzi; 1314 *Allegoria del temperamento flemmatico* di Pier Francesco Mola; 62 *Martirio di S. Bartolomeo* del Valentin; 59 *Omero*, attribuito a Mattia Preti; 518 *Fanciulla che legge*, 675 *Isacco e Giacobbe*, 679 *David* e, 671 *Meditazione*, quattro opere di Domenico Fetti; 913 *Il compianto di Abele*, 914 *Il sacrificio di Isacco*, 674 *Apollo e Marsia*, tre tele di Johann Liss; 503 *Il buon Samaritano* e, 749 *Il suonatore*, entrambe di Domenico Fetti.

Seconda sezione: 1329 *Annunciazione* di Sebastiano Mazzoni; 1341, 1340 *Scena mitologica* e *Perseo e Medusa*, di Francesco Maffei; 868 ex voto di Pietro Vecchia; su cavalletto, 1339 *Crocifissione* di Giulio Carpioni.

La SALA 15, insieme alla 16, 16a e 17, è dedicata alla pittura del Settecento, prevalentemente veneziana: 481 *S. Gaetano e Sacra Famiglia* di G.B. Tiepolo; 871 *Rachele e Giacobbe* di Francesco Solimena; 484 *S. Giuseppe col Bambino e altri santi* di G.B. Tiepolo; 870 *Rebecca ed Eleazaro* del Solimena; 438 *Annunciazione* di G.B. Pittoni; 834 *Abramo visitato dagli angeli* di Giandomenico Tiepolo; 1321 *S. Ignazio presentato al papa* di G.B. Mariotti; 1319 *La Pittura* di Giovanni Antonio Pellegrini; 790 *Gesù caccia i mercanti dal tempio* di Angelo Trevisani; 1320 *La Scultura* di Giovanni Antonio Pellegrini.

SALA 16: 747 *Adorazione dei Magi*, ovale di Giuseppe Bazzani; 711, 712, 435, 440 *Apollo e Marsia, La ninfa Callisto sorpresa da Diana, Il ratto d'Europa, Diana e Atteone*, quattro opere giovanili di G.B. Tiepolo; su cavalletto, 1315 *Vecchia con ciotola* di Giuseppe Nogari; 748 *Riposo in Egitto* del Bazzani.

SALA 16 a. Su cavalletto, 1316 *Il ferito* di Gaspare Traversi; 493 *La Pittura e il Merito* di Alessandro Longhi; su cavalletto, 483 *L'indovina* di Giambattista Piazzetta (1740); 1345 *Giuditta e Oloferne* di Giulia Lama; 778 *Ritratto del conte Vailetti* di Vittore Ghislandi detto fra' Galgario; 1355 *La famiglia del procuratore*

Luigi Pisani di Alessandro Longhi, uno degli esempi più notevoli della ritrattistica veneziana ed europea della fine del sec. XVIII.

SALA 17. Prima sezione: 1344 *Incendio a S. Marcuola* di Francesco Guardi; 728 *Veduta con obelisco* di Michele Marieschi; 1308 *Giardino di una villa* di Marco Ricci; 727 *Veduta con ruderi* del Marieschi; 1307 *Paesaggio con boscaioli* di Marco Ricci; 796 *Paesaggio con torrente* di Antonio Diziani; 709 *Isola di S. Giorgio* di Francesco Guardi; 797 *Paesaggio con capanne* del Diziani; 451 *Interno di fantasia con archi e scale* del Marieschi; 706 *L'isola dell'Anconetta* di Francesco Guardi; 463 *Porticato*, prospettiva di Antonio Canal detto il Canaletto (1765); 710 *Veduta* di Giovanni Migliara; 494 *La Scuola grande di S. Marco e il rio dei Mendicanti* di Bernardo Bellotto; *Svaghi campestri*, tre tele di Giuseppe Zais.

Seconda sezione: 809 *Crocifisso* di G.B. Piazzetta; 879 *Adorazione dei Magi* di Francesco Fontebasso; 707 *La Maddalena* di G.B. Pittoni; 810 *Gloria di S. Domenico*, bozzetto per il soffitto dei Gesuati, di G.B. Tiepolo (1739); 909 *Cristo adorato da 2 suore* di Alessandro Magnasco; 880 *Ultima Cena* del Fontebasso; 490 *Ritratto di Girolamo Leblond* di Rosalba Carriera; 491 *Ritratto di gentiluomo* della stessa; 789 *Glorificazione della Croce* di G.B. Tiepolo; 741 *I Romani saccheggiano il tempio di Gerusalemme* di G.B. Pittoni; 910 *Sogno di Esculapio* di Sebastiano Ricci; 740 *Anzia e Abrocome alle feste di Diana* di G.B. Tiepolo (?); 743 *Venere e Adone* di Jacopo Amigoni; 651 *Il miracolo del paralitico* di G.B. Tiepolo.

Terza sezione: vi sono riunite 6 *telette di Pietro Longhi, fra i più acuti interpreti della società veneziana del suo tempo: 468 *L'indovino*; 467 *La bottega dello speziale*; 469 *Il sarto*; 464 *La toletta della dama*; 465 *Il maestro di ballo*; 466 *Il concerto*. Seguono: 911 *Il trasporto della Santa Casa di Nazareth a Loreto*, bozzetto di G.B. Tiepolo per il soffitto degli Scalzi, distrutto durante la prima guerra mondiale; poi 7 *dipinti di Rosalba Carriera: 444 *Giovinetto con ciambella*; 489 *Ritratto di dama*; 486 *Abate di casa Leblond*; 445 *Ritratto di giovinetto*; 907 *Autoritratto*; 485 *Ritratto del cardinale Melchiorre di Polignac*; 496 *Ritratto di giovane dama*.

SALA 18. 479 *Filosofo* di Pietro Longhi; 762 *Allegoria della pittura, dell'invenzione e del disegno*, di Pier Antonio Novelli (firmata e datata 1776); 458 *Paesaggio con S. Giovannino* di Francesco Zuccarelli; 433 *L'Accademia del disegno* di Domenico Maggiotto (firmata); 425 *Venezia premia le belle arti* di Michelangelo Morlaiter; 422 *Allegoria della pittura e della scultura* di Francesco Maggiotto (firmata). In una vetrina, 1342 *Allegoria dell'età e della morte*, di G.B. Tiepolo, e *Lottatori*, gruppo in gesso dal-

l'antico eseguito da Antonio Canova nel 1775, con cui vinse il 2°
premio al primo concorso di scultura indetto dall'Accademia, il
cui tema era la copia di un gesso della raccolta Farsetti; **Apollo*,
terracotta presentata da Canova (1779) per l'ammissione all'Accademia; *Pietà*, bozzetto in terracotta, dello stesso (1819), per il
gruppo destinato al Tempio di Possagno. 908 *Carlo Lodoli* di
Alessandro Longhi; 1033 *Ritratto di Lodovica Battaglia Belloni*
di Pietro Bini; 638 *Autoritratto* di ignoto settecentesco; 448 *Prospettiva architettonica con artisti* di Antonio Visentini; 461 *Prospettiva* di Francesco Battaglioli; 470 *Prospettiva* di Pietro Gaspari; 471 *Prospettiva* di Giuseppe Moretti; 450 *Antiche Terme* di
Antonio Joli.

SALA 19. In una vetrina, *reliquiario del cardinale Bessarione*, di
arte bizantina del sec. XIV-XV, proveniente da Costantinopoli e
donato dal cardinale alla Scuola della Carità nel 1466 (verrà trasferito nella sala 24). 600 *Sposalizio della Vergine e santi* di Boccaccio Boccaccino; 68 e 68a *S. Giacomo* e *S. Antonio abate*, di
Marco Basaiti (firmati); 76 *La cena in Emmaus* di Marco Marziale (firmata e datata 1506); 91 *Sacra apparizione nella chiesa
di S. Antonio di Castello* di Vittore Carpaccio; 90 *Incontro di S.
Anna con S. Gioacchino* di Carpaccio, firmato e datato 1515;
1343 *S. Pietro e donatore* di Bartolomeo Montagna; 108 *Cristo
morto* di Marco Basaiti; 107 *S. Girolamo* dello stesso; 590 *L'An-
nunziata* e, 589 *Cristo alla colonna* (repliche da Antonello da
Messina), di Antonello da Saliba; 599 *La lavanda dei piedi* di Giovanni Agostino da Lodi.

SALA 20 (dei Miracoli della S. Croce). Sono qui esposti otto teleri
che, nella Scuola Grande di S. Giovanni Evangelista, ornavano la
sala dove era custodita la reliquia della Croce, donata nel 1369
dal Gran Cancelliere del regno di Cipro, Filippo Mezieres. Il
ciclo, realizzato alla fine del '400 dai più importanti «pittori di
cerimonia» dell'epoca (Gentile Bellini, Vittore Carpaccio, Giovanni Mansueti e Lazzaro Bastiani), riveste un notevole interesse anche perché puntuale spaccato della vita veneziana quattrocentesca nei suoi aspetti urbani e di costume: 566 **Guarigione dell'ossesso* di Vittore Carpaccio che, confinata nella loggia
a sin. la scena del miracolo, rappresenta una delle più interessanti visioni della Venezia del XV sec., con il vecchio ponte di
Rialto (in legno e la parte centrale mobile per permettere il passaggio delle navi) e i palazzi del Canal Grande dipinti con notevole precisione descrittiva (di questi, ancora esistente, si riconosce sulla riva d., Ca' da Mosto col porticato terreno); 562 *Miracolosa guarigione della figlia di Benvegnudo da S. Polo* di Giovanni Mansueti; 568, 563, 567 **Miracolo della Croce caduta nel
canale di S. Lorenzo, Guarigione di Pietro dei Ludovici*, ***La**

processione in piazza S. Marco (datata 1496), tre teleri di Gentile Bellini, grandiosi per la composizione e di eccezionale valore per la resa delle architetture e dei costumi; 565 *Miracolo del bambino caduto dalla scala* di Benedetto Diana; 561 *Offerta della reliquia della Croce alla Scuola di S. Giovanni Evangelista* di Lazzaro Bastiani; 564 *Miracolo della reliquia della Croce in campo S. Lio* di Giovanni Mansueti.

Sala 21 (delle storie di S. Orsola). Il ciclo venne realizzato fra il 1490 e il 1496 da Vittore Carpaccio per l'oratorio della Scuola di S. Orsola, la cui sede, edificata nel 1306 presso l'abside d. della chiesa dei Ss. Giovanni e Paolo, venne inglobata all'inizio dell'Ottocento nella canonica.

Il racconto della vita e del martirio della leggendaria principessa di Bretagna fu tratto dalla «Vita dei santi» di Jacopo da Varagine, di cui a Venezia circolava la traduzione in italiano curata da Nicolò Minerbi nel 1475. Orsola, richiesta in matrimonio da Ereo figlio del pagano re d'Inghilterra, accetta a condizione che le nozze siano consumate dopo due anni, per permettere a lei e a 11 000 vergini del suo paese di visitare tutti i santuari del mondo; l'eccezionale pellegrinaggio ha inizio, ma giunta a Colonia Orsola e tutto il seguito saranno trucidati dagli Unni. Carpaccio mutò il racconto dal sacro a profano, realizzando un eccezionale documento della vita e del costume del tempo, ambientato in paesaggi che rievocano la Laguna veneziana e la terraferma veneta; tutte le tele (attualmente, 1984, in restauro) sono firmate.

576 *Apoteosi di S. Orsola* (1491); 572 *Gli ambasciatori inglesi alla corte di Bretagna;* 573 *Il congedo degli ambasciatori inglesi;* 574 *Il ritorno degli ambasciatori;* 575 **Incontro di Orsola con Ereo* (1495); 578 ***Sogno di Orsola** (1496); 577 *Incontro dei pellegrini con papa Ciriaco;* 579 *Arrivo dei pellegrini a Colonia* (1490); 580 *Martirio dei pellegrini e funerali di Orsola* (1493).

Si retrocede alla sala 18 da dove si accede alla Sala 23, ricavata all'inizio dell'Ottocento dalla divisione in due piani della chiesa della Carità (v. pag. 397). Il vasto ambiente, dove è ancora leggibile la pianta originaria della chiesa a una navata, con tre absidi poligonali e soffitto a capriate, è diviso in due spazi: il primo riservato a mostre e attività didattica, il secondo all'esposizione di esempi di pittura veneziana del secondo Quattrocento. 103a *Ss. Pietro e Paolo* di Carlo Crivelli. Nell'abside d., 735 *La Madonna col Bambino e S. Rocco* di Francesco Morone; 723 *La Madonna col Bambino e angeli musicanti* di Giovan Francesco da Tolmezzo; 644 *La Madonna in trono col Bambino e angeli* di Antonio Rosso; 892 *S. Chiara* di scuola emiliana (?) della 2ª metà del '400; 54 *S. Orsola e 4 sante,* di bottega di Giovanni Bellini; 587 *L'Addolorata* di Jacopo da Montagnana (?); 27 *Madonna col Bambino e santi domenicani,* polittico della bottega di Bartolomeo Vivarini;

986 *L'orazione nell'orto*, di bottega di Lazzaro Bastiani; 72 *S. Agostino* e, 73 *S. Girolamo*, due opere di bottega di Cima da Conegliano.

Nell'abside mediana sono riuniti 4 grandi *trittici di Giovanni Bellini e bottega, in origine collocati sotto il «barco» della chiesa della Carità. Alla parete d.: 621b, **di S. Lorenzo** (con i Ss. Giovanni Battista, Lorenzo, Antonio da Padova e, nella lunetta, la Madonna col Bambino e 2 angeli); 621, **della Natività** (con la Natività tra i Ss. Francesco e Vittore e, nella lunetta, la Trinità tra i Ss. Agostino e Domenico); alla parete sin.: 621a, **di S. Sebastiano** (con S. Sebastiano tra i Ss. Giovanni Battista e Antonio abate e, nella lunetta, l'Eterno Padre tra l'arcangelo Gabriele e l'Annunciata); 621c, **della Madonna** (con la Vergine tra i Ss. Girolamo e Lodovico da Tolosa e, nella lunetta, Cristo deposto tra 2 angeli). In fondo all'abside, S 8, S 9, S 10 e S 11, 4 angeli turiferari e portaceri, eleganti sculture in pietra di scuola veneziana della fine del '400.

Nell'abside di sin.: 105 *I Ss. Rocco, Sebastiano, Emidio e il beato Jacopo della Marca*, di Carlo Crivelli; 12 *Arrivo dei re Magi* di scuola veneta degli inizi del '300; 570 *Il beato Lorenzo Giustiniani* di Gentile Bellini. Alla parete sin. della navata, S 2 *Vergine e santi*, polittico di Bartolomeo Giolfino. Su pannello, 581 *Presepe e santi*, polittico di Bartolomeo Vivarini e bottega; 53 *Arco trionfale del doge Nicolò Tron*, di scuola veneziana della 2ª metà del sec. xv; 614, 620, 622 *Il Salvatore benedicente e 4 santi*, opera di bottega di Giovanni Bellini; sul retro, 720 *Natività* di scuola veneziana della 1ª metà del '400; 616 *Madonna col Bambino* di seguace di Bartolomeo Vivarini; 659 *Il Redentore* di Quirizio da Murano; 48 *Madonna col Bambino* di scuola veneziana della 1ª metà del '400; 585 *S. Barbara* di Bartolomeo Vivarini, autore anche del 584 *S. Maria Maddalena*, e del polittico (825) con *S. Ambrogio in cattedra e i Ss. Luigi, Pietro, Paolo e Sebastiano*; quest'opera, firmata e datata 1477, fu eseguita dal Vivarini per la congregazione dei Tagliapietra di S. Aponal.

Alla parete, 615 *Madonna col Bambino e i Ss. Andrea, Giovanni Battista, Domenico e Pietro*, di Bartolomeo Vivarini. Quindi, sul pannello seguente: 593 *S. Chiara*, 607 *Madonna col Bambino tra S. Anna, S. Gioacchino e santi francescani*, 593a *Santo martire*, 619 *S. Matteo*, 618 *S. Giovanni Battista*, cinque opere di Alvise Vivarini; 51 *Crocifissione* di scuola padovana del 1460 c.; sul retro, 617 *Madonna in trono col Bambino e 4 santi* attribuita a Gentile Bellini; 886 *Madonna in trono e 4 santi* di Girolamo da Treviso; 96 *Trasfigurazione* dello stesso; 657 *Morte della Vergine* di Pier Maria Pennacchi; 823 *Funerali di S. Girolamo* e, 824 *Comunione di S. Girolamo*, entrambe di Lazzaro Bastiani; 28

trittico di Andrea da Murano; 103 *Ss. Girolamo e Agostino* di Carlo Crivelli.

Tornati alla sala 18, per la sala 22 (piccolo ambiente neoclassico realizzato all'inizio dell'800 e decorato con rilievi e due statue di giovani palestriti) si accede alla SALA 24. Era questa la sala dell'Albergo della Scuola della Carità; rinnovata nel 1444, è adorna di un magnifico soffitto ligneo rinascimentale, azzurro e oro, con tondi in rilievo con il *Padre Eterno* e i 4 *Evangelisti* (in restauro, 1984). Alle pareti, ai lati dell'ingresso, 734 *Annunciazione*, attribuita a Giovanni Bellini; a d., 625 *Madonna in trono col Bambino e santi*, trittico di Antonio Vivarini e Giovanni d'Alemagna.

Il grandioso trittico, splendido frutto della stretta collaborazione fra Antonio Vivarini e il cognato Giovanni d'Alemagna, fu eseguito nel 1446 per questa stessa sala dell'Albergo (in origine però sulla parete di fronte alla Presentazione di Tiziano). Vivace e ricca ne è l'orchestrazione coloristica, scintillante d'oro non solo negli ornati a pastiglia, ma anche in tutti quei particolari che la raffinata fantasia dei due artisti volle impreziosire.

Alla parete di fronte a questo, 654 *Incontro del papa Alessandro III col doge Sebastiano Ziani*, di scuola veneziana della 2ª metà del sec. XVI. Quindi, proseguendo il giro in senso antiorario, 876 *Ritratto del cardinale Bessarione*, di scuola veneziana del sec. XVI e, 626 **Presentazione della Vergine al tempio**, eseguita tra il 1534 e il 1539 da Tiziano per il medesimo luogo in cui ancora oggi si trova. Quando sarà ultimato il restauro del soffitto, verrà qui ricollocato il reliquiario del cardinale Bessarione, attualmente nella sala 19.

Dal campo della Carità si segue a sin. dell'ex chiesa l'ampio e in parte alberato *rio terrà Antonio Foscarini*, già rio S. Agnese, interrato nel 1863 nel quadro degli interventi viabilistici successivi all'apertura del ponte dell'Accademia, sovradimensionato rispetto alle effettive necessità pedonali della zona (sulla d. prospetta l'alta parete bianca, con marcapiani in cotto, dell'ala palladiana dell'ex monastero della Carità, sulla quale rimane l'arcone di una cavana).

Rio S. Agnese, insieme ad altri tuttora aperti, tagliando il sestiere in tutta la sua larghezza, metteva in comunicazione il Canal Grande con il canale della Giudecca, definendo quella serie di insule piuttosto regolari e allungate che caratterizzano questa parte di Dorsoduro.

Dopo breve tratto si volge a sin. in *calle nuova S. Agnese* (allargata nel 1864), chiusa sulla d. da modesti edifici in parte di ristrutturazione otto-novecentesca, fra i quali si apre piscina Venier che, col suo proseguimento, piscina S. Agnese (con vera da pozzo del sec. XVII-XVIII), è caratterizzata da interessanti esempi

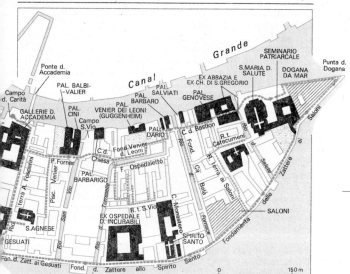

di edilizia minore. Proseguendo dritti per *piscina del Forner* (a sin., N. 866, il seicentesco *palazzo Balbi-Valier* con facciata sul Canal Grande, v. pag. 193, e grande stemma sul portale d'ingresso), si raggiunge il ponte S. Vio, con vista sul rio omonimo, fiancheggiato dalle fondamenta Venier e Bragadin, che separa nettamente due insule collegando il Canal Grande col canale della Giudecca. Ai piedi del ponte si apre *campo S. Vio*, che prende il nome dalla chiesa dei Ss. Vito e Modesto demolita nel 1813 (ne rimangono frammenti nel piccolo oratorio edificato nel 1865, su disegno di Giovanni Pividor, sull'angolo dell'area rimasta libera).

La chiesa, di antica origine (sec. x), era stata riedificata tra il 1310 e il 1315 a spese del governo veneziano, a memoria della repressione della congiura di Baiamonte Tiepolo, avvenuta il 15 giugno 1310, festa di S. Vito.

Il campo, alberato e con vera da pozzo cilindrica, dalla tipica struttura dei puteali pubblici dell'inizio del '500, è definito a O dal rio S. Vio e aperto a N sul Canal Grande (ampia veduta sulla palazzata della riva opposta, dove in particolare risalta il palazzo Corner della Ca' Granda, v. pag. 194). Sul lato E prospettano la chiesa anglicana di *S. Giorgio*, edificata (a ricordo dei soldati inglesi caduti sul fronte italiano) nel 1926 su progetto di Luigi Marangoni, e a sin. di questa, N. 730, il fianco di *palazzo Barbarigo*, degli inizi del sec. XVI.

Alla fine dell'800 divenne sede della Compagnia Venezia e Murano, produttrice di vetri e mosaici, che rimaneggiò la facciata sul Canal Grande, v. pag. 193, rivestendola con mosaici realizzati su cartoni del pittore Giulio Carlini (*L'imperatore Carlo V nello studio di Tiziano* ed *Enrico III di Francia in una vetreria a Murano*).

Sul lato opposto un ponte privato collega al campo il cinquecentesco *palazzo Cini*, con rinascimentale facciata prospiciente il rio di S. Vio; sede distaccata della Fondazione Giorgio Cini (v. pag. 614), dal 1984 ospita nei due piani nobili la *Raccolta d'arte dalla collezione Vittorio Cini*, che accoglie una trentina di dipinti di scuola toscana e vari oggetti d'arte. Giorni e ore di visita, pag. 136.

Il fondo dei dipinti comprende: *croce processionale* a due facce di Giunta Pisano (quarto decennio del sec. XIII); *Crocifisso*, tavola di scuola fiorentina (fine sec. XIII); *Madonna in trono con Bambino e 2 santi* del Maestro del Trittico Horne (inizio sec. XIV); *S. Giovanni evangelista beve dalla coppa avvelenata* e *S. Giovanni evangelista assunto in cielo*, tavolette di Taddeo Gaddi (1348-53),; *Crocifissione* di Bernardo Daddi (c. 1340); *Madonna in trono con Bambino e 4 santi* di Lorenzo di Niccolò (inizio sec. XV); *Maestà* del Maestro di Badia a Isola (c. 1315); *Madonna col Bambino* di Niccolò di Segna (c. 1340); *S. Paolo in trono e santi* di maestro Francesco (metà sec. XIV); 6 *Santi* di scuola umbra della 1ª metà del sec. XIV; *S. Giovanni evangelista* di Francesco da Volterra (c. 1360); *Ascensione di Cristo* del Guariento (c. metà sec. XIV); *Madonna col Bambino, santi, angeli e un devoto* di Filippo Lippi (1ª metà sec. XV); *Madonna col Bambino* di Piero della Francesca (ultimo quarto del sec. XV); *Il giudizio di Paride* di Botticelli e bottega (1485-88); *Madonna che adora il Bambino, con due angeli*, di Sebastiano Mainardi (fine sec. XV); *Madonna col Bambino e 2 angeli* di Piero di Cosimo (1510); *Sacra Famiglia con S. Giovannino*, altra tavola di Piero di Cosimo (1510); *Madonna dell'Umiltà* del Sassetta (c. 1440); *Crocifissione* di Pietro di Giovanni d'Ambrosi (c. 1440); *Il Redentore* del Maestro dell'Osservanza (1ª metà sec. XV); *S. Pietro martire* del Vecchietta (metà sec. XV); *Madonna col Bambino e 2 santi* di Matteo di Giovanni (c. 1470); *Adorazione dei pastori* del Maestro di Stratonice (c. 1490); *Ritratto di due amici* del Pontormo (1552); *Madonna col Bambino* di scuola fiorentina (fine sec. XV); *Madonna col Bambino*, terracotta di Giovanni Minelli de' Bardi (fine sec. XV).
Una serie di smalti, mobili, cassoni, oggetti di bronzo, porcellane e tappeti antichi definiscono l'ambientazione della raccolta nelle sale dell'antico palazzo.

Si prosegue verso E per calle della Chiesa, che sbocca presso il rio delle Torreselle, fiancheggiato dalle fondamenta Venier dei Leoni e dell'Ospedaletto, il cui andamento sinuoso determina l'aspetto concluso e raccolto di questo spazio, caratterizzato da un'edilizia bassa e omogenea.

A sud del rio rimane ancora leggibile la struttura urbanistica tipica di un'insula interna, definita da un'interessante edilizia minore a carattere popolare e assistenziale (con alcuni dei più felici esempi di case a schiera settecentesche), articolata lungo calli-corti parallele fra loro. Varcato il rio sul ponte del Formager, e lasciata a sin. la fondamenta dell'Ospedaletto (da un ospizio per poveri eretto dai procuratori di S. Marco nel 1320 e rinnovato in forme classicheggianti nel 1755: N. 572, ora abitazione privata), si prosegue per il sottoportico e la *calle delle Mende* (probabilmente da rimendare o rammendare, mestiere svolto dalle donne che qui abitavano), con l'originaria pavimentazione in mattoni e un complesso di casette a schiera settecentesche (6 ingressi, dal N. 512 al 517) a due piani con abbaino. Al termine si segue a sin. calle del Forno (subito a sin. si apre la corte del Forno, su cui si affacciano altre case a schiera settecentesche, integre nei prospetti) che, con andamento sinuoso e cambiando nome, raggiunge *rio terrà S. Vio*, nella cui pavimentazione rimane traccia del rio. Sulla d., muro di cinta del chiostro del convento dello Spirito Santo (v. pag. 427); sulla sin. si aprono in successione le tre *corti*, anticamente di edilizia assistenziale per le famiglie povere, *del Sabion* (da un deposito di sabbia un tempo qui ubicato), con vera da pozzo del sec. xv, *Nuova* e *Vecchia*, con portale d'ingresso recante gli scudi dei Mocenigo e Semitecolo e, murata, una vera da pozzo della fine del sec. xv.

Si prosegue per *fondamenta Venier dei Leoni* (al N. 707, arco duecentesco veneto-bizantino di recupero) e quindi, a sin., per *calle S. Cristoforo* dove, nell'angolo rientrante, al N. 701, un cancello in ferro battuto e vetro, opera di Claire Falkenstein, introduce al giardino di *palazzo Venier dei Leoni*, sede della ***Collezione Peggy Guggenheim**, d'arte moderna e contemporanea. Giorni e ore di visita, pag. 134.

Del palazzo, progettato nel 1749 da Lorenzo Boschetti, venne costruito solo il piano terreno, che presenta il prospetto sul Canal Grande (v. pag. 195) in massiccio bugnato di pietra d'Istria. Nel 1949 fu acquistato dalla collezionista americana Peggy Guggenheim, che vi trasferì la sua raccolta di pitture e sculture di artisti dell'avanguardia europea e americana, acquistate tra il 1939 e il 1949. Esse, insieme a quelle acquisite successivamente e riferibili al secondo dopoguerra, formano la prestigiosa collezione Peggy Guggenheim che, alla morte della fondatrice (1979), per sua scelta, motivata anche da questioni burocratiche, passò insieme al palazzo alla Solomon R. Guggenheim Foundation di New York.
Fra il 1980 e il 1983 la collezione fu riordinata negli ambienti di palazzo Venier dei Leoni, ristrutturato con la partecipazione di banche e istituzioni italiane. L'allestimento è stato curato da Thomas M. Messer che, annullato il carattere di 'casa vissuta', ha realizzato ambienti museali neutri

molto luminosi, ordinandovi le opere (rigidamente selezionate) per correnti figurative.

Nel giardino (dove è sepolta Peggy Guggenheim), riprogettato da Giorgio Bellavitis, sono collocate sculture bronzee: da d., *Donna senza testa* di Alberto Giacometti; *Tauromachia* di Germaine Richier; *Colloquio mitico* di Pietro Consagra; *Nelle strade di Atene* di Max Ernst; *Cane cinese 2* di Eduardo Paolozzi; *Cavallo* di Raymond Duchamp-Villon; *Donna «Leoni»* di Alberto Giacometti; inoltre, al centro, *Tre figure in piedi* di Henry Moore e *L'anfora frutto* di Jean Arp. Nel cortile, affacciato sul Canal Grande, *L'angelo della cittadella*, grande bronzo di Marino Marini (1948).

Dall'atrio si passa nella SALA 1 (cubismo): *Il clarinetto* di Georges Braque (1912); *L'habitué* di Louis Marcoussis; *Donna con gli animali* di Albert Gleizes; *Giovane triste in treno* di Marcel Duchamp (1911); *Il poeta* di Pablo Picasso (1911); *La bottiglia di rum della Martinica* di Juan Gris (1914); in angolo, per terra, *La boxe*, terracotta di Alexandr Archipenko; *Il ciclista corridore* di Jean Metzinger; *Uomini in città* di Fernand Léger (1919); *Finestre* di Robert Delaunay; sulla cassapanca, *Testa di giovane ragazza*, terracotta di Henri Laurens, e *Pierrot seduto*, piombo di Jacques Lipchitz.

SALA 2 (costruttivismo-de Stijl): nel sottarco della porta, a sin., *Senza titolo* di El Lissitzky; da d., *Controcomposizione XIII* di Théo van Doesburg; *Composizione* dello stesso; *Composizione di un quadrato inscritto e circoscritto a un cerchio*, scultura di Georges Vantongerloo; *Il mare* di Piet Mondrian (1915-16); *Composizione ovale* dello stesso (1913-14); *Superficie sviluppabile* di Antoine Pevsner; *Senza titolo* di Kazimir Malevič (1916 c.); *Composizione* di Piet Mondrian.

CORRIDOIO: da d., *Dinamica* di František Kupka, autore anche delle due opere seguenti (*Studio cromatico* e *Intorno a un punto*); *Composizione* di Jean Arp; seguono 5 «box construction» di Joseph Cornell (*Pappagallo carillon*; *Scenario per una fiaba*; *Scatola per bolle di sapone*; *Farmacia*; «*Shoot-the-chutes*» *svizzero*); *Merzbild*, opera di Kurt Schwitters, autore anche delle successive *Blu su blu* e *MZ 75*; *Giardino magico* di Paul Klee (1924); *Ritratto della signora P. nel Sud* dello stesso (1924); *Senza titolo* di Jean Arp; *Lacerba* di Pablo Picasso (1914); *Piani verticali* di František Kupka, autore anche del successivo *Studio per una fuga*; *Pioggia* di Marc Chagall.

SALA 3 (espressionismo astratto-Bauhaus-futurismo): *Automobile: rumore + velocità* di Giacomo Balla (1913 c.); *Mare = Danzatrice* di Gino Severini (1913-14); *Superficie sviluppabile* di Antoine Pevsner; *Guéridon, compotier* di Georges Braque; *Paesaggio con chiesa (con macchia rossa)*, di Vasilij Kandinskij (1913), autore anche dei seguenti *Croce bianca* (1922) e *All'insù*. Alle pareti del passaggio fra la sala 3 e la 4: a d., *Croce ancorata* di Antoine Pevsner e, a sin., *Chitarra e bottiglie* di Amédée Ozenfant.

SALA 4 (arte fra le due guerre): sul camino, 2 sculture di Jean Arp (*Mutilato e senza patria* e *Conchiglia e testa*) e *Aurelia*, bronzo di Jacques Lipchitz; in angolo, a terra, *Corona di germogli* di Jean Arp. Alle pareti: *Scarpa azzurra rovesciata con due tacchi sotto una volta nera* di Jean Arp; *Spazi* di Jacques Villon; *Equilibrio* di Jean Hélion; *Composizione* dello stesso; su piedestallo, *Maiastra*, bronzo di Constantin Brâncuși (1912 ?);

Pittura rarissima sulla terra di Francis Picabia (1915); *Lo studio* di Pablo Picasso (1928).

Tornati nell'atrio si passa alla SALA 5 (surrealismo): *La nascita del giorno* di Paul Delvaux (1937); *La città intera* di Max Ernst; *Donna senza testa* di Alberto Giacometti; *La foresta* di Max Ernst, autore anche delle opere successive: *Mare, sole, terremoto*, *Antipapa* (1941-42), *Antipapa* del 1941, *La vestizione della sposa* (1940), *Giardino acchiappa-aeroplani*, *Coppia zoomorfica*; seguono, *Sul terreno inclinato* e *Il sole nel suo scrigno*, due tele di Yves Tanguy; quindi, *La nascita dei desideri liquidi* (1932) e *Donna addormentata in un paesaggio*, entrambe di Salvador Dalí; *La voce dei venti* e *Dominio delle luci* di René Magritte. Disposti nella sala, due bronzi di Alberto Giacometti: verso l'ingresso, *Donna sgozzata* e, nella bacheca, *Piazza*.

CORRIDOIO: *L'armatura* di André Masson; *Palazzo promontorio* di Yves Tanguy; *Il surrealista* di Victor Brauner, autore anche delle successive tre opere denominate *Senza titolo*, degli anni 1941, 1945 e 1954; quindi due *Senza titolo*, del 1958, di Willem de Kooning; *Sacrificio* di Mark Rothko; *«Sorpresa e ispirazione»* di Robert Motherwell; *Senza titolo* di Jackson Pollock; *Avanzata della storia* di Mark Tobey; *La stanza* e *Senza titolo*, due opere di William Baziotes; *Silhouette* di Man Ray; *Il postino Cheval* di Max Ernst (1932); *Piccola macchina costruita da minimax dadamax lui stesso* di Ernst; due opere di Yves Tanguy (*Senza titolo*); *Il sogno e la menzogna di Franco* di Pablo Picasso; *Busto di uomo in maglia a righe* dello stesso; *Senza titolo* di Richard Oelze.

SALA 6 (attorno al surrealismo): sospeso, *Mobile* di Alexander Calder; da d., *Interno olandese* (1928), *Donna seduta II* (1939), *Pittura* (1925), tre opere di Juan Miró; quindi, di Giorgio De Chirico: *La torre rossa* (1913) e *La nostalgia del poeta*; *La Baignada* di Pablo Picasso (1937); *Il bacio di* Max Ernst (1927). Su piedistalli: *Uccello nello spazio*, bronzo di Constantin Brâncusi; *Donna fiore*, bronzo di Max Ernst; *Uomo cactus I* di Julio González.

A sin. del camino è l'accesso alla camera da letto della Guggenheim, che ha mantenuto la disposizione originaria. La testiera del letto, in argento, fu creata da Alexander Calder nel 1945-46. Le opere qui esposte includono olî e pastelli di Pegeen Vail, figlia di Peggy e del suo primo marito, Laurence Vail, autore del paravento. Sulla mensola del camino, vetri soffiati realizzati da Egidio Costantini su disegno di Pegeen. Sulle mensole nella finestra che si affaccia sul Canal Grande, è ordinata una serie di sculture in vetro blu che riproducono opere di Picasso (furono commissionate dalla Guggenheim al Costantini nel 1964).

Attraversando il corridoio si passa in un piccolo andito (alle pareti: a d., *Febbraio 1956* di Ben Nicholson e *Pittura* di Jean-Paul Riopelle; a sin., *Driadi* di Matta e *Uccello affascinato da un serpente* di André Masson), da dove si scende (a d., *Corpi celesti* di Rufino Tamayo) alla SALA 7 (pittura e scultura del secondo dopoguerra). A d., negli interspazi delle arcate che danno sul giardino, sono ordinate su piedistalli piccole sculture in bronzo: *Rilievo* di Arnaldo Pomodoro; *Caprone* di Luciano Minguzzi; *Incontro drammatico III* di Berto Lardera; *Corax* di Ibram Lassaw; *Gabbia per la luna* di David Hare; *Piccola chimera* di Mirko. Quindi, alle pareti, *Lo sno-minatore rinomato*, olio di Matta; *Unitas* di Piero Dorazio; *Avvenimento N. 247* di Edmondo Bacci e, oltre il passaggio alla seconda sezione della

sala, *Vita segreta* di Giuseppe Santomaso; *Senza titolo* di Tancredi e *Immagine del tempo* di Emilio Vedova.
Nella seconda sezione: *Senza titolo* di Alan Davie; *Forma organica* di Graham Sutherland; *Castana dal volto carnoso* di Jean Dubuffet; *Coccodrillo* di Karel Appel; *Vestaglia* di Pierre Alechinsky; *Senza titolo* di Asger Jorn; *Jamais* di Clyfford Still; *Pittura di Arshile Gorky (1944); *Studio di scimpanzè* di Francis Bacon. Si passa quindi nella terza e quarta sezione della sala dove sono esposte dieci opere di Jackson Pollock, realizzate tra il 1942 e il 1947: *Donna-luna (1942); *Senza titolo, Due, *Circoncisione (1946), *Sforzo di uccello; *Direzione, *Foresta incantata (1947), *Alchimia (1947), *Movimento gracidante, Occhi nel caldo.*

Giunti al termine della calle, si varca il rio delle Torreselle sul ponte di S. Cristoforo, da dove sono visibili i retri (le facciate prospettano sul Canal Grande, v. pag. 195) dei *palazzi Dario* (del 1487 c., con finestrature tardogotiche, camini e altana) e *Barbaro* (del XV sec., con sopraelevazioni successive). Quest'ultimo dà il nome al piccolo e raccolto campiello che si apre ai piedi del ponte e al successivo *ramo Barbaro* (dal campo a sin.), per il quale si raggiunge ponte S. Gregorio, sul rio della Fornace.

Già delle Fornaci (per la presenza di fornaci di laterizi, documentate dal sec. XIII), ampio e rettilineo, il rio si presenta, come i precedenti rii trasversali di collegamento fra il Canal Grande e il canale della Giudecca, affiancato da due fondamenta, su cui prospettano case e palazzetti con tipologie edilizie anche notevoli.

Scesi dal ponte (a sin., il *palazzo Salviati* con facciata sul Canal Grande, v. pag. 197, rimaneggiato nel 1924 e sede dell'omonima ditta di vetri con annessa fornace; a d., la *fondamenta Ca' Balà* dove, oltre calle dei Catecumeni che termina in rio terrà del Spizier in un'area caratterizzata da notevoli interventi ottocenteschi, v. pag. 426, si trova al N. 222 un interessante palazzetto del tardo Cinquecento con, al piano nobile, finestratura a 7 vani che riprende le partiture degli edifici medievali), si prosegue dritti per calle del Bastion che, cambiando nome, conduce al *campo S. Gregorio*. Al centro una vera da pozzo del sec. XV, con quattro grandi foglie a voluta (qui collocata all'inizio del '900), completa l'angusto spazio gotico antistante alla ex chiesa di *S. Gregorio*. Sorta nel IX sec. e passata nel 989 ai Benedettini di S. Ilario, fu ricostruita a partire dalla metà del '400 da Antonio da Cremona che, rifacendosi al modello della chiesa della Carità, ideò un edificio in cotto con facciata a tre cuspidi, tripartita da lesene, su cui si aprono il portale e le finestrature originarie; l'interno (non visitabile) è a navata unica con tre cappelle absidali poligonali con notevoli finestrature (visibili dal ponte dell'Abazia, v. sotto).

Chiusa al culto in seguito al decreto napoleonico del 1806 e spogliata degli arredi pittorici e scultorei, nel 1808 divenne sede della raffineria dell'oro della Zecca e quindi magazzino municipale; dopo i radicali restauri realizzati intorno al 1970 è stata adibita a sede del laboratorio di restauro della Soprintendenza ai Beni Artistici e Storici di Venezia. Murato sull'edificio a d. della facciata, arco trecentesco, frammento di monumento funerario.

Il prospetto nord del campo è delimitato dal muro di cinta del giardino (N. 173) del neogotico *palazzo Genovese* (con facciata sul Canal Grande, v. pag. 197), edificato nel 1892. Questo intervento comportò la demolizione di gran parte dell'*abbazia di S. Gregorio*, fondata nel 1160 dai Benedettini di S. Ilario; dal 1214 loro sede principale, venne soppressa nel 1775 dalla Repubblica. L'ala ancora esistente (calle dell'Abazia 172), adibita ad abitazione privata e non visitabile, conserva l'originario chiostro trecentesco, con colonne e doppi barbacani, che comunica col Canal Grande attraverso un notevole portale. v. pag. 197.

Dal campo si segue, a sin. della chiesa, la calle e il sottoportico dell'Abazia, che conduce al ponte omonimo, costruito agli inizi del '900 sul *rio della Salute* (a d., prospetto sul rio dell'ex monastero e, a sin., le absidi dell'ex chiesa di S. Gregorio). Dopo l'angusto spazio gotico di S. Gregorio, da questo punto appare ancora più eccezionale la dirompente, bianca struttura barocca di ***S. Maria della Salute**, capolavoro dell'architettura ecclesiastica di Baldassare Longhena (realizzato tra il 1631 e il 1687), e uno tra gli elementi dominanti dell'urbanistica veneziana.

La sua costruzione, grandioso completamento seicentesco della scena urbana del Bacino di S. Marco, fu l'intervento culminante della massiccia operazione che nel sec. XVII portò alla ristrutturazione di tutta la punta della Dogana, area fino allora marginale e occupata dai magazzini della Dogana e dal complesso conventuale della Trinità (chiesa, monastero e Scuola). L'occasione per tale intervento venne data dalla delibera con la quale il 22 ottobre 1630 il Senato, ad adempimento di un voto fatto durante la peste, decise l'edificazione di una chiesa «magnifica e con pompa» in onore della Madonna della Salute. Bandito il concorso, degli undici progetti presentati fu scelto quello dell'allora giovane Longhena, il più ardito rispetto agli altri; esaminata anche, ma subito abbandonata, l'ipotesi che la chiesa venisse costruita sulla punta della Dogana, fu mantenuto il primo sito scelto, l'area dell'ormai fatiscente convento della Trinità, già soppresso nel 1592. La chiesa, iniziata nel 1631, venne consacrata, cinque anni dopo la morte del Longhena, il 9 novembre 1687; già dal 1681 nel nuovo tempio si celebrava, nel giorno della Presentazione di Maria (21 novembre), la solenne festa, cui partecipava il doge, con la processione che da S. Marco si recava alla Salute attraverso un ponte di barche gettato da S. Maria del Giglio nel sestiere di S. Marco. Ancora oggi rimane una delle feste più caratteristiche di Venezia e più viva nella tradizione popolare e religiosa (v. pag. 110). Nel 1970, con il contributo del Comitato francese per Venezia, si è realizzato il restauro integrale del tempio.

L'idea base del progetto del Longhena fu la pianta centrale, scelta che egli giustificò, in una lettera di difesa contro gli attacchi degli avversari, descrivendo il tempio «in forma di corona per essere dedicato ad essa Vergine». Di questa forma è il corpo maggiore, a pianta ottagonale circondata da cappelle, sul quale si imposta il tamburo e la grande cupola emisferica; il raccordo tra basamento e cupola è realizzato da poderose volute, che servono da contrafforti. Su questo corpo il Longhena, avendo presente i modelli palladiani, innestò il volume minore del presbiterio con absidi laterali, cupola centrale e due alti campanili, che determina un asse longitudinale con la facciata, dove si apre il grandioso portale. La combinazione dei corpi crea prospetti diversi, continuamente mutevoli, secondo che si veda il tempio dal Canal Grande, dal Bacino di S. Marco, dal canale della Giudecca o dalle calli interne (v. anche pag. 426), offrendo – come è stato notato – una straordinaria invenzione urbanistica. La scalinata poligonale che precede la facciata e la geometrica composizione della pavimentazione del campo e della riva, ideate dal Longhena in fase di completamento dei lavori, inquadrano l'edificio in uno spazio più rigorosamente determinato.
La decorazione scultorea (statue e figure ornamentali attribuite a Francesco Cavrioli, Josse Le Court, Michele Ungaro e Tommaso Ruer), che accentua l'aspetto fastoso dell'edificio, sviluppa il tema iconografico della Vergine protettrice di Venezia, in una progressiva identificazione dei due soggetti, culminante nella statua posta sulla lanterna della cupola, dove la Vergine è rappresentata vestita da «Capitana da mar», col bastone di comando (secondo studi recenti, questo tema avrebbe via via sostituito quello originario, più strettamente ispirato alla peste).

All'interno si coglie subito lo spazio luminoso del grandioso vano centrale dominato dalla cupola; di pianta ottagonale, è definito da arcate suddivise da poderosi nodi di piloni e colonne con capitelli corinzi, che sorreggono il tamburo ottagonale compreso tra due balaustrate e spartito da un ordine di lesene doriche fra cui si aprono le ampie finestre centinate. Circonda il vano centrale un basso peribolo, coperto da volte a botte e a crociera, sul quale si aprono sei cappelle ampiamente finestrate e il presbiterio sviluppato in larghezza in due absidi semicircolari e dilatato verso l'alto nella cupola. Nel fondo l'altar maggiore, progettato dal Longhena, chiude con la sua complessa struttura l'effetto scenografico dato dalla compenetrazione dei due spazi del vano centrale e del presbiterio; il graduale passaggio è segnato dalla luce, intensissima nel primo e più soffusa nel secondo.
Anche all'interno l'iconografia sviluppa per cicli il tema della Vergine, fatta eccezione per alcuni elementi che si ricollegano a quello della peste, come la grande stella nel pavimento che riferirebbe la peste all'influsso nefasto degli astri, e le statue che decorano l'altar maggiore (v. sotto). La

preziosità delle opere che vi sono custodite rivela l'importanza rappresentativa che la chiesa aveva assunto per la Repubblica.

Lato d.: al 1° altare, *Presentazione di Maria al Tempio*, pala di Luca Giordano (c. 1674); al 2°, *S. Girolamo Emiliani*, statua di Giovanni Maria Morlaiter, bel marmo settecentesco, e nel fondo, *Assunzione* del Giordano (c. 1667); al 3° altare, *Nascita della Vergine* dello stesso (c. 1674). Alle pareti di queste tre cappelle e di una del lato opposto, gli *Evangelisti* e i *Dottori della Chiesa*, tele di Antonio Triva (c. 1664). Lato sin.: al 3° altare, *La discesa dello Spirito Santo* di Tiziano (1555), eseguita originariamente per la chiesa di S. Spirito in Isola e qui trasferita nel corso del sec. XVII (per inserirla nell'altare destinatole, fu ampliata in basso); al 2°, *S. Antonio intercede per Venezia* di Pietro Liberi (1652); al 1°, *Annunciazione*, pure del Liberi.

Nel presbiterio, sotto un'arcata sostenuta da 4 colonne di marmo greco provenienti dal teatro romano di Pola, è l'altar maggiore. La fastosa 'macchina', disegnata dal Longhena e realizzata da Josse Le Court, circonda un'icona di arte greco-bizantina qui portata da Candia nel 1672; le numerose sculture che lo decorano rappresentano: nella parte alta, la *Madonna col Bambino che guarda Venezia inginocchiata ai suoi piedi* in atto di ringraziamento per la cessazione della peste (raffigurata sulla d. mentre un putto con la fiaccola la sospinge in fuga); ai lati, *S. Marco* e *S. Lorenzo Giustiniani*; lateralmente all'icona, 4 angeli-cariatidi. A sin., bel candelabro pasquale in bronzo di Andrea di Alessandro Bresciano (firmato e datato 1570). Nel coro, stalli lignei intagliati del '500; nel soffitto, *Elia e l'Angelo, Caduta della manna, Daniele e Abacuc*, tele di Giuseppe Salviati. Nella nicchia dietro l'altar maggiore, *Madonna col Bambino e donatore*, dipinto alla maniera di Gentile Bellini (sec. XV; difficilmente visibile).

A sin. dell'altar maggiore una porticina immette nella sagrestia grande (rivolgersi al custode). Nel soffitto, *Sacrificio d'Abramo, *Davide e Golia, *Caino e Abele*, tele di Tiziano (1543 c.) dipinte dopo il suo ritorno da Roma, dove risentì dell'influenza di Michelangelo. All'altare, *S. Marco in trono con i Ss. Sebastiano, Rocco, Cosma e Damiano*, opera giovanile di Tiziano (1512) nel suo periodo giorgionesco. Nel tabernacolo si conserva una *Madonna col Bambino* in mosaico su pietra dura, di arte bizantina (1115), proveniente, secondo l'iscrizione a tergo, da S. Sofia di Costantinopoli. Il paliotto è costituito da un finissimo arazzo in lana, seta e fili d'argento, raffigurante la *Pentecoste* ed eseguito nel '400 su cartone di scuola mantegnesco-belliniana. Intorno all'altare, 8 tondi con gli *Evangelisti* e i *Dottori della Chiesa* di Tiziano, già nel soffitto del coro. A d. dell'altare, *Madonna della Salute*, col Bambino e putti, attorno al modello della chiesa, del Padovanino (1630); a sin., *Madonna col Bambino e i Ss. Francesco e Antonio da Padova* di Pietro Liberi. Sopra la porta di fronte all'altare, *Ultima Cena* di Giuseppe Salviati; ai lati, *Saul che scaglia la lancia contro Davide*, parte interna di portelle d'organo, dello stesso; più in basso, *I Ss. Girolamo, Rocco e Sebastiano* di Girolamo da Treviso il Giovane (1ª metà del '500) e *Madonna col Bambino*, a mezzo busto tra le nubi (fondo ridipinto), del belliniano Pier Maria Pennacchi (sec. XV-XVI). Alla parete a sin. dell'altare, *Davide e Golia*, parte esterna di portelle d'organo (v. sopra), del Salviati, e ai lati, *Abramo e Melchisedec*, dello stesso, e due *Madonne* a mezzo busto del Sassoferrato. Alla parete a d. dell'altare: *Le nozze di Cana*, grande tela di Jacopo Tintoretto, notevole per il profondissimo scorcio prospettico della tavola affollata e per gli effetti di luce; ai lati, *Giona* e *Sansone* di Palma il Giovane; più in basso, *S. Sebastiano* di Marco Basaiti e due *Madonne* del Sassoferrato.

Nell'adiacente antisagrestia: a sin., *Il doge Agostino Barbarigo orante*, statua proveniente dal suo monumento, già nella chiesa della Carità, di Pietro Lombardo (fine del '500); *Visitazione* e *Assunta*, modelletti di Luca Giordano per le pale degli altari nella basilica. Alla parete di fronte all'ingresso: *ritratti di vescovi di Olivolo* (Venezia), tela frammentaria di bottega del Carpaccio (un altro frammento è alla Pinacoteca Manfrediniana, v. pag. 424); *Madonna col Bambino, offerenti e un angelo*, della scuola di Palma il Vecchio; inoltre, *Annunciazione* e *S. Antonio da Padova*, modelletti del Liberi per le due pale nella chiesa; *Testa di Cristo* di Marco d'Oggiono; *S. Paolo in gloria* nella maniera del Lotto. Nel soffitto, l'*Eterno* e i 4 *Evangelisti*, di diversi pittori dell'800.

Sul campo della Salute (la vera da pozzo del XV sec. è stata qui collocata, con funzione decorativa, nel 1932), sulla sin. della chiesa a cui è collegato da un muro del 1817 ornato di statue barocche di Orazio Marinali e Josse Le Court (le due centrali), prospetta il **Seminario Patriarcale**. Il vasto edificio, a chiostro quadrangolare, fu realizzato nel 1671 dal Longhena, che contrappose alla sontuosa mole della chiesa una sobria architettura priva di particolari di rilievo.

Realizzato per i padri Somaschi, che vi tenevano scuole pubbliche per i nobili, dopo la soppressione della congregazione (1810), nel 1817 vi fu trasferito il Seminario patriarcale di Venezia, prima sistemato nell'abbazia di S. Cipriano di Murano. In quegli stessi anni, per iniziativa del canonico Moschini, vi si raccolsero opere d'arte provenienti dalle istituzioni religiose soppresse dal governo napoleonico. Queste, a cui si aggiunse in seguito la Pinacoteca Manfrediniana (v. pag. 423), diedero vita alla ricca raccolta di pitture e sculture ancora oggi ospitata nel palazzo.

Dal portale si accede al vasto chiostro, con portico ad archi a tutto sesto su colonne d'ordine toscano, dove sono raccolte pietre tombali e iscrizioni di varie epoche, provenienti da chiese veneziane soppresse. Nel braccio sin. del chiostro (in una saletta adiacente, piccolo museo lapidario con monumenti, cippi e are sepolcrali, cippi miliari di età romana dei secc. I, II e IV) si apre l'ingresso all'oratorio della *SS. Trinità*, già oratorio dell'omonima Scuola, completamente risistemato a cappella del Seminario nel 1817.

All'interno l'altare marmoreo lombardesco reca, nelle due nicchie laterali, le statue dei *Ss. Girolamo* e *Giovanni Battista*, di buon maestro del principio del '500; alla parete d., a sin. la *Madonna e la Maddalena* ai lati di un tabernacolo, e a d. *Padre Eterno e lo Spirito Santo*, bellissimi rilievi di Tullio Lombardo.

In fondo al chiostro, prima di salire al 1° piano, a d., nella zona attualmente adibita a scuola media, sono custoditi alcuni frammenti di bassorilievi marmorei provenienti da chiese soppresse, tra cui la lunetta con l'*Incoronazione della Vergine*, di Bartolomeo Bon e bottega (1444), già sul portale della soppressa chiesa della Carità.

Dal chiostro, per un grandioso portale si accede al monumentale scalone del Longhena: alla parete d., *La Samaritana al pozzo*, rilievo di gusto neoclassico di Rinaldo Rinaldi. Sopra le due porte del pianerottolo, 6 rilievi in terracotta con *episodi dell'Antico Testamento*, forse di Giovanni Bonazza (1ª metà del '700); all'inizio dell'ultima rampa, la *Fede*, delicata statua settecentesca; nella parte alta dello spazioso vano, cinta da un ordine di arcate tra lesene, i *Ss. Agostino e Girolamo Emiliani* e i pontefici *Paolo III e Pio V*, grandi statue della fine del '600 del Ruer e dell'Ungaro, e 2 altorilievi col *Sogno di Giacobbe* e la *Visione dell'orfanello*, di Francesco Penso Cabianca. Il soffitto è occupato da un'enorme tela raffigurante l'*Apoteosi di S. Girolamo Emiliani e l'incoronazione della Vergine*, opera tarda, ma vigorosa e ricca di colore, di Antonio Zanchi (1698). Giunti al loggiato al 1° piano del chiostro, lo si segue in senso antiorario raggiungendo l'antirefettorio (il lavabo marmoreo è del sec. XVI), da dove si passa nel refettorio: alla parete di fondo, *Cena* di Giovanni Laudis; alla parete sin., al centro, *Crocifisso e santi* di Palma il Giovane e, ai lati, due grandi teleri dell'Aliense restaurati nel 1970 (*Visitazione* e *Annunciazione*). Tornati nel loggiato si prosegue verso destra. Alle pareti: ritratti di personalità ecclesiastiche (fra cui il *patriarca Giovannelli* di Francesco Zugno e *papa Lambertini* di Pierre Subleyras); *La piscina probatica* di Sebastiano Mazzoni; *La via dolorosa* di Bonifacio de' Pitati; *Famiglia patrizia* di Giovanni Antonio Fasolo; *Discesa agli inferi* di ignoto tintorettesco.
Al termine del loggiato, prossimo allo sbocco dello scalone, è l'accesso alla **Pinacoteca Manfrediniana**, pregevole raccolta di pitture dei sec. XV-XVIII, formata a Firenze dal marchese Federico Manfredini (1743-1829), che la lasciò in testamento al Seminario con la clausola che venisse esposta nella sua integrità. Nelle stesse sale sono pure riunite notevoli sculture di varie epoche, tra le quali particolarmente importanti alcuni busti di Alessandro Vittoria e uno del Canova. Giorni e ore di visita, pag. 135.

Nel VESTIBOLO sono esposte opere varie di scultura, provenienti generalmente da chiese soppresse o demolite. Alla parete d., ai lati della porta, *santa badessa*, altorilievo a figura intera (fine del '300 e inizi del '400); 2 formelle gotiche a traforo polilobato, con le mezze figure dei *Ss. Marco e Antonio abate e Giovanni Battista e l'Evangelista*, di arte prossima ai Dalle Masegne (principio del '400); *Ritratto di un Marco Barbo* «musarum cultor», di profilo (nel retro, la scritta e una lira), formella marmorea della 2ª metà del '400; *Ritratto di Andrea Gradenigo* (?), di profilo, altra formella, datata 1470 ma col nome inciso più tardi; *angelo musicante*, formella in altorilievo del '400 (alla parete di fronte, *Madonna col Bambino tra i Ss. Benedetto e Bernardo*, elegante bassorilievo a trittico di maestro veneziano, 1363). Tra le finestre, *S. Matteo che scrive*, datato 1524 (sulla parete di fronte, *S. Matteo e devoti*, bassorilievo del 1361). Sulla parete seguente: *Presepio*, bassorilievo incorniciato da edicola a tabernacolo, opera giovanile di Pietro Lombardo, con influssi donatelleschi; *busto di un poeta* (Menandro? Virgilio?), bella scultura di arte greca (sec. I d.C.). A sin. della porta, *S. Andrea*, rilievo datato 1362 preludente l'arte dei Dalle Masegne.

SALA I. Da sin.: *Madonna col Bambino che incorona S. Eulalia* di Juan Matés; *Madonna col Bambino* di Cima da Conegliano e aiuti (1504 c.); *S. Lorenzo Giustiniani* di bottega di Gentile Bellini; *Cristo e la Samaritana* e *«Noli me tangere»*, squisite tavolette di Filippino Lippi (fra queste, *Sudario*, attribuito a Gérard David); *Madonna col Bambino* di Mariotto Albertinelli; *S. Ambrogio, S. Nicolò* di Antonio Vivarini; *Morte della Madonna*, del cosiddetto «Maestro Pfenning», metà sec. XV; *Sacra Famiglia con angelo musicante*, di seguace di Leonardo da Vinci (Giovanni Antonio Boltraffio ?); *ritratti di vescovi di Olivolo* (Venezia), tela frammentaria di bottega del Carpaccio; *Madonna con l'abate Canal e i Ss. Cipriano e Benedetto* del Temperelli (1495). Inoltre, nelle vetrine, codici e fogli miniati dei secc. XIV-XVI. Sculture: da d., *Madonna col Bambino*, in stile bretone arcaico, ma già del principio del sec. XIV; *Madonna col Bambino, S. Giuseppe e uno dei Re Magi*, statue in pietra di maestro romanico veneziano con influssi borgognoni; due angeli annuncianti (uno di scuola veneziana del sec. XVI e uno di scuola dei De Sanctis); *S. Lucia* di scuola di Alessandro Vittoria; *Cristo* (variante del Santo Volto di Lucca), forse del sec. XIII.

SALA II. Da sin.: *Penelope al telaio*, di elegante ricercatezza attribuita a Domenico Beccafumi; *Deposizione dalla Croce* attribuita a Domenico Puligo; *Apollo e Dafne*, delicata e finissima tavoletta già ritenuta di Giorgione e, dopo il restauro del 1955, riconosciuta come opera giovanile di Tiziano. Alla parete di fondo, in alto, *La Gloria*, affresco di Paolo Veronese (1551) strappato dalla villa Soranzo (Castelfranco Veneto). Sono qui raccolti 3 *busti (in terracotta) di Alessandro Vittoria, tutti di alta qualità e raffiguranti: *il procuratore Girolamo Grimani* (m. 1570), modello, firmato, del busto in marmo nel monumento in S. Giuseppe di Castello; *il medico Apollonio Massa*, modello del marmo conservato all'Ateneo Veneto; *il doge Nicolò Da Ponte* (m. 1585), già nel monumento della famiglia nella soppressa chiesa della Carità. Inoltre, *il procuratore Pietro Zen* di Alessandro Vittoria e bottega (firmato; c. 1590); un *condottiero*, forse della famiglia Zen, ricostruito aggiungendo a un busto vittoriesco una testa ottocentesca; *busti marmorei dei cardinali Agostino e Pietro Valier*, opere giovanili di Gian Lorenzo Bernini in collaborazione col padre Pietro. SALA III (si indicano solo le opere di un certo interesse). Alla parete d'ingresso: *ritratto del camaldolese abate Francesco Zaghis* di Sebastiano Ceccarini (1739); *Battaglia* di scuola di Philips Wouwerman (sec. XVII); *ritratto della bambina Lucrezia Minerbetti* di Alessandro Allori. Parete di fronte alle finestre: *Annunciazione* di Marcello Venusti, replica del dipinto dello stesso della Galleria Nazionale d'Arte Antica a Roma; *Adorazione dei Magi*, di anonimo veneziano del primo Seicento tra Veronese e Tintoretto; *S. Caterina da Siena e angeli* di Bernardino Poccetti (firmata e datata 1599); *Lepre tra i cespugli* di Jacob Philipp Hackert (firmato e datato

1802); *Sacra famiglia e S. Giovannino* di Bartolomeo Schedoni; *Sacra Famiglia con S. Chiara e 2 angeli*, attribuita al Guercino, replica di un dipinto dello stesso all'Hermitage di Leningrado. Alla parete di fronte all'ingresso: *Allegoria della pace e della guerra* di Eustache Lesueur; *S. Francesco di Paola che ridona la vista a un bimbo* di Francesco Fontebasso. Alla parete seguente: *ritratto di Paolo Antonio Miani* attribuito a Paolo dei Freschi (1579). Nella bacheca di d., *Perseo e Andromeda*, bozzetto a chiaroscuro di Anton Raphael Mengs e *Vecchia che consulta un medico* di David Teniers il Giovane. Nella bacheca di sin., *Madonna col Bambino* di Carlo Dolci e l'*Eterno Padre* di Cima da Conegliano. Sculture: *busto di Gian Matteo Amadei*, terracotta, opera giovanile di Antonio Canova; *busto del marchese Manfredini*, fondatore della Pinacoteca, del canoviano Rinaldo Rinaldi, e *busto di Francesco I* di Luigi Zandomeneghi.

Dal loggiato si accede anche alla *Biblioteca* (consultazione a richiesta). Nel soffitto del salone: *Il rogo di libri eretici* di Antonio Zanchi (firmato e datato 1705); *La glorificazione delle scienze*, opera tarda di Sebastiano Ricci; *Minerva che incorona Tito Livio* di Nicolò Bambini (nel locale è inoltre custodito un leone marciano ligneo del sec. XV, degli antichi organi di S. Marco).
Di fronte alla Biblioteca è l'ingresso alla *sala Monico* (ai lati, due tondi in alabastro, con galeoni a vele spiegate, bassorilievi di arte veneta del secolo XVI), dove sono custoditi incunaboli e manoscritti, fra cui un Decamerone del 1449 e la Cronaca altinate del sec. XIV.

Il campo della Salute è chiuso verso E dal prospetto ottocentesco, in mattoni con arconi in pietra, retro della *Dogana da Mar*. L'esteso edificio, venutosi a formare, pare dal sec. XV, come scalo doganale per le merci provenienti dal mare, fu completamente ristrutturato in concomitanza con i lavori della Salute. Su progetto di Giuseppe Benoni (vincitore del concorso cui aveva partecipato anche il Longhena), nel 1677 venne ricostruita l'ala sulla punta, mentre la parte più interna verso la Salute, e quella verso la fondamenta delle Zattere, furono realizzate nel 1835-38 da Alvise Pigazzi, allievo del Selva e allora ispettore presso le Pubbliche costruzioni. Il complesso riprende da quello precedente la struttura a capannoni, mascherata da una parete continua, e acquista un carattere scenografico nella parte terminale (che si raggiunge percorrendo la fondamenta che costeggia il Canal Grande). Questa si apre sul Bacino di S. Marco con una loggia sormontata da una massiccia torre, sulla cui sommità è posta la grande scultura, opera di Bernardo Falcone, composta da due *Atlanti* in bronzo sorreggenti la palla d'oro, immagine del mondo, su cui, come segnavento, è l'effigie della Fortuna (la punta è luogo eccezionale di una veduta che abbraccia tutto il Bacino di S. Marco, con la successione dei monumenti tra i più prestigiosi da S. Marco alla Giudecca).
Girata la punta si imbocca la lunghissima fondamenta delle Zat-

tere, aperta sul canale della Giudecca (lungo m 1680, largo in media 300) e distinta nella toponomastica in quattro tratti: da E a O, fondamenta delle Zattere ai Saloni, allo Spirito Santo, ai Gesuati, al Ponte Longo.

Riva di approdo delle zattere in legno e dei burchi destinati al trasporto dei più svariati materiali, vi si ubicavano anticamente magazzini, depositi (importantissimi quelli del sale), attività artigianali come squeri e fornaci (ancora oggi ricordate dalla denominazione delle calli, corti interne e rii) e, come in tutte le zone periferiche, monasteri e ospedali. Dopo la marginatura e la pavimentazione decisa con decreto del 1519, vi si consolidò la struttura edilizia, arricchendosi di qualche palazzo, ma conservando prevalentemente un carattere popolare e di lavoro fino al secolo scorso (nell'Ottocento vennero pure ricostruiti tutti i ponti). Ora è una bellissima passeggiata, soleggiata e riparata dal vento di tramontana, sulla quale si aprono caffè e trattorie; percorrendola si gode una panoramica completa sull'opposta riva dell'isola della Giudecca con le chiese delle Zitelle, del Redentore e di S. Eufemia, e all'estremità O l'imponente mole del complesso industriale del Mulino Stucky.

Il primo tratto della *fondamenta delle Zattere ai Saloni* costeggia i magazzini della Dogana e il muro di cinta del giardino del Seminario, fino al ponte dell'Umiltà (nell'area del giardino sorgevano, fino alla metà del sec. XIX, i magazzini del sale e il cinquecentesco complesso conventuale dell'Umiltà). Oltre il ponte la fondamenta (al N. 51 un cinquecentesco portale in pietra d'Istria indica quella che fu la sede della Scuola della Dottrina Cristiana, soppressa nel 1807), dopo un breve tratto, si apre a d. nell'ampio e alberato rio terrà ai Saloni, che introduce in una zona alterata nella struttura originaria da sovradimensionati interventi realizzati nel 1843 con l'interramento di rii e la creazione di ampi percorsi pedonali.

Rio terrà ai Saloni (a sin., N. 71-74, edificio con parti riferibili al sec. XIV, e rifacimenti successivi dei secc. XV e XVI, interessante per la soluzione a portico, piuttosto frequente nelle case lungo i rii, che consentiva di guadagnare spazio ai piani superiori portandoli a filo del canale sovrappassando la fondamenta) termina nel breve spazio di calle nuova del rio terrà da cui divergono: a sin. il corto rio terrà del Spizier (N. 141, edificio del tardo Cinquecento con soluzione a portico) e, a d., il *rio terrà Catecumeni*. Questo deve il nome a un ospizio (oggi scuola di Educazione cattolica) fondato nel 1571 per accogliere infedeli, spesso condotti a Venezia come prigionieri, e avviarli alla religione cristiana. Nel 1727 fu ricostruito da Giorgio Massari che, sul modello palladiano delle Zitelle, progettò un edificio composito in cui la facciata dell'oratorio è inglobata dalle due ali dell'ospizio che, verso l'interno, formano un cortile con chiostro porticato (nell'oratorio, *Battesimo di Cristo*, pala di Leandro Bassano, e *Crocifisso* ligneo settecentesco). Dal rio terrà Catecumeni si ha una splendida inquadratura delle cupole e dei campanili della Salute, scenograficamente posta a chiusura di quello che, fino agli inizi del '900, era l'unico percorso pedonale interno per la chiesa.

Subito dopo il rio terrà ai Saloni prospetta sulle Zattere, numeri 258-266, il grande complesso dei *Saloni*, formato da nove ampi magazzini posti a batteria, con copertura a capriate, costruiti nel sec. XIV per conservare il sale (contenevano fino a 450 000 quintali). Intorno al 1830, quando ancora il commercio di questo prodotto costituiva un'importante fonte economica per la città, furono risistemati da Alvise Pigazzi che vi aggiunse l'attuale facciata neoclassica ad arconi (analoga a quella della Dogana).

Decaduta l'originaria funzione, chiusi dai primi del '900 e divenuti di proprietà comunale intorno al 1960, sono ora in parte destinati a sede di società sportive (canottaggio e vela) e in parte dati in concessione alla Biennale.

Varcato il ponte ai Saloni, si prosegue lungo la *fondamenta delle Zattere allo Spirito Santo*, nome legato all'omonimo complesso conventuale qui ubicato. La chiesa dello **Spirito Santo** con il relativo convento, fondati nel 1483 per le monache agostiniane, furono ricostruiti intorno al 1506 in semplici forme rinascimentali, occupando una vastissima area che s'addentra fino all'attuale rio terrà S. Vio (in questo tratto rimane il chiostro, estremamente degradato e attualmente, 1984, in restauro). In quegli stessi anni, a d. della chiesa, fu edificata l'omonima Scuola (ora adibita ad abitazione privata) con caratteri architettonici del tutto analoghi; i due edifici presentano la medesima facciata a capanna divisa in due ordini e coronata da timpano. Nel 1806 il complesso venne soppresso e la chiesa fu in parte privata dei preziosi dipinti.

Nel suo interno, a una navata, rimaneggiato nei secc. XVII e XVIII, rimangono: alla parete dell'ingresso, grandioso *monumento della famiglia Paruta* di Baldassare Longhena; al 1° altare d., *Cristo benedicente tra i Ss. Secondo e Girolamo* di Giovanni Buonconsiglio; al 2°, *S. Gregorio Magno* di Antonio Marinetti, detto il Chioggiotto; all'altar maggiore, di pesante architettura, a colonne tortili, con tabernacolo di Giuseppe Torretti (1724), *Spirito Santo*, pala di Niccolò Ranieri, ritoccata e adattata da Alvise Tagliapietra; al 3° altare sin., *Sposalizio della Vergine* di Palma il Giovane; al 2°, *Madonna col Bambino e i Ss. Pietro e Paolo* di Antonio Buttafuoco; al 1°, *S. Biagio consacra la beata Giuliana da Collalto* di Filippo Stancari.

Poco oltre si sviluppa la lunga facciata cinquecentesca (N. 423) dell'*ex ospedale degli Incurabili*, soppresso nel 1807; adibito successivamente a differenti usi, è attualmente (1984) proprietà del Ministero di Grazia e Giustizia e in attesa di destinazione. L'esteso edificio, a due piani, che si articola all'interno intorno a un vasto cortile porticato, fu costruito tra il 1527 e il 1591, dopo la marginatura e sistemazione della fondamenta, in luogo di antichi cantieri navali; ideato secondo alcuni da Jacopo Sansovino, ma più probabilmente da Antonio Zentani (promotore dell'iniziativa), fu eseguito da Antonio Da Ponte.

Destinato inizialmente ad accogliere gli ammalati di sifilide e di altre malattie allora incurabili, fu poi in parte adibito a ospizio per l'infanzia abbandonata, analogamente ad altre istituzioni cittadine, secondo un uso incoraggiato dal governo veneziano e sostenuto direttamente dalle offerte dei privati.

Varcato il rio delle Torreselle e, più oltre, quello di S. Vio (sul ponte della Calcina, ai piedi del quale è una delle più vecchie pensioni veneziane, già rinomata meta di intellettuali, dove soggiornò anche il letterato inglese John Ruskin), si prosegue per la *fondamenta delle Zattere ai Gesuati*, dove si trovano i pontili dei vaporetti della linea circolare (S. Zaccaria-Marittima-Murano) e del traghetto per la Giudecca. In angolo con rio terrà Antonio Foscarini (già rio S. Agnese) si erge la *chiesa dei Gesuati*, o S. Maria del Rosario, che con l'annesso monastero costituisce il più cospicuo complesso conventuale realizzato a Venezia nel '700, e uno dei più ragguardevoli.

La storia dei Gesuati è strettamente connessa a quella del vicino insediamento conventuale di S. Maria della Visitazione (ubicato poco più avanti, v. pag. 430), costruito per la compagnia dei poveri Gesuati e passato, dopo la soppressione dell'ordine (1668), ai Domenicani, che nel 1727 ne decisero l'ampliamento. L'intervento consisté nell'edificazione di una nuova chiesa e di un nuovo monastero (che continuarono a chiamarsi dei Gesuati), a fianco del complesso della Visitazione, il quale, demolito solo nel tratto prospiciente l'allora rio S. Agnese, fu sistemato (mantenendo la struttura rinascimentale) ad ala del nuovo insediamento (nella chiesa Giorgio Massari aveva ordinato la Biblioteca). Ancora oggi è possibile cogliere l'articolazione di questi lavori visitando il monastero (accesso dalle Zattere N. 919, v. sotto), dove si passa dal chiostro rinascimentale a quelli settecenteschi.

La chiesa, progettata ed eseguita da Giorgio Massari tra il 1724 e il 1736, presenta una felice reinterpretazione di elementi compositivi palladiani (il modello, la chiesa del Redentore alla Giudecca, è visibile sulla riva opposta del canale): contrafforti, cupola fiancheggiata da due campanili, il corpo retrostante dilatato in larghezza e concluso ai lati da absidi semicircolari. La facciata, di cui la sistemazione della riva è parte integrante, presenta un prospetto monumentale, a unico ordine, suddiviso da quattro semicolonne corinzie architravate e sormontate da timpano con occhio centrale; intorno al 1737 furono realizzate le statue decorative che la ornano: *Prudenza* di Gaetano Fusali; *Giustizia* di Francesco Bonazza; *Fortezza* di Giuseppe Torretti (o Torretto); *Temperanza* di Alvise Tagliapietra. Sul fianco d., *Pietà*, rilievo marmoreo di scuola padovana del sec. XV (per il sottostante arco in pietra, ora murato, il rio della Carità, che scorreva sotto il corpo della chiesa, sfociava nel rio S. Agnese).

L'interno, un unico vano rettangolare percorso da un ordine di semicolonne corinzie tra le quali si aprono gli archi delle cappelle (tre per lato), si restringe nel presbiterio cupolato per riaprirsi, dietro l'imponente altar maggiore, nel luminosissimo vano absidale. Realizzato con il concorso dei maggiori artisti dell'epoca (G.B. Tiepolo, Giovanni Maria Morlaiter, G.B. Piazzetta), rappresenta uno dei più alti esempi di unità stilistica in cui arredi lignei (disegnati dal Massari), decorazione pittorica e scultorea si integrano nella struttura architettonica. Il restauro generale fu effettuato tra il 1967 e il 1975 con il contributo dei Comitati francese e tedesco per Venezia.

Alle pareti statue, rilievi e altari di Giovanni Maria Morlaiter risaltano sulle superfici trattate a marmorino chiaro con cornici in pietra scura. Le statue, poste entro nicchie, rappresentano: *S. Paolo, S. Pietro, Mosè, Aronne, Abramo, Melchisedech*; nei rilievi che le sovrastano, scene bibliche. Sul soffitto, affreschi di G.B. Tiepolo, realizzati tra il 1737 e il 1739; vi è rappresentato il tema della festa del Rosario. Al centro, **Istituzione del Rosario*; nel comparto verso la porta, *Gloria di S. Domenico*; in quello verso il presbiterio, *S. Domenico prega la Madonna circondata da santi*; nei comparti minori, monocromi, *Misteri del Rosario*.

A d., al 1° altare, **La Vergine e le Ss. Rosa, col Bambino, Caterina da Siena e Agnese da Montepulciano*, di G.B. Tiepolo (1748); al 2°, *S. Domenico*, quadro di G.B. Piazzetta (1743), incluso in una *Gloria d'angeli*, cornice marmorea di Giovanni Maria Morlaiter; al 3°, i **Ss. Vincenzo Ferreri, Giacinto e Lodovico Bertrando*, una delle più luminose opere di G.B. Piazzetta (1738).

Per il grande arco trionfale si accede al presbiterio, a pianta quadrata con ampia cupola conclusa da lanterna (nei pennacchi angolari, *simboli degli Evangelisti*, affreschi monocromi di G.B. Tiepolo); alle pareti, cantorie in legno intagliato, opera di Bartolomeo Ceroni (l'organo a sin. è dei fratelli Bazzani, 1856). Ricco altar maggiore in marmi policromi, con elaborato tabernacolo a intarsi di lapislazzuolo. Nella retrostante zona absidale, a pianta ellissoidale, affreschi di G.B. Tiepolo: nella volta, *Angelo che appare a David* e intorno, a monocromo, i profeti *Isaia, Geremia, Daniele* ed *Ezechiele*; nel lunettone della parete di fondo, *Simboli eucaristici* e *SS. Trinità*. Inferiormente a questo, *Madonna col Bambino e S. Anna in gloria e altri santi*, dipinto di Matteo Ingoli. Alle pareti, coro in legno intagliato realizzato tra il 1740 e il 1744 su disegno del Massari.

A sin., al 3° altare, **Crocifissione* di Jacopo Tintoretto (c. 1526), restaurata dal Piazzetta; al 2°, *Madonna del Rosario* di Antonio Bosa (c. 1836); al 1°, *Ss. Pio V, Tommaso d'Aquino e Pietro martire* di Sebastiano Ricci (1733). Nella cappellina fra il 2° e il 1° altare, trono della Vergine, laccato e intarsiato, di Francesco Bernardoni (c. 1740).

A sin. della chiesa, N. 919, è l'accesso all'*ex monastero dei Gesuati*, dal 1815 orfanotrofio maschile e attualmente Istituto artigianelli e scuola d'arte e mestieri dell'Opera di Don Orione (sull'entrata, «bocca delle denunce pubbliche», raro esemplare conservato ancora integro nel luogo originario).

Dal chiostro rinascimentale con semplici archi in cotto, che apparteneva al primo monastero (v. sopra), per un sottoportico si passa nell'ala del complesso la cui costruzione iniziò nel 1751 su progetto di Giorgio Massari. Questa si compone di due parti: una, che non fu completata, prossima alla zona cinquecentesca; l'altra immediatamente dietro la chiesa dei Gesuati, costituita da un corpo di fabbrica che racchiude un cortile quadrangolare con un lato porticato, con slanciate colonne in pietra d'Istria. In angolo, un'ardita scala ellissoidale (ricordo di quella del Palladio alla Carità).

Subito dopo è il prospetto della chiesa di *S. Maria della Visitazione*, o degli Orfani (per la storia, v. pag. 428), prezioso esempio di architettura sacra del Rinascimento veneziano; iniziata nel 1493 e completata nel 1524, è attribuita variamente a Mauro Codussi e a Tullio Lombardo. La facciata è alleggerita nella parte superiore da due grandi finestroni e occhio centrale, e impreziosita da una raffinata e ricca decorazione. Al centro del timpano due angeli in marmo sostengono il trigramma sacro, ideato da S. Bernardino da Siena; sul coronamento, tre statue del principio del '500 (*Redentore, S. Giuseppe, S. Girolamo*).

L'interno, a una sola navata, modificato da restauri successivi e spogliato dell'arredo, conserva l'originario soffitto a cassettoni con interessanti dipinti attribuiti a scuola umbro-marchigiana del sec. xv (nei 58 comparti, *La Visitazione, santi* e *profeti*).

Si retrocede ai Gesuati (da qui ha inizio il 3° itinerario di visita del sestiere, v. pag. 450) e si segue lungo il fianco d. della chiesa il rio terrà Antonio Foscarini (v. pag. 428), che dopo breve si apre a d. nell'alberato *campo S. Agnese* (al centro, vera da pozzo esagonale, fatta costruire nel 1520 dal provveditore Domenico Tiepolo), su cui prospetta l'omonima chiesa.

La chiesa di *S. Agnese*, di origine molto antica (è nominata in documenti della fine del sec. xi), fu probabilmente ricostruita nel sec. xiii nella forma veneto-bizantina a pianta basilicale, a tre navate. Ebbe poi continue e sostanziali trasformazioni (nel sec. xvii e all'inizio del '900) che, pur trasformando totalmente la forma primitiva, ne mantennero la volumetria e l'impianto (dell'antica costruzione è la fiancata della navata mediana verso il campo, con doppi archetti ciechi); sconsacrata nel 1810 e spogliata degli arredi, fu riaperta al culto nel 1872. Nell'interno, un *angelo custode* di Lattanzio Querena e altre opere ottocentesche.

Continuando dritti per il rio terrà, si raggiunge campo della Carità, punto di partenza anche del secondo itinerario di visita del sestiere.

4.2 Dall'Accademia ai Carmini per S. Trovaso e Ca' Rezzonico

Dal campo della Carità (v. pag. 396) si segue verso nord-ovest calle Gambara, raggiungendo in breve il *campiello Gambara*, delimitato sul fondo dal fianco (con portale in pietra sormontato dallo stemma di famiglia) del *palazzo Gambara* già Mocenigo, con facciata sul Canal Grande (v. pag. 191), attualmente sede dell'Associazione industriali della provincia di Venezia. Di origine quattrocentesca, fu completamente ristrutturato nel sec. XVII e ancora nell'Ottocento; all'interno rimangono ambienti con decorazioni a stucchi e un ciclo di affreschi di G.B. Canal (1796). Si prosegue dritti nella stretta calle Contarini Corfù, delimitata sulla d. del retro della profonda mole di *palazzo Contarini degli Scrigni*, detto anche Corfù (ora proprietà Rocca), costituito da due unità edilizie, con affaccio sul Canal Grande, realizzate in epoche differenti. La prima, in angolo col rio di S. Trovaso (v. sotto), è quattrocentesca di impianto gotico, a tre piani con mezzanino; il fronte verso terra, con scala elicoidale, si apre sul giardino con due quadrifore sovrapposte (lo si vede dal vicino ponte delle Meravegie, v. sotto). A questo edificio a partire dal 1609 venne affiancato un secondo palazzo che, per esplicito volere dei committenti, la famiglia Contarini, doveva costituire un'unica unità abitativa con quella preesistente, mantenendone l'altezza e il numero dei piani; realizzato da Vincenzo Scamozzi, racchiude un piccolo cortile su cui prospetta la facciata verso terra a logge sovrapposte (la si intravede dal cancello d'ingresso al N. 1057 della calle).

La costruzione dello Scamozzi volge verso il Canal Grande (v. pag. 191) una facciata con massiccio basamento bugnato, comprendente piano terra e mezzanino; i due piani superiori presentano, distanziate da lesene binate, finestre centinate di taglio classicheggiante, ma estremamente allungate per riprendere la verticalità delle quadrifore del contiguo prospetto gotico. Nel palazzo era custodita una famosa collezione di dipinti, passata nel 1838 alle Gallerie dell'Accademia per lascito dell'ultimo discendente, Girolamo Contarini.

La calle Contarini Corfù termina in *fondamenta Priuli*, sul *rio di S. Trovaso*, fin dall'origine uno dei più importanti e animati collegamenti acquei tra il Canal Grande e il canale della Giudecca e, a partire dal XIV-XV sec., ambita sede dei palazzi e residenze patrizie. Seguendo la fondamenta, poco oltre il ponte delle Meravegie si incontra, N. 1012, il seicentesco *palazzo Giustinian-Recanati*, già Priuli (restaurato nel 1983, è sede dell'Istituto artistico statale). L'imponente costruzione, rifacimento di una trecentesca di cui probabilmente conserva la pianta, presenta in fac-

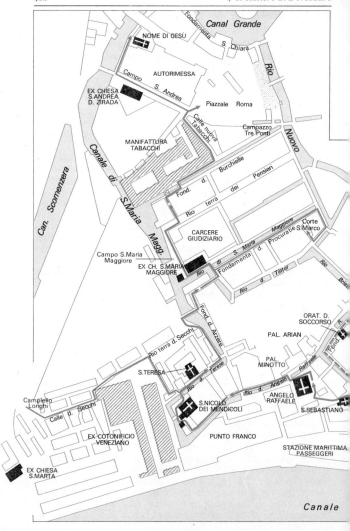

ciata una serliana al piano nobile; all'interno mantiene una ricca decorazione a stucchi. Dietro l'edificio si sviluppa un piccolo giardino, raro esempio di gusto romantico.

Di fronte, dall'altra parte del rio, sulla fondamenta Bolani, è il seicentesco *palazzo Bolani* (o Bollani; N. 1073), fin dall'Ottocento adibito ad uso pubblico e ora sede del Liceo Ginnasio Marco Polo (nel 1981 ne è stato ultimato il restauro). Edificato, in luogo di un preesistente palazzo forse trecentesco, nella seconda metà del sec. XVII (controversa è la data precisa, come l'attribuzione al Tirali), ha una facciata asimmetrica, con trifora al piano nobile e secondo piano più basso. Internamente, in alcuni locali del

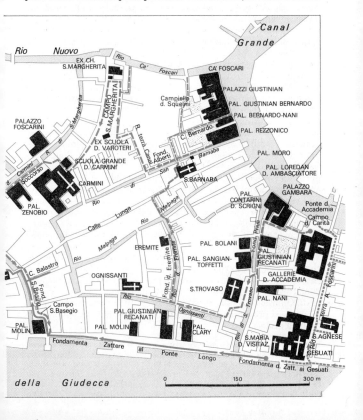

piano nobile e dei mezzanini, rimane l'originaria, elegante decorazione in stucco (per la visita rivolgersi alla Direzione). A sin. di questo, in fondamenta Sangiantoffetti N. 1075, sorge il *palazzo Sangiantoffetti*, già Marcello (dal 1977 in uso all'Università di Venezia), attribuibile alla metà del sec. XVI. La facciata (dove nulla rimane della famosa decorazione ad affresco di Tintoretto) presenta il piano terra con robusto portale centinato e mezzanino, e un alto piano nobile con balcone in forte aggetto e polifora a tutto sesto; internamente l'atrio comunica col vasto giardino.

La fondamenta, lasciato a d. il ponte di S. Trovaso, prosegue assumendo il nome di fondamenta Nani. Al N. 960-61, il *palazzo Nani*, già Barbarigo, del sec. XIV con facciata archiacuta; nel '500 l'interno venne restaurato da Alessandro Vittoria (forse con suggerimenti di Jacopo Sansovino), che lo arricchì di stucchi ancora visibili nell'atrio d'ingresso e lungo la scala. Più avanti sulla riva opposta è visibile il seicentesco e tuttora attivo *squero di S. Trovaso*, che raccoglie in una struttura di legno e mattoni le zone di lavoro e di abitazione.

Tornati al ponte di S. Trovaso lo si varca entrando nell'insula omonima (anticamente detta anche «borgo»), piuttosto ampia e irregolare. Essa prende il nome dalla chiesa di **S. Trovaso**, contrazione dialettale dei Ss. Gervasio e Protasio (scesi dal ponte a sin.), che, fondata nel sec. IX, venne ricostruita nell'XI e completamente riedificata, a partire dal 1585 circa, sul sedime originario e secondo i modi palladiani allora in auge. Il doppio affaccio, verso il rio di S. Trovaso e l'ortogonale rio di Ognissanti, portò all'edificazione di due facciate pressoché identiche, a due ordini e con largo basamento raccordato al timpano da ampie volute racchiudenti la finestra termale. La separazione ed equivalenza dei due prospetti è sottolineata dalla intromissione di case e del cinquecentesco campanile (con canna a lesene e cella campanaria a coppie d'arcate con balaustrata e tamburo ottagonale; sulla casa accanto, *S. Pietro*, rilievo bizantineggiante del sec. XII-XIII), formanti una cortina continua. Su ambedue i lati, tra la chiesa e i rii, si interpone un campo: lungo e parzialmente alberato quello a est (con due vere da pozzo, trecentesca la prima e quattrocentesca la seconda), mentre quello meridionale, verso il rio di Ognissanti, sopraelevato per favorire la raccolta dell'acqua piovana, si presenta quadrangolare con grande vera pubblica rinascimentale.

L'interno di S. Trovaso è a croce latina, a unica navata con volta a botte, cappelle laterali e largo presbiterio. Sulla controfacciata, organo di Gaetano Callido (1765) con cantoria lignea. Al 2° altare d., *S. Costanzo di Ancona* di Gaspare Diziani; al 3°, *S. Francesco di Paola, Fede, Carità e donatore* di Alvise dal Friso. Transetto d.: nella cappella alla parete d., nel paliotto dell'altare, *Angeli con i simboli della Passione*, bellissimo rilievo rinascimentale attribuito al Maestro di S. Trovaso; sopra l'ingresso, *Nozze di Cana* di Andrea Vicentino. Nella cappella a d. della maggiore, all'altare, *Cristo in croce e le Marie* di Domenico Tintoretto; alla parete sin., **S. Crisogono a cavallo* di Michele Giambono, notevole per la soavità del paesaggio e il gusto decorativo. Nel presbiterio alle pareti, *Epifania* e *S. Gioacchino cacciato dal tempio*, opera tarda di Jacopo Tintoretto e aiuti. Nella cappella a sin. della maggiore, all'altare, *Le tentazioni di S. Antonio abate* di Jacopo Tintoretto (1577 circa).

In sagrestia, con bella mobilia presbiteriale e 2 candelabri seicenteschi in legno intagliato e dorato, fra i dipinti si notino: *Cristo alla colonna*, copia da Tiziano di Bernardino Prudenti; *Redentore* di Rocco Marconi; *S. Giovanni* e *La Maddalena*, due opere attribuite a Jacopo Tintoretto.

Alla parete di fondo del braccio sin. del transetto è la cappella del Sacramento (1566): sopra l'altare, *edicola del Sacramento* in marmo con dorature, di stile sansovinesco (sec. XVI), con le statue di *Davide* e *Melchisedec* e bassorilievi settecenteschi; alla parete d., *Ultima Cena* di Jacopo Tintoretto (1560); alla parete sin., *Lavanda dei piedi*, copia antica di un dipinto di Tintoretto. Nella cappellina in fianco, all'altare, *Deposizione* di Palma il Giovane. Al 3° altare sin., *Natività della Vergine*, opera firmata di Palma il Giovane; al 2°, *Madonna in trono e santi* dello stesso; al 1°, *Incoronazione della Vergine* di Pietro Malombra.

Dal fondo del campo meridionale si segue a d. la fondamenta che costeggia il rio di Ognissanti fino a varcare il ponte di Borgo, ai piedi del quale si volge a d. nella *fondamenta delle Eremite* (Romite); questa, con la parallela fondamenta di Borgo, costeggia il curvilineo rio delle Eremite.

Proseguendo invece dritti si raggiunge il *campo Ognissanti*, che ha assunto l'attuale dimensione dopo il 1866, quando venne interrato il rio omonimo (attuale rio terrà Ognissanti). Il corso d'acqua delimitava a ovest la piccola insula occupata dal *complesso di Ognissanti*, chiesa e monastero (ora Ospedale geriatrico G.B. Giustinian), fondato nel sec. XV da un gruppo di monache cistercensi e ricostruito nel sec. XVI. Del complesso rimane integra la chiesa (le absidi prospettano sul campo), eretta intorno a metà del '500 in semplice muratura di mattoni e facciata caratterizzata da alte lesene in pietra e portale aggettante; l'interno, a unica navata con tre absidi, nel 1806 venne spogliato dell'arredo pittorico. L'annesso edificio a chiostro, che ricalca in parte il monastero cinquecentesco, fu costruito nell'Ottocento come cronicario. Continuando lungo la fondamenta e, oltre il ponte Sartorio, nella corte dei Morti e nella calle della Chiesa, si sbocca nella fondamenta S. Basegio, v. pag. 452.

Percorrendo la fondamenta delle Eremite (al N. 1333-35, un palazzo realizzato intorno alla metà dell'Ottocento in stile lombardesco, con archi a tutto sesto e formelle in cotto, variamente attribuito a Lodovico Cadorin o Giovanni Fuin) si raggiunge il *complesso conventuale delle Eremite*, sorto nel 1693 per le monache agostiniane. La chiesa, progettata da G.B. Lambranzi, contrappone alla semplice facciata, scarsamente avvertibile lungo la cortina edilizia della fondamenta, un sontuoso interno (vi si accede, previo permesso della superiora, dall'attiguo convento al N. 1323 A).

A vano quadrato, fu modificato nella zona presbiteriale nel 1935. Nel soffitto profondi cassettoni includono 9 tele centinate: al centro, *Incoronazione della Vergine* di Niccolò Bambini. Alle pareti, con lesene ioniche, tele piuttosto offuscate con *episodi della vita di S. Agostino* (da notare la 2ª a d., con *S. Agostino che risana un malato* di Francesco Pittoni). Ai lati, due altari marmorei con paliotti scolpiti ornati di statue (fine sec. XVII): a d. *Crocifisso e Maddalena*; a sin., *Madonna col Bambino*, opera firmata di Antonio Corradini. Dietro l'altar maggiore, sulla parete di fondo, grande altorilievo in legno scolpito, dipinto e dorato con la *Madonna della Misericordia sotto l'albero di Jesse*, interessante opera forse di scultore veneto di cultura nordica (metà sec. XV); proveniente dalla Scuola Vecchia della Misericordia (v. pag. 505), ripete nell'insolita iconografia la lunetta marmorea attribuita a Bartolomeo Bon che ne decorava il portale. In sagrestia, nel soffitto la *Fede* di G.B. Crosato, e all'altare *Ss. Girolamo, Agostino e lo Spirito Santo*, di ignoto del sec. XVIII.

Varcato il rio sul ponte delle Eremite, si prende a sin. l'ultimo tratto della fondamenta di Borgo e, oltre il ponte sul rio Malpaga, si tiene dritto nella breve calle delle Turchette terminante nella *calle Lunga*; è questa la spina dell'insula di S. Barnaba (attestata sul Canal Grande e inclusa tra i rii di S. Barnaba e Malpaga), caratterizzata da un compatto tessuto edilizio di origine gotica organizzato in un sistema di calli e corti ortogonali ai rii e alla 'calle-spina'. Lasciato a sin. il tratto che, proseguendo in calle dell'Avogaria, arriva alla chiesa di S. Sebastiano (v. pag. 452), tenendo a d. si raggiunge *campo S. Barnaba* (al centro, vera da pozzo cinquecentesca), dominato dal prospetto della chiesa di *S. Barnaba*. L'edificio fu riedificato tra il 1749 e il 1776 da Lorenzo Boschetti che, con una pesante ripresa dei motivi adottati dal Massari nella chiesa dei Gesuati, realizzò una facciata a un solo ordine di quattro semicolonne corinzie, coronata da timpano. Della chiesa preesistente (che la tradizione dice fondata nel sec. IX e più volte ricostruita) rimane, in fondo a sin., l'agile campanile in cotto, con antichissima canna a lesene, cella campanaria con trifora e soprastante cuspide a cono aggiunta nel sec. XIV.

L'interno è un'unica ampia navata a un ordine di semicolonne corinzie, su alti plinti, tra le quali si allineano 3 altari per lato. Nella volta, *Gloria di S. Barnaba* del tiepolesco Costantino Cedini. Al 1° altare d., *Nascita della Vergine* di Antonio Foler; al 2°, *Ss. Bernardino da Siena, Chiara e Margherita*, opera attribuita a Francesco Beccaruzzi; al 3°, *S. Antonio da Padova* di Giuseppe Gobbis. Nel presbiterio: all'altar maggiore, *S. Barnaba e altri santi*, dipinto attribuito a Damiano Mazza; alle pareti, *Salita al Calvario* e *Ultima Cena*, due opere di Palma il Giovane. Al 3° altare sin.,

Sacra Famiglia di Paolo Veronese; al 2°, *Ss. Jacopo, Diego e Antonio abate* e, nella lunetta, *Pietà tra i Ss. Giuseppe e Nicodemo*, opera attribuita a Giovanni e a Bernardino da Asola.

A d. della chiesa la calle del Traghetto porta al pontile d'imbarco dei vaporetti che percorrono il Canal Grande.

Si esce dal campo attraversando il rio di S. Barnaba sul ponte omonimo (a d., oltre il Canal Grande si profila il campanile di S. Samuele dei sec. XII; a sin. in fondo, quello seicentesco dei Carmini), ai piedi del quale si volge a d. nella fondamenta Rezzonico, che conduce all'ingresso da terra di **Ca' Rezzonico**, dal 1936 sede del civico Museo del Settecento Veneziano. La tradizione la attribuisce concordemente a Baldassare Longhena, che ne avrebbe iniziato i lavori nel 1649 per la famiglia Bon, al posto di due case di loro proprietà e altre minori; per la morte del Longhena (1682), e per sopravvenute difficoltà economiche dei committenti, l'edificio rimase interrotto al livello del 1° piano nobile. Nel 1750 i Rezzonico, famiglia allora emergente, acquistarono la costruzione e affidarono a Giorgio Massari l'opera di completamento, che fu portata rapidamente a termine con la realizzazione del 2° piano nobile (con alcune modifiche al progetto originario), del vasto salone da ballo e dello scalone.

La facciata principale, sul Canal Grande (v. pag. 187; una secondaria prospetta sul rio di S. Barnaba), risulta formata da una parte longheniana costituita dal piano terra a bugnato con portico centrale architravato, raccordato all'acqua dalla «riva» a gradini rotondeggianti, e dal primo piano nobile aperto da finestre ad arco intervallate da colonne (con un linguaggio ancora classicheggiante). Nella parte dovuta al Massari, il secondo piano nobile, le colonne tra le finestre sono sostituite da pilastri, e la balaustra è interrotta secondo il ritmo delle aperture. Quelle ovali sotto il cornicione erano già state ipotizzate nel progetto originario.

Il palazzo, decorato ai piani superiori con affreschi di G.B. Tiepolo, è stato ripristinato nel suo carattere di dimora patrizia settecentesca, sistemandovi il coevo complesso di pitture, sculture e mobili di proprietà del Civico Museo Correr. Ca' Rezzonico è così diventata sede del *Museo del Settecento Veneziano, il più importante del genere per le raccolte di oggetti d'arte e per i dipinti di quel prestigioso secolo. Giorni e ore di visita, pag. 135.

Dalla fondamenta si entra nel vestibolo, con stemma marmoreo dei Rezzonico entro nicchia-fontana. In lunghissima sequenza di spazi l'atrio verso terra (in restauro, 1984) comunica con un 2° atrio porticato aperto sul cortile interno, oltre il quale si sviluppa il profondo androne ad alte colonne aperto sul portico di accesso dal Canal Grande. Il maestoso scalone del Massari (sulla balaustrata, *Autunno* e *Inverno*, putti di Josse Le Court, firmati) sale al PIANO NOBILE (pianta, pag. 438). A sin. si entra nel SALONE DA

Ballo (I), splendido ambiente (m 24 × 14 × 12 d'altezza; restaurato nel 1974), opera di Giorgio Massari, con pareti affrescate a finte prospettive architettoniche da Pietro Visconti e figure di G.B. Crosato (1753); dello stesso, di fronte all'ingresso, stemma di Casa Rezzonico e, nel soffitto, grandiosa *Allegoria delle quattro parti del mondo*. Intorno alla sala, una parte (l'altra è nella sala del Brustolon, pag. 440) del famoso **mobilio** intagliato da Andrea Brustolon (inizio XVIII sec.): poltrone, portavasi, grandi statue di mori in ebano, allegorie. Inoltre: vasi cinesi, 2 vasi olandesi di Delft con decorazione bianco e celeste, magnifici lampadari settecenteschi.

Sala della Allegoria nuziale (II). Nel soffitto, *Le nozze di Ludovico Rezzonico con Faustina Savorgnan*, smagliante affresco di Giambattista Tiepolo (1758). Alla parete, *Ritratto di Francesco Falier* di Bernardino Castelli (c. 1787); inoltre, grandi lumière e bel mobilio settecentesco. A d., la cappella (III), adorna di stucchi settecenteschi e con una piccola pala (*Madonna e santi*) di Francesco Zugno. Dalla sala II, in fondo a sin., si scende al mezzanino Falier (in restauro, 1984), detto anche «appartamento del papa» perché abitato dal cardinale Carlo Rezzonico, poi papa Clemente XIII.

Sala dei pastelli (IV). Nel soffitto, *Apoteosi della Poesia*, affresco di Gaspare Diziani. Alla parete d'ingresso e a quella di sin., vari ritratti: in alto, *Gerolamo Maria Balbi* di Marianna Carlevarijs (figlia di Luca), *Gentiluomo* di Rosalba Carriera e *Cornelia Foscolo Balbi* di Marianna Carlevarijs; in basso, *Marco e Caterina Balbi* della stessa; ai lati della porta di passaggio al «portego», *Fanciullo* di Gian Antonio Lazzari, *Suor Maria Caterina* di Rosalba Carriera e *La cantante Faustina Bordoni* pure della Carriera. Alla parete fronteggiante l'ingresso, altri ritratti:

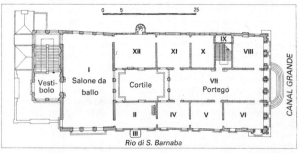

Ca' Rezzonico: piano nobile

in alto, *Gentiluomo* e *Dama* di Gian Antonio Lazzari e *Cecilia Guardi Tiepolo* (madre di Giandomenico e Lorenzo) di Lorenzo Tiepolo (1757); in basso, *Lucietta* e *Giambattista Sartori* di Rosalba Carriera, cui si devono anche le due miniature ovali (*Gentildonna* e, forse, *Anton Maria Zanetti*) situate al centro. Alla parete di d., fra le finestre, *Ritratto di Gian Rinaldo Carli Rubbi*, attribuito a Nazario Nazzari.

SALA DEGLI ARAZZI (V). Nel soffitto, *Allegoria delle Virtù*, affresco di Jacopo Guarana. Alle pareti, arazzi con *Storie di Salomone e della regina di Saba*, di manifattura fiamminga del sec. XVII. Inoltre, prezioso complesso di cassettoni, sedie e tavoli intagliati e dorati. Notare, a sin., la porta (originale) laccata con cineserie nei modi di Giandomenico Tiepolo. SALA DEL TRONO (VI; già camera nuziale dei Rezzonico). Nel soffitto, *Allegoria del Merito tra Nobiltà e Virtù, arioso e luminoso affresco di G.B. Tiepolo (1758). Fastoso mobilio settecentesco dorato e scolpito (sul trono si assise Pio VI, ospite della Repubblica Veneta nel 1782); magnifici vasi di Cina. Alla parete sin., *Ritratto di Pietro Barbarigo* di Bernardino Castelli, entro ricchissima cornice intagliata e dorata attribuita ad Antonio Corradini; di fronte, sopra il camino, *Ritratto di Gerolamo Maria Balbi* di Fortunato Pasquetti.

Si attraversa il «PORTEGO» DI MEZZO (VII), che va dalla facciata sul Canal Grande a quella sul cortile ed è decorato di *busti* settecenteschi e di 2 belle *statue di Atlanti*, già ornamento di un camino, di Alessandro Vittoria (firmate). Di fronte si entra nella SALA DEL TIEPOLO (VIII). Nel soffitto, *La Fortezza e la Sapienza, grande tela di G.B. Tiepolo (1744-45; già in palazzo Barbarigo), di luminosa chiarezza e vivace disegno. Alle pareti, da sin.: *Il beato Enrico da Bolzano* di scuola del Piazzetta; *Ritratto dell'architetto Bartolomeo Ferracina* di Alessandro Longhi (firmato, c. 1770); *S. Giacomo* e *S. Rocco* di Giuseppe Angeli; *S. Paolo* di Giambattista Canal; *Testa di vecchio* e *Testa di orientale* di Lorenzo Tiepolo; *Testa di vecchio* e *Testa di giovane con elmo* di Giandomenico Tiepolo. Nell'ANDITO DI PASSAGGIO (IX), entro vetrine, sono esposti oggetti laccati di fabbrica veneziana settecentesca.

SALA DELLA BIBLIOTECA (X). Nel soffitto, ligneo e dorato, contornato da ricco cornicione intagliato, 5 *soggetti mitologici*, dipinti su tela, di Francesco Maffei. Alle pareti librerie barocche contengono volumi settecenteschi. Inoltre, 8 sedie del sec. XVIII in cuoio dipinto a fiorami. SALA DI PASSAGGIO O DEL LAZZARINI (XI). Nel soffitto, *allegoria* di scuola veneta del sec. XVIII, attribuita a Mattia Bortoloni. Alle pareti da d.: *Orfeo punito dalle Baccanti*, grande tela di Gregorio Lazzarini; *Battaglia tra Cen-*

tauri e Lapiti di Antonio Molinari ed *Ercole nella reggia di Onfale*, altra tela del Lazzarini. SALA DEL BRUSTOLON (XII). Nel soffitto, riccamente intagliato (proviene da palazzo Nani a Cannaregio), ancora *figure allegoriche e mitologiche*, di Francesco Maffei.

Nella sala è raccolta l'altra parte del **mobilio** di Andrea Brustolon, della stessa serie esposta nel salone da Ballo ed eseguita per il palazzo Venier a S. Vio: poltrone, portavasi, statue di mori di ridondante concezione e di complicato lavoro orientalizzante. Alle pareti, da sin.: *Pandora* e *La Fortezza* di Niccolò Ranieri; *Lot e le figlie* di Pietro Ricchi; *Tantalo* di G.B. Langetti; *Ritratto di procuratore* di Bernardino Castelli; *Ratto di Europa* di Gregorio Lazzarini; *Giaele* e *Giuditta e Oloferne* di Jacopo Amigoni.

Ritornati nel «portego» di mezzo, si sale al II PIANO (pianta, qui sotto): sul pianerottolo, piccoli rilievi marmorei del sec. XVIII. PORTEGO DEI DIPINTI (XIII; corrisponde al portego di mezzo del primo piano): alle pareti, una scelta di dipinti settecenteschi fra i più interessanti delle collezioni del Museo Correr.

Alla parete verso le scale, da sin.: *Ritratto di vecchia* di Pietro Bellotti; *Ritratto del cardinale Federico Cornaro* patriarca di Venezia, di Bernardo Strozzi; *Ritratto di giovane con parrucca* di Sebastiano Bombelli; *Paesaggio con pastorelle* di Francesco Zuccarelli; *Interno di S. Pietro in Vaticano* di Giovanni Paolo Pannini; 4 piccoli *paesaggi* di Giuseppe Zais; al di là della porta, *Battaglia*, della bottega di Giovanni Antonio Guardi; *Battaglia* (in ovale) di Matthias Stomer e, sopra, *Battaglia* di Francesco Casanova; in mezzo, *Convegno diplomatico* di Giovanni Antonio Guardi, cui seguono ancora una *Battaglia* dello Stomer, una del Casanova e una della scuola del Guardi. Alla parete di fronte: *La morte di Dario*, grande tela della tarda maturità di G.B. Piazzetta; a sin., *Ritratto del maresciallo Mattia von Schulemburg* di Giovanni Antonio Guardi (c. 1740); a d., *Muzio Scevola e Porsenna* di Giovanni Antonio Pellegrini; *Giuditta e Oloferne* di Johann Liss; *Paesaggio invernale* attribuito a Marco Ricci; *Porto fluviale*

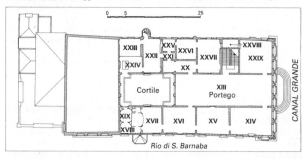

Ca' Rezzonico: secondo piano

di Luca Carlevarijs; alla fine, *Comunione di S. Filippo Neri*, del piazzettesco Giuseppe Angeli, contornata da *Ragazzo con mela, Ragazzo con piffero* e *Madonna leggente* di Domenico Maggiotto, diretto discendente del
Piazzetta; *Testa di vecchio con turbante* di Bartolomeo Nogari.

Nelle vetrine, oggetti decorati di fabbrica veneziana (sec. xviii); sopra la
porta, *ritratti* ovali.

SALA DEL LONGHI (XIV). Nel soffitto, *Trionfo di Zefiro e Flora*,
magnifica tela di G.B. Tiepolo (c. 1730). Alle pareti, una trentina
di *telette* di Pietro Longhi, con scene famigliari e rustiche, ma-
scherate e personaggi della Venezia del suo tempo: il più importante complesso esistente di opere di questo pittore.

Da d. a sin., ordine inferiore: *La toeletta della dama, Concertino in famiglia, Famiglia patrizia, Ritratto di Francesco Guardi, Visita del cappuccino, La «furlana», L'alchimista, La venditrice di «bussolai», La mostra
del rinoceronte, L'ambasciata del moretto, La venditrice di ciambelle, La
cioccolata del mattino, La polenta, La lavandaia, Passeggiata a cavallo, Il
pittore*. Nell'ordine superiore: *Eugenio di Savoia al campo, Il duca Gugliemo di Monforte e il suo aiutante Moser de Filsek, Il gigante Magrat,
Colazione in riva al mare, «Bauta» in visita, La prova del vestito, Il can-
tastorie, L'indovina, La venditrice di essenze, Colloqui di «baute», La toeletta della dama, Vecchia e ragazzo in osteria, La filatrice*. Il salotto è arredato con mobili di lacca gialla a fiorellini rossi.

SALA DELLE LACCHE VERDI (XV). È arredata con un complesso
di mobili laccati in verde e oro, che forma il noto *salotto Calbo-
Crotta*, prezioso esempio del genere «cineserie». Originale e pre-
ziosissima anche la tappezzeria in seta dipinta a mano. Nel soffitto, *Trionfo di Diana*, delizioso affresco di Giovanni Antonio
Guardi. Alle pareti, da d.: *Paesaggio con ponte* di Antonio Diziani; *Paesaggio con pastorelle* di Giuseppe Zais; *La laguna ghiac-
ciata* (1788) di un seguace di Francesco Battaglioli; 3 *vedute di
Venezia* di seguace del Canaletto. SALA DEL GUARDI (XVI). Alle
pareti, entro cornici mistilinee di stucco: *Minerva, Apollo, Venezia*, 3 affreschi di Giovanni Antonio Guardi, gli unici (con il soffitto della sala precedente) noti del maestro, strappati dalla saletta del palazzo Dabalà, già Barbarigo, per la quale erano stati
eseguiti. CAMERA DELL'ALCOVA (XVII). È l'esatta ricostruzione
di una camera da letto settecentesca, con mobili per il corredo
nuziale. L'alcova proviene dal palazzo Carminati a S. Stae: sopra
il letto, la *Madonna*, pastello di Rosalba Carriera. Ai lati, 2 stan-
zini («retrè», dal francese «retrait», spogliatoio, gabinetto): in
quello di d. è esposto un prezioso *servizio da toletta* di bronzo e
argento dorato, della celebre fabbrica tedesca di Augsburg (sec.
XVIII), composto da 58 pezzi.

Dallo stanzino di sin. si attraversa il CAMERINO DEL FALCHETTO (XVIII):
nel soffitto, *Il volo del Falchetto*, affresco di Giandomenico Tiepolo dalla

villa di Zianigo (v. sotto); si passa nel CAMERINO DEGLI STUCCHI (XIX), tutto decorato con una delicatissima trama di stucchi, tra i più belli esistenti a Venezia, vero capolavoro di arte e gusto settecenteschi. Al centro del soffitto, affresco di Jacopo Guarana con *fanciulle e amorini*.

Di nuovo nella sala del Guardi, attraversato il «portego» dei dipinti, si passa negli ambienti ricostruiti della VILLA DI ZIANIGO, che i Tiepolo comperarono verso il 1753 a Ziànigo nei pressi di Mirano. Gli *affreschi che li abbelliscono, tutti di Giandomenico Tiepolo (figlio di Giambattista), sono stati strappati e ricollocati secondo la disposizione originale. Nel «portego» d'entrata (XX), sulla parete di fondo, *Rinaldo dinanzi al simulacro d'Armida*, il primo degli affreschi eseguiti da Giandomenico. Di diversa provenienza sono invece gli altri dipinti: alla parete d'ingresso, *Achille in Sciro* e *Ratto delle Sabine*, vicini ai modi di Gregorio Lazzarini; sulla parete di fronte, da d.: lunetta con *Apoteosi di Venezia* di Francesco Fontebasso (sopra); *Ss. Giuseppe e Giovanni Battista* (in basso), attribuito a Gaspare Diziani; icona di anonimo madonnero (al centro); *Morte di S. Giuseppe*, monocromo di Giambattista Pittoni. Per un piccolo ANDITO (XXI), a sin., si entra nel «PORTEGO DEL MONDO NOVO» (XXII): sulla parete maggiore, *Il Mondo novo* (1791), vivace rappresentazione di una sagra domenicale settecentesca; alle pareti minori, *Minuetto in villa* e *La passeggiata a tre*, due scene di vita galante; sul soffitto, *Allegoria delle Arti*. A d., la CAMERA DEI PULCINELLI (XXIII): nel soffitto, *L'altalena dei Pulcinelli*, forse l'affresco più interessante; sulle pareti, da sin., *Il Pulcinella innamorato*, *Il casotto dei saltimbanchi*, *Pulcinella in riposo*; sopra le porte e nei comparti minori del soffitto, *Fantasie carnevalesche* (1793), a monocromo.
Ritornati nel «portego del Mondo novo», si passa, a d., nella CHIESETTA (XXIV), con *atti della vita di S. Girolamo Miani*, i primi affreschi monocromi del ciclo, eseguiti dal Tiepolo ventiduenne nel 1749. Alla parete d., *S. Girolamo Miani*, sempre di Giandomenico (c. 1750), ma di altra provenienza. Dietro l'altare, *Sacra Famiglia*, in origine nella chiesetta della villa: Dal piccolo atrio si va, a sin., nel CAMERINO DEI CENTAURI (XXV): alle pareti, scompartite da finta architettura monocromata, *rappresentazioni mitologiche* e *allegoriche* (sopra un libro aperto la firma «Do. T. 1791»). Segue la CAMERA DEI SATIRI (XXVI), tutta affrescata da Tiepolo con *Scene della vita dei satiri e dei fauni* (1791). Dal «portego» d'entrata (XX), si accede alla CAMERA DELLA SPINETTA (XXVII), cosiddetta da una *spinetta* del sec. XVIII, riccamente decorata; intorno, armadi, poltroncine e altri arredi in stile di campagna, tutti decorati con motivi intonati all'ambiente.

Saliti tre gradini, si percorre un ANDITO (XXVIII): alla parete d.,
Tempesta di mare di Giuseppe Zais, *Insegna dell'Arte dei Coro-
neri* di Francesco (?) Guardi, *Paesaggio* dello Zais; alla parete
sin., *Papa Clemente XIII concede udienza* e *Il cavadenti* di Pietro
Longhi. A fianco della porta: *Scena pastorale* di Francesco Zuc-
carelli (sopra) e *Veduta di Castel Cogolo* di Francesco Guardi
(sotto). SALA DEL RIDOTTO (XXIX). Nel soffitto, *Trionfo delle
Virtù, vedute di ville* e *allegorie d'Amore* forse di Girolamo Mengozzi Colonna, quadraturista che spesso lavorò con il Tiepolo.
Alle pareti, da sin.: *Ritratto del vescovo Ganassoni* di Pietro
Longhi; *Il parlatorio delle monache a S. Zaccaria* di Francesco
Guardi; *Ritratto di un pittore* di Pietro Longhi; *Martirio di S.
Agata* di bottega del Tiepolo; *Il Ridotto* (famosa sala da gioco
allogata nel palazzo Dandolo, a S. Marco), capolavoro di Fran-
cesco Guardi che dà il nome alla sala; *Ritratto di Samuel Egerton*
di Bartolomeo Nazzari; *La balia* e *La dama ammalata* di Pietro
Longhi.

Ancora dal «portego» dei dipinti si sale al III PIANO, attualmente (1984) in
ristrutturazione. Vi troveranno posto: un'esposizione di costumi settecen-
tschi; la ricostruzione completa, con laboratorio e retrobottega, della vecchia farmacia settecentesca «Ai do S. Marchi», che fino al 1909 si trovava
in campo S. Stin; il teatrino con la ricca raccolta di marionette veneziane
provenienti da palazzo Grimani ai Servi; ceramiche e lacche di tutte le
principali fabbriche venete e di alcune straniere (Sèvres, Sassonia,
Vienna, Cina, Giappone) e i bozzetti appartenuti allo scultore settecentesco Giovanni Maria Morlaiter.

Di ritorno al ponte S. Barnaba, è consigliabile (prima di continuare nell'itinerario principale lungo la fondamenta Alberti) una
diramazione che inizia a d. con la calle delle Botteghe e, dalla successiva calle del Fabbro, prosegue a sin. nella calle del Cappeller;
la diramazione, peraltro breve, consente di seguire un tracciato
che costeggia i retri di alcuni dei più prestigiosi palazzi sorti 'in
volta di canal'.

In continuazione di calle del Fabbro si svolge la *calle Bernardo*, chiusa a d.
dal muro di cinta dell'ampio giardino e dal fianco con l'ingresso da terra di
palazzo Bernardo, poi Nani, del sec. XVII, con facciata sul Canal Grande (v.
pag. 187). A sin., N. 3199, è l'accesso al primo dei *palazzi Giustinian*,
successivamente passato ai Bernardo (per gli altri v. pag. 444), del sec.
XVII, anch'esso affacciato sul Canal Grande (v. pag. 187) e unito con arconi
al precedente; è una delle sedi dell'Università degli Studi di Venezia e vi
sono allogate la Biblioteca generale e, dal 1982, la *raccolta Morassi* costituita da Antonio Morassi, critico d'arte operante nei primi anni del '900;
comprende una ricca biblioteca di libri e cataloghi di mostre e una fototeca.

Calle del Cappeller raggiunge l'alberato *campiello degli Squelini* (fabbricanti di scodelle), con la pavimentazione in cotto. Da qui si prosegue dritti nella *calle Foscari*, costeggiando il vasto complesso formato da due ***palazzi Giustinian** e da *Ca' Foscari*, edificati nella seconda metà del sec. xv (Ca' Foscari a partire dal 1452 come residenza personale rappresentativa del doge Francesco Foscari).

L'insieme dei palazzi forma una delle più significative creazioni architettonico-urbanistiche del più maturo gotico veneziano, esempio dell'applicazione di un principio unitario e razionale in quell'urbanizzazione quattrocentesca delle rive del Canal Grande che portò alla costruzione di grandiose residenze patrizie in ritmo quasi seriale. I tre palazzi hanno impianti tipologici e soluzioni architettoniche di facciata molto simili. I due simmetrici palazzi Giustinian si sviluppano lungo un grande salone centrale a «L», racchiudendo piccole corti interne, e si concludono verso terra in ampie corti maggiori con scala esterna; Ca' Foscari, di mole più imponente, si presenta con scala interna e una vastissima corte cinta da mura merlate, sulla quale si aprono gli accessi da terra e dal rio di Ca' Foscari. Verso il Canal Grande (v. pag. 187) gli edifici volgono prospetti formanti quasi un fronte unico, scanditi e svuotati nelle parti centrali da lunghe polifore; quello di Ca' Foscari spicca per una più ricca articolazione e per la decorazione marmorea. Ca' Foscari (dove nel 1574 venne ospitato Enrico III, re di Francia) nel corso del '700 venne ampliata verso corte e fu nuovamente restaurata nel 1867 per accogliere la Scuola Superiore di Commercio (poi Facoltà di Economia e Commercio); nel 1935-37 e nel 1955-56, furono condotti da Carlo Scarpa lavori di restauro e sistemazione del portico terreno e dell'aula Magna del 2° piano. Insieme all'attiguo palazzo Giustinian (dove nel 1858-59 Richard Wagner compose il 2° atto del «Tristano e Isotta») Ca' Foscari è attualmente la sede principale dell'Università di Venezia.
Dal ponte sul rio di Ca' Foscari si vede, a sin., il prospetto di palazzo Secco-Dolfin, altra sede dell'Università di Venezia (v. pag. 367).

Dal ponte S. Barnaba si riprende l'itinerario principale percorrendo tutta la *fondamenta Alberti*; lasciato a sin. il *ponte dei Pugni*, anticamente senza sponde, dove si svolgeva la tradizionale «lotta dei pugni» tra Nicolotti e Castellani, rispettivamente abitanti delle parti esterne dei sestieri di Dorsoduro e Castello (sul ponte, le sagome marmoree dei piedi ricordano la posizione dei contendenti), si volge a d. nel *rio terrà Canal*, che con andamento sinuoso conduce nel vasto **campo S. Margherita**. È uno dei maggiori della città (oggi parzialmente alberato), ampliato e risistemato nel 1863 con l'interramento del rio di Ca' Canal e del rio della Scoazzera, vie d'acqua che ne servivano il mercato e lo delimitavano a sud (le «scoazzere» – istituite nel xv o xvi sec. – erano recinti dove si raccoglievano le immondizie in attesa di essere portate fuori città dai burchiellanti).

Ancora adesso popolare e vivace luogo di mercato e centro di vita sestierale, il campo, situato nel cuore di un'area tutta circondata da importanti vie d'acqua, organizzata in parrocchia già alla metà del sec. IX, ebbe sempre una notevole importanza sociale, come testimoniano le due chiese poste alle sue estremità e le numerose Scuole di arti, mestieri e di devozione che qui sorsero (cinque se ne contavano nell'immediato circondario).

Al centro si leva isolato l'edificio dell'*ex Scuola dei Varoteri* (pellicciai; ora sede del partito della Democrazia Cristiana), già prospiciente il rio; fu edificata nel 1725 riproducendo fedelmente la più antica sede (già situata nel sestiere di Cannaregio e demolita al momento della costruzione della chiesa dei Gesuiti), da dove proviene l'edicola, con il bassorilievo della *Vergine e il Bambino adorati dai confratelli* (1501), posta sulla facciata. Allineate in mezzo al campo, due grandi e squadrate vere da pozzo pubbliche del 1529. Mantenendosi sul lato d. si costeggia la cortina edilizia orientale su cui si apre, verso il fondo, il sottoportico del Fontego che conduce alla omonima corte, dove rimane un portico a sei arcate (di cui cinque murate) resto piuttosto raro, forse duecentesco, di un edificio bizantino la cui facciata gotica, con portale ancora bizantineggiante, prospetta sul rio di Ca' Foscari (v. pag. 367). Sul fronte settentrionale del campo una facciata settecentesca (nella nicchia in alto, grande statua quattrocentesca di *S. Margherita*), attigua al mozzo campanile (v. sotto), copre il fianco d. della chiesa di *S. Margherita*; in posizione marginale rispetto al campo, volge la facciata sulla stretta calle della Chiesa. Fu costruita (sul luogo di una chiesa fondata, secondo la tradizione, verso la metà del sec. IX) nella 2ª metà del sec. XVII da G.B. Lambranzi, che contrappone a un esterno in forme estremamente semplici un ricco e decorato interno. Sconsacrata nel 1810, dopo varie destinazioni è attualmente (1984) chiusa e inutilizzata (la si vorrebbe destinare a centro culturale di quartiere).

L'interno, che fu adattato con la realizzazione di palchetti a cinematografo (aperto fino a una decina di anni fa), mantiene sotto la controsoffittatura (e quindi difficilmente visibile) un affresco di Antonio Zanchi raffigurante il *Martirio di S. Margherita*; la parte superiore del dipinto, con la *SS. Trinità e angeli*, è dovuta a ignoto artista settecentesco. L'antico *campanile*, cui furono sovrapposti rilievi seicenteschi, venne troncato nel 1808 perché pericolante.
Calle della Chiesa termina in campiello del Traghetto sul rio di Ca' Foscari, oltre il quale si apre campo S. Pantalon (v. pag. 365).

Proseguendo in senso antiorario la visita del campo, si costeggia la spina edilizia occidentale, aperta da frequenti calli e sottoportici che raggiungono il retrostante rio di S. Margherita. È caratterizzata da una serie di pregevoli palazzetti di lineamenti ancora bizantini (numeri 2962, 2961, 2496) o gotici (dal N. 2935 al 2927), alcuni dei quali mantengono le tipiche botteghe a piano terra, con piccola vetrina e porta riquadrate in pietra. Al N. 2931-33 è il trecentesco *palazzetto Foscolo-Corner*, di incerta attribuzione ai Celega (autori del campanile dei Frari) e con rifacimenti successivi; notevole il portale sormontato da lunetta in terracotta includente uno stemma e cinta da ghiera. Dall'altra parte del campo (al centro, pilo portastendardo con figure allegoriche in bronzo, eretto in onore dei caduti delle due guerre) si nota la costruzione settecentesca con timpano di un ex ospizio per donne povere, fondato nel sec. xv da Maddalena Scrovegni. All'estremità sud-ovest del campo, che va restringendosi a imbuto, si entra nella calle de le Scuole, dove a d., compressa nell'angusto spazio, si erge la facciata della seicentesca **Scuola Grande dei Carmini** (di S. Maria del Carmelo), a due piani, modellata con forti aggetti creati dal marcapiano e dalle aperture intervallate da semicolonne binate. Il fianco sin. presenta un prospetto del tutto diverso, a tre piani con basamento a bugnato liscio e due ordini di finestre appena segnate da pilastrini. Le due facciate, iniziate nel 1668 a completamento dell'edificio costruito su progetto di Franco Cantello a partire dal 1627 (ma inaugurato nel 1638), sono generalmente attribuite a Baldassare Longhena, o almeno alla sua direzione. L'interno, che conserva l'originaria disposizione degli ambienti, è ornato con grande dovizia da tele di G.B. Tiepolo. Giorni e ore di visita, pag. 136.

La ricca confraternita, fondata nel 1594 a devozione della Vergine del Carmelo e originariamente ospitata nella chiesa e poi negli ambienti del convento dei Carmini, all'epoca della costruzione della nuova sede aveva raggiunto un numero altissimo di consociati (nel 1675 erano 75 000, circa la metà della popolazione di Venezia). La sua antica importanza fece sì che, dopo la soppressione napoleonica, fosse reintegrata nel 1840 per intervento di Ferdinando I d'Austria.

Il SALONE TERRENO presenta soffitto a travatura e, alle pareti, dossali lignei sopra i quali è una serie di grandi tele monocrome di Niccolò Bambini: alla parete d'ingresso, *Annunciazione* e *SS. Trinità*; seguono verso d., *angelo con scapolare*, *Assunzione della Vergine*, *Riposo in Egitto*, *fregio con angeli*, *Virtù teologali*, *Circoncisione*. All'altare, *Madonna col Bambino* di Sante Piatti. Si sale uno scalone con volta decorata da ricchissimi stucchi di Abbondio Stazio, che incorniciano ovali già affrescati da Sante Piatti (solo i 3 dell'ultima rampa conservano questa decorazione).
*SALONE SUPERIORE. Nei comparti del sontuoso soffitto, ornato di stucchi con putti, 9 tele di G.B. Tiepolo (1739-44), tra le più notevoli della maturità dell'artista: al centro, la ***Madonna del Carmelo** *che dà lo scapolare al beato Simone Stock*, celebre dipinto di straordinaria luminosità e grazia; ai 4 angoli, allegorie delle *Virtù*; nei 4 comparti laterali, angeli e cherubini. Alle pareti, sopra i dossali lignei: di fronte all'ingresso, tra le finestre, *Miracoli della Vergine del Carmelo*, tre tele di Antonio Zanchi (c. 1665); alla parete d'ingresso, *Annuncio ai pastori*, *Gloria di angeli* e *Adorazione dei Magi* di Gregorio Lazzarini (1704); all'altare, *Madonna del Carmine*,

statua di Bernardo Falcone (sec. XVII); alla parete di fronte a questo, due tele di ignoto del sec. XVII.

Dalla porta alla parete a sin. dell'altare si passa nella SALA DELL'ARCHIVIO. Nell'imponente soffitto in legno intagliato, al centro, *Apparizione della Vergine* e, intorno, 8 *sibille*, di Giustino Menescardi. Alle pareti: di fronte alle finestre, sopra i dossali lignei riccamente intagliati a figure fortemente caratterizzate, attribuiti a Francesco Pianta (sec. XVII), *Martirio dei fratelli Maccabei*, due tele del Menescardi; sopra l'armadio, *Abigail placa e disarma David adirato contro il marito di lei*, *Nabal*, del Menescardi, e *Rebecca al pozzo* di Gaetano Zompini; di fronte all'armadio, *Ester sviene davanti ad Assuero* pure dello Zompini. Nell'andito che immette nella sala seguente, *Giuditta e Oloferne*, capolavoro della maturità di G.B. Piazzetta. SALA DELL'ALBERGO. Nel soffitto intagliato, al centro, *Assunta* del Padovanino (già nel salone); nei comparti laterali, *Evangelisti* e *Profeti* di Giustino Menescardi. Alle pareti, sopra i dossali lignei: a sin., *Il sogno di Giuseppe* e *Riposo in Egitto* di Antonio Balestra; a quella verso l'archivio, *La Vergine consegna lo scapolare a un religioso* e *Presepio*, di un seguace del Balestra; alla parete di fronte, *La Vergine con lo scapolare* e *allegoria di Venezia in veste dogale di fronte alla Vergine*, forse del Menescardi (1751).

A sin. della Scuola domina il percorso l'imponente muro in cotto del fianco sin. della chiesa dei *Carmini, S. Maria del Carmelo, la cui facciata prospetta sul piccolo campo-sagrato (*campo dei Carmini*) aperto sul rio di S. Margherita. Fondata con l'attiguo monastero (v. pag. 449) alla fine del sec. XIII dai frati Carmelitani, e consacrata nel 1348, dell'originaria costruzione gotica mantiene la struttura a pianta basilicale, a tre navate, e la forma del transetto. Ai primi del '500 risalgono la sopraelevazione della navata centrale (aperta da grandi finestre termali) e la ricostruzione in forme archiacute della zona absidale, avvenuta nel 1515 ad opera di Sebastiano da Lugano. Allo stesso viene attribuito il rifacimento e la decorazione scultorea della facciata, che presenta un linguaggio architettonico ancora diverso, di ispirazione rinascimentale nella nitida geometria del disegno – formato dai pilastri a lesena e dai marcapiani in pietra sulla superficie in mattoni – e nel frontone curvilineo trilobato su cui sono le statue del *Redentore*, di *S. Giovanni Battista*, della *Vergine* e dei *Ss. Elia* ed *Eliseo*. Sopra il portale (nella nicchia, *Madonna col Bambino*, scultura seicentesca) rimane un segmento di cerchio, superstite testimonianza del grande occhio che illuminava la chiesa trecentesca. Sul fianco sin., interessante portale con protiro trecentesco decorato con elementi bizantini (cornice a palmette di stile veneto-bizantino e formelle dei secc. XI-XIII). Il campanile edificato all'inizio del '600, fu consolidato e restaurato nel 1688 da Giuseppe Sardi. Nella 2ª metà del '600 furono anche trasformate e sopraelevate le navate laterali e venne arricchita la decorazione interna.

L'interno, a pianta basilicale, è diviso, da una doppia sfilata di 12 colonne monolitiche con basi e capitelli trecenteschi, in tre navate che si attestano in altrettante absidi. L'effetto prospettico della NAVATA MEDIANA (coperta da volte a crociera del '500), che si prolunga per 97 m fino alla luminosissima abside poligonale, conserva il carattere (ove si prescinda della decorazione lignea seicentesca) delle chiese conventuali del sec. XIV, carattere confermato dalle catene lignee colleganti longitudinalmente le arcate e (trasversalmente) queste ai muri perimetrali. Nel XVII sec. le arcate, negli intradossi e intorno agli archi, furono rivestite di una fastosa decorazione lignea (in restauro dal 1983), scolpita e parzialmente dorata con statue di *profeti* e *santi* sopra le colonne. In corrispondenza degli intercolumni la decorazione incornicia una serie di 24 dipinti raffiguranti episodi dell'ordine dei Carmelitani, eseguiti tra il 1666 e la metà del '700 da autori diversi, non tutti identificati con sicurezza. Lato d., da d.: il 3° dipinto, *La Madonna libera Valenciennes*, è attribuito a Gregorio Lazzarini; il 4°, *Conversione di Giovanni V Paleologo*, è di Vincenzo Canal; il 5°, *Il venerabile Angelo Paoli distribuisce l'elemosina*, di Gaspare Diziani (1734); il 7°, *La Vergine appare a papa Giovanni XXII*, di Ludovico David (siglato; avanti il 1684); il 9°, *La Madonna libera Anversa* (?), di Andrea Celesti; il 10°, *La Vergine appare al beato Franco da Siena*, di Girolamo Brusaferro; l'11°, *La morte di S. Avertano*, dello stesso (firmato e datato 1736); il 12°, *Glorificazione di Enoch ed Elia*, nella maniera di Sebastiano Ricci. Lato sin., a partire dal presbiterio: il 2°, *Uccisione di S. Angelo Carmelitano*, di Giovanni Carboncino (1672); il 3°, *La Vergine mette in fuga i Turchi*, di Gaspare Diziani; il 4°, *Incontro dei Ss. Angelo, Francesco e Domenico*, di G.B. Lambranzi; il 5°, *Martirio di S. Alberto Carmelitano*, attribuito a Giustino Menescardi (c. 1750); il 6°, *La Madonna consegna lo scapolare a S. Simone Stock*, di Pietro Liberi (1666); l'8°, *Sogno di Onorio III*, di Sebastiano Mazzoni (1669); il 10°, *La Madonna appare al beato Bertoldo II*, di G.B. Lambranzi. Alla parete dell'ingresso, *monumento di Jacopo Foscarini* (m. 1602), composizione di gusto sansoviniano, con figurazioni di battaglie navali, trofei, la statua del condottiero e figure della Fede e Carità, di seguace del Sansovino.

All'inizio della NAVATA D., *Deposizione, S. Alberto e devoti* di Alvise dal Friso. Seguono: al 2° altare, **Adorazione dei pastori, con le Ss. Elena e Caterina, Tobiolo e l'angelo custode*, notevole pala di Cima da Conegliano, tra le migliori opere della sua maturità (firmata, c. 1509); al 3°, *Madonna del Carmelo, santi e anime purganti* di scuola tizianesca, attribuita a Pace Pace (1595 ?); ai lati, la *Verginità*, raffinata statua marmorea di Antonio Corradini (1721), e la *Mansuetudine* di Giuseppe Torretti (1721); sulla balaustra, 2 angeli portacero, bronzi di Gerolamo Campagna (firmati); nella cupola, *volo d'angeli*, affresco di Sebastiano Ricci (1708).

Segue la porta della SAGRESTIA, ambiente rettangolare in mattoni a vista, con soffitto a travature e decorazioni del sec. XV. Lungo le pareti (a sin. dell'ingresso, lavabo gotico del '400), dossali lignei scolpiti e vari dipinti tra cui: sopra la porta d'ingresso, *Trionfo del Carmelo*, piccola lunetta di G.B. Lambranzi, e *Cristo deposto* di Felice Carena. Una bella arcata trecentesca in cotto (sopra l'*Angelo* e l'*Annunciata*, affresco del sec. XV) immette nel piccolo andito dove è l'altare con l'*Annunciazione* di Jacopo Palma il Giovane.

Ancora nella navata d., al 4° altare, *Circoncisione* attribuita a Polidoro

Lanzani (sec. XVI). Nella CAPPELLA ABSIDALE D., alla parete d., sopra la vasca battesimale, *S. Giovanni Battista*, piccola scultura cinquecentesca; all'altare, *Padre Eterno e S. Elia nel deserto*, pala di Gaspare Diziani; alla parete a sin. dell'altare, **Deposizione*, bassorilievo in bronzo di Francesco di Giorgio Martini (1474 c.), bellissimo per l'atteggiamento drammatico delle figure e per i ritratti di Federico da Montefeltro e Battista Sforza, duchi di Urbino da dove l'opera proviene.

Il PRESBITERIO è preceduto da due grandiose *cantorie* pensili, decorate da pitture di Andrea Schiavone: sul prospetto di quella di d., *Annunciazione* e *Adorazione dei pastori*; su quella di sin., *Adorazione dei Magi* e *Fuga in Egitto*. Dall'arco santo pende un grande *Crocifisso*, dipinto su tavola sagomata della fine del '300. All'altar maggiore, 2 *angeli adoranti*, sculture di Giulio del Moro (firmate). In fondo all'abside, *Assunta*, copia della parte centrale della pala di Tiziano ai Frari, eseguita da Pietro Tagliapietra (firmata, 1842); alla parete d., *Moltiplicazione dei pani* di Palma il Giovane e *Invenzione della Croce* di Gaspare Diziani (c. 1760); a sin., *Caduta della manna* di Marco Vicentino e *Castigo dei serpenti* di Gaspare Diziani. Coro ligneo con raffigurati santi e sante dell'ordine carmelitano o rapportabili a questo, notevoli per il vigore plastico (1688).

All'altare della CAPPELLA ABSIDALE SIN., *S. Anna, la Vergine fanciulla e i Ss. Gioachino e Pietro*, pala del Diziani. NAVATA SIN.: al 5° altare, *S. Alberto*, pala di Pietro Liberi; al 3°, *S. Antonio da Padova* di Lattanzio Querena (c. 1821); al 2°, **S. Nicola tra S. Giovanni Battista, S. Lucia e angeli* di Lorenzo Lotto (1529), mirabile per il paesaggio con uno squarcio di mare e con S. Giorgio che uccide il drago; segue, *S. Liberale benedice gli infermi*, tra le ultime opere di Andrea Vicentino (firmata e datata 1604); al 1° altare, *SS. Trinità, S. Maria Maddalena de' Pazzi, S. Luigi Gonzaga*, di Bernardino Prudenti (sec. XVII); al principio della navata, *S. Liberale fa graziare due condannati a morte*, grandissima tela del Padovanino (1638).

A fianco della chiesa sorge l'*ex monastero*, ora Istituto statale d'arte (ingresso dal N. 2613 del campo dei Carmini; la visita, limitata al chiostro, è concessa durante l'orario di apertura della scuola). Fondato nel sec. XIV, fu ricostruito nei secoli successivi. Pregevole è il chiostro cinquecentesco, con alte arcate su pilastrini; puteale del 1762. Nella sala capitolare, trifore ogivali dell'inizio del sec. XV e trittichetto quattrocentesco a lacunari con resti di affreschi.

Di fronte al campo dei Carmini, dall'altra parte del rio di S. Margherita (tratto del lunghissimo rio che, cambiando nome, costituisce la principale via acquea di comunicazione con il Canal Grande per le barche provenienti dal bordo lagunare di Fusina), sorge il grandioso *palazzo Foscarini* (N. 3463-64); in notevole stato di degrado, rivela a fatica le caratteristiche che ne facevano nel '700 uno dei palazzi più ricchi della città.

Di impianto forse quattrocentesco, a più riprese modificata, l'attuale costruzione sembra da attribuire alla seconda metà del '500. La facciata presenta quattro grandi serliane (murate) che si sovrappongono come una transenna su uno sviluppo interno a sei piani. In alcune stanze rimangono resti di stucchi e decorazioni sei-settecentesche. Posteriormente si sviluppa il grandissimo giardino, ricco di piante rare (ora ridotto a terreno incolto e in parte occupato da edifici moderni), dove dopo il 1745 Marco Foscarini (famoso letterato e doge dal 1762 al 1763) fece costruire una loggia per raccogliere la sua ricca biblioteca, che fu ceduta all'Austria nel 1799 (seguendo a sin. del palazzo il sottoportico e la successiva calle, in fondo a questa, a d., si apre un cancello che immette in ciò che resta del giardino).

Dal campo si segue a sin. la *fondamenta del Soccorso*, sul rio dei Carmini, proseguimento meridionale del rio di S. Margherita. Al N. 2593-95 sorge il *palazzo Zenobio*, dal 1850 sede del Collegio Armeno dei padri Mechitaristi; considerato uno degli esempi più importanti dell'edilizia barocca veneziana, fu costruito alla fine del '600 da Antonio Gaspari (la visita è consentita tutti i giorni dalle 9 alle 11, previo avviso telefonico).

Utilizzando solo in parte le fondazioni di un preesistente edificio trecentesco appartenuto ai Morosini, l'architetto creò una pianta, pressoché unica a Venezia, composta da un corpo principale, molto esteso in larghezza, che si prolunga in due profonde ali sul retro, verso il giardino. La facciata presenta un motivo del tutto nuovo di derivazione borrominiana, nella finestratura centrale conclusa da grande timpano curvilineo. L'interno, ben conservato, è sfarzosamente decorato con stucchi e affreschi di vari artisti: Louis Dorigny (nel salone da ballo), Luca Carlevarijs (nel «portego») e G.B. Tiepolo. Nell'ampio giardino, una loggia con funzione di biblioteca, parziale realizzazione di un progetto di Tommaso Temanza.

Più avanti, ai piedi del ponte, si erge la semplice facciata a due ordini del piccolo *oratorio del Soccorso*, costruito a cavallo del '600 come parte dell'ospizio (per ex prostitute o donne bisognose di assistenza) fondato da Veronica Franco, famosa cortigiana e poetessa; tutto il complesso fu rimodernato nel '700. Al termine della fondamenta si vede, al di là del rio, *palazzo Arian*, poi Cicogna (ora sede scolastica), con quadrifora cinquecentesca al 1° piano e, sopra questa, una magnifica *esafora gotica a doppia fila di quadrilobi (nell'interno, cortile con scala scoperta gotica). Volgendo a sin. nella fondamenta che costeggia il rio di S. Basegio (sulla sponda opposta, la chiesa di S. Sebastiano, v. pag. 452), si raggiunge campo S. Basegio e quindi la fondamenta delle Zattere al ponte Longo, dove è l'attracco della linea circolare dei vaporetti.

4.3 Dai Gesuati a piazzale Roma per la fondamenta delle Zattere, S. Sebastiano e S. Nicolò dei Mendicoli

Dalla chiesa dei Gesuati (per la descrizione v. pag. 428; per la pianta dell'itinerario, pag. 432) si segue verso O l'ultimo tratto della fondamenta delle Zattere ai Gesuati, che termina dopo breve al *ponte Longo*, sul rio di S. Trovaso (di comunicazione fra il Canal Grande e il canale della Giudecca), affiancato in riva orientale dalla fondamenta Nani; sulla riva opposta è l'antico squero di S. Trovaso, dietro il quale si vede l'omonima chiesa (per la visita di questa zona v. l'itinerario precedente, pag. 434). Oltre il ponte ha inizio la *fondamenta delle Zattere al ponte Longo* (tratto terminale, alberato, del lunghissimo percorso che ha inizio alla punta della Dogana, v. pag. 425); vi prospettano alcuni palazzi signorili dei secc. XV, XVI e XVII, e numerosi edifici in stile neogotico e neorinascimentale di fine Ottocento-inizi Novecento sorti con funzioni residenziali o come sedi di compagnie di navigazione, uffici portuali e agenzie marittime che si insediarono in questa zona dopo l'apertura della Stazione Marittima (v. sotto). Al N. 1397, il cinquecentesco *palazzo Clary* (sede del Consolato di Francia), con quadrifora e poggioli con piccole sculture di leoni al primo piano e altra quadrifora al secondo; segue, N. 1402, il *palazzo Giustinian Recanati*, del sec. XVI, con quadrifora e poggioli in facciata (la parte posteriore fu restaurata in modi neoclassici da Giuseppe Mezzani nel sec. XIX); più avanti, N. 1411, il quattrocentesco *palazzo Molin*, con facciata archiacuta (ora sede della Società Adriatica di Navigazione). Proseguendo lungo la fondamenta, dalla quale si ha la veduta complessiva della parte occidentale dell'isola della Giudecca con la mole del Mulino Stucky, si trova, N. 1473, la *ex Scuola dei Luganegheri* (salumai), acquistata nel 1681 dall'omonima confraternita e restaurata nel 1683; reca in facciata la statua del protettore, *S. Antonio abate* (l'edificio si presenta notevolmente rimaneggiato). Al termine della fondamenta è il grosso blocco del cinquecentesco *palazzo Molin*, tipica casa d'affitto medio-borghese; gli otto ingressi che presenta (quattro sulle Zattere, quattro sul retrostante campo di S. Basegio, v. sotto) disimpegnavano in origine altrettante abitazioni disposte a blocco intorno a un piccolo pozzo di luce centrale (oltre il palazzo sporge la banchina della *Stazione Marittima passeggeri*, realizzata in questo secolo come ultima propaggine del complesso portuale che interessa tutta l'estremità occidentale di Dorsoduro). Si volge a d. nella breve calle del Vento, che sbocca in *campo di S. Basegio* (S. Basilio), dall'omonima chiesa (di antichissima fondazione) demolita nel 1824, dotato di un pozzo pubblico nel 1558 con effigie del santo.

Nel campo aveva sede la Scuola degli Acquaroli, addetti autorizzati al trasporto dell'acqua dalla terraferma (mediante appositi «burchi») e alla sua vendita in città (dell'edificio non rimangono che i muri perimetrali corrispondenti al N. 1527 A).

Seguono la *fondamenta S. Basegio* (dopo il N. 1637, a d., il sottoportico e la *calle Balastro* conducono a un insediamento di modestissime, ma bene organizzate casette a schiera, a due piani con corti retrostanti, probabilmente fatte costruire nella 1ª metà del '700 dalla nobile famiglia Balastro e destinate all'affitto) e il ponte S. Sebastiano, al di là del quale si scende all'angusto sagrato della chiesa di *S. Sebastiano, interessante realizzazione architettonica arricchita dagli eccezionali corredi pittorici di Paolo Veronese. Parte di un complesso monastico fondato dai frati Gerolamini nel sec. XIV, l'attuale chiesa fu ricostruita tra il 1505 e il 1548 (e consacrata nel 1562) su progetto – secondo l'attribuzione più accreditata – dello Scarpagnino.

Questo intervento sostituì (inspiegabilmente), nel giro di pochissimi anni, una precedente chiesa edificata tra il 1445 e il 1468 e dedicata anch'essa a S. Sebastiano. Al nuovo edificio venne dato diverso orientamento, volgendo la facciata principale verso il rio, quasi in asse con il ponte, e definendo un piccolo sagrato di forma irregolare.

La facciata, classicheggiante, è a due ordini su colonne corinzie binate e coronata da timpano con tre statue; il campanile in cotto a lesene è del 1544-47. L'interno (orario: giorni feriali 9-11 e 16-18, festivi 12-13), a una navata con soffitto piano a comparti e presbiterio coperto da cupola emisferica, presenta un'interessante soluzione architettonica nella disposizione del coro pensile che, prolungandosi con due ali, definisce il vestibolo d'ingresso e, ai lati, sei cappelle. L'imponente apparato decorativo è opera di Paolo Veronese; realizzato a più riprese, fra il 1555 e il 1565, si può considerare il maggior complesso pittorico religioso della sua produzione (l'artista è sepolto nella chiesa, davanti alla cappella a sin. del presbiterio).

Eseguiti i dipinti della sagrestia nel 1555, nello stesso anno egli iniziava la lavorazione delle tele del soffitto della chiesa, che ultimò nel 1556. Nel 1558 realizzò gli affreschi superiori, cui seguirono quelli inferiori (1560) e quelli del presbiterio (1561). Le tele di quest'ultimo furono dipinte fra il 1559 e il 1565.

La visita inizia dalle opere del Veronese che decorano la navata, il presbiterio e la sagrestia. Nel soffitto della navata, a ricchissime cornici lignee dorate e intagliate: *Ester condotta dinanzi ad Assuero, *Ester incoronata da Assuero, *Trionfo di Mardocheo, tre tele mirabili per freschezza e splendore di tinte oltre che per gli effetti prospettici (le decorazioni a chiaroscuro sono di Benedetto Caliari e Giovanni Antonio Fasolo). Alla parete sin., *organo realizzato nel 1558 da Francesco Fiorentino su disegno di Paolo Veronese, che dipinse gli sportelli (all'esterno, *Presentazione di Gesù al tempio*; all'interno, *La piscina probatica*, del

1560) e il parapetto (*Natività*; le figure allegoriche a chiaroscuro sono opera di un suo seguace). Nel presbiterio, all'altar maggiore pure disegnato da Paolo, *Madonna in gloria e i Ss. Sebastiano, Francesco* (ritratto del priore Bernardo Torlioni), *Pietro, Giovanni Battista e Caterina* (1559); alla parete d., *Martirio di S. Sebastiano*; a quella sin., *I Ss. Marco e Marciliano condotti al martirio* (c. 1565).

Dalla sagrestia, decorata nel soffitto a comparti con l'*Incoronazione della Vergine, Evangelisti e putti* (1555; la prima opera di Paolo di cui si ha notizia a Venezia), per una scala (farsi accompagnare dal custode) si sale al «BARCO» o coro delle monache (sul parapetto, l'*arcangelo Gabriele*, l'*Annunciata* e 2 *sibille*, statue in stucco del 1582 di Girolamo Campagna). Qui il Veronese eseguì, nel 1558, gli affreschi (restaurati nel 1962) con *S. Sebastiano dinanzi a Diocleziano* e col *Martirio del santo*. Dal coro si possono agevolmente osservare gli altri affreschi che decorano la parte alta delle pareti: tra le finte colonne, *profeti* e *sibille*, a chiaroscuro; nei mistilinei all'esterno degli archi delle cappelle laterali, *Apostoli*; in quelli delle cappelle absidali, *Evangelisti*; sopra l'arco trionfale, *Annunciazione*.

Discendendo, si completi la visita della sagrestia: alle pareti, *Battesimo di Gesù, Sacrificio di Isacco, Presepio, Passaggio del Mar Rosso, Visione di Giacobbe* e *Preghiera nell'Orto*, opere di Bonifacio de' Pitati e allievi; *Crocifissione* di Domenico Brusasorci; *Castigo dei serpenti* attribuito a Jacopo Tintoretto; *Risurrezione di Cristo* di Antonio Palma.

Tornati nella chiesa si ricomincia la visita dal vestibolo sotto il coro. Alla parete d., *Giona esce dalla balena* attribuito a Paris Bordone; all'altare, *S. Niccolò*, dipinto da Tiziano nel 1563, notevole per la figura dell'angelo e la testa del santo. Nella 1ª cappella d.: all'altare, *beato Piero Gambacorta* di Federico Bencovich; alla parete, *Madonna col Bambino, S. Caterina e il frate Michele Spaventi* (confessore di Paolo), opera giovanile del Veronese. Nella 2ª, al bell'altare sansovinesco, *Madonna col Bambino e S. Giovannino*, gruppo marmoreo di Tommaso da Lugano detto Lombardo (firmato; 1577), fredda imitazione del gruppo del Sansovino nella Loggetta del campanile di S. Marco. Nella 3ª: all'altare, *Crocifisso, le Marie e S. Giovanni* di Paolo Veronese; le statue con *S. Anna e S. Giuseppe* e i rilievi con *Cristo alla colonna* e l'*Addolorata* sono attribuiti a Pietro Baratta. Alla parete seguente grandioso *sepolcro di Livio Podocattaro*, arcivescovo di Cipro (m. 1555), di Jacopo Sansovino (nel tondo sopra l'urna, *Madonna col Bambino*, del 1556).

Nella cappella a d. della maggiore, *Madonna e i Ss. Girolamo e Carlo* di Palma il Giovane; alle pareti, *Storie di S. Carlo* e di *S. Girolamo* di Andrea Vicentino. Nella cappella a sin. della maggiore, pavimento a mattonelle di maiolica, bel lavoro di arte veneziana del 1510; alle pareti, *Nascita della Vergine* e *Fuga in Egitto* e, all'altare, *Annunciazione*, tre quadri di Matteo Ingoli (davanti alla cappella, nel pavimento, pietra tombale di Paolo Veronese e di suo fratello Benedetto). Alla parete sin. di fianco all'organo, *busto di Paolo Veronese* di Mattia Carnero. Nella 3ª cappella sin.: all'altare, *Madonna col Bambino* del Veronese; le sculture, *busto di Marco Antonio Grimani* e *S. Antonio abate*, sono opera di Alessandro Vittoria. Nella seguente 2ª cappella, *Battesimo di Gesù* di scuola del Veronese; nella 1ª, *Cristo ad Emmaus* di Andrea Schiavone.

In angolo con la chiesa, la facciata con l'ingresso dell'*ex convento di S. Sebastiano*, rifabbricato nel 1851 sopra l'originario parzialmente demolito (restaurato intorno al 1975, ospita la Facoltà di Lettere e Filosofia dell'Università di Venezia); rifatto tra il 1979 e il 1980 su precedente (1976) progetto di Carlo Scarpa, il raffinatissimo prospetto in pietra (trattata con diverse lavorazioni) racchiude in un cerchio incompleto la quattrocentesca effigie di *S. Sebastiano*, già affissa sull'ingresso della Scuola a lui dedicata, che qui aveva sede dal 1471.

Da S. Sebastiano si può raggiungere in breve il centro prendendo, al di là del ponte, la calle dell'Avogaria e proseguendo, oltre il ponte omonimo, in calle Lunga e campo S. Barnaba (v. pag. 436), da dove per calle del Traghetto si arriva al Canal Grande (pontile d'imbarco per i vaporetti).

Passando a d. della chiesa, attraversato il campazzo S. Sebastiano si entra nel più vasto *campo dell'Angelo Raffaele*, rialzato, sul quale si presenta il nudo retro absidale dell'antica parrocchiale dell'insula omonima (v. sotto); al centro, vera da pozzo in pietra d'Istria (restaurata nel 1983) con iscrizione che la data al 15 luglio 1349, stemma della casata degli Arian e segno mercantile della stessa.

Fu commissionata con testamento da Marco Arian che, morendo di peste nel 1348, volle così provvedere la sua parrocchia di questa fonte d'acqua (il documento è un'interessante dimostrazione del ricorrente collegamento tra la peste e l'approvvigionamento d'acqua).

Un'altra vera da pozzo, rinascimentale (anche questa restaurata nel 1983), è nel campo dietro il Cimitero, a d., che si attraversa per raggiungere lo stretto sagrato su cui prospetta la facciata della parrocchiale dell'**Angelo Raffaele**, una delle otto chiese, secondo la tradizione fondate nel sec. VII dal vescovo di Oderzo, Magno; ricostruita una prima volta nel 1193, fu nuovamente demolita e riedificata tra il 1618 e il 1639 ad opera di Francesco Contino.

Originariamente orientata in senso trasversale all'attuale, con il fianco sul rio dell'Angelo Raffaele, nella ricostruzione seicentesca venne posta con la facciata sul rio volgendo la parte absidale verso il campo maggiore che la separa da S. Sebastiano. In tal modo le due chiese sono venute a contrapporsi, definendo ciascuna una propria scena urbana e un proprio ambito di riferimento: l'Angelo Raffaele volgendosi al popolare quartiere dei Mendicoli, S. Sebastiano a quello più centrale di S. Barnaba.

Progettata con una certa grandiosità, la chiesa non è completata all'esterno; delle tre facciate previste, fu realizzata infatti solo quella principale sul rio (nel 1735), sulla quale, sopra il portale, è posta una scultura raffigurante *Raffaele e Tobiolo*, attribuita a Sebastiano da Lugano (principio del '500).

L'interno, rimaneggiato nel '700, è a croce greca, a tre navate con volta a crociera su pilastri e paraste, notevole per il suo sviluppo in altezza. Sopra l'ingresso principale, sul parapetto dell'organo settecentesco, **storie di Tobiolo**, 5 comparti dipinti da Giovanni Antonio Guardi (1750-53) o, per altri, dal fratello Francesco, di fresca ispirazione e briosissima fattura, da considerarsi tra i capolavori della pittura settecentesca veneziana. A d. dell'organo, *Ultima Cena* di Bonifacio de' Pitati; a sin., *Ultima Cena* di un seguace di Tiziano. Nella 1ª cappella d., *S. Liberale e altri santi* di Francesco Fontebasso; nella 2ª, all'altare, *Assunta* di derivazione tizianesca, e alla parete sin., *S. Francesco stigmatizzato* di Palma il Giovane.
Nell'ampio presbiterio, a d., *Il castigo dei serpenti* dell'Aliense (firmato e datato 1587); a sin., *Il centurione davanti a Cristo* di Alvise dal Friso; alla parete di fondo, *L'arcangelo Raffaele e Tobiolo* di Michelangelo Morlaiter, del quale è forse anche l'*Eterno in una gloria d'angeli*, nella volta. Sopra la porta laterale sin., *S. Margherita e 4 devoti*, altorilievo del '500; nella 2ª cappella, ricco e grande altare con l'*arcangelo Raffaele e Tobiolo*, entro nicchia, e ai lati, i *Ss. Pietro e Paolo*, sculture settecentesche; alla parete d. della stessa cappella, *S. Elena che adora la Croce* di G.B. Zelotti, seguace del Veronese; al 1° altare, *S. Antonio da Padova che predica da un albero* di Bonifacio de' Pitati, replica di una pala dello stesso nella chiesa di Camposampiero (Padova). Nella volta, *S. Michele scaccia Lucifero*, affresco di Gaspare Diziani, compreso in una pesante incorniciatura prospettica. Il pulpito ligneo, del 1687, è adorno delle figure dei *Dottori della Chiesa* e di rilievi (*Cristo e l'adultera*, *La disputa* e *La Visitazione*).
In sagrestia, interessanti affreschi di Francesco Fontebasso. La chiesa conserva inoltre vari oggetti preziosi, tra cui nell'Archivio, mariegole del '500 e del '600, antifonari e graduali del '400 e del '500, registri di battesimi dal 1500, paramenti sacri e una croce capitolare in argento sbalzato del sec. XIV.

Attraversato il rio dell'Angelo Raffaele sul ponte omonimo (di fronte, edicola lignea forse seicentesca), e lasciata a d. la fondamenta Briati (al N. 2365, il cinquecentesco *palazzo Minotto*, notevolmente degradato e con vasto giardino retrostante), si segue a sin. la *fondamenta Barbarigo*, con tipico parapetto in mattoni listato in pietra.

Il rio dell'Angelo Raffaele è un tratto del lungo rio che, cambiando più volte nome, entra dalla Laguna all'inizio del canale della Giudecca e s'addentra in direzione NE fino a lambire le zone dei Carmini e di S. Margherita (v. pag. 444). Principale percorso dal bordo lagunare di Fusina, determinò la formazione dei nuclei dell'Angelo Raffaele e di S. Nicolò dei Mendicoli (v. sotto), urbanizzati fin da epoca predogale; eccentrici rispetto allo spostamento delle principali attività verso la parte orientale della città, conservarono – e tuttora conservano – un carattere estremamente popolare.

Superata una fascia di case di carattere modesto, sull'opposta riva, oltre uno slargo erboso, un muro in mattoni chiude la vasta area di *Punto Franco* che con i grandi depositi realizzati tra il 1887 e il 1891 arriva fino al canale della Giudecca, occupando una buona metà dell'insula dell'Angelo Raffaele (è da notare che tutta questa zona marginale della città, a partire dagli ultimi scorci del secolo scorso subì profonde trasformazioni con l'insediamento di attività portuali, di immagazzinaggio e industriali che sostituirono l'edilizia preesistente). Fondamenta Barbarigo prosegue con fondamenta Riello e con *fondamenta di Lizza Fusina* (il richiamo alla Fusina di terraferma è evidente), al cui termine si entra in *campiello dell'Oratorio*. Questo, che prende il nome da un piccolo oratorio settecentesco posto in angolo a sin., è dominato dal quadrato campanile veneto-bizantino (sec. XII) della chiesa di S. Nicolò dei Mendicoli, prospettante il campo omonimo, che si raggiunge aggirando il campanile (a sin., oltre il rio, l'alto muro dell'ex Cotonificio Veneziano, v. pag. 457).

Mendicoli (mendicanti) venivano definiti i primi abitanti del quartiere, povera gente di mestieri precari che si riconosceva nella comunità dei Nicolotti. Questi conservarono gelosamente, fino al cadere della Repubblica, una certa autonomia almeno formale eleggendo un proprio rappresentante, «gastaldo» o «doge dei Nicolotti».
Nel campo, che conserva i caratteri dell'originario ambiente lagunare, alberato, circondato dall'acqua e privo di parapetti, i Nicolotti tengono il loro stendardo e la colonna con settecentesco leone alato.

La chiesa di *S. Nicolò dei Mendicoli, pur avendo subìto nel corso dei secoli parziali rifacimenti, è tra le poche di Venezia che conserva ancora la tipologia veneto-bizantina duecentesca; un restauro compiuto tra il 1971 e il 1977 ne ha rimesso in vista gli elementi costitutivi, trovando anche resti di fondazione che ne confermerebbero l'origine, già indicata dalla tradizione, al sec. VII. La facciata, che conserva sopra il grande occhio una piccola bifora duecentesca, è preceduta da un portico ricomposto in parte con materiale originario (questa struttura accompagnava molte chiese veneziane come rifugio per poveri). Il fianco sin. presenta in corrispondenza dell'ingresso un prospetto settecentesco con nicchie ornate da statue.

L'interno, realizzato a più riprese tra i secc. XIII e XV, ha impianto basilicale a tre navate (le due laterali più basse, con soffitto a capriate) divise da grosse colonne senza basi e con capitelli trecenteschi; il transetto presenta due archi ogivali quattrocenteschi; nell'abside mediana rimane, all'imposta della semicalotta, una sottile cornice bizantina intagliata. Una fastosa decorazione lignea, scolpita e parzialmente dorata, corre lungo la navata maggiore (della fine del sec. XVI, è stata restaurata nel 1974-75). In corrispondenza delle colonne essa presenta statue degli *Apostoli*, opera di

maestranze venete cinquecentesche; sull'iconostasi, *Crocifisso* tra la *Madonna, S. Giovanni* e *2 angeli*, sculture di più raffinata fattura, eseguite probabilmente nell'ambito di Gerolamo Campagna (la teoria di angeli rivolta verso le navate minori è lavoro affine alla serie degli Apostoli). Le tele che decorano la navata rappresentano episodi della vita di Cristo: alla parete sin., *Presepio, Adorazione dei Magi, Circoncisione, Battesimo, Cristo nell'Orto, Il bacio di Giuda,* tutte opere di Alvise dal Friso; alla parete d., *Scene della Passione di Cristo* di bottega di Paolo Veronese, *Deposizione* di Alvise dal Friso e *Risurrezione* di Palma il Giovane. Nel soffitto piano, a comparti, *Gloria di S. Nicolò* di Francesco Montemezzano e *Storie di S. Nicolò* di Leonardo Corona. Sopra l'ingresso principale, organo della fine del '500 con imponente cantoria lignea con *Miracoli di S. Marta,* tele di Carletto Caliari.
Nella 2ª cappella della navata d., altare rinascimentale con urna recante sulla fronte *3 storie del santo,* tavolette di Andrea Schiavone. Nel presbiterio, sopra l'arco dell'abside, *Annunciazione e l'Eterno in gloria,* affresco di Alvise dal Friso; dietro l'altare, *S. Nicolò benedicente,* statua lignea dorata della scuola dei Bon (metà del '400). Nella volta a botte che precede l'abside della cappella a d. della maggiore, *Assunta e coro d'angeli,* affresco della fine del '500. Nella cappella a sin. della maggiore, bell'altare sansovinesco con ciborio marmoreo del '400. Al 1° altare della navata sin., *S. Marta,* statua in pietra del sec. XIX.
Nella canonica della chiesa, **Crocifissione* ad affresco, di artista veneto-bizantino del sec. XIV.

Varcato a sin. della chiesa il *ponte S. Nicolò* sul rio delle Terese (si noti la sistemazione della riva in pietra), si entra nella lunga, e un tempo stretta, *insula di S. Marta,* estrema punta occidentale della città, stravolta nella sua struttura originaria dagli interventi che, iniziati nella seconda metà dell'Ottocento, terminarono dopo il 1930 con la costruzione degli ultimi edifici del popolare quartiere che la occupa (della struttura edilizia antica rimane solo il complesso conventuale di S. Teresa, v. pag. 459).

L'insula di S. Marta costituiva un popolarissimo insediamento di modeste abitazioni di pescatori, «remurchianti» (conducenti di battelli che avevano la funzione dei moderni rimorchiatori) e altra gente povera; limitato a NO dal rio dei Secchi (la fondamenta di S. Marta e il rio terrà dei Secchi ne ricalcano il tracciato), si apriva a sud su una spiaggia prospiciente la Laguna. Nella seconda metà dell'Ottocento le operazioni legate alla costruzione della Stazione Marittima commerciale e dello scalo ferroviario di servizio al porto, vi richiamarono la localizzazione del grande complesso industriale del Cotonificio Veneziano. Il muro di cinta di questo, e un altro alto muro (aperto in un solo varco) che lo continua, chiudono l'intero agglomerato salvaguardandolo, da un lato, dalla vista della zona portuale, ma dall'altro determinando quel senso di emarginazione fisica dal resto della città che lo caratterizza.
Per il sottoportico che si apre quasi in asse col ponte e la seguente calle, tenendo quindi a sin. in fondamenta S. Marta, si raggiunge l'ingresso (N. 2137) dell'*ex Cotonificio Veneziano,* in parte utilizzato come sede della Facoltà di Chimica dell'Università di Venezia (un altro blocco, di recente ac-

quistato dall'Istituto Universitario di Architettura, verrà destinato ad attività didattiche e di ricerca). Il grande complesso (occupa una superficie di circa 24 000 m²), fondato da una società anonima con capitale metà lombardo e metà veneto, fu costruito su un'area ottenuta demolendo precedenti costruzioni e occupando un tratto della banchina di S. Marta. Realizzato in due fasi a partire dal 1882 (il primo blocco fu inaugurato nel 1883, il secondo a cavallo del 1900), il cotonificio, che ha smesso l'attività intorno al 1960, presenta un notevole interesse architettonico: costruito in mattoni, è articolato in vari corpi di fabbrica di diversi livelli, con due torri destinate a blocco-scale, alta ciminiera e pareti scandite da finestre ad archi ribassati.

Proseguendo per la fondamenta e la calle larga S. Marta, ci si addentra nel *quartiere di S. Marta*, tipico esempio di residenza popolare qui localizzata in base al criterio della vicinanza al posto di lavoro. La parte centrale è formata da un complesso di edifici realizzati dallo IACP (Istituto Autonomo per le Case Popolari), tra il 1924 e il 1926, per un totale di 148 alloggi (allora fu intitolato a Benito Mussolini). L'intervento che comportò la demolizione di case preesistenti, si proponeva di sostituire alloggi malsani con altri più salubri da destinare principalmente alle maestranze del cotonificio. Altri edifici, per 365 alloggi, furono realizzati nel 1931 ancora dallo IACP con il contributo della Società Adriatica di Elettricità. La progettazione tentò dichiaratamente di riprendere, anche se con dimensioni estranee alla città, la tipologia e le caratteristiche architettoniche degli insediamenti veneziani, proponendo edifici a corte o raggruppati intorno a campielli con una certa articolazione dei volumi. Nella parte marginale rimangono le case realizzate per i ferrovieri nel 1911, con una tipologia decisamente difforme.

Nella zona S del quartiere, dietro l'alto muro di cinta, si vedono spuntare i *Magazzini Generali*, costruiti tra il 1875 e il 1885 su imbonimento e ampliamento della preesistente spiaggia di S. Marta; più avanti si riconosce la nuda fabbrica quattrocentesca dell'ex chiesa di S. Marta, ora magazzino dell'area portuale (non accessibile, conserva la sua compatta struttura a capanna con lesene e archetti pensili).

Uscendo dall'unico varco aperto nel muro (nel tratto N, presso campiello Longhi), ci si affaccia sul canale della Scomenzera (pontile del vaporetto della linea circolare, v. pag. 146), da dove si ha l'immagine di un'altra Venezia, non meno significativa, costituita dalla zona portuale della *Stazione Marittima commerciale* che occupa una vastissima area tutta creata artificialmente mediante imbonimenti e inglobante a nord l'isoletta di S. Chiara. Dopo un'annosa «querelle», la Stazione Marittima fu ubicata in questa zona per tentare di agganciare il tradizionale porto della città (il porto-canale della Giudecca e lo stesso Bacino di S. Marco) agli impianti ferroviari realizzati a partire dall'anno 1846 nella sacca di Santa Chiara, attraverso infrastrutture marittimo-commerciali. Il progetto prevedeva la realizzazione di un terreno artificiale a forma di ferro di cavallo, con due moli paralleli racchiudenti un bacino d'acqua largo circa m 190. La costruzione iniziò nel 1870 e nel 1880 la Stazione Marittima, completato solo il molo orientale, cominciava a funzionare; i lavori di ultimazione del molo occidentale e della testata proseguirono fino alla prima guerra mondiale, mentre ampliamenti e attrezzature furono realizzati fino al secondo dopoguerra. Già dotata di grandi cisterne di petrolio, di silos, poi demoliti, e di un impianto idrodinamico (sostituito poi da quello elettrico), rivela attualmente gravi carenze anche funzionali nella fatiscenza degli impianti in parte inutilizzati (sono allo studio progetti di ammodernamento e ristrutturazione).

Dal ponte S. Nicolò si segue verso d. la *fondamenta delle Terese*, su cui prospetta il complesso conventuale di S. Teresa, detto delle Terese. Le due ali del monastero (v. sotto) racchiudono la semplice facciata della chiesa di *S. Teresa*, realizzata ai primi del '700 su progetto di Andrea Cominelli.

L'edificio, attualmente (1984) in attesa di restauro e chiuso, è a pianta quadrata con ampio vano presbiteriale e soffitto cassettonato; alle pareti, segnate da lesene e concluse da cornicione, sono gli altari laterali. Pitture seicentesche decoravano riccamente l'interno (verranno ricollocate dopo il restauro delle strutture murarie); fra queste: *Madonna del Carmelo e santi* del tiepolesco Jacopo Guarana; *S. Orsola e la Maddalena* di Francesco Ruschi; *arcangelo Michele e i Ss. Francesco di Paola, Andrea Corsini e Alberto* di fra' Massimo da Verona; *S. Teresa in gloria e il committente senatore Giovanni Moro* di Niccolò Renieri; inoltre, *Madonna col Bambino e santi* della 1ª metà del '500.
Anche l'*ex monastero* (della fine del sec. XVII), sviluppato all'interno in un unico grande chiostro ad arcate, è in stato di avanzato degrado. Dopo essere stato adibito a orfanotrofio, nel 1925 fu in buona parte destinato dal Comune a ricovero degli sfrattati e dei senzatetto; gli ultimi alloggi sono stati liberati in anni recentissimi. Attualmente il complesso, di proprietà del Comune (eccetto una piccola parte occupata da un Istituto di suore, con scuola materna), è in attesa di restauri; la destinazione fino a questo momento prevista è di residenza universitaria, con attrezzature ricreative e culturali per il quartiere.

Giunti al termine della fondamenta, si volge a sin. e si prosegue costeggiando il rio dell'Arzere fino a raggiungere il ponte che lo attraversa. Ai piedi di questo, verso NO si sviluppa la vasta area dove sono gli impianti dell'*Officina del gas* (ben visibili, dal ponte, le strutture in tralicci di ferro).

Quest'area, già sacca dell'Angelo, divenuta intorno al 1815 sacca di deposito di materiali (in gran parte provenienti da demolizioni), intorno al 1830 era usata come Campo di Marte. Concessa dal Demanio nel 1882 alla Società anonima del Cotonificio Veneziano, nel 1890 venne da questa venduta alla «Società civile per l'illuminazione a gas della città di Venezia», che, a cavallo del 1900 vi costruiva i suoi impianti sollevando (per la vicinanza di questi alle abitazioni e alle strutture portuali) le proteste della popolazione. L'area, di circa 6 ettari, in buona parte libera da costruzioni, è rimasta pressoché inutilizzata dopo l'introduzione del metano; gli strumenti regolatori ne prevedono la completa riutilizzazione ad usi misti, comprendenti residenze, uffici, aree verdi e servizi.

Varcato il ponte, si segue a sin. la fondamenta dell'Arzere, e quindi a d. la calle della Madonna, in fondo alla quale, oltre il rio, si tiene a sin. per la *fondamenta della Madonna*; questa conduce al ponte che attraversa il rettilineo rio di S. Maria Maggiore (sulla linea di confine fra i sestieri di Dorsoduro e S. Croce), fiancheggiato dalle fondamenta delle Procuratie e di Ca' Rizzi.

La *fondamenta delle Procuratie* serve una lunga e stretta insula (che si estende a S fino alla parallela fondamenta dei Cereri), urbanizzata dopo il 1500 mediante complessi di abitazioni costruiti in serie che, nelle varie e interessanti tipologie, ben documentano questo particolarissimo aspetto dell'edilizia veneziana. Dal sec. XVI, infatti, si sviluppò l'uso di edificare complessi edilizi ad appartamenti dati in affitto, o in alcuni casi assegnati gratuitamente, a famiglie bisognose. L'iniziativa di questi interventi spettava di volta in volta a ricchi proprietari (nobili o borghesi), a conventi o a Scuole; il governo della Repubblica interveniva con sovvenzioni, ma più sovente amministrando, attraverso i suoi procuratori (da cui il nome della fondamenta), lasciti privati destinati a questo scopo.
Ai numeri 2420-2431, ben conservato, è un cospicuo complesso formato da due blocchi collegati da arconi; realizzato tra il 1555 e il 1557, univa appartamenti signorili, sulle testate, ad altri di carattere più popolare, nelle parti intermedie; questa diversificata destinazione degli spazi interni ebbe il corrispettivo esterno nella differenziazione dei prospetti: con trifore e poggiolo quelli sulla fondamenta, scanditi da bifore e monofore ripetute in serie quelli interni. Più avanti, dentro *calle Cappello* (numeri 2468-2471), è un'altra casa della metà del Cinquecento, doppia, con quattro appartamenti. Giunti al termine della fondamenta si volge a d. e quindi ancora a d. in fondamenta dei Cereri. Dopo breve tratto si apre a d. la *corte S. Marco*, definita da un complesso di 24 casette a schiera (dal N. 2490 al N. 2503) sviluppate su due piani; furono realizzate dopo il 1529 dalla Scuola di S. Marco con il lascito di un Pietro Olivieri, che le destinava, in cambio di una pigione simbolica, ai confratelli poveri (su un edificio, una lapide del 1759 che stabilisce le norme per far parte di questa comunità). L'iscrizione sulla cinquecentesca vera da pozzo ricorda che già nel 1599 gli edifici erano stati restaurati (o più probabilmente rifatti).
Tornati in fondamenta delle Procuratie, la si percorre a ritroso osservando, sulla sponda opposta del rio, il lunghissimo complesso di edifici in linea per appartamenti realizzato alla fine del Seicento dalla famiglia Rizzi, il cui palazzetto (1628), con due polifore a nove vani con teste nella chiave di volta, è situato all'inizio della fondamenta che da loro prende il nome.

Oltre il ponte (di fronte, l'edificio del Carcere giudiziario, v. sotto) si entra nell'insula di S. Maria Maggiore, formata per imbonimento verso la fine del sec. XV (il taglio regolare dei canali e delle fondamenta che definiscono questa e le successive insule verso NO, ne rivela la natura di terreni di tarda bonifica). Proseguendo a sin. si arriva nel *campo S. Maria Maggiore*, aperto sul rio. A sin., il piccolo edificio dell'ex *Scuola della beata Vergine Assunta*, eretto nel 1507 per la confraternita degli «strazzaroli» (rivenditori di indumenti e oggetti usati; in stato di massimo degrado, con le aperture murate, mantiene la facciata originaria con cornici in pietra). Di fronte, la chiesa di *S. Maria Maggiore* (ora parte dell'Istituto carcerario), costruita con l'annesso convento probabilmente tra il 1500 e il 1505, che unisce a una planimetria basilicale a tre navate, con profondo presbiterio e cappelle laterali, una facciata tipicamente rinascimentale nei raccordi curvilinei (può essere attribuita a Tullio Lombardo); al principio del sec. XIX, spogliata degli importanti dipinti che conteneva, venne soppressa insieme al convento. Questo, parzialmente distrutto da un incendio nel 1817, fu demolito dopo il 1900 per far posto alle Carceri giudiziarie, costruite tra il 1920 e il 1930 (ormai obsolete, ne è previsto l'allontanamento dagli strumenti urbanistici comunali; nella chiesa dovrebbero venire ospitate attrezzature culturali).

In fondo al campo, percorso a d. un breve tratto di rio terrà dei Pensieri (interrato nel 1840), si prende la prima calle a sin. raggiungendo *fondamenta delle Burchielle*, che si segue verso d. fino all'ottocentesco ponte in ghisa (più avanti sulla fondamenta prospetta un complesso di casette a schiera seicentesche con camini esterni).

Questa fondamenta, insieme alla parallela fondamenta dei Tabacchi (v. sotto), affianca il rettilineo rio delle Burchielle, che mette in comunicazione il canale di S. Maria Maggiore (a ovest) con il rio Nuovo (v. pag. 362) a est; in prossimità di questo, la fondamenta dei Tabacchi si apre nel caratteristico, triangolare campazzo dei Tre Ponti, dall'omonimo ponte (v. pag. 363).

Varcato il ponte in ghisa, si passa nella *fondamenta dei Tabacchi*, su cui prospetta la *Manifattura Tabacchi*, cospicuo complesso sorto intorno al 1786 su un'area ancora libera (tra i più antichi di Venezia, è uno dei pochi insediamenti industriali ancora funzionanti nella città storica).

La costruzione, il cui progetto sembra attribuibile a Bernardino Maccaruzzi, nonostante le aggiunte e le parziali modifiche realizzate nel corso dell'Ottocento, conserva l'essenziale struttura originaria, estremamente funzionale, sviluppata intorno a un cortile interno (destinato un tempo all'essiccazione naturale delle foglie); la facciata è a due piani, con semplici marcapiani in pietra e timpano con orologio in corrispondenza dell'ingresso (interessante la galleria-ponte che scavalca il rio delle Burchielle).

Seguendo la fondamenta verso d., lungo la Manifattura, si prende a sin. la calle nuova Tabacchi, al cui termine si tiene a d. nel *rio terrà S. Andrea* (interrato dopo il 1940). Dopo breve tratto, lasciato a sin. campo S. Andrea (v. sotto), si entra in **piazzale Roma**, grande spazio irregolare aperto, in concomitanza con la costruzione del ponte automobilistico translagunare (ponte della Libertà, del 1931-33; v. pag. 695), come punto di accesso e

di scambio fra strada e vie acquee (a N, l'imboccatura del Canal
Grande; a E il rio Nuovo, v. pag. 362); terminal di tutti i servizi
automobilistici pubblici che collegano Venezia con le città di terraferma, fu da subito dotato anche del grandioso Garage che lo
chiude a ovest.

Sorta di spina nel fianco della città, con l'aumento vertiginoso dell'afflusso
turistico verificatosi negli ultimi quindici anni, il piazzale denuncia da
tempo una crescente inadeguatezza a svolgere le funzioni per le quali era
nato. Il carattere che ha ormai assunto in modo permanente – di caotico
luogo d'arrivo e di manovra di pullman turistici, e insieme di enorme e
disordinato parcheggio all'aperto (la costruzione di un secondo garage in
anni più recenti non ha risolto il relativo problema) – ne ha accelerato il
processo del degrado urbanistico, reso ancor più evidente dagli edifici fatiscenti e dalle attrezzature precarie, come bancarelle e box, che invadono
ogni spazio libero. A tutt'oggi (1984) manca un progetto organico e definitivo per la sistemazione di quest'area nevralgica, mentre sono allo studio
soluzioni provvisorie per il trasferimento al Tronchetto di alcune delle funzioni di cui è gravata.

Piazzale Roma fu aperto nel cuore dell'insula di S. Andrea della
Zirada, estrema punta dell'imboccatura del Canal Grande, un
tempo coperta di orti e giardini e dall'Ottocento occupata da
un'edilizia modesta. Snaturata dagli interventi di sventramento,
delle strutture antiche conserva pochi reperti, affacciati sul canale della Scomenzera (v. anche pag. 147), al margine nord-occidentale.

Per il lungo *campo S. Andrea* (ora parcheggio all'aperto), chiuso a d. dal-
l'imponente mole del Garage, e a sin. dal muro che cinge l'area degli impianti dell'Acquedotto (realizzati a partire dal 1880; la torre-serbatoio è
un'interessante costruzione dei primi del '900, si raggiunge il campo-sagrato su cui prospetta la chiesa di *S. Andrea della Zirada*. Sorta nel 1329,
fu ricostruita nelle forme attuali nell'ultimo scorcio del sec. XV e rimaneggiata internamente nel '600; conserva la facciata quattrocentesca in cotto,
a lesene, con coronamento trilobato sopra archetti ciechi e portale archiacuto (nella lunetta, bassorilievi del '300). Il campanile presenta cella campanaria e sommità a cipolla settecentesche sopra la canna originaria. Attualmente non più officiata, la chiesa conserva all'interno, sopra l'ingresso, un elegante *coro* pensile («barco») seicentesco su colonne trecentesche e barbacani gotici; i notevoli dipinti che decoravano gli altari e le pareti (fra cui opere di Domenico Tintoretto e Paris Bordone) sono stati ritirati.
Sulla vicina fondamenta S. Chiara è la piccola *chiesa del Nome di Gesù*,
iniziata nel 1815 su progetto di Giannantonio Selva e completata alla sua
morte da Antonio Diedo. Presenta una sobria facciata neoclassica conclusa da timpano che rileva la partitura dell'interno a una navata, con soffitto piano, separata da due alte colonne ioniche dal presbiterio, a nicchie
con volta a botte e due finestroni laterali. Le sculture sono di Antonio

Bosa, Luigi Zandomeneghi e Bartolomeo Ferrari; le pitture di Giuseppe Borsato; le pale d'altare di Lattanzio Querena.

Da piazzale Roma si raggiungono in breve il rio Nuovo (pontile dei motoscafi della linea diretta piazzale Roma-S. Marco) e il Canal Grande (pontile d'approdo dei vaporetti che lo percorrono); qui, lungo la fondamenta, rimane qualche palazzetto cinque-seicentesco, ultime tracce della cortina edilizia che si allineava all'ingresso del prestigioso canale.

5 Il sestiere di Cannaregio

Il vasto sestiere di Cannaregio (secondo per estensione, con una superficie di c. 157 ettari) occupa l'intero settore nord-occidentale della città, definito a sud dal Canal Grande, a nord dalla Laguna, a est dai sestieri di Castello e di S. Marco, a ovest dal canale di S. Chiara. Di tutti i sestieri è quello più direttamente collegato per via d'acqua alla terraferma mestrina: infatti il canale di S. Secondo (che attraversa la Laguna correndo parallelo al ponte ferroviario translagunare) vi penetra proseguendo nel canale di Cannaregio, secondo per importanza solo al Canal Grande (e appunto dalla contrazione di canal Regio – a sottolineare la cospicuità di questo corso d'acqua – deriverebbe per alcuni il toponimo del sestiere, per altri invece legato ai canneti che abbondavano nella zona).

Lungo la fascia meridionale, e per tutta la sua lunghezza (poco meno di un chilometro e mezzo dalla Stazione ferroviaria al campo Ss. Apostoli), il sestiere è attraversato da un'importante e frequentata arteria pedonale, realizzata nell'Ottocento alle spalle della palazzata prospiciente il Canal Grande. A nord di questo percorso Cannaregio si sviluppa fino alla Laguna e va riguardato nelle parti più interne soprattutto per le sue eccezionali qualità ambientali, formato com'è da tessuti urbanistici ed edilizi fra i più tipici ed esemplificativi della storia urbanistica della città, nei quali si inseriscono palazzi e chiese di pregevole fattura che definiscono ambienti di grande bellezza.

Assai caratterizzata è innanzitutto l'area gravitante sull'ampio e luminoso canale di Cannaregio, fiancheggiato da due lunghe fondamenta su cui prospettano, senza soluzione di continuità, edifici minori e alcuni imponenti palazzi, dietro ai quali non è raro scoprire consistenti testimonianze di architettura proto-industriale. Verso la Laguna nord si stende poi una vasta zona solcata da lunghi rii paralleli, attorniati da edifici residenziali in linea a carattere via via più popolare, mentre la densità edilizia tende a diminuire e nel tessuto a schiere parallele si aprono piccoli sagrati con chiese suggestive (S. Alvise, la Madonna dell'Orto, il complesso della Misericordia), o emergono palazzi notevoli con ampi giardini, spazi liberi, vecchi capannoni artigianali e squeri. Ai margini meridionali di quest'area, quasi nel baricentro del sestiere, si chiude come un riccio il Ghetto, singolare quartiere ebraico formatosi intorno a un vasto campo, con alte cortine edilizie e, seminascoste, splendide sinagoghe. Più a est infine, verso il cuore della città, la zona gravitante sul campo Ss. Apostoli presenta tessuti edilizi diversi (come le semplici case a schiere parallele di S. Sofia, con preziose finestre gotiche), e si conclude a nord nel singolare spazio dei Gesuiti e nelle fondamenta Nuove, che si affacciano sulla Laguna.

Storicamente il sestiere cominciò ad avere una sua precisa consistenza dopo il Mille. Allora si presentavano già densamente urbanizzate le vicine insule di S. Giovanni Crisostomo e dei Ss. Apostoli (centri della Venezia predogale), prossime alla confluenza dei rii di collegamento della zona mercantile di Rialto con la Laguna nord, e quindi con la terraferma. Gli altri nuclei gravitavano intorno alle parrocchie di S. Sofia, S. Felice, S. Marziale, S. Fosca, S. Marcuola, S. Leonardo e S. Geremia (fondate tra l'800 e il 1200) e si sviluppavano tutti verso il Canal Grande, le cui rive erano state gradualmente consolidate e ripartite in lotti regolari a partire da Rialto.

A nord di questa fascia l'urbanizzazione procedette in modo lento e graduale, dovendo prima bonificare e solidificare le terre emerse. Nel sec. XIV venne completato il quartiere di S. Sofia e tutta la zona a nord di questo fino al convento di S. Caterina. Solo a partire dal '400 si definì la struttura delle tra fasce parallele comprese tra il rio di S. Girolamo e la Laguna nord. Le insule che le costituiscono, già parzialmente occupate da insediamenti conventuali (l'abbazia della Misericordia del sec. X, i monasteri della Madonna dell'Orto del sec. XII, dei Servi e di S. Alvise del XIV), furono allora riorganizzate seguendo uno schema urbanistico ed edilizio ripetuto, basato sulla presenza di un canale rettilineo affiancato da una lunghissima fondamenta rivolta a mezzogiorno alla quale si collegava un sistema di calli trasversali. Su questa griglia regolare l'edificazione si estese lentamente (tanto che ancora nell'Ottocento esistevano grandi spazi liberi), accogliendo nel tempo attività artigianali e produttive attrattevi dalla favorevole conformazione e larghezza dei canali. Dal sec. XVI al XVIII anche il sestiere di Cannaregio fu interessato dal processo edilizio, comune a tutta la città, che portò alla costruzione, o ricostruzione, di sontuosi palazzi (soprattutto lungo le rive del Canal Grande e del canale di Cannaregio); anche molte chiese vennero allora rifatte o modificate all'interno. Inoltre nel sec. XVI la costruzione del ponte delle Guglie (1580) e la realizzazione delle fondamenta Nuove (iniziate nel 1589) accrebbero la funzionalità del sestiere.

Nell'Ottocento la costruzione del ponte ferroviario translagunare (dal 1841) e della Stazione ferroviaria (1860) dette l'avvio alla trasformazione del volto urbanistico ed edilizio di Cannaregio. Nelle zone periferiche, prossime alla Stazione, furono richiamate nuove attrezzature urbane (come il grande Macello comunale) ed edifici industriali (come il vasto complesso della Saffa), mentre chiese e conventi abbandonati venivano riutilizzati per usi civili o produttivi. Lungo la fascia meridionale venne invece aperta una nuova arteria pedonale, parallela al Canal Grande, a collegamento della Stazione ferroviaria (nuovo ingresso alla città) con il polo di Rialto e quindi S. Marco; il percorso, realizzato tra il 1868 e il 1871 con l'interramento di rii e lo sventramento di consistenti porzioni edificate, è stato da sempre comunemente chiamato Strada Nuova, per la singolare larghezza e l'andamento prevalentemente rettilineo.

I numerosi e cospicui quartieri di edilizia pubblica, sorti tra la fine dell'Ottocento e la prima metà del Novecento in aree marginali (come S. Giobbe, S. Girolamo, S. Alvise, la Madonna dell'Orto), o anche interne (come S. Leonardo), completano il volto 'moderno' del sestiere.

La visita di Cannaregio si articola in tre itinerari. Il primo, con partenza dalla Stazione ferroviaria, attraversa il sestiere da ovest a est seguendo la principale arteria pedonale ottocentesca fino al campo Ss. Apostoli, da dove si prosegue per S. Giovanni Crisostomo e il ponte di Rialto. Scandito con ritmo quasi costante da numerose chiese di notevole interesse, il percorso si segnala anche per la presenza di alcuni eleganti palazzi prospicienti il Canal Grande, come i palazzi Labia e Vendramin-Calergi e la notissima Ca' d'Oro, sede della Galleria Franchetti. Il secondo itinerario muove dal ponte delle Guglie, risale il canale di Cannaregio e si sviluppa nelle zone nord-occidentali del sestiere, per ritornare al ponte delle Guglie attraversando il Ghetto. Svolto in ambienti di suggestiva bellezza, segnati da lunghi rii paralleli, l'itinerario è di qualità anche per la visita delle chiese di S. Giobbe (con l'intervento architettonico-scultoreo di Pietro e Tullio Lombardo e lo stupendo soffitto in terracotta invetriata della cappella Martini) e di S. Alvise e delle sinagoghe del Ghetto.

Dal ponte delle Guglie ha pure inizio il terzo itinerario, che si sviluppa nella zona nord-orientale del sestiere (ordinata lungo rii paralleli e caratterizzata da quartieri di formazione tardogotica con ricchi palazzi), raggiungendo la sacca della Misericordia e la Laguna nord; di notevole interesse ambientale, si segnala per i complessi religiosi della Madonna dell'Orto, della Misericordia e dei Gesuiti. La pianta relativa ai tre itinerari è a pag. 468.

5.1 Dalla Stazione ferroviaria a Rialto per la Strada Nuova

In prossimità del ponte degli Scalzi (v. pag. 361), sulla fondamenta di S. Lucia, prospetta il basso edificio della *Stazione ferroviaria Venezia-S. Lucia*, ricostruita nel 1954 con criteri di netta razionalità (ai piedi della scalinata, a sin., fontana con l'*Immacolata*, statua bronzea di Francesco Scarpabolla del 1959). L'intervento conclude dopo un secolo la massiccia ristrutturazione urbanistica e architettonica dell'estremo lembo occidentale del sestiere, iniziata nel 1841 con la costruzione del ponte ferroviario translagunare, e continuata con la realizzazione del primo ponte degli Scalzi (1858) e, dopo la demolizione di tutte le preesistenze (fra cui i complessi conventuali del Corpus Domini e di S. Lucia), con l'edificazione della prima Stazione (1860).

La creazione del ponte ferroviario si può ancora oggi considerare una tappa fondamentale nella storia della città, in quanto sancì definitivamente lo spostamento degli interessi dal mare alla terraferma e determinò, dal punto di vista urbanistico, il trasferimento dell'accesso principale a Venezia dal Bacino di S. Marco (relegato così a un ruolo puramente rappresentativo) alla testata nord-occidentale del Canal Grande.

Le linee direttrici del futuro assetto della città sono così già tracciate e il tema urbanistico dominante diventa la formazione di un migliore collegamento fra la nuova testata (che negli anni '30, con la costruzione del ponte automobilistico translagunare, si arricchirà del «terminal» di piazzale Roma) e il polo centrale di Rialto-S. Marco. Le ipotesi sono molteplici: attraversare i sestieri di S. Croce e di S. Polo e con un ponte raggiungere S. Marco; creare una lunga fondamenta, aperta sul Canal Grande, che da Rialto per la riva di Biasio raggiunga la chiesa di S. Simeon Piccolo, di fronte alla Stazione e prossima al ponte degli Scalzi; interrare alcuni dei più importanti canali del sestiere di Cannaregio o tagliarlo in lunghezza, abbattendo numerosi edifici e aprendo un percorso parallelo e interno al Canal Grande. Attorno a quest'ultima ipotesi si raccolgono i maggiori consensi, e nel 1868 iniziano i lavori per la realizzazione della via Vittorio Emanuele II, la Strada Nuova (v. pag. 478).

Di fronte al ponte, sull'omonima *fondamenta degli Scalzi*, si erge la **chiesa degli Scalzi** (S. Maria di Nazareth), costruita a partire dal 1654 su progetto di Baldassare Longhena (fu consacrata nel 1705); realizzata per una comunità di Carmelitani Scalzi (trasfe-ritasi da Roma nei primi decenni del sec. XVII) sul luogo di un pic-colo complesso conventuale che li ospitava, la costruzione ri-manda nell'impianto strutturale e nello sfarzo decorativo al ba-rocco romano e fa presupporre precise direttive da parte dei committenti.

Nel 1672, quando Longhena abbandonò la direzione dei lavori, l'edificio poteva considerarsi concluso ad eccezione della fac-ciata. Questa, eretta da Giuseppe Sardi (1672-80), consta di due ordini di colonne binate, su alti stilobati, inquadranti nicchie con statue attribuite a Bernardo Falcone (ai lati del portale, i *Ss. Se-bastiano, Maria Maddalena, Margherita* e *Giovanni*; in alto, al centro, la *Madonna col Bambino*); altre statue e figure ornamen-tali decorano il frontespizio a doppio timpano, i raccordi laterali, gli estradossi delle nicchie e del grandioso portale.

L'interno, dal sontuoso apparato decorativo di marmi policromi, sculture e dorature, realizzato sotto la direzione del carmelitano Giuseppe Pozzo, è a una navata su cui si aprono 3 cappelle per lato (di cui le mediane ripetono in ampiezza l'arcata del coro); alle pareti si appoggiano lesene corinzie bi-nate, tra le quali si aprono nicchie con statue degli *Apostoli* e, sopra, busti di *Padri della Chiesa*, sculture del sec. XVIII in parte attribuite a Giovanni Marchiori. Nella volta la *Proclamazione della maternità di Maria al con-cilio di Efeso*, vasto dipinto su tela realizzato da Ettore Tito nel 1934, so-stituisce il notevole affresco di G.B. Tiepolo (Trasporto della Santa Casa di Loreto, del 1743-44) distrutto da una bomba austriaca nel 1915 (se ne con-servano due frammenti alle Gallerie dell'Accademia).

Nella 1ª cappella d., all'altare, *S. Giovanni della Croce*, buona statua di Bernardo Falcone. Nella 2ª: all'altare, eretto su disegno di Giuseppe Pozzo, *Estasi di S. Teresa* e altre sculture di Heinrich Meyring; nella volta, **S. Teresa in gloria*, affresco dipinto da G.B. Tiepolo tra il 1720 e il 1725; alla parete d., *La Santa salvata da un pericoloso incontro dall'appa-rizione di S. Giuseppe* e, alla parete sin., *Miracolo dell'Ostia consacrata che dalle mani del sacerdote vola alla Santa*, grandi tele di Niccolò Bam-bini. Nella 3ª cappella, all'altare, *S. Giovanni Battista*, statua marmorea di Melchior Barthel (firmata).

Nel presbiterio l'altar maggiore, sfarzosa creazione barocca decorata da Giuseppe Pozzo, è sormontato da un baldacchino retto da 8 colonne tortili di marmo paonazzetto e ornato dal *Redentore*, statua di Giovanni Mar-chiori; ai lati dell'altare, *S. Teresa* e *S. Giovanni della Croce*, statue attri-buite a Giovanni Marchiori; sopra il tabernacolo, *Madonna*, piccola tavola del principio del sec. XV; alle pareti, 6 *Sibille*, statue dei Marchiori; alla parete sin. del coro, *Madonna e santi*, tela di Michele Desubleo; alla parete d., *Estasi di S. Teresa* di Francesco del Cairo. Nella vicina sagrestia, mas-sicci mobili di noce intagliati su disegno di Giuseppe Pozzo.

Nella 3ª cappella sin.: ai lati, coppia di grandi candelabri in vetro azzurro, pregevole lavoro settecentesco forse di Giuseppe Briati; all'altare, *S. Sebastiano*, statua di Bernardo Falcone (firmata e datata 1669); nel paliotto, *episodi della vita di S. Sebastiano*, 3 bassorilievi in bronzo dorato attribuiti allo stesso. La 2ª cappella (del Carmine), fu ordinata dalla famiglia Manin nel 1694 su disegno di Giuseppe Pozzo: all'altare, *Sacra Famiglia*, altorilievo di Giuseppe Torretti, o Torretto; alle pareti 2 *Arcangeli*, statue dello stesso (1717); nella volta, *Gloria di angeli* di Louis Dorigny (1716); nella cappella è sepolto Lodovico Manin, ultimo doge di Venezia. Nella 1ª cappella: all'altare, grande *Crocifisso* marmoreo e, nel paliotto, *Cristo sotto la croce*, buone sculture settecentesche di autore ignoto (Giovanni Maria Morlaiter ?); nella volta, *Angeli della Passione* e *Orazione nell'orto*, affreschi di G.B. Tiepolo (c. 1732).

Si imbocca in direzione nord-est il *rio terrà lista di Spagna*, ampio percorso pedonale a destinazione commerciale aperto nel 1844 con l'interramento del rio dei Sabbioni; il toponimo deriva dalla «lista» (tratto di strada prospiciente le ambasciate, entro cui valeva l'immunità diplomatica) dell'ambasciata di Spagna, che aveva sede nel palazzo Zeno (v. sotto).

Subito a d., N. 122, si apre l'ingresso da terra del *palazzo Calbo-Crotta*, con prospetto sul Canal Grande (v. pag. 154), costruito nel sec. XV e ampliato e rimaneggiato nei secoli successivi; oggi assai manomesso, conserva all'esterno elementi gotici, rinasci-

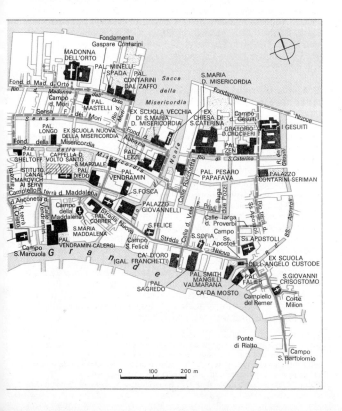

mentali e barocchi. Segue, N. 134, l'ogivale *palazzo Lezze* del sec. XV, oltre il quale si apre fino al Canal Grande l'ampio rio terrà dei Sabbioni. In asse con questo, sul fronte nord del rio terrà lista di Spagna, al N. 168, si leva il prospetto in pietra del *palazzo Zeno*, ricostruito nel sec. XVIII per l'ambasciata di Spagna (ora sede di uffici della Regione Veneto, conserva nel cortile una vera da pozzo rinascimentale). Poco oltre, N. 187 A, è l'edificio sede provvisoria degli uffici dell'IRE (Istituti di Ricovero e di Educazione), nei cui ambienti sono distribuiti numerosi dipinti, quasi tutti del Sei e Settecento, provenienti da istituti o complessi già religiosi ora di proprietà dell'ente (fra le varie opere, un tempo raccolte nel palazzo Contarini del Bovolo, dipinti di Francesco Fontebasso, Angelo Trevisani, Sebastiano Ricci, Niccolò Bambini, Carl Loth, Sante Piatti, Antonio Molinari, G.B. Tiepolo, Daniel van den Dyck, Gregorio Lazzarini, Giovanni Antonio Fumiani). A d., N. 233, portale gotico con angeli reggenti lo stemma dei Morosini della Tressa (dalle bande sullo scudo), unico resto dello splendido palazzo di questa famiglia demolito nell'Ottocento.

Si sbocca nel vasto *campo S. Geremia*, uno dei più grandi della città, in passato teatro di feste popolari tra cui le spettacolari cacce al toro; delle 4 vere da pozzo che vi si trovano una, decorata da archetti veneto-bizantini, è del sec. XII. Sui lati meridionale e orientale dell'invaso prospettano i fronti verso terra della chiesa di S. Geremia e del palazzo Labia, dagli analoghi pregi monumentali delle facciate prospicienti la seguente fondamenta di Ca' Labia (aperta sul canale di Cannaregio in prossimità del suo sbocco nel Canal Grande).

La chiesa di **S. Geremia**, fondata secondo la tradizione nel sec. VIII (ma più probabilmente nell'XI), rifatta nel sec. XIII e successivamente rimaneggiata, deve l'attuale struttura alla ricostruzione realizzata nel 1753-60 su progetto dell'abate Carlo Corbellini, che sovrappose all'impianto originario a tre navate una nuova pianta a croce greca; si creò così un nuovo prospetto sul campo che, impostato sul braccio d. del transetto, è a un ordine di semicolonne corinzie, reggenti il coronamento curvilineo dietro il quale si erge la cupola; il medesimo modulo caratterizza la parte centrale della più estesa facciata sul canale di Cannaregio (eretta nel 1871), a fianco della quale è il campanile romanico in cotto (sec. XIII), rimaneggiato nella parte terminale.

L'interno è a croce greca, a un ordine di alte semicolonne corinzie, con i bracci terminanti in absidi; robusti piloni a fascio reggono la grande cupola centrale intorno alla quale, in corrispondenza dei bracci, sono 4 cupolette emisferiche (anche le navate sono voltate a cupolette); lungo le pareti, altari settecenteschi di Gian Maria e Antonio Laureato.
Sulla controfacciata, l'*Incontro di S. Gioacchino e S. Anna* di Palma il Gio-

vane. Al 1° altare d., *Purificazione di Maria* di Pier Antonio Novelli. Nel braccio d. del transetto: *Morte di S. Giuseppe* di Francesco Maggiotto; *Presentazione di Maria al tempio* di Bernardino Lucadello; *La Vergine Assunta assiste all'incoronazione di Venezia fatta dal vescovo S. Magno* di Palma il Giovane. Nella sagrestia, entro dossali settecenteschi, *La consegna delle chiavi a S. Pietro*, pala di Michele Schiavoni (1760), autore anche del grande dipinto su tela (*Preannuncio della caduta di Gerusalemme*) che decora il soffitto.

La cappella a d. della maggiore è decorata sul fondo da pitture prospettiche di Girolamo Mengozzi Colonna; alle pareti, *Aspettazione al parto di Maria* e *S. Tommaso d'Aquino* di Palma il Giovane; all'altare (1764), la *Vergine tra S. Francesco da Sales* e *S. Giovanni Nepomuceno*, sculture marmoree di Giovanni Marchiori. All'altar maggiore, *S. Geremia* e *S. Pietro*, statue di Giovanni Ferrari (1798). Alle pareti della cappella a sin. della maggiore, *Annunciazione*, *S. Agostino* e *S. Lucia*, portelle d'organo, forse provenienti dalla distrutta chiesa di S. Lucia, dipinte da Palma il Giovane (?).

Alla testata del braccio sin. del transetto è la CAPPELLA DI S. LUCIA, dove sono le spoglie della martire siracusana, fino al 1860 custodite nella chiesa di S. Lucia (demolita per far posto alla Stazione ferroviaria); da questa proviene anche la decorazione di stile palladiano adattata alla cappella. Per la porta a d. si accede a un piccolo ambiente adibito a museo: alle pareti, 2 *Episodi della vita di S. Leonardo* di Francesco Fontebasso; *S. Vincenzo Ferreri* forse di Antonio Marinetti; *S. Lucia* e la *Maddalena*, di Palma il Giovane. Nella vetrina, paramenti dei secc. XVII e XIX e antifonari miniati dei secc. XIV e XV. Proseguendo la visita della chiesa: all'altare seguente, *Deposizione dalla Croce* di Agostino Ugolini; al 1° altare sin., *Sacra Famiglia* di G.B. Mengardi.

Il ***palazzo Labia*** venne costruito a spese e in gloria di questa famiglia (originaria della Catalogna) subito dopo la sua aggregazione al patriziato veneziano (1646) e per volere del capostipite della nuova casata nobiliare, Gian Francesco; tuttora rimangono incerte l'attribuzione e la datazione del fastoso edificio, di cui però è sicura la realizzazione in due fasi costruttive. Variamente attribuito ad Andrea Cominelli e ad Alessandro Tremignon, alla fine del '600 il palazzo si presentava concluso ad eccezione dell'ala sin. sul campo, aggiunta, ripetendo il modello della parte preesistente, dopo il 1720 (probabilmente fra il 1730 e il 1740) forse da Giorgio Massari. La facciata sul campo, col pianterreno bugnato liscio, le finestre arcuate ornate da mascheroni e l'aquila araldica dei Labia, riprende, semplificandola, l'articolazione del prospetto sul canale. Questo, che risvolta sull'angolo sin. aprendosi alla vista del Canal Grande, allinea sopra il pianterreno dorico a bugne lisce due ordini di lesene, ioniche e corinzie, tra le quali si aprono grandi finestre arcuate ornate da mascheroni e aperte su balconate continue; il ricco cornicione è decorato nel fregio, tra finestre ovali, con le aquile araldiche.

L'edificio, ripristinato dallo scrupoloso restauro (delle strutture e dell'apparato decorativo) del 1965-70, mantiene all'interno i fastosi ambienti settecenteschi affrescati da G.B. Tiepolo (sede della RAI, utilizzato per concerti e convegni, è visitabile, previo avviso telefonico, mercoledì, giovedì e venerdì dalle 15 alle 16).

Al 1° piano è il monumentale SALONE, interamente decorato da *affreschi di G.B. Tiepolo, una delle più superbe fantasie pittoriche della piena maturità dell'artista (c. 1746-47). Tra finte prospettive e architetture (in gran parte eseguite da Girolamo Mengozzi Colonna), nelle due pareti maggiori: *Imbarco di Cleopatra* e *Banchetto di Cleopatra e Antonio*; al di sopra, *Il tempo che rapisce la bellezza* e altre figurazioni allegoriche; nel soffitto a finta volta, *Venere circondata da amorini e il Genio su Pegaso che scaccia il tempo*.
In altre sale del palazzo si conservano ulteriori notevoli affreschi e tele a soffitto: *Zefiro e Flora* di G.B. Tiepolo (c. 1747); *Bacco e Arianna* e *Giunone*, di Giandomenico Tiepolo; *Gloria di casa Labia* di Fabio Canal; *Trionfo di Venere* di Gaspare Diziani; *L'iscrizione della famiglia Labia nell'albo d'oro della nobiltà veneziana* di Angelo Trevisani; *Diana e Atteone* di Pier Antonio Novelli. Vi sono poi dipinti di scuola veneta dei secc. XVII e XVIII, tra i quali *Vedute architettoniche* di Antonio Visentini (macchiette di Gaspare Diziani) e *Cornelia e i Gracchi* di Francesco Zugno. Notevoli, infine, i 6 *arazzi fiamminghi con *Storie di Scipione*, parte di una serie più numerosa eseguita verso il 1650, per la famiglia Zane, dagli arazzieri di Bruxelles Heinry Reydams, Everaert Leyniers, Gerard van der Strecken e Jan van Leefdael.

Si esce dal campo per la salizzada S. Geremia che raggiunge in breve il *ponte delle Guglie*, lanciato sul canale di Cannaregio; costruito in pietra nel 1580 dal proto Marchesino dei Marchesini, rimane uno dei più importanti esempi di ponte dove la balaustra fu eseguita insieme all'arcata e, per la prima volta, nella ghiera i giunti dei segmenti furono dissimulati da mascheroni (restaurato nel 1776, deve il nome ai 4 obelischi alle testate).

Subito prima del ponte diverge a d. la fondamenta di Ca' Labia, v. pag. 470; dall'altra parte del canale, a un edificio eclettico (v. sotto) seguono il seicentesco *palazzo da Mosto* e, dopo alcuni edifici minori, i settecenteschi *palazzi Marconi* ed *Emo*. Al termine della fondamenta, all'angolo tra il canale di Cannaregio e il Canal Grande, *S. Giovanni Nepomuceno*, scultura di Giovanni Marchiori corrosa dalla salsedine.

Varcato il ponte (ampia vista sul canale di Cannaregio, v. pag. 143), si prosegue lungo il *rio terrà S. Leonardo*, frequentata arteria realizzata nel 1818 con l'interramento del rio dei Due Ponti (fu questo un intervento di estrema rilevanza, in quanto costituì un termine di riferimento obbligato per l'apertura, nei decenni successivi, della Strada Nuova, v. pag. 478). Ai piedi del ponte, a d., N. 1510, edificio eclettico del 1910 con ripresa di elementi architettonici bizantini e tardogotici. Dopo breve si apre a d. il campo S. Leonardo, definito da modeste abitazioni e dal fianco sin. della chiesa di *S. Leonardo*; del sec. XI, fu ricostruita alla fine del '700 da Bernardino Maccaruzzi con prospetto, a due ordini in forte aggetto, concluso da timpano triangolare (chiusa al culto all'inizio del sec. XIX, è ora sede del Centro civico di quartiere).

In asse col campo si apre verso nord-ovest la calle della Rabbia, al cui termine diverge a d. la calle Case Nuove, limite meridionale di un quartiere di edilizia popolare realizzato nel 1906 dal Comune con il contributo della Cassa di Risparmio (lapide); i lunghi corpi edilizi sono intervallati da calli e giardini.

Percorso l'ultimo tratto del rio terrà S. Leonardo (a sin., N. 1373, è il *palazzo della Torre*, gotico quattrocentesco, manomesso con l'apertura di negozi al piano terreno), lasciato a sin. il rio terrà Farsetti (v. pag. 499), si segue a d. il *rio terrà del Cristo*. Al termine, con facciata sull'ortogonale rio terrà dietro (drio) la Chiesa, sorge l'*ex Scuola del Cristo*, ora sede di un centro di cultura religiosa; costruita nel 1644 per la confraternita della Buona Morte (i cui seguaci avevano il compito di seppellire gli annegati), presenta un elegante prospetto (impreziosito dalle inferriate delle finestre) di ispirazione scamozziana, a un ordine di paraste corinzie reggenti il cornicione in forte aggetto, oltre il quale si sviluppa un terzo piano concluso da timpano triangolare (i dipinti sei-settecenteschi che in origine decoravano gli ambienti interni sono ora – 1984 – esposti al Museo Diocesano d'Arte Sacra).
Seguendo verso est il rio terrà dietro la Chiesa, si raggiunge a d. il *campo S. Marcuola*, aperto sul Canal Grande (per gli edifici sulla riva opposta, v. pag. 163), con vera da pozzo del 1713 (sulla riva, «stazio» delle gondole con le «paline» per legare le imbarcazioni, il pergolato per ripararsi dal caldo e il casotto in legno, ottagonale, che funge da deposito e riparo invernale). Vi prospetta la chiesa di **S. Marcuola** (Ss. Ermagora e Fortunato), di antica origine (sec. IX-X), ricostruita da Antonio Gaspari e Giorgio Massari (1728-36); la facciata, impostata sul fianco d., rimase incompiuta dopo la predisposizione del portale (con 2 colonne composite e timpano) e del basamento, su cui doveva poggiare l'ordine di colonne corinzie.

L'interno è una navata a pianta quadrata percorsa da un ordine di semicolonne e lesene composite, scanalate e cinturate, racchiudenti agli angoli le arcate di cappelle gemelle. Agli altari di queste, *statue marmoree settecentesche di Giovanni Maria Morlaiter e aiuti (da d.: i *Ss. Elena, Giuseppe, Gaetano da Thiene, Antonio da Padova, Pietro*, la *Madonna col Bambino, S. Giovanni Battista* e *S. Antonio abate*). Nel soffitto, *Gloria dei Ss. Ermagora e Fortunato*, tela mistilinea di Francesco Migliori. Al centro delle due pareti laterali, sopra gli ingressi, sono 2 pulpiti circondati da dipinti. Intorno al pulpito d.: in alto, *S. Pietro rinnega Gesù*, *Gesù cade sotto la croce* ed *Ecce Homo*, 3 tele seicentesche di cui la seconda, forse, di Carl Loth; più in basso, *Il bacio di Giuda* e *Cristo nell'Orto*, di Alvise dal Friso; a sin. della porta, *Gesù bambino benedicente tra i Ss. Andrea e Caterina*, tavola ritenuta opera giovanile di Tiziano, ma assai più probabilmente del fratello Francesco Vecellio; a d., *Testa di Cristo*, dipinto fiammingo su tavola (sec. xv), inserito tra 2 *ritratti virili* di maniera tizianesca. Intorno al pulpito sin.: in alto, *Ultima Cena* dalla bottega di Paolo Veronese, tra l'*Annunciazione* e *S. Giuseppe*, due opere del Padovanino; ai lati, *Madonna* e *S. Francesco di Paola*, di Francesco Migliori.

Il presbiterio, a pianta quadrata, ha il soffitto decorato da un ovale di Francesco Migliori (*La caduta della manna*); all'altare, *Assunta*, forse copia ottocentesca dallo stesso, tra i *Ss. Ermagora* e *Fortunato*, sculture attribuite al Morlaiter; alla parete sin., **Ultima Cena* di Jacopo Tintoretto (1547); alla parete d., *Lavanda dei piedi*, copia settecentesca dell'originale di Tintoretto ora a L'Escorial (Spagna).

In fianco all'altare a d. del presbiterio si apre l'accesso alla sagrestia, piccolo ambiente settecentesco ideato dal Massari; vi sono custodite opere di Francesco Migliori (a soffitto, *Gloria dei Ss. Ermagora e Fortunato*; alle pareti, *Martirio dei Ss. Ermagora e Fortunato* e *S. Ermolao battezza S. Fosca*; nelle cornici delle finestre, *angeli*); elegante l'armadio settecentesco decorato con statue lignee del Crocifisso e dei santi titolari.

Di fronte al presbiterio, sistemato quasi a vestibolo della chiesa, è l'ORATORIO DEL CROCIFISSO, realizzato dal Massari: la vasta tela con la *Deposizione dalla croce*, opera di Niccolò Bambini (1681), faceva parte di un ciclo pittorico con episodi della Passione da tempo disperso.

Ritornati sul rio terrà S. Leonardo, per la breve calle del Pistor (verso est) si raggiunge il *campiello dell'Anconeta*, aperto nel 1855 con la demolizione di un piccolo oratorio; vi sorge il *cinema Italia*, neogotico del primo Novecento. Segue la calle dell'Anconeta e, oltre il ponte omonimo sul rio di S. Marcuola, il *rio terrà della Maddalena*, forse la prima strada realizzata con l'interramento di un canale (1398). Subito a sin. un sottoportico immette nella *corte del Volto Santo*, già centro dei setaioli lucchesi che, emigrati a Venezia nel 1309 (v. anche pag. 477), diedero grande impulso e sviluppo all'industria della seta; sull'architrave del sottopassaggio e sulla trecentesca vera da pozzo, rilievi con l'immagine del *Volto Santo*, emblema dell'arte.

Dopo breve tratto, dal rio terrà diverge a d. la calle Vendramin, che raggiunge l'ingresso da terra (N. 2040) dell'imponente palazzo Vendramin-Calergi, sede invernale del Casinò Municipale.

Il *palazzo Vendramin-Calergi (già denominato «Non nobis Domine» dalla scritta incisa sotto le finestre dell'ammezzato), ultimato nei primi anni del '500, venne commissionato (dagli allora proprietari, la famiglia Loredan) nel 1481 a Mauro Codussi che, in anni in cui ancora si costruivano sontuosi edifici tardogotici, operò con un nuovo linguaggio classico. Nella notevole facciata sul Canal Grande (v. pag. 162), rivestita di marmo con limitati intarsi policromi, gli elementi decorativi sono subordinati allo schema architettonico; percorso sui tre piani da semicolonne doriche, ioniche e corinzie, il prospetto si presenta aperto da eleganti finestre, a bifore a tutto sesto inscritte in grandi arcate. A sin. del corpo rinascimentale si sviluppa l'ala seicentesca del palazzo (costruita dallo Scamozzi e demolita nel 1658 per volere della Signoria, fu rifatta dopo il 1660), prospiciente il giardino aperto sul Canal Grande. Passato il cortile, dove rimane una notevole *vera da pozzo veneto-bizantina del sec. XI, si accede agli ambienti interni, dove abitò e morì il 13 febbraio 1883 Richard Wagner; nella sala bar, insieme a opere di modesto interesse, alcuni dipinti di Palma il Giovane.

Al termine del rio terrà della Maddalena (al N. 2347, l'ogivale *palazzo Contin* del sec. XV e, al N. 2343, il *palazzo Donà delle Rose*, ristrutturato alla fine del '600 su progetto attribuito a Domenico Rossi o al suo ambiente), prima del ponte di S. Antonio (v. sotto) si apre a d. il caratteristico *campo della Maddalena*. Bagnato a est dal rio omonimo e rialzato per la raccolta dell'acqua piovana (la vera da pozzo è del primo Cinquecento), il campo è definito da un'interessante edilizia minore, con case dai prospetti avanzati su barbacani e possenti camini cilindrici (al N. 2143, l'ogivale portale del *palazzo Magno*, con bassorilievo quattrocentesco).
Domina l'invaso, inserendovisi armoniosamente, la chiesa di **S. Maria Maddalena**, fondata nel sec. XIII dalla famiglia Balbo e ricostruita tra il 1760 e il 1789 da Tommaso Temanza. A schema planimetrico centrale e pianta perfettamente circolare conclusa da cupola, è uno dei più lucidi esempi di architettura neoclassica veneziana (ma, per la sua concenzione laicamente ispirata al modello romano del Pantheon, non andò esente da forti critiche); l'ingresso, preceduto da una breve scalinata, è affiancato da 4 colonne ioniche sostenenti l'architrave e il timpano triangolare. Sulla parete esterna della zona absidale è inserito un bassorilievo marmoreo della 1ᵃ metà del '400 raffigurante la *Madonna col Bambino e santi*.

L'interno (cui si può accedere solo la domenica e le festività religiose durante l'orario delle funzioni) è esagonale, con 4 cappelle laterali inquadrate da archi a tutto sesto e presbiterio quadrato sviluppato in larghezza con 2 esedre; 12 colonne ioniche binate reggono la trabeazione della cupola. L'apparato decorativo pittorico è costituito da tele settecentesche, tra cui un'*Ultima Cena* di Giandomenico Tiepolo e l'*Apparizione della Vergine a S. Simone Stock* di Giuseppe Angeli.

Varcato il rio della Maddalena sul ponte di S. Antonio (a sin., la facciata del palazzo Diedo, v. pag. 476), si scende nella *salizzada S. Fosca*. A d., numeri 2214-17, prospetta l'interessante *palazzo Correr* (degradato e adibito a casa d'aste), costituito da due unità edilizie gotiche del sec. XV, di cui nel '700 iniziò un radicale intervento di ristrutturazione. Questo, che probabilmente avrebbe dovuto interessare i due edifici, unificandoli, si limitò al primo, il quale presenta la facciata rivestita in pietra bianca e aperta al piano nobile da alte finestre a tutto sesto con poggioli in aggetto; il secondo palazzo mantiene l'aspetto quattrocentesco (in parte modificato con l'inserimento dei poggioli), con eleganti finestre trilobate dalla notevole decorazione scultorea. Dalla parte opposta si apre il *campo S. Fosca*, bagnato dal rio omonimo; al centro, *monumento di fra' Paolo Sarpi*, bronzo di Emilio Marsili (1892).

Il veneziano Pietro Sarpi (1552-1626), in religione fra' Paolo, scienziato, storico del Concilio di Trento, avverso all'ingerenza del papa nel potere temporale, fu consultore stipendiato della Repubblica nella controversia che questa ebbe col papato ai tempi dell'interdetto (1606), controversia risoltasi favorevolmente per Venezia grazie all'abile dialettica del Sarpi e alla prudente politica del doge Leonardo Donato. Il monumento è stato qui eretto perché presso il ponte di S. Fosca la sera dell'8 ottobre 1607 il Sarpi, mentre si avviava al suo convento dei Servi (v. sotto), venne ferito da sicari forse inviati da Roma.

Prospetta sul campo la chiesa di *S. Fosca*, fondata nel sec. x, più volte ristrutturata e ricostruita intorno al 1679; la facciata, a un ordine di lesene corinzie su alti stilobati, conclusa da timpano triangolare, è del 1741. Posteriormente, a sin. (visibile dal ponte), si erge il campanile, parzialmente ricostruito dopo il 1410; a canna scanalata, ha la cella campanaria a bifore gotiche e cupola a bulbo tra 4 edicolette.

L'interno è a una navata con altari laterali e presbiterio quadrato. Sulla controfacciata, *Battesimo di Gesù* di G.B. Mariotti. All'altare d., *S. Giuseppe e gloria d'angeli* di Pier Antonio Novelli (firmato e datato 1760); alla fine del lato d., *Cristo sostenuto da angeli* di Carl Loth. Alle pareti del presbiterio: a d., *Eleazaro offre doni a Rebecca* del Loth; a sin., *Sacra Famiglia e donatore* di Domenico Tintoretto. All'inizio del lato sin., *Cristo e la Veronica* e *Deposizione*, piccole tele di maniera carpionesca.

Dal campo è consigliabile (prima di continuare nell'itinerario principale lungo la Strada Nuova) una breve diramazione, che consente la visita di una zona interna costituita da tre piccole insule con interessanti emergenze. La diramazione inizia varcando il rio sul ponte S. Fosca dove, come indicano le 4 impronte in pietra bianca, si combatteva la tradizionale «lotta ai pugni» tra opposte fazioni. Al di là del ponte, lasciata a d. la fondamenta di Ca' Vendramin (al N. 2400, l'elegante facciata cinquecentesca del *palazzo Vendramin* con portale finemente decorato), si segue a sin. la breve *fondamenta Diedo*. Vi prospetta, N. 2386, il *palazzo Diedo* (ora scuola), realizzato su progetto di Andrea Tirali fra il 1710 e il 1720 (secondo l'aneddotica settecentesca, la notevole altezza dell'edificio fu voluta dal committente per fare ombra al vicino palazzo della famiglia Grimani). Varcato il ponte Diedo, si prosegue per la fondamenta Daniele Canal. Al N. 2381-83, il degradato *palazzo Grimani* del sec. XVI, smantellato nel 1828 e ridotto d'altezza; dell'antico edificio conserva le porte e qualche finestra dell'ammezzato. Al termine della fondamenta un cancello dà accesso al cortile dell'*Istituto Canal Marovich ai Servi*, fondato nel 1863 dal religioso Daniele Canal sull'area del complesso conventuale di S. Maria dei Servi, di cui ingloba i resti.

Il complesso di S. Maria dei Servi, fondato nel sec. XIV, era costituito dal convento e dalla monumentale chiesa, iniziata nel 1330 e consacrata nel 1491. In seguito alla soppressione avvenuta in periodo napoleonico, il convento e la chiesa, spogliati dei ricchissimi arredi pittorici e scultorei, vennero ceduti a un impresario edile che progressivamente li smantellò per ricavarne materiale da costruzione. Nel cortile rimangono un tratto del fianco d. della chiesa, dove si apre il gotico portale laterale, e la *cappella del Volto Santo* o dei Lucchesi, che sorgeva attigua alla chiesa, accanto alla cappella a d. del presbiterio. Già sede della confraternita omonima, costituita intorno al 1360 dalle famiglie lucchesi fuggite per motivi politici nel 1309 dalla loro città, e ora adibita a oratorio dell'Istituto, la cappella mantiene all'interno (la visita è concessa) sculture di Giuseppe Torretto e, nelle volte del soffitto, tondi ad affresco di scuola padovana del 1370 c. (Niccolò Semitecolo ?). All'interno dell'Istituto rimane parte dell'antico chiostro del convento e, murato nel giardino, l'archiacuto elegante portale principale della chiesa.

Tornati al ponte S. Fosca, seguendo verso NE la calle Zancani si raggiunge la chiesa di *S. Marziale* (S. Marcilliano), che volge sul campo omonimo il fianco destro; fondata nel sec. XII, fu integralmente ricostruita tra il 1693 e il 1721 con spogli prospetti che contrastano con lo sfarzo barocco all'interno.

Questo è a una navata, con ricchi altari laterali. Nel soffitto a volta, entro cornici intagliate e dorate, *tele dipinte da Sebastiano Ricci tra il 1700 e il 1705 (*L'immagine della Vergine scolpita in un tronco d'albero, Gloria di S. Marziale, L'arrivo miracoloso dell'immagine della Vergine*). Al 2° altare d. , *S. Marziale tra i Ss. Pietro e Paolo* di Jacopo Tintoretto (1548-49); al 3°, *Il Redentore e tre santi*, opera di Antonio Zanchi (firmata e datata 1712). Ai pilastri del presbiterio, l'*arcangelo Gabriele* e l'*Annunciata*, dipinti di Domenico Tintoretto, già portelle d'organo.
Nel presbiterio, decorato sulla volta dal *Padre Eterno in gloria*, dipinto di Sebastiano Ricci (1700-1705), all'altar maggiore, *Cristo sul mondo, angeli e santi*, colossale scultura marmorea barocca; alle pareti, *Risurrezione* dell'Aliense (firmata e datata 1586) e *Crocifissione* del Passignano. Al 3° altare sin., *Transito di S. Giuseppe* di Antonio Balestra; al 2°, *Madonna col Bambino*, scultura lignea del sec. XIV. In sagrestia, *Tobia e l'arcangelo*, celebre dipinto di Tiziano (c. 1540), più volte copiato, ora deperito e poco leggibile.

Dal campo S. Fosca si riprende l'itinerario principale seguendo verso sud-est la *Strada Nuova*, ampio percorso di rapido collegamento aperto nel 1868-71 tra S. Fosca e il campo Ss. Apostoli, su progetto di Niccolò Papadopoli, membro della commissione preposta allo studio di un piano generale di sistemazione della città; fu questo l'ultimo atto del lungo e dibattuto processo di riorganizzazione urbanistica del sestiere di Cannaregio, con cui venne drasticamente risolto il problema della comunicazione diretta tra Rialto e la Stazione ferroviaria (v. pag. 466).

Inserito fra i preesistenti tronchi della salizzada S. Giovanni Crisostomo (a est) e dei rii terrà della Maddalena, S. Leonardo e lista di Spagna (a ovest), il percorso della Strada Nuova – scelto fra numerose e meno drastiche alternative – fu realizzato sventrando l'antico tessuto urbano e allineando e omogeneizzando i prospetti degli edifici. Larga m 10, l'arteria si sviluppa in due tronchi perfettamente rettilinei, definiti a sud dai retri della palazzata prospiciente il Canal Grande e a nord da tratti di blocchi edilizi che volgono le facciate su calli ortogonali alla nuova direttrice (l'originaria minuta viabilità di questa zona era infatti organizzata lungo calli perpendicolari al Canal Grande, che collegavano la principale via d'acqua della città con le zone più interne).
Estranea ai ritmi e alle dimensioni del contesto urbanistico veneziano, la direttrice venne sempre significativamente indicata come Strada Nuova e non con le denominazioni ufficiali di via Vittorio Emanuele II e quindi di calle XXVIII Aprile.

Al N. 2233 A della Strada Nuova è l'antica *farmacia S. Fosca*, che conserva l'originario arredo seicentesco e vasi e maioliche veneti del sec. XVIII. Poco più avanti, a sin., in un basso muro merlato (che ospita le vetrine di alcuni negozi) si apre, N. 2292, il cancello d'accesso al cortile del **palazzo Giovannelli**, già Donà, notevole edificio gotico del sec. XV ristrutturato da G.B. Meduna nel 1847; sul successivo rio di Noale volge l'elegante facciata ogivale (resa simmetrica dal Meduna), aperta al 1° piano da una ettafora e da finestre con trafori quadrilobati.

Accedendo al palazzo (ora adibito a casa d'aste) per spazi che mantengono elementi architettonici gotici e rinascimentali (la ricca vera da pozzo è del sec. XV), si raggiungono l'androne e l'elegante scalone di forma ottagonale concluso da lucernario, realizzati dal Meduna in raffinato stile neogotico. In alcune sale superiori rimane la ricca decorazione a stucco e ad affresco della metà dell'Ottocento.

Varcato sul ponte Pasqualigo l'importante rio di Noale, che mette in diretta comunicazione il Canal Grande con la Laguna nord (a sin., la facciata sul rio del palazzo Giovannelli, v. sopra), si giunge in breve nel *campo S. Felice*. Vi si leva il prospetto secondario, impostato sul fianco sin., della chiesa di *S. Felice*, che volge la facciata sulla seguente fondamenta omonima (il ruolo dei due prospetti è stato modificato, in favore di quello secondario, dall'apertura ottocentesca della Strada Nuova). La chiesa, fondata nel sec. x, rinnovata nel 1276, deve l'attuale struttura alla ricostruzione realizzata nel 1531-56, forse da Sante Lombardo, in stile rinascimentale con influssi del Codussi. A intonaco rosso su cui risaltano le semicolonne ioniche scanalate di pietra bianca, l'edificio è decorato sull'ingresso principale da un *angelo turibolare*, scultura trecentesca forse della precedente costruzione.

L'interno, dalle misurate proporzioni, a croce greca inscritta in un quadrato, ruota intorno allo spazio centrale dilatato verso l'alto nella cupola emisferica, impostata su arcate a tutto sesto rette da pilastri quadrangolari; gli attuali altari sostituiscono gli originali asportati all'inizio del sec. XIX.
Al 3° altare d., *S. Demetrio armato e un personaggio della famiglia Ghissi* di Jacopo Tintoretto (c. 1547). Nel presbiterio: all'altar maggiore, *S. Felice presenta a Cristo 2 devoti*, tavola a fondo oro del Passignano; alle pareti 2 tele settecentesche (*Vocazione di S. Matteo e Miracolo*); entro nicchie, ai lati dell'altare, *Speranza* e *Carità*, statue marmoree di Giulio del Moro (firmate); sopra i dossali, *S. Pietro* e *S. Giovanni*, piccole statue bronzee dello stesso (con le altre decoravano un altare ora scomposto). Al 2° altare sin., *Madonna col Bambino*, scultura in bronzo pure di Giulio del Moro.

Usciti dalla chiesa, seguendo per breve tratto la fondamenta S. Felice, si nota dall'altra parte del rio una serie di edifici di varie epoche aperti al piano terra da un porticato (sottoportico del Tagliapietra). Subito dopo questi, sull'angolo col rio Priuli, il degradato *palazzo Priuli-Scarpon*, imponente costruzione seicentesca rovinata in un incendio del 1739 e ristrutturata reimpiegando gli elementi scultorei, i poggioli, le modanature delle finestre e le porte originali. Proseguendo lungo la fondamenta, si giunge in breve in prossimità della Scuola Nuova di S. Maria della Misericordia (v. pag. 505).

Dal campo, attraversato il rio sul ponte Nuovo S. Felice (ricostruito nel 1872), si continua lungo il secondo tratto della Strada Nuova. A sin. si apre la corte dei Pali, già dei Testori, piccolo campo che, in seguito agli sventramenti ottocenteschi, ha perso la sua funzione di spazio comune aperto all'interno dell'antica rete viaria, che si organizzava lungo calli parallele, ortogonali all'attuale direttrice. Di questa distribuzione urbana rimangono alcuni esempi, in parte manomessi, nel tessuto a nord della Strada Nuova, come nella vicina calle Zotti (che si innesta nella calle del Pistor, aperta in fondo alla corte, a d.), definita da case a schiera modulari di origine trecentesca.
Più avanti, a d., la calle della Ca' d'Oro conduce all'ingresso da terra (N. 3922) della *Ca' d'Oro, uno dei più noti edifici monumentali della città, con elaborata facciata sul Canal Grande. Fu costruita in forme gotiche, tra il 1422 e il 1440, per il procuratore

Marino Contarini da maestranze lombarde, con a capo Matteo
Raverti, e da lapicidi veneti diretti da Giovanni e Bartolomeo
Bon; passata poi in proprietà alle famiglie Marcello, Loredan,
Bressa, al principe Troubetzkoi e da questi alla ballerina Ta-
glioni, subì nel corso del tempo alterazioni e rimaneggiamenti, di
cui il più radicale da G.B. Meduna tra il 1845 e il 1850. Nel 1895 il
palazzo fu acquistato da Giorgio Franchetti, che ne iniziò il restauro e nel 1916 lo donò allo Stato insieme alla ricca collezione,
fondo iniziale della Galleria Giorgio Franchetti, ancora oggi qui
allogata (v. sotto); ulteriori lavori di consolidamento e di restauro
sono stati eseguiti nel 1969-79.

Prospetta sulla calle il fianco d., in laterizi con cornici marmoree alle finestre, che si innesta nel muro di cinta del cortile, sormontato da una merlatura in cotto, dove si apre il grande portale gotico con lunetta ad arco inflesso ornata da fogliami rampanti e da un fiorone marmoreo, opera di
Nicolò Romanelli; l'angelo con lo stemma Contarini al centro dell'ogiva è
di Matteo Raverti; i battenti lignei furono ricomposti in parte con frammenti originali del sec. XV. Sul Canal Grande si specchia l'elegante facciata (v. pag. 168; la si vede di scorcio dal pontile dei vaporetti in fondo alla
calle) di marmi policromi, ormai priva delle dorature di Zuane de Franza
da cui derivò il nome al palazzo; vi trovano sapiente equilibrio i vuoti del
portico e dei loggiati ad archi intrecciati dell'ala sinistra e il pieno della
muratura, aperta da monofore e piccole finestre quadrate, dell'ala destra.
La raffinata esecuzione di ogni elemento si avvantaggia dell'incastonatura
di preziose fasce e cornici veneto-bizantine, ricuperate dalla preesistente
casa della famiglia Zeno (sec. XII) demolita per far posto alla fabbrica gotica. Corona la facciata un'aerea merlatura in pietra bianca.

La *Galleria Giorgio Franchetti, intitolata al musicista e colle-

La *Galleria Giorgio Franchetti, intitolata al musicista e collezionista torinese che ne lasciò il fondo costitutivo, poi arricchito
da numerosi depositi demaniali e quindi da altre acquisizioni, raccoglie dipinti italiani e stranieri, marmi, bronzi, affreschi e ceramiche veneziane, soprattutto dei secc. dal XV al XVII. Aperta al
pubblico nel 1927 con un ordinamento che confusamente ricordava le dimore veneziane del '400, la collezione dal 1980 al 1984 è
stata oggetto di un nuovo, moderno allestimento, studiato dalla
Soprintendenza ai Beni artistici e storici di Venezia e realizzato
da Mario Semino, che non solo le ha ridato organicità e coerenza,
ma ha anche definito l'uso dell'attiguo palazzo Giusti, già Duodo
(v. pag. 483), acquistato dallo Stato come supporto per i servizi
della Galleria (oltre ad alcune sale di esposizione, ospiterà il laboratorio di restauro, i depositi visitabili, gli ambienti per le attività
didattiche e la biblioteca). Giorni e ore di visita, pag. 134.

Dall'ingresso, passata la biglietteria, si sale il moderno scalone: sul primo
pianerottolo, *politico di S. Rocco*, ancona lignea a due ordini attribuita a
Domenico da Tolmezzo; sul secondo pianerottolo, a d., polittico con *storie
di S. Bartolomeo*, opera firmata e datata (1392) di Simone da Cusighe.

Raggiunto il primo piano, si accede all'ATRIO. Al centro, sui piedistalli, la *Strage degli innocenti*, gruppo frammentario del 1350 circa e, più a d., la *Giustizia*, scultura forse di arte francese del sec. XV. Alle pareti: patere e formelle veneto-bizantine dei secc. XI-XIII; *Passione di Cristo*, polittico a 13 scomparti, capolavoro di Antonio Vivarini; polittico con *storie di S. Caterina*, notevole esempio di alabastro inglese del sec. XV; inoltre, statua acefala di arte toscana del sec. XV e arazzo fiammingo del sec. XVI. Si accede alla SALA 1, sistemata a cappella, con rivestimento marmoreo alle pareti e bellissimo soffitto ligneo quattrocentesco, a cassettoni dorati e intagliati con tondi a rilievo. Nell'edicola, *S. Sebastiano, notevole tempera su tela dipinta da Andrea Mantegna intorno al 1506 per il cardinale Sigismondo Gonzaga (si noti in basso la candeletta e il cartiglio con la scritta «Nil nisi divinum stabile est, caetera fumus»). Si passa nella SALA 2: nella vetrina più piccola, *Apollo*, una delle sculture più famose di Pier Jacopo Alari detto l'Antico, eseguita nel 1498 per il vescovo Ludovico Gonzaga; nella vetrina più grande sono esposte le medaglie più significative della collezione, fra cui alcune di Pisanello, Gentile Bellini, Sperandio Savelli, Vittore Gambello detto Camelio e Matteo de' Pasti; alle pareti, dipinti veneziani della 2ª metà del '400, fra cui alcune Madonne col Bambino, opere di Michele Giambono, Bartolomeo Vivarini, Lazzaro Bastiani e Alvise Vivarini. Nella SALA 3, dal ricco soffitto ligneo intagliato e dorato del primo Cinquecento (proviene dal palazzo Giustiniani Faccanon), sono esposti piccoli bronzi. Nelle prime due vetrine, con notevoli esempi di statuaria minore, meritano particolare attenzione il *Bue* e il *gruppo di tre cavalli*, attribuiti a Bartolomeo Bellano, il *Fauno* del Riccio e *Bacco e Arianna* di Pierino da Vinci; nella 3ª vetrina è una ricca raccolta di placchette, tra le quali notevoli quelle di Valerio Belli, di Stefano Maderno e del Riccio. Decorano le pareti 4 dipinti di grande interesse: *S. Cristoforo* di Giovanni Francesco da Rimini; *Madonna col Bambino in trono e santi* di Benedetto Diana; *Annunciazione* e *Transito della Vergine*, due delle cinque tele dipinte da Vittore Carpaccio nel 1504 per la Scuola degli Albanesi. Nella SALA 4 sono sistemati dipinti di Giovanni Agostino da Lodi e della bottega di Bonifacio de' Pitati; nella vetrina, significativi bronzi veneziani del sec. XVI. Si passa nel PORTEGO: a d., *Madonna col Bambino* di arte lombardesca e *Porzia*, una delle più rappresentative opere di Giovanni Maria Mosca; al centro, *busto di fanciullo* di Gian Cristoforo Romano; a sin., una serie di capolavori in bronzo di Vittore Gambello (*Combattimento tra satiri e giganti* e *Combattimento tra cavalieri e pedoni*), del Maestro dell'Altare Barbarigo, del Riccio (tabernacolo, 4 rilievi con le *storie della Croce* già sull'altare della demolita chiesa di S. Maria dei Servi, *S. Martino dona parte del mantello a un povero*); all'estremità, *Coppia di giovani, capolavoro di Tullio Lombardo, una delle più alte opere della statuaria veneta tra il Quattro e il Cinquecento; di fronte, *Figura allegorica con corona* dell'ambito di Antonio Rizzo; oltre il finestrato, *Madonna col Bambino* di Jacopo Sansovino; 2 alari di Gerolamo Campagna; verso la vetrata, 6 *figure allegoriche* lombardesche.

Dalla seguente LOGGIA (vista sul Canal Grande), dove sono raccolte sculture dei secc. XII-XV, si passa nella SALA 5, dedicata a Giorgio Franchetti, il mecenate che assicurò allo Stato la Ca' d'Oro e la sua collezione, di cui è qui delineata la storia. Ritornati nel portego, dalla porta a d. si accede alla SALA 6, con dipinti di scuola italiana, non veneti. Sulla parete d. si notano

in particolare: 4 tavolette con i *Ss. Ambrogio, Gregorio, Agostino* e *Girolamo* e la *Crocifissione del santo*, opere di Carlo Braccesco; l'*Incoronazione della Vergine* di Andrea di Bartolo; l'*Annunciazione* di scuola toscana del sec. XIV. Sul grande bancone, due deschi, opere di Benvenuto di
Giovanni (*Ercole al bivio*) e di Domenico di Bartolo (*Nascita del Battista*).
Quindi: *La Vergine adorante il Bambino* di Francesco Botticini; *Madonna
e S. Giovanni adoranti il Bambino*, tondo di Jacopo del Sellaio; su cavalletto, *Crocifissione di Giovanni Boccati (c. 1447); due frontali di cassone
di scuola toscana del sec. XV-XVI; *Madonna col Bambino* di Biagio di Antonio; *S. Girolamo e il leone*, parte di predella di Antoniazzo Romano; *Flagellazione* di Luca Signorelli. La successiva SALA 7 è riservata alla vendita
di pubblicazioni e materiale fotografico; alle pareti, tavole di scuola di Gau-
denzio Ferrari (*Natività*), di Bernardino Zaganelli (*Madonna col Bambino
e angeli*) e di scuola lombarda del sec. XV (*Madonna col Bambino, santi e
donatore*).
Per la scala lignea quattrocentesca, che conserva molti elementi di quella
in origine nella casa Agnello a S. Maria Mater Domini, si sale al 2° piano.
Attraversata la SALA 8, dove sono raccolti alcuni dipinti di scuola bresciana del sec. XVI, di Giuliano Bugiardini, di Alessandro Allori, di Francesco Granacci, dell'ambito del Pontormo e del Franciabigio, si accede alla
SALA 9. Qui, contro 4 arazzi fiamminghi del Cinquecento, spiccano 5 busti
di Alessandro Vittoria, tra i quali, di particolare bellezza quelli raffiguranti Benedetto Manrini e Giovanni Donà. Alle pareti, tele di Paris Bordone (*Venere*), di Tiziano (*Venere allo specchio*), di Jacopo Tintoretto (*ritratto del procuratore Niccolò Priuli*) e di Antonie Van Dyck (*ritratto di
gentiluomo*).
Si entra nel PORTEGO dove, come nei successivi atrio e sala 16, sono
esposte testimonianze fra le meglio conservate di pittura murale esterna,
l'arredo urbano che più di ogni altro qualificava la vocazione di Venezia
per il colore. A d., *Cacciata di Adamo ed Eva, Cristo e la Samaritana,
Cristo e la Maddalena*, tre affreschi realizzati nel 1530 dal Pordenone sulla
parete ovest del chiostro del convento di S. Stefano; a sin., frammenti
della decorazione della parete nord dello stesso chiostro, attribuiti a Domenico Campagnola. In parte dell'ATRIO (v. anche pag. 481) e nella SALA
16 trovano invece posto frammenti degli affreschi eseguiti nel 1508 da
Giorgione e da Tiziano sulle facciate del fontego dei Tedeschi, di certo il
più ammirato 'manifesto' della nuova arte a Venezia in apertura del Cinquecento.
Nella SALA 13, come la 14 e la 15 dedicata alla pittura straniera, accanto a
uno stupendo *Cristo benedicente* forse di Giusto di Gand, sono esposte una
piccola *Crocifissione*, recentemente riconfermata a Hubert van Eyck, e
opere fiamminghe tra le quali, di particolare interesse, la *Maddalena* di
Ambrosius Benson, il *S. Girolamo* attribuito a Joachim Patinier e la *Torre
di Babele* attribuita a Jan van Scorel. Nella SALA 14, dal notevole soffitto
ligneo di modi mantegneschi (sec. XV-XVI), proveniente dalla casa De Stefano di Verona, sulla parete sin. e nella vetrina sono esempi, per lo più
firmati, di pittura di genere olandese del sec. XVII, fra cui opere di Adriaen
e Isack van Ostade, Jean Steen, Jacob Ochtervelt, Gabriel Metsu; alla parete d., altre opere olandesi del Seicento ispirate al paesaggio romano;
sulla parete di fondo, la *Predica del Battista* di Adriaen van Nieulant e il
Sacrificio a Diana di Gerard Hoet il Vecchio. La SALA 15 raccoglie altre

tele di paesaggi e di nature morte, fra le quali spiccano una *Marina* di Willem van de Velde il Giovane e un *Cane e cacciagione* di Jan Fyt.

Rientrati nel portego e raggiunta la LOGGIA che, come la sottostante si apre con notevole vista sul Canal Grande, si accede alle SALE 10, 11 e 12, ricavate nella dipendenza della Ca' Oro, il palazzo Giusti, già Duodo; vi sono raccolte le più sicure testimonianze della ceramica antica veneziana nel suo evolversi dal XII al XVIII secolo (nell'ultima sala, in alto, fregio ad affresco di soggetto mitologico, opera di Marcello Fogolino). Rientrati nel portego e attraversato l'atrio (v. pag. 481), si osservano in fondo, in una vetrina, modelli per la decorazione della biblioteca del convento dei Ss. Giovanni e Paolo, di Giacomo Piazzetta; in un'altra vetrina, *Figure allegoriche del Nilo* e *del rio della Plata*, 2 bozzetti di Gian Lorenzo Bernini per le statue della fontana dei Fiumi in piazza Navona a Roma e 4 modelli di Stefano Maderno; inoltre, sulla parete di fondo, ai lati della finestra, 2 *Vedute di Venezia* di Francesco Guardi (fra le rarissime rimaste in città) e 2 *Vedute* di fantasia di Giovanni Migliara.

Usciti dalla Galleria, si può visitare il CORTILE della Ca' d'Oro, limitato su due lati da un ampio portico (v. sotto) che nel fondo comunica attraverso una grandiosa quadrifora gotica dei Bon, con il portico sul Canal Grande; il 3° lato è chiuso dal muro di cinta merlato prospiciente la calle; il 4°, dalla scala scoperta a 2 rampe su tre arcate ogivali, opera di Matteo Raverti e aiuti (1425), ricomposta con frammenti originali. Al centro, magnifica *vera da pozzo* in marmo rosso di Verona, capolavoro di Bartolomeo Bon (1427), decorata con figure allegoriche della Fortuna, Giustizia e Carità sedute su leoni tra ricchi fogliami gotici. Le facciate verso terra del palazzo sono decorate da patere bizantine e aperte, in corrispondenza dei porteghi, da ricchi finestrati ad archi inflessi.

Il portico presenta un pavimento a mosaico, voluto e in parte eseguito da Giorgio Franchetti a imitazione di quello della Basilica di S. Marco, e le pareti rivestite da formelle di marmo greco e rosso veronese; un cippo antico copre un'urna romana dove sono le ceneri di Giorgio Franchetti (m. 1922).

Ripresa la Strada Nuova, si prosegue verso sud-est giungendo in breve all'innesto (a sin.) dalla *calle delle Vele*, per la quale si può compiere una diramazione in una zona di pregio ambientale. Varcato, al termine della calle, il ponte delle Vele, il tratto di d. della fondamenta Priuli conduce (oltre un sottoportico aperto su piano terra di una notevole dimora signorile gotica) alla *ruga due Pozzi*, percorso di attraversamento e di distribuzione interna di una lunga e stretta insula, con i blocchi edilizi attestati sui canali laterali; per la larghezza e la presenza del pozzo, doveva svolgere anche funzioni di piccolo campo.

Poco più avanti la Strada Nuova si apre a d. nel *campo S. Sofìa*, allungato fino al Canal Grande (per gli edifici sulla riva opposta, v. pag. 169), dove sono visibili strutture analoghe a quelle già osservate in campo S. Marcuola (pag. 473). A d., N. 4199, si apre l'ingresso da terra del *palazzo Sagredo*, di origine bizantina, rimaneggiato in periodo gotico; acquistato da Gherardo Sagredo all'inizio del sec. XVIII, fu ristrutturato internamente, mentre la facciata sul Canal Grande (v. pag. 168), che doveva essere rifatta su progetto di Tommaso Temanza, ha mantenuto l'aspetto originario, con esafora bizantina al primo piano e quadrifora tardoquattrocentesca al secondo.

All'interno, spogliato del ricco arredo, il grandioso scalone settecentesco, attribuito ad Andrea Tirali, presenta le pareti e la volta decorate da affreschi di Pietro Longhi del 1734 (*Caduta dei giganti*). Alcuni ambienti del piano nobile e dell'ammezzato sono decorati da notevoli *stucchi realizzati nel 1718 da Abbondio Stazio e Carpoforo Mazzetti-Tencalla (quelli con elmi e armi in una saletta dell'ammezzato sono firmati).

In asse col campo, alle spalle di un anonimo edificio ottocentesco allineato sulla Strada Nuova, è situata la chiesa di *S. Sofia*, di cui si scorgono la cuspide della facciata e la parte terminale del campanile romanico; fondata intorno al Mille e più volte rimaneggiata, fu completamente ristrutturata alla fine del sec. XVII su progetto di Antonio Gaspari.

Dal piccolo portale N. 4192 si accede all'interno. Questo, a pianta basilicale con cupola all'innesto dei bracci, è diviso in tre navate da alte arcate a tutto sesto su colonne rinascimentali. Ai lati dell'ingresso e dell'altar maggiore, i *Ss. Luca, Andrea, Cosma e Damiano*, 4 statue marmoree alla maniera di Antonio Rizzo (2ª metà sec. XV). Alla parete d., sopra la porta laterale, *Cristo deposto e angeli* della cerchia di Palma il Giovane. Nel presbiterio: sul fondo, *Battesimo di Gesù*, pala di Daniel Heintz; ai lati, *Cristo deriso* e *Adorazione dei Magi*, 2 tele della scuola dei Bassano.
Al 2° altare sin., *Madonna col Bambino e i Ss. Antonio e Veneranda* di G.B. Maganza il Giovane. Segue un altarino con *Madonna col Bambino*, frammento di scultura gotica della metà del Trecento nei modi del fiammingo André Beauneveu (proviene dalla demolita chiesa dei Servi). A parete, *Battesimo di Cristo*, pregevole opera forse di Pietro de Mera.

Al termine della Strada Nuova, a d., N. 4392, è l'ingresso al giardino del *palazzo Smith Mangilli Valmarana*, costruito nel 1751 da Antonio Visentini, con sobrio prospetto sul Canal Grande (v. pag. 170); all'interno mantiene lussuosi ambienti allestiti da Giannantonio Selva alla fine del Settecento. Si sbocca nel *campo Ss. Apostoli*, servito a sud da un importante rio di collegamento con la Laguna nord; proprio questa favorevole ubicazione determinò l'antica urbanizzazione di quest'insula (che risale all'epoca predogale) e la nodalità del campo, dove convergono a raggiera rapidi percorsi pedonali per la zona realtina e le aree settentrionali del sestiere.
L'invaso si presenta articolato in molteplici spazi minori dall'imponente volume della chiesa dei **Ss. Apostoli**, a cui si addossano corpi edilizi di differente epoca e destinazione. Fondata nel sec. IX e più volte rimaneggiata, la chiesa subì una radicale ristruttu-

razione nel 1575, forse su progetto di Alessandro Vittoria; lungo il fianco d., fra case d'abitazione, si dispongono la quattrocentesca cappella Corner, con cupola rivestita in piombo, e l'alto *campanile*, ricostruito nel 1672, con elegante cella campanaria classicheggiante aggiunta all'inizio del '700 da Andrea Tirali. A d. dell'incompiuta, disadorna facciata è un piccolo edificio che apparteneva alla Scuola degli Apostoli (iscrizione a caratteri gotici del 1351).

L'interno, che deve l'attuale impianto all'intervento della 2ª metà del sec. XVI, è a una navata rettangolare, percorsa da un doppio ordine di lesene includenti gli altari laterali. Nel soffitto piano, *Comunione degli Apostoli*, *Esaltazione della Eucarestia* e ovali con gli *Evangelisti*, buoni affreschi del tiepolesco Fabio Canal con l'aiuto, per le parti ornamentali, di Carlo Gaspari (1748). Sulla controfacciata, settecentesco *organo* Nachini. All'inizio della navata, 2 acquasantiere decorate da statuette marmoree della fine del sec. XVII raffiguranti *S. Pietro* e *S. Giovanni Battista* (quest'ultima è di Giacomo Piazzetta).

Alla parete d., in una nicchia, *Madonna greca*, tavola di madonnero del sec. XVI; al 1° altare, *Cristo tra gli Apostoli* di Sebastiano Santi (1828). Più avanti si apre a d. la CAPPELLA CORNER, elegante costruzione lombardesca della fine del '400, attribuita a Mauro Codussi, con cupola emisferica voltata su quattro colonne angolari; alle pareti, monumenti funebri cinquecenteschi con le figure giacenti dei defunti (quello di d., di Marco Corner, è attribuito a Tullio Lombardo; un tempo era qui sepolta anche la figlia del Corner, Caterina regina di Cipro, ora in S. Salvador); all'altare, *Comunione di S. Lucia*, delicata opera di G.B. Tiepolo (c. 1748). Segue, al 2° altare d., *Natività di Maria* del tizianesco Giovanni Contarini. Nella cappella a d. della maggiore: alla parete d., *Deposizione e Sepoltura di Cristo*, rari frammenti di affreschi trecenteschi ancora bizantineggianti, e *S. Sebastiano*, bassorilievo di Tullio Lombardo (principio sec. XVI); al seicentesco altare in marmo nero, *Crocifisso* ligneo del primo '500, proveniente dalla soppressa chiesa dell'isola di Poveglia.

Nel presbiterio, l'altar maggiore con tabernacolo a forma di tempietto rotondo è opera di Francesco Lazzari; ai lati, statue marmoree dei *Ss. Pietro* e *Paolo*, nella maniera del Vittoria; alle pareti, *Ultima Cena*, grande tela di Cesare da Conegliano (datata 1583), e la *Caduta della manna*, opera della bottega di Paolo Veronese.

Nella cappella a sin. della maggiore, all'altare, dietro una scultura quattrocentesca con la *Vergine col Bambino*, è una pregevole opera di Francesco Maffei (*Angelo custode*); alle pareti, monumenti funebri ottocenteschi (quello di d., fu ideato da Giovanni Pividor). Al 3° altare sin., *Madonna col Bambino e i Ss. Giuseppe, Giovanni Battista e Antonio* di Gaspare Diziani; al 1°, *S. Caterina e santi* di Domenico Maggiotto. Nella sagrestia (rivolgersi al custode): la *Comunione degli Apostoli*, bozzetto di Fabio Canal per il comparto centrale del soffitto della chiesa; all'altare, *Cristo deposto, le Marie e S. Giovanni* di Francesco Montemezzano; ai lati, *Cristo risorto*, tela ottagonale di G.B. Mariotti (firmata) e *Orazione nell'orto* di Francesco Polazzo.

Attigua alla zona absidale della chiesa, a sin., è la *ex Scuola degli Apostoli*, la cui elaborata facciata cinquecentesca è ora inglobata all'interno di un modesto edificio (per la visita rivolgersi al custode).

Sul fronte meridionale del campo, a d. del ponte Ss. Apostoli, sorge isolata la *Scuola dell'Angelo Custode*, nel 1806 acquistata dai mercanti del vicino fontego dei Tedeschi come sede della comunità cristiana evangelica (è ora chiesa Evangelica Luterana). L'edificio, costruito a partire dal 1713 su progetto di Andrea Tirali, presenta un prospetto a due piani decorato sul portale dall'*Angelo Custode*, piccolo gruppo marmoreo di Heinrich Meyring; nell'interno (visitabile solo due volte al mese, di domenica, dopo il culto) sono custoditi una **Madonna in gloria e l'arcangelo Raffaele* di Sebastiano Ricci e un *Cristo benedicente* di scuola tizianesca.
Oltre il ponte Ss. Apostoli si sviluppa una zona di urbanizzazione bizantina, attestata sul Canal Grande, di cui rimangono numerose testimonianze; fra queste, di fronte al ponte, prospiciente il rio Ss. Apostoli su cui apre il piano terreno a sottoportico, il duecentesco *palazzo Falier*, con due piani di polifere veneto-bizantine del sec. XII. Varcato il ponte, si prosegue seguendo a sin. il sottoportico Falier.

Volgendo invece a d., si sbocca nella *corte del Leon Bianco*, dall'omonimo celebre albergo cui venne adattata, dal XVI al XVIII sec., la veneto-bizantina casa-fondaco **Ca' Da Mosto*, raro esempio delle prime dimore mercantili disposte lungo il Canal Grande, di cui rimane la scala esterna che sale al 1° piano; l'edificio, realizzato nel sec. XII-XIII, poi più volte rimaneggiato e alzato di due piani, conserva sul prospetto verso il Canal Grande (v. pag. 170) elementi della costruzione originaria, fra cui tre delle cinque arcate del portico d'acqua (utile al carico e allo scarico delle merci) e il finestrato del 1° piano, sovrastato da patere e da pregevoli rilievi a icona cuspidata.

Al termine del sottoportico si piega a d. nella sinuosa calle Dolfin. Attraversati i campielli Riccardo Selvatico e Flaminio Corner, e varcato il ponte sul rio S. Giovanni Crisostomo, si raggiunge il *campo S. Giovanni Crisostomo*, con magnifica vera da pozzo quattrocentesca, su cui prospetta il fianco sin. della chiesa di S. Giovanni Crisostomo.

All'inizio del campo, a d., la calle del Scaleter o della Stua e il successivo sottoportico del Remer conducono al **campiello del Remer**, aperto sul Canal Grande (per gli edifici sulla sponda opposta, v. pag. 171). Nel piccolo spazio, di origine bizantina, rimangono i resti del duecentesco *palazzo Lion-Morosini*, con scala esterna su arcate a tutto sesto e ogivali (rifatte), portale con ghiera e belle bifore ad archi inflessi. Bizantina è pure la vera da pozzo quadrata, in marmo rosso di Verona.

La chiesa di **S. Giovanni Crisostomo** (che dal 1977 ha assunto anche il titolo di santuario della Madonna delle Grazie), fondata nel 1080 sull'altro lato della strada e distrutta da un incendio nel 1475, fu qui ricostruita fra il 1497 e il 1504 da Mauro Codussi (ultima sua opera, venne completata dal figlio Domenico). L'elegante campanile (1532-90) domina la semplice facciata rinascimentale a coronamento curvilineo, a due ordini tripartiti da lesene di pietra bianca risaltanti sull'intonaco rosso mattone.

Le proporzioni e la nitida geometria dello spazio interno – anche se la pianta centrale riprende la tradizione bizantina (S. Fosca a Torcello) – derivano da una chiara impostazione classica. Con volte a botte e cupola centrale sostenuta da arcate su pilastri, ha sul fondo due cappelle laterali che affiancano l'ampio presbiterio, a soffitto piano e tutto rivestito di tele, che contrasta con la semplicità dell'ambiente.

Al 1° altare d., i *Ss. Cristoforo, Girolamo e Agostino*, capolavoro della vecchiaia di Giovanni Bellini (firmato e datato 1513), ormai lontano dagli schemi quattrocenteschi; alle pareti ai lati, *S Andrea* e *S. Agata*, due facce delle portelle dell'antico organo dipinte da Giovanni Mansueti (le altre sono alle pareti sin. delle cappelle a d. e a sin. del presbiterio). Al 2° altare d., *Transito di S. Giuseppe*, pala di Carl Loth (1685); nel paliotto, *La fuga in Egitto*, rilievo del sec. XVIII. Nella cappella a d. della maggiore, all'altare, la *Madonna del Rosario* tra i *Ss. Domenico* e *Teresa*, sculture della scuola di Josse Le Court (?); alla parete sin., *S. Onofrio*, già portella dell'organo dipinta dal Mansueti.

Nel presbiterio, all'altar maggiore, *S. Giovanni Crisostomo e i Ss. Agostino, Giovanni Battista, Liberale, Caterina, Agnese e Maddalena*, celebre pala di Sebastiano del Piombo, capolavoro del suo periodo veneziano, dipinta dall'artista nel 1509 c., prima di partire per Roma; alle pareti, su due ordini, *storie di Gesù* e di *S. Giovanni Crisostomo*, tele di Zaccaria Facchinetti e di Alvise dal Friso (rispettivamente autori delle due in basso a d. e a sin.), e di altri pittori seicenteschi; nel soffitto, *Padre Eterno in gloria tra putti e cherubini*, 9 comparti dipinti da Giuseppe Diamantini (c. 1674). Nella cappella a sin. della maggiore, all'altare, *Crocifissione e santi*, tela di Bartolomeo Letterini; alla parete sin., *S. Giovanni Crisostomo*, portella dell'antico organo di Giovanni Mansueti; alla parete d., *Cristo*, rilievo trecentesco. In sagrestia, *Ss. Giovanni Crisostomo e Girolamo, Giona e Mosè*, 4 tavolette dell'antico organo attribuite a Girolamo da Santacroce. All'altare della cappella del braccio sin. della crociera, *Incoronazione di Maria e apostoli*, pala marmorea di Tullio Lombardo (datata 1500-1502); in alto, *Madonna orante*, rilievo veneto-bizantino del sec. XIII. All'ultimo altare sin., *S. Antonio da Padova*, pala del sec. XV.

La zona sud-orientale dell'insula di S. Giovanni Crisostomo è caratterizzata da un'urbanizzazione di origine bizantina, consolidata in epoca gotica, che si articola intorno alle corti Amadi, Morosini e del Milion, attestate sui rii del Fontego dei Tedeschi e dei Miracoli, già private e di pertinenza di dimore signorili.

Si segue a d. della chiesa la calle dell'Ufficio della Seta. Lasciata a d. la calle Morosina, che conduce alla corte Amadi e a quella Morosini (dove rimangono una vera da pozzo del sec. XIV e, al N. 5825, due resti della trecentesca casa di Marino Morosini, con scala scoperta), si prende in fondo a d. la calle del Teatro, che raggiunge la corte omonima. Vi prospetta il *teatro Malibran* (già di S. Giovanni Crisostomo e dedicato, nel 1835, alla celebre cantante Maria de la Felicidad Malibran), aperto nel 1678 da Giovanni Grimani e pesantemente ristrutturato all'inizio del '900.

Il teatro occupa l'area dove sorgeva una duecentesca casa della famiglia Polo, cui appartenne il celebre Marco Polo (1254-1324) che, giovanissimo, compì col padre e lo zio un lungo viaggio in Estremo Oriente raggiungendo la Cina. Dall'altrettanto celebre libro «Il Milione», descrittivo del viaggio, prende nome la vicina *corte seconda del Milion* (per la calle a d. del teatro e il sottoportico a destra). Su questa prospettano interessanti edifici con elementi architettonici di varie epoche, come cornici, patere e pilastri veneto-bizantini del sec. XI-XII, polifore archiacute trecentesche e tetti lignei sporgenti su barbacani del sec. XV; al N. 5845 è la presunta *casa di Marco Polo*, di cui rimangono le basse arcate del portico, rilievi scultorei del sec. XII e tracce di interventi trecenteschi.

Dalla corte il sottoportico a d. raggiunge la corte prima del Milion; quello a sin. sbocca sul rio dei Miracoli, su cui prospetta l'ogivale facciata sul rio del palazzo Bragadin Carabba (v. pag. 550).

Dalla chiesa di S. Giovanni Crisostomo si prosegue verso sud lungo la salizzada omonima raggiungendo il ponte dell'Olio, gettato sul rio del Fontego dei Tedeschi che si allunga tra i sestieri di Cannaregio e S. Marco (a sin., i prospetti sul rio del gotico quattrocentesco *palazzo Amadi* e delle trecentesche case Morosini). Oltre il ponte la salizzada del Fontego dei Tedeschi conduce in breve al campo S. Bartolomio (v. pag. 328), prossimo al ponte di Rialto.

5.2 Dal ponte delle Guglie al Ghetto per S. Giobbe e S. Alvise

Dal ponte delle Guglie, descritto a pag. 472 (per la pianta dell'itinerario v. pag. 468), si segue verso nord-ovest la lunga fondamenta (divisa nella toponomastica in tre tratti: *fondamenta Venier, Savorgnan e di S. Giobbe*) che, costeggiando il bordo sud-occidentale del canale di Cannaregio, raggiunge la Laguna nord; come l'opposta, è definita da quinte continue di edifici minori cui si alternano imponenti palazzi realizzati fra il XVI e il XVIII secolo. Al N. 342-43, è il *palazzo Priuli-Manfrin*, già Venier, costruito nel 1735 da Andrea Tirali con un semplice prospetto in pietra bianca, privo di sovrastrutture decorative, dove il ritmo delle finestre e l'uso essenziale delle cornici e dei marcapiani in pietra denotano un rigore che sembra anticipare il gusto neoclassico; posteriormente si sviluppa l'ampio giardino, un tempo famoso per le essenze e le piante rare (aperto al pubblico, vi si accede dal cancello N. 340, a sin. della facciata). Segue, N. 348-49, il *palazzo Savorgnan* (sede dell'Istituto Tecnico per il Turismo), realizzato alla fine del sec. XVII su disegno di Giuseppe Sardi, che progettò anche l'imponente facciata dove l'uso del bugnato, le ricche specchiature in pietra, le serliane sovrapposte, gli stemmi e la decorazione scultorea rimandano al gusto del Longhena (internamente l'atrio, a «T», comunica con l'ampio giardino).

Di fronte, sull'opposta sponda del canale, al N. 1105 della fondamenta di Cannaregio, è il rinascimentale *palazzo Nani* (adibito a istituto scolastico), costruzione della 1ª metà del sec. XVI a due piani di finestre ad arco con logge centrali e un terzo piano di finestre rettangolari concluso da elegante cornicione. L'interno, già celebrato per la ricca decorazione a stucchi e ad affreschi ideata da Alessandro Vittoria nella 2ª metà del '500 (ne rimane traccia nel portego del 1° piano), rimaneggiato nell'Ottocento, presenta vari ambienti decorati da affreschi di Giancarlo Bevilacqua (1801-1810).

Poco avanti, N. 468, prospetta l'ogivale *palazzo Testa*, interessante edificio quattrocentesco ampliato e rimaneggiato in epoche successive, cui segue (N. 469) un cancello d'accesso a una vasta area (di cui è prevista un'utilizzazione residenziale) dove dal 1868 si sono succedute varie attività industriali; fra le altre – come ricorda la scritta sull'architrave – quella delle Fabbriche riunite Fiammiferi, continuata dalla Saffa fino agli anni '50 di questo secolo. Proseguendo lungo la fondamenta, oltre l'ampio campo della Crea (realizzato nel 1834 con l'interramento di un tratto del rio omonimo), si raggiunge il *ponte dei Tre Archi*, costruito nel 1688 da Andrea Tirali con una soluzione che richiama il non approvato progetto di Andrea Palladio per il ponte di Rialto (l'inconfondibile struttura a tre arcate, in origine priva di parapetti, unica del genere oggi esistente a Venezia, è stata oggetto di un restauro statico nel 1979).

In asse col ponte si apre il solitario *campo S. Giobbe* (servito dal rio omonimo), su cui prospetta la chiesa di **S. Giobbe**, eretta con l'attiguo convento (v. pag. 491), nella 2ª metà del sec. XV (fu consacrata nel 1493), dai Francescani; vi contribuì il futuro doge Cristoforo Moro, il quale nel 1443 aveva soggiornato nell'ospizio-oratorio (fondato nel 1378 da Giovanni Contarini) che sorgeva in quest'area. I lavori, iniziati poco dopo il 1450 da Antonio Gambello in forme gotiche, furono continuati dopo il 1471 da Pietro e Tullio Lombardo che, rispettando lo schema strutturale preesistente, ultimarono l'edificio in stile rinascimentale (fu una delle prime affermazioni di quest'arte a Venezia); le ampie finestre rettangolari furono aperte successivamente. Sulla semplice facciata, tripartita da lesene, un tempo a coronamento curvilineo trilobato e ora conclusa da timpano triangolare, si apre l'elegante *portale rinascimentale, realizzato alla fine del sec. XV da Pietro Lombardo; ornato da finissimi fregi, è sormontato dalle statue di *S. Bernardino* fra i *Ss. Antonio* e *Lodovico vescovo* e decorato nella lunetta dai *Ss. Giobbe e Francesco d'Assisi*. Posteriormente, a sin. (meglio visibile da un cortile interno o dal ponte dei Tre Archi), si leva l'alto campanile tardogotico, ultimato nel 1464, con canna in cotto e cella campanaria a bifore.

L'interno, dalla notevole decorazione scultorea-architettonica rinascimentale, è a una navata, sfondata in cappelle nel lato sin. e conclusa da profondo presbiterio; il soffitto a crociera ha sostituito l'originario a capriate lignee. Al 1°, 2° e 3° altare d., dove figuravano capolavori di Marco Basaiti, Giovanni Bellini e Vittore Carpaccio ora alle Gallerie dell'Accademia, sono rispettivamente: *Santi e monache* di Antonio Zanchi; *S. Giobbe* di Lattanzio Querena; *Madonna col Bambino in gloria e santi* di Paris Bordone. Segue il *monumento di Renato de Voyer da Palmy, conte d'Angerson*, ambasciatore francese morto a Venezia nel 1651, pesante opera di Claude Perrault (firmata due volte). Al 4° altare, *S. Andrea tra i Ss. Pietro e Nicola*, opera firmata di Paris Bordone.

Dalla successiva arcata, sormontata dal seicentesco *monumento di Paolo, Agostino ed Ermolao Nani*, si accede all'antisagrestia o CAPPELLA CONTARINI, interessante ambiente ogivale con volte a crociera, forse resto dell'oratorio trecentesco: all'altare, *Presepio* di Girolamo Savoldo (1540). Da qui si passa alla SAGRESTIA, elegante architettura rinascimentale con ricco soffitto ligneo a cassettoni del sec. XVI; alla parete a d. dell'ingresso, *Sposalizio di S. Caterina*, dipinto di Andrea Previtali entro cornice del sec. XVI, e *Ritratto di Cristoforo Moro*, opera (deteriorata) di scuola belliniana. Sulla parete di fondo un cancello in ferro battuto chiude la CAPPELLA DA MULA: all'altare, *Annunciazione tra i Ss. Michele e Antonio*, trittico di Antonio Vivarini con la collaborazione di Giovanni d'Alemagna (1440-50). In una nicchia a sin. della cappella, *S. Bernardino*, busto in terracotta attribuito a Bartolomeo Bellano (sec. XV); a d., piccolo tabernacolo con sportello dipinto (*Pietà*), di scuola belliniana del sec. XVI.

Il *presbiterio*, dalle ampie arcate poggianti su pilastri che sorreggono la cupola, sfondato nel profondo coro e affiancato all'esterno da due piccole cappelle semicircolari, è un'elegante opera rinascimentale di Pietro Lombardo che, con aiuti, realizzò anche la decorazione scultorea. Di grande bellezza, l'imponente arco trionfale, impostato su pilastri a candelabre che reggono l'*Arcangelo Gabriele* e l'*Annunciata*, opere giovanili del Lombardo, e decorato dagli stemmi Moro e, nel sottarco, da busti di santi; nei pennacchi della cupola, *putti* sostengono i 4 medaglioni a bassorilievo con gli *Evangelisti*, tutte opere attribuite a Pietro Lombardo (da altri a Bartolomeo Bellano); nel pavimento, *pietra tombale del doge Cristoforo Moro e della moglie Cristina Sanudo*, con cornice marmorea a girali di foglie e fiori, capolavoro lombardesco; dietro l'altar maggiore, coro ligneo del 1590. Agli altari delle cappelline laterali: a d., *S. Giuseppe*, piccola tela di Giuseppe Angeli; a sin., *S. Francesco*, scultura marmorea attribuita a Lorenzo Bregno.

Alla 3ª cappella sin., con una *Via Crucis* del tiepolesco Antonio Zucchi, segue la *CAPPELLA della Madonna o MARTINI*, realizzata per questa famiglia di mercanti di seta originaria di Lucca da Antonio Rossellino; stupendo è il *soffitto, rivestito in terracotta invetriata policroma, unico esempio a Venezia di arte dei Della Robbia: entro cornici di frutta sono incastonati 5 medaglioni con *Cristo benedicente* e gli *Evangelisti*, in terracotta bianca e oro su fondo azzurro. L'altare, in forma di trittico marmoreo, elegante opera del Rossellino e aiuti, ha tre nicchie con le statue dei *Ss. Giovanni Battista* (sicuramente di mano del maestro), *Antonio da Paola* e *Francesco*; al di sopra, 2 angeli portacandelabri. La 1ª CAPPELLA, di S. Luca o GRIMANI, è una ricca architettura lombardesca del principio del sec. XVI; all'altare, *S. Luca*, statua di Lorenzo Bregno, tra 2 *angeli* di aiuti.

In età napoleonica la chiesa fu chiusa al culto e parzialmente spogliata della ricca decorazione pittorica, mentre l'ampio convento quattrocentesco (che si sviluppava intorno a due chiostri sulla destra) venne completamente distrutto, ad eccezione di un'ala del primo chiostro di fronte alla quale rimane anche l'originaria vera da pozzo (sull'area del secondo chiostro, già adibita a Orto botanico, si svolge ora il giardino del CRAL-ENEL).

Dal ponte dei Tre Archi (per il quale continua l'itinerario principale, v. sotto), seguendo l'ultimo tratto della fondamenta di S. Giobbe si accede a una zona della città che dalla sua formazione ha ospitato numerose attività produttive; l'originaria destinazione è ancora oggi ricordata dalla toponomastica delle calli che la attraversano (calle delle Canne, a memoria di un deposito di canne utilizzato per spalmare di pece i navigli, calli della Cereria, dei Chiodi, del Tintor, della Corda, del Saon, del Lavander, eccetera). Al termine del percorso, con doppio affaccio sul canale di Cannaregio e sulla Laguna nord, sorge il neoclassico complesso dell'*ex Macello Comunale*, realizzato tra il 1841 e il 1843 a conclusione di un lungo dibattito iniziato intorno al 1830, quando motivi igienico-sanitari avevano suggerito di raccogliere in un'unica area, attrezzata e periferica, la macellazione del bestiame fino allora svolta in varie parti della città.

Fra i vari progetti fu prescelto quello di Giuseppe Salvadori e G.B. Meduna, che all'efficienza e alla modernità degli impianti univa una particolare attenzione al decoro dei prospetti, risolvendo così l'esigenza di un elegante affaccio verso la Laguna nord in anni in cui, con la realizzazione del ponte ferroviario, si andava modificando il modo di raggiungere, e quindi di percepire, la città (sull'area del Macello – da tempo dismesso e sede di società sportive – doveva sorgere il moderno ospedale ideato da Le Corbusier nel 1965, ma è lontana e ipotetica la possibilità che questo progetto venga realizzato).

Varcato il ponte dei Tre Archi, si scende sulla *fondamenta di Cannaregio*. Subito a d., N. 967, prospetta l'imponente *palazzo Surian*, che si sviluppa con ridotto spessore lungo la fondamenta, esplicito tentativo di costituire un fronte scenografico sul canale. Iniziato verso la metà del sec. XVII (era già finito nel 1663) su progetto di Giuseppe Sardi, ha un'elegante facciata rivestita in pietra, con bugnato a pianoterra e due piani di finestre a

tutto sesto con mascheroni in chiave d'arco e balconi (nel XVIII sec. fu adibito ad ambasciata di Francia e ospitò l'ambasciatore Montaigne e il suo segretario Jean Jacques Rousseau).
Seguendo la fondamenta verso la Laguna, oltrepassati alcuni bassi edifici sorti sull'area del rinascimentale palazzo Valier, demolito nell'Ottocento, si raggiunge, N. 923, il *palazzo Roma*, del sec. XVI, subito dopo il quale si volge a d. imboccando il sottoportico e corte Feraù.

Sul successivo tratto della fondamenta di Cannaregio, di fronte all'ex Macello Comunale, sorge il complesso di **S. Maria delle Penitenti** (ora pensionato S. Giobbe di competenza dell'IRE), costruito, per ospitare donne traviate e pentite, tra il 1730 e il 1740 su progetto di Giorgio Massari. Riprendendo il codificato modello palladiano delle Zitelle alla Giudecca (già più volte ripetuto a Venezia per complessi edilizi di analoga destinazione), il Massari allineò sul percorso la facciata della chiesa, affiancata sui due lati dalle ali dell'ospizio i cui corpi di fabbrica si articolano posteriormente intorno a un cortile.
La **chiesa**, consacrata nel 1763, presenta un'incompiuta facciata in mattoni a vista, su cui risaltano il portale, il basamento e le modanature delle finestre in pietra bianca. L'interno (visitabile a richiesta), a unica navata e breve coro, mantiene il carattere architettonico settecentesco e presenta il soffitto decorato da tele di Jacopo Marieschi (nella navata, *La gloria di S. Lorenzo Giustiniani*; nel coro, *La Trinità*); all'altar maggiore e ai due laterali tre pale ottocentesche di Alessandro Revera hanno sostituito i dipinti del sec. XVIII. Nella cappella a sin. (sec. XVIII), all'altare, *Sacra Famiglia* di anonimo del Settecento. Nella sagrestia, modeste tele di carattere devozionale di anonimi del Settecento (*Annunciazione, S. Antonio abate* e *S. Antonio da Padova*) e *Crocifisso* ligneo ottocentesco.

Tenendo dritto nella seguente calle Feraù si raggiunge la calle larga delle Penitenti che, con la calle del Forner (a d.), costituisce il limite meridionale della *sacca di S. Girolamo*, ampia area (aperta con notevole vista sulla Laguna nord) imbonita all'inizio di questo secolo per edificare uno dei primi complessi di edilizia popolare sorti a Venezia tra le due guerre. Realizzato tra il 1924 e il 1929, il quartiere è costituito da blocchi edilizi articolati intorno a corti di servizio, con un esplicito richiamo all'edilizia veneziana tradizionale, anche se questa discordano – rendendo modesto il risultato – per la mancanza di un chiaro rapporto con l'acqua, per l'ingiustificata ampiezza degli spazi e per l'assenza di una loro gerarchia.

Tra la fine dell'Ottocento e l'inizio del Novecento numerosi interventi di edilizia pubblica interessarono il sestiere di Cannaregio, ancora non densamente urbanizzato e con vaste aree a orti e giardini. I primi interventi tesero all'utilizzazione delle aree libere all'interno delle smagliature del tessuto edilizio (al 1905-1910 risalgono i quartieri di S. Giobbe, vicino all'ex Macello Comunale, e di S. Leonardo, adiacente al Ghetto Nuovissimo), ma alla fine della 1ª guerra mondiale, acuendosi il problema abitativo e necessitando aree di maggiori dimensioni, la scelta diventa obbligata e inizia così l'edificazione dei grandi orti e giardini, oltre che l'imbonimento delle zone barenose ai bordi settentrionali del sestiere. L'area di S. Girolamo, allo sbocco del rio omonimo nel rio del Battello, fu scelta al termine di un lungo dibattito, durante il quale era stata esaminata la possibilità di interrare la sacca della Misericordia, dalle notevoli qualità ambientali.

Seguendo la calle del Forner (v. sopra) e quindi a sin. la fondamenta Case Nuove, si arriva al ponte Moro, varcato il quale l'itinerario prosegue verso est lungo la *fondamenta Moro* o Coletti. Sulla d., al di là del canale, si notano le sagome continue di un moderno quartiere popolare realizzato dallo IACP in più fasi, tra il 1940 e il 1955, occupando una vasta area di orti e giardini, parte delle «chiovere» di S. Girolamo (dai chiodi o paletti di legno su cui si stendevano ad asciugare i panni di lana dopo la tessitura e la tintura); lo sfalsamento dei blocchi edilizi che movimenta i volumi e la dignitosa veste architettonica, dove vengono ripresi elementi tipici della tradizione locale, come le canne fumarie e i camini esterni, rivelano una confusa visione dell'edilizia veneziana, che non tiene in considerazione i caratteri del tessuto residenziale, articolato e costruito sul canale, sulla corte e sulla calle. La fondamenta Moro si innesta nella fondamenta delle Cappuccine, che prende il nome dal complesso conventuale delle *Cappuccine*, realizzato all'inizio del '600, di cui rimane solo la *chiesa* (dedicata a Maria e a S. Francesco), con semplice facciata in mattoni tripartita da lesene e conclusa da timpano triangolare (il convento fu demolito in epoca napoleonica). Poco avanti, N. 3023, è il degradato *palazzo Grimani*, notevole edificio signorile della fine del '500, la cui consistenza non contrastava con il carattere di questa zona, oggi periferica e popolare ma in passato di una certa rilevanza, anche per la presenza del complesso conventuale delle Cappuccine e di quello di S. Girolamo, che prospetta al di là del canale.

La chiesa di *S. Girolamo*, fondata con l'annesso convento alla fine del sec. XIV, più volte ampliata, distrutta da un incendio, fu ricostruita all'inizio del '700 su progetto di Domenico Rossi. In seguito alle soppressioni napoleoniche, chiesa e convento, spogliati degli arredi che furono ceduti a un'asta nel 1807, furono adibiti a vari usi. La chiesa, dal 1840 al 1885 sede di un mulino a vapore e quindi di una fabbrica di glucosio (il campanile, ora distrutto, era utilizzato come ciminiera), è stata riaperta al culto nel 1952 (alla parete della navata d., un *S. Girolamo* di Palma il Giovane).

Proseguendo lungo la fondamenta, oltre il ponte delle Torrete si volge a sin. nella calle Turloni, che si innesta nel ponte omonimo (uno dei pochi in legno rimasti in città), gettato sul rio della

Sensa. In riva nord corre la *fondamenta della Sensa*, definita da
una compatta cortina edilizia interrotta, con ritmo costante, da
calli di servizio che raggiungono le abitazioni retrostanti. La favorevole esposizione a sud, la quiete che ancora oggi la caratterizza, le vaste zone verdi, hanno favorito in questa zona l'insediamento, in varie epoche, di palazzi e dimore signorili, di cui rimangono numerosi e interessanti esempi: uno, ai piedi del ponte a d.,
N. 3218, è il rinascimentale *palazzo Michiel*, del sec. XVI, un tempo decorato in facciata da affreschi di Andrea Schiavone (nel
1841 vi nacque l'economista Luigi Luzzatti).

Lasciato a d. il tratto orientale del percorso (v. pag. 499), la si segue brevemente a sin.; quindi, per la calle dei Riformati (a d.) e il
ponte S. Bonaventura, sul rio di S. Alvise, si perviene alla *fondamenta dei Riformati*, l'ultima delle tre parallele che caratterizzano il tessuto urbano del margine settentrionale del sestiere di
Cannaregio; alle spalle della cortina edilizia si sviluppano fino alla Laguna vaste zone a orti e giardini, parzialmente occupate da
capannoni. Ai piedi del ponte, sull'area oggi occupata dall'ospedale pediatrico Umberto I e da una casa di suore di clausura con
annesso oratorio dal prospetto neorinascimentale, sorgeva il
complesso conventuale di S. Bonaventura, fondato nel 1620 da
Francescani Riformati che, abbandonata l'isola di San Francesco
del Deserto, si trasferirono su questo estremo lembo di città at-
tuando un importante intervento di bonifica e definendo la sacca
di S. Alvise (il complesso fu abbandonato in seguito alle soppressioni napoleoniche, spogliato dei ricchi arredi e quindi demolito).
Seguendo la fondamenta a d. si raggiunge il portale N. 1350, di
accesso a un piccolo blocco edilizio ottocentesco (ingresso al
«Cantiere motonautico Lemano», affacciato sulla Laguna), nella
cui parte posteriore rimangono inseriti tre archi in pietra d'Istria
a bugnato, con teste in chiave d'arco del cinquecentesco palazzo
Donà demolito nel 1823 (il lussureggiante giardino che si sviluppava alle spalle del palazzo, fino alla Laguna, è ora pubblico e vi
si accede continuando per breve tratto lungo la fondamenta e
volgendo quindi a sin. nella calle del Capitello, già delle Sec-
chere).

Al termine della fondamenta si apre il *campo S. Alvise*, solitario
campo-sagrato parzialmente alberato, definito da bassi muri in
mattoni e dall'insediamento religioso omonimo (chiesa, convento
ed ex Scuola). La chiesa di **S. Alvise** (forma dialettale per S. Luigi, vescovo di Tolosa), con l'attiguo convento, fu eretta nel 1388
per volere della nobildonna Antonia Venier, secondo la tradizione fattasi suora dopo aver visto in sogno il santo. Rimaneggiata e restaurata, la costruzione presenta una larga, semplice
facciata in mattoni, spartita da paraste e conclusa da archetti

pensili, aperta al centro dal portale a protiro decorato nella lunetta da *S. Alvise*, statua del sec. XV.

Attualmente (1984) non sono ancora ultimati gli interventi di restauro che
da anni interessano la chiesa e non sono visibili i dipinti di G.B. Tiepolo e di
altri autori, ritirati per il restauro. La visita che si dà di seguito è la più
vicina a quella che si potrà effettuare dopo la ricollocazione delle opere.
L'interno, a una navata, rimaneggiato nel '600, mantiene dell'originaria
struttura, sulla controfacciata, uno dei primi esempi di «barco» (coro pensile), sorretto da colonne con barbacani gotici del sec. XV (veniva utilizzato
dalle monache per accedere alla chiesa direttamente dal convento e assistere alle funzioni dalle finestre, protette da eleganti grate in ferro battuto del sec. XVIII). Il seicentesco soffitto piano è interamente affrescato
con prospettive di Antonio Torri, inquadranti soggetti sacri di Pietro
Ricchi; nel pavimento, numerose pietre tombali del Rinascimento. Sotto il
«barco»: a d. dell'ingresso, 8 *storie bibliche*, ingenue tavolette a tempera
di ignoto pittore del sec. XV, già decorazione dell'organo della soppressa
chiesa di S. Maria delle Vergini (da sin., *Salomone e la regina di Saba*; *Il
vitello d'oro*; *Rachele alla fonte*; *Raffaele e Tobiolo*; *Il ritrovamento di Giuseppe*; *Giosuè e la presa di Gerico*; *Povertà di Giobbe*; *Il colosso dai piedi
d'argilla*), e *ritratto di prete Filippo*, frammento di tavola di Jacobello
del Fiore (firmato e datato 1420); a sin. *La cena in casa del Fariseo*, replica dalla tela eseguita da Paolo Veronese per il convento di S. Sebastiano, ora alla Pinacoteca di Brera a Milano.
All'inizio della parete d., ancora sotto il «barco», fra 2 tele di Pietro Vecchia con il *Trafugamento del corpo di S. Marco* (cartoni per la decorazione
a mosaico dell'ultimo portale d. della Basilica di S. Marco), è *Il Redentore
con il mondo, tra i Ss. Pietro e Paolo, un angelo e 2 cherubini*, tela di
Antonio Zanchi. Segue, *Bonifacio VIII consacra vescovo di Tolosa S. Alvise* di bottega del Veronese. All'altare, *S. Alvise*, statua lignea policroma
del sec. XVI; ai lati, *S. Giovanni Battista* e *S. Francesco*, statue di Girolamo Campagna. Seguono, alla parete: *Cenacolo*, dipinto attribuito a Girolamo da Santacroce; **Incoronazione di spine* e *Flagellazione*, due grandi e
vivaci opere di G.B. Tiepolo (anteriori al 1740). Alla parete d. del presbiterio, ***Salita al Calvario**, magnifico dipinto di Tiepolo (1743); a quella
sin., *Orazione nell'orto* di Angelo Trevisani. Sul lato sin., ai fianchi del
pulpito, *S. Agostino* e *S. Alvise* e, in alto, *Annunciazione*, dipinti di scuola
di Bonifacio de' Pitati, già portelle dell'antico organo; all'altare, *Madonna
col Bambino*, statua di Orazio Marinali (siglata), tra *S. Domenico* e *S. Caterina*, statue della bottega (sec. XVIII).

A d. della chiesa si sviluppa il *convento*, articolato intorno a due chiostri, di
cui il secondo mantiene il porticato con capitelli gotici; all'interno è conservata una *Madonna col Bambino*, tavola di Paolo Veneziano. A sin. della
chiesa prospetta la piccola *ex Scuola di S. Alvise*, costruita nel 1402 e riservata ai cittadini 'originari', già allora una minoranza della popolazione
veneziana; spogliato in età napoleonica dei ricchi arredi pittorici, l'edificio
è ora adibito ad abitazione.

Varcato il rio sul ponte di S. Alvise, in legno, la calle del Capitello
(che riconduce alla fondamenta della Sensa, pag. 494), il ponte
della Malvasia e la calle omonima portano alla *fondamenta degli*

Ormesini, che in prosecuzione delle fondamenta Moro e delle Cappuccine (pag. 493) si affaccia sul rio di S. Girolamo (il toponimo deriva dagli opifici dove si produceva l'«ormesin», tessuto originariamente importato da Ormuz, Golfo Persico). Subito a sin. prospettano le testate di un tipico complesso di case d'affitto di origine seicentesca, costituito da due corpi edilizi, divisi da una calle di servizio, che si allungano fino al parallelo rio della Sensa; la differente organizzazione delle facciate (più eleganti, con poggioli e trifore, quelle sulla fondamenta meglio esposta; spoglie e non articolate quelle sulla calle di servizio e sul rio), riflette anche all'esterno l'originaria commistione tra abitazioni signorili e popolari, elemento che ha sempre contraddistinto l'edilizia veneziana.

Lasciato a sin. il tratto orientale della fondamenta, che si innesta in quella della Misericordia (v. pag. 499), si volge a d. per il ponte del Ghetto Nuovo, costruito in ferro nel 1865. È di collegamento con il campo del Ghetto Nuovo, aperto in uno dei tre settori che compongono il **Ghetto** veneziano (pianta, pag. 497), quartiere dove per quasi tre secoli (dal 1516 al 1797) fu stabilita la residenza coatta degli Ebrei; gli altri due settori sono il Ghetto Vecchio (che si allunga a sud-ovest fino al canale di Cannaregio) e la tarda e breve appendice del Ghetto Nuovissimo, che si sviluppa a est, inserendosi senza precisi confini nel tessuto residenziale cittadino. Il toponimo, di uso antecedente all'insediamento ebraico (e in seguito adottato in tutta Europa per indicare le aree dove venivano rinchiusi gli Ebrei), deriva dalla preesistenza in questa zona di fonderie di cannoni, in cui l'operazione del «ghetto» o «getto» (colata) del metallo designava l'intera struttura; secondo altre ipotesi la denominazione verrebbe invece dal latino medievale «gettus», ossia banchina di ancoraggio, o dal termine talmudico «ghet» (separazione), oppure dal siriaco «nghetto» (congregazione).

Agli Ebrei, che da secoli risiedevano nei territori della Repubblica di S. Marco intrattenendo continui rapporti commerciali con la Dominante, non fu concesso di fissare stabile dimora a Venezia se non alla fine del Trecento e per il breve periodo di un quindicennio (dubbia, e comunque non documentata, una più antica loro presenza sull'isola di Spinalonga, che per ciò avrebbe assunto il nome di Giudecca). Nel '400 fu loro concesso il solo soggiorno temporaneo, per gli esercizi degli affari correnti, limitazione che tuttavia era facilmente aggirata. Per questo, tra la fine del secolo e l'inizio del Cinquecento, in seguito alla cacciata degli Ebrei dalla penisola iberica e alla fuga dai territori abbandonati dalla Repubblica nel corso della guerra contro la Lega di Cambrai, consistenti masse di Ebrei finirono per confluire a Venezia, vivendo a stretto contatto con la popolazione locale.

Le reazioni sorte allora per motivi economici e religiosi, portarono alla decisione di confinare la comunità ebraica in una determinata zona della città, e fu scelta l'area del Ghetto Nuovo per la sua particolare struttura (una piccola insula collegata da due soli ponti) facilmente controllabile. Il provvedimento, deliberato dal Maggior Consiglio nel 1516, colpì all'inizio solo alcune centinaia tra Ebrei dell'Europa continentale (i cosiddetti Tedeschi) e di antica origine italiana, e fu accompagnato dall'obbligo di gestire a condizioni durissime i banchi di pegno per i poveri della città. Levantini e Ponentini (o Spagnoli) – gli uni e gli altri in buona parte grossi mercanti – li seguirono più tardi (rispettivamente nel 1541 e nel 1589) e occuparono l'area del Ghetto Vecchio. Solo nel 1633, per il continuo incremento della popolazione (che nel periodo di maggior fioritura toccò le 4000 persone), fu autorizzata la creazione del Ghetto Nuovissimo. Nonostante i controlli posti dalla Repubblica alla comunità (i rapporti erano regolati da una «condotta» periodicamente rinnovata, spesso in cambio di forti somme di denaro), questa ebbe un notevole sviluppo, sia economico che culturale, che raggiunse la maggiore fioritura nella 1ª metà del '600. Solo alla caduta della Repubblica (1797) ebbe fine la relegazione della comunità ebraica nel Ghetto.

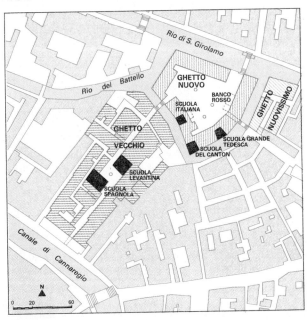

Il Ghetto

Ancora oggi quello di Venezia si può considerare uno dei più integri
esempi di ghetto esistente, e colpisce per la sua particolare struttura, definita e chiusa da alte case-torri (necessarie per ricavare il maggior numero
di abitazioni in uno spazio così ristretto) formanti un «continuum» edilizio
aperto solo in corrispondenza dei due ingressi, che venivano chiusi dal tramonto all'alba. Notevole interesse rivestono anche le 5 sinagoghe pubbliche rimaste, il cui elevato numero deriva dalla particolare organizzazione di vita della comunità, divisa in 'nazioni', ciascuna con propri riti e
istituzioni assistenziali ed educative. Chiamate comunemente Scuole
(perché luoghi di preghiera e studio, anche se il nome riecheggia quello
delle locali confraternite cristiane), sono poco appariscenti all'esterno essendo inglobate in preesistenti edifici (specie quelle del Ghetto Nuovo), dai
quali si distinguono per una serie di grandi finestre nel piano più alto, dove
era il luogo di culto, e il corpo in aggetto, cupolato, corrispondente al pulpito per l'officiante; gli interni, diversi da quelli delle sinagoghe di altri
centri ebraici, di forma allungata e ridotte proporzioni (fatta eccezione per
la spagnola), si caratterizzano per la ricchezza della decorazione, dove elementi della tradizione ebraica sono uniti a quelli dell'arte locale.
Attualmente (1984) la comunità ebraica veneziana è costituita da poco più
di 600 persone, di cui solo un'esigua minoranza residente nel Ghetto, dove
però sono raccolte le strutture civili, religiose e culturali.

Il *campo del Ghetto Nuovo* risulta anomalo rispetto agli altri
campi veneziani: oltre a essere attorniato da edifici di inusitata
altezza, non ha infatti una chiesa o un sontuoso palazzo che vi
prospetti. Esso si presenta integro nella sua struttura urbana, ad
eccezione del fronte nord, demolito nell'Ottocento e ora definito
dal lungo prospetto (N. 2874) della Casa di riposo per anziani (a
sin. di questa, monumento alle vittime del nazismo, sette pannelli
bronzei dell'artista lituano A. Blatas). Sul fronte orientale, al N.
2911 rimane l'insegna di uno del tre banchi di pegno, il *banco
rosso*; poco più avanti, N. 2902 B, si apre l'ingresso del *Museo di
Arte Ebraica* (giorni e ore di visita, pag. 134): vi sono raccolti oggetti, arredi sacri, arazzi, preziose legature, codici, tutte espressioni dell'arte ebraica veneziana dei secc. XVII, XVIII e XIX. Alla
visita del museo è abbinata quella delle sinagoghe, di cui nel
campo del Ghetto Nuovo rimangono quelle tedesca, del Canton e
italiana. La più antica, detta anche *Scuola Grande tedesca*, fu
fondata nel 1528-29 e rinnovata nella prima metà del Settecento;
ottocentesco è lo scalone d'accesso. Di poco più tarda, 1531-32, è
la *Scuola del Canton*, pure di rito tedesco (pare che il nome derivi
dalla famiglia che la fece costruire, o dall'ubicazione nel 'canton',
in veneziano angolo); del 1575 è invece la *Scuola italiana*, rinnovata tra la fine del Settecento e l'inizio dell'Ottocento.
Varcato il ponte del Ghetto Vecchio, si accede al *Ghetto Vecchio*, i
cui edifici si organizzano lungo una spina mediana che si apre al
centro nel *campiello delle Scuole*, dove prospettano le Scuole levantina (a sin.) e spagnola (a destra). Fondata nel 1538, la *Scuola*

levantina (l'unica non inserita in un edificio preesistente) fu rinnovata nel Seicento con tratti stilistici esterni che hanno fatto pensare a Baldassare Longhena; le ricchissime strutture e decorazioni lignee interne recano la sicura impronta di Andrea Brustolon (a pianoterra, nell'Ottocento è stato ricomposto l'arredo della Scuola Luzzatto, sinagoga privata del sec. XVI-XVII già esistente nel Ghetto Nuovo). La *Scuola spagnola*, la più grande di quelle del Ghetto, fondata nella 2ª metà del Cinquecento, fu ristrutturata nella 1ª metà del secolo successivo con invenzioni di altissimo livello, nelle quali si è voluto vedere la mano del Longhena o del suo allievo Antonio Gaspari; a pianoterra, settecentesco «Talmud-Torà», luogo di studio religioso un tempo destinato ai bambini.

Proseguendo lungo la 'calle-spina', passato il sottoportico del Ghetto Vecchio (negli stipiti in pietra rimangono ancora i segni delle cerniere delle porte), si sbocca sulla fondamenta di Cannaregio che si segue a sin. tornando al ponte delle Guglie (v. pag. 472).

5.3 Dal ponte delle Guglie ai Ss. Apostoli per la Madonna dell'Orto, il complesso della Misericordia e i Gesuiti

Dal ponte delle Guglie, si segue verso est il già percorso rio terrà S. Leonardo (v. pag. 472; per la pianta dell'itinerario v. pag. 468), al termine del quale si tiene a sin. per l'ampio *rio terrà Farsetti*, nella cui pavimentazione (in porfido al centro, dove scorreva l'acqua, e in trachite ai lati, dove erano le fondamente) è ancora leggibile il tracciato del rio interrato nell'Ottocento. Varcato sul ligneo ponte Loredan il rio di S. Girolamo, si scende sulla fondamenta degli Ormesini (v. pag. 496), che si segue per breve tratto a d. volgendo quindi a sin. nella stretta *calle del Forno*.

Proseguendo lungo la fondamenta con vista sull'opposta sponda del canale (dove prospetta il gotico *palazzo Gheltoff*, del sec. XV, con esafora manomessa in epoca successiva per l'aggiunta dei poggioli), si raggiunge il ponte dei Lustraferri, dal quale, a d., oltre un muro in mattoni che racchiude gli orti dell'Istituto Canal Marovich ai Servi (v. pag. 477), si intravedono l'archiacuto portale della demolita chiesa di S. Maria dei Servi e, più arretrato, il volume a capanna della cappella del Volto Santo.
Oltre il ponte si innesta la *fondamenta della Misericordia*, definita da numerosi palazzi fra cui, al N. 2591, il *palazzo Longo*, del sec. XV, con ricca facciata ogivale (al termine della fondamenta, oltre il palazzo Lezze, si apre il campo della Misericordia, v. pag. 506).

Al termine della calle del Forno il ponte omonimo conduce alla *fondamenta della Sensa* (v. anche pag. 494), che si segue verso destra. Superati un palazzetto tardoseicentesco con serliana centrale (N. 3318) e un'abitazione gotica del sec. XV, con trifora archiacuta e abbaino con architrave (N. 3319), si raggiunge, N. 3335-36, il quattrocentesco *palazzo Arrigoni*, costituito da due unità edilizie gemelle, aperte al piano nobile da polifore e monofore ad arco introflesso (gli stemmi in facciata appartengono ai fratelli Onorio e Giambattista Arrigoni, alla fine del sec. XVII proprietari del complesso); posteriormente, fino al parallelo rio della Madonna dell'Orto, sul lato settentrionale dell'insula, si sviluppa il vasto giardino, che ha conservato l'originaria estensione. Poco più avanti, N. 3355, un moderno cancello immette nel cortile interno di un palazzetto, già di proprietà della famiglia Da Brazzo (stemma sull'architrave), costruzione gotica del sec. XIV con interessante serie di finestre trilobate.

Varcato il ponte Brazzo (a sin., sul fondo, l'elegante facciata della chiesa della Madonna dell'Orto, v. sotto), per la fondamenta dei Mori si va al *campo dei Mori*, che si allunga verso nord restringendosi a imbuto. Il toponimo si riferisce alle 4 statue del sec. XIII, dette dei «Mori», di cui tre sono inserite sul fronte d. del campo, mentre la quarta prospetta sul successivo tratto di fondamenta, presso il N. 3398; secondo la tradizione le prime tre raffigurano Riobia (che, sull'angolo, regge un sacco, forse a significare le ricchezze che la famiglia portò da terre lontane), Sandi e Alfani Mastelli, ricchi mercanti giunti dalla Morea nel sec. XII, proprietari del vicino palazzo Mastelli, o del Cammello (v. pag. 503), edificio che, contrariamente alla tipologia della zona, volge la facciata a nord, sul rio della Madonna dell'Orto (questa anomalia è forse spiegabile con la necessità di avere un accesso diretto da un canale facilmente raggiungibile dalla Laguna).

A d. della quarta statua, al N. 3399 della fondamenta dei Mori, la *casa di Jacopo Tintoretto*, costruzione del sec. XV aperta al piano nobile da trifora e finestre inquadrate da cornici a cordone (donatagli dal suocero Marco Vescovi, fu abitata da Tintoretto fino alla morte, avvenuta il 31 maggio 1594; lapide).

Attraversato il campo in lunghezza e varcato il rio, si arriva al *campo della Madonna dell'Orto*, notevole campo-sagrato che conserva l'originaria pavimentazione in mattoni a spina di pesce, inserita all'interno di una maglia quadrata in pietra bianca che lega tra loro la facciata della chiesa, il prospetto dell'ex Scuola dei Mercanti e il bordo del canale. La chiesa della **Madonna dell'Orto*, eretta verso la metà del sec. XIV da fra' Tiberio Tiberi, fu ricostruita – o, secondo alcune ipotesi, consolidata e ristrutturata – nel sec. XV (intitolata dalla fondazione a S. Cristoforo, ha assunto la corrente popolare denominazione dopo il trasferimento di una statua della Madonna col Bambino, secondo la tradizione rinvenuta nella 2ª metà del '300 in un orto vicino).

La magnifica *facciata in cotto, a doppi spioventi e tripartita da paraste cuspidate che riflettono la struttura interna, è una delle più interessanti di Venezia per i suoi elementi di transizione dallo stile romanico al gotico e dal gotico al rinascimentale. Il tipico coronamento ad archetti ogivali trilobati è sormontato, nel corpo centrale, da una fascia di dischi quadrilobi ed è congiunto al vertice da un medaglione con la *Madonna col Bambino* sorretto da 2 angeli volanti; rielaborazione gotica delle più antiche gallerie romaniche è la conclusione degli spioventi dei corpi laterali, a nicchie ad archetti trilobati includenti le statue dei 12 *Apostoli* di vari scultori affini ai Dalle Masegne. Del più tardo periodo gotico sono i due finestroni ai lati del portale, a due ordini di quadrifore finemente traforate su slanciate colonnine. Una grande finestra circolare sovrasta il ricco portale, in cui si fondono elementi tardogotici (il coronamento ad arco inflesso decorato nell'estradosso da fogliami rampanti) e rinascimentali (le due colonne corinzie laterali, l'architrave e la lunetta a tutto sesto con larga fascia a scanalature); anche nelle tre sculture che lo decorano è evidente il passaggio stilistico: il *S. Cristoforo* al vertice è opera gotica attribuita a Matteo Raverti, mentre l'*arcangelo Gabriele* e l'*Annunciata*, ai lati, sono sculture rinascimentali, forse opera giovanile di Antonio Rizzo. Le 5 statue delle edicole in alto, rappresentanti la *Madonna* e i 4 *Evangelisti*, sono settecentesche (inserite durante i restauri realizzati nel sec. XIX, provengono dalla chiesa di S. Stefano in Murano). Posteriormente, a sin., si leva il ben conservato campanile quattrocentesco in cotto, concluso da cupolino a bulbo aggiunto nel 1503 da Bartolomeo Bon.

L'interno, basilicale, è diviso in tre navate, concluse da absidi (di cui la centrale più ampia e poligonale), da grandi arcate ogivali in cotto, impostate su colonne di marmo greco con capitelli gotici e connesse da tiranti lignei; soffitti a cassettoni lignei. Restauri eseguiti nel 1932 hanno rievidenziato gran parte dell'originaria decorazione cinquecentesca che, come nei sottarchi a tondi e girali, si armonizza elegantemente con l'architettura. Nella navata d.: alla parete, *Madonna col Bambino*, gruppo marmoreo di scuola di Antonio Rizzo (sec. XV); al 1° altare, lombardesco del principio del sec. XVI, **S. Giovanni Battista tra i Ss. Pietro, Marco, Girolamo e Paolo*, notevole tavola di Cima da Conegliano (c. 1493); al 2°, *S. Vincenzo tra i Ss. Domenico, Gregorio Magno, Lorenzo Giustiniani e Elena* di Palma il Vecchio; al 3°, pure lombardesco, l'*Immacolata*, statua nella maniera di Sansovino; segue l'*Altare monumento funebre di Girolamo Cavazza* (m. 1681), realizzato nel 1657 a opera di Giuseppe Sardi (tra le numerose statue, notevoli l'*Onore* e la *Virtù*, sculture di Josse Le Court); al 4° altare, *Martirio di S. Lorenzo*, tela di Daniel van den Dyck.

Sopra la porta d'accesso alla successiva cappella di S. Mauro, **Presenta-zione di Maria al tempio**, notevole dipinto compiuto da Jacopo Tintoretto nel 1552, già esterno delle portelle dell'antico organo. Nella CAPPELLA DI S. MAURO è la cosiddetta Madonna dell'Orto (dalla tradizione che la vuole rinvenuta nel 1377 in un orto vicino alla chiesa), grande gruppo trecentesco in pietra tenera bianca, raffigurante la *Madonna col Bambino*, probabilmente opera di Giovanni de Sanctis; dello stesso è la pietra tombale con ritratto al centro del pavimento; dei secc. XV e XVI sono i numerosi ritratti e pietre tombali qui trasferiti dalla chiesa. Nell'attigua sagrestia, *Madonna e santi*, forse di Paris Bordone, e *Deposizione* di scuola veneta del sec. XVI.

Nella cappella a d. della maggiore è sepolto Jacopo Tintoretto coi figli Domenico e Marietta e il suocero Marco Vescovi: modesta lapide del 1863 e *busto del Tintoretto*, terracotta di Napoleone Martinuzzi (1937); all'altare, *Ss. Ambrogio e Girolamo* di Girolamo da Santacroce. *Presbiterio: alle pareti laterali, **Giudizio finale** (a d.) e **Adorazione del vitello d'oro mentre Mosè riceve le tavole della legge**, colossali, notevoli tele di Jacopo Tintoretto (c. 1546); dello stesso sono anche, alle pareti absidali, il *Martirio di S. Cristoforo* a d., l'*Apparizione della Croce a S. Pietro vescovo* a sin. (già interno delle portelle dell'antico organo) e le lunette ogivali in alto, con la *Religione* e le *Virtù cardinali*; alla parete absidale di centro, *Annunciazione* e *Padre Eterno in gloria* di Palma il Giovane. All'altare della cappella a sin. della maggiore, *S. Lorenzo Giustiniani e santi*, antica copia del Pordenone (l'originale è alle Gallerie dell'Accademia); alla parete d., *Crocifissione* di Palma il Giovane.

Si passa alla navata sinistra. Al 5° altare, ricca struttura marmorea del sec. XVI (già nella Commenda di Malta a S. Giovanni dei Furlani), *S. Giorgio che uccide il drago e i Ss. Girolamo e Trifone*, opera di Matteo Ponzone, autore anche della *Flagellazione* al piccolo altare seguente; tra i due altari, in alto, *Padre Eterno in gloria* di Domenico Tintoretto. Segue la 4ª CAPPELLA, CONTARINI: alle pareti, 6 edicole funebri con *busti* dei defunti, tra cui, notevoli, a d. quello *di Tommaso Contarini* (m. 1578) di Alessandro Vittoria, e a sin. quello *del cardinale Gaspare Contarini* (m. 1542) di Danese Cattaneo; all'altare, **S. Agnese risuscita Licinio*, figlio del prefetto romano, famosa tela di Jacopo Tintoretto (c. 1579). Alla successiva parete, *Madonna col Bambino e i Ss. Caterina e Sebastiano*, piccolo dipinto di scuola tizianesca. All'altare della 3ª CAPPELLA, MOROSINI, *Natività* di Domenico Tintoretto fra 2 tele con *angeli turiferari* dello stesso. A quello della 2ª, *Cristo morto tra la Vergine e santi* di Agostino Letterini. Di belle forme rinascimentali del principio del sec. XVI è la 1ª CAPPELLA, VALIER: all'altare lombardesco, **Madonna col Bambino*, opera firmata di Giovanni Bellini (c. 1478).

Addossato al fianco d. della chiesa, con ingresso dal campo (N. 3421), rimane il *chiostro* quattrocentesco del soppresso convento; sviluppato su tre lati, è ad arcate ogivali in cotto impostate su colonne di pietra con semplici capitelli. Il fronte occidentale del campo è definito dal fianco d. dell'*ex Scuola dei Mercanti*, prestigiosa confraternita precedentemente allogata ai Frari e qui trasferitasi nel 1567, fondendosi con quella di S. Cristoforo qui insediata dal sec. XIV; il vasto edificio, ristrutturato nel 1570 su progetto di Andrea Palladio, apre sulla fondamenta (dove volge la semplice facciata a capanna) e sul campo alte finestre e portali rinascimentali;

questi sono rispettivamente decorati da una piccola scultura di *S. Cristoforo* e da un rilievo marmoreo cinquecentesco con la *Vergine col Bambino, santi e confratelli* (l'interno, spoglio all'epoca delle soppressioni napoleoniche dei ricchi arredi pittorici comprendenti cicli di Jacopo e Domenico Tintoretto e di Paolo Veronese, presenta un vasto salone terreno scandito da 8 colonne).

Percorrendo, oltre la facciata dell'ex Scuola, la *fondamenta della Madonna dell'Orto*, si lascia a d. la calle larga Piave, che immette in un quartiere di edilizia popolare realizzato dallo IACP fra il 1919 e il 1922, esteso fino alla Laguna (pontile dei motoscafi della linea 5) con una serie di blocchi edilizi omogenei nei materiali, ma differenti per orientamento, altezza e distribuzione. Sulla fondamenta, al N. 3499, prospetta il seicentesco *palazzo Rizzo*, ora albergo (posteriormente, ampio giardino che mantiene l'assetto ottocentesco), oltre il quale si apre a d. l'allungata *corte Cavallo*, dove ebbe lo studio di Andrea Verrocchio e Alessandro Leopardi (il toponimo ricorda il cavallo del monumento di Bartolomeo Colleoni di campo Ss. Giovanni e Paolo, qui fuso dal Leopardi nel 1496). Al termine del percorso, N. 3458, è l'ospedale Fatebenefratelli, includente i cospicui resti del trecentesco *palazzo Benci-Zecchini*: ricostruito fra il 1581 e il 1621, rimase incompiuto dopo la sistemazione del fianco sin. (prospiciente il rio degli Zecchini), della corte e del prospetto secondario che vi si affaccia (in pietra bianca, presenta ampie aperture con mascheroni in chiave d'arco).

Usciti dal campo della Madonna dell'Orto, si segue verso est la *fondamenta Gaspare Contarini*. A d., dall'altra parte del rio, prospetta il *palazzo Mastelli*, o *del Cammello* (dall'altorilievo a d. del balcone): fondato nel sec. XII dai fratelli Mastelli (i «Mori» del campo omonimo, v. pag. 500), deve l'attuale aspetto alle ristrutturazioni dei secc. XV e XVI, e presenta due piani (lombardesco il 1°, gotico il 2°), ad eleganti, seppure non perfettamente equilibrate polifore con poggioli (sul prospetto si notano inoltre elementi di recupero bizantini e, a colonna della finestra angolare sin., un frammento di ara romana a bucranî e festoni).

Al N. 3536 della fondamenta è il *palazzo Minelli-Spada* della 2ª metà del sec. XVII, con asimmetrico prospetto di modi longheniani rivestito in pietra (a bugnato al pianoterra e a specchiatura ai piani superiori) e aperto da eleganti finestre e logge, con teste in chiave d'arco e poggioli; ai lati del tetto rimangono nella posizione originaria due alti obelischi. Segue, al N. 3539, il lungo prospetto, con portali gemelli con mascheroni in chiave d'arco, del cinquecentesco *palazzo Contarini Dal Zaffo* (ora casa del Cottolengo), fatto costruire dal cardinale Gaspare Contarini, diplomatico e uomo di lettere (1483-1542); posteriormente rimane il vasto giardino (che si allunga fino alla Laguna) su cui prospetta il *casino degli Spiriti*, dipendenza del palazzo realizzata nella 2ª metà del sec. XVI, dove si riunivano letterati, artisti e studiosi.

Al termine della fondamenta, varcato il ponte da cui si domina la *sacca della Misericordia*, ampio bacino rettangolare aperto sulla Laguna nord (v. pag. 143), oltre un semplice arco in mattoni la corte Vecchia conduce alla *fondamenta dell'Abbazia*, aperta sul rio della Sensa. Il tratto di d. termina al vicino rio Muti (attraversato dall'omonimo ponte di legno), sul quale è visibile uno dei pochi squeri rimasti dei moltissimi che occupavano le insule del sestiere di Cannaregio. Nel tratto di sin., sopra il portale gotico d'accesso alla corte Nuova, *Madonna della Misericordia e i Ss. Battista e Jacopo*, interessante bassorilievo a trittico della fine del sec. XIV, fino al XV posto a decorazione dell'ingresso della Scuola Vecchia di S. Maria della Misericordia (v. sotto). Segue, N. 3554, il seicentesco *palazzo Rubini*, rimaneggiato e ampliato nell'Ottocento. Proseguendo lungo la fondamenta (a d., al di là del rio, prospetta un basso edificio, con grande portale d'acqua e finestroni con teste in chiave d'arco, casino del palazzo Lezze, v. pag. 506), per un sottoportico aperto nel 1508 riducendo il salone terreno della Scuola Vecchia di S. Maria della Misericordia, si sbocca nel *campo dell'Abbazia*. Tranquillo e suggestivo, aperto all'incrocio dei rii della Sensa e di Noale e ai margini dei principali percorsi pedonali, il campo mantiene l'originaria pavimentazione in cotto, con quadrature in pietra bianca, che unifica lo spazio connettendo i prospetti della chiesa e dell'ex Scuola Vecchia; completano la definizione dello spazio urbano la notevole vera da pozzo quattrocentesca e il fondale al di là del rio, costituito dall'imponente mole in mattoni del retro dell'ex Scuola Nuova della Misericordia (v. pag. 505).

La chiesa di *S. Maria della Misericordia*, un tempo denominata S. Maria Valverde (probabilmente per il carattere del luogo) e comunemente conosciuta come Abbazia della Misericordia, sorse con l'attigua abbazia nel sec. X, fu ricostruita nel XIII e successivamente più volte ristrutturata. L'attuale facciata venne modellata, a spese del senatore Gaspare Moro (alla cui famiglia, dal sec. XIV, competeva il giuspatronato del complesso), tra il 1651 e il 1659 da Clemente Molli, autore anche della decorazione scultorea; unica architettura documentata di questo seguace del Bernini, si presenta tripartita da un ordine di lesene corinzie su alti stilobati, che includono il più elaborato corpo centrale, a timpano curvilineo (al vertice la *Vergine*), fiancheggiato da due ali piane; sul portale, lapide tra 2 statue e *busto di Gaspare Moro* (nell'interno, manomesso nell'Ottocento e spogliato dei ricchi arredi, *S. Domenico*, statua del Cabianca databile intorno al 1726). Posteriormente, a sin., poco visibile, si erge il campanile duecentesco, a canna scanalata con cella campanaria a trifore (pure al fianco sin. si addossa il nascosto chiostrino gotico dell'abbazia). Sul muro a d. della facciata della chiesa, *Madonna col Bambino*, bassorilievo trecentesco bizantineggiante.

Strettamente intrecciata a quella dell'abbazia è la storia della *Scuola Vecchia di S. Maria della Misericordia* (o Valverde, una delle Scuole Grandi della città), costruita nel 1310 col permesso dei frati e più volte ampliata occupando aree di loro pertinenza. L'attuale struttura risale al rifacimento quattrocentesco, quando venne pure ridefinita l'elegante facciata (ultimata nel 1451) in stile gotico fiorito, con coronamento mistilineo a carena di nave, cornice, due edicole in pietra d'Istria e finestre ad arco polilobato; l'architrave del portale è formato da due angeli reggicartiglio, unico resto della decorazione scultorea di Bartolomeo Bon (smontata nel 1612, comprendeva un rilievo della Madonna della Misericordia adorata dai confratelli, ora al Victoria and Albert Museum di Londra), che nel '400 aveva sostituito il trittico ora sull'ingresso della corte Nuova (v. pag. 504). Alla fine del sec. XVI, trasferitasi la confraternita nella nuova sede al di là del rio (la Scuola Nuova di S. Maria della Misericordia, v. sotto), l'edificio fu venduto all'arte dei tessitori di Seta, che lo tenne fino alla soppressione (1806) arricchendolo di cicli pittorici ora dispersi; successivamente adibito agli usi più diversi, nel 1920 lo acquistò il pittore Italico Brass per adattarlo a galleria privata (attualmente sede di un laboratorio di restauro).

Varcato il ponte, si scende sulla fondamenta della Misericordia, chiusa a d. dal fianco dell'ex Scuola Nuova di S. Maria della Misericordia, che volge la facciata sul successivo campo della Misericordia (v. sotto).

A sin., al di là del rio, il prospetto a quadrifore sovrapposte del quattrocentesco *palazzo Pesaro Papafava* e, allungato tra i rii di Noale e di S. Felice, un giardino cintato da un muro in mattoni. È questo l'unico resto del gotico palazzo Tiepolo (demolito nel sec. XIX), restaurato nel sec. XVI da Sansovino con tecnica allora rivoluzionaria (e oggi comunemente adottata), che permise di rifare le fondazioni mantenendo intatti e agibili i piani superiori.

L'imponente *Scuola Nuova di S. Maria della Misericordia* (o di Valverde) fu costruita per dare nuova e più adeguata sede alla sempre più importante e numerosa confraternita della Misericordia (v. sopra). La fabbrica (ora sede di una società sportiva), iniziata intorno al 1534 da Jacopo Sansovino, ultimata internamente nel 1583 e lasciata incompiuta all'esterno, si presenta come un'enorme mole di laterizi, con due ordini appena abbozzati di grandi finestre centinate e strette nicchie ornamentali.

L'interno (ingresso dalla fondamenta, N. 5599 A), nonostante le tramezzature e l'inserimento di attrezzature ginniche, mantiene la struttura tradi-

zionale delle Scuole di devozione. Dalla grandiosa sala terrena (tramez-
zata), divisa in tre navate da colonne binate che sostengono con possenti
architravi il soffitto ligneo, lo scalone (degradato e non accessibile) sale al
vasto *salone superiore, affrescato a grandi quadrature architettoniche e
a finte sculture a monocromo entro nicchie, pregevole opera forse di
scuola di Paolo Veronese (adibito a campo di pallacanestro, è in stato di
sfacelo).

Il *campo della Misericordia*, parzialmente rialzato, all'incrocio
del rio omonimo con quello di Noale, è definito a ovest dal fianco
d. del **palazzo Lezze**, grandiosa costruzione di Baldassare Longhena databile tra il 1645 e il 1670 (ma forse già ultimata nel
1663), notevolmente alterata all'interno dalla destinazione ad appartamenti; la lunga facciata, prospiciente la fondamenta della
Misericordia, presenta un pianoterra a bugne lisce, due piani percorsi da balconate e aperti da logge e alte finestre binate (con
belle teste muliebri di Francesco Cavrioli in chiave d'arco) e un
terzo piano a finestre quadre, coronato da cornicione a mensole
(posteriormente, affacciato sul rio della Sensa, rimane il casino
del palazzo, costruito all'estremità del giardino ora scomparso).
Si esce dal campo attraversando il rio di Noale sul ponte della
Misericordia e si prosegue nel breve ramo omonimo; questo
sbocca sulla fondamenta di S. Felice (di collegamento con la
Strada Nuova, v. pag. 478) all'altezza del ponte Chiodo, privato,
uno dei pochi rimasti con la struttura originaria (consueta a Venezia fino al Sei-Settecento) ad arco ribassato senza spallette.
Volgendo a d. e quindi subito a sin. nel ponte Racchetta, sul rio di
S. Felice, si raggiunge la *calle Racchetta*, tratto centrale di un
percorso di collegamento diretto che, attraversando il sestiere da
SO a NE, congiunge la Strada Nuova alle fondamenta Nuove. A
sin. (al N. 3764, l'ingresso da terra del gotico palazzo Pesaro Papafava, con facciata sul rio, v. pag. 505) si raggiunge il ponte
Molin, oltre il quale si segue a d. la *fondamenta Zen*, in questo
tratto già di S. Caterina (e ancora oggi così comunemente denominata), dall'omonimo complesso conventuale visibile poco più
avanti con il muro in mattoni, aperto da alte finestre e articolato
da lesene, del fianco della chiesa (a d. è l'ingresso all'ex convento,
ora sede del convitto – fondato nel 1807 da Napoleone – e del
Liceo Marco Foscarini).

La chiesa di *S. Caterina* (sconsacrata e di proprietà demaniale), fondata
con l'attiguo convento tra l'XI e il XII sec., fu ricostruita verso la metà del
XV rispettando la giacitura e la volumetria dell'edificio preesistente; danneggiata nella guerra 1915-18, e da un incendio (1977) che ha distrutto la
cupola (sec. XVIII), gran parte del coro e del soffitto ligneo trecentesco a
carena di nave, è attualmente (1984) chiusa per restauri (parte del ricco
arredo pittorico, comprendente anche il ciclo con storie di S. Caterina di
Jacopo Tintoretto, è in deposito nel Palazzo Patriarcale).

Alle spalle della chiesa si sviluppano i corpi di fabbrica dell'*ex convento*, articolati intorno a un vasto chiostro ad archi ogivali e pozzo centrale (è visibile a richiesta).

Al termine della fondamenta, numeri 4925-22, si dispone l'interessante *palazzo Zen*, realizzato intorno al 1534 dal mecenate e cultore d'arte Francesco Zen, forse con il concorso di Sebastiano Serlio, unificando tre blocchi edilizi di proprietà della famiglia; sulla facciata (lunga circa m 50 e in origine decorata da affreschi di Andrea Schiavone e Jacopo Tintoretto) si giustappongono, soprattutto nella sequenza delle finestre, elementi gotici e rinascimentali.
Al palazzo succede lo spazio parzialmente alberato del *campo dei Gesuiti*, inconsueto nella forma estremamente allungata (accentuata dall'innesto della salizzada degli Specchieri, con cui determina un cono ottico che si prolunga nella Laguna nord) e nelle fronti, definite dai prospetti dell'ex ospedale o oratorio dei Crociferi (a sin., N. 4905) e dell'ex complesso conventuale dei Gesuiti (a d.), interrotto dalla bianca emergenza della chiesa che si rileva di scorcio sul fondo.

Spazio aperto, di passaggio (e non di sosta, come tradizionalmente si pongono i campi veneziani), il campo dei Gesuiti aveva in origine dimensioni e ruoli diversi dagli attuali. Infatti nel sec. XII, quando vi si insediò la comunità dei Crociferi edificando il primo complesso conventuale con la chiesa ubicata pressappoco come l'attuale, l'insula, meno profonda, era definita a nord dal fianco sin. della chiesa e da un muro in mattoni che, chiudendo la vista, rendeva concluso e raccolto lo spazio. Tale impianto e atmosfera definirono l'invaso fino al sec. XVI, quando lavori di interramento che ampliarono l'insula a nord e la realizzazione delle fondamenta Nuove, modificarono radicalmente le dimensioni, l'uso, la percezione e il ruolo del campo.

L'oratorio dei Crociferi (ora di proprietà dell'IRE), fondato con l'annesso ospedale (poi ospizio) nel sec. XIII dal doge Raniero Zen e rinnovato, nella struttura e nella decorazione, alla fine del sec. XVI per intervento del doge Pasquale Cicogna, presenta una semplice facciata a capanna con oculo centrale e, sul fianco, una serie di antichi, alti camini. A Palma il Giovane si deve il ciclo pittorico che decora l'interno, dipinto tra il 1583 e il 1591 con storie dell'ordine dei Crociferi e dei dogi Zen e Cicogna.

Conclusi da poco i lavori di restauro del complesso, ne è prevista la riapertura nell'aprile del 1985 con il seguente orario: il venerdì, sabato e domenica dalle 10 alle 12 nei mesi di aprile, maggio, giugno e ottobre e dalle 16.30 alle 18.30 nei mesi di luglio, agosto e settembre.
All'altare, sormontato da 2 angeli lignei del sec. XVI, in luogo di un'Adorazione dei Magi pure di Palma il Giovane, scomparsa all'inizio dell'Ottocento e sostituita da una pala di Paris Bordone di analogo soggetto, anch'essa scomparsa, è una *Vergine adorata da Venezia* del sec. XVIII. Ai lati

dell'altare: a sin., *Papa Anacleto istituisce l'ordine dei Crociferi*; a d., *Paolo IV consegna un breve relativo all'ordine all'ambasciatore veneziano*. Parete di fronte all'ingresso: al centro, *Il senatore Pasquale Cicogna riceve la notizia della sua elezione a doge mentre assiste in chiesa alle sacre funzioni*; a d., *Il doge visita l'ospedale dei Crociferi*; a sin., *Il doge adora l'Eucarestia somministrata ad alcune donne ricoverate*. Di fronte all'altare, *Deposizione* e *Il doge Raniero Zen e la moglie in adorazione del Redentore*. Sopra l'ingresso, *Flagellazione* e, ai lati, 2 figure allegoriche a chiaroscuro. Soffitto a cassettoni con l'*Assunta*, di chiare influenze tizianesche, e gruppi di angeli.

L'*ex convento dei Gesuiti* (passato a quest'ordine nel 1657, quando poté rientrare a Venezia dopo l'allontanamento sancito per motivi politici nel 1606), fondato con l'attigua chiesa nel sec. XII dai Crociferi e ristrutturato nel XIII, fu ricostruito in seguito a un incendio (1514); i lavori (che portarono alla realizzazione dell'attuale complesso, più vasto del preesistente) si protrassero probabilmente fino a tutto il '600, anche se l'ala attigua alla chiesa, articolata intorno a un chiostro classicheggiante, doveva essere già agibile alla metà del sec. XVI. Difficile è comunque stabilire la cronologia degli interventi, anche perché, con la soppressione temporanea dei Gesuiti (1773), il complesso fu adibito a usi profani (prima scuola e, dal 1807, caserma), con le conseguenti manomissioni e modifiche dovute alle nuove destinazioni; attualmente (1984) è di proprietà del Comune e in parte utilizzato ad abitazioni (inglobata al convento era l'ex Scuola dei Tessitori di panni di seta, di cui rimane ricordo nella scritta sull'architrave del portale N. 4877).

Anche la **chiesa dei Gesuiti* (S. Maria Assunta), in origine dei Crociferi, passò nel 1657 alla Compagnia di Gesù, cui si deve il rifacimento del 1715-30, progettato da Domenico Rossi in forme che gli stessi committenti vollero più vicine all'architettura romana che a quella veneziana. Imponente è la bianca facciata barocca, eretta a spese della famiglia Manin da G.B. Fattoretto (c. 1730). Consta di due ordini: il primo è scandito da otto colonne corinzie che, fiancheggiando il ricco portale e 4 nicchie con statue, sorreggono l'aggettante trabeazione a linea spezzata; su questa si imposta il secondo ordine, di più sobrio disegno e appena mosso, arricchito da 8 statue su alti plinti gravanti sul colonnato inferiore; altre statue (l'*Assunta*, di Giuseppe Torretto, e *angeli*) decorano il coronamento a timpano triangolare. Delle statue distribuite sui due ordini, quelle dei 12 Apostoli sono di vari scultori sei-settecenteschi fra cui: Francesco Penso (*Ss. Giacomo, Giovanni Evangelista* e *Andrea*), Marino Groppelli (*S. Matteo*), Pietro Baratta (*S. Pietro*), Antonio Tarsia (*S. Paolo*), Francesco Bernardoni (*S. Bartolomeo*) e Filippo Catasio (*S. Fi-

lippo); le altre sculture sono di Francesco Bonazza, Giuseppe Ziminiani, Paolo Callallo, del Torretto e di Matteo Calderoni (i 2
angeli sopra il portale).

L'*interno, ideato da Domenico Rossi con un impianto e uno sfarzo tipici
delle chiese gesuitiche, è a croce latina a una navata, con profonde cappelle laterali e basse calotte sopra la crociera e il presbiterio; tutte le superfici sono rivestite da una ricca decorazione, unica del genere a Venezia, a intarsi di marmo bianco e verde a tappezzeria damascata, e a
stucchi bianchi e oro (lo studio degli effetti decorativi è spinto fino a coprire il pulpito con un drappo marmoreo damascato e i gradini del presbiterio con un finto tappeto). Anche il pavimento presenta un elaborato disegno a intarsi di marmo bianco e nero.
Nella volta, fra stucchi di Abbondio Stazio, *Gli angeli si presentano ad
Abramo* ed *Elia trasportato in cielo*, affreschi di Francesco Fontebasso.
La parete d'ingresso è occupata dal colossale *monumento della famiglia
Da Lezze*, architettura di Jacopo Sansovino già nella preesistente chiesa;
a due ordini rispettivamente di 8 e 4 colonne, presenta sui sarcofagi i
busti di Priamo (al centro, opera di Sansovino), *di Giovanni* (a sin., di
Giulio del Moro), e *di Andrea da Lezze* (pure di Giulio del Moro). Al 1°
altare d., *Angelo custode* di Palma il Giovane; al 2°, *S. Barbara*, scultura
marmorea di Giovanni Maria Morlaiter; al 3°, *Madonna e i Ss. Stanislao
Kotska, Luigi Gonzaga e Francesco Borgia*, opera di Antonio Balestra
firmata e datata 1704. All'altare d. del transetto, *S. Ignazio*,
statua di Pietro Baratta, e nel paliotto, bassorilievo con *Il santo che
scrive gli esercizi spirituali*. Nella cappella a d. della maggiore, al ricchissimo altare, *Predicazione di S. Francesco Saverio* di Pietro Liberi;
alla parete d., *monumento a Orazio Farnese* (m. 1675), capitano veneziano alla battaglia dei Dardanelli del 1655.
Nella crociera: ai pilastri, gli *arcangeli Michele, Gabriele, Raffaele* e *Seal-
tiel*, notevoli statue di Giuseppe Torretto; nella volta, come in quella del
presbiterio, affreschi di Louis Dorigny (*Gloria d'angeli* e *Simboli religiosi*). Nel presbiterio, ricco altar maggiore, con colossale baldacchino a
cupola traforata su 10 colonne tortili di marmo verde, disegnato da Giuseppe Pozzo; sopra il tabernacolo incrostato di lapislazzuli, il *Padre
Eterno e Cristo seduti sul globo*, gruppo marmoreo di Giuseppe Torretto;
ai lati dell'altare, gli *arcangeli Uriel* e *Barachiel*, pure del Torretto; ai
piedi dell'altare, *sepolcro della famiglia Manin*, cui si deve la ricostruzione, oltre che della facciata, anche del presbiterio.
Nella cappella a sin. della maggiore, *monumento del doge Pasquale Cicogna* (m. 1595), opera di Gerolamo Campagna con bella statua del defunto; all'altare, *Transito di S. Giuseppe*, pala di Domenico Clavarino
(sec. XVII). Nella sagrestia, *storie dell'ordine della Croce* e *Fatti biblici*,
serie di tele dipinte da Palma il Giovane tra il 1589 e il 1592 per i Crociferi. All'altare del braccio sin. del transetto, costruito dalla famiglia Zen,
Assunta, opera giovanile di Jacopo Tintoretto già sull'altar maggiore
della chiesa preesistente. Al 2° altare sin., *Madonna col Bambino*,
gruppo marmoreo di Andrea dell'Aquila, allievo del Vittoria (firmato); al
1°, **Martirio di S. Lorenzo**, capolavoro di Tiziano (1588; firmato).

Di fronte alla chiesa si stende verso ovest un quartiere di edilizia popolare realizzato nel 1906 dalla Commissione per le case economiche e popolari; i blocchi di abitazioni, disposti (in rispetto a norme igieniche e di buon orientamento) in senso ortogonale al campo, ma senza definirne in modo adeguato lo spazio, si sviluppano su un'area in origine occupata da basse costruzioni, fra cui era la cinquecentesca Scuola dei Botteri (costruttori di botti) demolita nel 1847 (ne rimane ricordo in una lapide sull'edificio N. 4902).

Proseguendo verso nord lungo la salizzada degli Specchieri, si giunge in breve alle **fondamenta Nuove**, la cui costruzione fu portata a termine nel 1589, contemporaneamente allo scavo di un canale parallelo che consentiva la navigazione lungo il bordo settentrionale della città collegando tra loro numerose e importanti vie d'acqua che si immettevano nel Canal Grande. Viene così a definirsi alla fine del '500 il limite 'fisico' della città verso nord, e si conclude il secolare processo di imbonimento delle barene che aveva caratterizzato la formazione delle insule edilizie di Cannaregio.

Allungate per quasi un chilometro dalla sacca della Misericordia (a ovest) al rio di S. Giustina (a est), le fondamenta Nuove crearono una percorribilità – prima inesistente – in senso ovest-est fra le porzioni settentrionali dei sestieri di Cannaregio e Castello. La localizzazione, a partire dal sec. XVII, di alcuni palazzi e dimore gentilizie, non modificò quel carattere di area a depositi, magazzini e officine (prima per la lavorazione dei legnami, poi per quella dei marmi connessa alla vicinanza del cimitero dell'isola di San Michele) che hanno conservato fino al secolo scorso. Notevole è la vista che offrono sul composito paesaggio della Laguna nord (v. pag. 143).

Verso d., scavalcato il rio dei Gesuiti sull'ottocentesco ponte di Ca' Donà (a d., il lungo prospetto sul rio dell'ex convento dei Gesuiti), si arriva in prossimità dei pontili delle linee dei vaporetti e motoscafi per le isole della Laguna nord e il centro della città. A d., N. 5038, è il *palazzo Donato*, fatto costruire all'inizio del sec. XVII dal doge Leonardo Donato su progetto attribuito da una coeva tradizione a fra' Paolo Sarpi; cinquecentesco nei moduli e nella struttura, presenta i due prospetti (prospicienti le fondamenta e il rio) con basamento a bugnato e il piano nobile aperto da finestre e serliane con teste in chiave d'arco (ancora oggi abitato da discendenti della famiglia, si presenta all'interno integro negli arredi e nella decorazione). Ancora avanti lungo le fondamenta, superato l'innesto della calle del Fumo (v. pag. 554) e scavalcato il rio di Panada, si raggiunge il rio dei Mendicanti, costeggiato dalla fondamenta omonima (v. pag. 566) che sbocca nel campo Ss. Giovanni e Paolo.

Si esce dal campo dei Gesuiti varcando il ponte omonimo sul rio di S. Caterina e si prosegue lungo la *salizzada Seriman*, dove al N. 4851 è il *palazzo Contarini-Seriman*, grande costruzione del 1450 c., notevole esempio di transizione dal gotico al rinascimentale. Da qui un breve tratto della fondamenta dei Sartori (al N. 4838, bassorilievo del 1511 raffigurante la *Madonna col Bambino e i Ss. Barbara e Omobono*, patroni della confraternita dei Sartori che qui aveva un ospedale) e, oltre il rio di S. Andrea, la calle dello Spezier, portano, attraversato l'ampio rio terrà Barba Frutariol, nel *rio terrà Ss. Apostoli*. Al termine di questo, per il rio terrà dei Franceschi e, a d., per la calle larga dei Proverbi (al N. 4564, portale duecentesco in cotto sormontato da patera traforata del sec. XI), si sbocca nella salizzada del Pistor, che a sin. (sull'edificio sopra le vetrine del lato sin., due minute eleganti bifore gotiche) conduce al campo Ss. Apostoli (v. pag. 484).

6 Il sestiere di Castello

Il vastissimo sestiere di Castello (il primo per estensione, con una superficie di c. 186 ettari) occupa l'intero settore orientale della città, allungato nelle estreme propaggini delle isole di San Pietro e di Sant'Elena (quest'ultima di urbanizzazione relativamente recente) e definito a nord e a est dalla Laguna, a sud dal Bacino di S. Marco, a ovest dai sestieri di S. Marco e di Cannaregio. Costituito da zone urbanistico-edilizie ben distinte, il sestiere è innanzitutto caratterizzato dalla presenza dell'Arsenale, formidabile complesso, simbolo della potenza marittima della Repubblica, che determina una netta cesura nel tessuto urbano con le sue alte mura e torri merlate racchiudenti imponenti strutture architettoniche e vasti bacini. A ovest di questo, fino ai sestieri di S. Marco e di Cannaregio, si protende una zona fittissima, popolosa e urbanisticamente complessa, annucleata intorno a numerose chiese di origine antichissima e a campi, anche molto ampi come quello di S. Maria Formosa. Al suo interno sono ancora individuabili alcuni tessuti urbanistico-edilizi di formazione bizantina e gotica, e preziosi palazzi emergono lungo i rii più importanti (come quello che collega l'Arsenale alla zona realtina); qui si rileva anche la massima concentrazione di storici ospizi e di complessi conventuali, spesso eccezionali fulcri monumentali. A sud-est dell'Arsenale si sviluppa invece una zona popolare, gravitante sull'attuale rio terrà Garibaldi e caratterizzata dall'unica area a verde pubblico di dimensione veramente urbana, i Giardini Pubblici, dove trova sede la Biennale Internazionale d'Arte. Queste diverse parti sono collegate a sud dalla riva degli Schiavoni che, coi suoi moderni prolungamenti, costituisce una magnifica passeggiata aperta sul Bacino. Rimangono poi, esterne al sestiere strettamente inteso, la suggestiva e silenziosa isola di San Pietro di Castello (l'antica Olivolo, ritenuta nucleo primigenio della città predogale e sede per un millennio della cattedrale di Venezia) e l'isola di Sant'Elena, col recente quartiere con ampio giardino pubblico aperto sulla Laguna, uno dei più cospicui interventi di edilizia popolare programmata, di cui il sestiere offre peraltro molteplici esempi.
La formazione storica di Castello inizia da Olivolo, probabile sede in epoca tardoromana d'un fortilizio (o castello, da cui successivamente la denominazione del sestiere) inserito nel sistema difensivo funzionale al porto di Altino, che divenne, sembra nel 775 o 776, sede vescovile della confederazione insulare configurandosi, nella città in formazione, come luogo eletto dell'autorità religiosa (dal 1451, patriarcato). Sempre in epoca bizantina il tessuto urbano si sviluppa verso ovest con una struttura a corti affiancate poste tra l'asse stradale principale e il canale (come nel caso esemplare tra salizzada S. Lio e rio del Piombo-rio di S. Maria Formosa), oppure attorno a campi quadrangolari (Bragora, S. Maria Formosa). A partire dal XII sec. l'insediamento su una parte delle cosiddette isole Gemine del centro economico-produttivo dell'Arsenale, completamente chiuso e protetto da mura e circondato da canali, crea nel tessuto della città una profonda cesura, che aumenterà con la continua espansione del complesso arsenalizio. La sua presenza influenza economicamente, urbanisticamente e socialmente il contiguo settore urbano, dove si insediano attività collaterali e

residenze per gli addetti, accelerando, tra la metà del XIV e la fine del XV sec., lo sviluppo delle aree limitrofe.

In epoca gotica (XIII-XV sec.) l'urbanizzazione del sestiere si sviluppa seguendo le direttrici dei canali principali, come il rio di Castello (oggi rio terrà Garibaldi) e soprattutto quello che, con vari nomi, collega l'Arsenale alla zona di Rialto e conserva notevoli esempi di edilizia padronale. Nella fascia compresa tra questo percorso acqueo e quello pedonale parallelo (Barbaria delle Tole-calle del Cafetier) si concentrano le attività artigianali e commerciali in un sistema di grandi lotti a corti parallele dal canale alla strada. Infine, la zona periferica più a nord viene occupata a partire dalla metà del XIII sec. dai grandi complessi degli ordini mendicanti (i Domenicani dei Ss. Giovanni e Paolo, dal 1246, e i Francescani di S. Francesco della Vigna, dal 1253) che, oltre a costituire poli di sviluppo, richiameranno numerosi istituti caritativi e assistenziali la cui tradizione è mantenuta dall'Ospedale Civile e dalla Casa di ricovero dell'Ospedaletto. Nel '500 l'urbanizzazione invade l'estrema area sud-orientale, detta «paludo», bonificata dalla metà del '300: la fondazione di S. Giuseppe di Castello (1512) attiva la formazione dei nuclei di Seco Marina e del Paludo S. Antonio.

L'età napoleonica lascia a Castello la sua più significativa realizzazione urbanistica con la creazione dei Giardini Pubblici – i primi e ancora oggi i più vasti della città – e della via Eugenia, poi rio terrà Garibaldi; il progetto di prolungamento della riva degli Schiavoni verrà realizzato oltre un secolo dopo (1936-37) con la creazione della riva dell'Impero, ora dei Sette Martiri. Intanto, a partire dagli ultimissimi anni del secolo scorso, la domanda popolare di abitazioni legata alla secolare presenza del complesso industriale dell'Arsenale, e soprattutto la posizione periferica del sestiere che consentiva con risanamenti e imbonimenti di disporre di nuove aree fabbricabili, fanno sì che a Castello si concentrino numerosi interventi di edilizia popolare: dei molti realizzati a partire dal 1893, i più cospicui sono quelli di rio terrà Garibaldi e di Quintavalle (1909-10), il grande quartiere dell'isola di Sant'Elena (1925-28), il quartiere della Celestia (1938-39) e infine le più recenti case a S. Pietro di Castello (1961).

La visita di Castello è articolata in tre itinerari, il secondo dei quali include anche un limitato settore del limitrofo sestiere di Cannaregio tra il rio dei Ss. Apostoli-Gesuiti e quello dei Mendicanti. Il primo itinerario costeggia a sud il sestiere per tutta la sua estensione – dalle soglie di piazza S. Marco, cuore della città, all'isola di Sant'Elena che ne segna l'estremità orientale – svolgendosi lungo la riva degli Schiavoni e i suoi prolungamenti (panoramicamente aperti sul canale di S. Marco e le prime isole della Laguna meridionale che gradatamente si scoprono alla vista), fino alla gran macchia verde dei Giardini e del parco della Rimembranza. Lungo il percorso due brevi deviazioni immettono negli antichi nuclei di S. Zaccaria e della Bragora.

Anche il secondo itinerario inizia dal sestiere di S. Marco, ma dal suo centro economico-commerciale (il campo S. Bartolomio prossimo a Rialto); attraversate inizialmente zone costituitesi nel periodo più antico della città attorno alle parrocchie di S. Lio, S. Maria Formosa e S. Marina, il percorso sconfina nel sestiere di Cannaregio per raggiungere i nuclei di S. Maria dei Miracoli e di S. Canciano e rientra dall'importante insula dei Ss. Giovanni e Paolo, ricca di memorie religiose e civili; toccati quindi gli altri nuclei di formazione bizantino-gotica di S. Giustina, S. Lorenzo, S. Severo e S. Giovanni Novo, esso raggiunge la riva degli Schiavoni alle spalle del centro marciano.

Il terzo itinerario percorre, come il primo, l'intero sestiere da ovest a est ma all'interno, attraverso quartieri eterogenei. Prende avvio dal settore prossimo a piazza S. Marco, di formazione molto antica, ricco di notevoli emergenze monumentali; raggiunta poi l'insula settentrionale, dominata dal nucleo conventuale di S. Francesco della Vigna, e attraversate suggestive zone periferiche, ha come episodio centrale il complesso dell'Arsenale – di cui si dà una particolareggiata descrizione dell'interno, nell'auspicio d'una non lontana apertura alla città – e l'area adiacente, da questo fortemente condizionata; punta quindi all'isola dell'antica cattedrale di S. Pietro di Castello, per ripiegare infine verso la riva dei Sette Martiri, con continue sorprese di siti esclusi dai consueti percorsi turistici, ma di grande interesse urbanistico-ambientale, sostanzialmente intatti anche nell'atmosfera di autentica vita popolare.

6.1 Da S. Marco all'isola di Sant'Elena per la riva degli Schiavoni e i Giardini

Dalla piazzetta, percorso il Molo lungo la facciata sud del Palazzo Ducale (v. pag. 252), si arriva al rio di Palazzo, già dal IX sec. importante canale di penetrazione che, assumendo diverse denominazioni, mette in comunicazione il Bacino di S. Marco con Rialto. Lo attraversa il *ponte della Paglia* (il nome ricorda la paglia destinata alle prigioni e alle scuderie del Palazzo Ducale che qui veniva scaricata), ricostruito (in luogo dell'originale ligneo) nel 1360 in muratura e pietra d'Istria con parapetti ad archetti trilobi e colonnine cilindriche uguali a quelli del palazzo (fu allargato nel 1847); sul fianco verso il Bacino di S. Marco è il tabernacolo della Fraglia (corporazione) del Traghetto, con la *Madonna dei Gondolieri*, rilievo datato 1583. Dal ponte si vede a sin., in alto, il ponte dei Sospiri (v. pag. 278), alla cui celebrità non è estranea l'eleganza delle forme precocemente barocche, con la curvatura dell'arco ripresa dal timpano, ornato con un bassorilievo della Giustizia; a d. la vista spazia sul Bacino di S. Marco, delimitato dall'isola di San Giorgio Maggiore, dall'estremità orientale dell'isola della Giudecca e dalla punta della Dogana.

Si scende sulla *riva degli Schiavoni, ampio percorso realizzato sembra a partire dal sec. IX a collegamento dell'estremità orientale della città, in direzione dell'antica cattedrale di S. Pietro di Castello (il toponimo, che in tempi recenti è mutato nell'ultimo tratto in riva della Ca' di Dio e riva S. Biasio, allude ai marinai della Schiavonia o Slavonia, odierna Dalmazia, che qui svolgevano i loro commerci).

Per la sua posizione rispetto all'ingresso dal mare e al centro politico-religioso della città, la riva ebbe subito – e mantenne fino alla caduta della Repubblica – una destinazione prevalentemente commerciale e di concentrazione di servizi soprattutto assistenziali (meno importante fu quella residenziale, tanto che vi sorsero solo tre palazzi di rilievo). Col periodo napoleonico assunse la funzione, che ancora oggi mantiene, di principale passeggio verso i Giardini Pubblici (creati in quegli anni), e conseguentemente, quella residenziale, legata alla nascente industria turistica. Compiuto l'ampliamento della sede stradale, furono allora allargati e ricostruiti i ponti, mentre l'edilizia assunse connotati medio-borghesi, con facciate 'decorose' (ma senza lusso) spesso arricchite da poggioli in ferro battuto o fuso; la lunga palazzata, nonostante le notevoli preesistenze, presenta tutt'oggi un carattere prevalentemente ottocentesco e vagamente 'internazionale'. Lungo la riva, pontili dei vaporetti, dei motoscafi e delle motonavi che servono la città, le isole e i litorali della Laguna sud, le isole della Laguna nord.

Ai piedi del ponte, a sin., è il **palazzo delle Prigioni** (o Prigioni Nuove), poderosa costruzione a blocchi di pietra d'Istria eretta fra la 2ª metà del '500 e l'inizio del '600 per supplire all'insufficienza delle prigioni di Palazzo Ducale. La parte retrostante, iniziata nel 1566 da Giovanni Antonio Rusconi, con celle anguste e completamente buie (si visitano nel circuito del Palazzo Ducale), denota anche all'esterno l'originaria funzione, mentre la parte frontale, cominciata da Antonio Da Ponte nel 1589 e continuata alla sua morte (1597) da Antonio e Tommaso Contin (fu ultimata nel 1614), presenta una diversa organizzazione, con facciata di nobili forme classiche dove i vuoti prevalgono sui pieni con lo slanciato portico e le ampie finestre.

Il palazzo (l'insurrezione del 1848 vi liberò Daniele Manin e Niccolò Tommaseo) cessò la sua destinazione carceraria solo nel 1919. Attualmente è sede di uffici e del Circolo Artistico, allogato nelle sale dei Signori di notte al Criminale, magistratura di 6 patrizi incaricati di vigilare sui costumi dei Veneziani e sulla vita notturna della città. Nel massiccio cortile quadrato, barocca vera da pozzo ottagonale in marmo rosso.

Segue il moderno *hotel Danieli Excelsior* (o Danielino, dipendenza dell'hotel Danieli, v. sotto), costruito nel 1947-48 da Virgilio Vallot; l'edificio, realizzazione discussa e discutibile per il prepotente inserimento più che per le intrinseche qualità architettoniche, sorge sull'area di basse e rade costruzioni che ricordavano il luogo dell'assassinio del doge Vitale Michiel II (1172; le case preesistenti, dove si era rifugiato l'omicida, erano state demolite per ordine della Signoria con il divieto di ricostruirle in mattoni). Dopo la calle delle Rasse (dai panni di lana della Rascia, o Serbia, usati per coprire le gondole, che qui venivano vendute) è il **palazzo Dandolo**, ora hotel Danieli, con larga e regolare facciata tardogotica della metà del sec. xv; intorno al 1910, su pro-

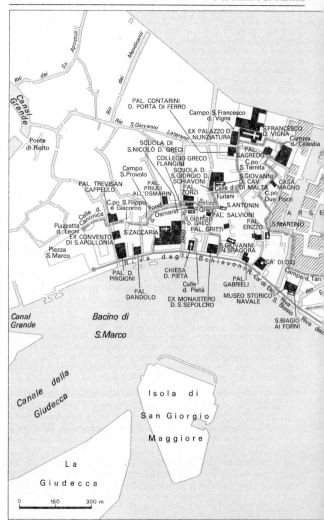

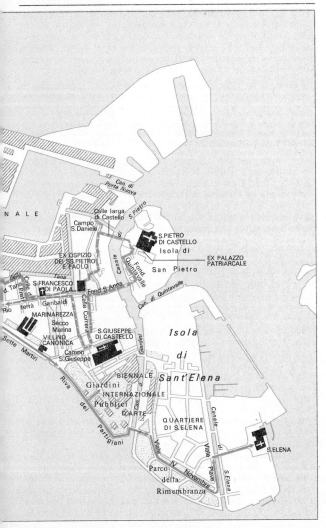

getto di Francesco Marsich, furono modificati il pianoterra e il
piano dei mezzanini, e il portale dell'ingresso, spostato al centro
della facciata, venne sostituito con quello già sull'accesso dalla
calle delle Rasse. L'interno, radicalmente ristrutturato dopo la
destinazione ad albergo (1822), presenta forme neogotiche nella
sala Dandolo e nel «foyer», ricavati dal cortile originario.

Il palazzo, al cui piano superiore risiedeva nel '500 l'ambasciatore di
Francia, appartenne successivamente alle famiglie Gritti, Bernardo, Mocenigo e Nani. Passato in proprietà a Giuseppe dal Niel, detto Danieli,
questi nel 1822 vi attivò l'albergo, divenuto uno dei più prestigiosi della
città ospitando sovrani di tutta Europa e personaggi illustri quali George
Sand e Alfred de Musset (1833-34), Honoré de Balzac, Charles Dickens,
Gabriele D'Annunzio, Richard Wagner.

Dopo il ponte del Vin (allargato e rifatto in forme simili a quelle
del ponte della Paglia nella 2ª metà dell'Ottocento) e, N.
4191-92, l'*hotel Danieli Casa Nuova* (allogato nell'ex palazzo del-
l'Intendenza di Finanza, realizzato nel 1855 e successivamente
rialzato di un piano), si volge a sin. nel sottoportego S. Zaccaria
(dove, secondo la tradizione, nell'864 sarebbe stato ucciso il doge
Pietro Tradonico), che immette nel tranquillo e appartato *campo
S. Zaccaria*: in origine spazio privato di pertinenza dell'omonimo
complesso conventuale, servito da due soli accessi che venivano
chiusi da portoni (lapide del 1620 sull'edificio N. 4697), ha una
vera da pozzo del 1480 c., qui trasferita da altro sito. Subito a
sin., N. 4685 A, palazzetto degli inizi del '900 sul cui prospetto
sono liberamente utilizzati elementi del repertorio bizantino e gotico veneziano. Sul fondo si sviluppa una serie di eleganti arcate
(ora chiuse) della fine del '400, forse codussiane, che delimitavano il cimitero del complesso conventuale; al centro un portale
barocco tra finestre con belle grate coeve segnava l'ingresso
all'*ex Scuola del SS. Sacramento*, qui trasferita nel 1608 dalla vicina sede di campo S. Provolo (lapide all'interno, adibito a negozio). A sin. di questo blocco, oltre l'edificio N. 4697, si apre
l'accesso principale al campo (v. sopra), di comunicazione con il
campo S. Provolo, verso cui volge il ricco portale gotico fiorito
decorato nella lunetta da un pregevole altorilievo con la *Madonna in trono col Bambino tra i Ss. Giovanni Battista e Marco*,
già attribuito alla bottega di Bartolomeo Bon ma forse di artista
toscano (c. 1430).
Il lato orientale del campo è dominato dalla chiesa di *S. Zaccaria*, che imponente si eleva sulla superstite, più modesta facciata della primitiva chiesa conventuale. Già ricostruita in forme
romaniche nel sec. XII, a tre navate con absidi semicircolari (la
precedente era stata fondata con l'attiguo monastero di Benedettine, v. pag. 521, nell'827), e poi ripresa verso il 1440, quando

Antonio Gambello rifece in gotico fiorito la zona absidale (corrispondente oggi alle cappelle dell'Addolorata e di S. Tarasio), S. Zaccaria assunse l'aspetto definitivo nella seconda metà del Quattrocento. La decisione di edificare un tempio più grandioso, presa dalle monache nel 1458 (e confortata dal Senato che, nel 1461, concesse una cospicua sovvenzione), si tradusse per opera dello stesso Gambello in una costruzione (affiancata alla preesistente, della quale inglobò la navata sin.) di impianto ancora tardogotico, dove nella decorazione scultorea trovava però già spazio l'incipiente gusto rinascimentale. Che improntò più marcatamente la nuova chiesa dal 1483, allorché Mauro Codussi ne assunse i lavori portandoli a termine intorno al 1490 (la consacrazione avvenne solo nel 1543).

La copiosa ricchezza e lo straordinario prestigio di cui godeva il monastero di S. Zaccaria (dove entravano nobildonne delle più importanti famiglie di Venezia), sono insieme causa ed effetto dell'illustre storia di questo complesso, uno dei più insigni della città per memorie artistiche e tradizioni storico-politiche. Tra il IX e il XII sec. vi furono sepolti otto dei primi dogi, mentre la solenne visita che il doge stesso vi compiva il giorno di Pasqua ricordava non solo la concessione fatta dalle monache alla fine del sec. XII d'una parte del loro «brolo» (orto) per l'ampliamento della piazza S. Marco, ma anche l'ospitalità ricevuta nel monastero la notte di Pasqua dell'anno Mille dall'imperatore Ottone III.

Nella composita FACCIATA l'intervento del Codussi (1485-90 c.) si evidenzia già per il prevalere della bianca pietra d'Istria sui marmi policromi del basamento del Gambello; di questo, Codussi riprese tuttavia, nei due ordini sovrastanti, la minuta scansione, sia in senso orizzontale che verticale, mentre nella parte terminale agì in modo più autonomo, con il ritmo sfalsato degli ordini minori e il coronamento a 'trittico arcuato' tipico delle sue architetture. Il portale, opera di Giovanni Buora (1483), affiancato da paraste preziosamente lavorate a candelabre, è ornato sulla lunetta da *S. Zaccaria*, statua firmata di Alessandro Vittoria del 1580 circa (la testa, notevolmente rovinata, è stata asportata). Nella zona basamentale, ai lati del portale, entro cornici a putti e festoni, 4 busti di *Profeti* del 1470 circa.

L'interno presenta l'impianto del Gambello, a tre navate divise da colonne su altissimi plinti doppi (basi e capitelli, di squisita fattura, sono di Giovanni Buora; l'aquila allude alla presunta partecipazione dell'imperatore di Bisanzio, Leone V l'Armeno, alla fondazione della chiesa); la notevole *abside pentagonale, a giorno con due ordini di aperture e deambulatorio con cappelle radiali semicircolari (ne rimangono 4, in quanto la prima è stata sostituita dall'accesso alla cappella maggiore della chiesa vecchia), costituisce un «unicum» per Venezia. La controfacciata e il sistema di coperture con volte a crociera, cupola emisferica e cupolette lungo il deambulatorio, contraddistinguono l'intervento del Codussi, con le limpide superfici sottolineate dalla pietra nera di Verona. L'effetto complessivo, di leggerezza, trasparenza e luminosità, è notevolmente ridotto dalla presenza di lunettoni e grandi quadri seicenteschi (quasi tutti restaurati nel 1970-72) che rivestono le pareti. Al principio della navata mediana, 2 acquasantiere con *S. Giovanni Battista* e *S. Zaccaria*, statuette marmoree di Alessandro Vittoria, lasciate dall'artista in eredità alla chiesa (del 1543, sono la sua prima opera in marmo, ancora sotto l'influenza di Sansovino). NAVATA DESTRA. Contro la parete interna della facciata, venerata immagine di *Cristo*, scultura lignea del '300; in alto, *S. Zaccaria nel tempio*, tela di Antonio Zanchi; all'inizio della navata, in alto, *urna di Marco Sanudo* (m. 1505), opera rinascimentale attribuita ad Alessandro Leopardi. Al 1° altare, *Madonna col Bambino in gloria con i Ss. Giovanni Battista, Girolamo, Benedetto, Francesco d'Assisi e Sebastiano*, opera di Palma il Giovane; nel sovrastante lunettone, *La visita annuale del doge alla chiesa*, modesta tela di Giovanni Antonio Zonca; a sin., *Adorazione dei Magi*, tela di Niccolò Bambini (c. 1717). Al 2° altare, su disegno del Vittoria (1599), *urna con il corpo di S. Zaccaria*, sorretta da 2 angeli (sec. XVII), e *Gloria di S. Zaccaria*, pala di Palma il Giovane; nel lunettone, *Ottone III accompagnato dal doge Pietro Orseolo II visita la chiesa*, tela di Giovanni Antonio Fumiani (1709). Segue l'*Adorazione dei pastori*, fra le più belle tele di Antonio Balestra (c. 1717). Sopra la porta che immette nella cappella di S. Atanasio, *Tobiolo risana il padre* di Bernardo Strozzi; a sin. della porta, *Presentazione di Gesù al tempio* di Andrea Celesti; nel lunettone, *Il vescovo di Sebenico consacra la chiesa* di Giovanni Antonio Fumiani.

La CAPPELLA DI S. ATANASIO (ingresso a pagamento) è un ambiente tardorinascimentale ricavato nel 1595 c. dalla navata mediana della primitiva chiesa gotica, dove era il coro delle monache, di cui sono qui conservati i ricchissimi *stalli* intagliati e intarsiati da Francesco e Marco Cozzi (opera firmata; 1455-64). All'altare, disegnato dal Vittoria intorno al 1595, *Nascita del Battista*, opera giovanile di Jacopo Tintoretto; ai lati, a sin. *S. Gregorio e santi* dell'Aliense, a d. *Fuga in Egitto* di Giandomenico Tiepolo. Alla parete opposta: *Crocifisso*, tela attribuita ad Antonie Van Dyck; *Trasporto del corpo della Vergine* e *Sepoltura della stessa*, di Leandro Bassano; nelle lunette, *La lavanda dei piedi* e *Martirio di S. Lizierio*, opere di Andrea Celesti, e *Discesa al Limbo* attribuita a Giandomenico Tiepolo. Alla parete sin., *Davide vincitore* di Palma il Giovane e, alla parete d., *Cristo nell'Orto* di Michele Desubleo e *Madonna col Bambino e santi*, grande pala attribuita a Palma il Vecchio.

Da qui si accede alla CAPPELLA DELL'ADDOLORATA che, con l'attigua cappella di S. Tarasio, era parte della zona absidale dell'antica chiesa, ricostruita intorno al 1440 da Antonio Gambello; nella bacheca, reliquiari e preziose stole (per la scala si scende alla cripta, del X-XI sec., divisa in tre navate da colonnine sostenenti volte a crociera). La *CAPPELLA DI S. TARASIO*, già presbiterio della preesistente costruzione, è ad abside poligonale, aperta da 7 alte e strette bifore, con volte a costoloni; negli spicchi, *Padre Eterno, Evangelisti e Santi*, affreschi di Andrea del Castagno e Francesco da Faenza (1442), prime opere firmate di questi maestri che, pur deperite e guaste da incendi, ne rivelano lo stile vigoroso e la grande abilità tecnica. All'altare e alle pareti, 3 notevoli *polittici* gotici (della Madonna, della Risurrezione e di S. Sabina), intagliati e dorati da Lodovico da Forlì, con pitture (due anche con statue) di Antonio Vivarini e Gio-

vanni d'Alemagna (firmate Giovanni e Antonio da Murano con la data 1443). Al polittico dell'altare, nel secolo scorso, furono adattati i tre pannelli mediani (in restauro, 1984), raffiguranti la *Madonna*, *S. Biagio* e *S. Martino*, di Stefano Veneziano Plebanus (parrocchiano) di S. Agnese (firmati e datati 1385); la parte posteriore di questo stesso polittico reca tre ordini di santi, opera di Antonio Vivarini e Giovanni d'Alemagna, e una predella forse di Stefano Veneziano. Ai piedi dell'altare, resti del pavimento musivo dell'abside della preesistente chiesa romanica (sec. XII).
Tornati in chiesa, si passa sotto la cupola del presbiterio, affrescata con *S. Zaccaria in gloria* dal romano Girolamo Pellegrini. Il tabernacolo dell'altar maggiore, su modello attribuito al Vittoria, è decorato da 4 piccole tele con *Fatti della passione e risurrezione di Cristo*, opere di Palma il Giovane. Intorno si svolge il peribolo, con il pavimento ricoperto da pietre tombali del Rinascimento, sul quale si aprono 4 cappelle. Nella 1ª, *S. Pietro e il gallo* di Francesco Rosa (sec. XVII); nella centrale, organo di Gaetano Callido (1790); nella 3ª, *Circoncisione* di scuola di Giovanni Bellini, per altri opera di Francesco da Santacroce.
NAVATA SINISTRA. All'estremità, *monumento di Alessandro Vittoria* (m. 1608), da lui stesso iniziato nel 1566, continuato dal cognato Lorenzo Rubini (m. 1576) e compiuto con la collaborazione di allievi (a forma di edicola, è ornato al centro dal busto autoritratto circondato da figure allegoriche delle 3 Arti e da 2 putti; sul pavimento è la pietra sepolcrale); attorno al monumento, una tela con *Santo e Santa martiri* di Angelo Trevisani (1732). Segue la porta di accesso alla sagrestia (realizzata a partire dal 1488), al cui altare è una pala di Paolo Farinati del 1568 raffigurante *Cristo con la Madre, S. Giovanni e le Marie*. Nel lunettone sopra la porta, *Trasporto dei corpi dei santi* di Antonio Zanchi; segue una *Presentazione di Maria* dell'Aliense. Al 2° altare, *La Vergine in trono col Bambino, un angelo suonatore e i Ss. Pietro, Caterina, Lucia e Girolamo*, grandiosa e celebre pala di Giovanni Bellini, firmata e datata 1505 (portata da Napoleone in Francia, fu restituita dopo il congresso di Vienna; durante il soggiorno francese il dipinto, originariamente su tavola, fu trasportato su tela e solo con il restauro del 1971 è stato ritrasferito su tavola); nel lunettone, *Benedetto III visita la chiesa* di Andrea Celesti; a sin. dell'altare, *Sposalizio di Maria* dell'Aliense. Al 1° altare, *Miracolo dei Ss. Cosma e Damiano*, con l'apparizione di *Cristo* e presenti i *Ss. Giovanni Battista e Zaccaria*, del Salviati; nel lunettone, *L'arrivo a Venezia del corpo di S. Zaccaria* di Andrea Celesti; a sin. dell'altare, *Visitazione* di Antonio Molinari. Alla parete interna della facciata, *Nascita di S. Giovanni Battista* del Celesti.

A d., tra S. Zaccaria e il robusto campanile veneto-bizantino del sec. XIII, rimangono parte della facciata della preesistente chiesa (modificata, presenta la cortina a mattoni di due colori e il fregio in cotto ad archetti ogivali e rosette) e la cosiddetta *Scoletta*, piccolo edificio ricavato nel 1458-59 da Bertuccio di Giacomo (i due archi davano accesso al monastero; l'ambiente superiore, un tempo granaio, è oggi adibito a mostre e conferenze). Nello spiazzo erboso antistante, frammenti architettonici e vera da pozzo gotica del sec. XIII-XIV. Sulla facciata dell'edificio contiguo, bassorilievo di *S. Giosafat*, patrono dell'arte dei fruttaroli, entro edicola (1565).
Segue, N. 4693 A, il cinquecentesco portale d'accesso per il *monastero* delle Benedettine *di S. Zaccaria*, il più importante della città anche per

potenza economica, dove le giovani delle principali famiglie veneziane giudicate di condotta riprovevole erano indotte a ritirarsi; soppresso nel 1810, nel 1830 fu adattato a sede della «Ragionateria Centrale» del governo austriaco ed è ora adibito a caserma dei Carabinieri (la visita non è normalmente concessa). Il vasto complesso conserva sostanzialmente intatta la conformazione che ebbe tra la fine del '400 e gli inizi del '500 (contemporaneamente alla ricostruzione della chiesa), articolata intorno a due ampi chiostri porticati che presentano caratteri codussiani; nel secondo spicca il loggiato superiore, scenograficamente aperto sulla parte absidale della chiesa.

Tornati sulla riva degli Schiavoni, si prosegue verso est. Dopo breve, N. 4168-79, è l'*hotel Londra Palace*, risultato dalla fusione, mediante la costruzione di un corpo centrale e l'aggiunta di un piano, di due differenti edifici, di cui quello a sin. fu realizzato da Carlo Ruffini nel 1853, mentre quello a d., neolombardesco, è opera di Giovanni Fuin del 1865-69 (una lapide ricorda il soggiorno nel 1877 di Ciaikòvski, che qui compose la 4ª Sinfonia). Di fronte, sulla riva, è il *monumento* equestre *di Vittorio Emanuele II*, imponente opera di vivace naturalismo di Ettore Ferrari inaugurata il 1° maggio 1887; sul basamento in granito, gruppi allegorici e bassorilievi (la *Battaglia di Palestro* e l'*Ingresso del re a Venezia il 7 novembre 1866*) in bronzo. Poco più avanti, superati i pontili dei mezzi in servizio per la città e i centri lagunari, si varca il ponte della Pietà, ricostruito nel 1860.

Vista a d. sul fianco di S. Giorgio Maggiore, col prospetto della 'manica lunga', e a sin. sul rio dei Greci. Questo è definito in riva occidentale dal retro dell'ex convento di S. Zaccaria; in riva opposta dal *palazzo Cappello-Memmo*, già Gritti, lombardesco degli inizi del sec. XV, con portale d'acqua cinquecentesco, e dal seguente *palazzo Gritti-Loredan*, gotico della fine del '300, con portale d'acqua ad arco rialzato a tutto sesto del sec. XIII (i due edifici, rimaneggiati all'interno verso il 1930, fanno parte dell'ex ospedale della Pietà, v. pag. 523). Sul fondo, il campanile pendente della chiesa di S. Giorgio dei Greci (v. pag. 577).

Si arriva alla **chiesa della Pietà** (o S. Maria della Visitazione), parte dell'omonimo ospizio (v. pag. 523) che, al pari degli altri tre 'ospedali maggiori' della città (dei Derelitti, degli Incurabili e dei Mendicanti), ebbe fama per l'attività musicale svolta dalle assistite sotto la direzione di insigni maestri (basti ricordare Antonio Vivaldi). La decisione di costruire un nuovo, monumentale complesso assistenziale (chiesa e ospedale) diede vita nel 1735 a un concorso vinto da Giorgio Massari. I lavori, iniziati nel 1745, interessarono la sola chiesa, che venne ultimata nel 1760 (dell'ospedale, che con soluzione planimetrica simile a quella del complesso delle Zitelle alla Giudecca, doveva affiancare la facciata della chiesa mediante due ali sviluppate posteriormente intorno a un

cortile, fu realizzato solo l'innesto dell'ala sin., corrispondente al
N. 4150). La bianca facciata in pietra d'Istria che prosegue, e
conclude semplificandolo, il discorso delle chiese palladiane af-
facciate sul Bacino di S. Marco, rimasta incompiuta nel paramento, fu ultimata per lascito di Gaetano Fiorentini nel 1906, rispettando sostanzialmente (eccetto che per la parte decorativa) il
progetto dei Massari; sopra il portale, la *Carità*, bassorilievo di
gusto liberty di Emilio Marsili.

L'interno, preceduto da un atrio che lo isola dai rumori esterni (sulle pareti, iscrizioni che riassumono le vicende del complesso), è un'elegante luminosa sala ovata, ben confacente alla mondana religiosità delle esecuzioni concertistiche in funzione delle quali fu concepita (si notino gli spigoli
arrotondati, l'assenza di cappelle e le ampie cantorie, con grate in ferro
battuto, che corrono sulla parete d'ingresso e sulle laterali); anche gli arredi furono curati dal Massari (l'ambiente è stato completamente restaurato nel 1969-70 e nel 1978).
Nella volta della navata, ***Incoronazione di Maria** (o Trionfo della Fede),
smagliante affresco di G.B. Tiepolo (1754-55). Al 1° altare d., *Madonna col
Bambino e i Ss. Pietro d'Alcantara, Domenico, Vincenzo Ferrer e Teresa*,
di Francesco Daggiù detto il Cappella (1761); al 2°, *S. Spiridione fa uscire
l'acqua da una fiamma* di Domenico Maggiotto. Si apre quindi il presbiterio, decorato nel soffitto con le *Virtù teologali*, affresco di G.B. Tiepolo,
del quale è anche il tondo a chiaroscuro nel lunettone della parete di fondo;
ai lati dell'altar maggiore, statue di Antonio Gai (a d., *S. Marco*) e di Giovanni Marchiori (a sin., *S. Pietro*); sull'altare, *Visitazione*, pala iniziata dal
Piazzetta e finita, dopo la morte del maestro, dal suo allievo Giuseppe Angeli; ai lati del tabernacolo, gli *arcangeli Gabriele e Michele*, statue di Giovanni Maria Morlaiter. Al 2° altare sin., *S. Pietro Orseolo riceve l'abito da
S. Romualdo* di Giuseppe Angeli; al 1°, *Crocifisso tra i Ss. Antonio, Francesco di Paola e Lorenzo Giustiniani*, dipinto di Antonio Marinetti detto il
Chioggiotto (nella chiesa era pure custodita una tela del Moretto, raffigurante Gesù in casa di Simone, dal 1980 trasferita al Museo Diocesano
d'Arte Sacra).

Prendendo a d. della chiesa la *calle della Pietà* (a d., *Madonna col Bambino*, bassorilievo entro edicola, copia antica di un'opera di Antonio Rossellino; a sin., sul fianco della chiesa, lapide che ricorda la lunga attività di
Antonio Vivaldi, maestro di coro e di violino all'ospedale dal 1703 al 1740,
e poco più avanti, lapide del 1548 relativa agli 'esposti', cioè i bambini
abbandonati), si raggiunge, N. 3701, l'ingresso dell'ex *ospedale della
Pietà*, o degli Esposti, ora Istituto provinciale per l'Infanzia «S. Maria
della Pietà». Fondato nel 1346 presso la chiesa di S. Francesco della Vigna
da fra' Pieruzzo d'Assisi, l'ospedale aprì due anni dopo, in alcune case
sulla riva degli Schiavoni (a d. dell'attuale calle della Pietà), una succursale
con annesso oratorio che nel 1515 divenne unica sede dell'istituzione.
Sotto la protezione della Repubblica e del papato, questa divenne sempre
più potente e nei secc. XVII e XVIII estese la propria sede fino al rio dei
Greci, inglobando case e palazzi retrostanti, fra cui il Cappello-Memmo e il
Gritti-Loredan (v. pag. 522). All'interno dell'edificio (visitabile col permesso della Direzione) sono conservate alcune opere di notevole interesse,

tra cui una *Madonna col Bambino* di scuola del Giambono (sec. xv), una *Adorazione dei Magi* di Francesco da Santacroce e il *Mosè salvato dalle acque* e la *Deposizione dalla Croce*, due dipinti di Luca Giordano. Sul fondo della calle, l'edificio N. 3651 (ora adibito ad albergo) era la casa-studio dello scultore Alessandro Vittoria, che qui morì nel 1608 (lapide).

Si prosegue lungo la riva lasciando a sin., N. 4148, l'hotel Metropole, sorto sull'area occupata dall'antico oratorio annesso all'ospedale della Pietà (v. sopra), che fu demolito alla metà dell'Ottocento. Varcato il ponte del Sepolcro sul rio della Pietà (a sin., in fondo, il campanile della chiesa di S. Antonin), si raggiunge, N. 4146, la *casa Navagero*, edificio gotico, forse risalente al 1438 e successivamente sopraelevato, con finestre e trifora archiacute e poggioli barocchi; nella corte rimane la vera da pozzo con stemma della famiglia (la lapide latina in facciata non è pertinente e ricorda il soggiorno del Petrarca e del Boccaccio che si svolse nel vicino palazzo Molin dalle due Torri). Segue, N. 4142, l'ex *monastero del Santo Sepolcro* (soppresso nel 1806 e ora sede del Presidio Militare), istituito nel 1475 presso un ospizio per pellegrini di Terrasanta e ampliato ai primi del '500 includendo il palazzo Barbo, poi detto Molin dalle due Torri per la caratteristica struttura bizantina (nel 1362 era stato donato dal Senato al Petrarca quale sua abitazione; lapide); il portale, commissionato da Tommaso Rangone a Jacopo Sansovino e forse ultima sua opera (1570), era sormontato da un'iscrizione e dalla statua del donatore opera di Alessandro Vittoria (è ora custodita alla Pinacoteca Manfrediniana). Pochi metri e si volge a sin. nella *calle del Dose* (da un'antica farmacia «All'insegna del Doge»), che conduce al campo Bandiera e Moro o della Bragora.

Subito prima del campo, prendendo a d. la calle della Malvasia Vecchia si sbocca nel caratteristico *campiello del Piovan*, con al centro due vere da pozzo del sec. xv restaurate nel 1691; nella rientranza a sin., di fronte all'ingresso laterale della chiesa di S. Giovanni in Bragora (v. sotto), altra vera da pozzo di rara forma cubica con l'immagine del santo titolare in rilievo (inizi sec. xvi). Tra i vari edifici che definiscono l'invaso, ai numeri 3752-56, gruppo di case a schiera cinquecentesche, intatte nella partitura esterna, e al N. 3769, il tardoseicentesco *palazzo Tamagnini Massari*, con serliane sovrapposte (vi abitò e morì nel 1766 l'architetto Giorgio Massari).

Il *campo Bandiera e Moro*, o della Bragora, è dedicato ai patrioti veneziani Attilio ed Emilio Bandiera e Domenico Moro, fucilati dai Borboni nel vallone di Rovito (Cosenza) nel 1844 (al centro, pilo portastendardo eretto nel 1866 in onore dei tre titolari e due vere da pozzo del sec. xv). L'oscuro toponimo tradizionale, di dubbia origine, è forse riconducibile al termine greco «agorà» (piazza), e in effetti il campo, dalla forma quadrangolare tipica del sec. X, fu centro del più cospicuo nucleo predogale del settore orientale della città, risalente al VII-VIII secolo (ancora oggi, nonostante l'interramento di alcuni canali ne è riconoscibile l'antico tessuto, a corti parallele perpendicolari ai corsi d'acqua).

Sul lato d. è la chiesa di ***S. Giovanni in Bragora**, la cui fondazione sembra risalire agli inizi del sec. VIII; rifatta nel sec. IX – quando vi furono portate dall'Oriente le presunte reliquie di S. Giovanni Battista, cui è dedicata – e ancora nel 1178, deve l'attuale struttura alla ricostruzione realizzata tra il 1475 e il 1505 (anno della consacrazione), mantenendo l'impianto basilicale. La semplice facciata in mattoni ripete le consuete forme del tardogotico locale, con la tripartizione corrispondente alle navate e il tipico coronamento mistilineo (una lapide ricorda che nel 1678 fu qui battezzato Antonio Vivaldi). Il campanile, varie volte ricostruito, venne demolito perché pericolante nel 1826 e sostituito dall'attuale a vela.

L'interno, cui il restauro del 1925 ha restituito le linee gotiche modificate da un intervento del 1728, è a pianta basilicale, divisa in tre navate da colonne con capitelli a cubo scantonato (pertinenti alla chiesa precedente), di sostegno ad arcate ogivali con decorazione floreale a graffiti; cappelle absidali quadrate e soffitto ligneo a capriate. Sopra l'arco santo, *Annunciazione* e *Santi*, affreschi di Tommaso di Zorzi firmati e datati 1480. Sulla controfacciata, sopra l'ingresso, *Cristo davanti a Caifa* di Palma il Giovane.

NAVATA DESTRA. All'inizio, grande *Crocifisso* ligneo di Leonardo Corona (sec. XV). Nella 1ª cappella, *Pietà*, scultura di artista nordico, già documentata nella chiesa nel 1507. La 2ª cappella (di S. Giovanni Elemosinario), rimaneggiata nel 1743, ha perduto l'originaria decorazione; all'altare, sopra la ricca urna marmorea settecentesca contenente le reliquie del santo portate a Venezia nel 1249, *S. Giovanni Elemosinario*, pala di Jacopo Marieschi; alla parete sin., lunetta con la *Traslazione del corpo del santo*, opera dello stesso, e frontone dell'antica urna lignea del corpo di S. Giovanni Elemosinario, con bassorilievo dorato e policromo opera di Leonardo Tedesco (1493); di fronte, la presunta veste del santo. Segue la porta d'accesso alla sagrestia: a d., *Costantino reggente alla croce e S. Elena*, di Cima da Conegliano (1502), autore anche della predella; sopra, *Madonna col Bambino*, rilievo veneto-bizantino del XII o XIII secolo; a sin., **Cristo risorto*, tavola di Alvise Vivarini (1498), notevole per i precorrimenti della pittura veneziana del secolo successivo (la predella, a 3 pannelli con Cristo, S. Giovanni Evangelista e S. Marco, forse dello stesso, è resa quasi illeggibile dai restauri). In sagrestia, all'altare settecentesco, la *Vergine e 3 Santi*, pala di Gregorio Lazzarini del 1692 circa (temporaneamente è pure qui custodita una tavola di Lazzaro Bastiani con *Cristo deposto e le tre Marie*, già nella chiesa di S. Antonin chiusa al culto nel 1982). Nella cappella a d. della maggiore, alle pareti, *Incoronazione di spine* e *Flagellazione*, di Leonardo Corona.

Il PRESBITERIO fu ricostruito tra il 1485 e il 1494 da Sebastiano Mariani, autore anche del coro marmoreo che lo precedeva (demolito nel 1728, i dossali furono in parte collocati ai lati del nuovo altar maggiore); ulteriori rimaneggiamenti si ebbero nel 1596 sotto la direzione di Alessandro Vittoria, cui si debbono gli stucchi della volta. Alle pareti: a d., *Ultima Cena* di Paris Bordone e, sopra, *Apparizione dell'angelo a Elia* di Francesco Maggiotto (1787); a sin., *Lavanda dei piedi* di Palma il Giovane e, in alto, *Sacrificio di Abramo* di Francesco Maggiotto; in fondo, entro cornice marmorea centinata, *Battesimo di Gesù, luminosa tavola di Cima da Conegliano (1494) restaurata nel 1973. Sull'altar maggiore, *S. Giovanni Evangelista* e *S. Giovanni Elemosinario*, statue di Heinrich Meyring del 1689 (davanti all'altare, pietra tombale di Giorgio Massari). Alle pareti della cappella a sin. della maggiore: a d., *Ss. Andrea, Girolamo e Martino*, trittico di Francesco Bissolo; a sin., *Madonna in trono col Bambino e i Ss. Andrea e Giovanni Battista, trittico di Bartolomeo Vivarini (firmato e datato 1478), e tavolette con *Sante martiri*, opere del sec. XV nei modi di Jacobello del Fiore (attualmente, 1984, in temporaneo deposito presso il parroco).

NAVATA SINISTRA. Alla parete: *S. Pietro* di Domenico Maggiotto; *Testa del Redentore*, opera di Alvise Vivarini del 1493 (attualmente, 1984, in restauro e sostituita da una riproduzione); *Madonna adorante il Bambino* di Alvise Vivarini (c. 1490; proviene dalla demolita chiesa di S. Severo). Nella 2ª cappella, alla parete d., *Cristo e la Veronica* di scuola tizianesca e, alla parete sin., *Madonna col Bambino*, opera bizantina. Segue, alla parete della navata, un'icona tardobizantina entro ricca cornice (*S. Nicolò e storia della sua vita*). All'altare della 1ª cappella, *S. Giuseppe da Copertino*, tela attribuita a Domenico Maggiotto, ma più probabilmente del figlio Francesco. All'inizio della navata, *vasca battesimale* ricavata da un capitello gotico ottagonale, in marmo rosso di Verona, del sec. XV (vi furono battezzati Pietro Barbo, poi papa Paolo II, ritratto nella tela alla parete a d., e Antonio Vivaldi di cui, pure alla parete a d., è riportata copia dell'atto di battesimo).

A sin. della chiesa, N. 3811 B, è l'ex *Scuola di S. Giovanni Battista*, grazioso edificio del 1716 con finestre accoppiate ai lati del portale. Domina il fronte nord del campo, N. 3608, il **palazzo Gritti**, poi Morosini e Badoer, della fine del sec. XIV, piacevole per libertà compositiva e fantasioso senso decorativo, evidente soprattutto nella pentafora dalla ricca policromia cui nel Seicento fu aggiunto il poggiolo (le larghe campiture murarie erano rivestite di affreschi; l'interno, rimaneggiato e adibito ad abitazioni e albergo, conserva al 1° piano il salone con ricca decorazione settecentesca). Seguono, N. 3610-12, il *palazzo Soderini*, ricostruzione seicentesca su impianto gotico (vi nacquero i fratelli Attilio ed Emilio Bandiera; lapide), e sul fronte ovest dell'invaso, N. 3626-27, un palazzetto gotico del 1450 circa, a sin. del quale, oltre la calle della Pietà, numeri 3723-30, sono tre gruppi di case seicentesche accoppiate, caratterizzate da abbaini con volute e da balconcini in ferro.

Quasi al termine della calle della Pietà (v. sopra), si apre a sin. il sottoportico e *corte del Papa*, che prende il nome da Pietro Barbo, poi papa Paolo

II, qui nato nel 1417 nell'edificio N. 3709-14; questo, che volge la facciata (rimaneggiata in epoca rinascimentale) sul rio della Pietà (la si vede dal ponte dietro la Pietà, in fondo alla calle), dell'originaria costruzione bizantina del sec. XI-XII conserva l'impianto e, nell'androne d'acqua, i pulvini angolari con animali affrontati e il portale architravato in marmo di Verona.

Di ritorno sulla riva degli Schiavoni, si prosegue verso est e, superato l'edificio N. 4127, costruito da Federico Berchet nel 1862 (si notino i pergoli in ferro fuso a motivi neobarocchi), si raggiunge, N. 4110, il *palazzo Gabrieli* (ora hotel Gabrielli-Sandwirth), databile alla fine del '300 per l'irregolarità nella distribuzione e nella forma delle aperture originali (sulla facciata, alterata e sopraelevata, sono due patere bizantine e un rilievo con lo scudo della famiglia retto dall'arcangelo Gabriele; nella corte interna, fino al secolo scorso d'uso pubblico, ricca *vera da pozzo* coeva al palazzo, con scudo della famiglia). Si varca quindi il ponte della Ca' di Dio, ricostruito nel 1844 da Giuseppe Salvadori, con bella vista sul rio di S. Martino (sul fondo, il gotico campanile della chiesa omonima): lo definisce a d. il caratteristico fianco sin., articolato da alti camini, della *Ca' di Dio*, vasto complesso prospiciente il successivo tratto di riva che da esso trae il nome (*riva della Ca' di Dio*). Eretto nell'ultimo quarto del sec. XIII quale ospizio per pellegrini e successivamente destinato a donne cadute in povertà, l'edificio fu ricostruito a partire dal 1545 su progetto e sotto la direzione di Jacopo Sansovino; interrotti nel 1547, dopo l'impostazione dell'ala sin. comprendente la chiesa (v. sotto), i lavori ripresero solo nel 1570 e si protrassero per altri due secoli con interventi di Baldassare Longhena (1658-62 e 1675) e soprattutto di Bernardino Maccaruzzi (1770-73) che, tra l'altro, realizzò l'ultimo piano (dopo un radicale restauro, nel 1973 l'edificio è stato riaperto e adibito a pensionato per anziani autosufficienti di pertinenza dell'IRE).

La chiesa (*S. Maria alla Ca' di Dio*), in posizione asimmetrica rispetto alle ali del complesso, si presenta all'esterno con due portali sormontati da finestre di linea sansoviniana, coronate da timpani triangolari, fra le quali è un'edicoletta con la *Madonna col Bambino*, piccola scultura goticheggiante degli inizi del sec. XV. L'interno (ingresso al N. 2182; per la visita richiedere il permesso all'IRE), rettangolare a doppia altezza già con tre altari di cui restano solo le cornici, contiene buone tele sei-settecentesche di varia provenienza, fra cui una pala di Giuseppe Angeli (*S. Pietro Orseolo*).

Poco avanti, dopo la calle dei Forni, prospettano sulla riva due edifici, uniformati in altezza, già *Forni Militari* e *Depositi di pane* della flotta della Repubblica, e ancora oggi di proprietà della Marina Militare. Il primo, N. 2181, risalente al 1473, con bel portale in pietra d'Istria, fregio in cotto e fitta merlatura, presenta elementi gotici e rinascimentali; il secondo, N. 2178-80, rifatto nel 1596, ha il portale centrale decorato da un fastigio con lo stemma del doge Marino Grimani (1595-1605), sormontato dalla Giustizia (sui portali laterali, stemmi dei provveditori e iscrizioni relative al restauro del complesso). Sul ponte dell'Arsenale, costruito nel 1936 da Duilio Torres in luogo di quello ottocentesco in ferro girevole (anticamente la struttura era in legno, apribile mediante catene per permettere il passaggio dei navigli), si varca il rio dell'Arsenale, un tempo unico accesso acqueo al vasto complesso militare da cui trae il nome e di cui, sul fondo, si vede il monumentale ingresso (v. pag. 592). Ai piedi del ponte è il *campo di S. Biasio*, già Angelo Emo, da dove si ha una notevole vista sul Bacino di S. Marco con l'imbocco del canale della Giudecca e del Canal Grande. Definisce il fronte orientale del campo la chiesa di *S. Biagio ai Forni* che, fino all'erezione della chiesa di S. Giorgio dei Greci, ebbe la particolarità di essere officiata alternativamente con rito latino e bizantino. Fondata nel 1052, deve l'attuale struttura alla ricostruzione del 1749-54 su progetto variamente attribuito a Francesco Bognolo e a Filippo Rossi; l'edificio fu allora inserito in un blocco destinato ad abitazioni e così la facciata, a due ordini, incompleta nella parte superiore, si presenta insolitamente caratterizzata da quattro piani di finestre. Soppressa nel 1807 e spogliata degli arredi, la chiesa fu riaperta nel 1817 quale cappella della Marina Militare, funzione che mantiene tuttora.

Attraverso uno stretto vestibolo si accede all'interno (attualmente, 1984, chiuso e in attesa di restauri), a pianta rettangolare a una navata, con presbiterio quadrato. Sul soffitto, *Gloria di S. Biagio* e nel presbiterio *Apparizione della Vergine a S. Biagio*, di Giovanni Scajaro, pittore tiepolesco della 2ª metà del sec. XVIII. È qui custodito il *monumento funebre di Angelo Emo* (m. 1792), ultimo «Capo de Mar» della Repubblica, opera di Giovanni Ferrari già nella chiesa di S. Maria dei Servi. Agli altari, provenienti dalla chiesa di S. Anna, tele di scuola veneziana del sec. XVII; all'ultimo sin., icona lignea probabilmente settecentesca raffigurante *S. Spiridione*.

Occupa il fronte nord del campo, N. 2148-49, l'austero edificio, della fine del sec. XVI, già destinato a granaio della Repubblica e a magazzino dei biscotti per la Marina; in facciata, *Leone marciano*, bassorilievo moderno posto in sostituzione dell'originale scalpellato nel 1797. È sede dell'Ufficio Idrografico della Marina Militare e del **Museo Storico Navale**, ricca raccolta di cimeli, modelli e trofei sia delle antiche marine (con particolare riguardo a quella veneta) che della Marina Militare Italiana. Giorni e ore di visita, pag. 135.

L'origine del Museo Storico Navale di Venezia si può far risalire a quella «Casa dei Modelli» che, verso la fine del Seicento, il governo della Serenissima aveva fatto erigere nell'ambito dell'Arsenale per conservarvi appunto i modelli delle navi che si andavano costruendo (vascelli di primo, secondo e terzo rango, fregate e altri legni minori). Preso d'assalto l'Arsenale e distrutta ogni cosa nei moti del dicembre 1797 e del gennaio seguente, anche la «Casa dei Modelli» fu devastata. Alla ripresa delle attività cantieristiche durante le successive occupazioni francesi e austriache, si produssero ancora modelli di navi e fu data esecuzione a quel magnifico modello del Bucintoro che ancor oggi primeggia tra i cimeli del Museo. In quel tempo, in una «Sala dei Modelli», si raccoglievano ancora cimeli salvatisi dalla distruzione del 1797-98 o trovati abbandonati entro la cerchia delle mura dell'Arsenale. A una prima collezione di memorie dell'Arsenale della Repubblica, formatasi dopo la liberazione di Venezia, seguì nel 1919 la costituzione del Museo Storico Navale con sede propria in una palazzina situata subito all'ingresso dell'Arsenale, dove furono raccolti e ordinati tutti i più importanti cimeli e trofei della Marina Militare Italiana, provenienti dalla Spezia, da Napoli, da Taranto e da Pola. Dimostratisi insufficienti i locali a contenere e ad esporre sistematicamente tutto il materiale che vi si veniva col tempo accumulando, il museo fu traslocato e sistemato, dal 1961 al '64, nell'attuale edificio, sede ideale sia per la capacità degli ambienti disponibili, sia perché situata nei pressi della riva degli Schiavoni, adiacente alla chiesa della Marina (S. Biagio ai Forni) e non lungi dall'Arsenale.

Varcato l'ingresso (ai lati, coperture di bitte dell'incrociatore «Andrea Doria»), si accede alla SALA 1 (atrio) dove sono: 2 *fanali* di nave dell'inizio del sec. XIX; bassorilievo su piastre dell'incrociatore «Emanuele Filiberto duca d'Aosta»; copribitte, targhe e una campana di nave. A d. si apre la SALA 2 (di Angelo Emo) dove, alla parete di fondo, è il *monumento ad Angelo Emo* (1721-92), ultimo «Capo de Mar» della Repubblica, marmo di Antonio Canova (1795) eretto per decreto del Senato; a d. e a sin. del monumento, *Episodi delle spedizioni navali di Angelo Emo*, 4 bassorilievi bronzei già sul suo monumento sepolcrale della vicina chiesa di S. Biagio ai Forni. Nella sala sono inoltre custoditi: stendardo del Capitano Straordinario della Flotta veneziana Angelo Emo; modello di *batteria galleggiante*, ideata dall'Emo e usata nel bombardamento di Tunisi (1778); altorilievo del *Leone marciano* del sec. XV; 5 mortai di bronzo, di cui due del sec. XVIII e tre trovati nel forte Sultante di Tripoli (guerra di Libia, 1911-12). A sin. della sala 1 è la SALA 3: al centro, siluro di lunga corsa (SLC, più noto col nome di «maiale»), impiegato durante la 2ª guerra mondiale nel forzamento delle basi nemiche (1940-43); alle pareti, stemmi e fregi di corazzate e fregi provenienti dal demolito ingresso dell'Arsenale di Napoli.

Dalla sala 1, passando per un ambiente dove sono le scale per il piano superiore (alle pareti, cinquecentesco *fanò* di galea veneziana a 3 lanterne, con bracci a forma di cornucopia, e cimeli di vari sommergibili fra cui il «Medusa», varato nel 1911), si accede alla SALA 4, divisa in due ambienti. Nel primo sono esposti: *colubrine* veneziane in bronzo del sec. XVI fuse da Sigismondo, Jacopo, Fabio, Camillo e Giulio II della celebre famiglia Alberghetti, già poste in difesa di Famagosta (1571); 1 *sacro* e 2 *cannoni* di Marco Conti (sec. XVI); una colubrina in bronzo da corsia, di galea medicea, di Cosimo Cenni (1643); alle pareti, plastici di isole, città e fortezze della fine del '500 e del '600. Nel secondo ambiente: cannoni di bronzo, uno con stemma di casa Odescalchi (1615) e l'altro della famiglia Pasqualigo; colubrinetta del '700; falcone rivestito di corda e cuoio (sec. XVII); archibugi del '500; due mortai del 1811.

Si sale al 1° piano (lungo la scala, disegni dell'abate Maffioletti del 1799), dove è raccolto il materiale relativo alle marine a remi e a vela degli antichi stati italiani. Nella SALA 5 (pianerottolo), dove è una sfera celeste, copia dell'originale di padre Vincenzo Coronelli del 1693, alle pareti: *turchi incatenati*, sculture lignee del sec. XVII, già decorazione delle fiancate di poppa di una galera; stemma con l'arma della famiglia Morosini della Tressa (sec. XVI); stemma con l'arma della famiglia Memmo (sec. XVII); insegna con l'arma dei Morosini della Tressa (sec. XVI); campana del sec. XVI. Si accede alla SALA 6: nelle bacheche, strumenti nautici dal sec. XIII al '900; carta nautica del sec. XVII (?) e due *portolani* (1611 e 1557). Nella successiva SALA 7 (di Nemi), modelli della prima e della seconda nave romana del lago di Nemi, disegni e sezioni delle stesse. SALA 8: petriera di ferro del '400; modelli di navi del '700; decorazioni terminali di fiancata di galea genovese del '700, con figure lignee intagliate e stemmi; fiancata dritta di galea veneziana del '600; modelli di navi veneziane (fregata, vascello, brigantino, galeotto e galeone) del '700; *modello di fusta veneziana da combattimento, a 224 remi, del '500; 2 *fiancate di galea veneziana con ricchi ornati e dorature, forse della capitana di Lazzaro Mocenigo saltata in aria nel 1657 ai Dardanelli. Inoltre, alle pareti, *Il reclutamento degli equipaggi della Serenissima* di G.B. del Moro e *ritratti di Pietro Barbarigo* (di scuola di Tiziano), *Jacopo Soranzo* (attribuito a Jacopo Tintoretto), *Francesco Duodo* (di scuola del Tintoretto), *Giovanni Mocenigo* (di scuola di Tiziano), *Lazzaro Mocenigo* (di Niccolò Renieri), *Jacopo Foscarini* (di Domenico Tintoretto), *Girolamo Foscarini* (di scuola bolognese del sec. XVII), *Leonardo Foscolo* (alla maniera di Bernardo Strozzi), *Bernardino e Lorenzo Venier* (di ignoto del sec. XVII).

Nella SALA 9, nella grande vetrina centrale, *modello del Bucintoro* fatto costruire nel 1828 dal marchese Amilcare Paolucci delle Roncole, comandante della Imperiale e Regia Marina da guerra e riproducente l'ultimo Bucintoro, varato nel 1728 e al quale aveva prestato l'opera di scultore Antonio Corradini. Durante il dogado di Pietro Orseolo II (991-1008) ebbe inizio l'annuale cerimonia della benedizione del mare fuori del porto di Lido il giorno dell'Ascensione, presente il doge, le alte cariche, il clero e il popolo, per celebrare la conquista della Dalmazia avvenuta il giorno di quella sacra ricorrenza. Quando nel 1177 il papa Alessandro III, grato per la pace raggiunta, mediatrice Venezia, nella lotta contro Federico Barbarossa, ebbe a consegnare al doge un anello d'oro con l'auspicio «vi sia il mare sottomesso come sposa allo sposo», il Senato decretò la costruzione di una splendida grande galera perché fosse usata dal doge nella funzione dello sposalizio col mare. Il primo Bucintoro fu costruito nel 1277, l'ultimo venne distrutto durante l'occupazione francese del 1797-98. Era lungo m 43.80, largo m 7.31 e alto m 8.35; aveva 42 remi, ciascuno azionato da 4 vogatori, che erano scelti tra gli operai dell'Arsenale. Alle pareti: frammenti dell'ultimo Bucintoro (altri cimeli di questa imbarcazione sono al Museo Correr) e di uno precedente; frammenti di imbarcazione settecentesca del granduca di Toscana; stampe e dipinti. Nella successiva SALA 10: modelli di fregate e vascelli veneziani del '700; grande modello del vascello

«Cesare», di 80 cannoni, impostato all'Arsenale dalla Repubblica, ultimato sotto il governo napoleonico e varato il 7 novembre 1815 alla presenza di Francesco I, imperatore d'Austria; modello del vascello pontificio «S. Antonio» del principio del '700; 2 *tritoni*, sculture lignee ornamentali della poppa di un vascello veneziano del '600; 2 quadri raffiguranti la flotta veneziana a Corfù nel '600; un quadro della flotta veneziana a Tripoli nel 1765; balconata di vascello veneziano del sec. XVIII. SALA 11: grande modello di una galeazza veneziana del '600; modelli di vascelli veneziani di 1°, 2° e 3° rango, del '700; modello di «cammello», galleggiante usato per sollevare le navi (sec. XVIII); inoltre, alla parete, documentazione iconografica dell'Arsenale di Venezia, opera dell'abate Maffioletti (1798).

Tornati nella sala 5 si sale al 2° piano (lungo la scala, *Veduta di Genova* dell'abate Maffioletti e *Mappa del dogado meridionale* del 1800). Dalla SALA 12 (pianerottolo), dove sono bandiere della Repubblica veneta e il *busto di Alberto Guglielmotti* (1812-93), frate domenicano, storiografo e archeologo navale, si accede alla SALA 13, che raccoglie due cimeli di nave moderna e il modello della CS e RB, barca a vela utilizzata nella prima regata intorno al mondo. Nella seguente SALA 14: insegne di alti gradi e di alte cariche della Marina; stendardo reale e gagliardetto dei principi in uso fino al 1945; bandiere di bompresso in uso nella Regia Marina e attualmente nella Marina Militare; divisa del grande ammiraglio Paolo Thaon di Revel, duca del Mare (1859-1948). La SALA 15 (delle navi moderne) raccoglie in vetrine una ventina di modelli completi di navi da guerra varate dal primo dopoguerra a oggi; inoltre, modelli di parti di navi, fregi, campane, grossi anelli a ricordo dei vari delle navi fatti dopo il 1866 e 2 colubrine cinesi ad avancarica, lunghe m 7.57, catturate a Tien Tsin (Cina) nel 1900. Nella SALA 16 sono modelli di navi della 2ª metà dell'Ottocento: pirofregata corazzata «Regina Maria Pia» (1863-1904); piroscafo-avviso «Esploratore» (1862-95); lancia della fregata corazzata «Re d'Italia» (1861); cimeli vari e fregi; acquerelli e disegni vari, tra cui 14 bozzetti del pittore Ippolito Caffi, perito nell'affondamento del «Re d'Italia» (20 luglio 1866). La SALA 17 raccoglie modelli vari, tra cui: corazzata «Duilio», armata di 4 cannoni da 450 mm (1876-1909); corazzata «Italia», armata di 4 cannoni da 431 mm (1880-1914); modello della «Stella Polare» (1883), usata dal duca degli Abruzzi per la spedizione al Polo Nord. Inoltre cimeli vari, fotografie di navi e *busto di Benedetto Brin* (1833-98), generale del Genio Navale e ministro della Marina, il rinnovatore della Marina italiana. La SALA 18 è dedicata alle armi subacquee e vi sono siluri, torpedini, cimeli vari e un modello di MAS.

Si sale infine al 3° piano. Dalla SALA 19, dove sono piante e disegni relativi all'Arsenale di Venezia nel sec. XIX, si passa nella SALA 20, che raccoglie modelli di navi mercantili di epoca moderna. Nella seguente SALA 21: fusta napoletana del '700; canotto già usato dall'ambasciatore d'Italia a Costantinopoli dal 1890 al 1926; raccolta di ex voto marinari dei secc. XVI-XVIII. La SALA 22 accoglie la gondola «de casada» di Ca' Venier dei Leoni, una gondoletta «da fresco» e una barca a «coa de gambero» del sec. XIX. Nella SALA 23, modelli e parti di «bragozzi» e «trabaccoli» della fine dell'Ottocento. SALA 24: modelli dei vari tipi di imbarcazioni usate per la pesca e per trasporti nella Laguna di Venezia. Nella SALA 25 è esposta la collezione di modelli di giunche cinesi donata da Meseaur Entienne Sigault di Mentone; inoltre, alle pareti, insegna giapponese del sec. XVI e 6 *pannelli cinesi, del sec. XVIII, con ricami in seta.

Si prosegue lungo la riva S. Biasio (allargata nel 1936, le liste di marmo ne indicano il limite originario) fino al rio della Tana. Lo scavalca il ponte della Veneta Marina, più volte rifatto, l'ultima nel 1936, quando venne allineato alla nuova riva Impero, poi *riva dei Sette Martiri* (Veneziani qui fucilati da soldati nazisti nel 1944). E lungo questa, lasciando a sin. l'ampio rio terrà Garibaldi (per la visita, v. pag. 596), si continua in direzione dell'estremo lembo sud-orientale della città.

L'attuale assetto dell'area è frutto degli interventi succedutisi dal 1807 al 1936. Fino a quest'ultima data infatti terminava qui la riva lungo il canale di S. Marco, e al di là del ponte sul rio della Tana si stendeva una zona da secoli destinata a squeri di nave. Con il decreto napoleonico del 7 dicembre 1807 venne prevista la continuazione della riva fino al campo S. Giuseppe e la creazione di pubblici giardini sull'estrema propaggine sud-est della città. Incaricato della progettazione globale fu Giannantonio Selva che, risparmiando l'area cantieristica, ideò la copertura di un buon tratto del rio di Castello, creando così il nuovo e scenografico percorso pedonale di collegamento coi giardini, che vi aprono il monumentale ingresso (v. pag. 596). La nuova arteria, che prese il nome di strada Eugenia in onore di Eugenio Beauharnais, viceré d'Italia e principe di Venezia (successivamente assunse quello di strada Nuova ai Giardini e, dopo il 1866, di via – e quindi di rio terrà – Garibaldi), estranea per dimensioni all'ambiente veneziano (l'ampiezza media di m 17.50 è la maggiore di tutta la città insulare), costituì inoltre il principale collegamento tra questa popolosa e popolare area periferica (in cui fu inserita senza demolizioni) e il centro della città. Il progetto napoleonico di continuazione della riva lungo il canale di S. Marco, riproposto dal Piano Regolatore del 1886, fu realizzato solo nel 1936 sotto la direzione di Duilio Torres.

Percorrendo la riva, ampia banchina per l'approdo di navi di grande tonnellaggio, si raggiunge l'interessante complesso della **Marinarezza**, costituito da 4 blocchi edilizi di alloggi popolari che, secondo una politica assistenziale tradizionale a Venezia, venivano assegnati gratuitamente ai marinai distinti per meriti verso la Repubblica. È segnalato sul percorso dal fabbricato frontale (aggiunto nel 1645), con i tipici voltoni aperti in asse con le calli interne, su cui si allungano i tre corpi retrostanti risalenti alla fine del '400.

Questi, paralleli tra loro e disposti lungo due percorsi pedonali (calle e corte Colonne), comprendono 55 alloggi in serie, disposti su tre piani (di cui il primo con monofore e bifore ad arco) e scanditi a due a due dai camini (la partitura è manomessa da numerosi piccoli interventi); la vera da pozzo di corte Colonne è l'unica rimasta delle 4 originarie (a d. e a sin. del complesso sono due aree verdi, parzialmente piantate a pini, aperte in questo secolo sull'area dei cantieri navali Layet e Svan, ultimi eredi degli antichi squeri della zona).

Poco più avanti, N. 1364 A, è il neorinascimentale *villino Canonica*, costruito nel 1911 quale propria dimora-museo dallo scultore Pietro Canonica, con prospetto a minuta decorazione, di marmi policromi e cotto, concepita in funzione dell'originaria ubicazione a specchio sull'acqua; successivamente donato dal proprietario al Consiglio Nazionale delle Ricerche (lapide sul fianco sin., sotto un rilievo del Leone marciano dello stesso Canonica), è ora sede degli Istituti di Biologia Marina e di Studi Adriatici. Segue, N. 1264 C, la neogotica *casa Rossitto* (fine sec. XIX), prossima allo sbocco del rio di S. Giuseppe, che si varca sul ponte dei Giardini, realizzato nel 1936 da Duilio Torres con sculture di Napoleone Martinuzzi (dal ponte, stupenda panoramica a 180° sulla Laguna sud); ai piedi del ponte, *monumento ai Soldati di terra e di mare*, che si prodigarono durante le inondazioni del 1882, opera di Augusto Benvenuti (1885) già collocata in campo S. Biasio. Si stendono da qui i **Giardini Pubblici** che, voluti da Napoleone con decreto del 1807, costituirono un fatto socio-urbanistico nuovo per la città, di rilievo anche per la rapidità dell'esecuzione (1808-12) che richiese l'imbonimento del paludo di S. Antonio (a nord-est della punta della Motta, estremo limite della città) e l'abbattimento di un denso nucleo di architetture religiose.

Meritano un cenno i monumenti sacrificati alla realizzazione. Verso la Laguna si susseguivano: la chiesa di S. Nicolò di Bari (consacrata nel 1503), con annessi il quattrocentesco ospedale dei Marinai e il Seminario Ducale; la seicentesca chiesa della Concezione di Maria (le Cappuccine Concette), con convento del sec. XVI; la chiesa di S. Antonio Abate, fondata nel 1346, di forme gotiche all'interno e facciata forse di Sansovino (a essa e al convento avevano lavorato alcune tra le principali maestranze del Rinascimento lombardo). Presso il rio di Castello sorgeva poi la trecentesca chiesa di S. Domenico, ristrutturata nel '500, che venne demolita insieme all'attiguo convento (dal 1560 sede del Tribunale dell'Inquisizione) per creare il primo tronco dei Giardini, quello a nord-ovest del rio di S. Giuseppe.

La sistemazione generale dell'area si dovette a Giannantonio Selva, che progettò attentamente anche gli arredi e le attrezzature di servizio, poi non realizzati per motivi economici. Divisi dal rio di S. Giuseppe e collegati da un ponte, i Giardini si sviluppano in due sezioni di cui la prima, a NO del rio, ha forma di rettangolo allungato, con viale centrale che sbocca sul rio terrà Garibaldi; la seconda sezione, più vasta, si articola invece su due assi ortogonali tra loro (solo il tracciato degli assi principali rimane dell'originario disegno neoclassico di giardino 'all'italiana', cancellato verso la metà dell'Ottocento dalla sistemazione 'all'inglese', più consona al gusto romantico, e alla fine dello stesso secolo dall'installazione dei padiglioni della Biennale d'Arte).

Presso l'ingresso occidentale sorge la colonna rostrata che, eretta a Pola dagli Austriaci in onore dell'arciduca Massimiliano, fu qui posta dopo la guerra 1915-18. Dietro la colonna, sul rio di S. Giuseppe, è l'*arco Lando*, elegante architettura già creduta del Sanmicheli, un tempo accesso alla cappella di quella famiglia nella demolita chiesa di S. Antonio Abate (v. sopra; la struttura è stata qui ricostruita da Giuseppe Salvadori nel 1822). Tra il verde, numerose statue da giardino settecentesche e la base (opera di Carlo Scarpa) del primo monumento alla Partigiana veneta, eretto nel 1955 e distrutto da un attentato (recava una statua di ceramica policroma di Leoncillo).

Varcato a sin. il rio di S. Giuseppe e lasciata a d. una grande serra della seconda metà dell'Ottocento, lungo il viale che forma l'asse della prima sezione si raggiunge il rio terrà Garibaldi, su cui si apre l'ingresso nord ai Giardini, di carattere monumentale; sorto sull'area del demolito complesso conventuale di S. Domenico, fu progettato da Giannantonio Selva a otto massicci pilastri bugnati (che dovevano essere sormontati da statue) e cancellata in ferro. L'attiguo *monumento a Garibaldi*, con tre efficaci sculture bronzee sopra un masso roccioso emergente dalla vasca circolare, è di Augusto Benvenuti (1885).

Si prosegue lungo la riva dei Partigiani, sulla quale si allineano a sin. numerosi monumenti commemorativi moderni; a d., immerso nelle acque della Laguna, è il nuovo *monumento alla Partigiana veneta*, di originale, suggestiva concezione, ideato da Carlo Scarpa ed eseguito da Sergio Los (la scultura bronzea è di Augusto Murer). A metà percorso si penetra nella seconda sezione dei Giardini per il viale che raggiunge la zona riservata ai padiglioni della **Biennale Internazionale d'Arte**: è la importante e famosa istituzione culturale – rassegna di pittura, scultura, grafica e arte decorativa – che (con il precedente dell'Esposizione Nazionale Artistica del 1887) venne istituita nel 1895 per iniziativa del sindaco di Venezia Riccardo Selvatico; ripetuta ogni anno pari, vi partecipano nazioni di tutto il mondo con l'esposizione di opere di artisti viventi e l'allestimento di mostre retrospettive delle maggiori personalità del recente passato. Dei 24 padiglioni dell'Esposizione, il primo fu il padiglione Italia (v. sotto), cui dal 1907 al 1964 si aggiunsero quelli dei singoli paesi che, proliferando senza un piano organico, vennero a occupare gran parte dell'area a verde pubblico che aveva costituito il principale movente del progetto napoleonico. Tuttavia in tal modo si costituì una importante rassegna antologica, unica in Italia, sul tema degli allestimenti espositivi attraverso l'arco di tempo di oltre mezzo secolo, con un riflesso delle tendenze architettoniche delle diverse nazioni non senza episodi di qualità. Pianta a pag. 535.

Passato il recinto d'ingresso, ideato da Carlo Scarpa nel 1952 insieme all'elegante biglietteria, poi demolita, si incontrano a sin. i *padiglioni:*

Spagna (1), realizzato nel 1922 da Francisco Javier de Luque y Lopez e rinnovato in facciata e trasformato parzialmente all'interno nel 1952 da Joaquín Vaquero Palacios; *Belgio* (2), di Léon Sneyers (1907), ampliato nel 1930 e rimaneggiato con una nuova facciata nel 1948 da Virgilio Vallot; *Olanda* (3), ricostruito nel 1954 da Gerrit Thomas Rietveld (il primo edificio risaliva al 1912 ed era di Ferdinand Boberg). Il viale è chiuso sul fondo dal *padiglione Italia* (4), il cui primo nucleo corrisponde alla Cavallerizza costruita intorno al 1840 da Tommaso Meduna, già trasformata in salone per concerti da Enrico Trevisanato in occasione dell'Esposizione Nazionale d'Arte, e utilizzata dallo stesso per il Palazzo della 1ª Biennale del 1895, con facciata posticcia a tempio ionico ideata dai pittori Mario De Maria e Bartolomeo Bezzi; questo blocco, poi continuamente ampliato e

Giardini Pubblici: padiglioni della Biennale

trasformato, ebbe un nuovo prospetto nel 1914 (Guido Cirilli) e un altro nel 1932, a opera di Duilio Torres, 'mascherato' nel 1968 da Carlo Scarpa (anche l'interno del complesso fu a più riprese modificato e allo stesso Scarpa si devono il giardinetto del 1952 e la soppalcatura del salone del 1968). Proseguendo verso est si incontrano: i resti del *padiglione del Libro d'Arte* (5), costruito da Carlo Scarpa nel 1950 e distrutto da un incendio nel 1984; il *padiglione Finlandia* (6), di Alvar Aalto (1956); il *padiglione Ungheria* (7), costruito nel 1909 da Géza Maróti-Rintel e completamente modificato, ad eccezione del portale, da Ágost Benkhard nel 1957.

Varcato il rio dei Giardini, si incontrano poi i *padiglioni: Brasile* (8) di N. Marchesini del 1964; *Austria* (9), di Josef Hoffmann e R. Kramreiter (1933-34), con cortile ampliato dallo stesso Hoffmann nel 1954; *Venezia* (arti decorative), *Polonia, Egitto, Jugoslavia e Romania* (10), ampio blocco edilizio di Brenno Del Giudice (1931-32); *Grecia* (11) di Papandreou del 1934. Riattraversato il rio, lungo il viale in direzione della Laguna si dispongono i *padiglioni: Israele* (12) di Zeev Rechter (1952); *U.S.A.* (13) di William Adams Delano e Chester Holmes Aldrich (1930); *Danimarca* (14) di Carl Brummer (1932), ampliato da Peter Koch nel 1959; *Paesi Nordici* (15) di Sverre Fehn (1961-62).

Si prosegue costeggiando i *padiglioni: Cecoslovacchia* (16) di Otakar Novotný (1926); *Francia* (17) di Faust Finzi (1912); *Gran Bretagna* (18), adattamento realizzato nel 1909 da Edwin Alfred Rickards del caffè-ristorante costruito nel 1887 in luogo di un padiglione di Giannantonio Selva; *Canada* (19), costruito nel 1957-58 da Lodovico Barbiano di Belgioioso, Enrico Peressutti ed Ernesto Nathan Rogers dello studio BBPR di Milano; *Germania* (20) ricostruito nel 1937-38 da Ernst Haiger in sostituzione di quello di Daniele Donghi del 1908-1909; *Giappone* (21), del 1956 di Takamasa Yoshizaka; *U.R.S.S.* (22) di Aleksej Ščusev del 1914; *Venezuela* (23) di Carlo Scarpa (1954-56); *Svizzera* (24), del 1952 di Bruno Giacometti.

Ritornati sulla riva si prosegue verso sud-est avendo ancora, a sin., monumenti commemorativi moderni e il gruppo colossale della *Minerva sul leone*, dello scultore neoclassico Antonio Giaccarelli, già a fastigio delle Gallerie dell'Accademia. Si giunge alla punta della Motta (da «mota», cioè zona paludosa), fino all'Ottocento estremo limite orientale della città. Oltre il ponte (vista sul rio dei Giardini) si scende sull'*isola di Sant'Elena*, fino all'ultimo quarto del secolo scorso piccolo isolotto (era tutto occupato dalla chiesa e dal convento) separato dalla città da un ampio braccio di Laguna; deve l'attuale dimensione e forma trapezoidale a un importante intervento di imbonimento. L'area prossima alla punta della Motta, un tempo destinata a piazza d'Armi, è ora occupata dal vasto *quartiere di S. Elena* (già Vittorio Emanuele III). L'idea di costruire qui un quartiere residenziale a carattere popolare, avanzata nel 1905, poté realizzarsi solo dopo la convenzione stipulata nel 1923 tra Demanio e Comune, quando il primo cedette l'area della piazza d'Armi.

La progettazione del nuovo quartiere, condizionata dalle prescrizioni della Commissione Comunale all'Ornato volte al conferimento di un carattere 'veneziano' all'insediamento, fu realizzata dall'ufficio tecnico dello IACP sotto la direzione di Paolo Bertanza; i blocchi edilizi presentano un eclettismo che, accanto a preferenze cinque-seicentesche, accoglie motivi bizantini e gotici (nel 1926 erano pronti i primi 148 appartamenti). Anche la creazione della larga fascia verde (il *parco della Rimembranza*) che in continuità con i Giardini definisce il fronte lagunare, fu imposta dalla Commissione Comunale all'Ornato.

Ancora verso sud-est, costeggiando il parco della Rimembranza (sulla riva, pontile dei vaporetti e motoscafi da e per il Bacino di S. Marco), si raggiunge il rio di S. Elena, risultato degli imbonimenti dell'ultimo quarto del secolo scorso. A sin. il viale Piave (sul lato d., un ponte in legno per il collegio navale «Francesco Morosini», del 1937), conduce a un secondo ponte in legno, oltre il quale si apre un ampio viale di platani. È l'accesso al complesso conventuale di **S. Elena**, che ha da tempo completamente perduto (fino al secolo scorso prospettava direttamente sulla Laguna) il suggestivo ambiente originario. La *chiesa*, fondata nel 1175 (nel 1211 vi furono deposte le presunte spoglie della santa titolare provenienti da Costantinopoli), passata nel 1407 agli Olivetani, fu ricostruita a partire dal 1439 per opera di Jacopo Celega e del lapicida Bartolomeo Tesenato. Indemaniata nel 1806, venne spogliata degli arredi e adibita a usi profani (granaio e mulino militare); quindi, riscattata dai Servi di Maria e restaurata con la reintegrazione di alcune parti decorative, fu riaperta al culto nel 1929 quale parrocchia del nuovo quartiere. La snella facciata in cotto, con bifore ogivali e cornice di coronamento ad archetti, si fregia di un superbo portale del primo Rinascimento, eretto intorno al 1470 come monumento commemorativo del comandante Vittore Cappello; il realistico gruppo del *Comandante inginocchiato dinanzi a S. Elena* è opera di Antonio Rizzo (asportato dopo la soppressione della chiesa, è stato qui ricollocato nel 1942). A d. della facciata si sviluppa la grande struttura ogivale della cappella di S. Elena. Posteriormente a sin., prossimo alla zona absidale, è il sovradimensionato campanile, costruito nel 1958 da Ferdinando Forlati in sostituzione di quello cinquecentesco demolito.

L'interno, di grande austerità, è a navata unica divisa in tre campate a crociera, con catene lignee trasversali sostenute da barbacani finemente intagliati; il presbiterio è costituito da una campata minore conclusa da abside poligonale aperta da alte finestre a traforo gotico (davanti al presbiterio era un elegante coro ligneo, ora disperso, intarsiato e scolpito da fra' Sebastiano Schiavone tra il 1480 e il 1505). Si aprono sulla navata, a d., la cappella di S. Elena, di forme tardogotiche, della metà del sec. XV e la cappella Giustinian, di analoga struttura realizzata nel 1460 da Domenico di Giovanni; a sin. della maggiore è la rinascimentale cappella di S. Francesca Romana, della fine del sec. XV. Decorano le pareti dipinti provenienti da edifici soppressi, e qui inseriti nel 1936, tra cui 6 tavolette di Antonio da Firenze (sec. xv) e una *S. Elena ai piedi della Croce* di Paolo Piazza. Nella cappella di S. Elena, *Annunciazione con donatore*, opera attribuita a Marco Vecellio.

A sin. della chiesa rimane parte del convento (già adattato all'epoca della soppressione a caserma della Marina), con chiostro della 2ª metà del sec. xv a tre lati di arcate a tutto sesto su basse colonne, di cui quella addossata alla chiesa sormontata da loggia architravata; al centro, vera da pozzo settecentesca.

6.2 Da campo S. Bartolomio alla riva degli Schiavoni per S. Maria Formosa, S. Canciano e Ss. Giovanni e Paolo

Da campo S. Bartolomio (v. pag. 328) si prende verso levante il frequentato sottoportico della Bissa, oltre il quale la calle omonima conduce in breve al rio della Fava (di confine tra i sestieri di S. Marco e di Castello), che si varca sul ponte di S. Antonio: a d., l'elegante facciata in pietra d'Istria, con minuta decorazione a candelabre, del *palazzetto Gussoni*, opera della fine del sec. xv attribuita a Pietro Lombardo (il fianco sin. è a sbalzo su mensole scolpite; l'ultimo piano è aggiunta settecentesca). Per la calle al ponte S. Antonio si sbocca nel piccolo, animato *campo S. Lio*, con al centro vera da pozzo del 1572. Vi prospetta la chiesa di **S. Lio** (S. Leone Magno), fondata nel sec. ix dalla famiglia Badoer (e allora dedicata a S. Caterina) e ricostruita nel 1054, quando assunse il nuovo titolo in onore di papa Leone IX. L'originario impianto a tre navate, mantenuto alla fine del '400 allorché venne rifatto il presbiterio con le due cappelle laterali, fu mutato nell'attuale, a vano unico, dal rifacimento concluso nel 1619. Al restauro integrale del 1783 si deve la modesta facciata, a due ordini di lesene, che conserva il portale tardocinquecentesco.

L'interno è ad aula rettangolare, conclusa da tre cappelle absidali, con lesene tuscaniche reggenti il cornicione continuo sopra il quale si aprono le finestre. Il soffitto piano è decorato da *affreschi di Giandomenico Tiepolo (1783) raffiguranti *S. Leone in gloria*, l'*Esaltazione della Croce* e, a monocromo, *Angeli* e *Virtù Cardinali* (restaurato nel 1983). Sulla controfacciata, organo settecentesco decorato sul parapetto da *storie di David*, opera di Gaetano Zompini (dello stesso è pure la decorazione del pulpito). Al 2° altare d., *Santi*, pala di Pier Antonio Novelli firmata e datata 1779. A d. del presbiterio, la *CAPPELLA GUSSONI, bella costruzione rinascimentale di Pietro Lombardo e aiuti, con ricca decorazione e cupoletta: nei pennacchi, 4 tondi con gli *Evangelisti*; all'altare, *Deposizione*, ancona marmorea di Tullio Lombardo. Nel presbiterio, all'altar maggiore, *Cristo morto sostenuto da angeli e santi*, tela di Palma il Giovane; alla parete sin., *Il Calvario*, grande tela di Pietro Vecchia. Al 1° altare sin., *S. Giacomo apostolo*, importante opera di Tiziano, già molto annerita e resa illeggibile

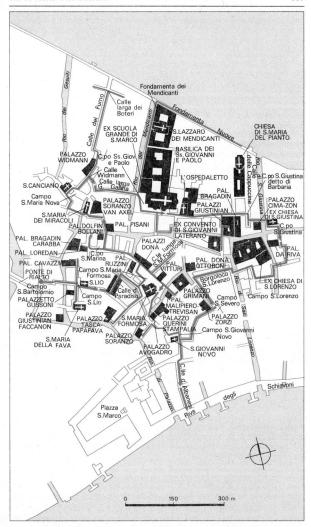

Fondamenta dei Mendicanti

Calle larga dei Boteri

Calle dei Furno

Rio dei Gesuiti

Fondamenta Nuove

EX SCUOLA GRANDE DI S.MARCO

CHIESA DI S.MARIA DEL PIANTO

S.LAZZARO DEI MENDICANTI

Calle delle Capuccine

PALAZZO WIDMANN

C.po Ss. Giov e Paolo

BASILICA DEI Ss.GIOVANNI E PAOLO

Rio di S.Giustina

C.po S.Giustina detto di Barbaria

S.CANCIANO

Calle Widmann

Calle larga G. Gallina

L'OSPEDALETTO

PAL. BRAGADIN

PALAZZO CIMA-ZON

EX CHIESA DI S.GIUSTINA

Campo S.Maria Nova

PALAZZO SORANZO VAN AXEL

PALAZZI GIUSTINIAN

S.MARIA DEI MIRACOLI

PAL.DOLFIN BOLLANI

PAL.PISANI

C.po S.Giustina

PAL. BRAGADIN CARABBA

EX CONVENTO DI S.GIOVANNI LATERANO

PALAZZI DONA

PAL. DA RIVA

PAL. LOREDAN

C.po S.Marina

PAL. RUZZINI

Cl.le lunga S. M.Formosa

PAL. DONA OTTOBONI

PAL. CAVAZZA

PAL. VITTURI

PONTE DI RIALTO

Campo S.Maria Formosa

Borgoloco S.Lorenzo

EX CHIESA DI S.LORENZO

Campo S.Bartolomio

S.LIO

Campo S.Severo

Campo S.Lorenzo

PALAZZETTO GUSSONI

Calle d. Paradiso

PALAZZO GRIMANI

Rio di San Lorenzo

Campo S.Lio

PALAZZO GIUSTINIAN FACCANON

PALAZZO TASCA-PAPAFAVA

S.MARIA FORMOSA

PAL. MALIPIERO TREVISAN

PALAZZO ZORZI

S.MARIA DELLA FAVA

PALAZZO SORANZO

PALAZZO QUERINI STAMPALIA

Campo S.Giovanni Novo

PALAZZO AVOGADRO

S.GIOVANNI NOVO

Schiavoni

Calle di Palazzo

Riva degli

Piazza S.Marco

Calle di Albanesi

0   150   300 m

dalle ridipinture settecentesche e dagli arbitrari ingrandimenti della tela (tutta la zona superiore della centina, come la parte bassa e una sottile fascia a sin., sono aggiunte), poi restaurata nel 1979-80.

Dal campo, prendendo a sin. dell'edificio N. 5658 (neobizantino dell'inizio del '900) la *calle Carminati*, dall'omonimo palazzo di cui rimangono resti al N. 5653 (nel cortile, rilievo del sec. XVI con lo stemma della famiglia), si va ad attraversare il ponte del Pistor: dalla fondamenta a sin. è visibile (N. 5990) l'elegante cortile cinquecentesco, con tre lati a portico e due piani a loggiato, del *palazzo Cavazza*, parte dell'ampliamento del primitivo edificio gotico di cui restano la facciata sul rio e il fianco sulla retrostante corte del Forner.

Si esce dal campo S. Lio prendendo verso sud calle e ramo della Fava, per il *campo della Fava*, ampliato nel 1736 con la demolizione del quattrocentesco oratorio di S. Maria della Consolazione. La costruzione della nuova chiesa di **S. Maria** della Consolazione o **della Fava** (toponimo forse derivato da una famiglia dimorante nella zona), che domina il campo con l'incompiuta facciata a forte sviluppo verticale, ebbe inizio nel 1705 su progetto di Antonio Gaspari, che vi operò fino al 1715; dal 1740 circa, dopo una lunga sospensione, subentrò Giorgio Massari che completò l'edificio consacrato nel 1753.

L'interno, respinti i primi progetti 'alla romana' del Gaspari, che prevedevano una pianta ovata con cupola su alto tamburo, fu architettato a pianta rettangolare, con angoli smussati e tre cappelle poco profonde per lato incluse tra coppie di lesene corinzie. Su questa struttura, impostata per una copertura a cupola, il Massari adattò il soffitto a volta e innestò il presbiterio, a pianta quadrata con cupola ribassata, nel quale si espande il serrato ritmo della navata; al Massari si deve anche la definizione degli elementi decorativi, degli altari e degli arredi. Nelle nicchie alle pareti, *Santi* ed *Evangelisti*, 8 statue di Giuseppe Bernardi, il Torretti. Al 1° altare d., **Educazione della Vergine*, notevole opera giovanile di G.B. Tiepolo anteriore al 1733 (rubata nel 1993); al 2°, *Visitazione* di Jacopo Amigoni; al 3°, *Madonna e il beato Gregorio Barbarigo* di Giambettino Cignaroli (1762). All'altar maggiore, 2 *angeli*, sculture di Giovanni Maria Morlaiter. Al 2° altare sin., **Madonna e S. Filippo Neri*, notevole pala di G.B. Piazzetta (1727); al 1°, *Madonna e S. Francesco di Sales* di Jacopo Amigoni.

Dal ponte di fronte alla chiesa si vede al di là del rio, a sin., il monumentale *palazzo Giustinian Faccanon*, tardogotico del 1460 circa, con pianoterra modificato nel '500; notevoli le due esafore sovrapposte, le due rive ogivali e le due edicole lombardesche (nel '700 fu aggiunto il coronamento a balaustra con statue grottesche).

Tornati in campo S. Lio, si tiene verso est lungo la *salizzada S. Lio*, fondamentale percorso a destinazione commerciale che, attraversando l'omonima insula, mette in comunicazione la zona realtina con S. Maria Formosa (da un lato) e S. Marco (dall'altro). Lungo il fronte nord (sin.) il tessuto urbano, di impianto tardobizantino e gotico, allungato tra la salizzada e il parallelo rio, è organizzato su calli-corti parallele tra loro definite da edilizia a schiera con edifici padronali in testata. Ai numeri 5662 e 5691 restano due interessanti esempi bizantini (sec. XIII), parzialmente alterati, di doppia casa a torre con arco di collegamento (quello del primo blocco, a sesto acuto con ghiera in cotto, è trecentesco). Poco più avanti, a d., numeri 5471-76, blocco di case a schiera quattrocentesche, successivamente sopraelevate, con pianoterra a botteghe, il 1° piano a monofore trilobate alternate a bifore e stemma Gradenigo.

Dopo breve diverge a sin. la ***calle del Paradiso**, uno dei più apprezzati esempi di edilizia popolare gotica 'programmata' di Venezia, definita da due quinte di case a schiera, con pianoterra a botteghe e piani superiori a sbalzo su barbacani lignei, collegate alle testate da archi gotici; il complesso, iniziato nel 1407 sotto Andrea, abate di Pomposa (iscrizione sull'arco verso la salizzada), passato quindi ai Foscari e, per matrimonio, ai Mocenigo, subì notevoli rimaneggiamenti e sopraelevazioni nel XVI-XVII secolo. A fondale della stretta prospettiva, verso il rio di S. Maria Formosa, è il cosiddetto *arco del Paradiso*, a cuspide traforata con quadrilobo, decorato sui due fronti da un rilievo di analogo soggetto, la *Madonna della Misericordia*: quello verso la calle, con due donatori e gli stemmi Foscari e Mocenigo, risalente alla 2ª metà del sec. XV; quello verso il rio, con un donatore e 2 stemmi Foscari, databile intorno al 1380 (l'edificio di testata, a sin. del ponte, conserva elementi tardobizantini del sec. XIII, gotici e rinascimentali). Varcato il rio di S. Maria Formosa sul ponte del Paradiso (ricostruito in questo secolo come l'originale), si tiene subito a d. sul ponte dei Preti (si noti il cippo romano con rilievo e iscrizione murato sull'angolo di una casa). Per la successiva fondamenta omonima, si raggiunge il campo S. Maria Formosa (v. pag. 543), articolato in spazi differenti dalla particolare posizione della chiesa, che volge la facciata principale verso il raccolto campo-sagrato prospiciente il rio.

La chiesa di ***S. Maria Formosa**, eretta secondo la tradizione nel 639 da S. Magno vescovo di Oderzo (al quale sarebbe apparsa la Vergine nell'aspetto di una donna bellissima, «formosa»), e rifatta nel 1175 riprendendo la pianta di S. Marco, fu ricostruita a partire dal 1492 da Mauro Codussi, il quale, sull'orientamento e lo schema a croce greca, innestò quello a croce latina; morto il Codussi nel 1504, l'edificio fu ultimato entro il 1585 (anno della consacrazione) con l'erezione della cupola – peraltro sicuramente prevista dal Codussi – e la realizzazione degli arredi interni e della facciata sul rio. Questa, in pietra d'Istria a un ordine di lesene corinzie, di gusto sansoviniano, fu costruita nel 1542 a spese della famiglia Cappello e in gloria del generale Vincenzo Cappello di cui, sopra il portale, sono l'urna e la statua, opera di Domenico Grazioli; la stessa famiglia finanziò anche la facciata sul campo (1604), impostata sul braccio sin. del transetto, a un ordine gigante di paraste corinzie intersecate da un ordine minore ionico, e con apparato decorativo volto a celebrare i committenti.

La cupola, distrutta una prima volta nel terremoto del 1688 e ancora nel 1916 da una bomba austriaca, è stata ricostruita nelle forme cinquecentesche. Sull'angolo è il campanile barocco, eretto fra il 1678 e il 1688 su disegno del religioso Francesco Zucconi, con canna a partiture geometriche e fantasiosa soluzione per la cella campanaria e la cuspide, che suggerisce l'idea di una candela accesa e gocciolante; sulla porticina che s'apre nel basamento bugnato, è un mascherone grottesco dalla funzione apotropaica.
Tra il campanile e la facciata della chiesa si sviluppa il prospetto, decorato da una *Vergine col Bambino* del sec. xv, di un piccolo edificio (N. 5264 A e B) costituito nel 1833 unificando l'ex Scuola dei Fruttaroli (rifatta nel 1684) e quella della Purificazione, o dei Casselleri (confraternita di fabbricanti di cassoni e casse nuziali), ricostruita nel 1550 e restaurata nel 1601.

L'interno di S. Maria Formosa, più volte rimaneggiato (soprattutto nel 1840, quando lo si 'restaurò' secondo il gusto dell'epoca con l'apertura di finestre e l'aggiunta di affreschi), poi danneggiato dalla bomba austriaca del 1916, è stato ripristinato nella sua 'immagine' codussiana da un restauro di Aldo Scolari ultimato nel 1921. L'armoniosa architettura ripropone l'espansione spaziale bizantina in termini di razionalità rinascimentale, e si qualifica per l'essenzialità del disegno strutturale composto sul contrasto cromatico tra la pietra grigia e il bianco delle superfici intonacate. La pianta è a croce, con bracci di lunghezza quasi uguale coperti da volte a crociera e cupola alla loro intersezione; pilastri dividono il piedicroce in tre navate di cui le laterali con cupolette emisferiche in corrispondenza delle cappelle.
Sulla controfacciata, organo di Gaetano Callido del 1766 (proveniente da S. Marco) con cantoria marmorea del 1542; a d. del portale, *Madonna di Lepanto*, icona bizantina. All'inizio della navata d., sopra il battistero, *Circoncisione*, tondo di scuola belliniana. Nella 1ª cappella d.: all'altare, **Natività di Maria, Madonna della Misericordia, Incontro di S. Gioacchino e S. Anna*, notevole trittico di Bartolomeo Vivarini firmato e datato 1473; alla parete d., frontone di cassone con *Padre Eterno in gloria* di scuola veneta della fine del sec. XV. Nella 2ª cappella, *Pietà e S. Francesco* di Palma il Giovane. Si passa nel transetto destro: alla parete d., *Ultima Cena* di Leandro Bassano; a quella di fondo, *monumento funebre della famiglia Hellemans* del sec. XVII; alla parete sin. è la cappella della Scuola dei Bombardieri (chiusa nel 1823 per collocarvi il fonte battesimale e ripristinata nel 1921), con altare del 1719 di Giuseppe Torretti decorato da un rilievo con il *Martirio di S. Barbara*, patrona della confraternita; il polittico con **S. Barbara tra i Ss. Antonio abate, Sebastiano, Vincenzo Ferreri e Giovanni Battista* è opera giovanile di Palma il Vecchio (c. 1509), già pienamente giorgionesca. A d. del presbiterio si apre la cappella Querini: nelle nicchie dell'abside, *Ss. Lorenzo, Francesco e Sebastiano*, statue attri-

buite a Girolamo Campagna; alla parete d., *Trinità*, tondo del sec. XVIII. Ai lati del presbiterio, pulpiti marmorei di linee 'codussiane' realizzati intorno al 1920.

Nel presbiterio: altar maggiore, rifatto nel 1592 da Francesco Smeraldi utilizzando 4 colonne di verde antico del precedente, con tabernacolo del 1723; dietro l'altare, **Allegoria della fondazione della chiesa* (con Venezia, S. Magno vescovo, S. Marco e S. Maria Formosa), notevole opera di Giulia Lama restaurata nel 1974; sopra, *Il ritorno delle spose rapite dai pirati triestini*, dipinto tradizionalmente attribuito a Giovanni Segala e recentemente ad Antonio Molinari. A sin. del presbiterio è la cappella della Scuola dei Casselleri o della *Madonna del parto*, dall'immagine qui posta nel 1612: la decorazione musiva dell'abside, con *Sibille* e *Santi*, fu eseguita alla fine del sec. XVI su cartoni di Palma il Giovane per volere di Antonio Grimani vescovo di Torcello; alla parete sin., *S. Antonio e Gesù Bambino*, opera del sec. XVII forse di Ermanno Stroifi.

Alla parete d. del transetto sin. la cappella Vitturi, ora del Santissimo, ha un ricco ciborio in marmo (proveniente dalla chiesa di S. Agnese) sormontato dalla statua del Redentore attribuita a Giulio del Moro; alla parete d., *Natività della Vergine* di manierista toscano (?) del sec. XVI e *Circoncisione di Cristo* di scuola veneta del XV-XVI sec.; alla parete sin., *Compianto sul corpo di Cristo* di Antonio Negri e la *Maddalena ai piedi del Redentore* di Marco Liberi. Alla parete sin. del transetto, *Pio V approva l'istituzione dell'opera pia per il riscatto degli schiavi* di Baldassare d'Anna. Agli altari delle tre cappelle della navata sin., pale del sec. XIX, rispettivamente di Antonio Paoletti, Lattanzio Querena e dello stesso Querena. Dalla 2ª cappella (alla parete sin., *Cattura di Cristo* del sec. XVI) si accede all'antisagrestia, da dove una scala sale all'oratorio (per la visita chiedere il permesso). Vi sono custodite varie opere, fra cui una *Madonna col Bambino* di Pietro da Saliba (firmata) e due tele di analogo soggetto (la *Madonna*) del Sassoferrato e di Giandomenico Tiepolo; ai lati dell'altare, *Annunciazione*, gruppo scultoreo tardogotico.

Visitata la chiesa (a sin., N. 5266, l'ex Scuola dei Bombardieri, ricostruita nel 1599 e restaurata nel 1791), si può compiere una breve diramazione che, attraversato il rio di S. Maria Formosa sul ponte delle Bande (perché tra i primi forniti di «bande» o spallette, poi rifatte in ferro nel 1863), per la calle omonima e la successiva calle al ponte della Guerra, raggiunge quest'ultimo, così chiamato per le gare di lotta che vi si svolgevano durante le feste popolari. A d., sulla breve fondamenta Papafava (N. 5402), è l'ingresso al *palazzo Tasca-Papafava* (dal 1932 sede dell'Istituto S. Giuseppe), eretto nel sec. XVI e rimodernato alla metà del secolo successivo dagli allora proprietari, la famiglia Tasca; in quella occasione vi fu adattato il bel portale in pietra d'Istria, opera di Guglielmo Bergamasco (c. 1540), proveniente dal palazzo Frattina-Tasca di Portogruaro (all'interno, visitabile a richiesta, rimane il salone con decorazione a stucchi policromi della metà del '700).

Il vasto **campo S. Maria Formosa** (pianta, pag. 544), uno dei più vivaci spazi cittadini, già teatro di famose feste, cacce al toro e rappresentazioni, aperto su un'insula in posizione chiave tra i sestieri di Castello, S. Marco e Cannaregio, fu centro civile e reli-

gioso di un nucleo di antichissima origine (sec. VII) e quindi sede
d'importanti consorterie artigianali e commerciali che vi avevano le loro Scuole. Definito nell'angolo sud-ovest dal blocco
della chiesa che avanza con la zona absidale articolando lo spazio,
l'invaso è perimetrato da una sequenza di palazzi di differenti
epoche e di notevole interesse architettonico (delle due vere da
pozzo cilindriche, quella presso le absidi è del 1512, restaurata
nel 1756, mentre l'altra è del 1755). In senso orario si incontra
subito a sin., N. 5857, una casa di impianto bizantino, con decora-

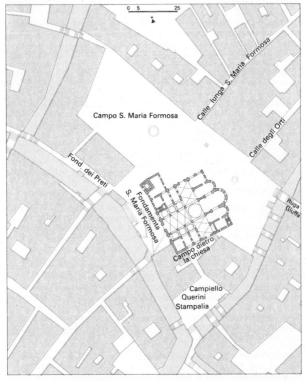

Il campo S. Maria Formosa

zioni in cotto neogotiche e neorinascimentali su fondo bicromo della 2ª metà del sec. XIX. Segue, N. 5866, il *palazzo Ruzzini*, con armonioso, asimmetrico prospetto a fitta partitura di tre ordini di lesene (tuscaniche, ioniche e corinzie), attribuito a Bartolomeo Monopola (fine sec. XVI) che riprese motivi dello Scamozzi con soluzioni personali nell'abbaino, nei parapetti traforati dei balconi e nei portali accoppiati sormontati da roste panciute (in grave stato di abbandono, mantiene all'interno due soffitti affrescati della fine del sec. XVIII attribuiti a Costantino Cedini). La serrata cortina edilizia che definisce il fronte nord-orientale inizia con la sequenza dei tre *palazzi Donà* – di cui il primo (N. 6121) tardo-cinquecentesco e gli altri due (numeri 6123 e 6126) gotici del '400 (l'ultimo è decorato nella lunetta del portale da un rilievo con putti reggistemma di carattere già rinascimentale) – e continua, N. 6129, con la *casa di Sebastiano Venier* (il vincitore di Lepanto; lapide), gotica della 2ª metà del '400 e caratteristica per l'impiego del tufo alle finestre. Poco più avanti, N. 5246, è il *palazzo Vitturi*, raro e ben conservato esempio di architettura della 2ª metà del sec. XIII con archi cuspidati, capitelli e decorazioni veneto-bizantine (successivamente vennero aggiunti i poggioli, rinascimentale al 1° piano e barocco al 2°; l'ultimo piano è una ristrutturazione dell'originario «liagò»). Sul lato meridionale del campo, lambito dal rio di S. Maria Formosa attraversato dal ponte di Rugagiuffa (v. sotto) a numerosi ponti privati, prospetta, N. 5250, il *palazzo Malipiero-Trevisan*, armoniosa architettura del primo Cinquecento su impianto gotico attribuita a Sante Lombardo; la facciata di pietra d'Istria è ornata da dischi e targhe di porfido e serpentino, medaglioni a rilievo e nicchie (la deturpante sopraelevazione risale al secolo scorso).

Dal campo il tessuto urbano si sviluppa in senso stellare lungo i collegamenti con le parrocchie più vicine, costituiti verso sud-ovest dal ramo di Borgoloco (sul quale proseguirà poi l'itinerario principale, v. pag. 550), verso nord-est dalla calle lunga S. Maria Formosa e verso sud-est dalla ruga Giuffa.

La *calle lunga S. Maria Formosa*, che si apre al centro del fronte nord-orientale del campo, è il collegamento più diretto con le insule dell'ex convento di S. Giovanni in Laterano e del complesso dei Ss. Giovanni e Paolo. Sul lato sin. la maglia è organizzata in lunghi lotti ortogonali al percorso, che si sviluppano fino al rio del Pestrin (v. pag. 550) su cui si affacciano notevoli palazzi (fra questi, il *palazzo Morosini dal Pestrin*, al N. 6140 della corte del Pestrin, aperta al termine della calle omonima: del tardo '600, volge verso terra, dove è il giardino di pertinenza, il prospetto secondario a due ordini di quadrifore con poggioli). Al termine della calle lunga, oltre il ponte Cavagnis, all'incrocio di due importanti percorsi acquei si trova (N. 5171) il *palazzo Cavanis* (o Cavagnis), ricostruito a partire dal 1711 utilizzando la precedente struttura gotica, su progetto forse di Domenico Rossi (ora sede della chiesa Evangelica Valdese, conserva all'interno affreschi di Sebastiano Santi del 1817 e di Giovanni Carlo Bevilacqua del 1811).

La *ruga Giuffa* (che si raggiunge varcando il ponte omonimo a fianco del palazzo Malipiero-Trevisan, v. sopra), costituisce un importante collegamento con S. Giovanni Nuovo, S. Giorgio dei Greci e S. Zaccaria (il toponimo deriva forse da Juffa, sobborgo di Isfahan in Persia, da dove provenivano i mercanti armeni che qui abitavano numerosi). La fascia edilizia sulla sin., compresa tra la ruga e il parallelo rio di S. Severo (v. pag. 572), è organizzata a lotti con importanti edifici padronali attestati sul rio. In fondo al ramo Grimani, il primo che si incontra a sin., è il monumentale ingresso (N. 4858) del **palazzo Grimani** (di proprietà statale dal 1981 e dal 1983 in restauro), un tempo celebre per le raccolte d'arte e di archeologia radunatevi dal cardinale Giovanni, patriarca di Aquileia, e dai suoi eredi (ad eccezione della collezione greco-romana lasciata per testamento alla Repubblica nel 1593, primo nucleo del Museo archeologico, sono andate disperse nel secolo scorso). L'edificio attuale è dovuto alle trasformazioni e ampliamenti – protrattisi per un trentennio e ultimati nel 1569 – della dimora del doge Antonio Grimani: i lavori furono compiuti dagli eredi, Vittore Grimani e il fratello, il cardinale Giovanni, che pure progettò alcuni interventi forse utilizzando suggerimenti del Sanmicheli (al quale l'intera fabbrica è stata in passato attribuita), ma soprattutto rifacendosi al trattato di Sebastiano Serlio. Per il portale, tradizionalmente attribuito al Sanmicheli e decorato da 3 busti di epoca romana, si accede all'ampio, monumentale cortile di tradizione centro-italiana (il cardinale Grimani aveva soggiornato a Roma). All'interno resta l'importante complesso decorativo dello scalone e delle sale del 1° piano nobile (realizzato nel 1537-40 pure per volere del cardinale Grimani), dove operarono Federico Zuccari, Francesco Salviati, Giovanni da Udine, Battista Franco e Camillo Mantovano; interessante è anche l'ambiente a doppia altezza creato per accogliere la collezione archeologica.

Ultima, raccomandata diramazione da S. Maria Formosa è quella che, costeggiando il fianco sin. della chiesa, raggiunge poco a sud di questa il piccolo e suggestivo *campiello Querini Stampalia*, aperto all'incrocio del rio di S. Maria Formosa coi rii del Rimedio (v. pag. 572) e dell'Angelo, e completato come spazio urbano dai fondali dei palazzi – di differente epoca e qualità – sorti al di là dei corsi d'acqua. Di fronte, lungo il rio di S. Maria Formosa, sull'articolato ponte Pasqualigo e Avogadro, si apre (N. 4426) l'ingresso del *palazzo Avogadro*, con facciata barocca del sec. XVII. A sin. di questo, con lungo prospetto che si adegua alla curva del canale, è (N. 4778) il **palazzo Querini Stampalia**, costruito intorno al 1528 dai Querini (il secondo nome viene dall'isola greca di Stampalia, loro feudo dal 1207 al 1522) sull'area di case di proprietà della famiglia dalla 1ª metà del '300. Dal 1869 il palazzo è sede della Fondazione Querini Stampalia (con Biblioteca pubblica e ricca Pinacoteca), istituita con testamento dal conte Giovanni, ultimo discendente della famiglia.

Si accede al palazzo per un sottile ponte in ferro disegnato da Carlo Scarpa, cui si deve anche la brillante sistemazione, realizzata nel 1959-63, di tutto il pianoterra e del giardino. Al 1° piano è allogata la **Biblioteca Querini Stampalia** (tessera gratuita di frequenza; giorni e orari di apertura, pag. 137), costituita dalla biblioteca privata di Giovanni Querini Stampalia, in seguito accresciuta fino agli attuali 300 000 volumi e periodici, 1156 manoscritti, 99 incunaboli, 1638 cinquecentine; ne fanno inoltre parte 450 carte geografiche e 2600 stampe e disegni. Decorano i vari ambienti alcuni dipinti e sculture: nella sala dei Cataloghi, *Veduta prospettica di Venezia*, xilografia di Jacopo de' Barbari (1500), e *busti* marmorei di *Alvise Querini* e *di Maria Lippomanno Querini Stampalia*, opere di Antonio Dal Zotto; nella sala della Direzione, *ritratto di Giovanni Querini Stampalia* di pittore veneto del sec. XIX, e *Pan e Siringa* di Federico Cervelli; pure del Cervelli sono i 4 dipinti delle sale di lettura (*Venere e Adone, Morte di Adone, Apoteosi di Adone* e *Orfeo ed Euridice*); nell'ufficio della Biblioteca, *Villa Querini Polcastro a Loreggia* di Marianna Marin, *Il gioiello* di Camillo Innocenti (1906), *Ritratto di idealista* di Emilio Paggiaro.

Il 2° piano del palazzo (dal 1807 al 1850 residenza del patriarca di Venezia) ospita la ***Pinacoteca Querini Stampalia**, fondata nel 1869 come parte dell'omonima Fondazione. La cospicua raccolta è costituita da oltre 300 dipinti di scuola veneta, italiana e straniera commissionati o acquistati dalla famiglia a partire dal Cinquecento, ma anche acquistati in questo secolo; il criterio espositivo mira alla valorizzazione delle opere più significative, ambientate nel prezioso arredo (in gran parte originario del palazzo, mentre le altre sono sistemate in un moderno deposito aperto al pubblico. Giorni e ore di visita, pag. 135.

Nel vasto SALONE D'INGRESSO («portego»), decorato con stucchi nello stile di transizione dal rococò all'impero (caratteristico di tutto il palazzo) e con arredi del sec. XVIII: a d., 2 *globi*, uno terrestre e uno celeste, di Willem Blau (sec. XVII); alle pareti, il *cardinale Angelo Maria Querini* e *7 Bravi*, busti marmorei di Orazio Marinali; nella vetrina, strumenti musicali dei secc. XVII e XVIII. A sin. si passa nella SALA 1: alle pareti e sui tramezzi al centro, *Scene di vita pubblica veneziana*, vivaci quadretti di Gabriele Bella interessanti soprattutto per i costumi. Riattraversato il salone d'ingresso, si entra di fronte nella SALA 2, con decorazioni e arredi del '700. Sui due pannelli a d., *Crocifissione* attribuita a Michele Giambono (di proprietà dell'IRE, è qui in deposito) e **Incoronazione della Vergine*, opera di Catarino Veneziano e Donato Veneziano firmata e datata 1372; inoltre, alle pareti, *piatto* in maiolica riflessata moresco-spagnola (sec. XVI) e *balestra* del Cinquecento. Nella SALA 3, pure con stucchi e mobilio del '700, una serie di *ritratti di gentiluomini* e *di magistrati*, per la maggior parte della famiglia Querini, di Sebastiano Bombelli. Poi: alla parete sin., in basso, *Ritratto di nobile* di scuola veneta del sec. XVII e *Ritratto di fanciulla* nei modi di Tiberio Tinelli; nella fascia alta, dal sovrapporta d'ingresso, *Ritratto di Romeo Querini* di Marco Vecellio, *Ritratto di giovane principe* attribuito a Justus Sustermans, *Ritratto di giovane* forse di scuola dello stesso e *Ritratto di Nicolò Querini* di Marco Vecellio. SALA 4 (arredi del '700), da d. e dal basso: *S. Nicola dota le fanciulle* di Palma il Giovane; *Leucippo* (?) di Luca Giordano; *Adamo ed Eva* di Palma il Giovane; *Democrito* di Luca Giordano; *Diogene e Alessandro* di G.B. Langetti; *Autori-*

tratto di Palma il Giovane; *Assunzione della Vergine* dello stesso; *S. Romualdo* forse di Pietro Bellotti; *Ritratto di Francesco Querini* (sovrapporta d'ingresso) di Marco Vecellio; *Battesimo di Cristo* di Palma il Giovane e bottega; *La Maddalena* di Palma il Giovane; *La Maddalena* nei modi di Giovanni Contarini; *Ecce Homo* di Palma il Giovane; *Deposizione* dello stesso; *Ritratto di Marco Querini* (sovrapporta d'uscita) di Marco Vecellio. SALA 5, da d.: *Ultima Cena* forse di Cesare da Conegliano e, in alto, quadro di analogo soggetto di imitatore di Luca Giordano; *Ultima Cena* di Giovanni da Asola e, in alto, *Diana e Atteone* di Luca Giordano; *S. Sebastiano* forse di Luca Giordano; *Conversione di S. Paolo* dello Schiavone; *Ritratto di Turno Querini* (sovrapporta) di Marco Vecellio; *S. Lucia* di Matteo Ingoli; *Matrimonio mistico di S. Caterina* nei modi di Francesco Salviati e, in alto, *Ritratto di attrice* di pittore veneto del sec. XVII; *Ritratto di Antonio Querini* (sovrapporta) di Marco Vecellio.

Nella SALA 6, con due burò del '700 (di cui quello alla parete sin. della fine del secolo) e mobili stile chippendale, alle pareti, da d. e dal basso: *L'uomo fiaccato dalle passioni* di Pietro Liberi; *Baccanale* forse di Niccolò Frangipane; *La Giustizia e la Pace* del Padovanino; *La Misericordia e il Tempo* dello stesso; *Diana* di Francesco Ruschi; *L'uomo precipitato dai vizi* di Pietro Liberi; *Ritratto di imperatrice* (sovrapporta) nei modi di Carlo Ceresa; *S. Giovanni Battista* della bottega di Carl Loth; *S. Gerolamo* della bottega del Loth; 2 *scene allegoriche* forse di Daniel Saiter; *Baccanale* di imitatore di Giulio Carpioni; *Ritratto di gentildonna* nei modi di Carlo Ceresa. Nella SALA 7, arredata con un salotto 'pompeiano' di Giuseppe Jappelli, sul tavolo presso la parete di fondo, un bozzetto in creta di Antonio Canova raffigurante *Letizia Bonaparte*. Alle pareti, da d. e dal basso: *Festa campestre* di Matteo de' Pitocchi; *Zuffa di contadini* dello stesso; *Cristo coronato di spine* della bottega di Jacopo Bassano; *Pellegrina* di Matteo de' Pitocchi; *Mendicante* dello stesso; *Il Medico ciarlatano* pure del de' Pitocchi; *Battaglia* di Matthias Stomer; *Festa presso un castello* del de' Pitocchi; *Pietà* di anonimo del sec. XVIII; *Ritratto di Luigi XIV* (sovrapporta) forse di pittore francese del sec. XVII; *Caccia* di Pieter Mulier detto il Tempesta; *Battaglia* di Matthias Stomer; *Ritratto di magistrato* nei modi di Niccolò Renieri; *Paesaggio con tempesta, Il temporale, Il guado*, tre opere del Tempesta; *Diogene getta la tazza*, copia da Salvator Rosa; *Democrito in meditazione*, pure copia da Salvator Rosa.

Nella SALA 8, su cavalletti, da d.: **Madonna col Bambino e S. Giovannino* di Lorenzo di Credi; *Ritratto di Francesco Querini* di Palma il Vecchio; *Ritratto di Paola Priuli Querini* dello stesso; *Madonna col Bambino* nei modi di Giovanni Bellini; **Presentazione di Gesù al tempio*, notevole opera di Giovanni Bellini. SALA 9 (tavoli dell'inizio del '700 e mobili impero), da d. e dal basso: su cavalletto, *Giuditta di Vincenzo Catena; *Adorazione dei Magi* di Francesco Rizzo da Santacroce; *Sacra conversazione* di Polidoro da Lanciano; *Vulcano e Amore* (sul verso, *Violinista e Filosofo*) di anonimo veneto del sec. XVI; **Sacra conversazione* di Palma il Vecchio; *Sacra conversazione* forse di Bonifacio de' Pitati; *Madonna col Bambino e S. Giovanni Battista*, copia da Giovanni Bellini; *Cristo portacroce* di seguace del Pordenone; *S. Gerolamo* di scuola di Girolamo Muziano; 4 **Paesaggi idillici*, pannelli per cassapanca di Pietro Vecchia; *Ritratto di senatore* (sovrapporta) nei modi di Niccolò Renieri; *Sacra Famiglia* di Girolamo da Santacroce; *Ritratto del doge Alvise Contarini* nei modi di Niccolò Renieri; *Ultima Cena* di Cesare da Conegliano; *Madonna col Bambino e S. Giovannino* della bottega di Polidoro da Lanciano; *Nozze mistiche di S. Caterina* dello Schiavone. A soffitto, *Allegoria dell'alba, del meriggio e della sera* di Sebastiano Ricci.

Passata la SALA 10 (corridoio), dove sono 6 stampe acquerellate di Giuseppe Zocchi, si accede alla SALA 11, che accoglie un gruppo di piccole tele di Pietro Longhi (*Il mondo nuovo, Il Ridotto, La furlana, La frateria di Venezia, Le tentazioni di S. Antonio, *La famiglia Sagredo, La famiglia Michiel*). Nella SALA 12, con tappezzeria e specchi veneziani del '700 e, a soffitto, *Il tempo scopre la verità* di G.B. Mariotti, altre 10 piccole tele di Pietro Longhi (*Il Battesimo, La Cresima, La Confessione, La Comunione, Il Matrimonio, L'Ordine Sacro, l'Estrema unzione, Maschere a «reduto», Il casotto del leone, La lezione di geografia*); inoltre, alla parete d'ingresso, *Ritratto di donna con fazzoletto in capo* di Pietro Antonio Rotari, e alla parete di fronte, *Ritratto di Caterina Contarini Querini* di Alessandro Longhi. Anche nella successiva SALA 13 continua la serie di piccole tele di Pietro Longhi. Da d. e dal basso: *L'arrivo del padrone, La preparazione degli schioppi, Lo scarico del materiale, I contadini all'osteria, La partenza per la caccia, La cucina, La caccia in botte, Il sorteggio dei cacciatori, Il conteggio della cacciagione, La caccia alla lepre, Le filatrici, L'addormentata, *La caccia all'anitra in Laguna.*

Nella SALA 14 (corridoio), da d.: *Campagna romana con rovine* di Marco Ricci; *Paese rustico* dello stesso e, in alto, *Madonna col Bambino* di Gian Bettino Cignaroli; *Nascita della Vergine* di Niccolò Bambini; *Temporale sulla valle del Piave* di Marco Ricci e, in alto, *S. Francesco* di Federico Bencovich; *Il Salvatore dormiente* di Elisabetta Sirani. Dalla porta di sin. si passa nella SALA 15, con soffitto affrescato (fine sec. XVIII-inizi XIX); vi sono ordinati: una camera da letto con mobili laccati del '700; *Giardino d'amore* e *Caccia*, arazzi fiamminghi del sec. XVI; *specchiera* di manifattura veneziana del '700. Nell'attigua SALA 16 (boudoir), decorazione a stucchi e mobili del '700. Tornati in corridoio (sala 14), si passa nella SALA 17 (salotto rosso), con tappezzerie, una specchiera e mobili laccati del sec. XVIII e un cantonale con cineserie di arte veneziana del '700; a soffitto, affreschi di fine del sec. XVIII-inizi XIX. Alle pareti: *Ritratto di dama* di Girolamo Forabosco; *Ritratto del cardinale Angelo Maria Querini* di Bartolomeo Nazari; *Ritratto di Gerolamo Querini* di Fortunato Pasquetti; *Ritratto del procuratore Andrea Querini* di Bernardino Castelli. La SALA 18 (salotto verde) è arredata con mobili laccati e specchiere del '700; a soffitto, affreschi di fine sec. XVIII-inizi XIX. Alle pareti: *Ritratto di un Dolfin* di G.B. Tiepolo; *Ritratto di Giovanni Francesco Querini* di Pietro Uberti; *Ritratto di Giovanni Querini* di Francesco Zugno; *Ritratto di un Dolfin* dello stesso. La SALA 19 è detta degli stucchi dalla decorazione del soffitto e delle pareti; su cavalletti: *Ratto di Elena* di Federico Cervelli; *Milone di Crotone* di Francesco Maffei; *Madonna col Bambino* di Bernardo Strozzi. La SALA 20 è una caratteristica sala da pranzo del sec. XVIII con «bisquit» di Sassonia, Francia, Capodimonte e Nove (alle pareti); nella vetrina, servizio da tavola in porcellana di Sèvres della fine del '700. A soffitto, ancora affreschi di fine sec. XVIII-inizi XIX.

Di ritorno al campo S. Maria Formosa, lo si attraversa longitudinalmente per poi uscirne prendendo dal vertice nord il ramo di

Borgoloco; dal ponte omonimo sono visibili, rispettivamente a
sin. e a d., i prospetti sul rio del palazzo Ruzzini e del primo dei
palazzi Donà (entrambi con accesso sul campo), oltre il quale si
affaccia il palazzo Morosini dal Pestrin (v. pag. 545). Subito dopo
il ponte si apre a d. il borgoloco Pompeo Molmenti, cui fa da fondale (N. 6114) il neoclassico *palazzo Spiridione Papadopoli*; sul
lato d., N. 6116, palazzetto neolombardesco di Lodovico Cadorin
(1864). Si prosegue verso ovest lungo la calle di Borgoloco, antico
asse di sviluppo urbano da S. Maria Formosa a campo S. Marina.
Al N. 6108 un portale neogotico sormontato da rilievo (forse più
antico) con angeli sorreggenti l'arma dei Papadopoli, dà accesso
al *palazzo Marcello Pindemonte Papadopoli* (sede degli uffici del
Ministero del Tesoro e di quello delle Finanze), di impianto gotico, ricostruito nel 1630-35 da Baldassare Longhena cui si deve
anche l'importante facciata sul rio di S. Marina; ampliato nel sec.
XVIII, all'inizio del XIX ebbe ulteriori interventi, tra cui le ricche
decorazioni neoclassiche del 2° piano, con affreschi di Francesco
Hayez, Sebastiano Santi, Giovanni Demin, Giuseppe Borsato.
Oltre il ponte Marcello e la calle omonima si è nel *campo S. Ma-*
rina, al centro del quale sorgeva l'antica chiesa omonima (sec.
XI), demolita nel 1820. I due edifici a sin., N. 5892 A-B, legati in
testata da archi, costituiscono un bell'esempio di case d'affitto
cinquecentesche con pianoterra a botteghe. A d., vera da pozzo
esagonale del 1534 con rilievo di S. Marina e, N. 6073, il *palazzo*
Dolfin Bollani, risalente alla metà del sec. XIII ma completamente rimaneggiato nel '400 e nel '600 (le finestre trilobate sono
tardotrecentesche). Chiude il fondo del campo (dietro un'altra
vera da pozzo, della fine del sec. XIV) il *palazzo Loredan* (N.
6043), di semplici forme lombardesche degli inizi del sec. XVI.

A questa altezza, il campo si apre a d. nel campiello della Chiesa e nel
successivo campiello S. Marina, aperto sul rio omonimo; la consueta vera
da pozzo è della fine del sec. XIV. All'inizio del campiello della Chiesa il
breve ramo Bragadin conduce al portale bugnato (con fregio dorico) del
quattrocentesco **palazzo Bragadin Carabba**, restaurato intorno al 1542
da Michele Sanmicheli, cui si deve il prospetto secondario e, probabilmente, lo stesso portale; la notevole *facciata prospiciente il rio dei Miracoli, non interessata dagli interventi cinquecenteschi, è uno dei migliori
esempi dello stile di transizione dal gotico al rinascimentale (la si vede dal
ponte del Teatro, che si raggiunge prendendo a sin. del palazzo Loredan –
v. sopra – il sottoportico e la calle Scaletta; il ponte del Teatro scende in
prossimità della corte seconda del Milion, v. pag. 488).

Si esce dal campo S. Marina prendendo, sulla d. del palazzo
Dolfin Bollani, la calle del Cristo che si innesta sul ponte omonimo, gettato sul rio di S. Marina (di confine col sestiere di Cannaregio), tratto dell'importante percorso acqueo che collega la

zona di Rialto a quella dell'Arsenale. Dal ponte si vedono: a sin. il bel prospetto gotico del già citato palazzo Dolfin Bollani, fronteggiato dal *palazzo Zacco*, della 2ª metà del '400 con due piani di finestre e polifore trilobate e bella bifora angolare, e dal contiguo *palazzo Castelli*, del sec. XVI, rimodernato agli inizi del '700; a d. il **palazzo Pisani**, grandioso blocco gotico-fiorito (c. 1460) in cui le modifiche cinque-seicentesche ben armonizzano con la ricchezza d'insieme, e di fronte a questo di scorcio, la longheniana facciata del palazzo Marcello Pindemonte Papadopoli (v. pag. 550). Si prosegue per la *fondamenta Van Axel* o delle Erbe, chiusa sul fondo dall'ingresso, N. 6099, del **palazzo Soranzo Van Axel**, uno dei più notevoli edifici tardogotici veneziani, costruito nel 1473-79 per Marco e Agostino Soranzo su un preesistente edificio veneto-bizantino di cui restano elementi decorativi nelle facciate e all'interno. Il complesso (passato nel 1627 ai Van Axel e nel 1920 all'antiquario Dino Barozzi, che lo restaurò) riflette ancora l'originaria destinazione di residenza per due famiglie: nel doppio ingresso (sia di terra che d'acqua) e nelle due belle corti contigue (la prima con collezione lapidaria raccolta dal Barozzi), ognuna con scala esterna con parapetto a testine, vera da pozzo (nella seconda corte, sostituita), porticato e magazzini; il portale sulla fondamenta è l'unico della città che conservi integri i battenti lignei e il picchiotto quattrocenteschi.

Dalla fondamenta si imbocca verso ovest la calle Castelli, in fondo alla quale un muro – con merlatura in cotto tardogotica e portale ogivale con stemma degli Amadi – delimita la caratteristica *corte delle Muneghe*, già privata e parte della quattrocentesca Ca' Amadi, con sottoportico a travi e mensole lignee intagliate su colonne e vera da pozzo della fine del '400 (il toponimo deriva dalle monache della vicina chiesa di S. Maria dei Miracoli, che succedettero agli Amadi nella proprietà del complesso).

Tenendo a d. si sbocca nel *campo dei Miracoli*, dove spicca isolata la chiesa di *S. Maria dei Miracoli**, uno dei primi e più felici esempi dell'architettura rinascimentale veneziana, concepita quale scrigno prezioso sia nella cubatura con copertura semicilindrica, sia nel raffinato rivestimento di marmi policromi e lavorati. Il tempio, edificato per custodire un'immagine della Madonna fatta dipingere nel 1408 dal mercante Francesco Amadi (e presto divenuta oggetto di grande venerazione), fu compiuto fra il 1481 e il 1489 da Pietro Lombardo, in esecuzione di un primo progetto (forse attribuibile a Mauro Codussi) riformato con l'aggiunta della parte presbiterale e copertura della navata. La chiesa (il cui fianco sin., con grazioso campaniletto ottagonale, si riflette nell'acqua del canale) è a due ordini di lesene che simulano un portico architravato, sormontato da un loggiato con

archi a tutto sesto, e conferiscono al blocco murario un effetto di
grande leggerezza (nei pennacchi tra gli archi, medaglioni con
profeti, santi e *angeli* in bassorilievo, scolpiti dallo stesso Lombardo e dalla sua bottega). La facciata si presenta conclusa da
frontone semicircolare, che segue la curva del coperto, con un rosone di stilizzatissimo disegno circondato da cinque occhi di cui
due ciechi e decorati da marmi (ai lati e al vertice del coronamento, due *angeli* e il *Padre Eterno*, sculture di scuola lombardesca); nella lunetta del portale, *Madonna col Bambino*, scultura
di Giorgio Lascaris che usava, come in questo caso, firmarsi Pirgoteles. L'edificio ebbe importanti restauri nel 1887 e nel 1970.

L'*interno ripropone coerentemente la preziosa immagine esterna, con
l'unico vano rettangolare completamente rivestito di marmi e coperto da
volta a botte. Il ricco *cassettonato ligneo a 50 riquadri è decorato da *busti
di profeti e di santi*, dipinti da Pier Maria Pennacchi con l'aiuto del fratello
Girolamo, di Vincenzo Dalle Destre e di Lattanzio da Rimini (1528). Sopra
l'ingresso è il «barco» delle monache (coro pensile), sorretto da pilastrini
splendidamente intagliati e ornato con una *Madonna col Bambino* di
Palma il Giovane. In fondo alla chiesa 14 gradini salgono al presbiterio,
cinto da un'elegante balaustrata ornata dalle mezze figure di *S. Francesco, S. Chiara*, l'*Annunciata* e l'*Arcangelo Gabriele*, delicate sculture di
Tullio Lombardo, e terminante alle estremità con 2 pulpiti pensili. Ai lati
dell'ornatissimo arco santo, 2 tabernacoli a portelle intarsiate. L'abside,
quadrata, è coperta da una cupola nei cui pennacchi, *Evangelisti*, bei tondi
a bassorilievo; davanti all'altare una recinzione a transenne meraviglioso-
mente traforate, pure opera dei Lombardo, reca belle statuette bronzee di
S. Pietro e di *S. Antonio abate*, dovute ad Alessandro Leopardi; all'altare,
Madonna col Bambino di Niccolò di Pietro, l'immagine che diede origine
alla chiesa.
Per la porticina a sin. della scala si passa sotto al presbiterio, dove è allogata la sagrestia. Nel corridoio, *Ultima Cena*, bassorilievo nella maniera
di Tullio Lombardo (in parte incompiuto), una delle prime derivazioni dal
Cenacolo di Leonardo da Vinci. In sagrestia: *S. Francesco* e *S. Chiara*,
statue di Girolamo Campagna (firmate); lavabo del sec. XVI attribuito a
Sansovino; *Pietà* e *Madonna col Bambino*, due rilievi cinquecenteschi attribuiti a Girolamo Lombardo.

A d. della chiesa, N. 6074, rimane l'ex *convento*, fondato nel 1485, di sem-
plicissima struttura a mattoni, con portale e finestre al mezzanino sormontate da lunette nello stile dei Lombardo; internamente rimane un'ala del
chiostro, costruito verso il 1515 forse da Luca di Pietro da Càttaro e in
gran parte distrutto nel 1810 (nel 1865 venne demolito il cavalcavia che
univa il fabbricato alla chiesa immettendo nel «barco»).

Dalla chiesa, varcato a sin. il rio dei Miracoli, per la calle omonima si va al *campiello S. Maria Nova*, con vera da pozzo del
1527 restaurata nel 1844. Al N. 6000, in un muro di cinta ad archetti rovesci, un portale gotico architravato, sormontato dallo
stemma della famiglia Boldù entro scudo rinascimentale, im-

mette all'ampia corte del *palazzo Boldù*, con vera da pozzo barocca in marmo di Verona. Segue, N. 5999, il *palazzo Bembo*, di svelta struttura gotica tardotrecentesca, recante in facciata lo stemma della famiglia e – entro nicchia cinquecentesca con iscrizione autocelebrativa coeva dettata da Gian Matteo Bembo – una scultura gotica raffigurante *Saturno* (o il Tempo) in forma di uomo villoso che regge il disco solare. Attraversato il contiguo campiello Bruno Crovato, già S. Canzian (vera da pozzo della 2ª metà del '500), si raggiunge la chiesa di **S. Canciano**, dedicata ai fratelli Canzio, Canziano e Canzianilla, martiri di Aquileia. Di antichissima fondazione (864), rifatta dopo l'incendio del 1105 e rinnovata nel '300, ebbe nel 1550 l'attuale struttura, successivamente modificata nel corso del sec. XVIII. La facciata, tripartita da paraste tuscaniche, si deve ad Antonio Gaspari (1705-1706) per legato di Michele Tommasi, il cui busto, entro targa con iscrizione, è posto sopra il portale; l'ovale in alto reca traccia di un affresco della fine del '700 con il *Martirio dei Santi titolari*. Sulla sin. è il campanile, ricostruito nel 1532 forse utilizzando la struttura del precedente romanico-gotico (nel tratto del campo a sin. della chiesa, vera da pozzo quattrocentesca).

L'interno, cinquecentesco, a tre navate divise da arcate su colonne con pseudo-pulvino, fu modificato da Giorgio Massari tra il 1760 e il 1764 con l'innalzamento della navata centrale, l'apertura delle otto finestre, il rifacimento della cappella maggiore con tiburio ottagonale, il completamento dell'altar maggiore e la nuova cantoria, retta da 6 colonne corinzie di legno; i due pulpiti, già sormontati da baldacchino, furono realizzati su disegno di Bernardino Maccaruzzi; il pavimento venne rifatto nel 1786-90; i 4 altari laterali, imitanti quello maggiore cinquecentesco, sono del 1730-35. Al 1° altare sin., *L'Addolorata e santi*, modesta pala di Bartolomeo Letterini (sec. XVIII), di cui è migliore opera la pala dell'altare seguente, raffigurante la *Vergine col Bambino, S. Giovanni Nepomuceno e altri santi*. Nella cappella a d. della maggiore (della famiglia Widmann), decorata da marmi e stucchi, *urna e statua di S. Massimo*, di Clemente Moli (1639). Nel presbiterio: nei pennacchi della piccola cupola ottagonale, tondi con gli *Evangelisti* a rilievo (sec. XVIII); dietro l'altare, *L'Eterno Padre e i Ss. Canziano e Massimo*, tela attribuita allo Zoppo dal Vaso; ai lati, *La piscina probatica* e *Moltiplicazione dei pani e dei pesci*, opere di Domenico Zanchi. Nella cappella a sin., *La Vergine e S. Filippo Neri* di Niccolò Renieri; ai lati, *monumenti di Sebastiano Rinaldi* (m. 1649) e *di Antonio Rinaldi* (m. 1631), ambedue col busto del defunto. Sopra la porta della sagrestia, *busto del parroco G. Maria Grattarol* (1678), e *cenotafio di Angelo Comello* (m. 1816) con rilievo di Antonio Bosa. Al 4° altare sin., *La Vergine concetta e 2 santi* di Bartolomeo Letterini; al 2°, *L'Assunta* di Giuseppe Angeli. Ai lati dell'organo, *S. Massimo* e *S. Canziano*, di Giovanni Contarini seguace di Tiziano.

Seguendo lungo il fianco d. di S. Canciano la calle del Campaniel, e quindi a d. il ramo omonimo, si sbocca nel *campo S. Maria*

Nova, ampliato sull'area dell'antica chiesa omonima che, fondata nel 971, fu demolita tra il 1839 e il 1852 (sul fondo, al di là del rio, vista sull'abside e la cupola della chiesa di S. Maria dei Miracoli). Verso nord la *calle larga Widmann* allinea: a d., N. 6059, il cinquecentesco *palazzo Loredan*, con poggiolo a parapetti traforati e stemma settecentesco della famiglia; dopo il ponte, a sin., N. 5403, il **palazzo Widmann**, poi Rezzonico Foscari, opera giovanile di Baldassare Longhena (1625-30 c.), già rappresentativa per il plastico trattamento delle superfici, con alcuni elementi di estrazione michelangiolesca (timpano spezzato del portale, mensoloni del poggiolo); l'interno, già ricchissimo, conserva ancora ambienti con stucchi di Giuseppe Mazza e affreschi di Gaspare Diziani e Costantino Cedini. A d. del palazzo, casa porticata con trifora e poggiolo rinascimentali e cornice a fogliami veneto-bizantina (sec. XII).

Il tratto successivo della calle larga Widmann porta al campiello omonimo (già Biri), da dove, per il contiguo campiello Stella (tenendo a sin.) si sbocca nel campiello del Pestrin (vera da pozzo gotica di fine sec. XIV-inizi XV). Parte da qui verso nord la lunga *calle del Fumo*, asse di transito e commerciale dell'area (chiamata Biri) definita a ovest dal rio dei Gesuiti e a est da quello della Panada, la cui zona settentrionale – compresa all'incirca tra la calle dei Volti (ortogonale a quella del Fumo) e la Laguna – è di tarda formazione risalendo ai vasti imbonimenti iniziati intorno al 1530 e conclusi alla fine dello stesso secolo con la realizzazione delle fondamenta Nuove; l'urbanizzazione, intrapresa da famiglie patrizie con la costruzione di case in serie da affittare, assunse poi caratteri commerciali e artigianali da ceto medio.
Nell'ultimo tratto la calle del Fumo (che va poi a sboccare sulle fondamenta Nuove, v. pag. 510, presso l'imbarco dei vaporetti per Murano e delle motonavi per Mazzorbo, Torcello e Burano) è tagliata dalla *calle larga dei Boteri*, dove al N. 5056 (tronco di destra) è il *palazzo Corniani degli Algarotti*, dal monumentale prospetto con serliana e poggioli al piano nobile, di linee tardocinquecentesche ma forse del secolo successivo. Nel tronco di sin. il N. 5113 corrisponde al neogotico ingresso posteriore della *casa di Tiziano*, meglio visibile prendendo a sin. la calle della Pietà e ancora a sin. il ramo Tiziano, che sbocca nel campo omonimo (vera da pozzo tardogotica ad archetti pensili): qui, N. 5182-83, è la decorosa dimora – eretta nel 1527 e già prospettante sulla Laguna – dove Tiziano visse per 45 anni e morì nel 1576 (lapide).

Dal palazzo Widmann, passati i sottoporteghi Widmann e del Magazen, tenendo a sin. si imbocca la *calle larga Giacinto Gallina*, creata nel 1905 (allargando, in esecuzione del Piano Regolatore del 1891, le calli della Panada, del Fabbro e del Cavallo) per dare più adeguato e scenografico accesso alla monumentale basilica dei Ss. Giovanni e Paolo, che gigianteggia sul fondo al di là del rio dei Mendicanti.

A sin., in calle della Testa N. 6359, si apre il portale ogivale con angelo reggistemma del quattrocentesco *palazzo Grifalconi*: nel cortile rimangono parte del portico su colonne e la tardogotica scala esterna, con balaustra ornata di teste e fiori e copertura su colonnine rinascimentali.

Al rientro, dal sestiere di Cannareggio, in quello di Castello si visita il **campo Ss. Giovanni e Paolo**, il più importante spazio pubblico della città, dopo piazza S. Marco, per spessore storico-culturale. L'invaso è articolato in aree di differente ampiezza dal volume della chiesa: di fronte a questa, il campo-sagrato, delimitato a nord dal ricco prospetto della Scuola Grande di S. Marco; a d., il campo vero e proprio, ampliato nella seconda metà dell'Ottocento demolendo la Scuola dei Ss. Vincenzo e Pietro Martire e includendo la zona ad essa retrostante, già destinata a cimitero.

Il campo è polo dell'insula omonima, che il percorso pedonale costituito, da ovest a est, dalla salizzada Ss. Giovanni e Paolo e dalla barbaria delle Tole, divide in due settori dai caratteri distinti: quello a sud, di più antica formazione, a destinazione residenziale con un tessuto a corti affiancate; quello a nord, cresciuto in gran parte su imbonimenti effettuati tra la metà del Duecento e la fine del Cinquecento, con l'impronta – oggi testimoniata dalla presenza dell'Ospedale Civile, che ha inglobato i complessi conventuali dei Ss. Giovanni e Paolo e di S. Maria del Pianto e l'ospizio di S. Lazzaro dei Mendicanti – della funzione svolta in passato di grosso centro religioso-assistenziale.

Centro ideale del campo è il bronzeo ***monumento equestre a Bartolomeo Colleoni**, capolavoro della scultura del Rinascimento, modellato dal fiorentino Andrea Verrocchio (1481-88) e fuso, dopo la sua morte, da Alessandro Leopardi; questi lasciò la firma sulla cinghia al petto del cavallo e disegnò l'alto piedestallo marmoreo (restaurato nel 1978), cinto da sei colonne e decorato dagli stemmi del condottiero e della Repubblica e da panoplie a bassorilievo. L'opera fu inaugurata il 21 marzo 1496.

Bartolomeo Colleoni, celebre capitano di ventura bergamasco, dal 1448 al servizio della Repubblica, lasciò questa erede di gran parte delle sue ricchezze a condizione che gli fosse eretto un monumento in piazza S. Marco davanti alla Basilica. A ciò impedito dalla legge, il Senato ritenne disinvoltamente soddisfatta la clausola con la scelta del sito antistante alla Scuola Grande di S. Marco.

Poco lontano dal monumento è una splendida ***vera da pozzo**, con putti e festoni in altorilievo, dell'inizio del sec. XVI, qui collocata da altro luogo nel 1824.

Lungo la cortina meridionale del campo sono meritevoli di segnalazione: al N. 6826 il *palazzo Dandolo*, dei primi del '600, con tre grandi torrette di camino a campana trilobata; ai numeri 6779-81 un *palazzo Grimani* di corposa architettura della fine del '500, già chiamato «casa Bressana» perché sede nel XVII sec. di un albergo per dignitari e uomini d'affari bresciani. Sulla sua sin. la calle Bressana conduce alla fondamenta Felzi, che si innesta nel ponte Storto o Pinelli; salendo i primi gradini, e tenendo poi a sin. sulla stretta fondamenta privata, si arriva all'ingresso della caratteristica **corte Botera** (aperta dalle 9 al tramonto), con grande portale veneto-bizantino del sec. XII-XIII decorato a girali di animali, scala esterna, portico trecentesco sul lato d'accesso e vera tardogotica del '400.

La basilica dei *Ss. **Giovanni e Paolo**, popolarmente chiamata S. Zanipòlo, costituisce con i Frari il più grandioso esempio d'architettura gotica sacra veneziana, 'pantheon' dei prìncipi e degli eroi della città, e luogo in cui si svolgevano (dalla metà del '400) i solenni funerali dei dogi. Su un terreno acquitrinoso (dove sorgeva l'oratorio di S. Daniele), donato ai Domenicani nel 1234 dal doge Jacopo Tiepolo, fu costruita a partire dal 1246 la prima chiesa, presto ampliata forse ad opera dei frati domenicani Benvenuto da Bologna e Niccolò da Imola; i lavori, iniziati ai primi del '300 con la costruzione delle grandi arcate, interrotti dal 1345 al 1355, furono completati per le tre navate nel 1368. Solo nel 1430 si ebbe la consacrazione del tempio, anche se probabilmente la parte absidale venne terminata verso la metà del secolo.

Radicali restauri interessarono il complesso nella seconda metà del secolo scorso e tra il 1906 e il 1922 (anche a seguito dei danni subiti durante la 1ª guerra mondiale, nel settembre del 1916), ripristinando sia gli occhi laterali in facciata che le bifore della navata d., sostituiti nel sec. XVII da lunettoni.

All'esterno l'imponente costruzione in cotto rivela chiaramente la pianta a croce latina, a tre navate con transetto. La facciata, tripartita da grosse lesene e conformata a spioventi decorati da cornice in pietra su archetti ogivali, è forata da un grande occhio mediano e da due laterali; alla sommità della parte centrale tre edicole ospitano le statue (da sin.) di *S. Tommaso d'Aquino*, *S. Domenico* e *S. Pietro martire* e, sopra i rispettivi pinnacoli, l'*Aquila*, il *Padre Eterno* e il *Leone di S. Marco*. Nella parte inferiore del prospetto sei profonde arcate cieche, appartenenti alla fase duecentesca, racchiudono, da sin., le *arche di Marino Morosini, dei dogi Jacopo Tiepolo* (m. 1249) e *Lorenzo* (m. 1275), figlio di Jacopo, *di Marco Michiel, dei fratelli Daniele* e *Pietro Bon* (1475). Il maestoso *portale*, nello stile di transizione dal gotico al rinascimentale, ad arcata ogivale impostata su sei colonne di marmo greco provenienti da Torcello, costituisce l'inizio dell'inattuato rivestimento marmoreo della facciata; già attribuito ad Antonio Gambello, è invece opera documentata di Bartolomeo Bon (che arrivò fino ai capitelli, 1459-61), completata da un maestro Domenico fiorentino per il fregio (1462) e da un maestro Lucio per la cornice e l'encarpo (festone di frutti) stupendamente scolpito (1464); la lunetta e i battenti lignei sono del 1739. Ai lati del portale, l'*Arcangelo Gabriele* e l'*Annunciata*, rilievi del XIII sec.; all'angolo d., *Daniele tra i leoni*, bassorilievo con iscrizione greca (VI sec. ?), forse del primitivo oratorio di S. Daniele; sulle lesene, formelle a rilievo del IX-X secolo.

Sul fianco d., tra i contrafforti, si allineano le gotiche *urne sepolcrali di Francesco Zen, Giovanni Barisano* e *Marino Contarini*, seguite dall'edificio a pianta rettangolare (addossato alla chiesa) dell'ex *Scuola del SS. Nome di Dio*, costruita nel 1653 da Baldassare Longhena (cui si deve anche l'altare interno del 1658; i due portali, datati 1444 e 1574, provengono dalla demolita Scuola dei Ss. Vincenzo e Pietro martire), e dall'abside poligonale della tardogotica cappella dell'Addolorata, decorata da una magnifica cornice in cotto su archetti pensili, opera di Ludovico Storlado (1448); intorno alla struttura è stata rimessa in luce parte dell'antica pavimentazione in cotto del campo. Tra le successive cappelle della Madonna della Pace e di S. Domenico si apre il rinascimentale portale laterale, che precede il braccio d. del transetto traforato da un grandioso finestrone con vetrata quattrocentesca (v. pag. 560); il portale sottostante proviene dal cimitero dei Trentini, che fino all'Ottocento occupava quest'area; il campanile a vela sostituisce l'originario seicentesco demolito intorno al 1885.

A ridosso del transetto è (N. 3636) l'ex *Scuola di S. Orsola*, la cui struttura gotica (1318), nonostante gli interventi del 1508 e del 1637-46, rimane sostanzialmente intatta. È per questa Scuola (già luogo di sepoltura di Giovanni e Gentile Bellini) che Carpaccio dipinse il celebre ciclo di teleri, con storie della santa titolare, rimosso all'inizio dell'Ottocento e ora custodito alle Gallerie dell'Accademia (v. pag. 410).

La visita esterna della basilica si conclude con le 5 splendide ***absidi** poligonali, tra le supreme espressioni del tardogotico veneziano (metà sec. XV), forate da ordini sovrapposti di monofore, le laterali, e di bifore la centrale (le absidi prospettano sulla calle Torelli, detta della Cavallerizza, fatta aprire nel 1869 dal prefetto Luigi Torelli per valorizzare la parte posteriore del complesso); nel recinto circostante, diverse arche gotiche provenienti dall'area cimiteriale.

L'**interno** (pianta, pag. 558), di inusitate proporzioni (m 101.60 di lunghezza, 45.80 di larghezza al transetto, 32.20 di altezza alla navata centrale) e molto luminoso, è a croce latina; lo dividono in tre navate 10 enormi pilastri cilindrici sostenenti le arcate a sesto acuto e le volte a crociera, legate tra loro da robusti tiranti lignei (ora sostituiti con altri di ferro rivestiti), espediente tecnico di antica tradizione locale usato per eliminare le spinte degli archi; la cupola all'innesto dei bracci fu aggiunta alla fine del '400 (a doppia calotta, ha un'altezza interna di m 41 ed esterna, fino alla croce, di m 55.40); sul transetto si aprono 5 cappelle absidali.

CONTROFACCIATA. Intorno al portale (1) è il *sepolcro del doge Alvise Mocenigo* (m. 1577) *e della moglie Loredana Marcello*, colossale opera classicheggiante di Giovanni Girolamo Grapiglia (le figure sono attribuite a Gi-

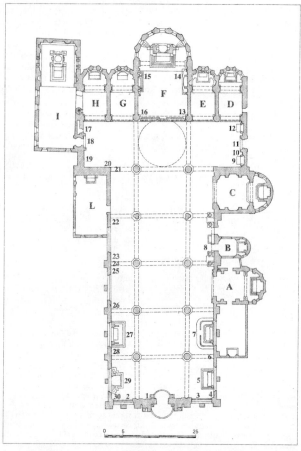

La basilica dei Ss. Giovanni e Paolo

rolamo Campagna). A d., dopo il piccolo *monumento di Bartolomeo Bragadin* (m. 1507), di arte lombardesca e incluso nell'architettura del precedente, *sepolcro* (2) *del doge Giovanni Mocenigo* (m. 1485), di Tullio Lombardo. A sin. (3), **sepolcro del doge Pietro Mocenigo* (m. 1476), capolavoro di Pietro Lombardo (1476-81) volto a evidenziare la «virtus» guerriera del condottiero: entro l'arcata fiancheggiata da nicchie con 6 statue di giovani guerrieri, 3 figure virili (le tre età dell'uomo) reggono il sarcofago, ornato da 2 bassorilievi relativi alle imprese più famose del doge (Presa di Smirne e Consegna di Famagosta a Caterina Cornaro) e dalla dicitura «ex hostium manubiis» («col bottino dei nemici fu costruito questo sepolcro»); sul sarcofago, fiancheggiata da 2 paggi reggiscudo, è la figura del Mocenigo armato e in piedi come su un carro di trionfo; sul frontone, bassorilievo delle Marie al sepolcro e le statue di Cristo risorto e di 2 putti; nello stilobate, fregi d'armi e 2 Fatiche di Ercole.

NAVATA DESTRA. Al principio della parete (4), resto dell'*urna sepolcrale del doge Raniero Zen* (m. 1268), con Cristo in gloria sorretto da 2 angeli, rilievo bizantineggiante della fine del sec. XIII. Al 1° altare (5) *Madonna col Bambino in trono e 8 santi*, dipinto attribuito al belliniano Francesco Bissolo entro elegantissima cornice marmorea lombardesca (fine sec. XV; scolpita alla fine del '400 per racchiudere una Madonna e santi di Giovanni Bellini, andata distrutta nel 1867 nell'incendio della cappella del Rosario, v. pag. 562). Alla parete (6), *monumento di Marcantonio Bragadin*, architettura classicheggiante attribuita a Vincenzo Scamozzi; il busto dell'eroe è della scuola del Vittoria; il chiaroscuro rappresentante l'esecuzione è variamente attribuito a Giuseppe Alabardi e a Cosimo Piazza (l'urna contiene la pelle del difensore di Famagosta – scuoiato vivo dai Turchi il 17 agosto 1571 – sottratta all'Arsenale di Costantinopoli e qui collocata nel 1596). Al 2° altare (7), entro cornice lignea originale, è il ***polittico di S. Vincenzo Ferreri**, opera giovanile di Giovanni Bellini (c. 1465) in cui è raffigurato il santo titolare tra S. Cristoforo e S. Sebastiano; nei tre scomparti in alto, Cristo morto sorretto da 2 angeli, l'arcangelo Gabriele e l'Annunciata; nei tre scomparti della predella (eseguita almeno in parte da aiuti, forse Lauro Padovano), 5 episodi della vita di S. Vincenzo Ferreri. Dopo il *monumento del senatore Alvise Michiel* (m. 1589), ornato da statue in marmo della scuola di Alessandro Vittoria (fine sec. XVI), si apre la **cappella dell'Addolorata** (A), costruzione gotica della metà del sec. XV con ricca decorazione barocca (c. 1639) a stucchi, sculture, marmi e dipinti (quelli della volta sono di G.B. Lorenzetti); all'altare, *La Maddalena e S. Ludovico di Tolosa* (cui la cappella era in origine dedicata) *ai piedi del Crocifisso*, pala di Pietro Liberi (1650) dipinta per questo altare e qui ricollocata nel 1983; ai lati, *Battesimo di Cristo* e *Circoncisione*, di Pietro de Mera; nel pavimento della navata, di fronte all'ingresso della cappella, pietra tombale di Ludovico Diedo (m. 1466), prezioso lavoro a niello.

La parete della campata seguente è occupata (8) dal sontuoso *mausoleo Valier*, opera barocca in marmi policromi di Andrea Tirali (1708): contro il marmoreo tendaggio retto da putti volanti è la statua del doge Bertucci Valier (m. 1658), di Pietro Baratta, fra le statue del doge Silvestro (m. 1700), di Antonio Tarsia, e della moglie Elisabetta Querini Valier (m. 1708), di Giovanni Bonazza; sul basamento e sul fastigio, statue allegoriche e altorilievi degli stessi scultori e di Marino Groppelli. I due archi sottostanti al monumento danno accesso alla **cappella della Madonna della Pace** (B), cosiddetta dalla venerata immagine della *Madonna col Bambino*, opera bizantina del sec. XII-XIII, portata a Venezia nel 1349 e qui collocata nel 1806; alla parete sin., *S. Giacinto e un compagno passano il fiume a piedi asciutti*, di Leandro Bassano; alla parete d., *Flagellazione* dell'Aliense (nel soffitto, tra stucchi di scuola del Vittoria, riquadri di Palma il Giovane). Al termine della navata si apre a d. la grande **cappella di S. Domenico** (C), fastosa costruzione di Andrea Tirali (1690-1716) su disegni di Antonio Gaspari: nel ricco soffitto intagliato e dorato, di Francesco Bernardoni, **Gloria di S. Domenico*, vasta tela di G.B. Piazzetta (1725-27), momento fondamentale nell'evoluzione dello stile del pittore e uno dei suoi più alti capolavori (il frate domenicano che guarda in basso è un autoritratto); agli angoli, *Fede, Carità, Giustizia* e *Costanza*, tondi a chiaroscuro pure del Piazzetta; alle pareti, 6 *storie di S. Domenico*, grandi rilievi in bronzo (il 1° a d., in legno, è incompiuto) di Giuseppe Maria Mazza (1715-20); l'affresco dell'abside con *S. Domenico, la Vergine e angeli* è di Girolamo Brusaferro.

TRANSETTO DESTRO. Alla parete d., *Incoronazione di Maria e santi*, di pittore orbitante nell'area di Cima da Conegliano, o stanca opera di quest'ultimo (dopo il 1510), e **Cristo portacroce*, dipinto di Alvise Vivarini firmato e datato 1474. Sopra (9), *monumento di Nicola Orsini conte di Pitigliano* (m. 1509), generalissimo della Repubblica nella guerra contro la Lega di Cambrai: ai lati della statua equestre del defunto, in legno dorato, Prudenza e Fede, sculture della scuola di Tullio Lombardo. All'angolo d. (10) della parete di fondo, **L'elemosina di S. Antonino*, pala di Lorenzo Lotto firmata e datata 1542 (attualmente, 1984, è provvisoriamente collocata nella cappella della Maddalena, v. sotto). Sopra la porta seguente (11), *monumento di Dionigi Naldo di Brisighella* (m. 1510), pure generale della Repubblica ai tempi della Lega di Cambrai, con statua di Lorenzo Bregno (c. 1515). Al di sopra, grande finestrone (in restauro dal 1978) a trafori gotici chiusi da splendide **vetrate con figure di santi* (la tematica è l'esaltazione dell'ortodossia dei Domenicani dei Ss. Giovanni e Paolo), opera iniziata poco dopo il 1470 e conclusa poco prima del 1520, alla cui realizzazione lavorarono più artisti fra cui, quasi certamente, Giovanni Antonio Licinio; a Bartolomeo Vivarini vengono attribuiti i cartoni per S. Paolo e la parte più alta della vetrata; a Cima da Conegliano quelli per la Madonna, S. Giovanni Battista e S. Pietro; a Girolamo Mocetto quelli per la zona inferiore (il S. Teodoro a cavallo reca la sua firma). All'altare di sin. (12), *Cristo fra i Ss. Pietro e Andrea*, una delle migliori opere di Rocco Marconi (firmata; attualmente, 1984, è nella cappella della Maddalena). CAPPELLE ABSIDALI DI DESTRA. Nella **cappella del Crocifisso** (D): **altare* in marmo nero di Alessandro Vittoria, databile intorno al 1580 (era l'altar maggiore della Scuola di S. Fantin), con Crocifisso in marmo bianco (già nella soppressa chiesa di S. Ternita, è opera di Francesco Cavrioli del 1664) fra le statue bronzee della Vergine e di S. Giovanni Evangelista; alla parete d., *tomba del barone* inglese *Odoardo Windsor* (m. 1574), attribuita al Vittoria; alla parete sin., urna trecentesca con figura giacente del defunto, presunta tomba di Paolo Loredan. Nella **cappella della Maddalena** (E): all'altare, elegante opera rinascimentale lombardesca del principio del '500 a forma di trittico marmoreo, la *Maddalena*, solenne statua di Bartolomeo Bergamasco del 1524 (proveniente, insieme all'altare all'inizio della navata sin., dalla demolita chiesa di S. Maria dei Servi), tra i *Ss. Andrea* e *Filippo*, di scuola padovana; alla parete d., *tomba di Vettor Pisani* (m. 1380), protagonista della guerra navale contro Genova, ricostruzione moderna nelle forme trecentesche con iscrizioni e statua originali del sec. XIV; parete sin., *tomba di Marco Giustiniani* (m. 1346), e *monumento del pittore Melchiorre Lanza* (m. 1674), del fiammingo Melchior Barthel, con ritratto in rilievo e l'allegoria del Dolore di ispirazione berniniana (nella cappella sono provvisoriamente collocate – 1984 – le pale di Lorenzo Lotto e di Rocco Marconi normalmente alla parete di fondo del transetto destro).

Il PRESBITERIO (F) è una maestosa architettura con abside poligonale forata da 5 ordini di bifore, volta a crociera e a costoloni. Al centro, isolato, è l'*altar maggiore*, grandiosa opera attribuita a Baldassare Longhena iniziata nel 1619 e completata tra il 1638 e il 1663 da Mattia Carnero; a Clemente Moli si debbono le statue della Madonna del Rosario e dei Ss. Domenico e Caterina da Siena, a Francesco Cavrioli quelle dei Ss. Giovanni e Paolo (gli angeli sono di Bernardo Falcone). Alla parete d.: (13), *monumento del doge Michele Morosini* (m. 1382), opera gotica del sec. XV, con edicole ornate da statuette (nella maniera di Paolo e Jacobello Dalle Masegne) e lunetta con Gesù crocifisso e santi, il doge e la dogaressa, splendido mosaico di scuola toscana dell'epoca (un ampio affresco quasi del tutto illeggibile fa da sfondo e cornice al complesso); (14), *monumento del doge Leonardo Loredan* (m. 1521; la data scolpita è errata), su disegno di Giovanni Girolamo Grapiglia (1572), con statua del doge di Girolamo Campagna (firmata), fra statue allegoriche e bassorilievi di Danese Cattaneo. Alla parete sin.: (15), **monumento del doge Andrea Vendramin* (m. 1478), capolavoro dell'arte funeraria veneziana del sec. XV, attribuito per la parte architettonica a Pietro Lombardo o ad Alessandro Leopardi, con fini bassorilievi di Antonio Lombardo e statue classicheggianti di Tullio Lombardo (un tempo nella demolita chiesa di S. Maria dei Servi, e qui trasferito nel 1817, il monumento è stato privato della cornice superiore e di 2 paggi reggiscudo, ora al Museo di Berlino; le 2 sante laterali, di Lorenzo Bregno, sostituiscono quelle originali raffiguranti Adamo ed Eva, di cui la prima è al Metropolitan Museum di New York); a d. del monumento, pochi resti di affresco trecentesco attribuito al Guariento; a sin. (16), il gotico *monumento del doge Marco Corner* (m. 1368): smembrato e rimaneggiato quando fu spostato per lasciar posto al monumento Vendramin, se ne ignora la forma primitiva, che doveva raccordare l'urna del doge giacente – di artista veneto tardogotico – alle statue, entro edicole cuspidate, della **Madonna col Bambino e di 4 santi*, elegante lavoro di Nino Pisano (la Madonna è firmata).

CAPPELLE ABSIDALI DI SINISTRA. Nella **cappella della Trinità** (G): *tombe* gotiche pensili *di Pietro Corner* (m. 1407; a d.) e *di Andrea Morosini* (m. 1348; a sin.); all'altare, *La SS. Trinità*, pala di Leandro Bassano; alla parete d., *Incredulità di S. Tommaso* dello stesso Bassano e *Madonna del Rosario* di Lorenzo Gramiccia; alla parete sin., *Cristo risorto, i Ss. Jacopo, Tommaso, Filippo, Marco e 2 donatori* e *Crocifisso con le Marie e S. Giovanni*, tele di Giuseppe Salviati. Nella seguente **cappella di S. Pio V** (o della famiglia Cavalli; H): a d., *monumento di Jacopo Cavalli* (m. 1384), generalissimo veronese al servizio della Repubblica, opera gotica di Paolo di Jacobello Dalle Masegne (firmata; fine sec. XIV) cui fa da cornice un vasto affresco di Lorenzo di Tiziano (2ª metà sec. XVI); a sin., *tomba di Marino Cavalli* (m. 1572) e, sopra, *urna del doge Giovanni Dolfin* (m. 1361), ornata da rilievi trecenteschi.

TRANSETTO SINISTRO. Nella parete di fondo, 3 monumenti della famiglia Venier: a d. (17), *monumento del doge Sebastiano* (m. 1578), il comandante della flotta veneziana a Lepanto, con statua in bronzo di Antonio Dal Zotto (1907); in mezzo, sormontato da un grande orologio del 1504, è (18) il *monumento del doge Antonio* (m. 1400), decorato con le statue della Madonna fra i Ss. Pietro e Paolo (in alto) e delle Virtù nelle nicchie dell'urna su cui è la statua del doge giacente (l'opera, non anteriore al 1403, di controversa attribuzione, è probabile lavoro della bottega dei Dalle Masegne); a sin. (19), *monumento di Agnese e Orsola Venier* (rispettivamente moglie e figlia del precedente), di un seguace dei Dalle Masegne, nello stile gotico fiorito del principio del sec. XV. Alla parete contigua (20), *monumento di Leonardo Prato* (m. 1511), capitano della Serenissima, con statua equestre lignea attribuita a Lorenzo Bregno.

Per la porta sotto il monumento di Antonio Venier si accede alla **cappella del Rosario** (I), costruita, come sede della confraternita della Scuola Grande di S. Maria del Rosario (istituita nel 1575), tra il 1582 e il 1608 su progetto di Alessandro Vittoria (eseguito da Francesco di Bernardino), trasformando la cappella di S. Domenico, sorta nel 1395 sul luogo del primitivo oratorio di S. Daniele; un incendio, scoppiato la notte del 16 agosto 1867, distrusse quasi completamente la ricca struttura (insieme a due capolavori lì in temporaneo deposito: il S. Pietro martire di Tiziano e una Madonna col Bambino di Giovanni Bellini), che è stata restaurata a partire dal 1913, rimettendo in opera, per quanto possibile, i frammenti salvati (fu riaperta nel 1959). Nel soffitto, disegnato da Carlo Lorenzetti (1932), sono state incastonate l'*Annunciazione*, l'*Assunzione* e l'**Adorazione dei pastori*, tre belle tele di Paolo Veronese già nella soppressa chiesa dell'Umiltà alle Zattere. Sulla parete di fronte all'altare, *Adorazione dei pastori* pure del Veronese. Alle pareti laterali, **dossali lignei mirabilmente scolpiti e intagliati da Giacomo Piazzetta (1698), con telamoni, statue di Virtù e bassorilievi di fatti evangelici (*Sposalizio di Maria, Continenza, Annunciazione, Visitazione, Mansuetudine, Natività di Gesù, Epifania, Fortezza, Presentazione al tempio, Fuga in Egitto, Castità, Disputa nel tempio*): provengono dalla Scuola Grande della Carità (ora Gallerie dell'Accademia) e sostituiscono quelli del Brustolon andati distrutti. Il presbiterio della cappella, ricomposto con tutto il materiale salvato dall'incendio, è ornato da colonne, lesene e sculture: entro 6 nicchie, 6 statue di *Profeti* e *Sibille*, di Alessandro Vittoria (restaurate da Carlo Lorenzetti); nello zoccolo, *Vita di Maria e Gesù*, magnifica serie di rilievi settecenteschi di Giovanni Bonazza, Alvise e Carlo Tagliapietra, Giuseppe Torretti e Giovanni Maria Morlaiter (c. 1730). L'altare, con edicola classicheggiante sormontata da cupola a traforo, è attribuito al Vittoria o a Girolamo Campagna; la *statua* in terracotta *della Madonna*, rifatta da Carlo Lorenzetti, posa sul trono marmoreo originale; i 2 monumentali candelabri in bronzo (restaurati) sono di Alessandro Vittoria; dietro l'altare, tronconi di 4 statue (*S. Domenico* e *S. Giustina* del Vittoria; *S. Tommaso d'Aquino* e *S. Rosa da Lima*, del Campagna) già ai lati del precedente altare. Alla parete di fondo, *Assunta*, pala di Giuseppe Salviati già nella demolita chiesa dei Servi. Alla parete d.: *Gesù morto* del veronesiano G.B. Zelotti; *Gesù e la*

Veronica di Carletto Caliari; **S. Michele arcangelo che abbatte Lucifero*, tela firmata di Bonifacio de' Pitati. Alla parete sin.: *Martirio di S. Cristina* di Sante Peranda; *Ultima Cena* e *Lavanda dei piedi*, di Carletto Caliari; *S. Domenico salva dei marinai invitandoli alla preghiera del Rosario*, del Padovanino.

Tornati in chiesa, si prosegue la visita lungo la NAVATA SINISTRA. Dopo un altarino marmoreo dell'inizio del sec. XVI (21), con un *S. Giuseppe* della scuola di Guido Reni, si vedono alla parete i *Ss. Agostino, Lorenzo* e *Domenico*, tre dei 10 pannelli di un polittico di Bartolomeo Vivarini firmato e datato 1473 (in alto, settecentesco organo di Gaetano Callido con imponente cantoria). Segue il portale d'accesso alla sagrestia (realizzato da Vincenzo Scamozzi nel 1605), intorno al quale è il *monumento funebre di Palma il Giovane*, disegnato dal pittore stesso, coi busti di Tiziano (attribuito a Alessandro Vittoria), di Palma il Vecchio e di Palma il Giovane (opere di Giacomo Alberelli del 1621). La **sagrestia** (L), è un ricco ambiente cinquecentesco con dossali in noce scolpito alle pareti e un ciclo di pitture (eseguite tra la fine del sec. XVI e l'inizio del XVII) esaltanti l'ordine domenicano. Nel soffitto a stucchi bianchi e oro, *La Madonna e i Ss. Domenico e Francesco*, tela di Marco Vecellio; le lunette del fregio, con *santi* e *sante domenicani* e l'*Annunciazione* (sopra l'altare), sono di Leandro Bassano e della scuola. All'altare, *Il Crocifisso adorato da santi domenicani e altri*, pala di Palma il Giovane; ai lati, a d. *Risurrezione* dello stesso, a sin. *Santi domenicani baciano le piaghe di Cristo* di Odoardo Fialetti. Alla parete di fronte all'ingresso: *Il miracolo del libro* di Odoardo Fialetti; *La nascita di S. Domenico* di Francesco Fontebasso; *Onorio III approva la regola dei Domenicani* di Leandro Bassano; *I Ss. Giovanni e Paolo* dello stesso. Sulla parete di fronte all'altare, *Fede e angeli* di Francesco Fontebasso. Sulla parete d'ingresso: a sin., *Il doge Jacopo Tiepolo dona ai Domenicani il terreno per la chiesa e il convento*, tela di Andrea Vicentino firmata e datata 1606; a d., *S. Domenico paga il marinaio col denaro tratto da un pesce*, di Odoardo Fialetti (firmato; c. 1600); sopra la porta, *Incontro di S. Domenico e S. Francesco a Roma* di Angelo Leoni.

Di nuovo in chiesa, si incontra, in alto (22), il *monumento del doge Pasquale Malipiero* (m. 1462), opera di Pietro Lombardo, il primo sepolcro veneziano in forme rinascimentali, e (23) il *monumento del senatore G.B. Bonzi* (m. 1508), opera di Giovanni Maria Mosca (1525) nello stile del Rinascimento maturo. Sotto, entro due arcate fiancheggiate dalle statue di *S. Pietro martire* e *S. Tommaso d'Aquino*, attribuite ad Antonio Lombardo e Paolo Stella, *monumenti* funebri *del doge Michele Steno* (m. 1413) e *del dotto Alvise Trevisan* (m. 1528), con statue giacenti dei defunti, di cui la prima era parte del monumento già nella demolita chiesa di S. Marina, e la seconda è bellissima opera attribuita a Giovanni Maria Mosca. Ancora in alto (24), il *monumento* con statua equestre *di Pompeo Giustini*, generale della Repubblica morto nell'assedio di Gradisca del 1616, opera di Francesco Terilli da Feltre. Poi (25), **monumento del doge Tomaso Mocenigo* (m. 1423), interessantissima opera (firmata) dei toscani Pietro Lamberti e Giovanni di Martino da Fiesole, di architettura gotica ma avvicinabile, per le sculture, alle forme rinascimentali di Nanni di Banco e Donatello (si veda il guerriero in basso a sin., rammentante il famoso S. Giorgio donatellesco). Segue (26), il **monumento del doge Nicolò Marcello* (m. 1474), di Pietro Lombardo, di puro stile rinascimentale, su colonne a piedistalli cilindrici come are antiche. Al 2° altare (27), entro cornice rinascimentale, copia del *S. Pietro martire*, il capolavoro di Tiziano bruciato nell'incendio della cappella del Rosario (v. pag. 562), eseguita (dopo il 1675) da Carl Loth e donata da Vittorio Emanuele II. Alla parete successiva (28), *sepolcro di Orazio Baglioni*, condottiero della Repubblica morto nel 1617, grandiosa ma pesante opera barocca del sec. XVII. Quindi, *monumento a Domenico Moro e ai fratelli Bandiera*, i patrioti veneziani fucilati in Calabria nel 1844, modesta opera di Augusto Benvenuti. Al 1° altare (29), opera rinascimentale di Guglielmo Bergamasco proveniente dalla chiesa di S. Maria dei Servi, **S. Girolamo*, potente statua di Alessandro Vittoria (c. 1580) che ha sostituito la Maddalena, ora nella cappella a d. della maggiore. Nell'angolo (30), piccolo *monumento del marchese Chastler* (m. 1825), di Luigi Zandomeneghi e Antonio Giaccarelli; sopra, *tomba dell'ammiraglio Girolamo Canal*, opera alla maniera di Alessandro Leopardi (fine sec. XV).

A sin. della basilica è l'elegante prospetto della Scuola Grande di S. Marco, dal 1809 destinata, insieme al convento dei Domenicani (v. pag. 566) e all'ospizio di S. Lazzaro dei Mendicanti (v. pag. 566), a ospedale militare e dal 1819 a ospedale civile, funzione che mantiene tuttora (l'intero complesso fu adattato alla nuova destinazione a partire dal 1823).

La ***Scuola Grande di S. Marco**, una delle più armoniose e significative architetture del Rinascimento veneziano, fu sede dell'omonima confraternita (istituita nel 1260 presso la chiesa poi demolita di S. Croce in Luprio e soppressa nel 1807), qui trasferitasi nel 1437 occupando e ristrutturando alcuni edifici dei Domenicani. Distrutta da un incendio nel 1485 la primitiva sede (dovuta, fra gli altri, a Giovanni e Bartolomeo Bon e ad Antonio Rizzo), e i lavori di ricostruzione, affidati in un primo momento (1487) al proto Gregorio di Antonio, passarono l'anno seguente sotto la direzione di Pietro Lombardo (coadiuvato dai figli Antonio e Tullio) e di Giovanni Buora; nel 1490 fu chiamato Mauro Codussi, che concluse il suo intervento nel 1495. Nel 1523 il complesso venne allungato posteriormente e tra il 1532 e il 1534 fu ultimato, ad opera di Jacopo Sansovino, il fianco verso il rio dei Mendicanti, la cui partitura a due ordini di lesene è forse dovuta al Codussi. La **facciata*, la cui struttura asimmetrica rispecchia la divisione interna della Scuola (col salone a sin. e l'albergo a d.), è uno dei più preziosi e originali esterni veneziani: la fanno tale la finezza della decorazione scolpita (opera dei Lombardo e del Buora), la felice soluzione del coronamento lunettato sopra il cornicione (dovuto al Codussi, cui forse spetta anche la definizione architettonica del prospetto dell'albergo), l'effetto pittorico creato dai marmi policromi e dalle finte prospettive tra le lesene dell'ordine inferiore (queste raffigurano il *Leone marciano*, simbolo della Scuola, della bottega dei Lombardo, e 2 episodi della vita di S. Marco – *Il battesimo di S. Aniano* e *La guarigione dello stesso* – iniziati forse da Pietro e completati da Tullio Lombardo). Il portale è decorato dal ricco protiro ad arco, sorretto da colonne su eleganti plinti scolpiti a festoni e a putti (forse di Giovanni Buora), sormontato dalla statua della *Carità*, attribuita a Bartolomeo Bon (c. 1445), e includente una lunetta con *S. Marco venerato dai confratelli*, altorilievo del 1445 c. attribuito allo stesso Bon (queste ultime due opere provengono dalla facciata distrutta nell'incendio del 1485). Il *Leone alato* in alto, della fine del sec. XIX, sostituisce quello scalpellato durante l'occupazione francese. Nel campo, pilo reggistendardo del 1754 con simbolo, pure scalpellato, della confraternita.

Dal portale di sin. si accede all'interno (per la visita rivolgersi in portineria), nel grande SALONE TERRENO scandito da 10 colonne in doppia fila, su alti plinti decorati da candelabre di squisita fattura (bottega dei Lombardo) e sorreggenti gli architravi posti in senso longitudinale alla sala. Sulla parete di d. si aprono due monumentali portali lombardeschi d'accesso allo *scalone* a doppia rampa, costruito dal Codussi nel 1494-95 (demolito nel 1812, fu ricostruito da Aldo Scolari nel 1952 sulla base degli elementi superstiti). Questo conduce al piano superiore, dove le sale dell'ex Scuola Grande sono state solo in parte ripristinate nel loro aspetto originario (le decorava un tempo il ciclo di teleri con le Storie di S. Marco, opera di Carpaccio, dei Bellini e di Jacopo Tintoretto, ora alle Gallerie dell'Accademia e alla Pinacoteca di Brera di Milano). Il SALONE (detto anche cappella) è un vastissimo ambiente con ricco soffitto ligneo a cassettoni intagliati e dorati da Vittore Scienzia da Feltre e da Lorenzo di Vincenzo da Trento (1519); una quinta architravata lo divide scenograficamente dal sopraelevato presbiterio aggiunto nel 1532-34 da Sansovino, che progettò anche l'altare. A questo, *S. Pietro e S. Paolo che invocano la protezione di Cristo su Venezia*, pala di Palma il Giovane (firmata e datata 1614); ai lati, *Trasporto del corpo di S. Marco sulla nave* e *Arrivo a Venezia delle spoglie del santo*, ambedue di Domenico Tintoretto. Alle altre pareti: *Le nozze di Canaan*, vasta tela del Padovanino (1622); *Calvario* di Donato Veneziano (sec. XV); *Arrivo di S. Marco nella Laguna* di Domenico Tintoretto; *Annunciazione* di Niccolò Renieri; *Visione di S. Marco* e *Benedizione del luogo di fondazione di Venezia*, di Domenico Tintoretto (i due portali sono codussiani; i battenti di quello di sin. furono scolpiti da Giovanni Marchiori). Nella adiacente SALA DELL'ALBERGO (ora Biblioteca dell'Ospedale), splendido *soffitto a lacunari blu e oro intagliati da Pietro e Biagio da Faenza (1504). Alla parete di fronte alla porta, *S. Marco libera Venezia da una nave carica di demoni*, opera generalmente attribuita a Palma il Vecchio, forse identificabile con la Tempesta di mare che le fonti assegnano a Giorgione (i restauri e rifacimenti di Paris Bordone, 1535, e di Antonio Zanchi, 1713, rendono peraltro impossibile un sicuro giudizio attributivo); di fronte alle finestre, *3 Episodi della vita di S. Marco* di Giovanni Mansueti (firmati); alla parete delle finestre, *Ritrovamento del corpo di S. Marco* e *Ritratti di confratelli*, di Domenico Tintoretto; sopra la porta, *Martirio di S. Marco* di Vittore Belliniano (firmato e datato 1526).

Tornati nel salone terreno, per la porta di fondo si accede all'ex **convento** dei Domenicani **dei Ss. Giovanni e Paolo** (per la visita rivolgersi in portineria). Sorto con l'attigua chiesa e già terminato nel 1293, fu ricostruito da Baldassare Longhena tra il 1660 e il 1675 probabilmente mantenendo l'originario impianto planimetrico, che si articola intorno a due chiostri (di cui solo uno ha conservato la struttura a arcate) e a un cortile. Il complesso è chiuso a est dall'ex dormitorio dei frati, progettato da Baldassare Longhena nel 1664 (sia al pianoterra che al 1° piano è percorso da un lunghissimo corridoio centrale su cui si affacciano le celle); il monumentale scalone longheniano, con pianerottoli a magnifici intarsi floreali di marmi policromi, sale appunto alla «manica lunga» (la cui testata non guarda direttamente sulla Laguna): a metà del braccio a sin. dello scalone si trova la *Biblioteca*, realizzata dal Longhena (1670-74), che conserva lo straordinario *soffitto ligneo scolpito da Giacomo Piazzetta (1682) e decorato da 3 dipinti di Federico Cervelli (*Allegorie del Timore, della Sapienza* e *della Prudenza*).

Si prende a sin. della Scuola Grande la *fondamenta dei Mendicanti*, aperta sul rio omonimo, su cui prospettano caratteristici edifici e due antichi squeri ancora attivi e di recente restaurati. Quasi al termine del percorso si svolge il lungo prospetto dell'ex *ospizio di S. Lazzaro dei Mendicanti* (parte dell'Ospedale Civile, v. pag. 564), uno dei quattro ospedali maggiori veneziani la cui istituzione ebbe origine dal lebbrosario fondato nel 1224 a S. Trovaso, trasferito nel 1262 sull'isola di San Lazzaro – poi detta degli Armeni – e qui ubicato dal 1595. Il progetto del complesso spetta a Vincenzo Scamozzi (1601-31), che si ispirò alla soluzione palladiana dell'ospizio delle Zitelle alla Giudecca, con la chiesa inclusa tra i due corpi simmetrici destinati a ricovero (realizzati, questi, da Tommaso Contino). La **chiesa**, consacrata nel 1636, presenta una facciata di essenziali linee palladiane (a ordine unico di semicolonne corinzie e timpano triangolare) eretta nel 1673 da Giuseppe Sardi per lascito testamentario di Jacopo Galli.

Dal 1826 la chiesa funge da cappella dell'ospedale, da cui vi si accede previo permesso dei padri cappellani; la visita che si dà di seguito si svolge dall'ingresso principale.

All'interno il vano è preceduto da un ampio vestibolo, realizzato per protezione dai rumori esterni dei concerti ivi tenuti dalle allieve dell'ospizio. I due ambienti sono separati dal grandioso *monumento del procuratore Alvise Mocenigo*, il difensore di Candia morto nel 1654, fastosa e macchinosa opera di Giuseppe Sardi a doppia fronte, di cui quella verso il vestibolo è decorata da statue attribuite a Giuseppe Belloni (la *Fede* e la *Temperanza*) e da rilievi con piante di fortezze greche; sul prospetto verso la chiesa, articolato in basso da un ordine di 8 colonne di verde antico, sono le statue della *Giustizia* e della *Forza*, di Josse Le Court (firmate), e due rilievi raffiguranti scene di battaglia (navale e terrestre). L'unica navata della chiesa, a un ordine di lesene corinzie reggenti il cornicione su cui si imposta la volta a unghie, si conclude nel presbiterio a pianta quadrata. Sulle pareti maggiori, tra rivestimenti marmorei includenti busti di esponenti delle famiglie Cappello (a d.) e Mora (a sin.), sono due grandi cantorie che ricordano le esecuzioni concertistiche per cui erano state concepite (l'organo, di Gaetano Callido, è del 1772). Al 1° altare d., *Il Crocifisso tra la Madre e S. Giovanni*, pala di Paolo Veronese; al 2° altare, *Annunciazione* di Giuseppe Salviati; all'altar maggiore, *Gesù risuscita Lazzaro*, modesta pala ottocentesca; al 2° altare sin., *L'invenzione della Croce* del Guercino, l'unica opera a Venezia di questo artista; al 1° altare, **S. Orsola e le undicimila Vergini*, mirabile lavoro giovanile di Jacopo Tintoretto.

Ai lati della chiesa, posteriormente, si sviluppano i due chiostri delle ali dell'ospizio, con porticato su colonne e terrazza sovrapposta; in quello di sin., monumentale *pozzo* su disegno di Baldassare Longhena, decorato sull'architrave dalla *Temperanza*, scultura di Michele Ongaro.

La fondamenta dei Mendicanti termina alle fondamenta Nuove (v. pag. 510), all'altezza del ponte dei Mendicanti ricostruito nel 1844 da Giuseppe Salvadori. Ai piedi di questo, sull'altro lato del rio, è il *palazzo Berlendis* (N. 6298), costituito da due edifici gemelli seicenteschi di cui quello di sin. rimaneggiato in epoca neoclassica con l'aggiunta dei timpani alle finestre e alla serliana del piano nobile; all'interno rimangono alcuni ambienti decorati a stucchi, tra cui un'alcova attribuita ad Abbondio Stazio e a Carpoforo Mazzetti-Tencalla (1ª metà sec. XVIII). Percorrendo la fondamenta a d., costeggiato il muro che delimita l'area dell'ospedale, si raggiunge l'innesto della *calle delle Cappuccine*, dall'omonimo ex *monastero* (N. 6602) eretto con l'attigua chiesa nel 1647-59 in seguito a pubblico voto per la cessazione della guerra di Candia. La chiesa, intitolata a **S. Maria del Pianto**, in solitaria posizione sulle fondamenta Nuove e seminascosta da un alto muro, è di semplice e rigorosa architettura attribuita a Baldassare Longhena ma forse di Francesco Contin, con facciata a lesene corinzie e timpano curvilineo; l'interno, a pianta ottagonale, spogliato degli arredi in epoca napoleonica, poi restaurato e riaperto al culto nel 1851, è decorato da affreschi di Sebastiano Santi del 1850 circa (la chiesa è di uso riservato all'Ospedale Civile, cui ci si deve rivolgere per la visita). Al termine della calle si apre il campo S. Giustina detto di Barbaria (v. pag. 569).

Nuovamente nel campo Ss. Giovanni e Paolo, se ne ripercorre il lato meridionale imboccando la breve salizzada omonima, tratto del percorso pedonale che taglia l'insula da ovest a est dividendola in due settori dai caratteri differenziati (v. pag. 555). Esso continua nella calle detta *barbaria delle Tole* (perché vi si piallavano, togliendone le «barbe», le tavole di legno utilizzate nei numerosi depositi e cantieri ubicati sul bordo della Laguna nord), dove subito a sin. prospetta il *complesso dell'Ospedaletto* (chiesa e ospizio), il più piccolo dei quattro 'Ospedali Maggiori' veneziani, sorto nel 1527 come ricovero per vecchi e infermi poveri (attualmente di proprietà dell'IRE, è adibito a Casa di Riposo per anziani). La chiesa, intitolata a **S. Maria dei Derelitti** (o dell'Ospedaletto), trasformazione cinquecentesca di un oratorio del 1335 c. (ai lavori, compiuti tra il 1575 e il 1577, partecipò Andrea Palladio), fu rifatta a partire dal 1662 sotto la direzione di Giuseppe Sardi e quindi di Baldassare Longhena. A quest'ultimo si

deve fra l'altro la *facciata (1668-74), concepita come grandioso
cenotafio del committente (Bartolomeo Carnioni), ridondante di
decorazioni scultoree e di aggetti architettonici che incombono
con una prospettiva in forte scorcio a causa della ristrettezza
della calle. Al 1° ordine, erme-pilastri con teste grottesche; al 2°,
quattro telamoni sorreggenti la trabeazione; sull'attico, le Virtù,
tutte sculture di Marco Beltrame e Josse Le Court. Sopra il portale, *Madonna e angeli*, terracotta invetriata del sec. XV.

L'interno (per la visita rivolgersi alla portineria dell'adiacente ex ospizio,
v. sotto), interessante per le numerose tele del Seicento veneziano e del
primo Settecento, è a sala rettangolare, con le pareti scandite da semicolonne ioniche e 3 altari per lato disegnati dal Longhena nel 1671-78. Nel
fondo, importante *organo* di Pietro Nachini (1751) inserito in una cassa in
legno intagliato e dorato di precedente fattura (su disegno del Longhena);
sul soffitto piano, affresco di Giuseppe Cherubini (1907). Lungo le pareti i
mistilinei all'esterno degli archi sono decorati da interessanti tele: al 1°
intercolumnio d., *Simbolo di Isaia* e *Isaia*, attribuite ad Antonio Balestra;
al 2°, *S. Matteo* e *S. Simone*, attribuite a Giambattista Pittoni; al 3°, *S.
Giacomo minore* e *S. Filippo*, di Nicola Grassi; al 4°, *Sacrificio di Isacco*,
opera giovanile di G.B. Tiepolo; al 5°, *S. Luca* e *S. Marco*, di Nicola Grassi;
al 6°, *S. Ambrogio* e *S. Gregorio*, di seguace di Pietro Vecchia; al 6° della
parete sin., *S. Agostino* e *S. Geremia*, di seguace di Pietro Vecchia; al 5°,
S. Giovanni di Niccolò Renieri e *S. Matteo* di Luigi Ferrari; al 4°, *S. Pietro*
e *S. Paolo*, di Nicola Grassi; al 3°, *S. Andrea* e *S. Giacomo maggiore*, di
Giambattista Tiepolo; al 2°, *S. Mattio* e *S. Giuda Taddeo*, attribuite a G.B.
Pittoni; al 1°, *S. Giovanni* e *S. Tommaso*, di G.B. Tiepolo. Di nuovo sul
lato destro: al 1° altare, *Cristo deposto e santi* di Carl Loth; al 2°, *Madonna col Bambino e i Ss. Giuseppe, Carlo Borromeo, Simone il Vecchio e
la Veronica*, di Francesco Ruschi; al 3°, *Annunciazione* di Palma il Giovane (firmata). Al termine della parete d., *La piscina probatica* di Gregorio Lazzarini. Nel presbiterio, altar maggiore progettato ed eseguito da
Antonio Sardi forse in collaborazione col figlio Giuseppe (1659-65), con ciborio disegnato da Baldassare Longhena (1668) affiancato da 2 angeli adoranti di Tommaso Ruer; la pala con l'*Incoronazione della Vergine* è di Damiano Mazza (metà del '500); contro il muro, *S. Francesco* e *S. Sebastiano*,
buone statue seicentesche; ai lati dell'altare, *Visitazione* e *Nascita di
Maria*, di Antonio Molinari, autore anche dell'*Arcangelo Gabriele* e del-
l'*Annunciata* in alto. Al 3° altare sin., *Il Crocifisso con S. Girolamo Miani
e orfanelli* di Giuseppe Angeli; al 2°, *Madonna col Bambino e i Ss. Giovanni Battista, Antonio e Giacomo* di Ermanno Stroifi (firmato e datato
1652); al 1°, *La Vergine in gloria tra i Ss. Antonio e Girolamo* di Andrea
Celesti.

L'attiguo ex *Ospizio* (N. 6691), fondato nel 1527 e già ampliato nel 1572-73
(forse su progetto di Antonio Da Ponte), fu interessato da ulteriori interventi nel 1664-66 a opera di Giuseppe Sardi, cui successe Baldassare Longhena; adibito a Casa di Riposo per anziani nel 1812, il complesso venne
ingrandito nel 1840 da Alvise Pigazzi ed ebbe ulteriori ristrutturazioni nel
1934 e nel 1962, quando fu pure demolito il grandioso scalone ottocentesco
dell'atrio. All'interno (visitabile chiedendo il permesso alla direzione) ri-

mane l'elegante *sala da Musica*, sistemata da Matteo Lucchesi e affrescata nel 1776 da Jacopo Guarana e da Agostino Mengozzi Colonna (autore delle quadrature), dove si svolgevano i concerti delle ragazze ospiti dell'istituto che ricevevano un'educazione musicale di prim'ordine (tra i più insigni maestri si ricordano Niccolò Porpora e Domenico Cimarosa). Accanto alla sala, scala ovata progettata da Giuseppe Sardi e completata dal Longhena, cui si deve anche il progetto del cortiletto retrostante alla chiesa con statue e vera da pozzo.

Si prosegue lungo la barbaria delle Tole, seguendo poi in successione: a sin. un sottoportico che immette nella *corte della Terrazza*, dove rimangono i resti rinascimentali del *palazzo Magno*, costituiti dalla scala esterna con arcate su pilastri a decorazioni lombardesche, dal portale e dalla bifora al 1° piano (la *vera da pozzo con mascheroni e scudi è del 1480 circa); a d. la *calle Muazzo*, che lascia a d. il sottoportico Muazzo e arriva alla corte omonima, di impianto tardobizantino, già privata e parte dell'importante complesso costituito dai due *palazzi Giustinian*, poi Muazzo, edificati negli ultimi anni del '500, con prospetti gemelli ma leggermente sfalsati, sul rio di S. Giovanni Laterano (li si vede dal ponte Muazzo).

Per il sottoportico e il ponte Muazzo si raggiunge la piccola insula di S. Giovanni Laterano, dalla tipica forma triangolare compresa tra due rami dal rio omonimo. Al N. 6395 C si apre l'accesso al *convento di S. Giovanni Laterano* (ora istituto scolastico), istituito nel 1504, più volte rimaneggiato e nel 1731 ampliato da Andrea Tirali, cui si deve anche l'elegante chiostro centrale (a porticato con sovrastante terrazza), con vera da pozzo ottagonale a balaustri. Per fondamenta seconda S. Giovanni Laterano, e quindi a d. la calle omonima, si raggiunge, N. 6396, **palazzo Morosini**, con facciata cinquecentesca e *corte gotico-fiorita della metà del sec. xv; la vera da pozzo è della fine del '300.

Ritornati nella barbaria delle Tole, si prosegue verso est. Al N. 6480 si apre l'ingresso del quattrocentesco *palazzo Bragadin*, ristrutturato e ampliato nel '600, che volge la facciata tardogotica sul rio S. Giovanni Laterano (sul portale, ottocentesco *medaglione di Marcantonio Bragadin*, v. pag. 559, che qui ebbe la sua dimora; accanto, rilievo del V-VI sec. con *S. Daniele tra i leoni*). Tenendo dritto si sbocca nel *campo di S. Giustina*, detto *di Barbaria*, con settecentesca vera da pozzo ottagonale; vi sorge isolato il piccolo *oratorio dell'Addolorata*, eretto nel 1829 in forme neoclassiche (alle spalle di questo, al N. 6500 della corte delle Do Porte, un portale datato 1558 dà accesso al *palazzo Basadonna*, dove abitò, e morì nel 1628, il pittore Palma il Giovane). Si esce dal campo seguendo in fondo a d. la calle Zon e, varcato il ponte S. Giustina sul rio omonimo, si scende sulla fondamenta S. Giustina (seguendola a sin., e volgendo poi a d. nella calle S. Fran-

cesco, si è in campo S. Francesco della Vigna, v. pag. 580). Di
fronte si vede il prospetto della chiesa di *S. Giustina* (ora liceo
scientifico «G.B. Benedetti»), fondata secondo la tradizione nel
sec. VII, più volte ristrutturata e, tra il 1636 e il 1640, ricostruita
a spese della famiglia Soranzo; la facciata, di Baldassare Longhena, tripartita da semicolonne corinzie sostenenti il cornicione, è ancora ragguardevole benché mutila del coronamento a
timpano semicircolare e di quasi tutta la decorazione scultorea
dovuta a Clemente Moli (soppressa nel 1807, la chiesa nel 1844 fu
adattata a Casa di Educazione marittima suddividendone l'interno in tre piani). Il fianco d. definisce il fronte nord del *campo
S. Giustina*, aperto all'incrocio di due importanti corsi d'acqua
che collegano rispettivamente: quello a ovest (qui rio S. Giustina)
la Laguna nord con il Bacino di S. Marco; quello a sud (in questo
tratto rio del Fontego) l'Arsenale con il Canal Grande.

Completano la dimensione urbana del campo gli edifici al di là dei rii: a
ovest, prossimo al ponte, il *palazzo Cima Zon*, ristrutturazione seicentesca
di edificio gotico della fine del sec. XIV di cui restano il cornicione e una
trifora trilobata (ora murata), e il contiguo *palazzo Zon Zatta*, rifatto nel
sec. XVII-XVIII su struttura gotica, servito da un ponte privato (ricostruito
nel 1759) in origine senza spallette; a sud, con doppio portale d'ingresso
d'acqua e di terra (N. 2838) e ponte privato, il *palazzo Gradenigo*, del sec.
XVII, che conserva all'interno stucchi e decorazioni sette-ottocentesche (vi
erano conservati la biblioteca e il medagliere di Pietro Gradenigo, ora al
Museo Correr; ne è in corso, 1984, il restauro).

Dal fondo del campo (sull'edificio N. 2841 A, tabernacolo barocco
datato 1621, con bassorilievo della fraglia dei Gondolieri) si
prende a sud il ponte del Fontego e si prosegue nella calle omonima (il toponimo ricorda un fontego della Farina, di proprietà
della famiglia Da Riva, qui ubicato nel '700). Al N. 2857 è il *palazzo Da Riva* (1712), importante architettura di evidente influsso longheniano, forse opera di Domenico Rossi affiancato,
per la parte scultorea, da Giuseppe Torretto; notevoli sono la
corte interna e la facciata sul rio (la si vede dal ponte della corte
Nuova, v. sotto), con balconata continua al primo piano e cornicioni di elaborato profilo; nel salone rimane l'originaria decorazione a stucchi (di proprietà demaniale, l'edificio è chiuso in attesa di destinazione). Volgendo quindi a sin. nella salizzada S.
Giustina (v. pag. 580), e subito a d. nella calle Zorzi va in corte
Nuova, passato un sottoportico si sbocca nell'allungata *corte
Nuova*, definita da due quinte di case a schiera cinquecentesche
(la vera da pozzo è della fine del sec. XV). Da qui si tiene a d. e,
oltrepassati il rio della Pietà (a d., il prospetto verso acqua del
palazzo Da Riva, v. sopra, di fronte al quale è il retro dell'ex
chiesa di S. Lorenzo) e il successivo sottoportico, si prosegue

nella fondamenta S. Giorgio degli Schiavoni. A d. la calle S. Lorenzo conduce al *campo S. Lorenzo*, dilatato intorno al 1840 con la demolizione dell'ala dell'omonimo monastero (v. sotto), che lo delimitava dalla parte del canale conferendogli la funzione di campo-sagrato (ancora oggi si nota l'area originaria pavimentata e, nel 1747, decorata da una vera da pozzo ottagonale). Domina l'invaso, a d., l'incompiuta facciata in laterizi della chiesa di *S. Lorenzo* (fondata forse nel sec. VII), rifacimento eseguito tra il 1592 e il 1602 su progetto di Simone Sorella. Già adibita (dal 1866) a magazzino comunale, poi ripristinata dopo lunghi restauri (1958 e 1967-70), la chiesa è da alcuni anni utilizzata per mostre e spettacoli.

L'interno, sebbene spoglio delle opere d'arte e degli arredi, conserva una grande suggestione per il suo scenografico impianto. Il grande vano cubico è infatti diviso trasversalmente in due parti (rispettivamente destinate ai fedeli e alle monache), separate da un setto-diaframma a tre ampie arcate, di cui le laterali chiuse da ricche grate; la centrale è occupata dal colossale *altar maggiore* a doppio prospetto, capolavoro di Girolamo Campagna, che eseguì anche le sculture (1615-18; i bronzetti del ciborio sono custoditi al Museo Correr).

A sin. di S. Lorenzo si sviluppa l'ex *monastero* delle Benedettine, fondato nel sec. IX da Romana Partecipazio e ricostruito nella 2ª metà del '400, che per fasto anche mondano ebbe notorietà pari a quella di S. Zaccaria; ridotto nel 1812 a Civica Casa d'Industria per mendicanti e bambini abbandonati, poi notevolmente trasformato a opera di G.B. Meduna intorno alla metà del secolo, presenta un semplice prospetto del 1852, sopraelevato nel '900 (dal 1875 è adibito a ospedale geriatrico per lungodegenti). All'interno rimangono tre chiostri, di cui notevole quello centrale ad arcate su colonne tardogotiche della 2ª metà del sec. XV (la vera da pozzo in marmo rosa di Verona è del sec. XVII).
Sul lato opposto del campo, N. 5069, è il piccolo *convento dei Domenicani* (ai quali fu affidata la chiesa nella prima metà dell'Ottocento), realizzato in forme modeste da G.B. Meduna nel 1840-43.

Si esce dal campo varcando il rio di S. Lorenzo sull'omonimo ponte in pietra d'Istria, ricostruito nel '700 in sostituzione di quello tardogotico a tre archi (in fondo a d. si vede il fianco del tardogotico *palazzo Cappello*, della metà del sec. XV, con angolo reggistemma in rilievo). Sulla fondamenta S. Lorenzo, lasciato a sin., N. 5053, l'ingresso del seicentesco *palazzo Ziani*, ora Questura (e già sotto il governo austriaco sede dell'Imperial Regia Direzione Generale di Polizia), si tiene a destra, quindi a sin. nel *borgoloco S. Lorenzo*, definito da un'interessante edilizia seriale con due palazzi gentilizi cinquecenteschi in testata, sulla seguente fondamenta S. Severo (le case a d. sono del primo Cinquecento; quelle a sin., più tarde, furono restaurate nel 1665); delle due vere da pozzo, una, a cubo scantonato, è del sec. XIII, l'altra del XIV. Raggiunta la fondamenta S. Severo, aperta sul rio omonimo, la si segue a sin. (il tratto di d. è chiuso sul fondo, N. 5136, dal *palazzo Donà Ottoboni*, trasformazione seicentesca di edificio tardo-trecentesco di cui rimane una polifora murata e il rilievo sul portale; nel 1610 vi nacque Pietro Vito Ottoboni, poi papa Alessandro VIII), osservando dall'altra parte del rio una serie di importanti edifici padronali, di testata dei lotti compresi tra il corso d'acqua e la parallela ruga Giuffa (v. pag. 546).

Di fronte allo sbocco del borgoloco S. Lorenzo è il palazzo Grimani (v. pag. 546), con portale bugnato di gusto sanmicheliano. Poco più avanti, oltre l'archiacuto *palazzo Zorzi Bon* della metà del sec. XIV, si sviluppa il bianco prospetto in pietra d'Istria del *palazzo Zorzi* (di proprietà comunale e in attesa di restauro), attribuito a Mauro Codussi (c. 1480) che ristrutturò preesistenti case di proprietà della famiglia, delle quali mantenne l'impianto gotico (a ciò si devono le proporzioni contratte del pianoterra e del mezzanino e l'inedito ritmo della doppia quadrifora con 5 archi rimasti ciechi, raccordata da una monofora centrale e dal poggiolo); a un progetto di trasformazione di Antonio Gaspari (1682-96) appartengono 4 poggioli delle finestre del piano nobile (all'interno, cui si accede dalla salizzada Zorzi, v. sotto, rimane il cortile rinascimentale, con porticato e due bifore di eleganti forme).

La fondamenta termina nel *campo S. Severo*, dove sorgeva l'omonima chiesa fondata nell'820 e demolita nel 1829, sul luogo della quale sorse l'edificio delle Prigioni per detenuti politici (rimasto in uso fino al 1926), con prospetto a robusto bugnato neoclassico (sul fondo del campo, N. 4999, il monumentale ingresso sormontato da arco ogivale del palazzo Priuli all'Osmarin, v. pag. 576). Varcato a d. il ponte S. Severo, si prosegue nella *salizzada Zorzi* (a d., N. 4930, l'ingresso da terra al palazzo omonimo, v. sopra), e oltre l'innesto a d. della ruga Giuffa (v. pag. 546), si tiene dritto nella calle della Corona. Al di là del ponte, a d., la calle della Sagrestia porta nella *calle Rimpeto la Sagrestia*, all'altezza della zona absidale della chiesa di S. Giovanni Novo, prospettante il campo omonimo che si raggiunge tenendo per breve tratto a d. e quindi a sin. nella calle a fianco la Chiesa.

La chiesa di *S. Giovanni Novo*, o in Oleo, fondata nel 968 e più volte ristrutturata e ricostruita, deve l'attuale struttura al rifacimento realizzato tra il 1751 e il 1762 da Matteo Lucchesi, forse su progetto di Giorgio Massari; all'interno (chiuso da diversi anni e in attesa di restauri), a sala con due cappelle per lato, rimangono: dietro l'altar maggiore di Domenico Fadiga, del 1788, *Il martirio del santo* di Francesco Maggiotto e chiaroscuri di Fabio Canal; alle pareti, 2 *Crocifissi* del XIV e XV secolo.

Dal campo (ai numeri 4386-88, doppia casa a schiera cinquecentesca e, al centro, vera da pozzo del 1542), per il lungo sottoportico della Stua si arriva alla *fondamenta del Rimedio* (aperta sul rio del Rimedio attraversato da ponti privati), che termina in prossimità del campiello Querini Stampalia (v. pag. 546). Quasi al termine del percorso diverge a sin. la *calle del Rimedio*, che conduce al ponte omonimo gettato sul rio di Palazzo (v. pag. 514). A d., N. 4419, è il *palazzo Soranzo*, detto casa dell'Angelo dal prezioso altorilievo trecentesco in facciata, costruzione tardobizantina (2ª metà sec. XIII) con prospetto rimaneggiato in epoca gotica e nel Cinquecento (all'interno, corte con portico dagli architravi lignei e due quadrifore ad arco rialzato e cuspidato).

Seguendo il tratto meridionale della calle Rimpeto la Sagrestia si raggiunge il campo Ss. Filippo e Giacomo (v. pag. 576), da dove, tenendo dritto nella calle degli Albanesi, si giunge in breve alla riva degli Schiavoni, non lontano da piazza S. Marco.

6.3 Da S. Marco alla riva dei Sette Martiri per S. Francesco della Vigna, l'Arsenale e S. Pietro di Castello

Dalla piazzetta dei Leoni si imbocca a sin. del Palazzo Patriarcale (per il luogo di partenza dell'itinerario v. pag. 249, per la pianta dello stesso itinerario, pag. 516) la calle della Canonica (dalle case dei Canonici di S. Marco) per l'omonima fondamenta aperta sul rio di Palazzo (v. pag. 514), al di là del quale si sviluppano settori urbani di antica formazione con importanti esempi di edilizia residenziale attestati sul rio stesso. Di fronte, N. 4328, è il **palazzo Trevisan** poi **Cappello**, con sontuosa facciata lombardesca attribuita a Bartolomeo Bon (inizi sec. XVI), la cui originaria destinazione per due famiglie trova riscontro nel doppio ingresso da terra (servito da un unico ponte) e nella doppia porta d'acqua; nel 1577 fu acquistato da Bianca Capello, poi granduchessa di Toscana, per il fratello Vittore. A sin. di questo, i seicenteschi *palazzi Foscarini* (dal serrato prospetto) e *Morosini*. Si prosegue varcando il ponte della Canonica (Antonio Mazzoni, 1755), che offre una celebre veduta sul rio: a d. il ricco prospetto est, rinascimentale, del Palazzo Ducale (v. pag. 253), collegato al palazzo delle Prigioni dal ponte dei Sospiri; a fondale la facciata della chiesa di S. Giorgio Maggiore (v. pag. 613). Ai piedi del ponte diverge a d. la breve *fondamenta S. Apollonia*, con l'edificio N. 4310, sede (dal 1868) della ditta di ricami e merletti Jesurum, ma fino al 1806 chiesa dei Ss. Filippo, Giacomo e Apollonia (risalente al sec. XII): nonostante le alterazioni, è ancora riconoscibile la facciata con bel portale rinascimentale (1473), ormai privo della lunetta le cui 3 statue sono conservate alla Pinacoteca Manfrediniana; l'interno, restaurato nel 1910-14 da Max Ongaro, pur suddiviso in due piani, conserva la struttura tardogotica a tre navate absidate (presso la chiesa, numeri 4306-4307, aveva sede la Scuola dei Linaroli). A chiusura della fondamenta, N. 4312, è l'ingresso all'ex *convento* benedettino *di S. Apollonia*, fondato nel sec. XII-XIII o, forse, agli inizi del XIV; posto dal 1473 sotto la giurisdizione del primicerio di S. Marco, che vi risiedeva, e sede (tra il 1579 e il 1591) del Seminario Ducale, fu nel 1828 adattato a Imperial Regio Tribunale Criminale (a quell'epoca è riferibile il rifacimento di parte del prospetto sul rio per opera di Lorenzo Santi). Ridotto in deplorevoli condizioni, soprattutto nel chiostro, il complesso fu riscattato nel 1964 dalla Procuratoria di S. Marco: sottoposto ad accurati restauri da parte di Ferdinando Forlati (1967-69) e di Marino Vallot (1973-77), è ora sede del Tribunale Ecclesiastico, del Lapidario Marciano e del Museo Diocesano di Arte Sacra.

Il suggestivo *chiostro presenta forme romaniche di terraferma del tutto eccezionali a Venezia: porticato con archetti a doppia ghiera sostenuti da tozze colonne sui lati minori e da colonnine binate sui maggiori, fu sopraelevato per il lato verso il canale nell'ultimo quarto del '400 e per gli altri tre nel sec. XVI-XVII; al centro, vera da pozzo a cubo scantonato del sec. XIII. Tutt'intorno alle pareti ha trovato sistemazione dal 1969 il LAPIDARIO MARCIANO, raccolta di frammenti decorativi di provenienza romana e bizantina, o di fattura veneto-bizantina (secc. IX-XI), in gran parte già a ornamento dell'antica Basilica di S. Marco e non riutilizzati nella ricostruzione contariniana. Nel 1° lato (a d. dell'ingresso): *lapide sepolcrale del tribuno Lanchario* (da Este; sec. I); grande masso con *scudo e trofeo di caccia* in rilievo, già parte di monumento funerario romano (sec. I) estratto nel 1963 dalle fondazioni dell'abside maggiore di S. Marco; *ara al dio Sole* (da Aquileia; II-III sec.); *lapide sepolcrale dei Braetii* (I sec.; da Altino ?); *edicola funebre* (I sec.; da Altino ?); capitelli corinzi tardoimperiali (IV-V sec.); frammenti di lastre, plutei, transenne, cornici dal V al VII secolo. Nel 2°: architrave del V-VI sec., forse da Costantinopoli; frammenti di plutei (VI-VII sec.); 3 capitelli bizantini (VI sec.); frammenti di sarcofagi dell'VIII e IX sec.; frammenti laterizi con decorazione a intrecci, animali, tralci (X sec.); frammenti di cornici, fregi, plutei (sec. IX-X). Nel 3°: capitelli veneto-bizantini dall'XI al XIII sec.; frammenti di plutei dal X al XII sec.; frammenti di cornici a foglie d'acanto (XII sec.); capitelli del XIV e XV secolo. Nel 4°: frammenti con decorazione a girali veneto-bizantini (X-XI sec.); parte inferiore di *statua femminile* drappeggiata, probabile opera di artista toscano attivo a Venezia intorno al 1440-50 (anche nella sala che si apre di fronte all'ingresso dalla fondamenta sono custoditi rilievi e numeroso altro materiale frammentario dal X al XVI sec. proveniente da S. Marco: da notare, *S. Giovanni Evangelista* e *Cristo benedicente*, altorilievi di arte veneziana già sul fianco settentrionale della Basilica).

Per lo scalone in fondo al chiostro si accede al 1° piano dell'edificio, dove è allogato il **Museo Diocesano di Arte Sacra**, raccolta di dipinti, oggetti d'arte e suppellettili sacre provenienti in genere da chiese veneziane chiuse al culto o affidate in custodia; inaugurato nel 1982 con allestimento di Marino Vallot, ne è previsto l'ampliamento. Giorni e ore di visita, pag. 135.

Sul pianerottolo, 2 'segnali' in legno scolpito e dorato del sec. XVIII. SALONE. Alla parete d.: *Cena in casa di Simone*, grande tela del Moretto da

Brescia firmata e datata 1544; *Cacciata dei mercanti* e *Strage degli innocenti*, notevoli tele di Luca Giordano (c. 1674); inferiormente, elementi di stalli lignei cinquecenteschi intarsiati a grottesche. In fondo: pala d'altare pieghevole, in legno scolpito e dorato, del sec. XIV-XV; *Il Redentore tra S. Marco e S. Gallo*, piccola pala molto rovinata di Jacopo Tintoretto; servizio d'altar maggiore costituito da 26 pezzi d'argento sbalzato dei secc. XVIII e XIX. Alla parete sin.: *Miracolo del fornaio, Morte di S. Saba, S. Saba visita gli ammalati, Esequie di S. Saba*, tele di Palma il Giovane provenienti dalla cappella di S. Saba, o Tiepolo, a S. Antonin. Al centro della sala, *Madonna col Bambino* di legno policromo, abbigliata con vesti antiche e su ricco trono di legno dorato, opera della bottega dei Fantoni degli inizi del sec. XVII. Nelle vetrine: 3 camici sacerdotali lavorati a merletto del sec. XVII; *messale* con rilegatura e ricami, 'rocchetto' a punto Milano del sec. XIX. Dal salone si accede alla SALA 1. Alla parete sin., *S. Marco* e *S. Teodoro*, tele firmate di Gentile Bellini (1475), già portelle dell'organo di S. Marco. Alle altre pareti e sul soffitto, tele provenienti dalla ex Scuola del Cristo a S. Marcuola: *Cristo tra i dottori* di G.B. Lambranzi (sec. XVII); *Crocifissione* e *Stemma della Scuola del Cristo*, attribuite a Pietro Ricchi; *Processione dei confratelli, Allegoria della Congregazione della Morte, La fede*, tre opere attribuite a Giovanni Antonio Pellegrini (1701); *Risurrezione* (a soffitto), ovale attribuito a Pietro Ricchi. Nelle vetrine: stola arcipretale ricamata a filo d'oro, del sec. XVIII; tovaglia ricamata a filo d'oro, del sec. XVIII; tovaglia ricamata a punto aria, del sec. XIX; *graduale* miniato del sec. XIV; *messale* con rilegatura di marocchino a placche d'argento (1801).

Si passa nella SALA 2. Alla parete di fondo, *S. Girolamo* e *S. Francesco stigmatizzato*, tele di Gentile Bellini (1475), già portelle dell'organo di S. Marco. Le altre tele che decorano la sala provengono, come quelle della sala 1, dalla ex Scuola del Cristo a S. Marcuola; da notare: 4 *Dottori della Chiesa* di Francesco Migliori (sec. XVII); *Padre Eterno e angeli* dello stesso; *Crocifissione*, dipinto su cuoio dorato di anonimo seicentesco; *Trasporto di un annegato in piazza S. Marco*, opera firmata dall'altrimenti sconosciuto Giovanni Boranga (fine sec. XVII); *Anime Purganti* di Francesco Migliori; a soffitto, i 4 *Evangelisti*, tele sagomate attribuite a Pietro Ricchi. Nelle vetrine: «*mariegole*» (costituzioni delle corporazioni) miniate del 1363, del sec. XV, del 1538 e del sec. XVI; «*mariegola*» acquerellata del sec. XVII; *codice miniato del sec. XV. Nella SALA 3 sono esposte entro vetrine preziose argenterie sacre dal XIV al XIX secolo; notevoli: *tabernacolo* a forma di tempietto esagonale con cupola, in legno laccato e cristallo di rocca (sec. XVI); piccola *croce astile* del sec. XIV; *croce capitolare* a doppia faccia del sec. XV; *reliquiario* del sec. XVI includente una croce con smalto del XIII; *ostensorio* attribuibile a Girolamo Campagna (fine sec. XVI); grande *croce capitolare* della fine del sec. XV; *ostensorio* gotico trecentesco; *reliquiario della gamba di S. Trifone* (sec. XIV; *ostensorio* «*delle Vergini*» del 1378; grande *piatto da parata* lavorato a sbalzo del sec. XVIII; *pace* del sec. XV. Un'altra sala, destinata a ricami, stoffe e paramenti sacri, è attualmente (1984) in allestimento.

Al 2° piano dell'edificio è custodito l'archivio musicale della Cappella marciana; vi sono inoltre gli uffici della Direzione, i depositi, e i laboratori di restauro allestiti con il contributo della Fondazione Varzi di Milano.

Tornati al ponte della Canonica, si prende verso est la rugheta S. Apollonia e, oltre il triangolare campo Ss. Filippo e Giacomo con cinquecentesca vera da pozzo ottagonale, direttamente la salizzada S. Provolo. Dopo il ponte sul rio del Vin (di fronte, il notevole portale gotico d'accesso al campo S. Zaccaria, v. pag. 518), si attraversa a sin. il *campo S. Provolo* (Procolo), che prende il nome dall'antica chiesa risalente al IX sec. e demolita tra il 1814 e il 1825 (sorgeva sul lato d.; l'attiguo convento, N. 4704, fu trasformato in istituto scolastico femminile); al centro del campo, vera gotica della 1ª metà del sec. XIV; al N. 4711, il *palazzo Priuli*, con sobria facciata seicentesca. Segue, oltre il sottoportico e la calle S. Provolo, la *fondamenta dell'Osmarin* aperta sul rio omonimo. Alla confluenza di questo col rio S. Severo, il blocco isolato del **palazzo Priuli all'Osmarin** è notevole esempio di residenza gotica della fine del '300 (probabilmente ampliata verso il rio S. Severo all'inizio del '400), con bel finestrato e singolare soluzione di bifore angolari (quella con i trafori, a sin., servì secondo un documento del 1431 da modello per i 'pergoli' della Ca' d'Oro); internamente rimane l'elegante cortile, con scala rampante e vera da pozzo di fine '300 riccamente scolpita con foglie angolari e le *Virtù* (il palazzo apre il monumentale ingresso, sormontato da arco ogivale, sul retrostante campo S. Severo, v. pag. 572, che si raggiunge in breve per il ponte e la calle del Diavolo). Ancora lungo la fondamenta, superata, N. 4969-72, la neolombardesca *palazzina Dal Fiol* di Giovanni Fuin (1860-62), si arriva all'articolato ponte dei Greci, gettato sul rio dell'Osmarin e sull'ortogonale rio dei Greci. Varcato quest'ultimo si notano, di fronte a sin., il bel prospetto tardogotico del quattrocentesco *palazzo Zorzi* (i poggioli sono del sec. XVIII) e il contiguo *palazzo Maruzzi* poi Pellegrini, con facciata seicentesca (all'interno, ambienti rococò). A d. una breve fondamenta privata dà accesso a un complesso di edifici appartenenti alla comunità greco-ortodossa (la più importante fra quelle straniere nella Venezia del Rinascimento), sorti su un vasta area acquistata nel 1526; gli interventi, avviati quello stesso anno con la costruzione di una cappella (poi sostituita dalla chiesa attuale), continuarono nella 2ª metà del secolo successivo quando Baldassare Longhena creò le strutture di servizio, definendo l'aspetto monumentale dell'insieme, e pianificò le abitazioni della comunità (v. pag. 578). Al N. 3412 della fondamenta è il *collegio Greco Flangini* (dal 1959 sede dell'Istituto Ellenico di Studi Bizantini e Postbizantini), eretto dal Longhena nel 1678 per lascito di Tommaso Flangini; la semplice ma elegante facciata a specchiature in rilievo intonacate, fasce marcapiano e bugnato angolare in pietra d'Istria, trova continuazione nel successivo recinto del campo-sagrato, pure di disegno longheniano, traforato da portali e finestre con forti incorniciature. Oltrepassatolo, si incontra la *Scuola di S. Nicolò dei Greci*, costruita dal Longhena contemporaneamente al collegio; vi è allogato il Museo dell'Istituto Ellenico (giorni e ore di visita, pag. 135).

Nell'interno un'elegante scala ovata conduce alla sala del Capitolo, con soffitto a ricche corniciature e dossali lignei del '600; da questa si accede all'antica sala dell'Albergo che ospita l'Archivio dell'Istituto Ellenico.
Il MUSEO DELL'ISTITUTO ELLENICO, per qualità e numero di opere uno fra i più importanti nel suo genere, raccoglie un'ottantina di icone del periodo bizantino e, soprattutto, postbizantino, arredi sacri e altri oggetti di culto; vi è largamente rappresentata la scuola (Michele Damaskinòs, Giorgio Klonzas, Emanuele Lambardos, Emanuele Zane, T. Pulakis) e l'opera di iconografi greci stabilitisi a Venezia, come Emanuele Zanfurnaris.

Sul sagrato prospetta, isolata, la chiesa di **S. Giorgio dei Greci**, iniziata nel 1539 da Sante Lombardo cui subentrò (1548) Giovanni Antonio Chiona (fu consacrata nel 1561); la cupola venne aggiunta nel 1571 da un maestro Andrea, da alcuni identificato, senza fondamento, con Palladio. La snella facciata (restaurata nel 1884), a tre ordini, risente del gusto sansoviniano, ma presenta caratteri originali soprattutto nel coronamento; la partitura orizzontale, con finestre in basso e nicchie in alto, continua, semplificata, nei fianchi e nella parte absidale. L'elegante campanile, notevolmente inclinato dai tempi della costruzione, fu realizzato da Bernardo Ongarin sotto la direzione di Simeone Sorella (1587-92); la cella campanaria fu aggiunta nel 1617 probabilmente da Francesco Contin.

L'interno, che si apre armonioso e solenne oltre il «barco», è ad aula rettangolare con cupola centrale; sul fondo l'iconostasi marmorea, adorna di tarde pitture bizantine a fondo oro, divide la navata dal presbiterio triabsidato. Alle pareti della navata, stalli lignei del sec. XVI. In faccia al pulpito, di Girolamo Grapiglia (1597), *cenotafio dell'arcivescovo Gabriele Severo*, opera giovanile di Baldassare Longhena. Dietro l'iconostasi, *Madonna* bizantina del sec. XIV portata a Venezia nel 1528 dal palazzo imperiale di Costantinopoli; *Deposizione* del cretese Emanuele Zane (sec. XVII); altra *Deposizione* di Michele Damaskinòs (sec. XVI); varie pitture e icone bizantine.

Nella corte a lato della chiesa, vera tardogotica della fine del sec. XV con S.Giorgio e S.Nicola a rilievo; sulla d. è la *Scuoletta Greca*, piccola, elegante costruzione del Longhena. Dietro le absidi, l'antico cimitero della comunità.

Dal già citato ponte dei Greci si prende verso est la calle della Madonna e la successiva *salizzada dei Greci*. All'inizio di questa, dopo l'edificio N. 3417 decorato da un rilievo con *S. Giorgio e il drago* (1658), diverge a d. la *calle dei Greci*, definita sul lato sin.

dalle case della comunità greca progettate da Baldassare Longhena (1658) con un impianto a 3 isolati paralleli, separati da piccole calli di servizio, con caratteri architettonici più ricercati nelle testate.

Al termine della salizzada dei Greci il rio della Pietà (tratto meridionale della via d'acqua che mette in comunicazione il Bacino di S. Marco con la Laguna nord) è attraversato dal ponte S. Antonin: vi si scorge a d. l'arco di riva a sesto rialzato (sec. XII) della *casa Moro*, fronteggiato dall'elegante prospetto del *palazzo Salvioni*, attribuito al Sansovino, ma con caratteri di un manierismo più tardo, nell'ambito del Vittoria (fine sec. XVI-inizi XVII). Nel campo omonimo sorge la chiesa di **S. Antonin**, cui Baldassare Longhena attese lungamente ricostruendo dapprima (1637-62) le tre cappelle absidali, e poi (1664-80) trasformando in un unico vano il preesistente impianto a tre navate (la chiesa, fondata nel sec. VII dai Badoer e probabilmente rifatta nel XII-XIII, aveva avuto ulteriori interventi di cui è testimonianza la tardocinquecentesca cappella di S. Saba o Tiepolo). L'incompiuta facciata, pure progettata dal Longhena, doveva essere coronata da un timpano curvilineo e fiancheggiata da 2 campanili (quello attuale, con coronamento a cipolla, fu alzato alla metà del sec. XVIII).

Notevolmente degradata, la chiesa è chiusa al culto dal 1982 e i principali arredi mobili sono stati trasferiti presso il Museo Diocesano d'Arte Sacra (con le tele delle Storie di S. Saba di Palma il Giovane) e la chiesa di S. Giovanni in Bragora (con una Deposizione di Lazzaro Bastiani). Rimangono qui: una *Madonna col Bambino*, statua firmata di Orazio Marinali; l'*Uscita di Noè dall'Arca* di Pietro Vecchia (1663); il *Giudizio Universale* di Joseph Heintz (firmato e datato 1661); i *Ss. Giovanni Battista, Luigi di Francia e Liborio*, pala di Antonio Zanchi.

Poco a nord di S. Antonin (per fondamenta dei Furlani) è la ***Scuola** Dalmata dei Ss. Giorgio e Trifone, detta **di S. Giorgio degli Schiavoni**, fondata dalla confraternita dei Dalmati (Schiavoni) che, istituita nel 1451 con sede nella vicina chiesa di S. Giovanni dei Cavalieri di Malta (v. sotto), avviò in seguito i lavori per l'edificazione della propria Scuola (l'area fu concessa dall'adiacente ospedale di S. Caterina). La vivace facciata d'influenza sansoviniana, datata 1551 (quando furono ristrutturati anche gli ambienti interni) e attribuita al proto dell'Arsenale Giovanni de Zan, si configura come un elegante rivestimento in pietra d'Istria della primitiva costruzione gotica; sopra il portale, entro edicola, *Madonna in trono tra S. Giovanni Battista e S. Caterina*, rilievo di scuola veneziana della metà del sec. XIV, e *S. Giorgio che uccide il drago*, opera di Pietro da Salò del 1551 (un altro rilievo di analogo soggetto, datato 1574 e proveniente da Padova, fu collocato nel 1921 sul fianco verso il rio). La Scuola, in deroga al decreto napoleonico di soppressione, fu tra le poche a poter conservare il suo patrimonio artistico, di cui fanno parte famosi dipinti di Vittore Carpaccio. Giorni e ore di visita, pag. 136.

La SALA TERRENA, a pianta rettangolare con soffitto a travature e dossali lignei alle pareti, fu ristrutturata alla metà del sec. XVI, quando vi furono pure collocate le tele di Vittore Carpaccio (già al piano superiore) eseguite fra il 1501 e il 1511. Parete sin.: *S. Giorgio che uccide il drago, una delle più celebri e mirabili opere dell'artista per la vivacità della scena, i particolari fantastici e l'arioso paesaggio di sfondo; *Il santo conduce in città il drago ucciso*. Parete di fondo: a sin., *Il santo battezza il re Aio e la regina in Selene di Libia* (firmato e datato 1508); all'altare, *Madonna col Bambino* attribuita a Benedetto Carpaccio; a d., *S. Trifone* (patrono di Càttaro) *libera da un basilisco la figlia dell'imperatore Gordiano* (probabilmente del 1508). Parete d.: *Orazione nell'orto* (1502); *Vocazione di Matteo* (1502); *S. Girolamo* (patrono della Dalmazia) *conduce nel monastero il leone ammazzato; Esequie di S. Girolamo* (1502); *Visione di S. Agostino* (firmato), dipinto assai suggestivo e particolarmente interessante per la fedele rappresentazione dell'interno di uno studio del sec. XV. Inoltre, sulla parete d'ingresso, *Risurrezione* dell'Aliense e *S. Francesco* di Palma il Giovane. Per la porta che si apre sulla parete d. della sala si accede alla SAGRESTIA, già sede dell'antica Scuola di S. Giovanni Battista soppressa in epoca napoleonica e incorporata nel 1839 alla Scuola Dalmata dei Ss. Giorgio e Trifone. Di quest'ultima sono conservati i più importanti oggetti di culto, fra cui una *croce reliquiario* processionale, in argento dorato e cristallo di rocca, importante opera di oreficeria veneziana del sec. XV.

Si sale al piano superiore: i dipinti disposti lungo le pareti della scala sono opere di anonimi dei secc. XVII e XVIII, realizzate a ricordo di Guardian Grandi e di altri benemeriti confratelli della Scuola; sul soffitto del pianerottolo, *La scala di Giacobbe*, opera datata 1747 di scuola di Sebastiano Ricci. Alla sommità della scala si apre la SALA DELL'ALBERGO, decorata alle pareti da dossali lignei e da una serie di quadri della 1ª metà del '600; il seicentesco soffitto a scomparti lignei è ornato da dipinti da attribuirsi ad Andrea Vicentino. All'altare, pala lignea rettangolare costituita da un tondo con *S. Giorgio che uccide il drago*, del sec. XV (forse parte centrale del soffitto originario), e aggiunte cinquecentesche (in alto è raffigurata l'*Annunciazione*, in basso i *Ss. Girolamo e Trifone*); ai lati e a sin. dell'altare, *S. Girolamo e S. Trifone*, opere nell'orbita di Antonio Vivarini, probabilmente parte del primo altare della Scuola. A d. dell'altare, cassapanca lignea, pregevole esempio di artigianato dalmata del sec. XVIII.

A d. della Scuola si apre la corte di S. Giovanni di Malta, su cui prospettano l'ex ospedale di S. Caterina e la chiesa di *S. Giovanni dei Cavalieri di Malta*, complesso fondato tra XI e XII sec., ampliato nel '300 e ricostruito tra il 1565 e la fine dello stesso secolo; già di proprietà dell'ordine dei Templari, allo scioglimento di questo (1312) gli edifici passarono ai Cavalieri Gerosolimitani (poi detti di Rodi e infine di Malta), cui rimasero fino alle soppressioni napoleoniche e tornarono dopo la ricostituzione dell'ordine (1839). Internamente all'ex ospedale (ora sede del Gran Priorato di Lombardia e Venezia del Sovrano Militare Ordine di Malta) rimane l'ampio chiostro con tre lati architravati su pilastri e vera da pozzo tardogotica del sec. XV (alle pareti, dipinti con stemmi dei Cavalieri); nell'annessa chiesa, riaperta al culto nel 1843, altar maggiore rinascimentale del principio del sec. XVI (proviene dalla demolita chiesa di S. Geminiano), con statue attribuite a Bartolomeo Bergamasco e un *Battesimo di Cristo*, pala di scuola di Giovanni Bellini forse con qualche intervento autografo del maestro.

Verso est la calle dei Furlani (sul lato sin., casette rinascimentali di cui un paio su barbacani; su quello d., numeri 3274-80, grande casa d'affitto settecentesca) conduce, tenendo a sin., al *campo de le Gate* (forse corruzione di legati, o nunzi apostolici, che dimoravano nei pressi prima di trasferirsi a S. Francesco della Vigna), già intitolato a Ugo Foscolo che tra il 1792 e il 1797 abitò nell'edificio N. 3224 (lapide). Da qui, verso nord, per le salizzade de le Gate e S. Francesco, si raggiunge l'incrocio dove divergono a sin. la salizzada S. Giustina e a d. la calle del Murion.

All'innesto della *salizzada S. Giustina*, sotto baldacchino di rame, *Madonna col Bambino*, scultura di Giuseppe Torretti del 1716. È posta all'angolo del muro di cinta del giardino del gotico **palazzo Contarini della Porta di Ferro** (N. 2926), così chiamato dalle decorazioni di ferro battuto – rimosse nel 1839 – che illeggiadrivano i battenti del portale; la splendida *lunetta riquadrata veneto-bizantina, con decorazioni zoomorfe entro girali e patere (1ª metà sec. XIII), racchiude un maestoso *Angelo reggicartiglio* del '300; nel suggestivo cortile interno resta, in cattive condizioni, la scala scoperta, montante su archi ogivali e con parapetto ornato di testine, simile a quella della Ca' d'Oro e come quella attribuita a Matteo de Raverti (1ª metà sec. XV).

Al N. 2951 della *calle del Murion*, si apre l'ingresso dell'*ex ospedale delle Boccole*, fondato agli inizi del '300 e restaurato nel 1479 (lapidi); alla fine del sec. XIX fu adattato ad asilo notturno.

Continuando, dall'incrocio, per il ramo al Ponte S. Francesco, si arriva al ponte omonimo (o del Nuncio, dall'ex palazzo della Nunziatura, già Gritti – v. pag. 586 – che si vede di fronte a sin. con stemma della famiglia sul portale d'acqua), lanciato all'innesto del rio di S. Francesco (a d.) nel rio del Fontego (a sinistra). Poi, al campo della Chiesa (con vera da pozzo del sec. XV, restaurata nel 1592, e pilo reggistendardo con emblema della confraternita delle Stimmate, 1686), sottopassato l'ottocentesco cavalcavia di collegamento tra l'ex palazzo della Nunziatura e l'ex convento delle Pizzochere (v. pag. 586), succede l'articolato spazio urbano costituito dal campo della Confraternita e dal *campo S. Francesco della Vigna* (pianta, pag. 581), dominato dalla chiesa omonima.

Fino al 1° quarto del '500 l'area tra il rio e la primitiva chiesa di S. Francesco della Vigna si presentava fitta di case gotiche e percorsa solo da una calle che dal ponte conduceva al campo davanti alla facciata del tempio. L'attuale configurazione venne definendosi sostanzialmente nel 2° quarto dello stesso secolo, senza un piano organico ma secondo una precisa ideologia politico-religiosa, impersonata dal doge Andrea Gritti e dal dotto frate Francesco Zorzi (Giorgi), e imperniata concretamente sul palazzo del primo e sulla chiesa dell'ordine cui apparteneva il secondo. Fu un'operazione architettonico-urbanistica in sé limitata, ma importante perché, in concomitanza con la ristrutturazione di piazza S. Marco, ebbe in comune con quella il doge promotore e la partecipazione di Jacopo Sansovino, oltre che l'ubicazione nei due luoghi – strategicamente speculari sui bordi della Laguna – maggiormente legati al culto del patrono della città (qui infatti, secondo un'antichissima tradizione, reduce da Aquileia sarebbe approdato S. Marco, salutato dall'angelo con le parole «Pax tibi Marce Evangelista meus»); anche i campanili sono accostabili per forma, dimensioni e funzione di richiamo visivo.

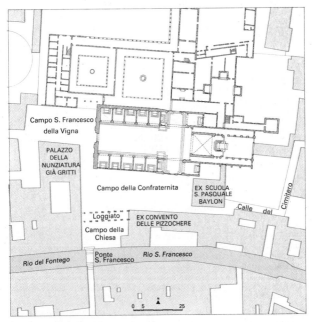

La zona di S. Francesco della Vigna

Le fasi salienti della sistemazione di questa zona furono: la ricostruzione del palazzo Gritti (dal 1525); quella della chiesa (iniziata nel 1534); la modifica del progetto della stessa (1535); l'apertura del campo laterale (della Confraternita) ad uso pubblico; la sistemazione della riva; la ricostruzione del ponte in muratura e la selciatura della strada d'accesso a questo (1536). Ulteriori definizioni dell'area si ebbero nei secoli XVII (edificazione della Scuola di S. Pasquale Baylon) e XIX (regolarizzazione del lato sud del campo e costruzione del cavalcavia monumentale).

La chiesa di ***S. Francesco della Vigna** prende il nome dalla vasta vigna, lasciata con testamento del 1253 da Marco Ziani (figlio del doge Pietro), su cui sorse nel 1300, artefice Marino da Pisa, la primitiva chiesa gotica dei Francescani. La sua ricostruzione – dovuta a Jacopo Sansovino e ad Andrea Palladio – iniziò nel 1534 col patrocinio del doge Andrea Gritti e sotto la presidenza del frate Francesco Zorzi (Giorgi), anche come segno di una volontà di rinnovamento dell'ordine, accusato di rilassatezza morale e dal 1517 diviso in Osservanti – cui la chiesa appartiene – e Conventuali.

Dell'edificio gotico il progetto di Jacopo Sansovino prevedeva – conservandone l'orientamento – una ricostruzione a croce latina, con unica navata fiancheggiata da 4 cappelle per lato, cupola ottagonale a costoloni, facciata tripartita a due ordini e nuovo campanile, il tutto di evidente gusto toscano. L'anno seguente – quando la fabbrica era già impostata nella zona del transetto e del presbiterio – fu apportata al progetto una fondamentale variante che, tenendo conto di quanto era stato realizzato, fissava le proporzioni della nuova chiesa in un sistema di rapporti armonico-proporzionali, di derivazione cabalistico-pitagorica, basati sulla progressione del 3, numero perfetto (la teorizzazione di questa nuova impostazione era contenuta in un famoso 'memoriale' redatto dallo Zorzi – che nel 1525 aveva pubblicato il trattato «Harmonia mundi totius» – di concerto con lo stesso Sansovino e sottoscritto, oltre che dal Gritti, da uomini di cultura artistica fra i quali Tiziano e Sebastiano Serlio). La variante comportò: l'eliminazione della cupola (fors'anche per motivi statici); l'allineamento dei fianchi alla sporgenza del transetto (e quindi la creazione di cappelle più profonde); il prolungamento – con l'aggiunta di una cappella per lato – della navata; un notevole ampliamento della zona presbiteriale con l'aggiunta di due cappelle laterali e di un profondo coro. Sempre nel 1535 iniziò la sottoscrizione per le cappelle da parte di alcune delle maggiori famiglie cittadine: S. Francesco assunse così il carattere di 'pantheon' del doge Gritti – che riservò a sé la sepoltura nel presbiterio – e della sua cerchia politica. Alla sua morte (1538), principali promotori del completamento divennero i Grimani e le mutate condizioni politiche e culturali fecero sì che la facciata (v. sotto) non venisse realizzata da Sansovino ma, un trentennio più tardi, da Palladio. La consacrazione del tempio avvenne nel 1582. Nel 1905-1906, la chiesa fu sottoposta a un impegnativo restauro statico nel corso del quale si aggiunsero i contrafforti esterni.

La grandiosa facciata fu architettata da Andrea Palladio per commissione del cardinale Giovanni Grimani, patriarca di Aquileia, fervente ammiratore della classicità: probabilmente la costruzione iniziò nel 1564-65 (a celebrazione della chiusura del Concilio tridentino, cui potrebbe alludere l'iscrizione sul fregio) e venne ultimata intorno al 1570. Criticata in passato per le sue 'scorrettezze' (soprattutto il basamento comune all'ordine colossale e a quello minore, e la composizione e proporzione del portale), si legge oggi come un disinibito montaggio di elementi classici ubbidiente, più che alle 'regole' sintattiche, a una sua logica compositiva (il tema degli ordini compenetrati e del doppio frontone, che Palladio andava approfondendo e di cui questa è la prima versione a noi nota); le grandi statue bronzee di *Mosè* (a sin. del portale) e di *S. Paolo* (a d.) furono eseguite da Tiziano Aspetti per disposizione testamentaria (1592) dello stesso Grimani, che probabilmente dettò anche le ermetiche epigrafi (va inoltre notato che lo zoccolo del prospetto fu in parte coperto nel 1973, quando venne rialzata di cm 60 la pavimentazione del campo). Sul fianco d., portale ornato da due tondi in rilievo con l'*Annunciazione*, opera forse di Guglielmo Bergamasco già attribuita a Sansovino. Posteriormente alla chiesa (e ben visibile dalla calle del Cimitero) si erge il *campanile* cuspidato, simile a quello di S. Marco e uno dei più alti della città, già in costruzione nel 1543; nel 1581 Bernardino Ongarin eresse la parte terminale, con l'obbligo di tamponare le aperture verso il complesso dell'Arsenale. Danneggiata da fulmini, la struttura è stata varie volte restaurata e la guglia ricostruita nel 1779 come la preesistente.

L'interno, a croce latina con unica vasta navata, cappelle laterali e profondo presbiterio, conserva l'impronta classica del disegno di Sansovino, che qui – in linea con l'idea di chiarezza, semplicità e uniformità voluta dal frate Francesco Zorzi in ossequio alla regola dell'Osservanza – usa una spazialità di immediata lettura e uno spoglio linguaggio toscano. Per ragioni acustiche la volta è a crociera nel presbiterio e a botte nel transetto, nelle cappelle e nel coro; diversa doveva essere quella della navata (ora a padiglione ed estranea alla sottostante partitura architettonica), probabilmente rifatta per gli effetti dell'esplosione dell'Arsenale del 1569. Dal 1977 è in atto un programma di restauro dei dipinti ormai (1984) a buon punto.

Sulla controfacciata: a d., *Madonna col Bambino*, rilievo bizantino policromo del sec. XII; a sin., i *Ss. Girolamo, Bernardino da Siena e Ludovico*, trittico di Antonio Vivarini restaurato nel 1982. Sulle acquasantiere, *S. Giovanni Battista* e *S. Francesco*, statuette bronzee di Alessandro Vittoria (firmate). LATO DESTRO. Nella 1ª cappella (Bragadin): *Cenacolo di Girolamo da Santacroce*; alla parete sin., *Risurrezione*, tavola di scuola giorgionesca datata 1516 (restaurata nel 1979); all'altare, *Ss. Caterina d'Alessandria, Girolamo, Giovanni Battista e Giacomo adoranti il Crocifisso*, opera del Salviati (metà sec. XVI). Nella 2ª (Badoer), alle pareti: *Sacrificio di Isacco* di G.B. Pittoni; *Rebecca e Eleazaro* di Nicola Grassi; *Il cieco risanato* di Angelo Trevisani; *La Samaritana al pozzo* di Nicola

Grassi. Nella 3ª, della famiglia Contarini, con decorazioni del 1659, *tombe dei dogi Francesco* (m. 1624) e *Alvise* (m. 1684) *Contarini*; all'altare, *Madonna in trono e santi* di Palma il Giovane. Nella 4ª (Badoer), *Risurrezione*, pala attribuita a Paolo Veronese. Nella 5ª (Barbaro): all'altare, *Battesimo di Gesù* di G.B. Franco detto Semolei, manierista veneto del sec. XVI influenzato da Giulio Romano; alle pareti, *monumenti a Zaccaria* e a *Francesco Barbaro*, rispettivamente procuratore e podestà di Brescia.

TRANSETTO DESTRO. Al 1° altare (della famiglia Morosini), **Madonna in trono adorante il Bambino e angeli glorificanti*, grande pala firmata da fra' Antonio da Negroponte (c. 1470), di cui è l'unica opera certa, completata per la parte alta da Benedetto Diana. Ai lati della porta laterale, i *Ss. Agostino e Lorenzo*, di scuola veneta della 2ª metà del sec. XVI; sopra la porta, *monumento funebre di Domenico Trevisan*, opera generalmente attribuita a Jacopo Sansovino ma più probabilmente di Guglielmo Bergamasco. La cappella a d. del presbiterio, adorna di stucchi, ha nella volta una *storia di S. Pietro d'Alcántara* e, alle pareti, *storie della vita del santo e allegorie*, ciclo tra i più tardi eseguiti da Francesco Fontebasso; i due ovati sono di Francesco Maggiotto (quello a d., siglato) e di Jacopo Marieschi (?). Segue una cappellina con *S. Bonaventura nello studio*, opera firmata da Anzolo M.C. (Minor Conventualis ?). Nel pavimento della navata davanti al presbiterio, bellissima *pietra tombale del doge Marcantonio Trevisan* (m. 1554).

PRESBITERIO. Nel pavimento, *pietra tombale di Andrea Bragadin* (m. 1487), di arte rinascimentale del sec. XV. L'altar maggiore, in legno dorato e marmo con decorazioni in bronzo dorato, risalente al 1543 circa, fu modificato nel 1561, nel 1649 (da Baldassare Longhena) e nel 1854 (l'attuale sistemazione risale al 1939); alle pareti, *monumenti funebri del doge Andrea Gritti* (m. 1538) e di *Triadano Gritti* (m. 1474), opere di elegante e sobria composizione architettonica tripartite da semicolonne di ordine composito, quasi sicuramente di Jacopo Sansovino ma forse rimaneggiate da Andrea Palladio o da Vincenzo Scamozzi, cui sono state anche attribuite. Alle pareti dell'elegante coro (sec. XVII): *Madonna che appare a S. Francesco* di Pietro Mera (sec. XVII); *Cena in casa di Simone* di Andrea Vicentino (inizi sec. XVII); *Gloria della SS. Trinità* di Francesco Maggiotto (sec. XVII); *S. Pietro d'Alcántara passa un fiume*, forse di fra' Semplice da Verona (sec. XVII); *La Vergine implora Cristo perché liberi Venezia dalla peste*, opera di Domenico Tintoretto datata 1630 che, con il pendant di fronte (*La Vergine ha liberato Venezia dalla peste*), del 1631, costituisce l'ultimo lavoro noto dell'artista, morto nel 1635; *S. Pietro d'Alcántara comunica S. Teresa d'Ávila*, di fra' Semplice da Verona (?); l'*Immacolata concezione* di Gregorio Lazzarini (la centina è di autore diverso); *La Vergine e Cristo coi Ss. Girolamo, Marco e Giovanni Battista*, dipinto di Palma il Giovane da mettersi in relazione con la pestilenza del 1576; *La Vergine appare a una santa* di Pietro Mera.

Nella cappellina a sin. del presbiterio, *S. Diego guarisce gli infermi con la lampada*, buona opera di Sante Peranda. TRANSETTO SINISTRO. A sin. del presbiterio si apre la **cappella Giustiniani*, che raccoglie un ciclo di sculture di Pietro Lombardo e scolari (1495-1510), già nella cappella Badoer della preesistente chiesa e qui sistemato da Jacopo Sansovino, che disegnò anche l'altare. Su questo è il trittico marmoreo con *S. Girolamo* tra 4 *santi* (in basso), *La Madonna col Bambino* e *angeli* (in alto) e *storie del santo* (nella predella); alle pareti, 8 formelle per lato con 12 *profeti*, gli *Evangelisti* (probabilmente di Tullio Lombardo) e, sopra, bassorilievi con storie evangeliche.

Dalla porta sottostante al *monumento del doge Marcantonio Trevisan* (m. 1554), scultura attribuita a Jacopo Sansovino ma forse di Guglielmo Bergamasco, si accede a un andito ricoperto di pietre sepolcrali. Di fronte si apre la **cappella Santa** (sede della confraternita dell'Annunciazione, che ogni anno aiutava 30 ragazze povere a sposarsi), al cui altare dovrebbe essere ricollocata la tavola della Madonna col Bambino e i Ss. Giovanni Battista, Francesco, Girolamo e Sebastiano, di Giovanni Bellini (firmata e datata 1507) aiutato forse da Girolamo da Santacroce, attualmente (1984) alle Gallerie dell'Accademia; interessante è la scultura della *Madonna*, opera romanica, forse catalana, del sec. XIII. Poco più avanti, dal corridoio si vede a sin. il prospetto dell'ex Commissariato di Terra Santa (1743), con due originali finestre del frate Carlo Lodoli. Seguendo il corridoio si raggiunge la SAGRESTIA, vano quadrato sfondato su tre lati da cappelle, architettura di Jacopo Sansovino iniziata nel 1555. Nella cappella a d. (della famiglia Coccina), altare dello stesso Sansovino (1559) con *Crocifisso* di Andrea Brustolon. Nella centrale (della famiglia Barozzi): *Un angelo appare a S. Marco* attribuito a Giovanni Antonio Guardi; *La Vergine e santi* di Giuseppe Angeli. All'esterno, *S. Diego* e *S. Bonaventura*, tele di Palma il Giovane, e *L'adorazione dei pastori* di Michelangelo Grigoletti. Dall'andito si esce a sin. nel chiostro del sec. XV, con portico su colonnine.

Ritornati in chiesa, se ne discende il LATO SINISTRO. Sopra il pulpito, il *Redentore* e, sull'altarino sottostante, *Martirio di S. Lorenzo*, copie ottocentesche da originali scomparsi di Girolamo da Santacroce. Nella 5ª cappella (Giustinian), *Madonna in trono col Bambino e i Ss. Giovannino, Giuseppe, Caterina e Antonio abate*, di Paolo Veronese (c. 1551). La 4ª cappella (Dandolo) è affrescata da Giuseppe Salviati, di cui è anche la tela all'altare (*Madonna col Bambino, S. Bernardo e S. Antonio abate*). Nella 3ª cappella (dei Sagredo), rifatta da Tommaso Temanza, all'altare, statua di *S. Gerardo Sagredo* di Andrea Cominelli (sec. XVIII) e, ai lati, i *monumenti del doge Nicolò* (m. 1676) e *del patriarca Luigi Sagredo* (m. 1688), modellati nel 1743 con busti di Antonio Gai; l'affresco della cupola, *Gloria di S. Gerardo*, è di Girolamo Pellegrini (fine sec. XVII), mentre i pennacchi (i 4 *Evangelisti*) e i 2 tondi alle pareti (*Virtù*) sono affrescati a chiaroscuro da G.B. Tiepolo (1743). Nella 2ª cappella, all'altare, i *Ss. Rocco, Antonio abate e Sebastiano*, statue marmoree di Alessandro Vittoria (firmate; 1565). Nella 1ª cappella, della famiglia Grimani, dove è sepolto il cardinale Giovanni (il committente della facciata palladiana) che la fece decorare, all'altare, *Epifania* di Federico Zuccari (1564); nei comparti del soffitto e alle pareti, pitture di G.B. Franco detto Semolei (sec. XVI); ai lati dell'altare, *Giustizia* e *Fortezza*, statue bronzee di Tiziano Aspetti (firmate e datate 1592).

A sin. della chiesa si apre (N. 2786) l'ingresso al *Convento* dei Minori Osservanti, vasto complesso, risalente in gran parte alla metà del '400, articolato intorno a tre chiostri porticati di cui quello maggiore (restaurato nel 1956) si protende fino alla Laguna (indemaniato nel 1810 e trasformato in caserma, riassunse l'originaria destinazione nel 1866). Sul fronte opposto del campo,

N. 2787, è il *palazzo* già *della Nunziatura*, costruito (dallo Scarpagnino?) come palazzo Gritti per volere del doge Andrea sull'area di antiche case della famiglia: il corpo sul campo risale al 1525 (data e stemma sullo spigolo sin.), quello sul rio del Fontego al 1535-38. Nel 1586 fu acquistato dalla Repubblica e donato a papa Sisto V quale residenza dei legati o nunzi apostolici (contraccambiando così il dono fatto nel 1564 da Pio IV del palazzo Venezia di Roma); passò in seguito (1836) ai Minori Osservanti e nel 1866 fu acquistato dallo Stato italiano come sede del Tribunale Militare (iniziò allora la decadenza dell'edificio, che subì anche notevoli manomissioni). Chiude il fronte sud del campo della Confraternita (v. pag. 580), l'ex *convento delle Pizzochere* (Terziarie francescane), fondato nel sec. XV; dal 1836 al 1866 vi si stabilirono i Minori Osservanti, che lo ristrutturarono regolarizzando il lato sul campo e congiungendolo al palazzo della Nunziatura con un monumentale loggiato-cavalcavia, opera di Alvise Pigazzi a due ordini (dorico e ionico) di colonne binate. Sul fronte orientale del campo, in angolo con la chiesa, è l'ex *Scuola di S. Pasquale Baylon*, già sede della confraternita delle Sacre Stimmate, semplice ma elegante costruzione seicentesca con statua del santo titolare nella nicchia sopra il portale. Prendendo a d. dell'edificio la calle drio la Chiesa e la successiva calle del Cimitero (dal camposanto già annesso alla chiesa di S. Francesco, di cui si vede l'alto campanile), si raggiunge l'innesto, a sin., della calle Sagredo.

Dalla *calle Sagredo* (all'inizio, a d., l'*oratorio del Cristo Re*, ricostruito nel 1950 con modesta facciatina neoclassicheggiante) diverge a sin. il ramo Sagredo, aperto tra due interessanti case d'affitto gemelle del sec. XVII, con due ordini di serliane che si rifanno ai coevi palazzetti gentilizi; all'altezza della seconda, e già a chiusura dell'antica calle, s'innesta (avvilito dall'odierno contesto) un bel portale in pietra d'Istria con semicolonne tuscaniche a fasce di bugnato rustico prossimo ai modi del Longhena; sull'arco, stemma dei Sagredo (reca il N. 2752). Al termine della calle, pontile dei vaporetti da e per le isole e il centro della città (il quartiere circostante fu realizzato per lo IACP da Paolo Bertanza nel 1938-39).

La calle del Cimitero si conclude nel *campo della Celestia*, dall'antica chiesa di S. Maria Celeste che sorgeva in corrispondenza del N. 2737. Notevolmente degradato, rimane l'attiguo ex *convento* delle monache cisterciensi (N. 2737 F), modesta architettura rifatta in seguito ai danni dell'incendio dell'Arsenale (1569) sotto la direzione quasi esclusivamente tecnica di Andrea Palladio (1571), che riutilizzò le parti consolidate della precedente costruzione; internamente è visibile il chiostro porticato di chiaro gusto palladiano con al centro una vera da pozzo goticheggiante (il complesso è adibito ad abitazioni private e a sede della facoltà di Chimica Industriale e dell'*Archivio storico comunale*, con documenti relativi alla storia della città dall'inizio del secolo scorso; giorni d'apertura, pag. 136. In fondo a d. la fondamenta del Cristo, e poi a sin. il ponte del Suffragio (o del Cristo), rifabbricato nel 1751, portano al *campo S. Ternita* (SS. Trinità), ancora molto pittoresco benché mutilo delle principali emergenze scomparse nel corso dell'Ottocento (l'antica chiesa omonima fu demolita nel 1832, mentre il campanile veneto-bizantino crollò nel 1880).

Se ne esce imboccando a sin. il campo a fianco la Chiesa, quindi, varcato il ponte della Scoazzera (a sin., il seicentesco prospetto del *palazzo Celsi* poi *Donà*), oltre la calle Donà e la corte omonima, si tiene a d. nella stretta e tortuosa *calle Magno*. Vi sorge (N. 2693) la *casa Magno** che, benché alterata, costituisce uno dei più interessanti e completi esempi di abitazione signorile gotico-veneziana della 2ª metà del sec. XIV (il portale mantiene resti dell'antico battente ligneo); il muro con merlatura gotica delimita la notevole corte interna (per la visita chiedere il permesso), con vera da pozzo, scala esterna su archi a tutto sesto, snella colonna anellata che regge il piano superiore, bifora con capitello a rosetta e inferriata originale. Poco avanti, sullo stesso lato, nella lunetta dell'accesso al sottoportico dell'Angelo, *Angelo benedicente*, bella scultura che già annuncia il classicismo rinascimentale; ai lati, scudi con stemma della famiglia Rizzo o Bonrizzo (il porcospino). Al termine della calle si sbocca nel *campo Due Pozzi*, costituito nella 2ª metà del sec. XIV come spazio pubblico centrale di una zona di espansione periferica in prossimità dell'Arsenale; l'insediamento ebbe carattere quasi esclusivamente residenziale (manca la chiesa), con lotti regolari disposti ortogonalmente ai quattro corsi d'acqua (di cui tre ancora aperti) che servivano quest'insula. In origine più lungo, l'invaso (che conteneva appunto 2 pozzi) fu ridotto alle attuali dimensioni nel 1613, quando venne eretto il blocco edilizio che ne definisce il fronte meridionale; sugli altri tre fronti, notevoli esempi di edilizia minore tardotrecentesca tra cui, N. 2684-89, il *palazzo Malipiero*, dal lungo prospetto rimaneggiato al piano superiore. Al centro del campo, interessante vera da pozzo cilindrica (c. 1530) con rilievi di S. Martino e tre angeli e di due puteali gotici. Dal lato sin. parte la calle delle Muneghette: al N. 2616, l'ex *convento delle Muneghette* (suore laiche), ricostruito su progetto di Baldassare Longhena del 1681; nel chiostro, definito da loggiato su tre ordini, di cui quello superiore architravato, bella scala elicoidale (di fronte al complesso si sviluppa in direzione sud-ovest la piscina S. Martin, fiancheggiata da diverse case a schiera rinascimentali: le due sulla sin., ai lati dell'accesso alla corte dei Preti, furono rico-

struite nel 1494; sul fianco della seconda, preziosi frammenti architettonici veneto-bizantini del sec. XII-XIII).

Proseguendo verso est lungo la calle del Bastion si esce nel triangolare campo delle Gorne (vera da pozzo del sec. XIV), aperto sul
rio omonimo al di là del quale domina l'alto muro in mattoni che
racchiude il complesso dell'Arsenale: su questo tratto si notano i
grandi doccioni in pietra («gorne»), la sopraelevazione delle merlature e il Leone marciano rifatto nel 1925 in sostituzione di quello scalpellato nel 1797. Avendo a sin. il rio, si segue verso sud la
fondamenta Penini e, oltre l'omonimo ponte in ferro (1852), si
scende nel *campo S. Martin*. Vi prospetta la chiesa di **S. Martino**, fondata secondo la tradizione agli inizi del sec. VII, di cui Jacopo Sansovino avviò la ricostruzione intorno al 1540 modificandone sia l'impianto basilicale che l'orientamento. La facciata, in
cotto con elementi decorativi in pietra d'Istria, è lavoro del 1897,
eseguito riprendendo stilemi sansoviniani nella partitura a due
ordini raccordati da volute e nella serliana; vicino al portale (originale del Sansovino), bocca di leone per le denunce contro i be-
stemmiatori; a sin. della facciata, *Madonna col Bambino*, bassorilievo datato 1362. Posteriormente si leva il campanile gotico del
sec. XIV.

L'interno, di semplici linee rinascimentali con decorazioni barocche e tar-
dobarocche, è impostato su un vano quadrato a copertura piana, sfondato
al centro di ogni lato da corti bracci e dal più profondo presbiterio che suggeriscono un impianto a croce greca; il modulo quadrato torna nelle 8 cappelle angolari. Nel soffitto, prospettive di Domenico Bruni e *Gloria di S.
Martino*, affresco di Jacopo Guarana. Sopra l'ingresso, cantoria e mostra
dell'organo di legno intagliato e scolpito in lussureggianti forme settecentesche; sul parapetto, *Ultima Cena*, vasta tela di Girolamo da Santacroce
(1549); lo strumento è un Nachini modificato da Gaetano Callido (1799).
Sopra la porta laterale d., *monumento del doge Francesco Erizzo* di Mattia
Carnero (1633). Nella cappella a d. della maggiore, *Risurrezione*, pala di
Girolamo da Santacroce (firmata). Nel presbiterio, affreschi di Fabio Canal
e nel retrostante coro, due tele di Palma il Giovane (*Scene della Passione*).
A sin. si passa nella SAGRESTIA, ambiente quadrato rivestito di dossali lignei e con soffitto affrescato da Antonio Zanchi (*L'Assunta e i Ss. Pietro e
Giovanni Evangelista*), già guastato per l'inserimento di travature nel solaio sovrastante e nel 1966 liberato dalle ridipinture. Sopra i dossali, 4 piccole tele di Palma il Giovane con angeli recanti i segni della Passione; all'altare, *La Vergine col Bambino in gloria e i Ss. Giuseppe e Antonio da Padova*, pala dello Zanchi (avanti 1674). Si torna in chiesa: in fondo al braccio
sin., *battistero* formato con il dossale di un altare lombardesco, con le statue dei *Ss. Pietro e Giovanni Battista*, la cui mensa, adattata a vasca battesimale, è sorretta da 4 angeli inginocchiati, opera di Tullio Lombardo
(1484; l'insieme proviene dalla soppressa chiesa del S. Sepolcro).

Addossata alla facciata della chiesa, sulla d. (N. 2426 A) è l'ex *Scuola di
S. Martino*, edificio cinquecentesco già sede dell'omonima confraternita e

quindi dell'Arte dei Calafati (spalmatori di pece delle imbarcazioni dell'Arsenale) e del Sovegno dei Musici (ora è sala parrocchiale); in facciata, entro cornice del 1584, bassorilievo degli inizi del sec. XV (*S. Martino a cavallo e il povero*).

Prendendo a d. la fondamenta del Piovan si raggiunge il ponte Erizzo, sul rio di S. Martino, al di là del quale sorgono i due più monumentali palazzi della zona. A d. del ponte è il *palazzo Erizzo*, risalente al XIV-XV sec. e rimodernato sotto il dogado (1631-46) di Francesco Erizzo – che qui nacque – forse ad opera di Baldassare Longhena con la collaborazione dell'architetto e scultore Matteo Carnero; la corte interna (ingresso dalla calle Erizzo N. 4002) conserva due altissime colonne di sostegno dei piani superiori e tracce della costruzione gotica. A sin. del ponte, con ingresso da questo (N. 4003), è il trecentesco *palazzo Grandiben* poi *Negri* (ai quali passò intorno al 1630; nel 1769 vi nacque il letterato Francesco Negri); trasformato nel corso del tempo, della costruzione originaria conserva al piano nobile una pentafora e quattro monofore con archi a schiena d'asino (sul fianco sinistro si nota lo sporto della cappella di famiglia). Proseguendo lungo la fondamenta si arriva in breve all'innesto della calle del Piovan, chiusa sul fondo (N. 2298) da un portale barocco, con testa di cherubino in chiave d'arco, sormontato da una lunetta gotica con *S. Martino a cavallo*, altorilievo della metà del sec. XV (dava accesso alla casa del parroco di S. Martino, da cui il toponimo della fondamenta e della calle).

Verso est la fondamenta dell'Arsenale conduce al campo su cui si apre l'ingresso da terra dell'*Arsenale (pianta, pag. 590), grandioso complesso di cantieri, officine e depositi da cui uscirono le flotte veneziane, base della potenza economica, politica e militare della Repubblica. Dal primitivo insediamento, sorto in luogo protetto e periferico quale cantiere navale di Stato per la costruzione di navi commerciali e da guerra, l'Arsenale venne a configurarsi successivamente (in particolare nel '400 e '500) come centro produttivo a elevato livello di specializzazione e razionalizzazione delle fasi costruttive. Attraverso uno sviluppo durato nove secoli, esso occupò una vasta zona (circa 46 ettari) della parte orientale della città, ben difesa da canali naturali e artificiali e da una cinta di alte mura che racchiudono in affascinante fusione capannoni ed edifici monumentali intorno a vasti specchi d'acqua. Profondamente condizionato ne fu il settore urbano circostante, dove si insediarono le abitazioni per le maestranze, gli edifici di servizio (come i granai, i forni, i depositi del pane) e le attività collaterali di cui resta ancora testimonianza nei toponimi: calle del Piombo, della Pegola (pece), delle Vele, delle Ancore.

Il primo nucleo dell'Arsenale (dall'arabo «darsinâ'a», cioè casa di industria, darsena), sorto secondo la tradizione per volontà del doge Ordelaffo Falier nel 1104 o, secondo studi più recenti, agli inizi del XIII sec., era costituito da ventiquattro scali all'aperto collocati, dodici per parte, intorno alla darsena che corrisponde al primo tratto del canale interno, subito

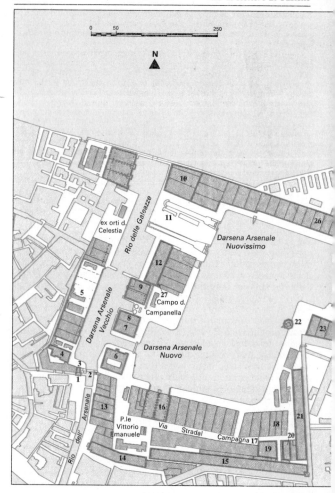

L'Arsenale

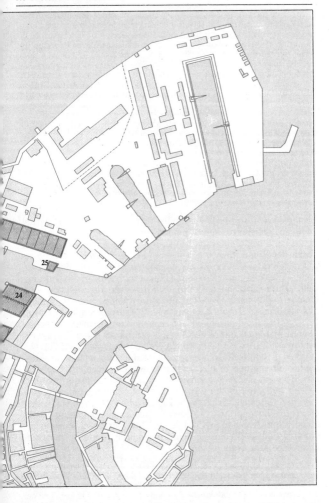

oltre le due torri d'ingresso, nella zona che ancor oggi è denominata Arsenale Vecchio. A partire dal 1304 si ebbe un primo ingrandimento dell'area sud-est, e già entro la prima metà dello stesso secolo, con la formazione di un argine di terra (l'Isolotto) a metà circa dell'attuale grande bacino interno, aveva forma compiuta la darsena Arsenale Nuovo. L'Arsenale Nuovissimo, intorno alla darsena omonima, si formò con un successivo ampliamento iniziato nel 1473, nel corso del quale fu costruita la serie di cantieri che chiude a nord il complesso e che è denominata Nuovissima Grande (1519-89). La zona a ovest di questa, corrispondente agli orti del convento della Celestia, incorporata nel 1539, fu destinata dapprima a reparto polveri e poi, dopo un ennesimo incendio, trasformata nel reparto galeazze, prospiciente l'omonimo canale scavato in prosecuzione della darsena Arsenale Vecchio nel 1569. Con questa conformazione il complesso arrivò fino alla seconda metà dell'800, quando le mutate esigenze della marina militare comportarono notevoli sconvolgimenti all'interno del recinto arsenalizio e nelle zone limitrofe (nel 1875 fu tra l'altro demolito l'Isolotto per creare un grande bacino interno e iniziarono gli interramenti della zona nord per la creazione di tre nuovi bacini di carenaggio in pietra d'Istria). Durante la seconda guerra mondiale furono costruiti vari rifugi antiaerei in cemento armato tuttora visibili.

L'*ingresso da terra* (1) è segnato dallo splendido *portale del 1460 già attribuito, senza fondamento, ad Antonio Gambello; strutturato come un grandioso arco trionfale e ritenuto la prima opera del Rinascimento a Venezia, venne poi ridecorato e ampliato con intenti celebrativi e commemorativi. Così all'arco centrale – fiancheggiato da colonne binate in marmo greco con capitelli veneto-bizantini (sec. XI) e sormontato da un attico con grande *Leone marciano* attribuito a Bartolomeo Bon – in seguito alla vittoria sui Turchi a Lepanto (1571) furono aggiunte le Vittorie alate sui pennacchi e l'iscrizione sull'architrave («Victoriae navalis monimentum MDLXXI»); la statua sul timpano, rappresentante *S. Giustina*, è opera di Girolamo Campagna (1578). Nel 1692-94 il ponticello d'accesso fu trasformato a cura di Alessandro Tremignon in una terrazza cinta da cancellata con pilastri, decorati da trofei a rilievo portanti 8 statue allegoriche barocche: a d., *Nettuno* (di Giovanni Antonio Comino; firmata), *Bellona* (del Cabianca; firmata), la *Vigilanza* e l'*Abbondanza*; a sin., *Marte* (di Giovanni Antonio Comino; firmata), la *Giustizia* e altre due di significato non precisabile. Nel 1692 furono collocati ai lati della cancellata 2 colossali **leoni** marmorei, preda di guerra di Francesco Morosini.

Quello di sin., accosciato, era collocato nel porto del Pireo (che da esso era detto 'porto Lion') e reca incise sul petto, sul dorso e sui fianchi scritte in caratteri runici, riconosciute come tali nel 1800 dallo svedese Akerblad e interpretate nel 1856 dal danese C.G. Rafn (si tratta di due iscrizioni dei Veringi, mercenari scandinavi al soldo di Costantinopoli, che ricordano di aver domato nel 1040 ad Atene una ribellione contro le tasse). Il leone di d., sdraiato, stava sulla strada Lepsina, tra Atene ed Eleusi. Più a d., altri 2 *leoni* più piccoli, di cui quello a sin., proveniente dall'isola di Delo, pare essere opera greco-arcaica del sec. VI a.C. (la testa è posteriore). Sul muro di cinta a d. del portale un *busto* bronzeo *di Dante Alighieri*, opera di Giulio Monteverde, ricorda che il poeta, venuto a Venezia quale ambasciatore di Guido da Polenta, visitò l'Arsenale e ne eternò la memoria nel canto XXI dell'Inferno.

I grandiosi battenti del portale, in rame sbalzato con trofei d'armi, furono eseguiti nel 1694 a celebrazione della conquista della Morea e di altre gesta di Francesco Morosini; in onore dello stesso è il pilo portastendardo al centro del campo, fuso in bronzo da Giovanni Francesco Alberghetti nel 1693 (è ornato da rilievi di *Venezia che domina il mare* e di *Nettuno*, circondati da figurazioni marine).

All'imbocco del rio dell'Arsenale si apre (2) l'*ingresso acqueo* del complesso, che mette in comunicazione le darsene interne con il canale S. Marco: fiancheggiato fin dalle origini da torri, le attuali risalgono al 1686, quando il rio fu allargato per consentire il passaggio delle navi a vele quadre. Oggi (1984) il complesso arsenalizio, di cui era stato progettato il passaggio al Comune di Venezia, è di proprietà del Demanio Militare e le visite devono essere preventivamente autorizzate.

Attraverso il portale si accede all'atrio (3), dove a sin. è un gruppo marmoreo (la *Madonna col Bambino*) di Jacopo Sansovino, firmato e datato 1533; da qui si passa nell'area del primitivo insediamento ancora oggi denominato ARSENALE VECCHIO. L'edificio (4) a sin. del piazzale, ricostruito nel 1886 e fino al 1958 sede del Museo Storico Navale, ha il prospetto decorato da rilievi e monumenti funebri e commemorativi: a sin., bassorilievo con una *Cocca mercantile* della fine del sec. XVI (dalla demolita chiesa di S. Lucia) e rilievo con il *leone andante*, datato 1562; al centro, *monumento al generale Schulenburg* (che al servizio della Repubblica nel 1716 respinse i Turchi assedianti Corfù), opera di Giovanni Maria Morlaiter del 1746; a d., barocco *monumento al generale Königsmarck* (nel 1687 comandante delle truppe da sbarco di Francesco Morosini) e, più in alto, *monumento a Girolamo Contarini* (dalla distrutta chiesa del S. Sepolcro). Sullo stesso lato della darsena Arsenale Vecchio sono visibili alcuni capannoni (5), costruiti in muratura nella 2ª metà del sec. XV (in luogo dei primitivi scali scoperti) e molto rimaneggiati nell'Ottocento; le ultime due tettoie furono fabbricate nel 1836-37 e coeva ad esse è la torretta neogotica che segna il passaggio tra la darsena e il rio delle Galeazze. Sul lato opposto della darsena si individuano da sud a nord: un edificio (6) eretto nel 1889 sul luogo dei cinquecenteschi Magazzini generali; il canale delle Stoppare, aperto intorno al 1325, all'epoca del primo ingrandimento del complesso; l'edificio delle Vele (7), eretto nel 1540 c. e molto rimaneggiato nell'Ottocento. Segue (8) l'edificio del Bucintoro (ricovero dell'imbarcazione dogale che solo gli arsenalotti potevano condurre durante le cerimonie pubbliche), ricostruito nel quarto decennio del sec. XVI; il semplice prospetto, scandito da bugnato in pietra d'Istria che ne marca gli angoli e il portale, fu per lo più ricostruito nel sec. XIX (il prospetto opposto, rivolto verso la darsena Arsenale Nuovo, v. sotto, presenta un imponente portale del 1555, di ambito del Sanmicheli, decorato sull'attico da un rilievo allegorico raffigurante la *Giustizia del Governo Veneziano*; sull'architrave, stemmi dei provveditori dell'Arsenale). Oltre l'imbocco dell'ex canale del Bucintoro, aperto nel 1516 e ora interrato, due ben conservate tettoie acquatiche (9) del 1560.

Oltre la darsena si allunga il rio delle Galeazze, scavato nel 1569 sull'area degli orti del convento della Celestia. Sul fondo, ai lati del varco aperto nel 1964 per consentire il passaggio dei mezzi pubblici, sono (10) gli scali scoperti per la costruzione delle Galeazze, realizzati nel 1569 per queste grandi navi da guerra a remi, utilizzate dalla flotta veneziana nella 2ª metà del sec. XVI (i 3 a sin. del rio conservano gran parte delle caratteristiche originarie, mentre quelli a d., ridotti a 2 e in stato di abbandono, furono ricostruiti nella 2ª metà dell'Ottocento). Sul lato d. del rio prospettano: due scali scoperti (11) in pietra d'Istria del 1877 e (12) il lungo edificio degli Squadratori, dovuto a Giovanni Scalfarotto (1ª metà sec. XVIII), col fianco scandito da arcate (da tredici ridotte a nove nel 1860) in origine aperte direttamente sull'acqua: di notevole interesse sono i grandi spazi interni (ora tagliati da un solaio), inizialmente usati per l'essiccazione del legname e quindi per le operazioni di squadratura dell'ossatura delle navi. Tornati al piazzale d'ingresso, per un ponte in legno si accede all'area dell'ARSENALE NUOVO, in cui si trovano edifici di notevole interesse storico e architettonico, risalenti al sec. XIV, ma per lo più ricostruiti nel corso del '500. Sul fronte ovest del piazzale Vittorio Emanuele prospetta (13) l'officina Remi, costituita da tre grandi strutture affiancate ricostruite nel 1546 (dopo l'incendio del Palazzo Ducale del 1577 ospitarono il Maggior Consiglio). Lungo il lato sud sono le Fonderie (14), cinque fabbricati del 1390, rifatti nella 1ª metà del sec. XVI e ristrutturati nell'Ottocento, in origine separati da calli per evitare la propagazione di eventuali incendi. Sul lato sud dell'Arsenale si allunga per 316 m l'edificio (15) delle Corderie della Tana (dalla omonima città sul fiume Tanai, ora Don, da cui veniva importata la canapa), eretto nel 1303 e ricostruito tra il 1579 e il 1585 da Antonio Da Ponte; adibite a magazzino della canapa e alla fabbricazione delle gomene, le Corderie erano in origine considerate come azienda indipendente dall'Arsenale, e per questo presentano un ingresso autonomo dal campo della Tana (v. pag. 595). Dal piazzale Vittorio Emanuele ha inizio la lunga via Stradal Campagna, su cui prospettano, a sin., 2 tettoie acquatiche (16), con iscrizione che ne ricorda la costruzione nel 1457, e alcuni capannoni (Magazzini Marittimi) del sec. XV, rimaneggiati per lo più in stile neogotico nel corso dell'Ottocento (si noti al pianoterra del secondo capannone un grande mascherone con la bocca aperta: veniva usato per il passaggio delle gomene dalle Corderie alla darsena Arsenale Nuovo). Anche il complesso di edifici che si sviluppa lungo il fronte sud della via fu ricostruito nel sec. XIX in forme eclettiche. In fondo al percorso è il monumentale portale (17), della fine del '500, tradizionalmente attribuito all'ambito del Sanmicheli (l'attico era decorato da un rilievo del Leone alato, nel 1921 collocato sulla fondamenta dell'Arsenale). Oltrepassato il portale, si accede al reparto Artiglieria: subito a sin. sono (18) le Antiche Sale d'Armi (1476), adibite alle esposizioni e con sale per i ricevimenti; a d. (19), le Nuove Sale d'Armi, il cui ingresso è segnato da un portale barocco con timpano decorato da trofei guerreschi di Filippo Rossi (2ª metà sec. XVIII). Più avanti un altro portale, sormontato da un'edicola da cui è stato scalpellato il Leone marciano, segnava l'ingresso al (20) parco Bombarde del 1580 (vi venivano esposte le artiglierie e i trofei di guerra).

Costeggiando il lungo edificio a un piano (21) dell'officina Artiglieria (1561), si arriva alla banchina est della grande darsena. Qui, una gru idraulica (22) installata nel 1875 costituisce un interessante documento di archeologia industriale. Superata la gru, si accede al reparto Gaggiandre, dove si trovano 4 grandi capannoni (23; ex scali scoperti) del 1564 e due grandiosi cantieri acquatici denominati Gaggiandre (24), costruiti nel 1568-73 su progetto attribuito a Jacopo Sansovino. Oltre le Gaggiandre, il varco di collegamento tra la grande darsena interna e la Laguna (fu aperto nel sec. XIX) è fiancheggiato dalla torre di Porta Nuova (25), eretta nel 1810-13. Chiudono il lato nord della darsena i capannoni della Nuovissima Grande (26), risalenti al sec. XVI e rimaneggiati all'inizio del '900, e le contigue ex tettoie acquatiche, dette di S. Cristoforo, del 1527. Sul lato ovest della darsena si individuano, da nord, gli scali ottocenteschi allungati fino al rio delle Galeazze (v. sopra), alcuni cantieri dell'area Novissima (sec. XVI) e il vasto campo della Campanella (ricavato nel 1937 con la demolizione degli ultimi tre capannoni del reparto «Isolotto», che partiva all'altezza del campo dividendo in due la grande darsena): prende il nome dalla torre (27) ricostruita nel 1936, la cui campana dava il segnale di inizio e di fine lavoro agli arsenalotti; più a sud, il monumentale prospetto dell'edificio del Bucintoro (v. sopra) e il fronte orientale degli altri edifici prospicienti la darsena Arsenale Vecchio.

Si esce dal campo dell'Arsenale varcando il rio omonimo sul ponte dell'Arsenale, o del Paradiso, struttura lignea fissa che riprende la linea dell'originaria, mobile, già sostituita nell'Ottocento da una girevole in ferro. Da qui la *fondamenta dell'Arsenale* (o della Madonna, dal cinquecentesco oratorio della Madonna dell'Arsenale demolito nel 1809) costeggia il muro di cinta del complesso, con lapide che ricorda l'occupazione dell'Arsenale da parte della Guardia Civica il 22 marzo 1848 (episodio da cui ebbero inizio i moti contro il governo austriaco) e Leone marciano del sec. XVI già sul portale dell'Artiglieria. Oltre lo slargo sul quale prospettano la *Tesoreria* (1830) e il *Corpo di guardia dell'Arsenale* (padiglione di pietra d'Istria con pronao neodorico, opera di Giovanni Casoni del 1831), lasciato l'ultimo tratto della fondamenta che sbocca sulla riva S. Biasio (v. pag. 532), si volge a sin. nel *campo della Tana*. Chiuso a sin. dai lunghi blocchi edilizi delle Fonderie dell'Arsenale e quindi delle Corderie della Tana (v. pag. 594; di quest'ultimo, più avanti, N. 2169 C, si apre l'ingresso dal campo), presenta al centro una vera da pozzo quattrocentesca; sul lato d., N. 2157, è l'*ex casa dei «Visdomini»* (magistrati) *alla Tana*, con portale recante lo stemma del doge Pasquale Cicogna e la data 1589. A sin. di questo edificio, nella calle S. Biasio, si può vedere il frastagliato blocco di cemento armato del *palazzetto dello Sport*, di Enrico Capuzzo e Giandomenico Cocco (inaugurato nel 1979, sorge su un'area già occupata da ottocentesche attrezzature di servizio dell'Arsenale).

Dal fondo del campo, passato l'ottocentesco ponte della Tana, in ferro, si scende sulla *fondamenta della Tana*, che si segue a sin. costeggiando l'omonimo rio al di là del quale domina il lungo fianco delle Corderie della Tana serrato fra due torri. Sulla d. del percorso, tra questo e il parallelo rio terrà Garibaldi, rimane sostanzialmente intatta l'urbanizzazione gotica, a isolati paralleli serviti da calli e corti perpendicolari ai tracciati principali. Superato l'innesto della corte Nuova (in origine chiusa sui lati minori da muri merlati; le 2 vere da pozzo sono della 2ª metà del sec. xv), si volge a d. nella calle dei Preti, definita da case a schiera tardoquattrocentesche (numeri 1980-82 e 2018-26). Segue l'animato **rio terrà Garibaldi**, costituito nel 1808 ricoprendo parte del rio di Castello (v. pag. 532), nel quale si tiene a sinistra. Sul lato d. del percorso, oltre il portale N. 1310 (decorato da un rilievo trecentesco con i *Ss. Domenico, Giovanni Battista e Pietro Martire*, sormontato da *Cristo benedicente* entro cuspide), si apre il monumentale ingresso ai Giardini Pubblici (v. pag. 534). Sull'altro lato del rio terrà, la chiesa di *S. Francesco di Paola*, eretta dai Frati Minimi a partire dal 1588 sul luogo di una preesistente chiesa dalla diversa intitolazione; la sobria facciata è a due ordini di lesene corinzie separati dal cornicione su cui poggia il finestrone termale; un corto campanile fiancheggia il timpano.

L'interno, rimaneggiato nel '700, è ad aula rettangolare con presbiterio affiancato da due cappelle quadrate; caratteristica la soluzione del «barco» (coro pensile) che dalla controfacciata si prolunga sui fianchi sormontando le cappelle laterali (3 per lato). Nel soffitto a scomparti, *Scene della vita di Cristo*, i *Dottori della Chiesa* e 2 fatti bellici cui parteciparono membri della famiglia Carafa, tele di Giovanni Contarini (1603). Al 3° altare d., *Crocifisso* in legno dipinto del sec. xv e, ai lati, *La Vergine e S. Giovanni Evangelista*, tela molto oscurata attribuita a Palma il Giovane. Al 4°, *S. Francesco di Paola* di Alvise dal Friso e, ai lati, entro cornici in stucco, 4 *episodi della vita del santo* di scuola tiepolesca. All'altare a d. del maggiore, *Annunciazione* attribuita a Palma il Giovane. Sulla volta del presbiterio, affreschi di Michele Schiavone (*Gloria del santo*); all'altar maggiore, *S. Marco* e *S. Bartolomeo*, statue rispettivamente attribuite a Gregorio Morlaiter e ad Alvise Tagliapietra. Al 4° altare sin., *Sante*, tela di Palma il Giovane tagliata in alto per far posto a una *Madonna col Bambino* di madonnero del sec. xv. All'ultimo altare sin., *Martirio di S. Bartolomeo* (cui la primitiva chiesa era dedicata), opera di Jacopo Marieschi già sull'altar maggiore.

Sulla parte alta delle pareti, interessante serie di tele settecentesche di autori diversi raffiguranti *Episodi della vita di S. Francesco di Paola* (la 2ª tela a d., del 1748, è la prima opera nota di Giandomenico Tiepolo; la

3ª a d. è di Michele Schiavoni; sulla parete di fondo, a d., tela di Gaspare Diziani; l'ultima a sin. è di Nicola Grassi).

Al termine del rio terrà Garibaldi rimane ancora scoperto l'estremo tratto orientale del rio di Castello (ora di S. Anna), fiancheggiato a d. dalla fondamenta di S. Anna (v. pag. 601) e a sin. da quella di S. Gioachino. Seguendo quest'ultima, varcato sul ponte Nuovo il ramo del rio della Tana aperto ai primi dell'Ottocento, si raggiunge, N. 452-54, l'ingresso dell'ex *ospizio dei Ss. Pietro e Paolo* (trasformato all'interno e sede dell'Istituto Maria Ausiliatrice), fondato nel sec. XI per i pellegrini di Terrasanta, ampliato nel 1350 e restaurato nel 1648 e nel 1736. Da qui l'adiacente, sinuosa calle S. Gioachino (al N. 450, portale sormontato da un rilievo della fine del '300 con la *Madonna col Bambino tra i Ss. Pietro e Paolo*, pertinente all'ex ospizio), poi a sin. la fondamenta del Rielo, seguita a d. dal ponte e dalla calle omonimi, introducono in un'insula che per la sua posizione marginale ha mantenuto un genuino carattere popolare. A conclusione della calle di Rielo (di fronte, allungata tra la successiva calle Salamon e la parallela calle delle Ole, serie di case a schiera cinquecentesche restaurate nel 1983), tenendo a sin. si sbocca nel campo di Ruga S. Lorenzo Giustiniani, centro di un quartiere formatosi intorno al sec. X e sviluppatosi nel XIV-XV (ai numeri 327 e 329, due palazzetti seicenteschi che ripetono i caratteri delle residenze patrizie; la vera da pozzo è del sec. XIV-XV). Se ne esce per la salizzada Stretta (ai numeri 105-108, palazzetto tardogotico; al N. 101, edificio tardorinascimentale datato 1565) e si prosegue volgendo a d. nella calle larga di Castello.

Continuando invece lungo la salizzada, e prendendo poi a sin. il ramo S. Daniele, oltre un ponticello del 1758 si scende nel *campo S. Daniele*, aperto sull'area dell'omonima chiesa fondata nell'820 e demolita nel 1839 (l'attiguo convento, nel 1806, fu trasformato in caserma della Marina Militare). Dal campo si vede, al di là del rio delle Vergini, un tratto del muro di cinta dell'Arsenale su cui è murata una lunetta gotico-fiorita degli inizi del sec. XV con le statue della *Madonna col Bambino tra i Ss. Marco e Agostino* e del *Padre Eterno benedicente* (proviene dal chiostro della demolita chiesa di S. Maria delle Vergini, di origine duecentesca, che sorgeva al di là del rio su un'isola inglobata nell'area arsenalizia nel 1869).

Al termine della calle larga, per il lungo ponte S. Pietro, ricostruito alla fine dell'Ottocento in ferro a cinque campate, si varca l'omonimo canale (a sin. le mura dell'ampliamento ottocentesco dell'Arsenale) raggiungendo l'**isola di San Pietro**, che con quella di Sant'Elena (v. pag. 536) costituisce l'estremità orientale della città.

Anticamente chiamata Olivolo (forse dalla forma o dalla presenza di un uliveto) o Castello – nome che più tardi si estese a tutto il sestiere – da una struttura difensiva che vi eressero, o trovarono, i primi occupanti, l'isola fu presumibilmente la prima abitata (fin dal sec. VI ?) tra quelle costituenti la confederazione che diede origine a Venezia. Dal sec. VIII al 1807 vi ebbe sede il potere religioso della città, ma la lontananza dal centro politico ed economico ne determinò una limitata urbanizzazione (la fascia di umili abitazioni prospicienti il canale), e solo nel nostro secolo la maggior parte delle aree libere furono occupate da due consistenti interventi di edilizia popolare (1909-10 e 1961).

Ai piedi del ponte si apre il solitario campo S. Pietro, su cui prospettano l'omonima chiesa, l'ex Palazzo Patriarcale e il campanile. La chiesa di **S. Pietro di Castello** fu sede vescovile dipendente dal patriarcato di Grado dal 775 (elezione del primo vescovo di Olivolo, chiamato dal 1091 di Castello) al 1451 (nomina del primo patriarca di Venezia, S. Lorenzo Giustiniani), e quindi patriarcale fino al 1807, quando il titolo passò alla Basilica di S. Marco. Il tempio, edificato tra l'817 e l'841 in luogo di una preesistente chiesa dedicata ai santi bizantini Sergio e Bacco, subì nel corso dei secoli numerosi interventi di ristrutturazione e deve l'attuale aspetto ai lavori eseguiti tra la fine del XVI e il primo trentennio del XVII secolo. La monumentale facciata in pietra d'Istria fu costruita (1594-96) da Francesco Smeraldi detto Fracà, in esecuzione di un vecchio progetto di Andrea Palladio (1559) 'aggiornato' sul prospetto della chiesa del Redentore, tappa conclusiva della ricerca palladiana. Il *campanile* lo rifece Mauro Codussi nel 1482-90: isolato e pendente, unico a Venezia per le poderose forme rinascimentali e per l'uso esclusivo della pietra d'Istria, presenta la canna segnata da due ordini di lesene; sopra la cella campanaria aperta da trifore è il tamburo ottagonale ad archetti ciechi (la semplice copertura attuale sostituisce il cupolino rifatto nel 1670 e distrutto da un fulmine nel 1822).

Il vasto e luminoso interno della chiesa (restaurato nel corso degli anni '70) è opera di rifacimento del 1619-21, cui attese Girolamo Grapiglia in manierate forme palladiane: a croce latina con tre navate coperte a crociera, presenta profonde cappelle ai lati del presbiterio absidato e grandiosa cupola; della precedente costruzione rimane lungo la navata sin. la tardogotica cappella Lando (v. sotto). Sulla controfacciata, sopra l'ingresso principale, *Cena in Emmaus* di Pietro Malombra e *Ultima Cena* di anonimo del tardo '500; sopra l'ingresso laterale d., *arca di Flippo Correr* (sec. XV) e S. Giorgio che uccide il drago, replica autografa del quadro di Marco Basaiti custodito alle Gallerie dell'Accademia. NAVATA DESTRA. Al 1° altare, *Crocifisso* marmoreo, la *Fede* e altra statua allegorica, forse di Orazio Marinali; al 2°, *Dio Padre* di scuola veneta degli inizi del sec. XVII. Fra il 2° e il 3° altare è la cosiddetta *cattedra di S. Pietro*, seggio di marmo proveniente da Antiochia, composto forse nel sec. XIII usando come schienale una stele funeraria di arte arabo-musulmana con iscrizioni del Corano in caratteri cufici. Al 3° altare, barocco, con statue, *S. Pietro in cattedra e 4 santi*, tarda opera di Marco Basaiti; al 4°, *La Vergine e santi*, grande pala di Francesco Ruschi. Nella cappella a d. del presbiterio: a d., **Il castigo dei serpenti*, capolavoro di Pietro Liberi (c. 1660); a sin., *Adorazione dei Magi* di Pietro Ricchi (c. 1662).

PRESBITERIO. Al ricchissimo altar maggiore, opera barocca realizzata su disegno di Baldassare Longhena (1649), un'urna sostenuta da angeli reca ai lati le statue marmoree dei *Ss. Pietro, Paolo, Marco* e *Giovanni Battista*, ed è sormontata da una statua di *S. Lorenzo Giustiniani*, il primo patriarca di Venezia, contenente le reliquie del santo (1380-1465): tutte le sculture sono di Clemente Moli eccetto i 2 angeli, opera di Francesco Cavrioli. Alla parete d., *S. Lorenzo Giustiniani intercede per la liberazione di Venezia dalla peste del 1447*, grande tela di Antonio Bellucci; a sin., *La carità del santo* di Gregorio Lazzarini (1691). Nel giro dell'abside, da sin.: *S. Lorenzo Giustiniani libera un'ossessa* di Antonio Molinari; *Gesù Bambino appare al santo* di Daniel Heintz; il *santo comunica una monaca*, attribuito a Domenico Ghislandi; *Morte del santo* di Giovanni Segala. Nella calotta dell'abside, *Gloria di S. Lorenzo Giustiniani*, affresco di Girolamo Pellegrini (sec. XVII), autore anche di quello che decora la volta del presbiterio (*Gloria della SS. Trinità*).

Nella cappella a sin. della maggiore: grande *Croce* lignea col Crocifisso, la Vergine, S. Giovanni e un angelo, in rame sbalzato, opera composta da elementi di epoche diverse (le braccia di Cristo e le figure agli apici sono romanico-bizantine, il volto di Cristo è probabilmente dell'Ottocento, le altre parti risalgono al sec. XIV); alla parete sin., l'*Invenzione della Croce* di Francesco Soliman (?); a quella d., l'*Esaltazione della Croce* di scuola veneta della fine del sec. XVIII; ai lati dell'altare, *La Vergine e la Maddalena* e *S. Giovanni Evangelista*, tele del sec. XVIII.

Nel braccio sin. del transetto si apre la barocca **cappella Vendramin**, realizzata da Baldassare Longhena nel 1663: alle pareti, 8 nicchie con *statue allegoriche* di Melchior Barthel (o di Michele Ungaro e aiuti); a d., *Paolo V impone il cappello cardinalizio a Francesco Vendramin*, bassorilievo di Michele Ungaro (firmato); a sin., *Trionfo della Croce*, bassorilievo di uno scolaro dello stesso; all'altare, *Madonna col Bambino e le anime purganti*, pala di Luca Giordano (c. 1650). Alla parete a sin. della cappella, i *Ss. Giovanni Evangelista, Pietro e Paolo*, tarda opera di Paolo Veronese (1588). Inferiormente a questa è l'ingresso della **cappella Lando**, costruzione ogivale del 1425: all'altare, *Tutti i Santi*, pala a mosaico di Arminio Zuccato (firmata; 1570), su cartone attribuito a Jacopo Tintoretto; il paliotto è formato da una transenna marmorea veneto-bizantina (sec. IX); nella predella, frammento di mosaico romano; di fronte all'altare, tra due colonne dell'antico battistero (sec. XI), busto di *S. Lorenzo Giustiniani* della 2ª metà del '400. Al 3° altare della navata sin., l'*Immacolata*, statua di Giovanni Maria Morlaiter; al 2°, *Martirio di S. Giovanni Evangelista* del Padovanino (o del Tizianello).

A d. della chiesa è il degradato *Palazzo* già *Patriarcale*, austera architettura della fine del '500 che mantenne lo schema distributivo del duecentesco palazzo vescovile (nel 1807 fu adattato a caserma della Marina Militare ed è ora suddiviso in abitazioni); sul portale, grande stemma del patriarca Lorenzo Priuli; nel grande cortile interno, porticato, vera da pozzo del '400. Addossata al palazzo, N. 69, l'ex *Scuola del SS. Sacramento*, in origine oratorio di S. Giovanni Battista: sul fianco, *Madonna degli albe-retti e Padre Eterno tra angeli*, bassorilievo degli inizi del sec. XV; sulla facciata, rivolta verso il campanile, *S. Giovanni Battista* (al centro), *S. Pietro* e *S. Paolo* (agli spigoli), sculture del sec. XV.

Si esce dal campo prendendo la calle drio al Campaniel, in fondo alla quale, a d., entro cornice tardogotica a fogliami, è un prege-vole bassorilievo quattrocentesco con la *Madonna col Bambino che consegna le chiavi a S. Pietro*. Usciti sulla fondamenta Quin-tavalle (dal nome dell'antica famiglia che forse per prima edificò sull'isola), costeggiando, numeri 54-57, alcune casette a schiera settecentesche, si raggiunge l'innesto del ponte Quintavalle, co-struito in legno agli inizi del '900 e ricostruito nel 1967. Varcan-dolo (a d., interessante complesso di case a schiera settecente-sche col prospetto ritmato da ampi camini), si lascia l'isola e si scende sulla fondamenta di S. Anna. Dopo breve, delimitato da un cancello, si apre a sin. il piccolo campo-sagrato su cui pro-spetta la chiesa di *S. Anna*, fondata poco dopo il 1240 e rico-struita da Francesco Contin fra il 1634 e il 1659; nel 1810, in-sieme all'attiguo convento (ristrutturato nel 1765), fu adibita a collegio per i cadetti della Marina Militare e, dal 1867, a Ospedale della Marina (attualmente è utilizzata come magazzino). Poco avanti si abbandona la fondamenta (che prosegue innestandosi nel rio terrà Garibaldi) volgendo a sin. nella calle Correra, su cui si dispone, a isolati regolari, un complesso di case popolari co-struito tra il 1898 e il 1902. Segue, ortogonale, la lunga calle denominata *Secco Marina*, dal fronte meridionale della quale si pro-lunga fino al parallelo rio S. Isepo (S. Giuseppe) una serie di iso-lati paralleli, separati da calli-corti, che costituisce uno dei più ri-levanti episodi urbanistici veneziani di pianificazione cinquecen-tesca. Tenendo a d., e quindi subito a sin. nella corte del Soldà (al N. 915, *casa Solda* del 1560), si raggiunge la fondamenta S. Giu-seppe all'altezza del ponte oltre il quale si apre il *campo S. Giu-seppe*, delimitato dal complesso conventuale omonimo. La chiesa di **S. Giuseppe di Castello**, fondata per decreto del Senato nel 1512, presenta una semplice facciata stretta agli spigoli da coppie di alte lesene e qualificata dal portale, concepito come un prospetto in pietra d'Istria a sé stante decorato da un'*Adora-zione dei Magi*, rilievo firmato di Giulio del Moro (2ª metà sec. XVI). L'edificio è stato oggetto di un impegnativo restauro gene-rale nel 1981-83.

L'interno, a pianta rettangolare, è a una navata con presbiterio absidato fiancheggiato da due cappelle a fondo piatto. Nel soffitto piano, *S. Giu-seppe in gloria* di Pietro Ricchi (prima del 1664) tra prospettive architetto-niche di Antonio Torri. Sopra l'ingresso, «barco» (coro pensile) del sec. XVII a travature istoriate. A destra: al 1° altare, *S. Michele e il senatore*

Michele Bon di Jacopo Tintoretto; al 2° altare, della fine del sec. XVI, sovraccarico di statue, *Padre Eterno e santi* attribuito a Sante Peranda. Presbiterio: superiormente alle due tribune d'organo, della fine del sec. XVI, e alle pareti dell'abside è in corso (1984) il recupero di affreschi di Palma il Giovane, dipinti prima del 1604 (raffigurano: *Melchisedec* e *Aronne*; il *Sogno di S. Giuseppe* e la *Fuga in Egitto*; figure femminili); alla parete sin., *busto di Girolamo Grimani* (padre del doge Marino) di Alessandro Vittoria; sull'altar maggiore, *Adorazione dei pastori*, pala di Paolo Veronese databile 1570-75.
A sinistra: al 1° altare, *Pietà*, tavola di Parrasio Michieli firmata e datata 1573; al 2°, con pregevole bassorilievo della battaglia di Lepanto, *Presepio*, pala marmorea di Domenico da Salò firmata e datata 1571; tra i due altari, *monumento del doge Marino Grimani e della moglie Morosina Morosini*, fastosa opera dell'architetto Vincenzo Scamozzi e dello scultore Girolamo Campagna, nello stile di transizione dal Rinascimento al barocco (era ancora in fase di realizzazione nel 1604).

A d. della chiesa è il cinque-seicentesco ex *convento* delle Agostiniane, costituito dalla successione di tre chiostri porticati in parte manomessi nel 1912 quando fu adibito a sede scolastica. Costeggiandone il fianco, si accede al secondo tratto del campo, dove una vera da pozzo esagonale del 1547 reca rilievi dei *Ss. Giuseppe, Agostino e Antonio abate* (quest'ultimo si riferisce all'omonima chiesa demolita per aprire i Giardini Pubblici; l'area che si sviluppa dall'estremità del campo fino al muro di cinta dei Giardini, attraversata dalla calle chiamata Paludo S. Antonio, rimase paludosa fino agli inizi del '500 e solo in seguito alla costruzione del complesso di S. Giuseppe fu bonificata e urbanizzata).

Di nuovo, riattraversando il rio, sulla fondamenta S. Giuseppe, tenendo a sin. e quindi a d. nella corte de la Cènare si torna a Secco Marina (di fronte, tra la successiva calle dei Nicoli e la corte di Ca' Sarasini – l'ultima a sin. – si sviluppa un settore che mantiene la caratteristica urbanizzazione di origine cinquecentesca a lotti paralleli molto lunghi e stretti, con qualche interessante esempio di architettura minore). A sin., e poi subito a d., si va nella calle delle Ancore, su cui prospettano, numeri 1036-38, casette binate con stemma e data 1544; quindi nella fondamenta di S. Anna in prossimità del suo innesto nel rio terrà Garibaldi (v. pag. 596). Seguendo quest'ultimo (con la punta della Dogana e le cupole della chiesa della Salute come fuoco prospettico al di là del Bacino di S. Marco) si esce sulla riva dei Sette Martiri, presso l'innesto del ponte della Veneta Marina (v. pag. 532).

7 Le isole della Giudecca e di San Giorgio Maggiore

La Giudecca. Sobborgo meridionale di Venezia allungato tra il canale omonimo e la Laguna sud, vi si arriva necessariamente per via acquea, con il traghetto dalle Zattere o con il motoscafo della linea circolare (nella divisione storico-amministrativa della città, è parte del sestiere di Dorsoduro).

Già in questo primo approccio si ha un'immagine sintetica di che cosa la Giudecca oggi sia: l'ambiente forse più eterogeneo del contesto lagunare, dove si concentrano, in un'area relativamente ridotta (l'isola con la prossima – a ovest – Sacca Fisola, ha un'estensione di 78.50 ettari), funzioni ed edifici disparati, altrove distribuiti nell'intera area veneziana, dalla Laguna alla terraferma. Dalla cortina edilizia continua allineata lungo il canale della Giudecca, dove case modeste si alternano a palazzetti, ex magazzini e granai, risaltano le bianche facciate della chiesa delle Zitelle e quella eccezionale del Redentore; emergono alte ciminiere spente, gru di cantieri e ciuffi di alberi; torreggiano le moli singolari dell'ex Mulino Stucky e dell'ex Fabbrica di birra; ma anche il lato opposto dell'isola, affacciato sulla Laguna sud e visibile soltanto dall'acqua, propone un paesaggio irripetibile, dove le nitide absidi e la cupola del Redentore si mescolano con i cantieri silenziosi, il folto giardino della principessa Aspasia, gli anonimi edifici dei quartieri popolari. A tale eterogeneità di paesaggio corrisponde una complessità urbanistica singolare nel contesto veneziano, risultato di vicende storico-urbanistiche che hanno sovrapposto nell'isola, a una prima tessitura regolare, edifici e usi via via più differenziati. Così la struttura dell'isola, molto chiara sul lato prospiciente il canale della Giudecca (dove un'unica fondamenta con ponti collega le insule minori e raccoglie in una maglia a pettine le numerose calli che penetrano all'interno), si complica man mano che ci si addentra e, alla fine, pochissimi sono i percorsi che consentono di affacciarsi alla Laguna, sul lato opposto.

Detta anticamente Spinalonga, dalla sua forma stretta e allungata, o dai rovi che vi crescevano, l'isola ebbe secondo alcuni il nome di Giudecca dai molti Ebrei (Giudei) che vi si sarebbero stabiliti prima del sec. XIV (ipotesi dubbia e comunque non documentata) o, secondo altri, dal termine «giudicato» (Zudecà, Zueca), con il quale nel corso del sec. IX vi vennero concessi terreni in risarcimento ad alcune famiglie prima esiliate (e a quest'epoca risalirebbero i primi insediamenti nobiliari nell'abitato, in origine solo di pescatori). Fino al sec. XIII di dimensioni limitate (si estendeva solo tra la S. Eufemia e il rio di Ponte Lungo), poi gradatamente allungata verso San Giorgio Maggiore e allargata di spessore attraverso imbonimenti e consolidamenti di terreno (il primo ponte sul rio di Ponte Lungo fu gettato nel 1340), soltanto nel '500 la Giudecca raggiunse quella configurazione urbana che ne fece per due secoli uno dei siti più appetibili nel contesto lagunare. Infatti l'isola, già luogo ideale per depositi e magazzini delle merci (provenienti sia dalla terraferma, sia dal porto di Malamocco), con una propria vita commerciale e artigianale, richiamava sui vasti terreni vergini, man mano imboniti, congregazioni religiose che vi sistemavano grandi complessi conventuali corredati da estesi orti, e famiglie patrizie (come i Barbaro, i Mocenigo, i Dandolo, i Vendramin) che vi ricercavano un nuovo tipo di residenzialità, temporanea e di evasione, costruendo dimore (i «casini») che godevano delle caratteristiche della casa di città e della villa di campagna (sistemate lungo la fondamenta sul canale della Giudecca, si aprivano verso sud su giardini e orti che arrivavano fino alla Laguna). Organicamente omogenea a Venezia, ma allo stesso tempo esaltantene gli aspetti più peculiari e aristocratici, non a caso vi si sviluppò una intensa vita di relazione (famose erano le feste tenute dai patrizi) e culturale, con la fondazione di Accademie. E non è quindi casuale che, nella 2ª metà del '500, la Giudecca venisse scelta dal Senato per erigervi il primo tempio votivo, la chiesa del Redentore, atto di fede ma anche di esplicitazione della potenza della Repubblica dopo la battaglia di Lepanto. La caduta della Repubblica, la decadenza della nobiltà, la soppressione napoleonica delle istituzioni religiose segnarono la rottura irrimediabile dell'equilibrio – così peculiare – di questo sito, e l'inizio della sua periferizzazione. Così l'isola, che si presentava nei primi anni dell'Ottocento come una grande riserva di contenitori vuoti (i conventi) e di vasti terreni liberi ormai incolti e disponibili a qualsiasi uso, accantonati alcuni ambiziosi progetti significativi di quel periodo, finì gradatamente per accogliere quelle funzioni che la città considerava indesiderabili all'interno del proprio tessuto: le caserme, le carceri, le fabbriche, i grandi quartieri operai.

L'itinerario proposto per la visita, molto schematico, muove dalla chiesa di S. Eufemia e percorre tutta la fondamenta lungo il canale della Giudecca (notevole vista sull'opposta riva), toccando i monumenti più prestigiosi (come il Redentore e le Zitelle); solo in corrispondenza dell'ex complesso conventuale di S. Cosmo e della corte dei Cordami si penetra all'interno. I caratteri peculiari dell'isola suggeriscono tuttavia di variare l'itinerario stesso con percorsi a tema unico che riassumono gli aspetti più singolari del sito. L'archeologia industriale, per esempio, di cui si trovano qui almeno una quarantina di manufatti: pochissimi ancora in attività (la Fabbrica di tessuti Fortuny, la Fabbrica di orologi Junghans, alcuni piccoli cantieri per la costruzione di imbarcazioni), la maggior parte abbandonati e disponibili al riuso, offrendo ampie volumetrie anche molto interessanti (come il Mulino Stucky, la Fabbrica di birra e i cantieri navali CNOMV). Un altro percorso significativo è quello per i quartieri di abitazioni popolari, dai più antichi, forse seicenteschi (tra S. Eufemia e il rio di Ponte Lungo), formati da casette a schiera a due o tre piani, a quelli costruiti dopo il 1900 nelle aree inedificate di orti e giardini (i quartieri di campo della Rotonda, di S. Giacomo, del Campo di Marte, di Sacca Fisola. È possibile infine anche rintracciare, oltre ai pochi monumenti, i resti di un tessuto edilizio un tempo molto ricco, costituiti da qualche facciata di palazzo, qualche piccola area verde (resto di lussureggianti giardini), qualche chiesa o chiostro adibiti a usi diversi e in genere piuttosto degradati.

Si sbarca sulla *fondamenta di S. Eufemia* in prossimità dell'omonima chiesa, fulcro ed estremo lembo dell'insediamento originario che, fino al sec. XIII, si limitava all'insula di S. Eufemia e a quella successiva, delimitata a est dal rio di Ponte Lungo. La

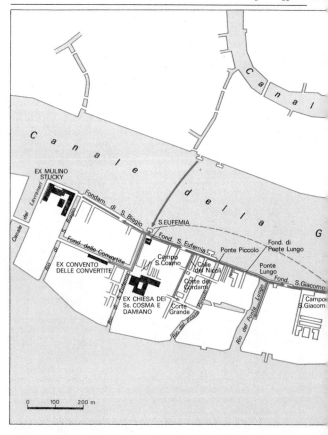

chiesa di **S. Eufemia**, posta alla confluenza del rio omonimo (verso cui rivolge la facciata) nel canale della Giudecca, la più antica per fondazione tra quelle dell'isola (la tradizione la colloca al sec. IX), nonostante i numerosi rimaneggiamenti conserva la disposizione planimetrica e la semplice struttura a capanna della ricostruzione del sec. XI. All'Ottocento risale il portico del fianco verso il canale, realizzato utilizzando alcune colonne doriche già

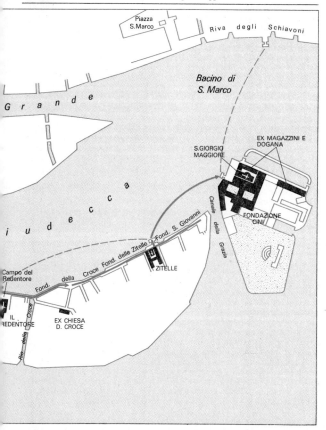

nel coro (messo in opera nel 1556 da Michele Sanmicheli) della demolita chiesa dei Ss. Biagio e Cataldo; da questa (che sorgeva sull'area ora occupata dall'ex Mulino Stucky) provengono anche le lapidi e i frammenti posti a parete; in testata, *Crocifisso tra la Madonna e S. Giovanni e donatori*, lunetta trilobata bizantineggiante del sec. XIV. Sopra il portale, *Madonna col Bambino tra i Ss. Rocco e Eufemia*, scultura del principio del sec. XVI.

L'interno mantiene l'impianto basilicale veneto-bizantino (a tre navate con colonne e capitelli originari del sec. XI), trasfigurato intorno alla metà del '700 dalle sontuose sovrastrutture dei soffitti e delle decorazioni parietali. Nel soffitto della navata mediana, *Gloria di S. Eufemia*, affresco di G.B. Canal (1764), autore anche del soffitto della navata d. (*Storie della vita di S. Eufemia*) e di quello della navata sin. (*Battesimo di S. Eufemia*). Al 1° altare d., *S. Rocco e angelo* e, nella lunetta, *Madonna col Bambino*, parte mediana di un trittico di Bartolomeo Vivarini firmato e datato 1480. All'altare della cappella a d. della maggiore, *urna* con le spoglie *della beata Giuliana da Collalto* (m. 1262; la cassa originaria, in legno dipinto, è conservata al Museo Correr). Nel presbiterio, all'altar maggiore, *La Vergine Assunta e sante*, pala degli inizi del sec. XIX; alle pareti, *Cenacolo* di Alvise dal Friso (firmato) e *La caduta della manna* del sec. XVI. Al 2° altare sin., *Eterno in gloria coi Ss. Pietro, Paolo e Andrea*, di Girolamo Pilotti; al 1°, *Pietà*, gruppo marmoreo di Giovanni Maria Morlaiter.

Seguendo a d. della chiesa la fondamenta rio di S. Eufemia, una delle principali penetrazioni verso l'interno, si giunge in breve in campo S. Cosmo. Vi prospetta la chiesa dei *Ss. Cosma e Damiano* (S. Cosmo), costruita a partire dal 1481 e consacrata nel 1583; la facciata, caratteristica della tarda rinascenza e considerata opera di Guglielmo Bergamasco o della sua cerchia, è stata alterata dall'apertura di finestre per l'illuminazione dei tre piani in cui venne diviso l'interno dopo l'abbandono del 1810 (dal 1886 è sede dell'opificio Herion; internamente rimane la struttura delle tre absidi e una calotta affrescata da Domenico Pellegrini con *Gloria di santi*). L'attiguo coevo ex convento, notevolmente degradato e non accessibile, racchiude un ampio chiostro con arcate in cotto su colonne di pietra.
Dal campo, varcato il ponte in legno sul rio di S. Eufemia, si scende sulla fondamenta della Rotonda che, con la seguente fondamenta delle Convertite, costeggia il rio delle Convertite, uno dei pochi della Giudecca con andamento longitudinale. Al N. 712 prospetta l'ex complesso delle Convertite, dal 1857 adibito a Casa femminile di correzione e pena; fondato nel sec. XVI (e allora dedicato a S. Maria Maddalena), destinato a convento e ospizio per ex prostitute, è formato da più fabbricati di varie epoche, disposti intorno a cortili interni, e da una disadorna cappella (1579) prospettante la fondamenta (le aree già di pertinenza del complesso, libere fino al secolo scorso e coltivate a orti, sono ora occupate da piccole strutture produttive e dal grosso fabbricato abbandonato degli ex depositi della Scalera Film). Percorsa tutta la fondamenta (a d. oltre il rio, l'ex Fabbrica di birra), varcato il rio di S. Biagio e attraversata l'insula omonima (a d., gli edifici dell'ex Mulino Stucky, v. pag. 607), per il lungo ponte sul canale dei Lavraneri si arriva all'isola di *Sacca Fisola*, nata per imbonimento della 2ª metà del secolo scorso e occupata da un discusso quartiere popolare realizzato nel 1956.

Da S. Eufemia si va verso ovest lungo la *fondamenta di S. Biagio*, su cui si allineano prospetti di case e palazzetti databili dal '400 al '700; il percorso fu consolidato per l'attracco di grandi navi e alberato alla fine dell'Ottocento, quando vi si insediarono nuovi edifici industriali che, estendendosi fino al retrostante rio delle Convertite, occuparono vaste aree un tempo coltivate a orti e giardini. Al N. 760, con lungo prospetto sul rio di S. Eufemia, l'edificio già sede della fabbrica di acconciapelli della ditta Pivato, sorta alla fine del sec. XVIII (fu restaurato e ridotto ad abitazioni intorno al 1970). Seguono il settecentesco *palazzo Emo* (numeri 761-77) e i quattrocenteschi *palazzi Maffetti* (N. 786) e *Foscari* (N. 795); quindi, N. 797, l'accesso all'*ex Fabbrica di birra* (ora parzialmente occupata dalla ditta Pizzolotto), costruita nel 1902 dalla «Distilleria Veneziana» (poi «società Birra S. Marco») e ampliata nel 1908-21; occupa una vasta area estesa fino al rio delle Convertite con capannoni a un piano e, al centro, un alto fabbricato coronato di merli con caratteri architettonici simili al vicino Mulino Stucky. Il successivo prospetto (numeri 797 A-800), forse ottocentesco, in mattoni a vista coronato da pigne in pietra, copre 4 grandi capannoni con capriate in legno noti come *magazzini Vendramin*: risalenti al 1400 e utilizzati sino alla fine dell'Ottocento come magazzini del sale e del carbone, sono ora adibiti a depositi per materiali da costruzioni (il toponimo ricorda un palazzo Vendramin che sorgeva nelle vicinanze e di cui non rimane più traccia). Al N. 805, la *Fabbrica di tessuti Fortuny*, edificio a due piani in mattoni a vista costruito nel 1919 e ampliato nel 1927-28 (è ancora in attività).

Al termine della fondamenta un ponte in ferro (ora chiuso) sul rio di S. Biagio segna l'accesso all'ex **Mulino Stucky**, vasto complesso industriale costituito da più corpi di fabbrica di eccezionali dimensioni: disposti lungo il rio di S. Biagio (su cui prospetta l'altissima facciata dei silos, priva di finestre e scandita da lesene su archetti pensili), il canale della Giudecca e il canale dei Lavraneri, occupano l'insula dove sorgeva il duecentesco complesso conventuale dei Ss. Biagio e Cataldo, demolito nel 1882. Voluto nel 1896 da Giovanni Stucky su progetto dell'architetto tedesco Ernest Wullekopf, l'enorme edificio in mattoni a vista impòse al paesaggio veneziano, non senza grosse polemiche, i caratteri propri dell'architettura nordica del tempo; ristrutturato in seguito a incendi e ampliato tra il 1907 e il 1925, era impostato su criteri razionali e tecnologicamente avanzati, ma dopo un periodo di grande espansione produttiva cominciò a decadere cessando la produzione nel 1954 (attualmente, 1984, è in attesa di ristrutturazione e destinazione).

Di ritorno alla chiesa di S. Eufemia, si percorre il tratto orientale della fondamenta omonima, costeggiandone il fronte edilizio aperto da un continuo succedersi di calli di penetrazione nel minuto tessuto residenziale interno, di carattere popolare e formato prevalentemente da casette a schiera a due o tre piani con ingressi aperti direttamente sulle calli stesse (quest'insula infatti, come la successiva, delimitata dal rio di Ponte Lungo, con-

serva la maglia edilizia di più antica formazione, dove si addensavano le abitazioni degli originari abitanti della Giudecca, spesso
sostituite sul fronte lungo la fondamenta da palazzi patrizi). Al
N. 607-608 è il cinquecentesco palazzo dell'*Accademia dei Nobili*,
fondata nel 1619 per accogliere giovani di famiglie altolocate ma
prive di mezzi.

Oltrepassato il palazzo, si può compiere un'interessante diramazione prendendo a d. il sottoportico e la calle dei Nicoli per la lunga *corte dei Cordami*, dove si fabbricavano e si torcevano all'aperto le gomene delle navi
(vera da pozzo del sec. XVI). A sin., lungo edificio a schiera, forse seicentesco, costituito da 14 abitazioni a un piano caratterizzate da imponenti
camini; il fronte opposto concluso da abbaino, prospetta sul parallelo ramo
del Forno. Più in profondità si allarga la corte Grande, con (a sin.) il primo
degli edifici che costituiscono la *Fabbrica di orologi Junghans*, complesso
industriale fondato nel 1878 dai fratelli Herion e successivamente più
volte ampliato e trasformato (l'edificio maggiore, a pianta semicircolare,
fu costruito nel 1943 previa demolizione del cinquecentesco convento di S.
Angelo dei Carmelitani); è la maggior industria ancora attiva nel centro
storico, e possiede nei pressi delle officine case operaie per i dipendenti.

Varcato il ponte Piccolo (ricostruito in ferro intorno al 1850,
quando fu pure sistemata tutta la fondamenta lungo il canale), si
scende sulla fondamenta omonima, dove al N. 322 si apre l'accesso a un sottoportico (per la calle dell'Ospedaletto) sormontato
da lapide che ricorda l'ospedale di S. Pietro, fondato da Pietro
Brustolato nel 1316 e restaurato nel 1568 (ancora esistente e di
proprietà dell'IRE, prospetta sulla calle). La successiva fondamenta di Ponte Lungo è collegata da questo (ricostruito come il
precedente intorno al 1850; a d. vista sul largo rio omonimo e la
Laguna sud) alla *fondamenta S. Giacomo* (in sponda est del rio, al
N. 254 della fondamenta a fianco di Ponte Lungo, si trova il *casino Baffo*, che conserva alcuni interessanti ambienti settecenteschi tra cui una sala a doppia altezza con ballatoio; vi abitò il
poeta vernacolare Giorgio Baffo, 1694-1768). Di pregio, ai numeri 218-24, la facciata rinascimentale con elegante portale in
pietra (murato) e pentafora al 1° piano, della cosiddetta Rocca
Bianca, abitazione signorile costruita dai Visconti di Milano alla
fine del '400; l'edificio e l'area del suo giardino (un tempo splendido e famoso) sono oggi occupati dal complesso degli ex *Cantieri
Navali Officine Meccaniche di Venezia* (CNOMV), il cui ingresso
è al N. 211: vi si individuano tre fabbricati bassi e lunghi (con
murature in mattoni e strutture di ferro e legno) che, edificati nel
1906 a cura della ditta di costruzioni meccaniche Neville, dalla
cessazione dell'attività della CNOMV (intorno al 1960), sono abbandonati e versano in stato di degrado (solo il capannone centrale, diviso da pilastri con travi e capitelli di ferro, è stato re-

staurato ed è usato per spettacoli e mostre temporanee). Poco avanti si apre il piccolo campo S. Giacomo, dove sorgeva l'omonimo complesso conventuale demolito nel 1837: sull'area più interna, già coperta dal monastero e da orti e giardini di pertinenza, sorge ora un vasto quartiere di edilizia popolare, realizzato tra il 1907 e il 1910 dalla Commissione per le case sane, economiche e popolari e, dal 1921, dallo IACP (con edifici alti anche 5 piani, si estende fino alla Laguna). Più importante il campo seguente, del Redentore (con pavimentazione a disegni geometrici e riva in pietra; subito a d., pilo a memoria della partenza di Gabriele D'Annunzio, il 10 febbraio 1918, per la «Beffa di Buccari»), per la presenza, dall'alto di una gradinata, della ***chiesa del Redentore**: creazione tra le più significative e celebrate di Andrea Palladio, e modello ispiratore di molteplici architetture sacre nella città lagunare, fu iniziata nel 1577; con rigorosa fedeltà al progetto palladiano, la portò a termine nel 1592 Antonio Da Ponte.

L'edificazione di un tempio votivo dedicato al Redentore fu deliberata dal Senato della Repubblica nel settembre del 1576, al colmo della grave pestilenza durata dal 1575 al 1577, con impliciti intenti di esorcizzazione (la prima pietra fu posta il 3 maggio 1577; in luglio la città era dichiarata libera dal contagio). Rimaste sconosciute le ragioni che condussero a scegliere, fra tre alternative, un sito decentrato quale la Giudecca, non è inutile ricordare che il sito stesso, per la sua posizione, consente alla chiesa di apparire nella sua completa espressione architettonica e simbolica a buona parte della città. Già nel 1578, la 3ª domenica di luglio, data stabilita per celebrare la ricorrenza della liberazione dalla peste, si svolse, con la partecipazione del doge, la solenne processione attraverso il ponte di barche gettato sul canale della Giudecca a partire dall'ospedale dello Spirito Santo alle Zattere (ancora oggi, questa del Redentore rimane una delle feste più caratteristiche di Venezia).

L'organismo della chiesa (che, data l'ubicazione, può essere colto nella sua completezza solo da lontano) risulta costituito dalla successione di un corpo anteriore, di uno mediano biabsidato e sviluppato verticalmente nell'alta cupola e nei due campaniletti cilindrici, e di un ultimo vano ancora sviluppato in lunghezza e chiuso da una parete leggermente incurvata (per questa particolare conformazione i fronti e i volumi dell'edificio appaiono completamente diversi secondo i punti di osservazione). Anche la composizione del prospetto, nel quale la facciata in pietra si integra con lo sviluppo verticale della cupola e dei campanili, sembra essere stata studiata per essere vista da lontano, e in particolare dalle Zattere allo Spirito Santo, da dove parte la processione; presenta una parte centrale definita tra la scalinata e l'attico (che ripropone il tema dell'arco trionfale), dentro i quali si articolano il timpano triangolare, retto da lesene e semicolonne, e il portale di accesso; le due ali ai lati, corrispondenti alle cappelle, sono arretrate e sormontate dalla prima coppia di contrafforti. Le 5 statue, eseguite solo a partire dal 1673, in concomitanza e in accordo con l'esecuzione della decorazione della chiesa della Salute (e perciò forse attribuibili alla scuola di Josse Le Court), rappresentano: *S. Marco* e *S. Francesco*, nelle nicchie ai lati del portale; la *Fede*, sul timpano; *2 angeli*, sull'attico. Le statue di *S. Lorenzo Giustiniani* e di *S. Antonio da Padova*, agli angoli esterni più bassi, sono probabilmente settecentesche. I battenti del portale hanno rivestimento di rame sbalzato dovuto a Zandomenico Gornizai (1669).

Fra il 1970 e il 1973 l'intera struttura esterna è stata oggetto di restauri, effettuati con il contributo del Comitato italiano per Venezia e il finanziamento della FIAT.

L'imponente interno, impropriamente definito a croce latina dallo stesso Palladio, risulta dalla successione di spazi diversi collegati lungo un asse longitudinale, quasi fosse predisposto – come qualcuno ha ipotizzato – allo svolgersi ultimo della cerimonia processionale. Il vano anteriore è costituito da una grandiosa sala rettangolare, articolata alle pareti da semicolonne corinzie accoppiate poste ai lati di superfici scavate in nicchie, tra le quali si aprono tre cappelle per lato intercomunicanti attraverso absidiole laterali; sopra la trabeazione continua, finestre termali interrompono con le loro vele l'amplissima superficie della volta a botte. Un arco e tre gradini separano questo primo vano da quello altrettanto ampio del presbiterio, a triconco, sul quale si innesta l'alta cupola con lanterna; le absidi laterali (dove si disponeva il doge con il seguito), prive di altari, sono finestrate, mentre quella centrale, dietro l'altar maggiore, è definita da un colonnato posto come filtro davanti al nitido e luminosissimo volume del coro dei monaci che, insieme alla sagrestia e al coretto dei laici, rimane mascherato rispetto allo spazio ufficiale. La decorazione pittorica e scultorea (quest'ultima scarna, non essendo state eseguite le statue previste per le nicchie), esprimono unitariamente un piano iconografico ben preciso, centrato sul tema della Redenzione attraverso la morte di Cristo sulla Croce: esso si sviluppa in senso longitudinale nelle pale degli altari delle cappelle (prima a destra e poi a sinistra), e ha il proprio acme nell'altar maggiore, con il grande Crocifisso, per compiersi nel Cristo Risorto posto in asse verticale sopra la lanterna della cupola.

CONTROFACCIATA. *La Vergine presenta a Gesù il beato Felice,* lunettone di Pietro Vecchia, e in alto, *La Signoria supplica la Vergine per la cessazione della peste,* chiaroscuro di Paolo Piazza. Inoltre, *lapide* dorata in ricordo del voto fatto dal doge in San Marco l'8 settembre 1576, ad impetrare la fine della terribile pestilenza, e in seguito al quale fu costruito il tempio. Sulle acquasantiere, *Redentore* e *S. Giovanni Battista,* bronzi di Francesco Terilli (1610). PARETE DESTRA: 1ª cappella, *Presepio,* di Francesco Bassano (firmato); 2° altare, *Battesimo di Gesù,* iniziato da Paolo Veronese e compiuto dagli eredi; 3° altare, *Flagellazione di Cristo* della scuola di Tintoretto. PRESBITERIO. Ricco altar maggiore in marmo, con grandioso tabernacolo ornato da bronzi di Giuseppe Maria Mazza (1680), grande *Crocifisso* e, ai lati, *S. Marco* e *S. Francesco*, tutte statue bronzee di Girolamo Campagna. Sul parapetto, *Andata al Calvario* e, dietro l'altare, *Deposizione*, rilievi attribuiti al Mazza o a Tommaso Ruer. PARETE SINISTRA: 3° altare, *Deposizione* di Palma il Giovane; 2°, *Risurrezione* di Francesco Bassano (firmata); 1°, *Ascensione* di Jacopo Tintoretto e aiuti. Alle spalle del presbiterio si apre il CORO DEI FRATI. Alle pareti: *S. Felice da Cantalice riceve Gesù Bambino dalla Madonna*, di fra' Semplice da Verona (c. 1626); *S. Francesco riceve le stimmate* attribuito a Francesco Bassano; *S. Francesco* e *S. Antonio da Padova*, tele di autore ignoto del sec. XVIII; *Orazione di Gesù nell'orto* attribuito a Francesco Bassano. Inoltre, *Ecce Homo*, *Maria Maddalena*, *Maria Immacolata* e *S. Girolamo penitente*, bassorilievi del sec. XVIII; il gruppo ligneo della *Madonna Immacolata* è seicentesco.

Dalla porta della parete d. si accede alla SAGRESTIA. Alle pareti, tra le varie opere: *Madonna che adora il Bambino dormiente e angeli musicanti*, tavola di Alvise Vivarini (1490) entro cornice-reliquiario del sec. XVII; *Madonna col Bambino e i Ss. Girolamo e Francesco*, opera attribuita a Francesco Bissolo; *Madonna col Bambino e i Ss. Giovanni Evangelista e Caterina d'Alessandria* di Francesco Bissolo; *Madonna adorante il Bambino* di Lazzaro Bastiani; *Madonna del latte* attribuita a Pasqualino Veneto; *Battesimo di Gesù*, opera commissionata intorno al 1560 a Paolo Veronese da Bartolomeo Stravazino, raffigurato col padre Giovanni in basso a destra; *Madonna col Bambino, S. Giovannino e altri Santi*, di Palma il Giovane; *Cristo sorretto dai discepoli* e *Addolorata*, della scuola di Palma il Giovane; *Caduta della manna, I pani della proposizione, Ultima Cena* e *Cena in Emmaus*, 4 tavolette di Francesco Bassano; *Estasi di S. Francesco* di Carlo Saraceni; *Messa di S. Lorenzo da Brindisi* di Domenico Corvi (1785). Sui mobili: *Madonna col Bambino*, bronzo dorato attribuito a Girolamo Campagna; *Ss. Cappuccini*, teste in cera della fine del sec. XVII; *busti di santi* e *Crocifisso*, opere in legno intagliato già attribuite ad Andrea Brustolon, ma più probabilmente di suo imitatore. Nelle piccole nicchie che si aprono nei dossali, *Cristo agonizzante*, attribuito al Brustolon, e 2 *reliquiari* in vetro di Murano del sec. XVIII.

Dal coro dei frati, per la porta alla parete sin., si accede al CORETTO DEI LAICI. Alle pareti, tra le altre opere: *Il funerale di un Cappuccino e la macabra visione di Ezechiele*, monocromo attribuito a Paolo Piazza; *S. Felice da Cantalice riceve Gesù Bambino dalla Madonna*, di ignoto di ambito palmesco; *Abramo nell'atto di sacrificare Isacco* di scuola di Palma il Giovane; *Risurrezione* di Francesco Bassano; *Orazione nell'orto* dello stesso; *S. Girolamo penitente* attribuito al Sassoferrato; *Cristo davanti a Pilato* di ignoto del sec. XVI; paliotto d'altare a fiori e disegni su cuoio dorato, attribuito a Francesco Guardi.

Dall'attiguo convento dei Cappuccini si può accedere alla chiesetta di *S. Maria degli Angeli*, anteriore all'arrivo a Venezia degli stessi Cappuccini (1539) e da loro utilizzata fino alla costruzione del tempio del Redentore. Ad essa adiacente è la rinascimentale cappella di *S. Giovanni Battista*, fatta edificare intorno al 1561 da Bartolomeo Stravazino quale sede di sepoltura per sé e la famiglia. Nel convento rimane l'antica *farmacia*, sorta nella 2ª metà del '500 con il contributo della Repubblica (il vasel-

lame e i vetri sono dei secc. XVII-XVIII); nel refettorio, *Ultima Cena* di
Paolo Piazza (1619-20).

Il ponte sul rio della Croce (in sponda orientale, oltre il muro di
cinta delle carceri, si intravedono gli alberi del giardino della
principessa Aspasia, ultimo residuo delle vaste aree verdi che illeggiadrivano la Giudecca) segna l'inizio della *fondamenta della
Croce*. Subito a d. si apre l'ingresso del carcere (casa di lavoro
maschile) che ingloba la rinascimentale *chiesa della Croce*, ricostruita, con l'attiguo monastero, tra il 1508 e il 1511 conservando
parte dei muri perimetrali e l'abside di una chiesa di cui si hanno
notizie dal sec. XIV; l'interno fu ristrutturato nel '600 (in restauro
dal 1979, è a navata unica, con barco e tre cappelle presbiteriali
absidate; la decorazione a lesene delle pareti e della cantoria, del
1858, è forse di Tommaso Meduna; la decorazione del soffitto,
datata 1699, è di G.B. Lambranzi, autore anche degli affreschi
delle cappelle presbiteriali). Seguono, a breve distanza l'uno dal-
l'altro (numeri 117, 84-88, 55-65), tre fabbricati a più piani adibiti
a depositi e granai dal 1846, e ora rispettivamente usati come
sede sussidiaria dell'Archivio di Stato, ostello della gioventù e
deposito per imbarcazioni (a sin. di quest'ultimo la calle Michelangelo conduce al quartiere di edilizia popolare di Campo di
Marte, realizzato nel 1921 dallo IACP occupando parte di una
vasta area libera già destinata, da decreto napoleonico del 1807
che non ebbe mai seguito, a grandiosa passeggiata pubblica e a
Campo di Marte).
La sequenza di edifici civili, continuata dal seicentesco *palazzetto
Minelli* (N. 50), con trifora e poggioli, e (N. 42-47) dalla caratteristica *casa dei «Tre Oci»*, architettura neogotica di Mario De
Maria, si interrompe con il lungo prospetto del complesso di S.
Maria della Presentazione, detto delle **Zitelle**, costituito dalla
chiesa e dall'annesso ospizio per giovani povere; iniziato secondo
la maggior parte degli studiosi su progetto di Andrea Palladio intorno al 1579-80, eseguito e ultimato da altri intorno al 1586, introdusse una tipologia (che si sarebbe poi diffusa in Venezia per
edifici di analoga destinazione) basata sull'allineamento delle due
ali simmetriche dell'ospizio a includere la facciata della chiesa, e
sul loro sviluppo posteriore intorno a un chiostro. La *chiesa*, con
prospetto a due ordini ampiamente finestrati, emerge dalle ali
dell'ospizio con il timpano e due campaniletti posti davanti alla
grande cupola emisferica.

All'interno l'aula a pianta quadrata sulla quale si imposta la cupola, fortemente illuminata dalla grande lanterna, è preceduta da un breve atrio coperto da volta a botte; le finestre laterali, semicircolari, con funzione di
coretti, fanno da tramite fra l'ospizio e la chiesa, evidenziando di quest'ul-

tima la funzione non solo di luogo sacro ma anche di 'sala'. All'altare d., *Orazione nell'orto e committenti* di Palma il Giovane; all'altar maggiore, *Presentazione al tempio* di Francesco Bassano; all'altare sin., *Madonna col Bambino, S. Francesco e il procuratore Federico Contarini*, dell'Aliense. Alle pareti, numerosi altri dipinti tra cui *La caduta della manna* e la *Presentazione di Maria al tempio*, di Leandro Bassano.

Dalla fondamenta di S. Giovanni (è il nome dell'ultimo tratto) la vista inquadra il retro della chiesa della Salute e spazia sul Bacino di S. Marco. In loco è degno di nota (numeri 20-21) il *palazzo* già *Mocenigo*, fatto costruire, forse i primi anni del '600, dagli eredi del doge Alvise Mocenigo (m. 1577) per rispettarne le volontà testamentarie; eretto secondo alcuni da uno degli architetti che andavano completando le opere del Palladio alla Giudecca, nella planimetria originaria (completamente alterata dalla ristrutturazione del 1976) riprendeva la tipologia delle ville di campagna, aperta mediante porticato sul retrostante giardino (alla successiva destinazione a deposito di granaglie si devono le tre porte che, oltre alla centrale, originaria, aprono la bianca facciata in pietra d'Istria). Al XV sec. risale l'edificio con quadrifora e finestre trilobate ai numeri 11-14, mentre il ricco portale di quello al N. 10 è l'unico resto del palazzo della famiglia Nani, già distrutto alla fine del '700 (era sorto sull'area della casa di Ermolao Barbaro, che nel 1484 vi aveva fondato un'Accademia di filosofia e botanica).

Il seguente edificio, con 3 portoni, finestre ovali e grandi doccioni (ai primi del '900 adibito a deposito della Società anonima importazione olii), e la successiva area demaniale della Guardia di Finanza occupano l'estremità orientale della Giudecca, dove fino ai primi dell'Ottocento sorgeva il complesso conventuale di S. Giovanni; ed è interessante ricordare che, dopo il 1806, questa stessa zona era stata attrezzata per insediarvi attività connesse alla condizione di porto franco della vicina isola di San Giorgio Maggiore: soprattutto cantieri navali a magazzini, in parte ancora esistenti, in parte inglobati negli edifici della Guardia di Finanza.

San Giorgio Maggiore. Parte del sestiere di S. Marco e accessibile coi motoscafi della linea circolare, questa tipica isola conventuale si evidenzia nel paesaggio del Bacino di S. Marco come uno dei suoi vertici, concorrendone alla definizione scenografica con il complesso volume della chiesa, dalla bianca articolata facciata, l'alto campanile, le lunghe mura perimetrali sormontate dal verde, le due torrette-faro in pietra d'Istria dell'ottocentesco bacino. Segnata ed esaltata in questo duplice ruolo, privato-conventuale e pubblico-urbano, dall'intervento di Andrea Palladio (che vi lavorò per vent'anni, dal 1560 fino alla morte), è in realtà il risultato anche di molteplici interventi precedenti e successivi a quello palladiano, fino al ripristino dovuto alla Fondazione Giorgio Cini, insediatasi nel 1951 e tuttora operante.

L'origine dell'insediamento nel sito anticamente detto isola dei Cipressi si intreccia con quello della città dogale e della sua Signoria, di cui era proprietà. Fu questa che nel sec. IX vi fece erigere una prima chiesa dedicata a S. Giorgio e nel 982, con il doge Tribuno Memmo, donò l'isola all'abate Giovanni Morosini per la fondazione dell'abbazia benedettina (che, destinataria di particolari benefici e donazioni e utilizzata come foresteria per gli ospiti illustri della Repubblica, fra cui nel 1232 Federico II di Svevia e nel 1433 Cosimo I de' Medici, acquisì ben presto un cospicuo patrimonio e notevoli possedimenti); nella chiesa, che nel 1109 era stata dedicata anche a S. Stefano di cui aveva accolto le spoglie, la Signoria si recava ogni anno la notte di Natale per la celebrazione di una grande veglia (vi si fecero seppellire – 1178 e 1229 – i dogi Sebastiano e Pietro Ziani, al quale, dopo il terremoto del 1223, si deve il primo rifacimento del complesso). L'intensa vita religiosa e culturale dell'insediamento fu favorita a partire dal 1433 dalla riforma dell'ordine che lo collegava alla congregazione di S. Giustina, e non a caso Cosimo I de' Medici, qui ospitato durante il suo breve esilio, vi fece costruire una magnifica biblioteca (distrutta nel 1614) chiamando da Firenze Michelozzo. La riforma portò anche alla decisione di ricostruire l'intero complesso conventuale; ma i lavori, avviati sullo scorcio del '400, proseguirono con grande lentezza, tanto che solo nel 1565 Andrea Palladio presentava il modello per la nuova chiesa mentre le opere potevano considerarsi ultimate solo verso la fine del sec. XVII.

La caduta della Repubblica stravolse il ruolo della prestigiosa isola, che tuttavia, nel 1800, ospitò il conclave in cui fu eletto papa Pio VII. Nel 1806 venne costituita in porto franco e i suoi edifici – ad eccezione della chiesa riaperta al culto nel 1808 – furono destinati a magazzini e dogane e quindi a sede del Comando d'Artiglieria. Degradato e spogliato, il complesso abbaziale dovette attendere il 1951 – anno della sua cessione alla Fondazione Giorgio Cini – per essere ricondotto (anche attraverso un radicale restauro) a quelle funzioni culturali che più degnamente ne interpretano lo splendido assetto.

Si sbarca sul campo-sagrato (con pavimentazione a disegni geometrici e la riva concava a gradini in pietra), dominato dall'imponente prospetto della chiesa di ***S. Giorgio Maggiore**: ideata e iniziata (1566) da Andrea Palladio, che ne seguì saltuariamente i lavori fino alla morte (1580), fu ultimata per le strutture nel 1589, mentre la facciata venne composta tra il 1607 e il 1611 quasi sicuramente rispettando l'originario modello palladiano, che riproponeva – con soluzioni particolari e rapporti diversi – motivi architettonici già proposti a S. Francesco della Vigna e al Redentore. Quattro colonne di un gigantesco ordine composito, su altissimi plinti, si addossano al muro della parte centrale (corrispondente alla navata mediana), includendo il portale e due nicchie con le statue dei *Ss. Stefano* e *Giorgio*, di Giulio del Moro (firmate), e reggendo il frontone a timpano triangolare su cui si profilano le statue del *Redentore* e di 2 *angeli* di Antonio Tarsia. Il forte aggetto e gli effetti chiaroscurali di questa parte si stemperano nelle ali laterali (corrispondenti alle navate minori), dove il prospetto prende meno rilievo ed è costituito da un ordine minore di lesene corinzie appaiate, la cui trabeazione, attraversata la fronte in tutta la sua larghezza, si rialza in mezzi timpani di raccordo con la parte mediana; nelle campate, entro edicole classicheggianti, le urne e i *busti dei dogi Tribuno Memmo e Sebastiano Ziani,* benemeriti del cenobio benedettino, scolpiti da Giulio del Moro; le statue alle estremità, di *S. Marco* e di *S. Benedetto,* sono forse del Tarsia. Ai lati della facciata 2 piccoli prospetti con portale a semicolonne e timpano, coronati da una merlatura ad archetti rovesciati, la raccordano agli edifici circostanti.

L'interno si presenta come un organismo estremamente complesso, in cui Palladio sperimenta per la prima volta soluzioni innovatrici nell'ambito chiesastico, quasi certamente conseguenti alle indicazioni liturgiche del Concilio di Trento e al contemporaneo dibattito sull'architettura religiosa, diviso tra soluzioni a pianta centrale o a croce latina. Così, le parti di cui si compone (corpo a croce latina a tre navate, transetto, presbiterio e coro), tradizionalmente proprie delle chiese conventuali in relazione ai diversi momenti liturgici, sono disposte e dimensionate in modo inusuale, richiamando quasi una pianta accentrata. Infatti la navata centrale, breve nel tratto anteriore, si dilata, mantenendo pari larghezza, nei profondi bracci absidati del transetto, e si prolunga al di là di questo per il presbiterio, cosicché la cupola (posta all'incrocio della navata con il transetto) viene a trovarsi nella parte mediana non solo del corpo trasversale ma anche di quello longitudinale. E tuttavia questo effetto è ancora modificato dal prolungarsi del corpo longitudinale nel profondissimo coro, posto dietro il presbiterio e separato dal semplice diaframma di una duplice coppia di colonne che sorreggono l'organo. L'intonaco a stucco tinteggiato di bianco, l'intensa luce che vi si riflette dalle finestre termali, aperte in serie continua nelle navate, dalla cupola e dal coro, la precisa predisposizione di un apparato decorativo piuttosto scarno completano la sostanziale novità e suggestione di questo spazio. Ogni giorno vi vengono celebrati una messa e vespri in canto gregoriano, con esecuzioni di pregevole livello.
Sulla controfacciata, sopra l'ingresso, *monumento del doge Leonardo Donà* (m. 1612) con busto di un seguace del Vittoria; ai lati, entro nicchie, gli *Evangelisti,* statue in stucco di Alessandro Vittoria firmate e datate 1574; in alto, *Madonna adorante il Bambino,* tondo su tela di scuola veneta del sec. XVII. NAVATA DESTRA. Al *monumento di Lorenzo* (m. 1625) *e Sebastiano Venier* (m. 1667), della 2ª metà del sec. XVII, segue, al 1° altare, *L'adorazione dei pastori,* suggestiva opera della maturità di Jacopo Bassano; al 2° altare, *Crocifisso* ligneo policromo del sec. XV, restaurato nel 1984 (di dubbia attribuzione, è probabilmente identificabile con quello donato alla chiesa nel 1458 da un anonimo artista veneto influenzato dall'espressionismo nordico); al 3°, *Martirio dei Ss. Cosma e Damiano,* di-

pinto commissionato a Jacopo Tintoretto ma senz'altro opera della bottega (vi predomina la mano del figlio Domenico). TRANSETTO: all'altare, *Incoronazione di Maria*, pure della bottega di Tintoretto (1594); ai lati, *candelabri* bronzei di Gianfrancesco Alberghetti datati 1698. All'altare della cappella a d. del presbiterio, *Madonna in trono e santi*, tra le più brillanti opere di Sebastiano Ricci (datata 1708); alla parete d., *Ritratto di Pio VII*, il papa eletto nel conclave qui tenuto nel 1800, opera di Teodoro Matteini (1801).

PRESBITERIO. All'entrata, 2 *candelabri* in bronzo di Niccolò Roccatagliata e Cesare Groppo (1592); di fronte, isolato, altar maggiore su disegno dell'Aliense, con *Padre Eterno sul mondo sorretto dagli Evangelisti*, gruppo bronzeo di Girolamo Campagna (1591-93); ai lati, 2 angeli di Pietro Boselli (1644). Alla parete d., *Ultima Cena*, notevole opera di Jacopo Tintoretto (1594); alla parete sin., *Raccolta della manna*, forse l'ultima tela dipinta da Tintoretto (1594). Nell'abside, separata dal presbiterio da un colonnato che sorregge l'organo, magnifico coro ligneo, intagliato, con *Storie della vita di S. Benedetto*, dal fiammingo Albert van der Brulle aiutato da Gasparo Gatti (1594-98); sui pilastrini della balaustrata, *S. Giorgio* e *S. Stefano*, eleganti bronzi di Nicolò Roccatagliata (1593).

Dal coro, a d., per una scala a chiocciola (attualmente, 1984, non accessibile) si accede previo permesso al CORO INVERNALE (o sala del Conclave), dove ebbe luogo dal dicembre 1799 al marzo 1800 l'elezione di papa Pio VII Chiaramonti. All'altare, *S. Giorgio che uccide il drago*, opera di Vittore Carpaccio firmata e datata 1516, variante dipinta per l'abbazia di S. Maria del Pero a Monastier circa 8 anni dopo la tela di analogo soggetto che si trova nella Scuola di S. Giorgio degli Schiavoni. Pure a d. del coro si apre un andito da cui si può salire al convento: *monumento di Domenico Michiel*, doge dal 1118 al 1129, scultura di G.B. Paliari (1644) su disegno di Baldassare Longhena; *lastra tombale di Bonincontro de' Boateri* (m. 1381) di scuola dei Dalle Masegne. Nell'attigua cappella dei Morti (coro notturno), *Deposizione* di Jacopo Tintoretto (1592-94). A sin. del coro è la SAGRESTIA: *S. Giorgio che uccide il drago* di Domenico Tintoretto; *Presentazione di Maria* di Palma il Giovane; *S. Marco* e *S. Giorgio*, statue di arte lombardesca del sec. XVI; dossali lignei del sec. XVII. Nel corridoio per tornare in chiesa, *monumento di Pietro Civran*, del sec. XIV, sovrastato da edicola con *Cristo risorto* di Baldassare Longhena (1638).

All'altare a sin. del presbiterio, *Cristo risorto*, con i ritratti di Vincenzo Morosini e suoi famigliari, opera di Jacopo Tintoretto ultimata dal figlio Domenico (1583-85); sopra la porta laterale, *monumento del procuratore Vincenzo Morosini* (m. 1588), col busto del defunto di Alessandro Vittoria (firmato). Al grande altare in fondo al braccio sin. del transetto, *Martirio di S. Stefano e la SS. Trinità*, lavoro di collaborazione di Jacopo e Domenico Tintoretto ma quasi tutto di quest'ultimo; ai lati, 2 *candelabri* di arte bizantino-romanica del sec. XIII. Nella NAVATA SINISTRA: al 3° altare, *S. Giorgio che uccide il drago*, pala di Matteo Ponzone (1ª metà sec. XVII); al 2°, «*Auxilium Christianorum*» (la Madonna col Bambino incoronata da 2 angeli invocata nella battaglia di Lepanto), gruppo marmoreo di Girolamo Campagna (1595); al 1° altare, *S. Lucia condotta al martirio* di Leandro Bassano (firmata 1596). Sulla parete di fondo, *monumento di Marcantonio Memmo* di Giulio del Moro.

A lato della chiesa e per tutta la sua lunghezza si stende il grandioso *Monastero, fondato dai Benedettini nel sec. x e ricostruito dopo il terremoto del 1223. Deve l'attuale struttura alla lunga e complessa ricostruzione iniziata, per il Dormitorio, nel 1494 ad opera di Giovanni Buora e proseguita, dopo la sua morte (1513), sotto la direzione del figlio Andrea, che realizzò il contiguo chiostro (1516-40). Nel frattempo (agli inizi del '500 secondo alcuni, intorno al 1522 secondo altri) fu predisposto il progetto di massima per l'intero complesso i cui lavori, iniziati nel 1540 per il Refettorio, procedettero con grande lentezza. Tra 1560 e 1580, essendo proto alle fabbriche Andrea Palladio, venne ultimato lo stesso Refettorio (1561) e avviata la costruzione dell'altro chiostro (1579), mentre solo nel '600, sotto la direzione di Baldassare Longhena, il complesso fu condotto a compimento con la realizzazione della Biblioteca (1641-53) e dello scalone (1643-44), l'ampliamento dell'edificio del Noviziato (1657) e la costruzione della Foresteria piccola (1680). Nel 1951 il monumentale complesso, notevolmente degradato a causa delle improprie destinazioni seguite alla soppressione napoleonica, fu ceduto alla Fondazione Giorgio Cini, voluta da Vittorio Cini in memoria del figlio allo scopo di ripristinare la parte monumentale e di insediarvi istituzioni culturali, artistiche e sociali: il radicale restauro, compiuto dalla Soprintendenza ai Monumenti sotto la direzione dell'architetto Ferdinando Forlati, e la completa sistemazione dell'isola, sulla base di un piano generale predisposto dall'architetto Luigi Vietti, ne hanno fatto un centro vivo e funzionale, ricondotto all'originaria dignità.

Oltre che da un piccolo nucleo monastico (cui è affidata la chiesa), che svolge attività di studio nel campo della liturgia e della musica prepolifonica e cura un laboratorio di restauro di codici antichi, l'intera isola è occupata dalle diverse istituzioni della **Fondazione Giorgio Cini**, articolate in centri autonomi. Il Centro Marinaro ne occupa la parte NE con i suoi edifici scolastici, un cantiere e campi sportivi; il Centro Arti e Mestieri, affidato ai Salesiani, occupa la parte più antica del monastero, con annessi padiglioni e cortili di ricreazione; il Centro di Cultura e Civiltà ha assunto importanza e rinomanza mondiale per i convegni e i congressi che ospita e per gli incontri che promuove, per i corsi internazionali di alta cultura e per le sue varie pubblicazioni. Specialissima attività svolge in quest'ultimo Centro la Scuola di S. Giorgio per lo studio della civiltà veneziana, che si articola negli Istituti di Storia dell'Arte, di Storia della Società e dello Stato, di Lettere, Musica e Teatro e, per ultimo in quello intitolato Venezia e l'Oriente. Il primo istituto vanta, ricchissime, una biblioteca e una fototeca di arte veneta e bizantina; il secondo, una microfilmoteca di documenti riguardanti la storia veneziana esistenti nelle biblioteche e negli archivi italiani e stranieri, e il terzo, che raccoglie le migliori testimonianze della civiltà veneziana nei campi di sua pertinenza, promuove anche l'esecuzione e la registrazione di opere teatrali e di musiche, e vanta, tra le sue raccolte, la Biblioteca Rolandi, che conta circa 40 mila libretti d'opere. Il complesso degli Istituti si giova di una Biblioteca di oltre 150 mila volumi, che comprende varie centinaia di incunaboli, di cinquecentine e di incisioni in prevalenza del Settecento; oltre a una collezione di preziosi fogli miniati, che vanno dal sec. XII al XIV, il Centro conserva oltre 10 mila disegni antichi, in buona parte del sec. XVIII.

Dal campo-sagrato si accede direttamente (per la visita completa dell'isola occorre in precedenza ottenere l'autorizzazione dalla direzione della Fondazione) al *CHIOSTRO PALLADIANO (già dei Cipressi), iniziato nel 1579 su disegno di Andrea forse parzialmente alterato nel corso dei lavori, durati a lungo e non ancora ultimati nel 1646; le quattro ali sono a portico, con arcate sorrette da colonne binate, sopra il quale si infittiscono finestre alternativamente coronate a timpano e ad arco. Tenendo a sin., tra questo e il successivo chiostro si apre a d. il monumentale ingresso del REFETTORIO (o Cenacolo), grande vano rettangolare allungato nel giardino, iniziato nel 1540 e ultimato (o praticamente ricostruito) solo nel 1561, in seguito al sostanziale intervento di Palladio che vi modellò uno spazio interno eccezionale in tre ambienti; all'ingresso a pianta quadrata e porta gigante seguono un secondo breve vano, caratterizzato da due monumentali lavelli in marmo rosa entro edicole corinzie (tipico esempio di arredo architettonico palladiano), e quindi il grande salone, con volta a botte impostata su una cornice interrotta in corrispondenza delle lunette termali (ora murate), aperte da Palladio sopra le preesistenti finestre. Sulla parete di fondo, in luogo della celebre tela con le Nozze di Cana appositamente dipinta da Paolo Veronese (asportata dai Francesi nel 1797, è conservata al Museo del Louvre), si trova lo *Sposalizio della Vergine* di Jacopo Tintoretto e aiuti. Il seguente CHIOSTRO DEI CIPRESSI (dai quattro postivi dopo il restauro, e precedentemente conosciuto come chiostro degli Allori), già ideato da Giovanni Buora, fu costruito tra il 1516 e il 1540 da suo figlio Andrea; sopra il semplice porticato ad arcate e colonne, l'ala di fronte si apre in finestre quadre appaiate (corrispondono alle celle del Dormitorio), le ali laterali in belle bifore distanziate, mentre l'ultima reca le grandi monofore della Biblioteca longheniana. Nell'ala addossata alla chiesa si apre il portale della SALA CAPITOLARE, elegante ambiente di fattura rinascimentale (1533).

Tre arcate che si aprono nel primo tratto del chiostro Palladiano immettono nel grandioso vano, ampiamente finestrato, dello *SCALONE a due rampe simmetriche, opera di Baldassare Longhena (1643-44). Nelle nicchie, *Venezia, Prudenza* e *Giustizia*, statue marmoree di G.B. Paliari (1645); nella volta, *Visione di Giacobbe* di Valentin Lefebvre. Al piano superiore, affacciata sul lato ovest, si trova la FORESTERIA PICCOLA (o degli Abati), sistemata da Baldassare Longhena intorno al 1680 (ora sede della Presidenza e delle manifestazioni temporanee della Fondazione, accoglie dipinti di varia provenienza, v. sotto). Proseguendo oltre le logge, nel corpo di fabbrica tra il 1° e il 2° chiostro è il maestoso salone della BIBLIOTECA, dovuta al Longhena (1641-53); le imponenti librerie in legno furono eseguite, entro il 1671, dall'intagliatore tedesco Franz Pauc su disegno dello stesso Longhena; la decorazione pittorica, costituita da 5 tele e dai due lunettoni alle testate della sala, fu realizzata entro il 1671 da Giovanni Coli e Filippo Gherardi (il tema del ciclo è l'Origine dell'ispirazione, suggerito dai «Pensieri morali» di padre M. Valle); i 2 *globi*, terrestre e celeste, opera di Vincenzo Coronelli, provengono dal Seminario Patriarcale. La Biblioteca accoglie c. 100 000 volumi di storia dell'arte, con un vasto fondo su quella veneziana (giorni e orario di apertura, pag. 136).

L'ala orientale del 2° chiostro è interamente occupata dal DORMITORIO (detto «manica lunga» e sviluppato per 128 metri), iniziato nel 1494 da Giovanni Buora e ultimato nel 1533; aperto con una trifora a nord, sul canale di S. Marco, l'irripetibile spazio è ritmato dalle porte incorniciate in pietra e dalla luce che penetra da finestre quadre ritagliate nella nitida volta a botte (le celle, distrutte nell'Ottocento, sono state parzialmente ripristinate).

Nelle varie sale di rappresentanza e di riunione della Fondazione sono esposte numerose opere d'arte: nella sala del Consiglio Generale, un'*Adorazione dei Magi* di Domenico Tintoretto e 4 *angeli con strumenti della Passione* di Carletto Caliari; in quella della Presidenza, *Cristo e l'adultera* di Bonifacio de' Pitati; nell'ufficio della Vicepresidenza, i *Profeti Ezechiele* e *Isaia* di Paolo Veronese; nella sala Carnelutti, 2 grandissime tele con la **Moltiplicazione dei pani* di G.B. Pittoni e *Mosè che fa sgorgare le acque* di Sebastiano Ricci, e 6 coppie di *Santi* del de' Pitati. In altri ambienti: *Annunciazione* attribuita al Garofalo; *Risurrezione di Lazzaro* del Salviati; statue lignee dei secc. XIII e XIV (tra cui una *Madonna* attribuita ad Arnolfo di Cambio); pitture di scuola veneta e cassoni intagliati di epoca rinascimentale.

All'esterno dei chiostri, nel lato sud dell'isola, si trova l'edificio del Noviziato, ristrutturazione moderna di una preesistente costruzione ampliata già dal Longhena, che accoglie una sala di conferenze con antichi arazzi e, al piano superiore, la sala Respighi, contenente l'arredo completo dello studio del compositore Ottorino Respighi (m. 1936). Più oltre si stende fino alla Laguna il vasto parco dove è sistemato il *teatro Verde*, realizzato dopo il 1951 da Luigi Vietti e Angelo Scattolin sullo schema del teatro classico all'aperto, con gradonate semicircolari intorno a una cavea esagonale.

Esternamente al complesso conventuale, il lato nord dell'isola, rivolto verso S. Marco e la riva degli Schiavoni, è definito in tutta la sua lunghezza dall'ottocentesco bacino racchiuso tra la fondamenta, che reca alle estremità due piattaforme esagonali, e la bassa banchina finita dalle due torrette in pietra d'Istria: le opere, realizzate a partire dal 1813 da Giuseppe Mezzani (con l'assistenza tecnica di Romeo Venturelli), riprendendo la tipologia del 'faro fortificato', si evidenziano come parte dell'arredo e della definizione scenografica del Bacino di S. Marco. Sulla fondamenta si allineano le facciate, a bugnato rustico, dei bassi edifici costruiti dallo stesso Mezzani con funzione di magazzini e dogane; nel mezzo spicca la cinquecentesca facciata del Dormitorio (v. sopra), coronata da tre lunettoni in pietra e ornata da rilievo con *S. Giorgio a cavallo* dei fratelli G.B. e Lorenzo Bregno (1508). Dalla fondamenta si accede alle aree interne (sulle quali affaccia il lunghissimo lato est del Dormitorio), ove si trovano attrezzature sportive e gli edifici scolastici del Centro Marinaro.

SALITA AL CAMPANILE. Alto 75 metri, fu eretto dal bolognese Benedetto Buratti nel 1791 in sostituzione della torre campanaria quattrocentesca crollata nel 1773; dalle calibrate proporzioni, presenta una canna quadrata in laterizi, su cui si imposta l'alta cella campanaria in pietra d'Istria sormontata da un corpo cilindrico che sorregge la cuspide conica con angelo rotante. Un ascensore porta alla cella campanaria (ma si può salire anche per una comoda rampa in legno), dalla quale, per alcuni gradini, si raggiunge la terrazza, donde si gode il più completo **panorama** di Venezia. Sotto si estende il lato più sontuoso del Bacino di S. Marco, tra il Palazzo Ducale e l'ingresso del Canal Grande, e tutta la città, con le sue centinaia di campanili, di cupole e di monumenti. All'orizzonte di N e NO, le Alpi; verso O, gli Euganei; a S, la Laguna; ad E, le isole del Lido.

Muovendo da S verso d. si vede, sotto, il canale della Grazia e la falce della Giudecca, con le sue chiese e, all'estremità, il grande Mulino Stucky. Al di qua del canale della Giudecca, la punta della Dogana, il Seminario Patriarcale, la Salute e, un poco a sin., i Gesuati; dietro la Salute, i due campanili dell'Angelo Raffaele. Quindi l'imbocco di Canal Grande, il palazzo Corner della Ca' Granda e, dietro, il campanile di S. Vidal accanto all'emergente palazzo Pisani; un poco più a d., il campanile di S. Samuele e, subito a d., il palazzo Foscari sul Canal Grande. Segue a d. il campanile di S. Stefano; più lontano, quello di S. Pantalon; quindi la massa dei Frari con l'alto campanile, alla cui sin., la Scuola di S. Rocco, dietro la quale il campanile dei Tolentini. Nella direzione dei Frari, ma più vicino, La Fenice e il campanile di S. Moisè. Spicca lontano la verde cupola di S. Simeon Piccolo, alla cui d., la linea obliqua del ponte della ferrovia.

Centro del panorama, in primo piano, i Giardinetti, la Zecca, la Libreria Sansoviniana, le colonne della Piazzetta, il campanile di S. Marco, la torre dell'Orologio e il fianco di S. Marco, il Palazzo Ducale. Dietro a quest'insieme di monumenti, una folla di campanili, tra cui spiccano quelli di S. Salvatore, dei Ss. Apostoli, della Madonna dell'Orto, dei Gesuiti. Quindi, in primo piano le Prigioni e l'albergo Danieli, dietro il quale, il bizzarro campanile di S. Maria Formosa. Poi la mole bellissima di S. Zanipolo, con la cupola e le absidi, e, un poco a sin., la parte alta della Scuola Grande di S. Marco. Più dappresso, S. Zaccaria, il ponte della Pietà, la cupola e il campanile di S. Giorgio dei Greci. Dietro, i cipressi di S. Michele e Murano; all'orizzonte, Mazzorbo, Torcello, Burano, San Francesco del Deserto. Vicino, più a d. la Pietà e, d'infilata, il rio di S. Antonin; lontano, S. Francesco della Vigna con l'altissimo campanile, quindi il vastissimo complesso dell'Arsenale e, successivamente, S. Pietro di Castello; in primo piano, il ponte della Veneta Marina, il rio terrà Garibaldi, i Giardini Pubblici e l'isola di Sant'Elena col Parco della Rimembranza; in distanza, il Lido, San Servolo, San Lazzaro degli Armeni, San Clemente, La Grazia.

8 La Laguna e la terraferma

Laguna e terraferma sono i due elementi che compongono assieme il territorio di Venezia eppure, a chi visita la città, essi appaiono come due entità del tutto distinte, quasi due mondi inconciliabili per le differenze che esistono nella conformazione geografica, nei paesaggi, negli insediamenti e nei modi di vita.

La Laguna si estende da N a S, dalla foce del Sile (ex Piave) a quella del Brenta, per una lunghezza di circa 52 km, e da E a O, tra il mare Adriatico e la gronda di terraferma, con una larghezza che varia da 8 a 14 chilometri. Essa è separata dal mare da una serie di cordoni litoranei costituiti dalla penisola del Cavallino, dalle isole del Lido e di Pellestrina e dal lido di Chioggia, tra i quali si aprono rispettivamente le bocche di porto di Lido, Malamocco e Chioggia formando i tre bacini nei quali si ripartisce l'invaso lagunare. Circa la metà della superficie, che è di quasi 550 km², è normalmente ricoperta dalle acque dei canali o delle paludi (specchi d'acqua poco profondi, i cui fondali – le «velme» – talvolta emergono nei momenti di bassa marea) ed è vivificata dal flusso («sevente») e dal riflusso («dosana») delle acque marine; l'altra metà è invece costituita da terre emerse, isole coltivate o urbanizzate, da barene (lingue o fasce di terra emerse in parte sommerse dall'alta marea) e dalle valli da pesca chiuse (parti di Laguna con specchi d'acqua e barene, utilizzate prevalentemente per l'itticoltura), delimitate da arginature fisse e impermeabili e perciò sottratte all'azione della marea. Si tratta perciò di un ambiente «umido», uno dei più vasti e importanti in Italia dal punto di vista naturalistico per la ricchezza della flora e della fauna e la ricchezza dei biotipi ancora presenti malgrado il suo equilibrio ecologico sia stato gravemente compromesso, come vedremo, dalle manomissioni compiute nell'ultimo secolo.

Il paesaggio lagunare è del tutto particolare: le terre emerse e gli specchi d'acqua formano un intreccio solcato dalla trama dei canali che, con una precisa gerarchia, si dirama dalle bocche di porto e, poi, come vasi capillari, si inoltrano sino all'interno dei tre bacini. I canali principali sono quelli che prolungano sino al mare gli antichi corsi fluviali, deviati nel corso dei secoli all'esterno della Laguna e ancora in comunicazione con essa attraverso chiuse, che rappresentavano per le diverse città lagunari altrettante vie di collegamento con l'entroterra e con il mare; su questi ne confluiscono altri, secondari, lungo i quali sono sorti insediamenti minori, e poi altri sempre più minuti, fino ai «ghebi», dai fondali spesso emergenti durante le basse maree, che si addentrano nelle paludi e nelle barene.

È un paesaggio come rarefatto, dominato dagli elementi naturali, che muta aspetto due volte al giorno con il ricambio delle maree; ma è anche un paesaggio fortemente antropizzato che presenta in ogni sua parte numerosi segni della presenza umana: i canali navigabili sono segnalati da file di «bricole» (gruppi di due o più pali legati tra loro e conficcati sul fondo lungo la linea che distingue i fondali profondi del canale da quelli bassi della palude) e da «dame» («bricole» con un palo centrale nettamente più alto degli altri poste all'inizio del canale); le paludi e le valli aperte sono sottilmente segnate dalle geometrie delle reti o, soprattutto lungo i canali vicini alle bocche di porto di Malamocco e di Chioggia, stabilmente marcate dalle fitte intelaiature delle peociere per la miticoltura e dai casoni, costruiti su palafitte, per la lavorazione del pesce e il deposito degli attrezzi; nelle barene, lungo i canali navigabili e vicino alle paludi o alle valli, sono frequenti lunghe teorie di reti appese alle «paline» ad asciugare o semplicemente depositate in attesa della pesca, mentre nei «ghebi» non è raro trovare delle rudimentali cavane (specchi d'acqua coperti con una tettoia per il ricovero delle barche e degli attrezzi), costruite con i materiali più diversi (in passato, soprattutto con canne intrecciate), o le botti scavate nel terreno dai cacciatori, in mezzo al canneto.

Ma la Laguna è anche un territorio ricchissimo di presenze storiche, con una grande varietà di insediamenti insulari che completano la struttura di Venezia o formano insiemi dotati di una propria autonomia e specificità. Torcello, Burano, Murano, Malamocco, Pellestrina e Chioggia, solo per citare i più noti e importanti, sono centri le cui caratteristiche derivano, di volta in volta, dalla loro diversa posizione nel contesto lagunare, dalla conformazione delle terre emerse e dei canali e dalle attività che hanno configurato il tessuto urbano in rapporto al paesaggio circostante, ma che conservano tutti in una certa misura, nella trama continua, ricca di colori o di episodi monumentali, delle fondamenta, delle calli, delle corti e dei campi, un tipo di vita che rivela, ancor più che a Venezia, la continuità di una cultura popolare nata dalla stretta simbiosi dei luoghi con l'ambiente acqueo.

Numerosi sono gli insediamenti legati all'uso degli specchi d'acqua o delle isole a scopi produttivi: dai casoni delle valli chiuse che si estendono lungo le gronde nella parte settentrionale e in quella sud-occidentale, ai nuclei rurali di Lio Piccolo, Le Vignole, Sant'Erasmo, Mazzorbo, Torcello, nella Laguna nord, ancora immersi negli orti e nei campi che si stendono a contatto con la palude o la barena. Altrettanto frequenti sono, lungo i canali principali e nei dintorni degli insediamenti urbani, le isole minori, ora per lo più abbandonate ma che ancora in alcuni casi, come a San Francesco del Deserto o a San Lazzaro degli Armeni, ospitano le comunità conventuali che le hanno abitate per secoli o accolgono funzioni particolari, come il cimitero di Venezia a San Michele. Disposti lungo i canali che collegavano, o collegano tuttora, la terraferma al mare, e lungo i litorali, troviamo infine gli altri centri urbani, più importanti: Burano e Murano, nella Laguna nord; il nucleo di S. Nicolò e il centro di Malamocco, sull'isola del Lido, quasi saldati ormai dall'urbanizzazione che, nel corso di questo secolo, ha seguito lo sfruttamento turistico della spiaggia; i quartieri di Pellestrina e il centro insulare di Chioggia, collegato anch'esso, come Venezia, alla terraferma da un ponte stradale, nella Laguna meridionale.

Se la Laguna è un'entità chiaramente conterminata, con paesaggi e insediamenti ancora strutturati dagli elementi naturali e dalle preesistenze storiche, risulta più difficile invece delimitare geograficamente la terraferma veneziana e distinguerne oggi i caratteri storici più specifici.

Ai nostri fini abbiamo considerato, al di là dei limiti amministrativi comunali o provinciali, quella parte di territorio che circonda la gronda lagunare nella quale è ancora prevalente l'impronta storica di una organizzazione del paesaggio e degli insediamenti configurata dalle opere di regolazione e deviazione dei corsi fluviali e dalle grandi arterie di collegamento tra Venezia e l'entroterra: in primo luogo la riviera del Brenta, lungo il fiume che collega la Laguna al territorio padovano, e il Terraglio, la strada che da Mestre, posta a cerniera tra Laguna e terraferma, va a Treviso. Questa definizione è ovviamente incompleta poiché esclude una larga parte della terraferma dove pure i legami storici e funzionali con la Laguna e con Venezia sono molto stretti, ma è comunque sufficiente a includere i centri e i luoghi più significativi per il loro interesse storico-ambientale e per il loro ruolo economico e funzionale rispetto all'intero territorio veneziano.

Se la Laguna viene percepita come l'ambiente naturale e storico che circonda la città, la terraferma nel suo insieme appare al visitatore come un'area prevalentemente urbanizzata, senza particolari interessi storici o artistici, una sorta di periferia di Venezia nata a fianco di Porto Marghera che, sul bordo della Laguna, oppone l'immagine tecnologica dei suoi impianti al profilo della città storica. Questa vasta area urbana, senza forma né qualità, è dilagata a macchia d'olio attorno a Mestre lungo le strade che, a raggiera, si dirigono verso l'entroterra e si affaccia, per alcuni tratti, anche sul bordo lagunare. Essa ha cancellato in gran parte i caratteri di un paesaggio nato dai corsi d'acqua e dalle bonifiche, ricco, come quello lagunare, di testimonianze storiche e di valori ambientali, tanto che è difficile cogliere, oggi, gli elementi costitutivi di un sistema territoriale che, nel passato, completava e integrava quello della Laguna.

Permangono, a testimonianza di questo passato, le numerosissime ville nate dalla riorganizzazione agraria e dalla valorizzazione della terraferma operata dall'aristocrazia veneziana, che si affacciano soprattutto lungo il Brenta e sul Terraglio; sono ancora individuabili i caratteri storici del centro di Mestre, antico caposaldo difensivo e poi nodo delle relazioni tra Laguna ed entroterra, e quelli di altri centri minori, come Mira e Dolo, sorti anch'essi lungo il Brenta attorno ai mulini e alle chiuse che regolavano il corso della acque e il traffico fluviale. Queste preesistenze svolgono ancora, come nel caso del centro storico di Mestre, un ruolo importante nella vita e nella struttura della città di terraferma, ma ne sono certamente una parte secondaria e alquanto ristretta, per di più deturpata nei suoi caratteri più direttamente legati ai fiumi e al paesaggio rurale e congestionata dal traffico automobilistico.

La città di terraferma ha il suo centro nell'area urbana che si estende fra la porta dell'antico castello di Mestre e l'ormai scomparso porto del canal Salso, sul lato settentrionale, fino all'asse costituito dalla ferrovia e dalle strade che conducono al ponte translagunare, sul lato meridionale; al di là si estendono il quartiere di Marghera e la zona industriale. Sono questi i poli della parte più dinamica, dal punto di vista economico e sociale, e più popolosa del territorio veneziano: nel secondo dopoguerra, infatti, Mestre è divenuto un ragguardevole centro commerciale e direzionale, oltre che industriale; un centro urbano tra i più importanti della regione, che è cresciuto assorbendo la popolazione e le attività che hanno lasciato Venezia e gli altri centri lagunari alla ricerca di abitazioni più confortevoli e meno costose, di maggiori opportunità di lavoro e di reddito e di più facili collegamenti con l'entroterra.

Gli itinerari attraverso la Laguna e la terraferma offrono perciò numerosi e diversi motivi d'interesse, legati in entrambi i casi alla complessa vicenda storica di Venezia e del suo territorio, dalle origini ai nostri giorni: innanzitutto nelle numerosissime testimonianze d'arte e di cultura materiale che, nel corso di questa vicenda, hanno dato vita a un patrimonio ricchissimo e diffuso nelle isole della Laguna come nella terraferma.

Basti ricordare gli scavi della città romana di Altino o i reperti archeologici presenti in molte località lagunari, documenti di una civiltà urbana che ha preceduto la nascita stessa di Venezia; il complesso della Cattedrale e di S. Fosca a Torcello, miracolosamente sopravvissuto alla scomparsa di una città già prospera quando Venezia era ancora in formazione e che assieme ai Ss. Maria e Donato di Murano rappresenta, con i suoi mosaici e i suoi spazi, uno dei momenti più importanti dell'arte veneto-bizantina; la chiesa di S. Michele, opera di Mauro Codussi, capolavoro del Rinascimento veneziano, unico pervenutoci tra quelli che arricchivano le isole-convento; il forte di S. Andrea, capolavoro di architettura militare, opera di Sanmicheli, a guardia della bocca di porto di Lido; la villa alla Malcontenta di Andrea Palladio o la villa Pisani di Stra, entrambe emblematiche della presa di possesso e dell'impronta veneziana sull'organizzazione del territorio di terraferma; i murazzi di Pellestrina, imponente opera di difesa a mare, ultima di una lunga serie di interventi operati dalla Repubblica per assicurare la salvaguardia fisica della città e della Laguna; e molte altre opere ancora come i palazzi e le chiese, forse meno famosi ma certamente significativi, di Murano e di Chioggia, l'edilizia domestica minore di Burano e di Pellestrina, oppure l'architettura liberty delle ville e dei grandi alberghi del Lido, o quella industriale degli impianti di Marghera, entrambe espressioni di una città che, perduta la sua egemonia politica, economica e culturale, cerca nuove occasioni di sviluppo e assorbe nuovi modelli provenienti dall'esterno.

Oltre a questi, vanno ricordati anche i numerosi capolavori di arte figurativa, residui anch'essi di un patrimonio dilapidato e disperso dopo la caduta della Repubblica: i dipinti trecenteschi dei Ss. Maria e Donato, le opere di Giovanni Bellini, Tintoretto e Paolo Veronese in S. Pietro Martire, o gli oggetti esposti al Museo Vetrario di Murano, e molti altri ancora nelle chiese di Chioggia, Burano e Murano o nelle ville della terraferma.

E tuttavia, nonostante la ricchezza di questo patrimonio, i motivi di interesse storico principali e più specifici si trovano forse negli elementi che compongono il paesaggio. E ciò non solo perché il corso dei fiumi, le arginature, le chiuse, le paludi e le terre emerse, i bordi delle isole, i canali e tutti i diversi dispositivi per regolare le acque, proteggere i suoli o difendere gli abitati valgono a configurare gli insediamenti quanto le strade, le case, le piazze o i monumenti, ma soprattutto perché, nel territorio veneziano più che altrove, la storia del paesaggio si intreccia con la storia dell'insediamento umano e dei centri abitati spiegandone l'evoluzione e le caratteristiche. Laguna e terraferma infatti sono entrambe, nella loro stessa conformazione geografica, il risultato di un lungo processo di adattamento e di trasformazione dell'ambiente naturale che ha permesso la nascita e lo sviluppo di una straordinaria civiltà urbana in un contesto del tutto particolare: un intreccio mutevole di acque dolci e saline, di paludi e di terre emerse, plasmato dall'azione contrapposta dei fiumi e del mare.

Le origini di questa civiltà sono, per molti aspetti, ancora controverse e la stessa formazione di una trama di insediamenti urbani nel territorio lagunare è tuttora più motivo di ipotesi che di certezze. Appare certa comunque la presenza di insediamenti sin dall'epoca romana: l'arco delle regioni adriatiche era infatti largamente colonizzato, con alcune città poste lungo i fiumi collegate tra loro dalle vie Popilia, Annia e Postumia parallele alle coste. Queste città, che sorgevano sul continente, avevano come corrispettivo alle foci dei fiumi, sul fronte-mare, delle piccole città-porto: così Aquileia con Grado, Concordia con Reatinus, Oderzo con l'attuale Càorle. La stessa struttura si riproduceva, con tutta probabilità, anche nell'attuale territorio veneziano: Altino comunicava con il mare lungo il Sile, attraverso Torcello, Burano e il porto di Sant'Erasmo; Padova era collegata al porto di Malamocco, non molto distante da quello attuale, dai rami del «Medoacus» (Brenta); Este aveva accesso al mare attraverso l'Adige e la fossa Clodia dove oggi sorge Chioggia.

I centri o i semplici presidî portuali, alle foci dei fiumi, acquistano importanza dopo la fine dell'Impero Romano d'Occidente, a partire dal V secolo, con le invasioni degli Unni e degli Ostrogoti, divenendo rifugio degli abitanti dell'entroterra e teste di ponte dell'Impero Romano d'Oriente per la riconquista, da parte delle truppe di Bisanzio, dei territori di terraferma. Ma è solo durante il regno dei Longobardi (568-774) che, nel territorio lagunare, comincia a delinearsi una trama di insediamenti urbani quando, dalle città occupate dell'entroterra (Aquileia nel 568, Padova nel 602, Altino nel 639, Oderzo nel 640), si trasferiscono stabilmente nelle isole e nei villaggi portuali le istituzioni religiose e civili e, con esse, le popolazioni: il vescovo di Altino sposta la sua sede a Torcello e un 'duca', nominato dall'esarca di Ravenna o forse scelto dalle popolazioni locali, si insedia a Cittanova (Eraclea), prima capitale del nascente stato lagunare.

I centri abitati vengono trasformati, con tutta probabilità, in «castra» e diventano i capisaldi della futura struttura urbana: uno di questi fu Torcello, il cui nome stesso allude alle torri di una cinta muraria. Questo processo continua quando i Longobardi conquistano Ravenna e la capitale del ducato viene trasferita a Malamocco (742), meglio difendibile dalla flotta bizantina; successivamente, a seguito della guerra contro i Franchi che riduce l'area di influenza di Bisanzio al solo arco costiero tra Grado e Cavàrzere, minacciando Malamocco e gli altri centri costieri, la sede del ducato viene definitivamente stabilita a Rialto (810), una delle molte isole, forse un «castrum» al centro dell'area lagunare.

Poco si sa su questi primi insediamenti e sulla configurazione stessa del territorio nei secoli che videro la formazione di Venezia e delle altre città insulari. Per certo, l'attuale Laguna era conformata da un sistema deltizio che sfociava in mare con numerosi rami fluviali. L'estensione delle terre emerse era sicuramente di molto superiore a quella attuale e la distinzione tra invaso lagunare e terraferma alquanto incerta: un territorio dai confini indefiniti e mutevole d'aspetto per il gioco delle maree, che potevano impedire o consentire il passaggio lungo il litorale, come risulta dalle cronache antiche.

La Laguna di Venezia era parte di un sistema di estuari molto più vasto che si estendeva, senza soluzioni di continuità, da Grado a Ravenna. Secondo alcuni, già in epoca romana essa aveva un'estensione analoga a quella attuale: delimitata verso il mare da cordoni dunari formati dall'apporto di sabbie dei fiumi, essa era già caratterizzata da una sostanziale continuità degli specchi acquei e da poche terre emerse, la cui conformazione veniva condizionata dagli accumuli di terre e di fanghi e dai fenomeni di erosione provocati dai fiumi.

Secondo altri, invece, la sua formazione sarebbe molto più recente. Gli scavi archeologici condotti negli ultimi venti anni e i rilevamenti resi possibili dai recenti sviluppi dell'aerofotogrammetria e del telerilevamento permetterebbero di avanzare l'ipotesi secondo la quale l'attuale area lagunare sarebbe stata, in epoca romana, un territorio completamente emerso e colonizzato; gli specchi d'acqua descritti dagli storici in età imperiale, non sarebbero stati che laghi di acqua dolce o stagni salmastri formati dall'esondazione delle acque da alvei fluviali non arginati o sufficientemente protetti. Il fenomeno permanente della subsidenza dei suoli e alcune trasgressioni marine, dal V al XII secolo, avrebbero via via esteso la superficie dei laghi e degli stagni sino a formare una Laguna continua, isolando le parti più elevate del territorio condizionate, peraltro, dagli alvei fluviali e dagli apporti di terra e di fango dei fiumi stessi. La trama dell'insediamento romano (le «limitationes» e le «terminationes»), secondo questa ipotesi, sarebbero ancora riconoscibili nell'insediamento lagunare e veneziano: per esempio, nella localizzazione dei più antichi monasteri, in gran parte scomparsi, o nel tracciato rettilineo di alcuni canali, dovuto alla persistenza di margini e arginature.

Incerte sono anche le notizie sulla *consistenza* e sui *caratteri* di questi centri abitati. Nel 1961 scavi archeologici hanno dimostrato l'esistenza, a Torcello, di un centro già abbastanza organizzato, con un forno per la produzione del vetro (il primo di cui si abbia testimonianza nel territorio lagunare) risalente al V-VI secolo. Nello stesso VI sec., Cassiodoro descrive un territorio dove le abitazioni sono costruite su terrapieni recintati da barriere di giunco a cui sono legate le barche, e nel quale gli abitanti sono dediti alla pesca e alle saline. Altre cronache più tarde parlano di traffici marittimi sulle coste dell'Adriatico (ferro, legna, schiavi) e probabilmente, data la natura dei luoghi, l'agibilità dei porti era assicurata da una classe locale di battellieri e di mercanti. Nell'823 il patto concluso tra il dogado e l'imperatore Lotario, su questioni di confine, fa riferimento appunto ai traffici fluviali fra l'entroterra e i porti lagunari, menzionando numerosi centri – tra questi: Rialto e Olivolo (nuclei iniziali della futura Venezia), Murano, Malamocco, Albiola (forse corrispondente all'attuale San Pietro in Volta), Chioggia, Torcello, Ammiana (città scomparsa, vicina a Torcello), Burano, Cittanova ed Equilio (anch'esse scomparse, situate nei pressi dell'attuale Jèsolo) – che formavano un sistema esteso per circa 100 km e profondo 13 lungo il litorale, in grado di controllare la foce di tutti i corsi fluviali dall'Adige sino all'Isonzo.

Lo stato lagunare era in realtà una confederazione di centri insulari, particolarmente numerosi nell'attuale bacino settentrionale, e alcuni di questi erano già importanti quando Venezia era ancora in formazione, come Torcello, definito un «grande emporio» dalle cronache del X secolo. Numerosi erano pure i conventi, specie quelli benedettini, che ebbero un ruolo importante sin dall'inizio nell'organizzazione del territorio lagunare e che si erano insediati soprattutto nelle isole minori o lungo i litorali.

Attorno al Mille la Laguna è già un'ambiente fortemente antropizzato, ricco di centri che si sviluppano godendo di favorevoli condizioni insediative: se gli specchi d'acqua costituiscono un sicuro dispositivo naturale di difesa, i fiumi e le bocche di porto offrono l'infrastruttura necessaria per avviare il commercio a lunga distanza, che sarà la prima e principale fonte di prosperità e di supremazia politica di Venezia, allacciando vie di comunicazione verso l'entroterra senz'altro più vantaggiose di quelle terrestri.

A una Laguna urbanizzata fa riscontro una terraferma scarsamente popolata ed essenzialmente agricola. Scomparsa l'antica città di Altino e cadute in disuso le strade romane, i traffici rimanevano legati alla navigabilità dei fiumi e all'accesso al mare. Le zone coltivate erano ristrette alle propaggini orientali della centuriazione romana, comprendente gli attuali centri di Mirano, Martellago e Mogliano, e la struttura insediativa era senza dubbio molto rada: tranne qualche piccola borgata e fortificazione, essa presentava un'unica città, Mestre, che i Trevigiani andavano trasformando in caposaldo militare con una cerchia di mura. L'incerto confine tra Laguna e terraferma era poi causa di conflitti e di contese tra Venezia, Padova e Treviso, soprattutto perché era in gioco il controllo dei corsi fluviali e l'accesso, attraverso questi, al mare.

Ma fiumi e bocche di porto, oltre ad essere fattori essenziali della prosperità economica e dello sviluppo urbanistico dei diversi centri insulari, lo erano anche per la loro stessa sopravvivenza poiché da essi dipendeva strettamente la conformazione delle terre emerse, l'agibilità delle vie di comunicazione e, più in generale, la permanenza di condizioni favorevoli all'insediamento umano nell'ambiente lagunare. Questo era possibile solo a condizione di proteggere i bordi delle terre emerse, le rive degli abitati o le arginature delle saline dall'azione erosiva delle correnti e di assicurare la navigabilità dei canali e delle bocche di porto evitando l'accumulo di sabbie e di terra portate dai fiumi; ma richiedeva anche il mantenimento di un giusto equilibrio tra acque dolci e acque salse per assicurare la salubrità dell'ambiente, impedendo la formazione di acque stagnanti e di canneti dannosi per gli abitati perché favorevoli alla diffusione della malaria.

Tutto ciò richiedeva un'opera continua di controllo degli elementi costitutivi dell'ambiente naturale, che veniva progressivamente modificato con arginature, palificazioni, scavi e riporti. Quando questa opera veniva a cessare, come accadde ad esempio per Equilio, Eraclea e Lio Maggiore nella Laguna settentrionale, in declino dopo il trasferimento della capitale a Malamocco e abbandonate nel IX sec. dopo la guerra contro i Franchi, i centri abitati erano destinati a scomparire lentamente, sgretolati dalle correnti e dilapidati come depositi di materiali da costruzione, affondando per effetto dei riporti fluviali e della subsidenza del terreno. Lo stesso destino toccò in epoca più tarda a molti altri insediamenti, città e conventi, abbandonati perché le condizioni dell'ambiente erano divenute insalubri, a causa di un mancato e insufficiente controllo dell'azione dei fiumi e, più in generale, delle continue modificazioni ambientali.

Questo controllo divenne sempre più assiduo e capillare, dando luogo a vere e proprie trasformazioni dell'assetto fisico del territorio, quando Venezia assunse un ruolo preminente di potenza economica e politica raggiungendo al tempo stesso una configurazione urbana continua e compiuta. Soprattutto dopo il XIV sec., con l'annessione nello «stato di terra» dei territori dell'entroterra padovano e trevigiano, fu possibile intraprendere un'opera sistematica di protezione della città, deviando il corso dei fiumi nella terraferma, mentre si salvaguardava contemporaneamente la funzione portuale della Laguna modificando le bocche di porto: dall'azione congiunta su questi due elementi nascerà progressivamente l'attuale organizzazione degli insediamenti e del paesaggio nel territorio veneziano.

Particolarmente numerosi e ripetuti nel tempo furono gli interventi sul fiume Brenta, controllato sino al XIV secolo dai Padovani, che sfociava in Laguna davanti a Venezia. Le deviazioni effettuate a monte avevano già provocato impaludamenti sulla gronda lagunare che avevano reso insalubre la zona di S. Ilario, importante abbazia benedettina fortificata durante le guerre contro Padova e in seguito abbandonata. Così, a partire dal 1330 e per tutto il XIV sec., si tentò di arginare la foce con una «intestadura» e un «traversagno» in modo da deviare le acque verso la parte meridionale della Laguna, il più distante possibile dalla città. Successivamente, a partire dalla metà del XV sec., inizia la politica delle diversioni: il Brenta viene deviato più volte verso l'entroterra con tagli e argini che si proponevano di spostare la sua foce sempre più verso sud, sino a quando, all'inizio del XVI, con opere gigantesche per i mezzi tecnici dell'epoca, il suo corso non venne portato all'esterno della Laguna, a sud di Chioggia. In questo stesso periodo viene deviato anche il Marzenego (che pure sfociava in Laguna verso Venezia) verso nord, con la costruzione di un canale, l'Osellino, e la sistemazione della sua foce a porto-canale; il canal Salso (chiamato così perché non riceve più l'acqua dei fiumi), diventa il porto del castello di Mestre, che acquista così il ruolo di relè commerciale tra la Laguna e l'entroterra. Altre opere si resero necessarie per rendere agibili le bocche di porto, soprattutto quelle di Lido e di Malamocco, parzialmente ostruite da scanni formati dai riporti fluviali, che, a partire dal XIV sec., consentivano l'accesso in Laguna solo alle barche di pescaggio ridotto. La situazione del porto di Malamocco migliorò considerevolmente con la chiusura, attorno alla metà del XV sec., del vicino porto di Albiola, nella parte settentrionale del litorale di Pellestrina; la bocca di porto di Lido invece, nonostante i numerosi tentativi fatti per evitarne l'ostruzione, rimarrà scarsamente praticabile sino alla seconda metà del XIX sec., quando verranno realizzate le nuove sistemazioni delle tre bocche di porto attuali.

All'inizio del '500 il territorio veneziano ha già acquisito una nuova configurazione. Le opere realizzate sulle foci del Brenta deli-

mitano abbastanza nettamente l'invaso lagunare rispetto alla
terraferma e, assieme alle opere di diversione di questo fiume e
di altri minori, hanno reso possibile l'avvio di importanti bonifiche del territorio agricolo. La terraferma, del resto, aveva già
subito importanti modificazioni dopo la sua annessione al dogado
poiché era venuta a cadere la necessità di un sistema difensivo
attorno alla Laguna. Se la città era infatti protetta dagli specchi
d'acqua circostanti e dal controllo delle bocche di porto, il territorio di terraferma veniva protetto militarmente da un sistema
difensivo che faceva perno sulle principali città dell'entroterra
quali: Verona, Padova e Treviso. In questo contesto, la città murata di Mestre perdeva ogni importanza strategica e, anzi, si
pose il problema di demolirne completamente le mura per evitare
che queste potessero, un giorno, essere usate da eventuali ag-
gressori per attaccare la Laguna. Ma, soprattutto, le bonifiche
agricole e la nuova condizione di sicurezza e di salubrità del territorio, resero possibile, già a partire dal XV sec., il diffondersi
delle ville, in particolare lungo le principali vie di comunicazione:
il naviglio di Brenta, verso Padova, e il Terraglio, verso Treviso.
Non si trattava certamente di un fenomeno nuovo poiché, in
epoca romana, si ha notizia di numerose ville attorno ad Altino e,
a partire dal XIV sec., uomini di cultura come il Petrarca, ritira-
tosi ad Arquà nei colli Euganei, avevano testimoniato del fascino
esercitato dalla natura sulla nascente cultura umanistica. Le ville
che nascono ora, sulle terre espropriate a compensazione delle
spese sostenute dalla Repubblica nella guerra e per le opere pubbliche e poi vendute alle famiglie dell'aristocrazia veneziana, sorgono molto spesso sui tracciati degli antichi castelli feudali che
venivano via via smantellati.

Nello stesso periodo poteva dirsi già sufficientemente delineata
anche la struttura insediativa all'interno dell'invaso lagunare.
Essa si presenta molto diversa da quella dei secoli precedenti. Le
città più importanti nei primi secoli della formazione di Venezia
sono ora scomparse o ridotte a centri di poca importanza. Dopo
Eraclea ed Equilio era scomparsa Malamocco, abbandonata definitivamente all'inizio del XII sec., probabilmente dopo un maremoto che sconvolse anche la conformazione della bocca di porto e
ricostruita, sul litorale di Lido, a pochi chilometri di distanza. Attorno alla metà del XV sec. erano già scomparse anche Ammiana
e Costanziaca, nella parte settentrionale della Laguna più toccata dall'azione dei fiumi Dese e Sile. Torcello stessa è ridotta
ormai a un piccolo centro, anche se rimane sede vescovile sino
alla metà del XVII sec., abbandonata anch'essa per gli stessi motivi, dopo che lo sviluppo di Venezia ne aveva diminuito l'importanza come centro commerciale.

Ma, al tempo stesso, si definisce la configurazione urbanistica e il ruolo degli altri centri lagunari. Nell'arcipelago torcellano, accanto a Mazzorbo, l'antica «Majurbum», che rimane un centro importante sino alla metà del Cinquecento per le sue ville e i numerosi conventi, si consolida l'abitato di Burano, protetto dalla sua posizione esposta ai venti e alle correnti dai fenomeni di impaludamento che hanno condotto al progressivo sgretolamento i centri vicini. Più prossima a Venezia, Murano non è solo importante come centro dell'arte vetraria, sorta qui dopo l'espulsione delle fornaci dalla capitale nel XIII sec., ma è anche ricercato luogo di villeggiatura della nobiltà colta che vi costruisce palazzi e giardini dove si riuniscono i cenacoli di artisti e letterati. Più a sud, Chioggia, che si andava ricostruendo dopo le distruzioni subite durante la guerra contro i Genovesi alla fine del XIV sec., presenta già una struttura urbana compiuta secondo un disegno accuratamente pianificato.

La trama urbana dei centri abitati presenta già i caratteri che tuttora li contraddistingue. Essa nasce dalla configurazione dei canali e delle terre emerse, ma è anche il risultato di successive modificazioni dovute al consolidamento e alla rettificazione delle rive, all'imbonimento delle paludi e delle barene o all'unificazione di più isolotti a formare delle insule più estese. Tutti i centri nascono lungo i canali principali che collegano l'entroterra alle bocche di porto, spesso sui due lati di canali secondari o di «ghebi» che si dirigono verso le paludi più adatte alla pesca o alle saline. Alcuni di essi, come Murano e Mazzorbo, o la stessa Torcello, si organizzano lungo un 'canal grande' che rappresenta la via acquea principale di attraversamento e di collegamento con gli altri centri; altri, come Burano, che sorge a fianco del Dese, si organizzano lungo una rete di piccoli «ghebi» che si dirigono verso la palude; altri ancora, come Chioggia e Malamocco, sorti su delle penisole, si organizzano lungo la strada che li collega alla terraferma o al litorale e, al tempo stesso, lungo un canale parallelo che li attraversa longitudinalmente dirigendosi verso la Laguna aperta e le bocche di porto. In tutti i casi però il tessuto urbano si sviluppa a partire dalle fondamenta dei canali, che forniscono anche un ricovero sicuro alle imbarcazioni, e penetra poi all'interno delle insule lungo calli perpendicolari alla fondamenta, dando luogo a una struttura la cui forma dipende dall'andamento dei canali e dalla disponibilità di terra emersa. Le abitazioni si addensano perciò lungo le sponde interne dei canali evitando, dove è possibile, di affacciarsi sulla Laguna aperta dove, infatti, i bordi delle insule appaiono spesso imprecisi e non edificati perché soggetti al gioco delle correnti o maggiormente esposti ai venti.
Nei centri insulari la struttura urbana è punteggiata da numerosi conventi che si dispongono prevalentemente all'imbocco dei canali principali, sul fronte-laguna, o nelle zone di margine tra le terre emerse, la palude e la barena, mentre le chiese si affacciano sempre sui canali interni o comunque sui canali di navigazione principali: questo sistema si riproduce in parte anche nei centri peninsulari, dove però le chiese e gli edifici principali si affacciano sulla strada, mantenendo al tempo stesso il contatto con

il canale. La struttura dell'abitato è dunque sempre collegata strettamente all'ambiente acqueo circostante e riflette una struttura economica
che si basa essenzialmente sullo sfruttamento delle risorse naturali, anche
quando questi centri, come Murano e Chioggia, costituiscono importanti
entità politiche e demografiche.

La struttura insediativa era completata dalle isole dei litorali, coperte da campi e orti, e da numerosi insediamenti insulari minori
posti lungo i canali di navigazione principali o lungo i «ghebi»,
ma sempre adiacenti agli specchi d'acqua delle paludi. Queste
isole minori, particolarmente numerose attorno a Venezia, lungo
i canali che portano alle bocche di Lido e di Malamocco o che provengono dalla terraferma costituivano delle vere e proprie 'propaggini' della città. Più vicini a Venezia sono i conventi, più distanti, lungo canali secondari e vicini alle bocche di porto, i lazzaretti; sulle due sponde delle bocche di porto principali, i forti e le
opere di difesa militari. Tra queste ultime, particolarmente imponenti i forti di S. Andrea e di S. Nicolò a controllo della bocca di
porto di Lido, e quello di S. Felice, a guardia della bocca di porto
di Chioggia, la più importante dal punto di vista militare.
Tra questi insediamenti minori particolare rilievo assumono i
monasteri, che svolgono un ruolo importante anche nello sviluppo urbanistico dei centri abitati principali in quanto capisaldi
della loro espansione. Nati per lo più come ospizi per i pellegrini
di Terrasanta, divennero in seguito sede di comunità conventuali, talvolta molto ricche, che fecero di queste isole minori dei
veri e propri centri di elaborazione culturale, ricchi di opere
d'arte e con biblioteche tra le più importanti della città. In alcuni
casi questi conventi erano stati convertiti in lazzaretti per l'e-
spurgo delle merci provenienti dai paesi sospetti di epidemia, in
altri diventavano residenze per gli ospiti illustri della Repubblica;
ma soprattutto, nel loro insieme, oltre a fornire la sede a funzioni
difficilmente collocabili nelle città insulari, contribuivano a fare
dell'intera Laguna un'area urbana ricca di attività.
A loro volta, le grandi opere dell'inizio del XVI sec. segnano
l'avvio di altre importanti modifiche, tanto nell'assetto produttivo che in quello territoriale. Esse coincidono con l'inizio del declino della grande potenza commerciale di Venezia ed esprimono
l'interesse a convertire in rendita i capitali accumulati nei secoli
dell'espansione mercantile, interesse che si manifesta di fronte
alle difficoltà che nascono dall'apertura di nuove rotte commerciali e di nuovi mercati o dall'aumento progressivo dei prezzi
agricoli. Tutto ciò spinge Venezia a una «presa di possesso» diretta dell'entroterra, a una sua ulteriore valorizzazione agricola.
D'altra parte, dopo i primi tagli operati sul corso del Brenta, la
salvaguardia della Laguna e della città restano pur sempre un

obiettivo vitale e presente: tra la metà del XVI sec. e la metà del XVII, vengono compiuti altri interventi che fanno assumere all'invaso lagunare un assetto che rimarrà pressoché invariato sino ai primi decenni del nostro secolo. Dal 1560 al 1610 fu realizzato il «taglio novissimo» del Brenta, che regola definitivamente il corso di questo fiume; nel 1618 viene iniziata la serie dei cosiddetti «tagli Garzoni» (dal nome di un idraulico) per favorire l'espansione della marea nella Laguna morta a ovest di Venezia, nei pressi dell'antica foce del Brenta, mentre nel 1642 si porta a termine il taglio del Sile che viene immesso nell'alveo del Piave, a sua volta deviato in un alveo artificiale più a nord.

L'invaso lagunare viene quasi completamente delimitato, rispetto alla terraferma, da una conterminazione rigida, costituita dagli argini dei canali che deviano i fiumi: su entrambi i lati si espande la proprietà terriera, recintando e privatizzando le barene e le valli da pesca più vicine alla gronda ed estendendo il sistema delle ville di terraferma che, dalla seconda metà del XVI sec. alla fine del XVIII, raggiunge la sua massima compiutezza.

La villa è senza dubbio l'elemento più significativo della nuova struttura territoriale che si forma in terraferma. Essa determina, pur essendone parte integrante, l'organizzazione del nuovo paesaggio agricolo che nasce dalle bonifiche e dalla ristrutturazione fondiaria e produttiva della campagna, ma la sua architettura richiama, per molti aspetti, quella del palazzo di città. La complessa struttura della villa nasce, in effetti, dal suo duplice carattere di residenza e di azienda produttiva e si sviluppa dando luogo a una organizzazione degli edifici e degli spazi che segue una precisa gerarchia funzionale e formale, legata ai caratteri del sito e alla configurazione del nuovo paesaggio di cui essa stessa è l'elemento ordinatore.

Tale struttura è generalmente molto articolata. Il palazzo padronale, fulcro di tutto l'insieme, è affiancato dalle barchesse (edifici comprendenti gli appartamenti degli ospiti, le scuderie, le cantine, i depositi, l'alloggio del castaldo e, in epoca più tarda, l'oratorio), dotate di una loro identità specifica e, spesso, di una dignità architettonica che completa e mette in evidenza quella del palazzo padronale. Emblematica manifestazione della conquista del territorio di terraferma, la villa si trasforma progressivamente in un luogo di villeggiatura, luogo di divertimento o di contemplazione della natura resa artificiale.

Il sistema delle ville è ricco di episodi di grande valore storico-artistico ma, se si escludono alcuni capolavori come la villa Foscari alla Malcontenta o la villa Pisani a Stra, il principale motivo d'interesse risiede nell'alta qualità diffusa dei numerosi complessi architettonici che punteggiano il territorio o che si dispongono

lungo le vie di comunicazione formando, lungo il Brenta e il Terraglio, una quinta costruita ma senza soluzione di continuità con
il paesaggio circostante.

I diversi organismi architettonici si differenziano così più che per le soluzioni distributive, costruttive o stilistiche, per il contesto in cui si collocano. Lungo la riviera del Brenta, ad esempio, le ville si avvicinano il più
possibile alla riva, quasi a imitare i palazzi veneziani, e seguono il corso del
fiume con la loro facciata principale. Talvolta, come nella Pisani a Stra,
tutte le diverse parti della villa si allineano lungo il fiume a formare un
unico, lunghissimo fronte che definisce due unici spazi, nettamente distinti: quello sul Brenta e quello sul parco. In altri casi, sempre lungo il
fiume, le ville si addensano sino a formare, con le case delle borgate vicine,
dei veri e propri insiemi urbani continui. Nelle altre parti della terraferma,
ad esempio lungo il Terraglio, le ville si organizzano indipendentemente
dalla strada e sorgono isolate e distanziate tra loro, organizzandosi piuttosto rispetto alla trama dei campi, delle alberature e dei percorsi che
strutturano il paesaggio artificiale della campagna.

Gli ultimi due secoli della Repubblica non vedono modifiche di
rilievo nell'assetto del territorio lagunare e nel sistema degli insediamenti. Essi vedono tuttavia il susseguirsi di importanti
opere a protezione dell'intero invaso lagunare che si prolungano
sino agli ultimi anni della Repubblica. Nella seconda metà del
Settecento viene infatti costruito l'argine di S. Marco, lungo
l'alveo originario del Piave, e nel 1782 viene terminata la costruzione dei murazzi che, lungo i litorali di Lido, Pellestrina e Sottomarina di Chioggia, formano una imponente barriera tra Laguna
e mare. Con queste opere sembra finalmente raggiunto l'equilibrio definitivo tra le diverse componenti dell'ambiente lagunare,
garantito sin dal 1501 dall'ufficio del Magistrato alle Acque; e a
suggellare l'intangibilità di questo assetto nel 1791 viene conter-
minato il margine tra invaso lagunare, terraferma e litorali, con
una corona di cippi in pietra d'Istria disposta attorno al perimetro protetto della Laguna.
Ma la fine della Repubblica segna l'esordio di altre, più profonde
trasformazioni nel territorio lagunare e di terraferma, tutt'altro
che attente al mantenimento dell'equilibrio ricercato nei secoli
precedenti. I primi decenni del XIX sec., con il breve periodo della
dominazione napoleonica e con l'avvio di quella austriaca, vedono
affermarsi una nuova classe dirigente portatrice di modelli culturali legati ai valori della borghesia nata in Europa con la prima
rivoluzione industriale, modelli che tenderanno a ridurre l'"eccezionalità' della città e del territorio lagunare per assimilarli
quanto più possibile alle caratteristiche di una città e di un territorio 'normale' di terraferma. Nei centri abitati della Laguna
questi modelli si affermeranno con minore intensità rispetto a

Venezia, con la sola eccezione di Murano, dove la trasformazione dell'artigianato del vetro in industria porta notevoli mutamenti nella struttura edilizia del tessuto urbano.

I mutamenti più consistenti avvengono dapprima a seguito dei due decreti napoleonici del 1806 e del 1810 che accorpano prima, e sopprimono poi, gli ordini conventuali. Con pochissime eccezioni, questi decreti portano al progressivo sgretolamento delle isole-convento, che vengono abbandonate per essere successivamente riutilizzate come insediamenti militari (caserme, depositi, polveriere). Gli edifici preesistenti sono dilapidati per riutilizzare altrove i materiali da costruzione (ed è questa una costante in tutti i periodi di grande mutamento nel sistema degli insediamenti lagunari); le opere d'arte vengono disperse, l'integrità fisica delle isole stesse risulta compromessa dalla mancanza di manutenzione. Lo stesso accade, naturalmente, anche nei centri abitati più importanti, dove le strutture religiose erano spesso elementi ordinatori della trama edilizia, che viene ulteriormente intaccata dalle distruzioni o dalle manomissioni ai palazzi abbandonati, come le ville della terraferma, dalla nobiltà in declino. Non si tratta solo di un patrimonio storico di eccezionale valore che va perduto, ma anche, soprattutto nella Laguna, di una trama di attività urbane strettamente collegata agli usi produttivi e, in definitiva, alla tutela dell'ambiente.

Ma le trasformazioni più profonde avvengono durante la dominazione austriaca e nei decenni successivi all'unificazione con l'Italia, e segnano una progressiva inversione dei rapporti tra Laguna ed entroterra. Venezia e gli altri centri lagunari diventano sempre più appendici periferiche di un nuovo sistema politico, economico e sociale che ha i propri centri decisionali altrove, la loro insularità diventa rapidamente condizione di isolamento. Nel XIX sec. lo scopo principale degli interventi che si sono succeduti nella Laguna è quello di adeguare il territorio e la città alle nuove esigenze di collegamento con l'entroterra e alle necessità del porto, unica struttura che rendesse possibile uno sviluppo delle attività produttive a Venezia, ma palesemente inadatto alle nuove tecnologie di trasporto e alle navi di grande pescaggio. Emblematico di questo rovesciamento di rapporti è il collegamento di Venezia con la terraferma attraverso il ponte ferroviario translagunare, attuato attorno alla metà del secolo, che diventa essenziale alla sua stessa sopravvivenza come centro economicamente vitale e che, oltre a innestare una serie di trasformazioni nel sistema di relazioni urbane nella città insulare, dà l'avvio allo sviluppo urbanistico di Mestre.

La concentrazione di interventi urbanistici e di attività economiche attorno alla testa di ponte veneziana, finirà per sancire anche un nuovo sistema di relazioni all'interno della Laguna e tra i centri insulari e l'entroterra. Decadute le vie di comunicazione fluviali, i loro rapporti con l'entroterra si attuano pressoché esclusivamente attraverso le nuove teste di

ponte e la loro emarginazione crescerà in misura inversa alla loro distanza
da esse. Anche il territorio di terraferma, del resto, si organizza in funzione delle due teste di ponte: la nuova rete stradale, che si era andata
formando nei secoli della 'conquista' dell'entroterra, e quella dei trasporti
ferroviari diventano il supporto di una struttura territoriale che converge
su Mestre, emarginando i sistemi fluviali come il Brenta.

Le trasformazioni più rilevanti nell'assetto fisico della Laguna ri-
guardano perciò, in primo luogo, le bocche di porto e le aree portuali stesse della città. A partire dai primi decenni del secolo vengono
infatti risistemate, una dopo l'altra, le bocche di porto di
Chioggia, di Malamocco e di Lido, costruendo moli guardiani pro-
tesi verso il mare e scavando canali di accesso abbastanza profondi da consentire l'accesso a navi di grande tonnellaggio. Al
termine di questi interventi, attorno alla prima decade del '900,
la bocca di porto di Lido, ottenuta unificando le bocche preesistenti di Sant'Erasmo e di Treporti, diverrà la via di accesso
principale al porto di Venezia e alla nuova Stazione marittima,
attraverso anche lo scavo del canale di S. Nicolò.

Altre operazioni più diffuse contribuiscono, tuttavia, a modificare altrettanto sensibilmente la configurazione del paesaggio e degli insediamenti
lagunari. Soprattutto nelle vicinanze di Venezia, alcune delle isole minori,
già convertite ad usi militari o a prigioni, mutano ulteriormente la loro
fisionomia per accogliere funzioni che risultano incompatibili con la struttura della città: San Michele e San Cristoforo vengono unite per formare il
nuovo cimitero cittadino; San Clemente, San Servolo, La Grazia, a cavallo
del secolo, sono già tutte adibite a ospedali (psichiatrici le prime due, per
contagiosi la terza). In quasi tutti i centri importanti poi, e specialmente a
Murano e Chioggia, si attivano sacche o discariche di materiali solidi per
realizzare nuovi suoli da utilizzare per attività produttive o per l'espansione dell'abitato, sul bordo esterno delle isole, verso la Laguna aperta.
Viene anche realizzata, in questo modo, l'isola artificiale di Sacca Sessola,
con la terra di riporto degli scavi per la Stazione marittima, sulla quale
verrà costruito, nei primi decenni del '900, un grande sanatorio.

Ma è nel nostro secolo che avvengono le manomissioni più gravi
dell'ambiente lagunare. Mentre prosegue la chiusura delle valli
da pesca (che all'inizio del secolo coprivano una superficie di 2600
ettari e ora raggiungono un'estensione di 8500), altre vaste aree
dell'invaso lagunare vengono sottratte all'azione delle maree con
le bonifiche agricole che avvengono lungo tutta la gronda e con
quelle industriali di Porto Marghera.
La nascita di Porto Marghera, sulle barene a sud di Mestre, è un
elemento decisivo nell'organizzazione del territorio veneziano e
nella stessa configurazione dell'ambiente lagunare. Con la sua
realizzazione la Laguna e la stessa città di Venezia assumono un
ruolo sempre più marginale. Le tradizionali attività legate alla
pesca, all'agricoltura e all'artigianato decadono al livello della

pura sussistenza, con l'eccezione di Chioggia che diventa un importante porto ittico, e di Murano che rimane il centro principale per la produzione del vetro, l'attività industriale con maggior numero di addetti fra tutti i centri insulari. Nel 1913 vengono chiuse definitivamente le saline di S. Felice, le ultime esistenti nel bacino lagunare. Si sviluppa invece il turismo balneare, valorizzando la spiaggia del Lido che diventa un importante centro mondano. Si assiste dunque al depauperamento di quasi tutti gli abitati di antica formazione, e ciò coincide con il decadere della Laguna da risorsa necessaria alla sussistenza delle comunità insulari a 'terra di nessuno', senza alcun valore produttivo o ambientale da tutelare. Nel secondo dopoguerra, mentre decresce ovunque la popolazione, attratta come quella di Venezia dalle opportunità offerte dalla terraferma, vengono proposte e talvolta realizzate alcune opere che, con il pretesto di assecondare lo sviluppo industriale o di migliorare i collegamenti con la terraferma, modificano ulteriormente l'assetto del territorio lagunare e ne sconvolgono i più delicati equilibri. Si può citare a questo proposito, oltre all'espansione della zona industriale di Porto Marghera, anche il più recente canale dei Petroli, terminato agli inizi degli anni settanta.

Si possono ricordare ancora la bonifica per la costruzione dell'aeroporto sulla gronda di Tessera e il taglio del canale (soggetto a continui interramenti) che lo collega a Venezia passando per Murano, e i molti progetti, rimasti inattuati ma significativi della scarsa considerazione in cui erano tenute le caratteristiche dell'ambiente lagunare, per la realizzazione di nuovi quartieri sulle barene di S. Giuliano o la costruzione di strade translagunari destinate a raggiungere Venezia.

Nella fase dello sviluppo economico più intenso, si è dunque accentuato lo squilibrio fra una terraferma in crescita disordinata, dequalificata nelle sue strutture urbanistiche pesantemente condizionate dalla speculazione edilizia, ma estremamente vitale nelle sue attività, da un lato, e una Laguna periferica che, pur mantenendo integre molte delle sue caratteristiche storiche e ambientali, si presenta come un'area economicamente arretrata e socialmente debole, dall'altro.

È sembrato esistere, lungamente, un contrasto insanabile tra le esigenze di sviluppo della prima e la necessità di tutelare e salvaguardare la seconda. Solo negli ultimi tempi, dopo la catastrofe dell'alluvione del 1966, è emersa la consapevolezza che i due termini della questione – sviluppo e salvaguardia – debbono essere conciliati e che il «problema di Venezia» è in realtà un complesso intreccio di questioni dove si annodano, malgrado le loro specificità, i diversi problemi dell'intero territorio veneziano. La legge speciale del 1973, ancora inattuata in molte sue parti, sancisce questo principio e, riconoscendo nel territorio veneziano un'unica struttura insediativa, sottolinea la priorità dei problemi riguardanti la Laguna, considerata ormai non modificabile nella sua unità. Problemi dalla cui soluzione dipendono, in larga parte, la salvaguardia e la rivitalizzazione dei centri storici insulari e la stessa riqualificazione urbana della terraferma.

Si tratta innanzitutto di ridurre gli squilibri ecologici e di arrestare il degrado ambientale dell'invaso lagunare. Particolarmente grave è il problema dell'inquinamento delle acque, provocato soprattutto dagli scarichi urbani e, in misura minore ma pur sempre ragguardevole, dagli scarichi industriali, ormai però sotto controllo e in via di graduale riduzione, nonché dal dilavamento delle aree agricole che porta in Laguna, attraverso le piogge e i canali, le sostanze chimiche dei fertilizzanti e dei pesticidi. Nelle zone della Laguna dove il ricambio delle acque è minore, si è prodotta una sorta di 'concimazione' dei fondali e delle acque che ha gravemente alterato la flora e la fauna, con gravi conseguenze, in alcuni periodi, per la salubrità dell'ambiente. A ciò si collega strettamente anche l'opportunità di regolare la pesca che può essere, invece, rilanciata come attività produttiva, fonte di reddito per le comunità insulari.

Vi è poi, legata a questa, la questione nodale della regolamentazione del regime idraulico, vitale per tutti gli insediamenti lagunari che subiscono i gravi effetti delle acque alte, fenomeno aggravato certamente dal restringimento della superficie allagabile da parte delle maree, dalla riduzione delle barene, dallo scavo dei nuovi canali di navigazione che aumentano la velocità di entrata dell'acqua in un invaso dove la possibilità di propagazione è relativamente ridotta. Nel 1981 è stato presentato dal ministero dei Lavori Pubblici un progetto per la «Difesa della Laguna di Venezia», che attualmente è nella fase dello studio esecutivo. Tra le varie misure, esso prevede un restringimento dei porti-canali alle tre bocche di porto: l'afflusso delle acque marine sarebbe dunque regolato da alcuni sbarramenti fissi trasversali e, in caso di acque alte eccezionali, sarebbe impedito da barriere mobili e sommergibili. Si tratta senza dubbio di un progetto ambizioso e di lunga prospettiva, ma che ha sollevato alcune perplessità proprio perché ridurrebbe il ricambio delle acque nella Laguna – che, va ricordato, è oggi alimentata e vivificata quasi unicamente dalle maree – rischiando così di aggravare l'inquinamento. Legate a questa, si pongono anche le questioni delle valli di pesca illegalmente chiuse e privatizzate, e della riapertura delle casse di colmata, realizzate in vista della terza zona industriale: entrambe consentirebbero una maggiore propagazione delle maree.

Ma, accanto a tali questioni relative all'ambiente naturale, se ne pongono altre di non minor peso legate alle funzioni e al ruolo degli insediamenti. Vi è, come a Venezia, la necessità di arrestare l'esodo delle popolazioni verso l'entroterra, e ciò richiede un miglioramento delle condizioni abitative, una migliore utilizzazione del patrimonio edilizio, ma anche il rilancio delle attività tradizionali legate al contesto lagunare. Già oggi si pone il

problema di regolare e riqualificare i flussi turistici, utilizzando le potenzialità di collegamento con la terraferma e all'interno della Laguna offerte
dalla trama dei canali navigabili e promuovendo un uso più diffuso e consapevole dell'ambiente lagunare. In questa prospettiva si muovono le proposte, avanzate negli ultimi anni, di istituire un parco naturale nella Laguna nord e di proteggere alcune zone particolarmente interessanti dal
punto di vista naturalistico.
In tale contesto va collocato anche il problema della riutilizzazione di quel-
l'immenso patrimonio monumentale, edilizio e paesistico che è costituito
dalle isole minori, in gran parte abbandonate, che si stanno sgretolando
per l'incuria e il vandalismo.
Alla valorizzazione delle risorse ambientali è pure, in larga misura, connessa la possibilità di riqualificare la terraferma mestrina, che se ha via
via recuperato, nell'ultimo decennio, il fabbisogno di attrezzature e di servizi sociali lasciato pregresso da un'urbanizzazione dominata dalla rendita,
deve ancora assicurare una qualità civile al proprio ambiente urbano. Accanto alla soluzione dei problemi di collegamento con la città insulare, resi
più acuti dalla forte pendolarità verso Venezia e dai flussi turistici sempre
più massicci che si concentrano verso la testa di ponte, è aperto il problema della protezione e valorizzazione delle preesistenze storiche e paesi-
stiche, che pure esistono numerose, e di un miglior raccordo all'ambiente
lagunare.

8.1 Le isole di San Michele e di Murano

MEZZI D'ACCESSO. Con la linea circolare 5 (numerose fermate in città), che
offre l'opportunità di attraversare il complesso dell'Arsenale e segue lo
stesso percorso in senso orario (circolare destra) e antiorario (circolare sinistra); dall'ultima fermata a Venezia, quella delle fondamenta Nuove, la
linea prosegue per le isole di San Michele e di Murano (con fermate a Colonna, Faro, Navagero, Museo Serenella e Venier). Dalle fondamenta
Nuove si può raggiungere Murano Faro anche con la linea 12 (che prosegue per Torcello, Burano e Treporti) e con la linea 13, diretta alle Vignole e a Sant'Erasmo. Esistono inoltre numerosi servizi organizzati dalle
agenzie turistiche, dalle cooperative di trasporto e da privati (molti gli
abusivi), con partenze dalla Ferrovia, piazzale Roma, Tronchetto e S.
Marco, che solitamente comprendono anche la visita a una vetreria.

L'itinerario è momento di conoscenza di importanti espressioni della civiltà artistica veneziana (la chiesa rinascimentale di S. Michele in Isola, la
chiesa dei Ss. Maria e Donato a Murano, le opere di Bellini in S. Pietro
Martire pure a Murano); delle tecniche della lavorazione del vetro, la cui
straordinaria vicenda storica è illustrata dagli oggetti esposti al Museo
Vetrario di Murano; della suggestiva atmosfera del cimitero di S. Michele,
apprezzabile anche come punto di vista d'eccezione su Venezia. Altri motivi di interesse stanno nel contatto – il primo – con l'ambiente lagunare,
complementare alla visita della città per conoscere ulteriori aspetti del sistema urbano veneziano, policentrico e diffuso, dove la trama dei canali e
delle paludi, alternandosi alle terre emerse, forma un paesaggio indissolu-
bilmente legato alla struttura degli insediamenti. Un paesaggio qui domi-

nato dalla presenza di Venezia, e non solo dal suo profilo, ma anche dalla
rete di canali che la circondano e raggiungono, vere e proprie 'strade'
d'accesso (e di uscita) che legano intimamente la città dei sestieri a quella
delle isole. San Michele e Murano, in particolare, per il loro carattere di
isole 'satelliti': la prima col suo cimitero urbano; la seconda con le industrie del vetro e i ricordi di quand'era luogo di villeggiatura dell'aristocrazia.

Allontanandosi dalla città, se ne vede emergere il profilo (con l'inconfondibile punto di riferimento del campanile di S. Marco) al centro del suo contesto; dove nella contrapposta veduta delle abbandonate verdi isole delle
Vignole e della Certosa, a est, e delle zone industriali di Marghera e dei
quartieri periferici di Mestre, a ovest, già si manifestano le trasformazioni
subite dal tessuto storico nel corso dell'ultimo secolo.

Costeggiando il lungo muro di cinta del cimitero si approda all'e-
stremità nord-orientale dell'isola di **San Michele**, sul piazzale delimitato dai prospetti principali della chiesa di S. Michele in Isola
e dell'attiguo convento, che ne offrono l'immagine più ricca e
rappresentativa. La sua conformazione e dimensione attuale,
oltre che la destinazione, derivano dall'intervento degli inizi del
sec. XIX quando, con l'interramento di un canale, San Michele fu
congiunta alla contigua isola di San Cristoforo della Pace.

San Michele, anticamente detta anche «cavana de Muran» perché offriva
ricovero alle imbarcazioni di quell'isola, trae il nome da una chiesa del sec.
X dedicata all'arcangelo Michele. Nel 1212 fu ceduta a tre monaci camaldo-
lesi che vi fondarono un monastero (elevato in seguito a priorato e quindi
ad abbazia), fino alla soppressione (1810) importante luogo di studio con
ricca e famosa biblioteca (vi soggiornarono fra' Mauro, autore del mappa-
mondo conservato alla Biblioteca Marciana, che rinnovò le basi della co-
smografia del sec. XV, e fra' Mauro Cappellari, poi papa Gregorio XVI).
Dal 1819 al 1822 il complesso fu destinato a reclusorio per prigionieri politici e Silvio Pellico e Pietro Maroncelli vi furono rinchiusi prima di essere
tradotti allo Spielberg. Solo nel 1829, con la concessione ai Francescani
Riformati, il convento tornò all'originaria destinazione. Comunque, già a
partire dall'inizio dello stesso sec. XIX, il destino di San Michele (meta di
poeti e letterati romantici come Shelley, Byron e Ruskin) si presenta strettamente connesso a quello della vicina isola conventuale di San Cristoforo
della Pace, scelta nel 1807 da Napoleone come sede del cimitero di Venezia. Demolito il quattrocentesco ospizio che vi sorgeva, il camposanto si
rivelò ben presto insufficiente e nel 1837 (dopo l'interramento di un canale) venne esteso sulla contigua isola di San Michele, con lavori che si
protrassero fino alla seconda metà dello stesso secolo.

La chiesa di ***S. Michele in Isola***, una delle prime costruzioni
religiose a Venezia nello spirito del Rinascimento, fu eretta da
Mauro Codussi tra il 1469 e il 1478. L'elegante e semplice facciata in pietra d'Istria a bugne lisce è tripartita da lesene, pure
bugnate, inquadranti due monofore centinate, ai lati, e il portale
a timpano triangolare sul quale è posta una *Madonna col Bam-*

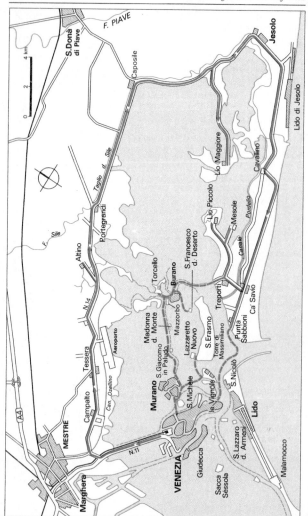

Dalla navata d. della chiesa (o dal piazzale per un portale a cuspide gotica che riquadra un *S. Michele* del sec. XV, già sull'ingresso della preesistente chiesa gotica) si accede al convento, nel suggestivo chiostro quattrocentesco perfettamente integro nella sua composizione spaziale; la corte quadrata, sopraelevata, coincide con il serbatoio delle acque piovane, raccolte dai tombini in pietra d'Istria dislocati attorno alla vera da pozzo (negli ambienti del convento, di stretta clausura e non accessibili alle donne, *S. Margherita da Cortona*, di Giandomenico Tiepolo, e altre opere di G.B. Langetti, della scuola di Tintoretto e dei Vivarini).

Attraversato il chiostro e la successiva ampia corte porticata, si accede al CIMITERO, la cui lunga sistemazione (v. pag. 640), oggetto di controversie e discussioni, fu portata a termine a partire dal 1872, quando venne realizzato il progetto di Annibale Forcellini. L'area si presenta accademicamente composta su un lungo asse di simmetria che congiunge con un viale l'ottocentesca *cappella di S. Cristoforo* a una loggia aperta sulla Laguna di fronte alle fondamenta Nuove (nei settori greco ortodosso ed evangelico, a sin. rispetto all'ingresso e oltre la cappella, si trovano le sepolture di Igor Stravinskij, disegnata da Giacomo Manzù, di Sergej Djagilev e di Ezra Pound).

Lasciata l'isola di San Michele si raggiunge rapidamente Murano dopo aver attraversato il canale dei Marani che, fino al secolo scorso, collegava direttamente questo centro lagunare al mare aperto.

Murano m 2, ab. 6966 (v. pianta in fondo al volume), fino al 1923 comune autonomo, è dopo Venezia e Chioggia il più popoloso e attivo centro storico lagunare, con una economia ancora fondata essenzialmente sulla lavorazione del vetro (qui sviluppatasi dalla fine del sec. XIII), che occupa circa 3000 addetti provenienti in parte anche da Burano e Venezia.

L'insediamento muranese si articola su 5 isole principali ed è diviso in due parti dal cosiddetto canal Grande; su questo, con andamento a meandro e attraversato da un solo ponte, si innestano il canale di S. Donato (a nord) e il rio dei Vetrai (a sud), che come il primo prolungano il loro corso in Laguna. Come in altri insediamenti lagunari e a Venezia stessa, il tessuto storico si addensa lungo i canali e le calli ad essi ortogonali; lo costituiscono palazzi già di villeggiatura dell'aristocrazia veneziana, alternati a palazzetti della borghesia mercantile e, apparentemente senza regole precise, a schiere di abitazioni più modeste e senza particolari qualità. Nessun carattere comune a quello storico presenta invece il tessuto urbano ed edilizio delle zone interne delle insule (formatosi in prevalenza nel corso di questo secolo), dove piccoli condomìni, alloggi popolari, villini 'signorili' e lottizzazioni di casette più modeste danno vita, assieme a capannoni industriali spesso obsoleti, a una sorta di periferia dal volto anonimo.

È soprattutto lungo i canali e sulle fondamenta che spesso li costeggiano su entrambi i lati, che si svolge la vita di relazione e le attività lavorative. Nell'acqua è intenso il traffico delle imbarcazioni, tra cui molte tradizionali da trasporto («bragozzi» e «peate») o da diporto; lungo le rive i pontili e le paline per l'ormeggio formano uno schermo continuo che 'filtra' per

absidale e il campanile della basilica dei ***Ss. Maria e Donato**
(duomo di Murano), orientata e col prospetto rivolto verso l'interno dell'insula. Fondata forse nel sec. VII, e dapprima dedicata
a S. Maria (assunse l'attuale titolo dopo il 1125), fu ricostruita
nelle forme attuali al principio del XII e compiuta nel 1140; il restauro della 2ª metà dell'Ottocento le ha ridato la sua presunta
configurazione medievale, in base alla quale è generalmente considerata una delle architetture più rappresentative del periodo
veneto-bizantino. La *zona absidale*, da sempre approccio più
usuale al complesso, elaborata e fitta di motivi architettonici e
decorativi in cui si fondono esperienze stilistiche ravennati, romaniche e orientali, si può figurativamente considerare la vera
'facciata' della basilica; la caratterizzano sia il ricco cromatismo
dei pieni e dei vuoti dei mattoni delle murature e della pietra
bianca delle colonne e delle transenne, sia il ritmo orizzontale
degli archi del finto porticato inferiore e della galleria superiore
(in questa, preziosi elementi decorativi e patere, cornici e formelle bizantine, di cui alcune del sec. IX). Altro elemento essenziale nella veduta d'insieme del complesso è l'isolato **campanile*,
costruito nel sec. XII-XIII con canna in mattoni su tre ordini di
lesene e di archetti e cella campanaria aperta da trifore coronate
da archetti in mattone (ai piedi della torre, *monumento ai Caduti*
di Napoleone Martinuzzi, modellato nel 1927 su parte dell'area
del trecentesco palazzo della Ragione demolito nel 1815). Il prospetto principale della basilica, di semplici forme di origine ravennate, presenta la parte mediana tripartita da paraste collegate in alto da doppi archetti e aperta da una bifora; sopra il portale, bassorilievo trecentesco rappresentante, forse, *S. Donato e
un devoto*. Alle basi dei piloni laterali, sculture romane del sec. II
(con iscrizioni dell'VIII), frammenti di probabili sepolture altinati.

L'interno, a croce latina a pianta basilicale, è diviso in tre navate da colonne di marmo greco con bellissimi capitelli veneti imitanti l'ordine corinzio e sorreggenti arcate a sesto rialzato; un tetto ligneo a capriate copre
le navate, il transetto e il presbiterio. *Pavimento a mosaico del 1140 (la
data si legge nella terza campata della navata di mezzo), con figure di pavoni, aquile, animali fantastici, alberi inquadrati da intrecci geometrici
(notare, tra la 2ª e la 3ª colonna, *2 galli che portano una volpe appesa a un
bastone*, simbolo della vigilanza che batte l'astuzia, mosaico contemporaneo a quello di medesimo soggetto della Basilica di S. Marco). Le navate
laterali continuano al di là del transetto affiancandosi al presbiterio, con il
quale comunicano attraverso arcate sostenute da colonne di marmo greco
con capitelli che conservano tracce di antiche dorature. Nel catino dell'abside, l'isolata, ieratica figura della **Madre di Dio*, notevole mosaico a
fondo d'oro della 1ª metà del sec. XIII; sotto, *Evangelisti*, affreschi di Niccolò di Pietro (inizi sec. XV), e nel mezzo, l'*Assunta*, bassorilievo in stucco
del Settecento. Navata sinistra: sulla controfacciata, *Madonna orante*, ta-

vola di artista veneto-bizantino del sec. XIV; segue, alla parete, *S. Donato, grande ancona lignea policroma e dorata, a rilievo, con i ritratti del podestà Memmo e di sua moglie, opera del 1310 di Paolo Veneziano (siglata). Dalla successiva porta, decorata nella lunetta da un dipinto di Lazzaro Bastiani firmato e datato 1484 (*Madonna col Bambino in trono fra santi e il donatore Giovanni degli Angeli), si accede al battistero: alle pareti, frammenti bizantini; l'antico *sarcofago degli Acilii*, proveniente da Altino, era un tempo usato come fonte battesimale. Ancora alla parete della navata, *Morte di Maria e santi*, polittico della 2ª metà del '300 alla maniera di Lorenzo Veneziano. Nel braccio sin. del transetto, *S. Lorenzo Giustiniani celebra la messa* di Bartolomeo Letterini; in quello d., *La Madonna del Carmelo* di Bartolomeo Scaligero.

Si prosegue verso sud lungo la fondamenta Giustinian, prospiciente il canale di S. Donato. Al N. 8, quasi di fronte al palazzo Trevisan che prospetta al di là del rio (v. pag. 645), si erge l'imponente **palazzo Giustinian**, costruito nel 1680 per volere del vescovo Marco Giustinian che vi trasferì da Torcello la sede episcopale; la facciata è aperta al centro da una grande finestra a tre luci sovrastata da timpano con stemma del vescovo. Già sede del Comune di Murano (dal 1840), ospita dal 1861 il *Museo dell'Arte Vetraria*, istituito dall'abate Vincenzo Zanetti per raccogliere nell'isola quanto potesse testimoniare l'evoluzione e la ricchezza della lavorazione del vetro; dopo l'aggregazione amministrativa di Murano a Venezia, la raccolta è stata ampliata coi fondi vetrari del Civico Museo Correr, di cui è sezione distaccata. Nelle sale, riallestite nel 1979 al termine del lungo restauro dell'edificio, sono riuniti numerosi pezzi che costituiscono una rara collezione di arte vetraria dall'antichità a oggi. Giorni e ore di visita, pag. 134.

Al pianoterra (nella corte, porticato quattrocentesco, resto di una preesistente costruzione), sala con vetri archeologici dal II sec. a.C. al II d. C., provenienti dalla necropoli di Enona (in deposito dalla Soprintendenza Archeologica del Veneto). Salita la scala, si accede al salone del piano nobile, con soffitto affrescato da Francesco Zugno (*S. Lorenzo Giustiniani in gloria*) e grandi lampadari muranesi dell'Ottocento. A sin. di questo, saletta dei vetri del sec. XV e del primo Cinquecento: coppa nuziale, detta «Barovier», in vetro blu con ritratti degli sposi e scene augurali a smalti policromi, esemplare eccezionale dell'arte vetraria del '400; grandi coppe in vetro incolore decorate a smalti policromi e oro con motivi geometrici di origine orientale; piatti costolati decorati a smalti con stemmi nobiliari; brocche con decorazioni policrome vegetali e animali; «cesendello», o lampada pensile, con stemma della famiglia dogale Tiepolo; «acquereccia» a forma di navicella; inoltre, frammenti vitrei di bottiglie e coppe dal X al XV sec. provenienti da scavi effettuati nell'area della chiesa dei Ss. Maria e Donato.
A destra del salone, sale dei vetri del Cinquecento: calici con stelo a balaustro, tipici di quel secolo, con coppe dalle fogge più varie; esemplari di vetri incisi a punta di diamante con motivi di carattere vegetale e animale,

vanni Bellini: l'*Assunta e i Ss. Pietro, Giovanni Evangelista, Marco, Francesco, Lodovico da Tolosa, Antonio abate, Agostino e Giovanni Battista*, dipinta tra il 1510 e il 1513, e la *Madonna col Bambino in trono tra 2 angeli musicanti, S. Agostino e S. Marco che presenta il doge Agostino Barbarigo*, firmata e datata 1488. Più oltre, *Battesimo di Gesù* di Jacopo Tintoretto. Nella cappella a d. della maggiore, *monumento a G.B. Ballarin* (m. 1666) con bassorilievi seicenteschi.

Presbiterio. A d., *Nozze di Cana* (1721) e, a sin., *Moltiplicazione dei pani e dei pesci*, grandi tele di Bartolomeo Letterini, di cui sono anche le 4 che decorano l'abside (da sin., la *Risurrezione di Lazzaro, Cristo e il centurione, Guarigione del muto, Guarigione del cieco*). La **cappella** a sin. della maggiore, **del Sacramento**, conserva l'originaria struttura gotica e ha un altare lombardesco con *Ecce Homo* a rilievo; alle pareti: *Madonna in trono col Bambino, i Ss. Lorenzo e Orsola con angelo musicante e il senatore Lorenzo Pasqualigo*, dipinto attribuito a Bernardino Licinio; *Cristo deposto con le Marie e santi* di Giuseppe Salviati; *Madonna in trono col Bambino e 4 santi* dello Pseudo Boccaccino; *Madonna in trono col Bambino, i Ss. Geremia e Girolamo e angelo musicante*, di Francesco da Santacroce (firmata e datata 1507). Seguono, alle pareti, 4 *angeli*, parti di un polittico di Niccolò Rondinelli. Navata sinistra. Per la porta sormontata da un *S. Girolamo nel deserto*, luminosa tela di Paolo Veronese (c. 1566), si accede alla **sagrestia**, dove intorno al 1815 sono stati raccolti gli arredi della demolita Scuola di S. Giovanni dei Battuti, che prospettava la fondamenta omonima all'innesto meridionale del canal Grande. Alle pareti, oltre a tele raffiguranti fatti della confraternita: *Vergine col Bambino, S. Giovanni Battista e Federico Bigaglia*, di Bartolomeo Letterini (1710); *Angeli che recano una corona*, parte di polittico di Bartolomeo Vivarini; *Papa Clemente VIII concede al cardinale Agostino Valier le indulgenze per i confratelli*, dipinto di Pietro Malombra (1603-1604). Pregevoli i *dossali lignei intagliati e scolpiti, decorati nei pannelli con *Episodi della vita di S. Giovanni Battista* di Pietro Morando (il 3° a d. è firmato; 1652-66). Alle pareti della navata: *S. Agata visitata in carcere da S. Pietro e un angelo* di Paolo Veronese (c. 1566); *Deposizione* del Salviati; *Gesù abbraccia S. Ignazio da Loyola* di Gregorio Lazzarini.

Si prosegue lungo la fondamenta (con vista sull'opposto percorso pedonale a tratti scavalcato da edifici gotici porticati), su cui prospettano, fra gli altri, un edificio rinascimentale (N. 41) e una casa gotica del sec. XV (N. 37). Dopo questa, il ponte S. Chiara scavalca il canale scendendo sulla fondamenta omonima, che prende il nome dall'antico complesso conventuale di S. Chiara, qui ubicato fino all'Ottocento (fu soppresso nel 1826): dopo la trasformazione dell'intero complesso in fornaci e vetrerie, ne rimane, alterata e adibita a magazzino, la tardogotica chiesa (sec. XV) rinnovata nel 1519 (la si raggiunge prendendo il sottoportico in asse col ponte).

Attiguo all'ex chiesa (e raggiungibile rivolgendosi prima all'esercizio al N. 4 della fondamenta e attraversando poi un'area fortemente degradata) è il **casino Mocenigo** (in restauro, 1984). Prospiciente la Laguna, fu edificato tra 1591 e 1617 da un allievo di Palladio (o più probabilmente dallo Scamozzi) su un terreno di proprietà di Girolamo Mocenigo. Luogo di oẑi letterari e di svaghi, presenta 3 dei 4 ambienti interni decorati da affreschi attribuiti dalla critica più recente a Carletto e Benedetto Caliari; la decorazione dei soffitti (quella delle pareti è quasi del tutto scomparsa) è costituita da illusionistiche quadrature architettoniche formanti fantasiose logge animate da personaggi storici e letterati (le 3 stanze sono rispettivamente dedicate alla Musica, alla Poesia e all'Amore).

Oltrepassato il ponte e (N. 27) il lombardesco *palazzo Contarini* del sec. XVI, la visita di Murano termina nella piazzetta della Colonna (pontile dei motoscafi), aperta sulla Laguna dove si allungano i profili dell'isola di San Michele e di Venezia.

8.2 Mazzorbo, Burano, San Francesco del Deserto, Torcello

MEZZI D'ACCESSO. Con le motonavi della linea 12 in partenza da Venezia (fondamenta Nuove) e fermate a Murano (Faro), Mazzorbo, Burano, Torcello (e quindi Treporti sulla penisola del Cavallino); San Francesco del Deserto è raggiungibile solo con taxi o altri mezzi privati da Burano o da Torcello. Inoltre, numerose agenzie turistiche e società di trasporto organizzano escursioni alle isole della Laguna nord (compresa San Francesco del Deserto), con partenza da Venezia (riva degli Schiavoni, molo di piazza S. Marco) e dalle località balneari del litorale (Punta Sabbioni, Jèsolo).

Dedicato alla parte centrale della Laguna nord, è l'itinerario forse maggiormente rappresentativo dei caratteri più peculiari e delle complesse vicende della civiltà lagunare da cui è nata Venezia. I centri storici che ne costituiscono le tappe sono tutti 'residui' di un più vasto e antico sistema urbano: sopravvissuti in parte perché posti ai margini delle zone più direttamente investite dall'azione dei fiumi, in parte grazie alle opere di arginatura, deviazione e regolamentazione intraprese sulla gronda settentrionale a partire dal XVII secolo. Ma l'importanza di questi insediamenti e del paesaggio che li circonda non è solamente quella di un eccezionale documento storico. Essi rappresentano anche, nel loro insieme, uno straordinario complesso nel quale si trovano riunite alcune delle più alte espressioni della cultura prodotta dall'insediamento dell'uomo nella Laguna: la spazialità, le tecniche costruttive, la decorazione musiva del periodo veneto-bizantino nelle due chiese di Torcello; le sequenze urbane e i ritmi dell'edilizia cosiddetta minore a Burano, ancora basati sul rapporto con l'acqua e scanditi dall'uso del colore; l'isolamento di San Francesco del Deserto, l'unica tra le isole-convento della Laguna che sia riuscita a conservare integralmente, oltre ai manufatti, anche la propria funzione originaria. E, accanto a queste, i segni non meno 'nobili' dell'azione continua di controllo e di trasformazione dell'ambiente naturale: le sponde che proteggono le terre emerse dagli effetti erosivi delle correnti, e che sono spesso ancora costruite o mantenute con tecniche tradizionali; le chiuse, le canalette e le vasche per la piscicoltura che si alternano agli orti e ai vigneti nelle aziende agricole; e altri ancora, che possono essere oggetto di continue scoperte per il visitatore attento. La carta è a pag. 642.

da Giancarlo De Carlo), si presenta come una sorta di periferia della vicina Burano.

A d., notevole vista su quest'ultima che non presenta, verso la Laguna aperta, un fronte 'di rappresentanza' ma un tessuto frastagliato che racchiude, lungo la riva, spazi e corti aperte, relativamente ampie, dove si riassettano le reti o si riparano le barche; sempre a d., alcuni squeri (cantieri per la costruzione di imbarcazioni) che sono, assieme alle darsene costruite negli anni sessanta, le uniche strutture a cercare il contatto con l'acqua. La palude tra le due isole è un luogo di intensa attività e decine di paline sostengono i diversi arnesi per la pesca: reti di varie forme e dimensioni e recipienti per trasportare o conservare vivo il pesce (come i «vieri» in legno di forma quasi sferica, usati tra l'altro per i granchi nel periodo della muta, quando diventano moleche particolarmente pregiate; oppure le «marote», a forma di barchetta, chiuse e bucherellate, per le anguille). La Laguna è qui ciò che la campagna è per un qualsiasi centro abitato di terraferma: luogo di produzione per il mercato, ma anche di autoconsumo e, spesso, di riposo e svago, diversificato a seconda della natura del terreno e dell'esposizione ai fattori climatici.

Costeggiando il muro in laterizi dell'ex cimitero, ora giardino pubblico (vi sussistono il quattrocentesco campanile della demolita chiesa di S. Maria in Valverde e l'ottocentesca cappelletta), si perviene all'estremità nord-orientale dell'isola, aperta sul canale di Burano, ampia via d'acqua che dalla terraferma raggiunge il mare attraversando con grandi anse le fasce di barene che racchiudono le paludi (notevole vista su Torcello, di fronte, col campanile e le due chiese, e sul compatto, policromo tessuto urbano di Burano).

Varcato a d. il ponte in legno, si è nell'isola di **Burano** m 2, ab. 5747 (v. pianta in fondo al volume), popoloso e attivo centro della Laguna nord, la cui economia, sebbene gran parte dei Buranelli lavori a Murano (nelle vetrerie) e a Venezia, è ancora in parte legata alla pesca e alle attività commerciali e artigianali (famosa quella tradizionale del merletto).

Fondato dagli Altinati, che gli diedero il nome da una delle porte dell'antica città (la Boreana), l'insediamento raggiunse una certa consistenza intorno al Mille, ma fino al XIV sec. rimase decisamente minore rispetto a Mazzorbo e a Torcello, da cui dipendeva amministrativamente. Solo nel sec. XIII si ha notizia della costruzione di alcuni importanti complessi religiosi (tre monasteri soppressi nel 1806 e di cui rimane solo la chiesa di S. Maria delle Grazie), mentre la parrocchiale di S. Martino fu edificata solo nel '500, quando la decadenza dei vicini insediamenti era ormai irreversibile. E da allora Burano, unico fra i centri del vasto sistema fiorito intorno a Torcello a non subire, per la sua posizione, gli effetti di impaludamento provocati dai fiumi, divenne un'importante presenza urbana, con una propria area di mercato anche sulla terraferma (si pensi al portico dei Buranelli di Treviso, sul Sile). Dal XIX sec. fino al 1923 (quando divenne frazione di Venezia) fu capoluogo di un vastissimo comune comprendente tutto il bacino settentrionale della Laguna, e solo dopo il 1950 la condizione di insularità e la crisi delle attività tradizionali vi hanno fatto registrare un certo calo di popolazione.

Il tessuto urbanistico ed edilizio, estremamente compatto ma composto di elementi minuti e ripetuti, si organizza qui sui bordi interni delle quattro insule, addensandosi lungo i canali che offrono il miglior riparo per le barche e trascurando i bordi verso la Laguna aperta, più esposti ai venti, alle correnti e ai fenomeni di erosione. I canali interni costituiscono quindi la matrice organizzativa e formale dell'insediamento, e il tessuto edilizio segue il loro tracciato formando lungo le fondamenta schiere continue che si prolungano verso l'interno delle insule nelle corti e nelle calli sfocianti su altri percorsi o sul bordo lagunare. Questa struttura, ancora oggi facilmente leggibile, è stata in parte alterata dal sovrapporsi all'antica trama, tendenzialmente uniforme, di una certa gerarchia cui concorrono più fattori: l'ottocentesco interramento del rio Pizzo e di parte del rio di Mezzo, al centro dell'isola, ha introdotto nella sequenza spaziale una considerevole anomalia, dando vita a un 'corso' (il rio terrà del Pizzo e la via Baldassarre Galuppi) dove si addensano quasi tutte le attività commerciali; l'edificazione di aree interne e sui bordi lagunari ha spostato i 'pesi' residenziali lungo alcune fondamenta, deformando in parte la trama omogenea dei percorsi pedonali; la collocazione del terminal dei mezzi pubblici sul canale di Burano, di fronte a Torcello, ha ribaltato l'accesso all'insediamento, che avveniva soprattutto a sud, dove sono gli elementi urbani di maggior rilievo come la chiesa e la piazza.

In ultimo è interessante notare che, con poche eccezioni, le case appartengono tutte a un'unica tipologia, e si affacciano direttamente sullo spazio esterno (considerato e utilizzato quasi come prolungamento di quello domestico) con un unico locale cucina-pranzo-soggiorno, mentre ai piani superiori (in genere uno o due) sono le camere da letto; i differenti colori degli esterni distinguono rigorosamente le singole proprietà e vengono rifatti ogni anno per proteggere gli intonaci, e quindi le murature, dagli effetti disgreganti dell'umidità.

Attraversato il piazzale alberato prospiciente il canale di Burano (a d., moderno complesso di edilizia pubblica della fine degli anni sessanta), e raggiunto il pontile delle motonavi per Venezia, Torcello e Treporti, si volge a d. nel viale Adriana Marcello (a d., vera da pozzo del 1588 qui collocata da altro sito nel 1979). Si sbocca sulla *fondamenta Cavanella* e la si segue a d. costeggiando il rio di Mezzo, lungo corso d'acqua che, prima del parziale interramento, attraversava longitudinalmente tutta l'isola.

Si ha qui il primo vero impatto con la particolarità spaziale e cromatica di Burano: la dimensione ridotta delle case e del canale, la relativa larghezza delle fondamenta molto basse sul livello dell'acqua, alla stessa altezza delle fiancate delle barche, la presenza di una vita nel canale altrettanto intensa di quella che si svolge a terra, la sorprendente varietà dei colori che sottolinea e arricchisce l'essenzialità delle forme, sono tutti elementi che fanno questa cittadina qualcosa di diverso da una Venezia in

punto a rosette e del controtagliato; scomparsa quasi del tutto alla fine della Repubblica, risorse per opera di Paulo Fambri e della contessa Adriana Marcello che istituirono (1872) la scuola e il laboratorio, tuttora attivi.

Chiude il campo verso la Laguna aperta il fianco sin. della parrocchiale di **S. Martino**, costruita nel sec. XVI; priva di facciata, presenta un falso prospetto, senza portale, impostato sulla zona presbiteriale rivolta verso il rio Mandracchio. Il campanile, fortemente pendente, fu alzato tra il 1703 e il 1714 da Andrea Tirali.

L'interno, a croce latina, è a tre navate d'ordine corinzio con copertura a botte (la centrale) e a crociera (le laterali, il transetto e il presbiterio). Sulla controfacciata, grandiosa cantoria lignea del 1913; a d. dell'ingresso, sul fonte battesimale, *Battesimo di Gesù*, opera di gusto tiepolesco del sec. XVIII; a sin., *Miracolo di S. Antonio* di scuola veneta della fine del sec. XVII. Alla parete tra il 1° e il 2° altare della navata d., *Natività* di Francesco Fontebasso. Nella cappella a d. della maggiore, *Assunta* di scuola veneta della fine del sec. XVII. Nell'attigua sagrestia: lavabo settecentesco, in marmo rosso di Verona, sormontato da un *Ecce Homo* di scuola veneta della fine del sec. XVII con cornice del 1713; alle pareti e. e sin., *Fuga in Egitto* e *Natività* e *Lo sposalizio della Vergine*, opere di Giovanni Mansueti (fine sec. XVI).
Dietro l'altar maggiore, a tempietto di gusto longheniano, *S. Marco in trono coi Ss. Bernardo, Nicola, Lorenzo e Albano*, dipinto di Girolamo da Santacroce firmato e datato 1541. Nella cappella a sin. della maggiore: all'altare, *Santi* di scuola di Palma il Giovane; ai lati, *Miracolo di S. Albano* di Antonio Zanchi e *Martirio di S. Albano* di scuola veneta del sec. XVII-XVIII; alla parete, *Processione dei santi patroni di Burano*, interessante per la documentazione ambientale, di scuola veneta del sec. XVII-XVIII. Nella navata sin.: alla parete della 2ª campata, *Crocifissione*, notevole opera giovanile di G.B. Tiepolo (c. 1725); al 1° altare, *Ss. Sebastiano, Rocco e Antonio abate*, del palmesco Bernardino Prudenti.

Usciti dalla chiesa, a d. della quale prospetta l'ex *oratorio di S. Barbara*, con semplice facciata seicentesca e belle grate alle finestre, si può continuare lungo la fondamenta che costeggia il rio Mandracchio. Dove questo piega a sin. è situato uno degli angoli più suggestivi dell'isola: il tessuto edilizio che si sviluppa verso l'interno, con andamento perpendicolare alla fondamenta, forma 'spontaneamente' un piccolo slargo, tentando di adattarsi all'andamento del corso d'acqua; anche questo spazio è un vero e proprio soggiorno all'aperto delle poche case che vi si affacciano, su una delle quali è apposta una statua di Gesù dipinta con colori vivaci.

ESCURSIONE A SAN FRANCESCO DEL DESERTO. Si può compiere in taxi, oppure affittando una barca agli approdi prossimi alla chiesa di S. Martino o al pontile delle motonavi sul canale di Burano. In un paesaggio reso estremamente mutevole dalle maree che coprono o scoprono i raduti più bassi («velme») della palude, emerge l'isola di **San Francesco del Deserto**, dove secondo la leggenda Francesco d'Assisi approdò nel 1220, al ritorno dal suo viaggio in Egitto e Palestina, trovandovi riparo durante un fortunale. Dopo la sua morte e canonizzazione (1228), Jacopo Michiel, pro-

prietario dell'isola (allora detta delle Due Vigne), vi fece costruire una
chiesa a lui dedicata e nel 1233 la donò ai frati francescani; questi, eretto il
convento, vi rimasero fino al 1420, quando se ne allontanarono per le peg-
giorate condizioni ambientali e la malaria. Rimasta disabitata per circa
trent'anni, l'isola (che allora assunse l'attuale denominazione) nel 1453 fu
concessa da papa Pio II ai Minori Osservanti, che restaurarono la chiesa e
il convento costruendo un nuovo chiostro; abbandonata in seguito alle soppressioni napoleoniche (1806), tornò all'ordine per volere dell'imperatore
Francesco I d'Austria.
Percorsa la stradina che costeggia, a sin., un bellissimo parco che corre
lungo il bordo dell'isola di fronte a Burano, si raggiunge la piccola chiesa
del convento: questo si articola intorno a due chiostri, di cui il primo è preziosa testimonianza di architettura trecentesca mentre il secondo è rinascimentale.

Da Burano la motonave punta a nord-ovest, verso la terraferma,
poi lascia a sin. il canale di Mazzorbo e, piegando a nord-est lungo
il canale dei Borgognoni (continuazione di quello di Burano), approda in breve a Torcello.
*Torcello, meta obbligata per chi voglia entrare in contatto con i
precedenti storico-artistici e con il contesto lagunare in cui si è
sviluppata Venezia, è forse l'isola più celebre di tutta la Laguna e
deve questa fama al fascino dei suoi pochi ma straordinari monumenti, sorprendentemente scampati alla lenta dissoluzione del-
l'antica città e oggi immersi nella quiete di un ambiente rurale
incontaminato. La principale attività del minuscolo insediamento
(località della frazione Burano) è il turismo, che offre strutture
ricettive esigue ma di qualità; riveste però importanza anche l'a-
gricoltura (pregiate le primizie e i carciofi), con un paesaggio prevalentemente a orti nella zona orientale dell'isola; quella occidentale è invece in gran parte incolta dopo i danni subiti nell'inondazione del 1966.

Abitata con tutta probabilità da una colonia romana, Torcello fu insediamento di una certa consistenza già attorno al V-VI secolo. La leggenda
vuole che il centro sia stato fondato nel 452 dalle popolazioni che fuggi-
vano da Altino per cercare riparo dagli Unni, ma in realtà la formazione
urbana fu il risultato di un processo più lungo di osmosi tra i nuclei romani
dell'entroterra e le piccole comunità lagunari, se è vero che risale al 639
quello che viene considerato il primo documento attestante l'esistenza
della città: l'epigrafe della fondazione della Cattedrale, dove venne trasferita la diocesi di Altino. Nella costruzione del nuovo insediamento furono
utilizzati colonne, fregi, lesene e mattoni trasportati dalla vicina località
romana progressivamente abbandonata, e questi materiali si ritrovano ancora oggi nelle murature delle case, sulle sponde dei canali e nella stessa
Cattedrale, dove numerosi sono gli elementi architettonici e decorativi
realizzati (come il pulpito) con materiali di riporto o di recupero.
Torcello ebbe in ogni caso volto e dimensioni di una vera e propria città,
con circa 20 000 abitanti, sede vescovile, retta da un tribuno, centro principale di un vasto sistema urbano insulare comprendente, oltre a Mazzorbo

e Burano, anche altri centri poi scomparsi quali Costanziaca, Centranica, Ammiana e Ammianella. Come successe da Altino a Torcello, così fra l'VIII e il IX secolo vi fu un trasferimento delle popolazioni insulari di questa parte della Laguna verso le isole realtine, divenute sede del dogado dopo Cittanova (l'attuale Eraclea) e Metamauco (Malamocco), e primo nucleo della futura Venezia. Progressivamente abbandonata, Torcello seguì in parte lo stesso destino dell'antica città romana e divenne una sorta di cava di pietre lavorate e di elementi decorativi per la vicina capitale, come dimostrano un bando emesso nel 1329 per evitare il furto delle colonne della chiesa di S. Andrea e le leggi che proibivano di asportare materiali dai monumenti per un valore superiore ai due ducati. Essa mantenne tuttavia una certa importanza, tanto che nel 1247 vi fu insediato un podestà, preposto anche alle milizie, un Consiglio Maggiore e uno Minore; inoltre, nel 1464, uno statuto le accordava i privilegi particolari di una «civitas». Torcello fu anche importante scalo marittimo e commerciale, ricco delle saline esistenti in questa parte di Laguna (le ultime, lungo il canale di S. Felice, vennero chiuse nel 1913), e centro principale (addirittura esclusivo per decreto del 1272) dell'industria della lana fino all'inizio del XIV secolo. Tuttavia con la decadenza politica e il degrado ambientale, la città si ridusse progressivamente a un borgo rurale e nel 1689 il vescovo trasferì la propria sede a Murano; al 1810 risale la soppressione dei tre complessi conventuali allora ancora esistenti.

A d. del pontile inizia la strada che, costeggiando il canale di Torcello (anticamente importante via di comunicazione tra i diversi centri del sistema torcellano e l'entroterra altinate), in un ambiente verde di tamerici, conduce al centro monumentale dell'isola, di cui dopo breve spicca lontano la sagoma del campanile della Cattedrale. Raggiunte le prime case coloniche, e quindi il ponte del Diavolo (senza spallette come, in origine, tutti i ponti veneziani), si può compiere una breve diramazione varcandolo e proseguendo per un sentiero di campagna (a sin., tra orti e i vigneti, vista sul complesso monumentale). Al termine di questo, continuando a d. lungo un canale, per un altro sentiero ai bordi di un'insula posta ai margini della palude (che si intravede a sin.) si arriva a un palazzetto gotico: nel giardino aperto sulla palude sono state riportate alla luce (1960-61) le fondazioni del monastero benedettino di *S. Giovanni Evangelista*, fondato nel sec. VII e demolito dopo il 1810 (visitabile a richiesta).

Ritornati sul percorso principale, si prosegue lungo il canale fino a una piccola darsena: a d., la celebre *locanda Cipriani*, insediata in edifici rurali (aperta nel 1946, nell'inverno del 1948 ospitò Ernest Hemingway, che vi scrisse alcuni capitoli del romanzo «Di là dal fiume e tra gli alberi»); a sin., lungo il canale (che continua tra sponde di tamerici), casa seicentesca con cavana trasformata in locanda alla fine degli anni settanta. Varcato il ponte, si giunge in breve nello spiazzo erboso (pianta, pag. 661) intorno al quale sono disposti, a formare la piazza di una città che non esiste più, gli edifici testimonianti la ricchezza e la civiltà artistica del primo grande insediamento lagunare: a d., collegati da un portico, la Cattedrale, i resti del Battistero e la chiesa di S. Fosca; di fronte e a sin., i palazzi dell'Archivio e del Consiglio; al centro dello spiazzo, la cosiddetta *sedia di Attila*, sedile in pietra probabilmente usato dai tribuni quando rendevano giustizia.

La *Cattedrale (S. Maria Assunta; 1), fondata nel 639 per ordine dell'esarca ravennate Isacio e successivamente ampliata (824), deve l'attuale struttura alla parziale ricostruzione voluta nel 1008 dal vescovo torcellano Orso Orseolo, figlio del doge Pietro II. La semplice facciata di tipo basilicale, quasi priva di aperture e ripartita in 12 moduli da lesene collegate in alto da archetti a tutto sesto, è preceduta da un nartece del sec. IX, ampliato e modificato nel XIV con la messa in opera della travatura lignea su barbacani, ed esteso nel sec. XIV-XV così da creare una sorta di 'strada interna' che collega, unificandoli, i diversi spazi religiosi (furono allora create, oltre a quelle di sin., corrispondenti alla sala della Confraternita, le tre campate di d. che raggiungono il portico di S. Fosca); portale marmoreo con stipiti del sec. IX e architrave decorato da bassorilievi a tralci del sec. XI. Davanti alla facciata, i resti del Battistero (2) che completava il complesso del sec. VII (la posizione aveva un'evidente funzione liturgica di introduzione dei catecumeni e dei neocristiani alla basilica).

Lungo il fianco d. (per accedervi rivolgersi al custode) si aprono in alto alcune finestre centinate con imposte di pietra ruotanti su cardini pure di pietra. Seguendo il fianco sin. del complesso, e costeggiando il corpo di fabbrica absidato aggiunto nel sec. XV (corrisponde alla sala della Confraternita e alla sagrestia), si arriva alla zona absidale: l'abside centrale, che incorpora l'absidiola della cripta, appartiene alla chiesa del sec. VII, mentre le due laterali risalgono al IX. Nel prato, il possente **campanile** (3), eretto nel sec. XI con canna a lesene e cella campanaria a quadrifore; dall'alto (richiedere l'autorizzazione alla Curia patriarcale), incomparabile veduta su tutta la Laguna nord che permette anche di cogliere la posizione perfettamente centrale di Torcello rispetto a tale contesto. Il piccolo oratorio poco distante sorge forse sul luogo della chiesa di S. Marco, eretta da Rustico da Torcello che, nel sec. IX, insieme a Buono di Malamocco, portò da Alessandria d'Egitto le presunte spoglie dell'evangelista (le pietre a semicerchio nel prato potrebbero appartenere a quella costruzione).

Per la porta laterale d. si accede all'interno della Cattedrale (ingresso a pagamento; orario 8-18): a pianta basilicale, è diviso in tre navate da 18 colonne di marmo greco con notevoli capitelli corinzi del sec. XI e presenta gli archi, con un accenno di piedritto, collegati all'imposta da catene lignee; altre catene collegano i muri trasversalmente; copertura a capriate lignee; pavimento a tassellato marmoreo del sec. XI (davanti al presbiterio, lastra tombale di Paolo d'Altino, primo vescovo di Torcello).

La controfacciata è interamente occupata da un grandioso mosaico veneto-bizantino (sec. XII-XIII) raffigurante il *Giudizio Universale secondo l'iconografia bizantina. Dall'alto in basso: nel timpano, Cristo crocifisso tra la Madre e S. Giovanni; più sotto, La discesa al Limbo; nella fascia seguente, la «Deesis» (Cristo in gloria) con la Madonna, S. Giovanni Battista, i 12 Apostoli, santi e le schiere angeliche; nella zona seguente, La preparazione del Giudizio Universale (Etoimasia) tra due scene della Risurrezione dei corpi; nella 5ª e 6ª fascia gli Eletti (a sin.) e i Dannati (a destra). Nella lunetta del portale, *Madonna orante*. Presso l'ingresso, *acquasantiera* di marmo sostenuta da grottesche cariatidi (sec. XI).

Tra la navata mediana e il presbiterio è l'iconostasi, formata da 6 esili colonne marmoree con capitelli bizantini raccordate in basso da 4 plutei a bassorilievi di pavoni e leoni affrontati (sec. X-XI); in alto, la *Vergine* e i 12 *Apostoli*, tavole a fondo oro di arte veneta degli inizi del sec. XV (della stessa epoca è il *Crocifisso* ligneo sulla catena). A sin., l'ambone ricomposto nel '200 con frammenti più antichi, forse provenienti da Altino. Nel presbiterio, 8 stalli e cattedra vescovile in legno intagliato, tardogotici. L'altar maggiore, ricomposto nel 1929 con alcuni elementi di quello originario scoperti nella demolizione dell'altare barocco, presenta sotto la mensa un sarcofago romano-altinate del II o III sec., con amorini, e ai lati figure femminili (probabilmente nel sec. VII contenne le spoglie di S. Eliodoro, primo vescovo di Altino). A sin. dell'altare, *iscrizione originaria della fondazione della chiesa («Imperante Eraclio Augusto e per ordine di Isacio esarca e patrizio»), il più antico documento di storia veneziana (639). Nell'abside girano in basso 6 gradoni destinati al clero con, al centro, la cattedra vescovile in marmo; in alto, nei mistilinei esterni, *Annunciazione*, mosaico del sec. XIII, e nel catino, *Madonna col Bambino*,

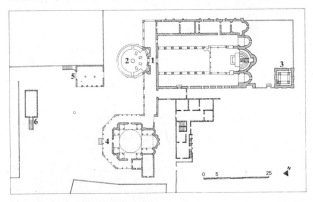

Torcello: il complesso monumentale

stupendo mosaico a fondo oro di scuola veneta del sec. XIII; ai lati della finestra, i 12 *Apostoli* e, al di sotto di questa, *S. Eliodoro*, mosaici del sec. XII (il sottostante rivestimento marmoreo copre la primitiva decorazione ad affresco, di analogo soggetto, di cui è stato rimesso in luce l'angolo sinistro). La cappella a d. della maggiore è decorata da preziosi mosaici veneto-bizantini del sec. XII-XIII: nella volta, 4 *angeli reggenti l'agnello mistico*; nel catino, *Cristo in trono tra gli arcangeli Michele e Gabriele* (sec. XIII); in basso, 4 *santi* (del sec. XII forse su schema del IX).
Dalle navate laterali si scende nella cripta, aperta nel sec. IX in forma di ambulacro con la nicchia per l'altare al centro. Dalla navata sin. si accede alla sagrestia, dove sono raccolti frammenti architettonici e decorativi appartenenti all'Opera della Cattedrale; inoltre, *Madonna* attribuita a Francesco Laurana.
Nelle navate minori, 2 altari con polittici lignei intagliati e dorati di Paolo Campsa (sec. XV-XVI), malamente restaurati da Antonio de Poris, che lasciò il suo nome nell'altare di d. (sec. XVII-XVIII); nella navata sin., al 1° altare, *Madonna* di Jacopo Tintoretto.

La chiesa di *S. Fosca** (4), costruita intorno al 1100, fu forse preceduta nel sec. VII da un «martyrium» che avrebbe costituito, insieme alla Cattedrale e al Battistero, un complesso simile a quello di S. Vitale a Ravenna. Intorno alla fabbrica si sviluppa su cinque lati il portico, ad archi a piede rialzato su capitelli e colonne di diversa fattura (tra queste ultime erano in origine fissati plutei marmorei di cui solo alcuni rimangono ancora in sito); portico che, fungendo da elemento di raccordo tra i diversi volumi, rappresenta anche l'elemento fondamentale della complessa ed elegante composizione volumetrica della struttura culminante nel tamburo cilindrico. Posteriormente l'abside centrale, pentagonale, è fasciata da due ordini di arcate cieche (l'inferiore su colonnine binate e il superiore su paraste) e coronata da una decorazione a denti di sega. Sul fianco d., la *Madonna venerata dai confratelli*, rilievo datato 1407. Sotto il portico di sin., sarcofago del 1436.

La raffinata articolazione dei volumi e la grande sapienza delle soluzioni costruttive dell'esterno di S. Fosca, trovano preciso riscontro in uno spazio interno di rara suggestione. A croce greca con corti bracci, è suddiviso nella zona presbiteriale in tre navate absidate di cui le laterali assai strette; all'incrocio dei bracci una doppia serie di trombe crea il raccordo con il tamburo di una non esistente cupola (crollata o mai costruita), sostituita da una copertura conica di legno; ciascun braccio è separato dal vano centrale da un'arcata, su due colonne di marmo greco con bei capitelli, affiancata da archi minori. Nell'absidiola sin., *Madonna col Bambino*, pregevole scultura marmorea forse di scuola toscana del '400; alla sua sin., *Martirio di S. Giustina*, tela firmata di Giulio del Moro. Sopra la porta del transetto sin., *Madonna in trono e 4 santi*, tavola di scuola belliniana molto guasta.

Nei trecenteschi *palazzi dell'Archivio* (con doppio portico ed elegante trifora; 5) e *del Consiglio* (con finestre trilobate e campaniletto concluso da edicola cuspidata; 6) è allogato il **Museo di Torcello** (istituito nel 1870 e già denominato dell'Estuario), che accoglie reperti archeologici della zona lagunare e vari oggetti d'arte relativi all'insediamento torcellano. Giorni e ore di visita, pag. 135.

Il palazzo dell'Archivio, restaurato nel 1983, accoglie la riordinata SEZIONE ARCHEOLOGICA. Sotto il portico, lapidi, capitelli e monumenti funerari romani provenienti da Torcello e da Altino. Nella sala superiore: gruppo di bronzi etruschi, paleoveneti e romani; ceramiche greche (importante il *cratere corinzio* del VI sec. a.C., con scene di guerra e animali), etrusche, apule e campane. Tra i marmi sono di particolare interesse: una *testa femminile*, da stele funeraria attica della fine V-inizi IV sec. a.C.; una *statua di Asclepio* del I sec. con testa di Serapide del II sec. (entrambe di fattura romana); un'*erma* di «Hermes Propyleios» derivata in epoca adrianea dall'originale di Alcamene; un *ritratto di donna anziana*, di età flavia, proveniente da Altino; una *testa* frammentaria *di Traiano*; un *ritratto di giovanetto* di età antoniniana (Caracalla ?); un *ritratto di sacerdote d'Iside*, del principio del sec. III; una piccola *testa dell'imperatore Balbino* (che regnò pochi mesi nel 238), e una *testa della poetessa Saffo*, opera d'ispirazione classica della 1ª metà del IV secolo.

Nel palazzo del Consiglio sono sistemate, dal 1974, le SEZIONI MEDIEVALE E MODERNA. Al pianoterra, reperti medievali provenienti da Torcello e dall'area settentrionale della Laguna: 6, *acquasantiera* bizantina (sec. VI) con iscrizione greca; 5, punta di lancia barbarica in bronzo con iscrizione runica; 15 e 16, *teste d'angeli*, due frammenti di mosaico del sec. VII; 17-21, cinque pannelli con frammenti dei mosaici della Cattedrale di Torcello, dei sec. XI e XII (particolarmente interessanti, 19, 20, 21, *testa di Cristo imberbe tra due teste d'angelo*, resti del distrutto mosaico del timpano soprastante l'arco trionfale); 37, 13 formelle resto della pala d'argento dorato già sull'altare maggiore della Cattedrale torcellana, opera veneziana dei primi decenni del sec. XIII; nella vetrinetta a muro, 46, *bronzi* bizantini dal VI al XII sec.; 56, *Cristo tra la Vergine, S. Giovanni e 2 angeli*, dipinto su tavola di scuola veneziana con influssi toscani (fine XIII-inizi XIV secolo). Particolare interesse per la storia dell'arte dell'area veneta dal VI al XIII sec. hanno i marmi infissi alle pareti della sala terrena e, 53, la vera da pozzo con due grifoni affrontati, ricavata nel sec. X dalla base di un monumento altinate di età medioromana. Al piano superiore: 101, *S. Fosca giacente*, statua lignea di artista veneto-toscano della metà del sec. XV, già coperchio dell'arca della santa; 102, stendardo della confraternita di S. Fosca di Torcello, ricamato in seta e fili d'argento con la *Madonna col Bambino tra le Ss. Fosca e Maura* (1366); 104-113, serie di 10 tavolette a tempera attribuite a Bonifacio Bembo (metà sec. XV); 116 e 117, *Annunciazione*, 118, *Adorazione dei Magi* e, 124-127, *episodi del martirio di S. Cristina*, tele cinquecentesche di Benedetto e Carletto Caliari, già nella distrutta chiesa torcellana di S. Antonio. Notevoli le statue lignee quattrocentesche alle pareti e nella vetrina attigua alla scala. Nelle vetrine al centro della sala: cimeli relativi alla storia civile di Torcello (*statuti, Libro d'Oro* e *diplomi*); documenti riguardanti la diocesi torcellana e, 192, riccio in avorio del vescovo Bono Balbi (sec. XII); frammenti di ceramiche e armi rinvenuti nell'isola e nella Laguna.

Nell'area tra i due edifici, già occupata dal palazzo del Podestà, capitelli e rocchi di colonne romani; sul muro che la delimita a mezzogiorno, stemmi di podestà veneziani, 2 Leoni marciani e *S. Giovanni Evangelista benedicente*, edicola gotica di scultore veneto-toscano del sec. XIV già sul prospetto del monastero di S. Giovanni Evangelista (v. pag. 659).

ESCURSIONE A TREPORTI. Posto sul litorale del Cavallino, ai margini orientali della Laguna, Treporti si raggiunge con la motonave della linea 12. Percorso il canale di Burano tra fasce di barene quasi continue, e costeggiato, a d., l'*isolotto di Crevan* (con un ridotto militare costruito durante la dominazione austriaca), si lascia, sempre a d., l'isola di Sant'Erasmo per attraversare il canale di S. Felice (che nel tratto di sin. raggiunge le aree più interne della Laguna nord). La motonave attracca a Ricevitoria, a circa un chilometro dall'abitato di Treporti (v. pag. 706).

8.3 Le Vignole e Sant'Erasmo

MEZZI D'ACCESSO. Coi motoscafi della linea 13 in partenza da Venezia (fondamenta Nuove) e con fermate a Murano (Faro), Le Vignole e Sant'Erasmo (Capannone, Chiesa, Punta Vela). Alcuni servizi turistici organizzati da agenzie e compagnie di trasporto private includono nei loro itinerari una sosta alle Vignole.

Situate a est e a nord-est di Venezia, le isole delle Vignole e di Sant'Erasmo costituiscono il margine che divide la Laguna nord, compresa fra Murano e Burano, dalla bocca di porto di Lido e, sino alla fine del sec. XIX (prima che la costruzione delle dighe che formano questa bocca di porto prolungasse la penisola del Cavallino), erano un vero e proprio diaframma tra la Laguna e il mare (alle loro estremità sfociavano i più importanti canali di accesso a Venezia, Murano, Burano e Torcello). Proprio la loro posizione strategica spiega la presenza di alcune fortificazioni che rappresentano le uniche strutture di interesse storico e architettonico in questo tratto di Laguna (tra quelle ancora esistenti, per lo più ridotte a rudere, la principale è il forte di S. Andrea alle Vignole). Ma i motivi che concorrono a rendere interessante l'itinerario sono piuttosto di carattere ambientale, connessi alla peculiarità di 'campagna di Venezia' che tanto Le Vignole quanto Sant'Erasmo presentano. Una campagna famosa per i suoi orti e meta tradizionale di escursioni attraverso uno dei più suggestivi paesaggi lagunari. Una campagna che non ha subito in apparenza modificazioni (i fenomeni di crescita o di disseminazione edilizia vi sono infatti piuttosto limitati), anche se non mancano segni di un pericoloso degrado ambientale, legato alla decadenza delle aziende agricole tradizionali (fortemente danneggiate dalla inondazione del 1966 e dalle difficoltà di collegamento) col conseguente aumento di terreni incolti e deperimento del sistema di canalizzazioni interne. Accanto a questo, il deplorevole stato di abbandono prolungato delle vicine isole della Certosa e del Lazzaretto Nuovo riflette un fenomeno più generale di degrado del sistema insediativo lagunare. La carta è a pag. 642.

Raggiunta, da Venezia, Murano (v. pag. 643), la si lascia alle spalle, insieme all'isola di San Michele, proseguendo verso sud-est lungo il canale dei Marani. A sin. è l'isola abbandonata di San Giacomo in Paludo mentre a d., all'altezza dell'ampia curva con cui il canale dei Marani si innesta in quello delle Navi, il complesso dell'Arsenale, con le sue mura, le darsene, le gru e le navi nel bacino di carenaggio, offre un'immagine della città storica legata alla sua antica funzione marittima e produttiva; più avanti, la grande chiesa di S. Pietro di Castello con lo splendido campanile in pietra bianca e, sullo sfondo, il profilo dei moderni insediamenti dell'isola di Sant'Elena. Si punta a est lungo il canale della Bissa. A d., circondata dalla palude, *La Certosa*, la più estesa tra le isole abbandonate della Laguna, caratterizzata da una fittissima vegetazione che sommerge alcuni degradati fabbricati militari otto-novecenteschi.

Già sede, dalla fine del sec. XII, di una chiesa e di un convento dedicati a S. Andrea, l'isola prende il nome dai Certosini che vi si insediarono nel 1424, dando vita a uno dei più importanti complessi monastici di tutta la Laguna. Dopo la soppressione napoleonica (1806) l'isola fu proposta come sede del nuovo cimitero cittadino ma la scelta, compiuta da Napoleone in persona, a favore dell'isola di San Cristoforo (v. pag. 640) ne decretò il definitivo abbandono. La distruzione del complesso conventuale (con la chiesa di Pietro Lombardo) e la dispersione delle opere d'arte (tra cui pitture di Andrea da Murano, Bartolomeo Vivarini, Tiziano e Tintoretto) rappresentano ancora oggi una delle più gravi perdite del patrimonio storico e artistico veneziano. L'isola fu in seguito utilizzata a scopi militari dai governi francesi, austriaco e italiano e ha smesso questa destinazione nel 1968. Dopo le proposte, avanzate negli anni sessanta, di realizzarvi parcheggi e terminal automobilistici legati a ipotesi di strade translagunari, nel 1977 è stata destinata, da una variante del Piano Regolatore ancora senza seguito, a parco pubblico.

Si arriva a *Le Vignole*, vasta isola quasi interamente coperta da campi e orti, salvo la punta meridionale, in fondo al canale che la attraversa in direzione NO-SE, occupata da installazioni militari comprendenti il forte di S. Andrea.

Abitata già in epoca romana, l'isola delle Vignole veniva citata da Marziale (con il nome di Biniola) come luogo di villeggiatura degli Altinati. Nelle epoche successive mantenne un assetto essenzialmente agricolo senza alcun insediamento di rilievo, se si eccettua il cinquecentesco forte di S. Andrea che, rivolto verso la bocca di porto di Lido, è visibile solo da questa (v. pag. 679).
Nel piccolo nucleo rurale (località della frazione Sant'Erasmo), costituito da qualche vecchia casa colonica con i suoi orti e da un'interessante cavana che si protende nel canale con due file di grossi pilastri sostenenti il tetto a capriata lignea, è la chiesetta di *S. Eurosia*: restaurata nel sec. XIX, sorge sul sito di una precedente chiesa, dedicata ai Ss. Giovanni Battista e Cristina, fondata nel sec. VII da due tribuni di Torcello.

Proseguendo lungo il canale della Bissa, oltre la grande apertura, a d., del canale Porto di S. Erasmo (fino al sec. XIX in diretto collegamento col mare aperto) si imbocca l'innesto del sinuoso canale Passaora, che costeggia tutto il fronte lagunare dell'isola di *Sant'Erasmo*, sorta di cordone litoraneo, lungo circa km 4 e largo da 300 a 600 metri, delimitante verso est la Laguna.

Sant'Erasmo, descritta da Marziale come luogo di villeggiatura degli Altinati (le cui ville erano protette dai venti del mare da una folta pineta), non fu mai sede di insediamenti urbani rilevanti, anche se le cronache più antiche vi ricordano numerose chiese; la prima parrocchiale, dedicata ai Ss. Erme ed Erasmo, fu fondata poco prima del Mille. Situata fuori dal raggio di azione dei fiumi, l'isola non ha subito fenomeni di erosione o di interramento e ha mantenuto pressoché intatte nel corso dei secoli la sua forma e le sue caratteristiche essenzialmente agricole. La struttura insediativa, articolata su piccoli nuclei rurali, si sviluppa prevalentemente in senso longitudinale, parallelo alla Laguna, e si organizza, con isolate case coloniche, sulle maglie di una fitta rete di canali interni. Questi, che alimentano i vivai e le piccole valli da pesca che si alternano alle coltivazioni caratterizzando il paesaggio, sono regolati da un sistema capillare di chiuse a ghigliottina poste lungo il canale Passaora (in corrispondenza delle aziende agricole) e nelle zone interne.

All'estremità sud-occidentale dell'isola (scendere alla prima fermata, Capannone, e seguire la strada verso l'interno), in mezzo a una radura, su un terrapieno circondato da un canale, è la cosiddetta *torre di Massimiliano*, forte a pianta circolare con muratura rastremata verso l'alto, costruito nella 2ª metà del sec. XVIII per potenziare il sistema difensivo del porto (prende il nome dal fratello di Francesco Giuseppe, che nel 1857 successe al Radetzky come governatore del Lombardo-Veneto).

Dal pontile si può osservare, sulla sponda opposta, l'isola del *Lazzaretto Nuovo*, inizialmente abitata da eremiti e dal sec. XV utilizzata prima per la quarantena delle persone e delle merci provenienti dall'Oriente e quindi come lazzaretto; durante la pestilenza del 1576, secondo Francesco Sansovino, erano circa 10 000 le persone qui ricoverate per accertare il contagio (solo se infette venivano inviate al Lazzaretto Vecchio). L'isola mantenne questa destinazione anche nei secoli successivi ma, a partire dal XVIII, fu progressivamente abbandonata finché non venne trasformata in deposito munizioni e in presidio militare, funzione mantenuta fino al 1975.
Gli edifici che si affacciano sul canale, sedi dell'ex presidio, sono solo una parte del cospicuo patrimonio edilizio tuttora esistente; verso l'interno, in particolare, è il *«tezon Grande»*, lunga struttura dove erano ricoverati i sospetti di contagio (vi sono ancora visibili le scritte dei degenti).

Al centro del fronte verso la Laguna (fermata Chiesa) è la frazione *Sant'Erasmo* m 2, ab. 1057, il principale nucleo abitato dell'isola. La parrocchiale di *S. Erasmo* fu costruita nel 1928 da Brenno Del Giudice sul luogo della preesistente (v. sopra) che,

riedificata nel 1120, fu demolita all'inizio del sec. XIX; in prossimità del pontile, uno dei numerosi cippi in pietra d'Istria della
conterminazione lagunare tracciata dalla Repubblica tra il 1786 e
il 1791 (delimitavano tutto il perimetro dell'invaso lagunare, protetto da leggi severissime che ne impedivano la pur minima ma-
nomissione).

La passeggiata può continuare lungo la strada bianca che prosegue verso
l'interno, attraverso campi e orti che si alternano a una edilizia estremamente modesta e talvolta degradata che tuttavia conserva intatte le proprie caratteristiche rurali. Dopo un po', a sin., una vasta area di vivai ricavata sulla Laguna, e in stato di quasi abbandono, filtra una suggestiva veduta di San Francesco del Deserto e, sullo sfondo, di Burano e Torcello;
più avanti, a sin., una piccola valle da pesca, popolata da gabbiani, gar-
zette e altre specie lagunari, con la sua chiusa verso la Laguna e un modesto gruppo di cavane in legno. Continuando per qualche centinaio di
metri, a sin., si giunge al piccolo nucleo di Punta Vela, di fronte a San
Francesco del Deserto che emerge con i suoi cipressi da un'ampia fascia di
barene e di paludi, al di là del canale. Qui si trova il pontile di Ca' Vela dal
quale, con la linea 13, si può ritornare a Murano e Venezia.

8.4 San Servolo, San Lazzaro degli Armeni e altre isole minori

MEZZI D'ACCESSO. Linee 10 e 20 in partenza da Venezia (riva degli Schiavoni) per San Servolo e San Lazzaro degli Armeni o, alternativamente,
per La Grazia e San Clemente; alcune corse passano per tutte e quattro le
isole e l'itinerario proposto segue questo percorso.

Tra Venezia e il Lido, lungo i canali che raggiungono la bocca di porto di
Malamocco, si trovano numerose isole minori che completano il sistema
della città lagunare. Fino a non molto tempo fa centri di funzioni e di servizi essenziali alla città (come ospedali o presidi militari), lo stato di margi-
nalizzazione in cui ora si trovano pone il problema di come ricuperare e
tutelare il ragguardevole patrimonio storico e artistico di cui sono deposi-
tarie. Esse offrono al visitatore l'occasione di cogliere la struttura policen-
trica di Venezia, sviluppatasi necessariamente secondo i tracciati dei canali e le opportunità di insediamento offerte dalle diverse isole. Particolare interesse presenta San Lazzaro degli Armeni, dove la comunità conventuale che vi ha sede è attenta custode di un insieme culturale e ambientale tra i più preziosi.

Lasciata la riva degli Schiavoni e attraversato il Bacino di S.
Marco (v. pag. 145), si imbocca verso sud il canale La Grazia: a
sin., il fianco del convento palladiano di S. Giorgio Maggiore; a
d., il retro dell'isola della Giudecca con la fitta vegetazione da cui
emergono la chiesa pure palladiana del Redentore, alcune ville
ottocentesche neobizantine e, sul fondo, gru e pontoni che segnalano le attività di cantieri navali. Si arriva a *La Grazia*, dall'inizio
di questo secolo sede di un ospedale per la cura delle malattie

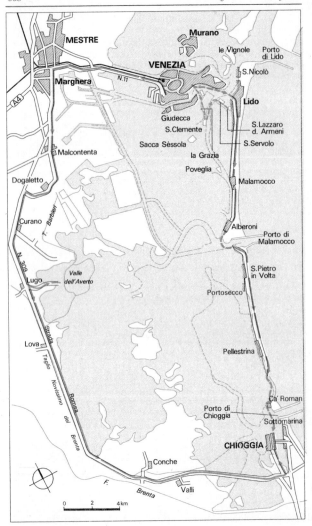

contagiose e la riabilitazione dei moto-neurolesi: è l'unica tra le isole della Laguna che conserva tuttora questa funzione.

Sull'isola, anticamente chiamata Cavanella, si insediò nel 1264 un ospizio per pellegrini di Terrasanta, poi trasformato (sec. XV) in convento dalla confraternita di S. Girolamo di Fiesole (la chiesa fu dedicata a S. Maria della Grazia, nome esteso in seguito a tutta l'isola, da un'immagine custoditavi, ritenuta miracolosa). Dopo lo scioglimento della confraternita, l'acquistarono (1671) le monache Cappuccine, che vi rimasero fino al 1810, quando venne destinata a usi militari (si distrusse allora l'antica chiesa e al suo posto sorse una polveriera che esplose nel 1849 cancellando ogni traccia degli edifici preesistenti).

Al termine del canale La Grazia, in prossimità dell'imbocco del canale Orfano, è l'isola di *San Clemente*, la cui immagine è dominata dall'imponente volume dell'Ospedale psichiatrico, dopo la riforma del 1978 solo parzialmente utilizzato e destinato a nuove funzioni.

Anche su quest'isola sorse dapprima un ospizio per pellegrini che, trasformato in convento nel 1160 dagli Agostiniani, dopo il loro ritiro a Venezia (2ª metà sec. XV) fu adattato per accogliere gli ospiti illustri della Repubblica. Dal 1522 San Clemente divenne, per oltre un secolo, una sorta di succursale del Lazzaretto, ospitando le personalità provenienti da luoghi ritenuti infetti (secondo le cronache, da qui si propagò la peste del 1630, portata in città da un falegname che lavorava sull'isola). Acquistata da Andrea Mocenigo nel 1645 e adibita ad asilo di eremiti, dai primi del sec. XIX al 1849 servì come reclusorio per i preti rei di insubordinazione alle autorità ecclesiastiche; successivamente destinata a usi militari, nel 1855 fu scelta dal governo austriaco come sede del «Manicomio centrale femminile delle province venete», che sorse sul luogo dell'allora demolito convento.

Ancora oggi è visibile la *chiesa* (dal 1970 chiusa al culto), ricostruzione quattrocentesca della fabbrica annessa all'ospizio per pellegrini, successivamente più volte ristrutturata; la ricca facciata risale alla trasformazione seicentesca voluta dalla famiglia Morosini e realizzata su progetto di Andrea Cominelli (allo stesso sono attribuite le sculture che la decorano, i *Ss. Benedetto e Romualdo*, e il *monumento di Francesco e Tommaso Morosini*). Dell'interno, in attesa di restauri e privato degli arredi, si dà la visita come sarà presumibilmente possibile effettuarla dopo il risanamento: 1ª cappella d., *L'incredulità di S. Tommaso e i Ss. Bernardo e Francesco Saverio* di Pietro Ricchi; 2ª, *La Madonna di Loreto e santi* di Francesco Ruschi; 3ª, tabernacolo con colonne e intarsi attribuito a Francesco Cavrioli; segue il *monumento a Giorgio Morosini* di Josse Le Court, opposto al quale è il *monumento a Pietro e Lorenzo Morosini* di Michele Ungaro; nel presbiterio, riproduzione barocca in marmo della Santa Casa di Loreto (1646) con, sul retro, *Presepio*, fuso nel 1703 da Giuseppe Mazza (firmato); alle pareti del coro, *Episodi della vita di S. Romualdo*, cinque pitture di scuola veneziana della metà del sec. XVIII nei modi di Francesco Fontebasso; a sin. dell'ultima cappella, *S. Michele arcangelo* di Antonio Zanchi.

Dietro l'isola di San Clemente, verso sud-ovest, è l'isola di *Sacca Sèssola* (inaccessibile al pubblico), ricavata artificialmente nel 1870 con i riporti di terra degli scavi per la realizzazione della Stazione marittima: deve il nome alla forma trapezoidale che ricorda quella delle palette (in dialetto «sèssole») usate per togliere l'acqua dalle barche. Dopo varie destinazioni l'isola divenne, nel 1914, un tubercolosario e tra il 1921 e il 1936 vi furono realizzate le strutture ospedaliere, funzionanti fino al 1980 e tuttora esistenti.

Lasciato a d. il canale di Santo Spirito, scavato nel 1725 in prosecuzione del canale Orfano per creare una via di grande navigazione tra Venezia e la bocca di porto di Malamocco, si continua lungo il canale Orfano e quindi a d. nel canale Lazzaretto. Si approda all'isola di *San Servolo*, fino al 1978 sede di un Ospedale psichiatrico e oggi utilizzata da alcune istituzioni culturali: una fondazione che si occupa dell'emarginazione sociale e delle malattie mentali; un centro europeo per la formazione di restauratori; un centro di studi musicali.

Sede nel sec. VII di un complesso conventuale di monaci benedettini, dal sec. XII l'isola fu utilizzata da monache dello stesso ordine, che vi rimasero fino al 1615; ceduta quindi (1648) alle monache cacciate dall'isola di Creta, nel 1725 passò ai padri Ospedalieri (oggi Fatebenefratelli) incaricati di assistere i malati delle milizie veneziane e dalmate. Tra il 1733 e il 1766 sorse, su progetto di Giovanni Scalfarotto, l'attuale fabbrica dell'*Ospedale*, inizialmente riservato ai malati di mente di famiglie nobili e solo dopo la caduta della Repubblica aperto ai pazienti di ogni estrazione sociale (nel corpo centrale della fabbrica, nel cortile a d., rimangono alcune strutture dell'antico complesso benedettino; nel salone, affreschi di Jacopo Marieschi). Nella chiesa, attribuita a Tommaso Temanza: sul soffitto, affreschi di Jacopo Marieschi (*Gloria di S. Giovanni di Dio* e *Virtù teologali*); *S. Giovanni di Dio abbraccia la Croce*, pala di Francesco Maggiotto (1793); *Deposizione*, opera di Giambettino Cignaroli ampliata da Lattanzio Querena.

Segue l'isola di **San Lazzaro degli Armeni**, l'unica che abbia conservato, unitamente a San Francesco del Deserto, la sua antica funzione conventuale. È tuttora abitata da una attivissima comunità di padri Armeni (qui insediata dall'inizio del sec. XVIII) che, oltre a conservare il prezioso patrimonio ambientale e storico dell'isola, animano un importante centro di cultura armena comprendente, tra l'altro, una biblioteca, con ricchissima raccolta di preziosi manoscritti antichi, e una tipografia in grado di stampare in 36 lingue diverse. San Lazzaro degli Armeni è un pezzo di Oriente trapiantato nella Laguna, un brano di civiltà urbana ormai scomparsa, dove si può comprendere appieno quale fosse la vita e il ruolo di queste isole-convento nel più vasto sistema urbano veneziano e lagunare.

Il nome di San Lazzaro rimanda a un ospedale, qui costruito alla fine del sec. XII (insieme a una chiesa dedicata a S. Leone) e in seguito destinato a lebbrosario. Dopo la chiusura di questo e oltre due secoli di abbandono, nel 1717 l'isola fu concessa dalla Repubblica alla congregazione monastica armena dei padri Mechitaristi (gruppo a parte dell'ordine benedettino), guidata dall'abate Mechitar, giunto a Venezia (dove dal sec. XIII una comunità armena era insediata presso S. Zulian) nel 1715 dopo esser stato cacciato dalla Morea dai Turchi. Ampliato l'isolotto, si edificò allora, su disegno dello stesso Mechitar, il nuovo complesso conventuale che, nel corso del tempo, divenne un importante centro culturale ed editoriale, tanto che all'epoca delle soppressioni napoleoniche venne risparmiato perché considerato accademia letteraria. Ancora oggi i padri proseguono la loro attività di studio, di ricerca e di diffusione culturale e a loro si deve, tra l'altro, la traduzione in lingua armena delle più significative opere della letteratura latina e greca, europea e italiana. Nell'isola soggiornò per lunghi periodi George Byron, del quale si conservano numerosi ricordi.

Dal pontile, situato a fianco della darsena ottocentesca, attraversato un giardino si giunge al piazzale antistante al complesso conventuale, di cui è consentita la visita dalle ore 15 alle 17 (a d., *statua dell'abate Mechitar*, bronzo di Antonio Baggio del 1962). Nel convento, dalla sala d'attesa decorata con paesaggi di Gaspare Diziani e altri, si accede al chiostro, dove un semplice porticato ad archi a tutto sesto su colonne doriche racchiude un piccolo giardino ricco di piante nostrane ed esotiche; nel lato di fronte, statua muliebre acefala di arte romana (sec. II ?) e alcuni frammenti archeologici. Da qui si accede al refettorio e, attraverso un atrio, alla chiesa.

Il REFETTORIO è un interessante ambiente settecentesco adorno di numerose tele, tra cui: ai lati dell'ingresso, *Mosè salvato dalle acque* e l'*Arcangelo Raffaele e Tobiolo*, quadri di paesaggio di Luca Carlevarijs; *S. Giovanni Battista* di scuola bolognese del '600 (Michele Desubleo ?); *Battesimo di Gesù* di scuola dello Strozzi; *Ultima Cena* di Pier Antonio Novelli. Un atrio, dove il trecentesco *sarcofago di Costantino Zuccola*, precede la **chiesa**, già appartenente al lebbrosario, ristrutturata dall'abate Mechitar e ricostruita dopo un incendio nel 1883 (l'apparato decorativo ha subito seri danni in un ulteriore incendio divampato nel 1975, quando sono andati distrutti, oltre a pregevoli arredi e paramenti sacri, anche due dipinti di Gaspare Diziani). L'interno è diviso in 3 navate che sostengono grandi arcate ogivali, riccamente decorate da mosaici (1950-51); ai piedi dell'altar maggiore, *pietra tombale dell'abate Mechitar*; all'altare d., *S. Antonio abate*, pala di Francesco Zugno (1737); in quello a sin., *S. Famiglia e l'Eterno in gloria* di Domenico Maggiotto

Si sale al primo piano per lo scalone decorato da stucchi settecenteschi e da numerosi dipinti, parzialmente rovinati durante l'incendio della chiesa nel 1975.

Si distinguono: *Martirio di S. Caterina*, tela attribuita a Palma il Giovane, parte di un dipinto più grande conservato a Leningrado; l'*Invenzione della*

Croce, vasta tela dell'Aliense; *Achille consegna a Priamo il corpo di Ettore* di G.B. Langetti; *Cristo deposto* di Palma il Giovane; inoltre, *Madonna col Bambino e angeli*, terracotta toscana policroma della fine del '400.

Si accede alla BIBLIOTECA, pure rovinata nell'incendio del 1975, che raccoglie c. 45 000 volumi e un piccolo padiglione costruito nel 1867 un ricco fondo di miniature e manoscritti armeni (giorni e orario di consultazione, pag. 137). Nelle sale sono inoltre raccolti numerosi oggetti preziosi, dipinti e sculture che costituiscono un piccolo **Museo** (orario, pag. 135).

VESTIBOLO: nel soffitto, *Pace e Giustizia*, dipinto di G.B. Tiepolo (1730 c.), qui trasportato dal palazzo Zenobio ai Carmini (è stato restaurato dopo il 1975); sopra la porta, *Ritratto del doge Alvise Mocenigo* di Alessandro Longhi. Nelle vetrine: pregevoli oggetti egiziani, romani e orientali, porcellane veneziane del sec. XVIII; *Madonna*, smalto translucido del sec. XV; armi medievali; lavori in avorio; la sciarpa di Daniele Manin e altri cimeli della Repubblica del 1848. SALA DI GEORGE BYRON: ricordi del poeta, che fu spesso ospite del convento e abitava la cameretta attigua. Inoltre: edizioni antiche e rare; autografi di personaggi illustri. SALONE DELLA BIBLIOTECA: nel soffitto a stucchi, 3 affreschi di Francesco Zugno, rovinati nel 1975. Intorno: il «*Re di Roma*» come S. Giovannino, statua in gesso di Antonio Canova; *busto di Clemente XIII* di André-Jean Lebrun (1768); *busto del poeta padre Leonzio Alixian*, bronzo di Carlo Lorenzetti; *maschera del musicista padre Komitas* (1869-1935); *mummia di Nemenkhet Amen*, funzionario in Diospolis (sec. XV a.C.), avvolta in una rete di perline colorate, e relativo sarcofago; *statua di Gregorio XVI*, di Giuseppe de Fabris; rituale buddista in lingua pali su fogli di papiro (sec. IV). ROTONDA: preziosa raccolta di oltre 2 mila manoscritti armeni, alcuni miniati, fra i quali il più antico è un rituale del sec. VIII. Da notare anche: Vangelo del 1330, miniato; una storia di Alessandro il Grande del sec. XIII; copia autentica del 1275 di un privilegio accordato ai Genovesi da Leone I d'Armenia. Inoltre: *busto dell'abate Mechitar*, marmo di Giuseppe De Fabris (1833); collezione numismatica armena con monete che risalgono al tempo di Mitridate.

Dalla Biblioteca si passa alla **Pinacoteca**: organizzata lungo i corridoi del convento, raccoglie quadri di diverse epoche, soprattutto di scuola veneta (secc. XVI-XVIII) e armena. Il patrimonio attende ancora una catalogazione scientifica e pertanto non tutte le attribuzioni sono attendibili.

Da notare nel corridoio dell'Accademia: *Archimede* di Pietro Vecchia (sec. XVII); *Crocifissione*, modelletto per la grande tela della chiesa di S. Moisè, di Girolamo Brusaferro (sec. XVIII). Nel corridoio di fronte: alla parete sin., *Paesaggio* di Giuseppe Zais; *Sacra conversazione*, tavola dei primi del '500; *Madonna col Bambino e un devoto* di scuola lombarda del '500; 3 grandi arazzi fiamminghi; *S. Tommaso*, a mezzo busto, attribuito al Reni; *Gesù morto sostenuto da un angelo*, piccola tavola di Palma il Giovane; *Madonna col Bambino e S. Giovannino* di Girolamo da Santacroce (?); 4 *battaglie* attribuite al Borgognone; *Filosofo* di Pietro Vecchia; *Sacra Fa-*

miglia di Gaspare Diziani. Nello stesso corridoio, alla parete delle finestre: *Vedute veneziane* di Luigi Querena (sec. XIX); *La trappola* di Domenico Maggiotto; *S. Antonio da Padova*, replica da Bernardo Strozzi; *Visitazione*, modelletto di pala d'altare di G.B. Cignaroli; *Fuga in Egitto* del Mastelletta. Inoltre: *Diogene* e *Il Samaritano*, di Antonio Zanchi; *S. Elia Profeta* di Sebastiano Ricci; *Giuditta* del Padovanino. Nel corridoio degli autori armeni: numerose acqueforti di Edgar Chahine, che fu allievo del collegio; *Marine* di Ivan Ajvazovskij; *paesaggi* di Martiros Sar'jan; costumi orientali; tempere e composizioni di altri autori.

Tornati al pianterreno si visita la TIPOGRAFIA che, aperta nel 1796, è tuttora attiva e tra le più rinomate di Venezia (vi si possono stampare libri in 36 lingue). Annessi al convento, ma normalmente esclusi dalla visita, sono il SEMINARIO istituito all'inizio del sec. XVIII e ancora funzionante, e il Gabinetto di fisica e storia naturale, situato in un'ala costruita nel 1920 (comprendente varie collezioni e strumenti scientifici).

Intorno al convento, l'isola è sistemata a giardino (verso il canale del Lazzaretto, dove è l'approdo) e coltivata a orti (verso la palude); dietro la chiesa è il piccolo cimitero della comunità.

Costeggiando la darsena prossima al pontile, si raggiunge il belvedere da cui si ha una bellissima veduta della Laguna di Venezia. A sin., sullo sfondo del Lido, è l'isola del *Lazzaretto Vecchio*, dove sorgeva un ospedale per contagiosi e appestati istituito dalla Repubblica nel 1423 (dal nome della preesistente chiesa, S. Maria di Nazareth, fu conosciuto per successive deformazioni come «nazarethum» e quindi lazzaretto, termine in seguito usato per designare tutti gli ospedali del genere); dopo le soppressioni napoleoniche l'isola venne destinata, fino al 1965, a usi militari e ora ospita, provvisoriamente, il canile. Sul fondo a d., l'isola di *Santo Spirito*, dal sec. XII sede di uno dei più importanti conventi della Laguna la cui chiesa, riedificata da Jacopo Sansovino, aveva dipinti di Palma il Vecchio e Tiziano: trasformato in caserma e polveriera nel sec. XIX, il convento è stato abbandonato nel 1965 (rimangono pochi fabbricati in completa rovina). Sulla gronda lagunare, il profilo degli impianti industriali di Marghera.

8.5 L'isola del Lido

MEZZI D'ACCESSO. Le linee 1 (accelerata), 2 (diretta) e 4 (diretta estiva), con partenze dal piazzale Roma e dalla Ferrovia e fermate lungo il Canal Grande e le rive prospicienti il Bacino di S. Marco; le linee 6 (servizio diretto con motonavi) e 14 (servizio di motonavi per Punta Sabbioni), con partenze dalla riva degli Schiavoni; la 17 (nave traghetto per trasporto automezzi), che prende avvio dal Tronchetto. Inoltre, soprattutto nei mesi estivi, numerosi servizi privati con partenze dal piazzale Roma e da S. Marco.

Sull'isola esiste un servizio di trasporti automobilistici che raggiunge le varie località. Dal piazzale S. Maria Elisabetta (di fronte ai pontili) partono: la linea A, per San Nicolò; la B, per l'Ospedale al Mare e per Malamocco; la C, per Malamocco e Alberoni; la 11, per Malamocco, Alberoni e, con traghetto, Pellestrina e Chioggia. La carta è a pag. 668.

Il **Lido**, la più settentrionale delle due isole-litorali che dividono la Laguna dal mare aperto (l'altra è Pellestrina, v. pag. 683, mentre a nord-est l'invaso lagunare è delimitato dal peninsulare litorale del Cavallino, v. pag. 706), si stende di fronte a Venezia per circa km 12 (con una larghezza che varia da 300 a 1000 m) tra le bocche di porto di Lido (a nord) e di Malamocco (a sud). Formata in origine dagli apporti sabbiosi dei fiumi provenienti dall'entroterra e dall'azione contrapposta del mare, l'isola era parte di un sistema dunario un tempo allungato dalla penisola del Cavallino a Chioggia, di cui oggi rimangono poche tracce per le modifiche apportatevi sia dagli agenti naturali, sia dagli interventi artificiali volti alla protezione della Laguna e dei suoi insediamenti oltre che alla regolazione delle bocche di porto. Fino all'Ottocento, con la sola importante eccezione di Malamocco, l'isola non fu interessata da insediamenti urbani di una certa consistenza; alle due estremità (soprattutto quella settentrionale) erano posti solo i forti che controllavano l'accesso alla Laguna: a nord, intorno al convento di S. Nicolò, esisteva una fortezza e un grande quartiere militare circondati da mura (ora scomparse); il resto dell'isola era territorio agricolo solcato da canali (celebri le feste campestri che vi si svolgevano in autunno).

Fu a partire dalla seconda metà del sec. XIX che la scoperta dei 'bagni' e delle proprietà terapeutiche del clima marino, la vicinanza di Venezia e la bellezza della spiaggia di sabbia finissima (peraltro già ammirata da Goethe e luogo preferito da poeti romantici come Byron, Shelley, De Musset, Gautier) fecero del Lido una stazione balneare e un centro di mondanità cosmopolita tanto importante da legare ancora oggi la sua fama alle immagini di quell'illustre passato. Ma anche se la Mostra del Cinema rinnova in parte, ogni anno, i 'fasti' di quel periodo terminato fra le due guerre, l'immagine e il ruolo del Lido sono attualmente ben diversi, divenuto com'è una sorta di 'satellite' residenziale di Venezia investito, a partire dagli anni cinquanta e sessanta, da una notevole espansione edilizia su quasi tutta la sua lunghezza.

Ciononostante l'isola conserva ancora alcune delle attrattive turistiche che la resero famosa e presenta altri motivi di interesse legati al suo passato più recente: zone del centro otto-novecentesco sono tuttora ricche di buoni episodi di architettura liberty e «déco»; in aree più decentrate si possono ammirare alcuni tra i primissimi (e pochi) edifici razionalisti di qualità esistenti a Venezia. Ma oltre a ciò il Lido offre consistenti tracce della sua storia più lontana: il nucleo storico di San Nicolò, con l'omonimo complesso conventuale e i resti del forte di S. Nicolò che, insieme a quello di S. Andrea alle Vignole, si ergeva a controllo della bocca di porto di Lido; il centro storico di Malamocco, con un tessuto urbanistico-edilizio singolare e ben conservato; l'ex forte della Punta, ad Alberoni, all'estremità sud dell'isola, che controllava la bocca di porto di Malamocco.

Attraversato il Bacino di S. Marco (v. pag. 145), storico e rappresentativo ingresso alla città dal mare, si prosegue per la grande via d'acqua definita a sin. dalla quinta urbana continua del sestiere di Castello e, a d., dai lontani profili delle isole minori della Grazia, di San Servolo e di San Lazzaro degli Armeni. Si approda alla frazione *Lido* m 1, ab. 18 817 (v. pianta in fondo al volume), centro moderno dell'isola sviluppatosi a partire dalla metà dell'Ottocento, ma soprattutto in questo secolo: da nord a sud si allunga per circa 8 km con poche soluzioni di continuità.

Il primo forte impulso a questo centro turistico fu dato dalla sempre maggiore importanza acquistata dagli stabilimenti balneari realizzati intorno al 1850 sull'arenile di fronte alla scomparsa villa Favorita (dell'arciduca Massimiliano d'Austria, sorgeva nei pressi dell'attuale ospedale al Mare) e, i più noti, al termine del viale che, attraversando l'isola in larghezza, collegava il fronte Laguna al mare. Fra questi ultimi lo stabilimento Bagni fu ampliato ripetutamente e la società che lo realizzò intraprese, insieme al Comune, l'allargamento del viale (ora Gran Viale S. Maria Elisabetta) e la costruzione di una grande terrazza sul mare (l'attuale piazzale Bucintoro), rafforzando così l'asse fondamentale Laguna-mare sul quale sarà imperniata la struttura urbanistica della stazione balneare. Tra la fine dell'Ottocento e l'inizio del Novecento sorgono sul lungomare i due Grand Hotel, tuttora esistenti, che fanno del Lido uno dei luoghi privilegiati del turismo internazionale. Il periodo che si conclude con la prima guerra mondiale è probabilmente quello del massimo splendore: si costruiscono decine di ville e di alberghi, nei quali spesso si sperimentano i nuovi linguaggi architettonici delle scuole viennesi e tedesche; si realizzano anche una grande sala per concerti, un acquario, un ippodromo e dei giardini pubblici; si moltiplicano gli stabilimenti balneari e si consolidano le strutture per le cure marine con la costruzione di un nuovo ospizio (che, con l'aggiunta di altri reparti, diventerà l'ospedale al Mare). Negli anni trenta alcune delle attrezzature alberghiere e di divertimento sono già in declino e vengono convertite ad altri usi, ma il Lido riceve un nuovo impulso dalla Mostra del Cinema e da una intensa attività edilizia che completa la sua struttura urbanistica; in quegli anni viene anche inaugurato l'aeroporto, uno dei primissimi scali per le linee regolari e, nelle zone più periferiche, vengono costruite altre case di cura. Nel dopoguerra inizia la lenta decadenza del Lido come grande stazione balneare e si accelera la sua trasformazione in quartiere residenziale di Venezia, tuttora in piena espansione.

La struttura urbana si sviluppa sui due lati del Gran Viale S. Maria Elisabetta, che collega l'omonimo piazzale a quello del Bucintoro da cui divergono gli altri assi fondamentali dell'insediamento: verso nord-est il lungomare Gabriele D'Annunzio, che termina di fronte all'ospedale al Mare; verso sud-ovest il lungomare Guglielmo Marconi, che raggiunge la zona più nota e prestigiosa del centro turistico con il Casinò, il palazzo della Mostra del Cinema e il Grand Hotel Excelsior. Il tessuto residenziale dei primi decenni di questo secolo, organizzato prevalentemente su strade parallele al Gran Viale, non presenta invece emergenze architettoniche e funzionali di spicco; piuttosto omogeneo, è caratterizzato da un'edilizia otto-novecentesca eclettica, neogotica e neobizantina, oppure liberty e «déco», disposta lungo stradine spesso alberate e talvolta fiancheggiate da canali e immersa nel verde dei giardini: l'insieme dà vita a un ambiente urbano di qualità, purtroppo intaccato in molte sue parti da intrusioni e sostituzioni edilizie speculative dell'ultimo dopoguerra, ad alta densità e di nessun pregio.

Attraversato il piazzale su cui prospetta la parrocchiale di *S. Maria Elisabetta*, fondata nel sec. XVI (per ovviare all'impraticabilità, in caso di guerra, di quella di S. Nicolò, v. pag. 678) e ampliata nel 1627, si imbocca verso sud-est il *Gran Viale S. Maria Elisabetta*, principale arteria dell'isola fiancheggiata da negozi e alberghi per tutta la sua lunghezza. A d., d'angolo con via Lepanto (v. sotto), è la *villa «Mon Plaisir»*, notevole architettura liberty di Guido Sullam (1906) ispirata al linguaggio della secessione viennese: nonostante sia stata deturpata da un ampliamento al piano terreno, presenta ancora grande interesse per la sapienza compositiva dei diversi volumi, la ricca decorazione in ceramica colorata e in ferro battuto e la capacità del progettista di reinterpretare alcune forme tradizionali dell'architettura veneziana (si notino i «liagò», poggioli per prendere il sole, e l'altana, terrazza sopra il tetto, in ferro battuto).

L'animata *via Lepanto*, accompagnata in quasi tutta la sua lunghezza da un canale, raggiunge la zona del Casinò attraversando alcune aree residenziali dove si giustappongono ambienti urbani dell'inizio del secolo, ancora integri, case coloniche precedenti al 'boom turistico' e interventi di edilizia speculativa degli anni cinquanta e sessanta.

Tenendo dritto (a sin., all'angolo tra le vie Perasto e Negroponte, la *villa Fanna*, opera liberty di Giovanni Sardi degli inizi del Novecento) si raggiunge, a d., il vasto *hotel Hungaria*, già Ausonia Palace Hotel, costruito intorno al 1906 con una planimetria molto articolata e un ricco prospetto rivestito in ceramica policroma con fregi e motivi ornamentali a rilievo. Quindi, lasciata a sin. la via Zara (che conduce a una zona residenziale realizzata agli inizi del Novecento e nel corso degli anni venti, ancora interessante per le qualità ambientali e i numerosi edifici di pregio), si sbocca nell'ampio *piazzale Bucintoro*, con terrazza sul mare da cui si ha una veduta panoramica della spiaggia (a sin., gli stabilimenti balneari del Comune e, in fondo, l'ospedale al Mare; a d., gli stabilimenti dei grandi alberghi). Verso sud-ovest corre il *lungomare Guglielmo Marconi*, all'inizio del quale prospetta a d. il rinomato *Grand Hotel des Bains*, architettura di stampo mitteleuropeo realizzata da Francesco Marsich (1900); all'interno rimangono alcuni suggestivi ambienti dell'inizio del secolo; nel giardino completano il complesso alcune costruzioni liberty (ad accrescerne la fama concorsero il romanzo di Thomas Mann «Morte a Venezia» e la sua versione cinematografica diretta da Luchino Visconti).

Proseguendo per circa un chilometro e mezzo si arriva al *piazzale del Casinò*, aperto sull'area della batteria delle 4 Fontane, una delle molte fortificazioni minori del litorale demolita nel sec. XIX.

Vi prospetta il *palazzo del Casinò Municipale*, costruito tra il 1936 e il 1938 su progetto di Eugenio Miozzi, il cui ambiguo linguaggio 'littorio' mirava forse a sottolineare la rispettabilità della casa da gioco che vi trova ancora sede nei mesi estivi. A sin. di questo è il coevo *palazzo della Mostra del Cinema*, ampliato nel 1951-52 con l'aggiunta della nuova hall. Al termine del piazzale, a sin., si sviluppa l'ampia costruzione in stile moresco del *Grand Hotel Excelsior*, eretto tra il 1898 e il 1908 su progetto di Giovanni Sardi; gli ambienti interni furono ristrutturati negli anni sessanta da Ignazio Gardella, autore anche della sistemazione della spiaggia antistante dopo la mareggiata del 1966. Dal piazzale del Casinò, prendendo a sin. del palazzo della Mostra del Cinema la sinuosa via Candia, fiancheggiata da un canale, si sbocca nella *via Sandro Gallo*. Di questa, il tratto a sin. (v. pag. 680) conduce sia all'insediamento di Malamocco, sia al quartiere della «Città giardino», realizzato intorno al 1920 con due nuclei di case popolari di cui uno a villini.
A d. la via Sandro Gallo riporta al piazzale S. Maria Elisabetta, da dove, per la *riviera S. Maria Elisabetta* (verso nord-ovest), si va in breve al cosiddetto *Tempio Votivo*: dedicato a S. Maria della Vittoria (nella guerra 1915-18) e successivamente adibito a sacrario militare, fu iniziato nel 1925 su progetto di Giuseppe Torres e rimase parzialmente incompiuto; è opera accademicamente retorica nell'impianto, curiosa perché singolarmente anticipatrice – nel suo 'classicismo modernista' – del linguaggio littorio in voga nel decennio successivo (la cripta custodisce le spoglie di 3189 caduti delle due guerre mondiali). Più avanti, oltre ad alcune ville neogotiche e neobizantine dell'inizio del Novecento, sulla riviera S. Nicolò, all'angolo con via Cipro, è il semplice muro in mattoni di recinzione dell'*Antico Cimitero israelitico* che, istituito nel 1389, conserva in un ambiente di rara suggestione tombe e stele funerarie dal sec. XIV al XVII (per la visita rivolgersi al custode del Nuovo Cimitero israelitico, v. sotto).

Lungo la via Cipro, dopo il Cimitero cattolico si trova il *Nuovo Cimitero israelitico*, fondato nel sec. XVIII: l'edificio d'ingresso, composto nel 1911 da Guido Sullam, è opera di rara coerenza formale dove il linguaggio dell'architetto veneziano, filtrato dalle più avanzate esperienze viennesi e tedesche, raggiunge la piena maturità.

Proseguendo lungo la riviera, dopo l'edificio ottocentesco del «Tiro a segno» e al di là di un campo sportivo e per le esercitazioni militari, si vedono a d. i resti delle mura e del vallo realizzati alla fine del sec. XVI per rafforzare e completare le fortificazioni sorte intorno al «Castel Vecio», che controllava la bocca di porto (v. sotto). Varcato il ponte costruito nel 1572 da Francesco Malacrida, a un'arcata in pietra con lunghi sedili per le guardie alla sommità (veduta d'insieme sul forte di S. Andrea, la bocca di porto e l'abitato), si raggiunge il piccolo nucleo di *San Nicolò*.

Le prime notizie dell'insediamento di S. Nicolò risalgono al sec. XI, quando venne fondato l'omonimo complesso conventuale benedettino. Oltre a questo, con tutta probabilità esisteva sulla punta una torre d'avvistamento anticorsara che, insieme a un'altra analoga struttura sull'opposta isola della Certosa, controllava l'accesso al porto di Venezia. Tuttavia le prime opere di difesa militare documentate furono messe in piedi solo all'inizio del sec. XV, dopo che i Genovesi, durante la guerra di Chioggia (1379), avevano seriamente minacciato la città. Così, furono costruiti i forti di S. Nicolò (o «Castel Vecio») e, alle Vignole, il forte di S. Andrea (o «Castel Nuovo»), tra i quali veniva tesa, in caso di pericolo, una catena che sbarrava l'avanzata alle navi nemiche Durante il XVI sec., a seguito della guerra contro la Lega di Cambrai, e successivamente, sotto l'incalzare della minaccia ottomana, i due forti furono notevolmente potenziati e quello di S. Nicolò ampliato fino a diventare il più importante luogo militare della Repubblica (oltre alla fortezza comprendeva una fabbrica di polveri e un quartiere per le truppe, il Serraglio, capace di ospitare oltre 2000 soldati). Nel 1571 sorsero le mura e il triplice vallo, lungo il mare e attraverso l'isola, che separavano le attrezzature militari e il nucleo conventuale dal resto dell'isola. Entrambi i lati della bocca di porto mantengono tuttora la loro destinazione militare, anche se le fortificazioni di S. Nicolò sono state più volte demolite, ricostruite e ammodernate (durante la prima guerra mondiale in quest'area era già in funzione una pista di atterraggio ed era posto il comando del Fronte a Mare).

Poco oltre si trova il complesso conventuale di **S. Nicolò**. La **chiesa**, fondata nel 1044 per volere del doge Domenico Contarini (il cui monumento decora il portale), fu ricostruita nel 1626 dai Benedettini e presenta un'incompiuta facciata in mattoni a vista (del primitivo edificio rimangono resti nel chiostro del convento, v. sotto); campanile barocco del 1626-29. È questa la chiesa dove si concludeva la cerimonia dello Sposalizio del Mare, v. pag. 679.

L'interno è a navata unica, a un ordine di lesene corinzie reggenti il cornicione continuo; tre cappelle per lato e profondo presbiterio absidato; nelle nicchie alle pareti, *Dottori della Chiesa* ed *Evangelisti*, statue di Angelo Marinali (firmate); nel pavimento, tratti di mosaico del sec. XI messi in luce prima del 1963. Sulla controfacciata, entro ricca cornice marmorea, *Allegoria di Venezia ai piedi di S. Nicolò*, affresco di Girolamo Pellegrini. Nella 1ª cappella sin., *Ascensione di Cristo* di Pietro Vecchia. Nel presbiterio, fastoso altar maggiore di marmi policromi disegnato da Cosimo Fanzago (1634), con urna contenente le reliquie dei santi vescovi di Mira (S. Nicolò, S. Nicolò il Vecchio e S. Teodoro) raffigurati nelle tre statue che lo sormontano; da lato, *Crocifisso* ligneo del sec. XIV; nell'abside, *coro in noce scolpito con *Episodi della vita di S. Nicolò*, opera di Giovanni da Crema (1635).

A d. della chiesa è il *convento*, fondato dai Benedettini nel 1053 e più volte restaurato nei secc. XIV e XVI; soppresso nel 1770 e adibito a caserma, solo nel 1926 tornò all'originaria destinazione (fu allora affidato ai Francescani che tuttora lo reggono svolgendovi attività assistenziali ed educative). Dall'ingresso, con due notevoli capitelli veneto-bizantini del sec. XI, si accede al chiostro cinquecentesco con vera da pozzo (lungo il braccio sin., scavi realizzati dalla Soprintendenza Archeologica del Veneto hanno riportato alla luce parte dei mosaici pavimentali e delle volte del presbiterio della chiesa del sec. XI); attigua rimane un'ala del chiostro trecentesco da dove si vede il Serraglio, v. sotto.

Costeggiando a d. il convento si raggiunge l'aeroporto «G. Nicelli», che subito dopo la prima guerra mondiale fu scalo dei primi voli di linea nazionali e internazionali e quindi uno dei più importanti aeroporti d'Italia fino all'entrata in funzione di quello di Tessera (è ora sede dell'aero club «G. Ancillotto»); interessante la palazzina viaggiatori (1932), uno dei primi e pochi edifici razionalisti costruiti in quel periodo nell'area veneziana.

Ancora lungo la riviera, si lasciano a d. il cinquecentesco *palazzo del Consiglio dei Dieci* (iscrizione sull'architrave del portale) e il vialetto che conduce alla zona militare dove sorge il *Serraglio*, quartiere per le truppe costruito nel 1591-95. Al termine del percorso (in fondo, altra zona militare) sono visibili alcuni resti del *forte di S. Nicolò* in un grande edificio cinque-seicentesco (N. 66 A) e nei due edifici settecenteschi posti ad angolo all'ingresso della zona militare (alcuni ruderi di murature rimangono lungo la stradina che porta all'interno). Da questo punto è ben visibile, al di là del canale, il **forte di S. Andrea**, potenziamento di una preesistente struttura militare (inadeguata alle esigenze di una guerra d'artiglieria) portato avanti da Michele Sanmicheli nel 1545-50 e ultimato da Francesco Malacrida nel 1571; il lungo muro perimetrale a bugnato di pietra d'Istria, con le bocche da fuoco, inquadra al centro il grande portale d'accesso dal mare alle cui spalle, in posizione sopraelevata, si erge il maschio quattrocentesco con il Leone marciano e la lapide a ricordo della vittoria di Lepanto nel 1571 (il lato d. del muro perimetrale, crollato a causa dell'erosione provocata dalle correnti, è attualmente, 1984, in restauro).

I due forti, di S. Nicolò e di S. Andrea, controllavano la bocca di porto di Lido, che si apre all'estremità settentrionale dell'isola alimentando la Laguna nord. Da sempre ingresso principale a Venezia dal mare, dal XIV alla fine del XIX sec. fu scarsamente agibile per i ripetuti fenomeni d'interramento provocati dai fiumi; solo nel 1872, con il progetto che proponeva la riunione delle diverse foci in una, il problema trovò soluzione e fu decisa la costruzione delle due dighe verso mare che, ultimate ai primi del Novecento, formano un canale d'entrata profondo oltre 9 metri, profondità mantenuta dalle sole forze naturali di flusso e riflusso (la diga di NE, dal litorale del Cavallino, è lunga km 3.6, mentre quella di SO, dal Lido, km 3.2). A partire dal 1177 veniva qui celebrata, nel giorno dell'Ascensione, la cerimonia dello Sposalizio del Mare (il doge sul Bucintoro, fiancheggiato

da galee e da barche addobbate, si recava da S. Marco alla bocca di porto
per lanciare l'anello cerimoniale in mare).

Di ritorno al piazzale S. Maria Elisabetta, si ripercorre, verso
sud-ovest, la via Sandro Gallo (v. pag. 677), il cui secondo tratto
si caratterizza per qualche interessante edificio liberty e per due
architetture neorococò di Brenno Del Giudice: al N. 74 la *casa del
Farmacista*, del 1927-28; al N. 76 la *villa Rossi*, del 1923-24.
Quindi, attraversate le zone di più recente urbanizzazione e
qualche residuo terreno agricolo intercalato a nuovi quartieri in
costruzione, si arriva alla frazione *Malamocco* m 3, ab. 1398, allungata fra la Laguna e il mare, piccolo agglomerato erede di uno
dei primi centri lagunari, scomparso all'inizio del sec. XII.

L'originario insediamento di Malamocco (toponimo derivato, con successive deformazioni, dal ramo del Brenta «Medoacus», poi «Methamancus»)
– che secondo un'opinione sorgeva a 2 km dall'abitato attuale verso il
mare, secondo un'altra all'interno della Laguna, di fronte alla zona della
batteria delle 4 Fontane al Lido – fu probabilmente uno scalo marittimo e
lagunare di Padova. Nel V sec. l'afflusso di profughi da quella città durante l'invasione degli Unni ne avviò lo sviluppo, che trovò riscontro nel
540, quando divenne sede vescovile, e nel 742, quando vi fu trasferita da
Cittanova (Eraclea) la sede del dogado. La decadenza di Malamocco, già
iniziata con le distruzioni subite nella guerra contro i Franchi, e accelerata
dal trasferimento del doge nella più sicura sede di Rivoalto (Venezia)
nell'810, ebbe una drammatica conclusione all'inizio del sec. XII, quando il
centro, per cause imprecisate e ancora oggi oggetto di congetture, letteralmente scomparve: forse un maremoto, forse un terremoto, forse ancora un incendio che distrusse l'abitato già minacciato dall'erosione delle
sponde. Di sicuro si sa che la sede vescovile venne trasferita a Chioggia nel
1100 e che nello stesso periodo gli abitanti si spostarono nella località attuale. Malamocco nuovo rimase per secoli l'unico insediamento urbano del-
l'isola del Lido, dal 1339 retto da un podestà la cui giurisdizione, fino al
1379, si estendeva anche sulla vicina isola di Pellestrina. Dal 1816 al 1883
fu capoluogo del comune del Lido, successivamente annesso a quello di
Venezia. Solo a partire dagli anni sessanta di questo secolo l'insediamento
ha perso il suo carattere di centro pescatorile e agricolo (noto per i suoi
ortaggi, soprattutto i carciofi), a causa di un'urbanizzazione periferica che
ha consumato molti terreni o ne ha provocato l'abbandono.
L'odierna struttura urbana è molto simile a quella che Malamocco presentava nel sec. XVI, quando era però circondato su tre lati dalla Laguna, formando così una sorta di penisola attraversata da una strada centrale (l'attuale Merceria) e da un canale ad essa parallelo (ora rio terrà) che collegavano il fronte lagunare al litorale; solo nel sec. XIX i successivi riporti di
terra e interramenti (naturali e artificiali) portarono al completo inglobamento dell'abitato nelle terre emerse del litorale.

Anche la vicina isola di **Poveglia** (l'antica Popilia, dai pioppi di cui era
ricca), che si vede dalla riva, verso nord, fu dal sec. V rifugio delle popolazioni di Padova e di Este. Dal IX sec. centro popoloso e dotato di particolari
privilegi economici, l'isola iniziò a decadere durante la guerra di Chioggia

e alla fine del sec. XIV si presentava quasi abbandonata. Da allora, nonostante i tentativi fatti dalla Repubblica per promuoverne la rinascita, ha perso il suo carattere di centro urbano e dal 1777 è stata adibita prima a cantiere e magazzino navale e quindi (sec. XIX) a sede di un complesso ospedaliero per malattie infettive, poi utilizzato come casa di riposo e cronicario per anziani. Dopo la chiusura di questo (1968), Poveglia è stata abbandonata ed è del 1981 la proposta avanzata del Touring Club Italiano di recuperarla per insediamenti turistici (ne domina il profilo il campanile cuspidato della demolita chiesa di S. Vitale).

Prospetta sul fronte lagunare di Malamocco, separandolo dal campo della Chiesa, il blocco isolato del *palazzo del Podestà* (ora sede di uffici comunali decentrati), elegante edificio gotico del sec. XV. Il *campo della Chiesa* ricorda per forma e dimensione quelli veneziani, da cui differisce per il carattere più accentuatamente domestico dell'edilizia, che tuttavia presenta alcuni episodi di pregio: oltre al secondo prospetto del palazzo del Podestà si veda, al N. 3, un'altra elegante casa gotica, probabilmente ristrutturata nel sec. XVII, con la facciata caratterizzata dai grandi spioventi del tetto; delle due vere da pozzo, quella a capitello è della metà del sec. XV, mentre quella esagonale è del 1589 rifatta nel 1783; il cippo è del 1668. Sul fronte orientale affaccia la gotica chiesa di *S. Maria Assunta*, eretta nel sec. XV e successivamente rimaneggiata; il campanile, nelle sue modeste dimensioni, ricorda quello di S. Marco.

L'interno è a una navata con volte a vela. Al 1° altare d., la *Madonna di Marina*, scultura lignea del sec. XVI; a quello a d. del presbiterio, *Madonna del Carmine*, pala di Francesco Pittoni datata 1706; all'altar maggiore, *Assunzione della Vergine* di scuola veneta del primo '600; alla parete a sin. del presbiterio, *Una famiglia salvata dal naufragio*, notevole ex voto di Girolamo Forabosco; alla parete sin., *Martirio di una santa* di Giulia Lama; ai lati dell'ultimo altare sin., la *Vergine dei dolori* e i *Ss. Maria Maddalena* e *Giovanni*, gruppo in marmo di Carrara attribuito a Giuseppe Torretto. In sagrestia, *paliotto d'altare* pieghevole: sul recto, Cristo benedicente e Transito della Vergine tra apostoli e santi, opera in legno scolpito e dorato di transizione fra il gotico e il Rinascimento (primi decenni sec. XV) nell'ambito di Paolo Dalle Masegne; sul verso, tracce di figure tra cui i Ss. Feliciano e Fortunato, patroni della diocesi di Chioggia, originata nel sec. XII da quella malamocchina che conservò i corpi dei santi fino a tale data.

Il fianco d. della chiesa domina la piazza Maggiore (al centro, vera da pozzo del 1587), da cui diverge verso sud-est la *Merceria*, spina principale dell'abitato che conserva l'originaria destinazione commerciale (con il parallelo canale, l'attuale rio terrà, di collegamento con la Laguna, riproduceva in scala minore un sistema di organizzazione urbana analogo a quello di Chioggia e come quello derivato dal carattere originariamente peninsulare dell'insediamento). Al termine del percorso, definito da un'edilizia a schiera continua da cui emergono alcuni elementi di pregio architettonico e ambientale (al N. 2, la settecentesca ex canonica arcipretale), si apre la *piazza delle Erbe*, largo spiazzo solo parzialmente lastricato. Sulla sin., palazzata sette-ottocentesca con alcune intrusioni degli anni cinquanta; sul fondo un arco e il successivo ponte di Borgo, a schiena d'asino, segnano l'antico accesso all'abitato dal litorale e dai suoi orti (al di là del ponte, resti di una fortificazione napoleonica costruita tra l'abitato e i murazzi – v. pag. 683 – a lato dei quali rimangono consistenti tracce delle mura di cinta; il complesso fu parzialmente demolito per realizzare negli anni cinquanta l'Istituto Elioterapico Marino).

Proseguendo verso sud-ovest lungo il percorso aperto a d. sulla Laguna e fiancheggiato a sin. da orti e da alcune case di cura o colonie marine, si raggiunge (km 8.7 dal piazzale S. Maria Elisabetta) la frazione *Alberoni* m 1, ab. 685, piccolo centro turistico e residenziale che prende il nome da un bosco di pioppi. Ancora oggi, alle spalle dell'ampia spiaggia in parte libera e in parte attrezzata come zona balneare, ne rimane una vasta area in prossimità della quale sono i resti dell'ex *forte della Punta*, presidio della bocca di Malamocco, oggi base di un campo di golf. Al termine della strada è il pontile delle navi traghetto da e per Venezia, Pellestrina e Chioggia.

8.6 L'isola di Pellestrina e Chioggia

MEZZI D'ACCESSO. Dal Lido (v. pag. 674) con la linea mista (autobus e motonave) N. 11; da Venezia (riva degli Schiavoni) con la linea N. 25 (estiva). Chioggia è raggiungibile anche in automobile (v. pag. 707) o con gli autobus della linea extraurbana Venezia-Chioggia (partenze da piazzale Roma).

Il percorso consente di cogliere un'interessante e completa immagine della Laguna sud, alla cui definizione concorrono le installazioni per la pesca e l'allevamento dei molluschi, attività intensamente svolte lungo il litorale di Pellestrina e dalle parti di Chioggia. L'isola di Pellestrina presenta una struttura insediativa di formazione storica, che si estende per lunghi tratti sul bordo lagunare con caratteristiche ambientali, urbanistiche ed edilizie piuttosto omogenee e strettamente connesse al territorio e alle attività lavorative (agricoltura e acquicoltura): rare ma interessanti le emergenze architettoniche, fra cui vanno annoverati i murazzi, vero e proprio monumento di ingegneria settecentesca.

I motivi di interesse di una visita di Chioggia sono in gran parte legati alla peculiarità del suo impianto urbanistico (regolare e tipico degli insediamenti costieri o di terraferma), ma anche alla presenza, in questo, di non poche espressioni d'arte monumentale. La carta è a pag. 668.

Raggiunta l'isola del Lido (v. pag. 674), si continua a piedi o in autobus fino alla sua estremità sud-occidentale, da dove si prosegue con la motonave. Subito a d., l'*ottagono degli Alberoni*, una delle quattro fortificazioni a difesa delle bocche di porto di Malamocco e di Chioggia costruite con questa forma dalla Repubblica durante la guerra contro Genova (1379-80). Poco più avanti, a sin., la bocca di porto di Malamocco con i tre fari e le lunghe dighe (di km 2 circa quella settentrionale e di km 1 circa quella meridionale) gettate tra il 1839 e il 1872 per evitare l'interramento di questo importante accesso alla Laguna, il più agibile dalle navi di grande pescaggio dal XV sec. alla sistemazione della bocca di porto di Lido (v. pag. 636). A d. è chiaramente individuabile l'ampio canale dei Petroli (v. pag. 703) che raggiunge la zona industriale di Porto Marghera. Di fronte caratterizzano il paesaggio lagunare la fitta trama di vivai per la mitilicoltura e, in lontananza, le baracche su palafitte, talvolta veri e propri casoni, per la custodia degli arnesi da pesca.

Si approda all'estremità settentrionale dell'isola-litorale di **Pellestrina**, formata in origine, come quella del Lido, dagli apporti sabbiosi dei fiumi provenienti dall'entroterra e dall'azione contrapposta del mare; estesa per oltre 11 km tra le bocche di porto di Malamocco e di Chioggia, è sparsa di piccoli centri abitati di antica origine.

Per lungo periodo il principale insediamento urbano dell'isola fu Albiola (forse corrispondente all'attuale San Pietro in Volta), centro fondato dai profughi padovani ed estensi nel V sec., durante l'invasione degli Unni, in prossimità di una bocca di porto che interrompeva il litorale fino al 1446. Ma la struttura attuale del sistema insediativo nasce dalla ricostruzione avviata al termine della guerra contro Genova (1380) da quattro famiglie padronali alle quali il podestà di Chioggia (sotto la cui giurisdizione l'isola era passata in quegli anni) aveva affidato i terreni a sud della bocca di porto prossima ad Albiola. Nello stesso periodo cominciarono anche i lavori per la sistemazione dei litorali, tesi non solo a proteggere le colture dalle inondazioni, ma anche, e soprattutto, a salvaguardare la Laguna e Venezia dalla forza del mare; questi lavori, dopo secoli di tentativi e di polemiche culminarono, nella seconda metà del Settecento, nella costruzione dei **murazzi**, poderosi muri d'argine che, articolati in vari tratti, si allungavano verso mare per circa 20 km dalla bocca di porto di Lido al litorale di Sottomarina: di tutta l'imponente opera, iniziata nel 1744 e portata a termine nel 1782 sotto la direzione di Bernardino Zendrini e su progetto, risalente al 1716, del cosmografo padre Vincenzo Coronelli, rimangono oggi il tratto di km 6.1 che protegge la parte meridionale dell'isola di Lido e quello, di km 11.3, del litorale di Pellestrina; gravemente danneggiati dalla mareggiata del 4 novembre 1966, i murazzi furono restaurati e rinforzati nella prima metà degli anni settanta.

Le attività economiche più importanti dell'isola rimangono quelle tradizionali dell'orticoltura e della pesca, la cui esigua dimensione complessiva costringe però numerosi pellestrinotti a lavorare altrove. L'orticoltura, in crisi dagli anni sessanta, è sempre stata praticata con sistemi intensivi per trarre il massimo vantaggio dalla poca superficie disponibile. La pesca, tuttora esercitata sia in mare che in Laguna con sistemi analoghi a quelli applicati in altri insediamenti lagunari, ma con un maggiore e molto più intenso uso degli specchi d'acqua, è qui integrata con la miticoltura, che assume sempre maggiore importanza anche per le attività che vi sono connesse (come la stabulazione, cioè la purificazione dei molluschi e dei mitili, e l'imballaggio); recentemente si è sviluppata, con un certo successo, anche la ricerca per la riproduzione artificiale in vasca del pesce marino. Infine, tra le attività artigianali, vanno annoverate quelle cantieristiche (già prospere nell'Ottocento) e, ormai in declino, quella del merletto. Strettamente legate alle caratteristiche dell'ambiente, le attività economiche determinano anche la struttura dei centri abitati. Questi si affacciano sul bordo lagunare dove corre la «via della Laguna» (vera matrice di ogni insediamento e spazio di relazione), che costeggia la riva del canale seguendone tutte le insenature e allargandosi in alcuni tratti a formare degli spazi di lavoro e dei campi, o restringendosi a una semplice fondamenta di accesso alle case; su tale percorso sono poste le chiese, che contraddistinguono i diversi centri, e le case padronali che si innestano nel tessuto edilizio minuto ma denso delle abitazioni. Questo tessuto a sua volta si sviluppa a schiera lungo la riva e, perpendicolarmente, all'interno del litorale lungo una serie di calli parallele (che talvolta si aprono in corti) che portano agli orti. Gli orti occupano la superficie compresa tra le case e i murazzi, lungo i quali corre la «via del Lungomare», oggi asse di collegamento principale tra i diversi centri abitati. Al sistema 'a pettine' delle calli si aggiunge quello delle «carizzade», strade allungate fra la Laguna e il mare che, transitabili da carri (da cui il toponimo), venivano utilizzate per trasportare i massi necessari alla costruzione dei murazzi. Questo sistema si riproduce con poche varianti in tutti gli insediamenti.

Lasciato il piccolo abitato di Santa Maria del Mare (sulla punta, dove ora è un istituto di cura, sorgeva l'antico forte di S. Pietro, già a controllo della bocca di porto all'inizio del sec. XV e di cui, verso il mare, rimangono alcuni resti dell'ampliamento seicentesco), si raggiunge, km 2, la frazione *San Pietro in Volta* m 1, ab. 1611. Su un allungato spiazzo alberato prospetta la parrocchiale di *S. Pietro* che, fondata nel sec. X e più volte ricostruita, presenta una facciata neoclassica (del 1777, ma parzialmente rifatta nel 1813) tripartita da lesene ioniche sostenenti il timpano decorato da statue. Seguono, km 3, le case di *Portosecco*, piccolo insediamento che, come ricorda il nome, sorge in prossimità (a nord) dell'interrata bocca di porto dell'antico centro di Albiola. All'estremità meridionale, in fondo a una piccola corte, è la chiesa di *S. Stefano*, costruita nel 1646 e ampliata nel 1684; il prospetto fu poi rifatto in epoca neoclassica. Al km 7.8 si stende la frazione *Pellestrina* m 1, ab. 3610, il più popoloso e vasto tra gli insediamenti dell'isola (dal 1807 al 1923 ebbe autonomia amministrativa); i quartieri in cui è diviso l'abitato (da nord a sud,

Scarpa, Zennaro, Vianello e Busetto) prendono il nome dalle quattro famiglie inviate dal podestà di Chioggia al termine della guerra contro Genova (v. pag. 686).

A Scarpa si trovano un piccolo oratorio del 1862 e la chiesa di *S. Antonio*: fondata nel 1612, venne rifatta e ampliata nel 1703; internamente, al 3° altare d., opera di Baldassarre Longhena già nella distrutta chiesa della Navicella a Chioggia, la *Madonna della Salute tra i Ss. Felice e Fortunato*, pala di Lorenzo di Tiziano.
Nel quartiere Vianello è il complesso costituito dal tempio dell'Apparizione e dall'ex convento dei Ss. Vito e Modesto, architetture di Andrea Tirali rispettivamente realizzate nel 1718-23 e nel 1723-26. Il *tempio*, costruito a ricordo della presunta apparizione della Vergine a Natalino Scarpa de' Muti (1716), ha pianta ottagonale; internamente, all'altare d., *Ss. Domenico, Tommaso e Pietro Martire* di Giuseppe Angeli e, all'altar maggiore, *Madonna col Bambino*, frammento di più vasta composizione di autore sconosciuto (spagnolo del sec. XVII ?) già nel distrutto sacello dei Ss. Vito e Modesto, che sorgeva nello spiazzo di fronte al tempio.
Al termine dell'abitato, nel quartiere Busetto, sorge l'antica *chiesa di Ognissanti*, già documentata nel sec. XII; ricostruita nel 1535, fu ampliata nel 1618 e nel 1684.

Oltre l'abitato di Pellestrina il litorale si assottiglia ulteriormente e la separazione tra la Laguna e il mare è costituita quasi unicamente dai murazzi; all'estremità meridionale dell'isola, km 11.3, *Ca' Roman*, sede di colonie marine e di una comunità di suore Canossiane.
Si prosegue con la motonave e, lasciato a d. l'ottagono di Ca' Roman, fortificazione analoga e contemporanea a quella di S. Pietro (v. pag. 684), si passa a ovest della bocca di porto di Chioggia, accesso meridionale alla Laguna protetto verso il mare da due moli guardiani realizzati tra il 1911 e il 1933. Di fronte si sviluppa il profilo di Chioggia, animato dal traffico delle navi e dalle gru del porto, e a sin. quello della frazione Sottomarina, segnato dalla lunghissima sequenza di case strette e alte, quasi modulari, che si affacciano sul bordo lagunare; sulla punta, il *forte di S. Felice*, edificato alla fine del sec. XIV, dopo la guerra contro Genova (su disegno di Francesco Marangoni, che prese a modello il forte di Famagosta), e ricostruito nel 1702.
Chioggia m 2, ab. 53 470 (v. pianta in fondo al volume), situata all'estremità meridionale della Laguna, quasi a prolungamento di una penisoletta che ha la base a circa 4 km dalla foce del Brenta, è dopo Venezia il centro più popoloso ed economicamente attivo della Laguna, con una flottiglia per la pesca d'alto mare e un mercato del pesce che ne fanno uno dei più importanti porti pescherecci d'Italia. Negli ultimi decenni, oltre alle attrezzature portuali e alle attività cantieristiche ad esse connesse, ha assunto notevole rilevanza la stazione balneare di Sottomarina

(collegata a Chioggia da un lungo ponte), già importante centro marinaro e agricolo noto per i suoi ortaggi che rifornivano il mercato di Venezia.

Sviluppata su quattro isole principali, parallele e prospicienti i canali che in direzione sud-nord scendono dal margine lagunare verso la bocca di porto attraverso il bacino di Vigo, Chioggia (che deve forse il nome alla fossa Clodia, uno dei rami del delta dell'antico Brenta) fu all'inizio abitata dalle popolazioni fuggite dei centri dell'entroterra (Padova, Este, Monselice) durante le invasioni barbariche. Il primo nucleo dell'insediamento occupò la zona più prossima alla terraferma e vicina, oltre che alla strada Romea, a un percorso navigabile interno che già in epoca romana collegava Ravenna ad Altino. Proprio questa ubicazione determinò il rapido sviluppo dell'abitato come nodo dei collegamenti acquei tra l'entroterra e gli insediamenti lagunari, mentre le saline disposte nelle paludi circostanti ne facevano un importante centro per il commercio del sale. Queste funzioni resero inoltre Chioggia un caposaldo strategico del dogado veneziano, che fu più volte attaccato nel corso delle guerre contro i Longobardi (sec. VIII), i Franchi (sec. IX) e i Padovani (sec. XIII).

Attorno alla metà del Duecento l'insediamento contava oltre 15 000 abitanti e presentava una struttura urbana complessa, centrata forse sul Duomo (già esistente nel sec. XI) ma sicuramente più dilatata nella parte meridionale (la più vicina alla terraferma), con numerosi conventi sparsi lungo i margini della Laguna e con l'asse centrale (l'attuale corso del Popolo, la cosiddetta 'piazza' che attraversa tutta la città in lunghezza) che già si andava delineando (vi sorsero, tra la metà del sec. XIII e la metà del XIV, il Palazzo Comunale, il fondaco delle Farine e il Granaio con il mercato del pesce).

La guerra tra Venezia e Genova mutò sensibilmente il ruolo e le funzioni della città, modificandone anche l'assetto urbanistico. A Chioggia si svolse infatti la fase più cruenta e decisiva che pose fine al conflitto: i Genovesi, dopo aver distrutto Pellestrina, si impadronirono della città e della vicina Sottomarina (allora chiamata Chioggia Minore) dopo un duro assedio (agosto 1379), ma a loro volta intrappolati e assediati (dal 23 dicembre) dalla flotta veneziana condotta da Vettor Pisani, si arresero il 24 giugno 1380. La città uscì distrutta da questi eventi e la sua ricostruzione, decisa e guidata da Venezia, ne sancì un importante cambiamento di ruolo, subordinando l'organizzazione urbana alle esigenze difensive di questo polo strategico. Così Chioggia (mentre si rinunciava alla ricostruzione di Sottomarina, considerata per la sua ubicazione sul litorale troppo esposta a eventuali attacchi) venne riedificata più lontana dalla terraferma e la struttura, che certamente inglobò alcuni elementi della precedente, presentò una trama molto più compatta, sviluppata essenzialmente sulle due isole centrali, lungo la spina costituita dagli assi principali (l'attuale corso del Popolo e il canale della Vena) su cui convergeva una fitta rete di strade parallele tra loro. Nonostante i provvedimenti presi in suo favore da Venezia, la città conobbe in quel periodo una grave regressione, bloccandosi lo sviluppo economico legato alle saline e al porto, che perse di importanza anche perché i diversi tentativi di deviazione del Brenta verso la parte meridionale della Laguna avevano provocato interramenti alla bocca di porto rendendola inagibile alle navi di grande stazza.

Fino al sec. XVI gli interventi mirarono al rafforzamento del sistema difensivo, tanto che venne avanzata l'ipotesi di cingere l'abitato di mura. Ma per l'intervento di Michele Sanmicheli prevalse la convinzione che il miglior elemento di difesa era proprio l'acqua su cui la città era sorta, e per questo ne fu accentuata l'insularità con il taglio di un profondo canale che la separava nettamente dalla terraferma; nell'abitato fu eretta solo, con un significato soprattutto simbolico, la porta di S. Maria (attuale porta Garibaldi), mentre si concentrarono le fortificazioni all'esterno e si rafforzò in particolare il forte di S. Felice (v. pag. 685), costruito subito dopo la guerra.

Nel Seicento la ripresa dell'attività pescereccia e lo sviluppo dell'orticoltura furono presumibilmente alla base di un consistente incremento demografico e, con interventi che si protrassero dalla seconda metà del secolo alla metà del '700, la struttura urbanistica raggiunse l'assetto attuale. Della 'piazza', cioè l'asse mediano che ormai si allungava da un estremo all'altro dell'abitato, vennero ulteriormente evidenziate centralità e rappresentatività (ruotando verso questo percorso la facciata del Duomo e ricostruendo molti palazzi e chiese che vi prospettavano), mentre si risistemavano anche i due accessi principali: quello dalla terraferma con la costruzione del ponte Longo, in muratura, e quello dalla Laguna con la ristrutturazione del molo della piazzetta Vigo. Alla fine del sec. XVII Chioggia contava oltre 18 000 abitanti ed era la quinta città del Veneto, mentre Sottomarina (nel frattempo risorta con dimensioni attorno ai 1500 abitanti) era già un consistente borgo specializzato nell'orticoltura.

L'allacciamento ferroviario alla linea per Adria e Rovigo, nella seconda metà dell'Ottocento, e nel 1921 la costruzione del ponte translagunare carrozzabile (strada Romea), ruppero definitivamente l'isolamento della città collegandola sempre più strettamente alla terraferma. Con una serie di conseguenze, però, che unendosi a quelle connesse al rilancio delle attività portuali e alla realizzazione di fondamenta lungo i due canali periferici, hanno prodotto negli ultimi decenni alterazioni abbastanza consistenti nel tessuto storico; accentuate dalle trasformazioni funzionali che la città stessa ha registrato, soprattutto in relazione al grosso sviluppo turistico di Sottomarina e alla formazione di una vasta area periferica verso sud, sulla terraferma. Il centro storico continua a svolgere un'importante funzione portuale e commerciale, ma, pur mantenendo pressoché integra la sua struttura, manifesta segni di degrado edilizio piuttosto pronunciati nella trama residenziale.

Si sbarca nella *piazzetta Vigo*, dove dal 1786 sorge, a conclusione del corso del Popolo (v. pag. 689) verso la Laguna, una colonna di marmo greco con capitello bizantino del sec. XII sostenente un leone marciano. Prendendo a sin. si varca, sullo slanciato ponte Vigo (1685) a un'arcata con leoni accosciati alle testate e eleganti sedili lungo il parapetto, il canale della Vena, che con il corso del Popolo definisce la spina centrale della struttura urbana.

Dal ponte, bella vista sul canale attraversato da numerosi altri ponti (tra cui alcuni, come quelli della Caneva e di S. Andrea, settecenteschi) e fiancheggiato a sin. dalla fondamenta sulla quale prospettano alcuni eleganti edifici a portici su solide arcate. Tra questi spicca per la sua mole il cinquecentesco *palazzo Grassi* (ora Ospedale Civile), che Andrea Tirali ammodernò all'inizio del Settecento; poco oltre è il portico di *palazzo Lisatti-Mascheroni*, del XV-XVI secolo.

Tenendo dritto nella calle della S. Croce, si raggiunge il canale di S. Domenico, fiancheggiato a d. dalla omonima fondamenta e a sin. dalla lunga isola dei Cantieri, caratterizzata dai numerosi squeri per la costruzione e la riparazione delle imbarcazioni.

La *fondamenta di S. Domenico*, di formazione recente, posteriore al 1921, è un animato percorso sempre affollato e occupato da automezzi, anche per la sua destinazione a banchina per i pescherecci di piccolo e medio cabotaggio. Il tessuto che essa delimita, fondato con la rifondazione della città dopo la guerra contro Genova, presenta una trama compatta, rigidamente basata su un sistema di calli parallele e rettilinee, di collegamento della fondamenta stessa con il canale della Vena; le schiere (su cui sporgono talvolta edifici porticati che probabilmente davano su canali ormai interrati) sono qua e là interrotte verso l'interno a formare corti o campielli: spazi di incontro e di vita di relazione, ma anche di traffico e di sosta delle automobili.

Per il ponte in muratura che scavalca il canale in prosecuzione della calle della S. Croce, si scende sull'isoletta dove sorge la chiesa di **S. Domenico**, fondata nel sec. XIII e più volte rimaneggiata, l'ultima tra il 1745 e il 1762 (nel 1770 venne soppresso l'attiguo convento, dai primi dell'Ottocento ridotto a caserma); il campanile, trecentesco, è a canna quadra percorsa da paraste e con cella campanaria a bifore.

Interno a una navata con tre cappelle per lato e profondo presbiterio. Sopra la porta, *Orazione nell'orto* di Alvise dal Friso; ai lati della stessa, 4 grandi tele di Pietro Damini del 1617-19 (a d., *Battaglia contro gli Albigesi* e *Miracolo di S. Domenico*; a sin., *L'incontro col doge* e *Un naufrago salvato*). Al 1° altare d., i *Ss. Carlo, Romualdo e Agostino*, di Andrea Vicentino (firmato); dopo il 2° altare, **S. Paolo*, ultima opera conosciuta di Vittore Carpaccio (firmata e datata 1520). Ai lati dell'arco del presbiterio: a d., *Cristo deposto con i Ss. Sebastiano, Rocco e Francesco* di Leandro Bassano; a sin., *Crocifisso che parla a S. Tommaso d'Aquino e i Ss. Pietro, Paolo, Agnese, Caterina, Cecilia e Bernardo*, attribuito a Jacopo Tintoretto. Sul grandioso altar maggiore settecentesco, proveniente dalla chiesa di S. Maria del Pianto di Venezia, **Crocifisso* ligneo del sec. XIV, di forte sapore nordico (renano?) riscontrabile soprattutto nel violento espressionismo e nella tensione drammatica delle membra e del volto di Cristo. In sagrestia: all'altare, *Madonna col Bambino e i Ss. Giuseppe e Filippo Neri* di Antonio Marinetti (datato 1772) e *S. Domenico* dello stesso; alle pareti, i *15 Misteri del Rosario*, in legno intagliato alla maniera del Brustolon (sec. XVIII; provengono dalla chiesa di S. Maria del Pianto di Venezia), e *S. Bernardo di Chiaravalle e l'indemoniato* di Pietro Damini. Al 1° altare sin., *Martirio di S. Pietro e Paolo* di Andrea Vicentino.

Di ritorno nella piazzetta Vigo (v. pag. 687) si imbocca il *corso del*

Popolo, la 'piazza' di Chioggia, ampia arteria larga in media 24 m
e lunga 830, che attraversa tutto l'abitato innestandosi a sud nel
ponte Longo, di collegamento con la terraferma; con il parallelo
canale della Vena (a est), definisce la spina centrale dell'insediamento, lungo la quale sono disposte quasi tutte le più importanti
attrezzature della città storica, che utilizzano il corso come
fronte rappresentativo e il canale come via di servizio. Dopo
breve si incontra a sin. la chiesa di **S. Andrea** che, ricostruita nel
1743, presenta una movimentata facciata barocca a un ordine di
semicolonne e lesene composite, conclusa da cornicione sporgente; accanto, sorge isolato il bel campanile veneto-bizantino
del sec. XIII con cella rifatta nel 1912.

Interno a tre navate con cupola ottagonale (affrescata da Giuseppe Cherubini, 1910-11), ricco di marmi e dorature. Al 1° altare d., *S. Marco* di Antonio Marinetti; al 2°, *S. Nicolò*, statua lignea policroma e dorata del '500,
e l'*Annunciazione*, pala del sec. XVIII. Nel presbiterio (decorato da affreschi di Giuseppe Cherubini del 1910-11), in fondo al coro in alto, *S. Andrea*, ovale di Antonio Marinetti. In sagrestia (in fondo alla navata sin.):
Crocifisso con la Madonna e i Ss. Giovanni, Luca e Daniele, del sec. XV;
Santa monaca a mezza figura del Marinetti, cui va forse attribuito anche il
S. Luigi Gonzaga; Adorazione dei pastori del sec. XVII. Nel transetto sin.,
parete d., *S. Luigi*, piccola tela di Felice Schiavoni (sec. XIX). Al 2° altare
sin., *La famiglia della Vergine* di Antonio Marinetti; nella 1ª cappella sin.,
del battistero, tabernacolo marmoreo sansovinesco del sec. XVI.

Poco più avanti, nello stesso lato della 'piazza' ma arretrato rispetto all'allineamento degli altri edifici per lasciar spazio al mercato, prospetta il **Granaio**, bassa costruzione del 1322 a un piano
di finestre ogivali su portico a pilastri in pietra d'Istria e architravi a barbacani; i rimaneggiamenti risalgono a un discutibile
restauro del 1864; entro il tabernacolo gotico in facciata, *Madonna col Bambino* di Jacopo Sansovino (ancora oggi sotto il portico e lungo il retrostante canale della Vena si svolge il mercato).

Il Granaio e il campanile di S. Andrea precedono dunque la ricostruzione
urbana avviata alla fine del sec. XIV, e appartengono alla primitiva struttura che si disponeva attorno al Duomo. Oggi queste due emergenze segnano l'inizio di quella che si può considerare la sezione centrale della
'piazza', ambiente estremamente unitario (nonostante la diversità degli
edifici che vi prospettano) per la regolarità della sua forma e per la sequenza ininterrotta dei portici, che corrono sul lato occidentale, contrapposta alla serie di edifici pubblici civili e religiosi disposti prevalentemente
sul lato orientale senza alcuna connessione fisica tra loro.

Subito dopo il Granaio, il *Palazzo Comunale*, vasta costruzione
del 1840-50 sorta sullo stesso sito del palazzo duecentesco; nel-
l'interno, *Giustizia tra i Ss. Felice e Fortunato*, tavola a fondo
oro data 1437 e attribuita a Jacobello del Fiore, e *Ultima Cena*

attribuita all'Aliense. A d. del palazzo si apre la piccola *piazza XX Settembre* (il pilo portastendardo con 3 figure di giganti addossate è del 1713), su cui prospetta, in fondo a d., la chiesa della **SS. Trinità** o dei Rossi. Eretta nel 1528, fu ricostruita da Andrea Tirali nel 1703; sulla semplice facciata in cotto si apre il portale rinascimentale, sormontato da un rilievo con la *Croce adorata da 2 confratelli* della Scuola dei Battuti, che aveva sede nell'annesso oratorio (per il campanile, v. pag. 691). Nella chiesa il 21 aprile 1821 fu ordinato sacerdote Antonio Rosmini.

Interno a croce greca con colonne corinzie e cupola; dietro l'altar maggiore 4 colonne separano la chiesa dall'oratorio dei Battuti. Sopra la porta, la *SS. Trinità* di ignoto del sec. XVIII (proviene dal soffitto della sagrestia, dove sarà ricollocata). All'altare d., *S. Clemente, S. Laureato e altri santi*, pala molto annerita di Andrea Vicentino. All'altar maggiore, tra colonne, la *SS. Trinità*, con Cristo sorretto da due angeli, fastoso gruppo ligneo del sec. XVII; alle pareti laterali, 2 tribune d'organo riccamente intagliate e dorate e ornate sui parapetti da *putti suonatori* di G.B. Mariotti (1ᵃ metà del '700), cui si devono anche le tele raffiguranti le *Virtù* e *Eroine dell'Antico Testamento* che fiancheggiano le tribune. All'altare sin., *Presentazione di Maria al Tempio*, pala di Matteo Ponzone, in parte coperta da un gruppo ligneo della Madonna con l'asinello (copia di un originale custodito al palazzo Vescovile) che ricorda una presunta apparizione della Vergine nel 1615.

L'ORATORIO presenta le pareti laterali decorate da incorniciature di legno intagliato e dorato, includenti statue lignee di *santi* venerati a Chioggia nel '700; intorno alle finestre, *angeli* e frasi che ricordano i principali momenti della Passione di Cristo. Ricco soffitto che reca, nel grande scomparto centrale, il *Trionfo della SS. Trinità e i confratelli della Scuola dei Battuti*, tela di Paolo Piazza (1596); agli angoli, i 4 *Evangelisti* di Palma il Giovane. Le altre tele che fanno corona, tutte licenziate tra il 1599 e il 1606, rappresentano episodi del Vecchio e del Nuovo Testamento e costituiscono un organico ciclo tardomanierista in accezione veneta. Iniziando dal fondo, da sin. a d.: *Morte di Abele* di ignoto; l'*Arca portata dai sacerdoti* di Andrea Vicentino (1606); *Sacrificio di Isacco* di ignoto; *Annunciazione* di Alvise dal Friso; *Adorazione dei pastori* dello stesso; *Circoncisione* pure dello stesso. Lungo la parete destra: *Gesù nel Tempio*, ancora di Alvise dal Friso; *Lavanda dei piedi* di Palma il Giovane ?; *Orazione nell'orto* forse di Palma il Giovane (1601); *Cattura di Cristo* del Dal Friso (1602). Sopra l'altare, *Gesù flagellato* e *Gesù mostrato al popolo*, due opere del Dal Friso del 1602. Di seguito, lungo la parete sinistra: l'*Incontro con la Madre* di Carletto Caliari; *Crocifissione* di Palma il Giovane; *Risurrezione* del Dal Friso.

In fondo alla piazzetta, al di là del ponte sul canale della Vena è la *chiesa dei Filippini*, nobile architettura del 1772 eretta a spese della famiglia Manin, cui appartenne l'ultimo doge.

Nell'interno, a una navata con tre cappelle per lato, soffitto di Giacomo Casa (1865). Nella 2ᵃ cappella d., *Visitazione* di Francesco Fontebasso; bell'altar maggiore con 2 angeli adoranti ai lati del ciborio; nella 2ᵃ cappella sin., *Madonna col Bambino e i Ss. Filippo Neri e Francesco di Sales*, opera firmata e datata di Giancarlo Bevilacqua (1794).

A d. della chiesa, nella casa della Congregazione (suonare al N. 1154), sono depositati alcuni dipinti, parte dei quali già ornavano la sagrestia. Di Antonio Marinetti (ma alcuni probabilmente di collaborazione) sono: *Madonna col Bambino; S. Giuseppe; S. Giovanni Battista; S. Giovanni Evangelista; S. Maria Maddalena; S. Stefano; S. Girolamo; S. Scolastica; S. Tommaso d'Aquino; S. Filippo Neri; S. Francesco di Sales; S. Luigi Gonzaga.*

Ripreso il corso del Popolo, vi si incontra a sin., dopo la *Loggia dei Bandi* con colonnato dorico sul fronte (1537), l'ex *Monte di Pietà* (ora Biblioteca comunale), fondato nel 1485 nel periodo di maggiore regressione economica della città; l'attuale edificio risale alla ricostruzione del 1839, ma conserva sopra il portale una scultura gotica (*Madonna col Bambino*) della metà del sec. XV di scuola dei Dalle Masegne. Subito dopo, *S. Giacomo*, chiesa rifatta tra il 1742 e il 1788 su progetto di Domenico Pelli, incompiuta in facciata. A sin., davanti al campanile, in un piccolo cortile, il caratteristico campaniletto romanico (restaurato nel 1634) della SS. Trinità (v. pag. 690), riferibile a una fabbrica preesistente alla chiesa.

L'interno di S. Giacomo è una fastosa sala a pianta quadrata con gli angoli smussati; all'ingiro, un ordine di colonne corinzie appaiate tra cui, entro nicchie, le *Virtù*, statue di stucco di gusto neoclassico di Angelo Cameroni. Nel soffitto, la *SS. Trinità, S. Giacomo condotto al martirio e decollazione del Santo*, grandioso affresco di Antonio Marinetti, tra le sue opere più tarde e accademiche e probabilmente solo in parte autografa (il restauro risale al 1979-80). Al 3° altare d., *Madonna*, frammento di affresco del sec. XV incluso in una tela con i *Ss. Rocco e Sebastiano* della scuola di Giovanni Bellini (la parte superiore è un'aggiunta praticamente illeggibile, anche se vi si possono individuare alcuni caratteri tardosettecenteschi); sopra la mensa, *S. Sebastiano*, piccola statua lignea policroma e dorata del '700. All'altare a d. del presbiterio, *S. Giacomo Maggiore in gloria*, dipinto del sec. XVIII con influssi dell'accademismo bolognese. All'altar maggiore, baroccheggiante e ricco di statue (1908), *Pietà* di scuola veneta dei primi anni del '500, detta «Madonna della Navicella», venerata immagine che ricorda una presunta apparizione della Vergine sul lido di Sottomarina.

Di fronte alla chiesa, *monumento ai Caduti* di Domenico Trentacoste. Sull'altro lato del corso, alcune tra le principali architetture civili dell'abitato, tra cui: il *palazzo della Banca Popolare Cooperativa*, grande costruzione della fine del sec. XVI; il *palazzo Nordio-Marangoni* (N. 1227), del XVI-XVII sec., con grande arco centrale sormontato da loggia; il *palazzo Morari*, del '700, caratteristico per i fianchi a sbalzo, sorretti da mensole a volute, con balconi. Più avanti, dopo uno slargo, a d., la chiesetta di *S. Francesco d'Assisi* (o delle Muneghette), costruita nel 1454 e restaurata e decorata nel Settecento. All'interno, soffitto con affreschi di Michele Schiavoni e stucchi di Giacomo Gaspari, risalenti al 1743 ed eseguiti per volere della famiglia Cestari, la cui tomba si trova vicino all'ingresso; al 2° altare d., *Madonna della Concezione*, statua in marmo di Antonio Bonazza.

Di fronte alla chiesa, all'angolo sin., la *casa di Rosalba Carriera*, ritrattista in gran fama presso l'aristocrazia veneziana ed europea della prima metà del Settecento; vi abitò in seguito, a varie riprese, anche Carlo Goldoni, raccogliendovi spunti per le sue «Baruffe chiozzotte» (1760).

Seguono, entrambe sulla sin., l'ex *Scuola dei Francescani*, basso edificio del sec. XVI con prospetto scandito da quattro coppie di lesene (inquadranti i portali e le nicchie con i *Ss. Francesco e Rocco*, statue di buona fattura del sec. XVIII) e l'ex chiesa dei *Ss. Pietro e Paolo* (o S. Pieretto), dalla graziosa piccola facciata romanico-gotica (restaurata); nella lunetta del portalino gotico, i *2 santi titolari* in bassorilievo.

Di fronte, dall'altra parte del corso (al quale volge la zona absidale), sorge isolata la piccola interessante chiesa di S. **Martino**, edificata nel 1392 (il titolo è quello della più antica parrocchiale di Sottomarina che, distrutta nel corso della guerra contro Genova, fu qui trasferita in seguito alla decisione di concentrare tutti gli sforzi nella sola ricostruzione di Chioggia). Interamente in cotto, presenta un bel portale ogivale cuspidato sul fianco d. e monofore trilobate tutt'intorno, tra paraste collegate in alto da cornice ad archetti intrecciati; sopra il presbiterio, tiburio ottagonale a colonnine angolari e cornici ad archetti di tipo romanico.

Interno (se chiuso, rivolgersi in Duomo) a pianta quadrata con abside quadrangolare. Vi appartiene (anche se attualmente, 1984, custodita altrove) la pittura più interessante di Chioggia: un polittico attribuito a Paolo Veneziano, datato 1349 e rappresentante la *Madonna col Bambino in trono, 9 santi, Crocifisso e scene della vita di S. Martino*.

Al di là di S. Martino si apre l'ampio campo Roma, dominato dal fianco d. del Duomo e, sul fondo, dal poderoso campanile dello stesso. Il **Duomo**, chiesa già esistente nel sec. XI, costituita a cattedrale nel 1100 quando da Malamocco venne qui trasferita la sede vescovile, deve l'attuale struttura e orientamento (con la facciata rivolta verso la 'piazza') alla ricostruzione seguita all'incendio del 1623, progettata da Baldassare Longhena di cui è la prima opera importante, ispirata a esempi palladiani (fu consacrato nel 1674). La facciata, rimasta al rustico, ha un alto portale classicheggiante del 1633. Sul fianco d., statuette quattrocentesche (*Madonna* e *Santi*) appartenenti alla precedente costruzione; contro il fianco sin., fontana composta con fusti di colonne, mascheroni e stemmi pure provenienti dal primitivo edificio, e sarcofago del 1474. L'alto *campanile* (di m 64) crebbe fra il 1347 e il 1350, con canna in cotto, cella a trifore, tamburo ottagonale e cupolino ovoidale (rifatto nel 1897); sopra l'accesso, *Madonna e 2 sante*, bassorilievo trecentesco (dall'alto, magnifico panorama).

Interno grandioso, diviso in tre navate da pilastri con addossate semicolonne; volte a crociera e finestre termali; ricchi altari marmorei laterali. Nella navata mediana a sin., monumentale pulpito in marmo di Carrara, lavoro di Bartolomeo Cavalieri (1677), con bassorilievi di Domenico Negri e baldacchino in rame dorato e dipinto sul cui lato d., *Martirio dei Ss. Felice e Fortunato* di Marcantonio Franceschini.

Al 1° altare della navata d., *S. Rocco*, statua di Filippo de Piorris (sec. XVIII), e *S. Rocco e angeli*, pala di Angelo Trevisani; al 2°, *Madonna del Carmine*, statua del sec. XVIII; al 3°, *Madonna col Bambino in gloria e S. Liborio*, opera del sec. XVII attribuita a Valentin Lefebvre. Segue alla parete, *Madonna col Bambino*, tavoletta di scuola belliniana, e ricco pancale ligneo intagliato nella maniera del Brustolon. In sagrestia: *Baldassare Zalon racconta al vescovo e al podestà l'apparizione della Madonna sul lido di Sottomarina*, dipinto di Andrea Vicentino (1593); *Processione sul luogo dell'apparizione* di Alvise dal Friso (1593); *Cristo fulmina Chioggia* di Pietro Malombra (firmato e datato 1598); *Giulio II consegna ai messi di Chioggia la bolla d'unione della cappella della Beata Vergine di Sottomarina alla chiesa capitolare*, opera di Benedetto Caliari (1598); *S. Paolo* di Natale Schiavoni (sec. XIX); *busto di G.A. de' Grandi* vescovo di Chioggia (m. 1752), attribuito ad Alessandro Longhi.

A d. del presbiterio, la CAPPELLA DEL SACRAMENTO, ricco ambiente tutto a marmi, con stucchi di Giacomo Gaspari (1753) e dorature; nella volta, *Esaltazione dell'Agnello mistico* e i *4 Evangelisti*, affreschi di Michele Schiavoni; all'altare, del Longhena, *Ultima Cena* forse di Francesco Rosa (1685); alle pareti, la *Cananea* e *Parabola del convito*, ovali di Michele Schiavoni (1751-53). L'*altar maggiore*, isolato, a tarsie marmoree, è una delle più felici opere di Alessandro Tremignon (sul dossale anteriore sono rappresentati, da sin. a d., l'Arcangelo Gabriele, la Natività della Vergine, la Croce, l'Assunzione, l'Annunciata; su quello posteriore, l'arresto e il supplizio dei Ss. Felice e Fortunato). A sin. del presbiterio, la *CAPPELLA DEI Ss. FELICE E FORTUNATO (patroni della diocesi), ambiente risalente nelle sue forme attuali al 1729, data che figura sulla colonna a sin. della cappella. All'altare, i *Ss. Felice, Fortunato e Cecilia*, pala di fra' Massimo da Verona. Alle pareti, sopra i dossali marmorei, importante ciclo di tele riguardanti il martirio e la morte dei due santi titolari: tutte collocate tra il 1728 e prima del 1745, sono opere di autori diversi non ancora identificati (solo per la *Frattura della mascella*, di Gaspare Diziani, e la *Decapitazione*, di Giambettino Cignaroli, non sussistono problemi attributivi). Sul soffitto, *Gloria dei santi titolari*, affresco di Antonio Ermolao Paoletti (1891).

Al 3° altare della navata sin., *S. Michele tra i Ss. Girolamo e Agostino*, nei modi di Palma il Giovane; al 2°, con sculture di Bartolomeo Cavalieri e bassorilievi di Domenico Negri, la statua di *S. Agnese* è di Antonio Bonazza e la pala con l'*Assunta in cielo* di Pietro Liberi; al 1°, *S. Giovanni Battista* di Francesco Rosa. Al principio della navata, fastoso *battistero* marmoreo, con 3 statue delle Virtù teologali, di Alvise Tagliapietra (tra il 1700 e il 1708).

Il fianco sin. del Duomo dà sulla *piazza Vescovile*, suggestivo spazio (riprodotto da molti pittori, tra cui Luigi Nono) chiuso sul fondo dal *Palazzo Vescovile* (1736) e aperto a sin. sul canale Perotolo (parzialmente interrato negli anni sessanta e ridotto a darsena), delimitato da una balaustrata decorata con numerose statue settecentesche (notare la *Madonna col Bambino* detta «Refugium Peccatorum»).

La balaustrata era senza dubbio un intervento volto a concludere formalmente la città verso il canale Perotolo, che la fiancheggiava sul lato sud-occidentale (congiungendosi poi al canale Lombardo) separandola dalla zona ancora indefinita del borgo che si andava sviluppando a sud, sull'isola Tombola.

Dalla piazza, attraversato verso ovest il piazzale Perotolo (derivato dal parziale interramento dell'omonimo canale), e quindi a d. il piazzale del Risorgimento, si raggiunge il canale Lombardo, costeggiato da una fondamenta realizzata dopo gli anni venti. Lungo il canale è intensa l'attività legata al porto, le cui attrezzature si sviluppano sull'isola dei Saloni che lo chiude a d. A d. il tessuto residenziale presenta caratteri differenti dal resto dell'abitato e la trama edilizia, piuttosto rada, segue probabilmente i tracciati della primitiva struttura urbana che si organizzava intorno al Duomo.

Conclude il corso del Popolo la *porta Garibaldi* (già di S. Maria), robusta costruzione quadrangolare del 1520 con elegante leone marciano sul fornice esterno; un tempo integrata in una cortina edilizia disposta lungo l'angolo tra il canale Perotolo e quello della Vena, la struttura ora presenta ora isolata al centro della strada principale di accesso automobilistico alla città. Oltrepassata la porta e varcato il canale Perotolo sul ponte omonimo, si passa sull'isola Tombola, di recente urbanizzazione; quindi, proseguendo lungo il corso Marconi, si raggiunge il *ponte Longo* (di m 250 su 45 arcate), costruito nel 1758 e ampliato nel 1872: congiunge la città a un lembo di terraferma, solcato da canali, dove si trova la Stazione ferroviaria.

Da Chioggia si può raggiungere la frazione **Sottomarina** imboccando la via S. Giacomo, che si stacca dalla 'piazza' a d. dell'omonima chiesa, e tenendo poi sempre dritto. Varcato il ponte sul canale di S. Domenico e attraversata l'isola dei Cantieri, si prosegue sul lungo ponte (m 800) costruito nel 1922 sulla laguna di Lusenzo: da qui è facilmente percepibile quanto poco sia rimasto dell'antico borgo marinaro e agricolo (ora importante stazione balneare), il cui tessuto storico è stato sconvolto nella trama (che richiamava quella di Chioggia) da innumerevoli intrusioni, sopraelevazioni e ristrutturazioni che hanno completamente alterato il rapporto tra insediamento e contesto lagunare. Al centro dell'abitato, presso lo sbocco del ponte, si eleva altissima la parrocchiale di *S. Martino*, rifatta nel 1830: grande interno a una navata con altari laterali e piccolo presbiterio; l'altar maggiore è attribuito a Jacopo Sansovino e proviene dalla chiesa della Beata Vergine della Navicella demolita al tempo di Napoleone.

8.7 Mestre e la zona industriale di Venezia

L'estensione in terraferma del territorio comunale di Venezia interessa un'area dai caratteri geografici e ambientali differenziati, punteggiata di insediamenti pure assai diversi per dimensioni, funzioni economiche, storia e cultura. L'itinerario qui proposto (che parte da Venezia-piazzale Roma ed è percorribile, oltre che con mezzi propri, con quelli pubblici) ne prende in considerazione uno, di gran lunga il maggiore per popolosità e complessità di funzioni, costituito da quella sorta di agglomerato che, senza soluzioni di continuità, comprende Mestre, Marghera e Porto Marghera, concentrando oltre la metà degli abitanti del comune di Venezia. Come si vedrà nella visita, dell'agglomerato Mestre (o, più esattamente, il suo nucleo storico) rappresenta il centro che, di antiche origini, mantiene i più spiccati caratteri urbani, mentre Marghera e Porto Marghera, di formazione recente, hanno connotazioni rispettivamente legate al ruolo residenziale e a quello di perno del discusso rilancio produttivo di Venezia in età contemporanea.

Da ultimo, e quasi in appendice, sono suggerite due escursioni lungo le gronde (cioè i bordi) lagunari, nord e sud, che consentono un'ulteriore percezione dell'ambiente della Laguna e del suo rapporto con la terraferma. Le carte sono a pag. 642 e 668.

Dal piazzale Roma (v. pag. 461) si varca su viadotto il canale della Scomenzera e il raccordo ferroviario tra la stazione di S. Lucia e quella marittima. Quindi, rasentato a d. il canale di S. Chiara, si continua sul **ponte della Libertà**, appariscente struttura di circa 4 km che, con andamento parallelo al canale di S. Secondo, si sviluppa tra la Laguna nord, a destra, e quella sud a sinistra. Lo costituiscono tre sezioni affiancate, realizzate in epoche diverse: quella centrale, dove ha sede la prima coppia di binari, venne costruita su progetto di Tommaso Meduna, tra il 1841 e il 1846, come tratto iniziale della linea ferroviaria Venezia-Milano; quella affacciata alla Laguna sud, o ponte stradale, si deve a un progetto di Eugenio Miozzi, eseguito nel 1931-33 con l'obiettivo – dopo la formazione di Porto Marghera e la diffusione del trasporto su gomma – di adeguare alla nuova realtà i collegamenti tra Venezia e la terraferma; la terza infine, su cui corrono i binari più esterni, è realizzazione della seconda metà degli anni settanta su progetto delle Ferrovie dello Stato, per reggere il crescente volume di traffico ferroviario. A metà del manufatto, su un terrapieno a d., una stele e due cannoni in bronzo ricordano l'insurrezione di Venezia contro gli Austriaci (1848).

Dal ponte il paesaggio è dominato a sud dal lungo profilo del porto industriale, alle cui estremità stanno depositi costieri di carburante e l'altissima ciminiera della centrale termoelettrica di Fusina, collegata ai vicini stabilimenti da un grande arco che scavalca un canale navigabile e regge i condotti d'alimentazione ed erogazione. A nord la varietà paesistica è maggiore, con la presenza di una serie di isole e l'affacciarsi sul bordo lagunare dei quartieri periferici di terraferma. Tra le isole, quella più vicina al ponte è l'isola di *San Secondo*, fino al Settecento più grande e sede di un importante convento (ora è abbandonata e completamente coperta di vegetazione).

Due pilastri con i leoni veneti segnano il termine del ponte e l'inizio del terrapieno che lo raccorda alla terraferma. Un breve tratto e si piega a d. sul cavalcavia S. Giuliano; quindi, oltre l'innesto, a d., della diramazione per la punta di S. Giuliano (negli anni trenta, spiaggia di Mestre e sede di una colonia elioterapica i cui edifici sono ora utilizzati da società sportive e remiere; da maggio a metà settembre vi è in funzione il terminal dei vaporetti per Venezia-fondamenta Nuove), si continua dritto fino allo svincolo che si percorre interamente tenendo a sinistra. Segue, a d., la *via Forte Marghera* per il centro di Mestre: a sin. e a d. del percorso, che costeggia il canal Salso, si vedono rispettivamente il forte Marghera e (sullo sfondo) il villaggio S. Marco.

Il *forte Marghera*, struttura difensiva per fronteggiare gli attacchi da terra, fu progettato dagli Austriaci nel 1805 e costruito nel 1808-1809 dai Francesi, che lo misero a guardia di Venezia proprio all'imbocco del canal Salso, qui appositamente ritracciato per circondare d'acqua la fortificazione; caduto nel marzo del 1848 in mano ai patrioti veneziani, fu uno dei capisaldi della resistenza della rinata Repubblica che da qui, per più di un anno, tenne testa alla pressione dell'esercito austriaco (tuttora zona militare, è visitabile previo permesso solo per la parte che ospita un piccolo museo).

Il *villaggio S. Marco* fu il primo grosso intervento di edilizia pubblica a Mestre nel secondo dopoguerra, e rappresentò uno dei più importanti banchi di prova della cultura urbanistica italiana del tempo: costruito per circa 10 000 persone su un'area di 520 mila m^2, fu progettato da un gruppo di architetti e ingegneri veneziani coordinati da Luigi Piccinato e Giuseppe Samonà; in origine era impostato su un asse pedonale verde, poi sostituito da una strada.

A km 8.5 circa da piazzale Roma si entra in **Mestre** m 3, ab. 188 809 (v. pianta in fondo al volume), insediamento di antica origine pesantemente snaturato nella sua struttura urbana dall'espansione di questo secolo che, a ritmi incalzanti dagli anni venti agli anni settanta, ne ha accompagnato la crescente funzione di bacino residenziale e commerciale di Venezia.

Le origini di Mestre (il cui toponimo, di significato oscuro, è di probabile origine paleoveneta) non sono storicamente documentate, anche se è ipotizzabile che a un antichissimo centro prospiciente con un porto la Laguna si sia sovrapposto (o sia subentrato) un «castrum» romano (questo avrebbe occupato l'area dell'attuale ospedale Umberto I dove, intorno al Mille, sorgeva un castello). Tra il IV e il XIII sec. il territorio di Mestre appartenne dapprima ai Goti, quindi ai Vitaliano (importante famiglia di

Padova), ai Longobardi (sotto la cui dominazione rimase fino al 774, quando vi pose fine Carlo Magno), ancora ai Vitaliano e, in ultimo, al marchesato di Treviso.

Quando, alla fine del sec. x, Mestre compare con questo nome in alcuni documenti, l'importante città romana di Altino era stata abbandonata da quasi quattrocento anni e le strade che ad essa portavano avevano perso rilievo. Stava invece crescendo l'importanza di Venezia e di Treviso, con la conseguente espansione dei reciproci scambi. Questi rafforzarono il ruolo del Terraglio (la strada per Treviso, forse di origine preromana) e fecero di Mestre, che ne apriva il tracciato e si affacciava sulla Laguna con il porto di Cavergnago alla foce del fiume Marzenego, un luogo commercialmente e strategicamente rilevante. In quel tempo Mestre – un borgo guardato da un castello – apparteneva ai Trevigiani, che poco dopo il Mille, quando un incendio distrusse il castello, anziché ricostruirlo preferirono cingere l'abitato di mura. La città che ne derivò aveva una forma che richiamava quella di uno scudo un po' schiacciato e le distanze tra i punti contrapposti dei suoi assi si aggiravano sui trecento metri. La struttura, ancora parzialmente riconoscibile, si basava su due assi principali: quello est-ovest, costituito dalle attuali vie Caneve e Torre Belfredo, che collegava la porta dei Molini (verso Venezia) alla porta di Belfredo (verso Treviso); l'altro, nord-sud, costituito dall'attuale via Palazzo che, partendo a circa metà dell'asse est-ovest, si concludeva alla porta della Loggia (ancora esistente all'interno della torre dell'Orologio).

Nel 1339 la città, con tutto il territorio trevigiano, si consegnò alla Repubblica di Venezia, di cui divenne definitivamente parte integrante nel 1388 dopo esser stata per breve periodo possesso del duca Leopoldo d'Austria e dei Da Carrara. Uno dei provvedimenti che caratterizzarono sempre la politica veneziana in terraferma stabiliva l'abbattimento di castelli e fortificazioni, al fine di impedirne un eventuale uso ostile; ma la demolizione delle mura mestrine, deliberata dal Senato nel 1359, iniziò in effetti solo nel 1513, dopo la guerra contro la Lega di Cambrai (per proseguire poi, lentamente, sino alla fine dell'Ottocento per opera abusiva, ma tollerata, dei privati che ne usavano i mattoni per nuove costruzioni). Nel 1361 un nuovo porto, collegato alla fossa Gradeniga (tuttora parzialmente esistente con il nome di canal Salso), sostituiva quello più lontano di Cavergnago, determinando l'espansione verso est dell'abitato, oltre l'attuale piazza Ferretto. Nel lungo periodo di pace che seguì alla guerra contro la Lega di Cambrai, si moltiplicarono sul territorio veneziano gli investimenti in agricoltura e si diffuse enormemente il costume della villeggiatura. Anche l'area mestrina ne risultò profondamente coinvolta, al punto che nel Settecento essa, ricca di ville e di parchi (ancora in parte esistenti), costituiva per i Veneziani una vera e propria meta turistica.

Con la fine della Repubblica (1797), Mestre fu occupata dai Francesi e trasformata in piazza d'armi. Aboliti gli ordini religiosi, conventi e sedi di confraternite furono trasformati in caserme e la stessa sorte toccò a una grande villa dei Gradenigo che sorgeva all'angolo fra il Terraglio e via Trezzo (attuale caserma Matter). Dal 1797 al 1814 Francesi e Austriaci si succedettero in due riprese nel governo della città, assegnandole, nella difesa di Venezia, un ruolo strategico molto più importante di quello conferitole a suo tempo dalla Repubblica. Così, a partire dal 1808, sorse attorno a Mestre un sistema difensivo incentrato su forte Marghera, che fu teatro di

scontri sia tra Francesi e Austriaci, sia tra questi e i patrioti veneziani
durante i moti del 1848. Nel periodo della seconda dominazione austriaca
(1814-1866) fu costruita la linea ferroviaria Venezia-Milano che, superata
la Laguna con un ponte ultimato nel 1846, passava a un chilometro circa a
sud dell'abitato di allora. La relativa stazione ferroviaria non influì immediatamente né sui collegamenti tra Venezia e Mestre (che continuarono a
svolgersi preferenzialmente per via d'acqua), né sulla struttura urbana.
Questa infatti, pur subendo alcune trasformazioni di un certo rilievo verso
la fine dell'Ottocento, cominciò a mutare profondamente solo con la formazione di Porto Marghera, avvenuta nel 1922 dopo un lungo periodo di
dibattiti e di progetti per il risanamento economico di Venezia. Nel 1926 il
comune di Mestre, autonomo dal periodo napoleonico, venne aggregato a
quello di Venezia per accentrare il coordinamento delle operazioni connesse alla realizzazione del porto industriale. Ne derivarono fra l'altro, durante gli anni venti e trenta, la creazione del quartiere urbano di Marghera (dimensionato inizialmente per 30 000 persone), la costruzione del
ponte automobilistico translagunare e un accentuato accrescimento di Mestre, soprattutto a sud, dove l'abitato si congiunse alla stazione ferroviaria. Fino al 1951 il motore dell'espansione fu soprattutto Porto Marghera, ma a questo si aggiunse in seguito il massiccio esodo da Venezia,
provocato dal degrado del patrimonio abitativo della città insulare. L'a-
zione combinata di questi due fattori ha fatto sì che, negli ultimi tren-
t'anni, gli abitanti di Venezia si siano pressoché dimezzati, mentre quelli
della concentrazione mestrina quasi raddoppiati.

La via Forte Marghera raggiunge Mestre all'altezza di un lungo
svincolo a livello (c. 600 metri), realizzato a più riprese a partire
dagli anni trenta con l'interramento dell'alveo originario del
canal Salso, vecchio porto-canale dell'abitato; degli antichi impianti di questo rimane, a d., numeri 35-37, la cosiddetta *casa dei
Barcaioli* (perché forse residenza del personale addetto ai traghetti per Venezia), edificio seicentesco caratterizzato da camini
ottagonali. Percorso l'intero svincolo e la successiva piazza
XXVII Ottobre (o Barche, dalla antica destinazione), al cui inizio
rimane una colonna con leone marciano posta a ricordo di una
riuscita sortita dei patrioti contro gli Austriaci (27 ottobre 1848),
si sbocca nella piazzetta XXII Marzo. Segue verso ovest la *via
Poerio*, sul cui fronte sin. prospetta l'ex complesso conventuale
di suore benedettine (fondato nel sec. XVI e soppresso nell'Ottocento) costituito dalla chiesa di S. Maria delle Grazie, con semplice facciata tripartita conclusa da timpano e aperta da un portale barocco (gli arredi, asportati all'epoca della soppressione, furono trasferiti nella nuova chiesa di S. Lorenzo), e dal contiguo
convento, con prospetto su portici ad arco ribassato con pilastri
bugnati. A d. di quest'ultimo, due edifici porticati di cui il secondo, di origine seicentesca, fu sede dell'albergo alla Campana,
citato da Giacomo Casanova nel suo volume di memorie. Dal-
l'altra parte della strada, sovrastata dal campanile della chiesa di

S. Lorenzo, sorge l'ex *Scuola dei Battuti*, o «Scholetta», piccola costruzione trecentesca a due piani di finestre trilobate e scala esterna lungo il fianco sin. (è l'unico edificio gotico dell'abitato sopravvissuto nelle sue linee fondamentali alle distruzioni attuate dai collegati di Cambrai nel primo '500). Poco più avanti si apre a d. l'imbocco di piazza Ferretto (v. sotto).

Tenendo dritto per breve tratto e (lasciato a d. l'innesto della *galleria Matteotti*, espressione provinciale e ritardata del gusto per le gallerie che nella seconda metà dell'Ottocento segnò l'architettura urbana in Italia) volgendo poi a sin. nella *via Rosa*, si scorge a fondale di questa la *villa Erizzo*: costruita agli inizi del Settecento e successivamente rimaneggiata, si articola su due piani più seminterrato e la caratterizzano in facciata un ingresso con ampia scalinata e due terrazze ricavate dall'arretramento del secondo piano; due ali laterali, destinate agli ingressi di servizio, sono collegate al corpo centrale da volumi cilindrici con copertura; sul lato sin., la cappella (il vasto parco di pertinenza è stato a più riprese eroso dalla crescita della città).

Piazza Ferretto, centro di Mestre dalla esplicita destinazione commerciale (quella residenziale è stata espulsa), ha forma a imbuto svasato verso nord, dove tra le case spicca una torre medievale, raro resto delle antiche mura della città di cui la piazza era borgo esterno; i fronti occidentale e orientale (dalla pavimentazione abbassata perché forse di origine più antica) sono delimitati da modesti edifici porticati spesso degradati.

Subito a d. prospetta **S. Lorenzo**, duomo di Mestre costruito nel sec. XVIII, su progetto di Bernardino Maccaruzzi, in luogo di una precedente chiesa del sec. XV (distrutta da un incendio), di cui a d. rimane il campanile; la facciata, neoclassica (1805), è ornata da statue di modesta fattura.

L'interno, di semplice e chiara impostazione, è a croce latina a una navata circondata da un ordine di lesene corinzie appaiate su alti plinti. Nelle nicchie intermedie, statue neoclassiche: nel piedicroce, *S. Anna*, l'*Immacolata* e *S. Giuseppe* e, a sin., *S. Gioachino*, l'*Angelo custode* e *S. Lorenzo*; nella crociera, sotto la cupola a calotta, i 4 *Evangelisti*, statue settecentesche. Quasi tutti gli altari provengono dalla vicina chiesa sconsacrata di S. Maria delle Grazie. Nel presbiterio, decorato da affreschi di G.B. Canal, importante organo di Gaetano Callido del 1801. In fondo ai bracci absidati del transetto: a d., altare con l'*Assunta* e *angeli*, sculture del sec. XVIII; a sin., altare del Santissimo, con ciborio a forma di tempietto affiancato da due statue di santi. Nelle cappelle laterali, per lato, altari marmorei a colonne con timpano spezzato ornato da angeli; a sin., *battistero* con gruppo bronzeo di Napoleone Martinuzzi (1960).
A sin. della facciata, chiosco di fiori in ferro e vetro cui si aggancia un'interessante recinzione in ferro battuto del 1911.

Più avanti, a sin., l'ex *cinema Excelsior*, costruito prima del 1915 con forme che si rifanno al liberty, e quindi, N. 36, il settecentesco *palazzo Da Re*, caratterizzato da un amplissimo portico (a d. della facciata, nella piazzetta omonima, edifici di origine seicentesca con prospetti con barbacani e camini). Superato il ramo del fiume Marzenego, si sbocca nella *piazzetta Matter*, definita da un'edilizia eterogenea cresciuta nel tempo fino a corrodere quasi completamente la struttura dell'antico sistema difensivo che qui si affacciava. Di questo rimane, in fondo a d., la **torre dell'Orologio**, che si erge sulla strettoia di accesso a quella che era la città entro le mura: la struttura in cotto, merlata alla ghibellina, risale al sec. XII e fu dotata di orologio nel XVI (dei due quadranti, quello verso la piazzetta deriva da un intervento del 1878); il piccolo portico attraversato dal marciapiede fu realizzato nella prima metà dell'Ottocento (nel 1983 è stata identificata all'interno dell'edificio – non visitabile – la porta di accesso da sud alla città, di foggia gotica).

Dalla piazzetta diverge verso ovest la dimessa via Manin. Vi prospetta a sin., N. 68, la chiesa di *S. Rocco* (in restauro, 1984), con ogni probabilità edificata dopo la peste del 1476; al sec. XVII risale la ristrutturazione che comportò l'aggiunta di altari e finiture barocche all'interno. In questo, lo spostamento di 4 tele (Cattura e Funerali di S. Rocco e Processione votiva, opere di scuola veneta del sec. XVII; S. Francesco di Paola attribuito a Domenico Tintoretto), ora in deposito alla Soprintendenza, ha rimesso in luce resti di affreschi di gusto popolare tardoquattrocenteschi (o dei primi del Cinquecento) raffiguranti la *Madonna in trono* e i *Ss. Rocco e Sebastiano*.

Superata la torre, si prosegue in quella che era un tempo la città murata e, oltre la via S. Pio X (tracciata negli anni cinquanta), si imbocca la storica *via Palazzo*, sorta di 'cardo massimo' della Mestre medievale, oggi fiancheggiata da edifici porticati di varie epoche (dal sec. XVI al Novecento). Chiude la sequenza edilizia del lato d. il *Municipio*, edificio ristrutturato nell'Ottocento (e restaurato nel 1979) caratterizzato da un alto portico e da elementi architettonici neorinascimentali. Lo fronteggia, contraddistinto da una scala esterna, il *palazzo dei Provveditori*, trasformazione del 1525 di un edificio preesistente (destinato anticamente al Consiglio dei Reggitori della città, è stato parzialmente rifatto nel 1926, dopo un incendio, ed è ora sede della Biblioteca Civica).

Al termine della via (che si innesta nel viale Garibaldi, aperto nella seconda metà dell'Ottocento come diretto collegamento con Carpenedo, v. pag. 725), lasciata a sin. la via torre Belfredo (v. sotto), si tiene a d. nella piazzetta Maestri del Lavoro, ricavata nel 1982 dalla pedonalizzazione del primo tratto della via Caneve. Volgendo quindi a d. nella via S. Girolamo, si raggiunge la chiesa di *S. Girolamo*: fondata nel XIII sec., deve l'attuale struttura alle trasformazioni operate dalla fine del Cinquecento; la facciata, tripartita da lesene in pietra d'Istria e coronata da timpano, è del sec. XVIII. Restauri operati nel 1930 e nel 1984 hanno puntato, con discutibili risultati, a riportare l'edificio alle originarie linee gotiche. L'interno è una navata triabsidata con soffitto a capriate e pareti in mattoni a vista; all'altar maggiore, *Madonna in trono e santi* nei modi di Palma il Giovane; all'altare d., *Madonna e santi* dell'Aliense; alle pareti, 4 tele con *Storie di S. Nicolò*, opere datate 1607 e firmate da Angelo Macini, quasi ignoto pittore di scuola veneziana. In corso di restauro, *Madonna Immacolata* di scuola veneta degli inizi del Settecento.

Al N. 23 della *via Torre Belfredo* (che con la via Caneve, v. sopra, costituiva l'asse ovest-est della Mestre medievale) prospetta la settecentesca *villa Dalla Giusta*, con facciata scandita da paraste ioniche reggenti l'alto cornicione e il timpano; sul retro, seminascosta dal muro di cinta, l'elegante barchessa che riprende le linee dell'edificio principale. Segue l'accesso a un piccolo giardino pubblico che occupa un tratto dell'area del fossato di difesa delle mura medievali, di cui rimangono qui cospicui resti. Proseguendo lungo la via, oltre (a sin.) l'innesto della via Castelvecchio (dall'antico castello del quale non rimane traccia), è la località Quattro Cantoni, da dove ha inizio il Terraglio (v. pag. 725).

A sud di Mestre, con cui formano un «continuum» urbanistico-edilizio, si stendono, rispettivamente a est e a ovest della statale 11, Padana superiore (in questo tratto via Fratelli Bandiera), Porto Marghera (v. sotto) e *Marghera* m 2, la terza frazione del comune di Venezia per numero di abitanti, consistente agglomerato a destinazione prevalentemente residenziale. Ne costituisce l'ossatura un quartiere urbano che, progettato per 30 mila persone, venne realizzato (1921-36) per 25 mila distribuite su 150 ettari (per la bassa intensità e i tipi edilizi fu impropriamente chiamato «città giardino»).

Porto Marghera, vasta e operante concentrazione industriale e commerciale (amministrativamente integrata a Mestre), determinante nell'economia e nella cultura di Venezia, è uno dei luoghi più ignorati di questo comune, sorta di presenza 'ostile' enucleata dal resto della città, a cui le si rapporta le sue strutture formalmente dirompenti. E proprio in queste, estrema espressione della cultura industriale, risiede il fascino dell'insediamento, dove darsene, canali e imponenti impianti si integrano dando vita a un ambiente unico la cui visita (qui non guidata, ma volutamente lasciata all'iniziativa e alla curiosità del turista) non è certo priva di interesse.

La concezione, del tutto originale, che fu alla base della nascita di Porto Marghera – ufficiale, sulle carte, nel 1917, ma effettiva solo a partire dal 1919 – derivò dai falliti tentativi ottocenteschi di risolvere l'estenuante crisi economica di Venezia dal suo interno. Falliti sia per la scarsa inclinazione del capitale locale ad affrontare i rischi connessi a investimenti non tradizionali (che riguardavano soprattutto l'ammodernamento delle strutture portuali e produttive e dell'accessibilità), sia perché la stessa cultura locale, vigile nei confronti dei valori storico-ambientali, condusse un'agguerrita opposizione verso ogni innovazione; un'altra serie di ostacoli – difficilmente sormontabili sul piano dell'efficienza e dei costi legati a un moderno sistema produttivo e portuale – era inoltre posta dalla particolare struttura urbana del centro storico. Per tutti questi motivi si fece strada l'idea che la carta del rilancio economico di Venezia andasse giocata in terraferma, e dovesse puntare su un tipo di insediamento allora rivoluzionario, il porto industriale, i cui vantaggi derivavano dalla possibilità per le industrie di disporre in proprio di un molo, così da limitare vincoli, tempi morti e costi connessi al rifornimento di materie prime e alla spedizione dei prodotti lavorati. La particolare natura del bordo lagunare, richiedendo opere di allestimento meno onerose che altrove, offriva dal canto suo tali vantaggi, mentre tutta l'operazione era ulteriormente facilitata dalla disponibilità di energia elettrica trasportabile senza particolari problemi dalle centrali alpine.

Dal 1907 si susseguirono ipotesi e progetti, che si concretizzarono solo alla fine del primo conflitto mondiale per iniziativa di un consorzio formato dallo Stato, dal Comune di Venezia e dalla Società Porto Industriale presieduta da Giuseppe Volpi; nacque così il primo esempio al mondo di porto industriale: il successo fu subito enorme, e le conseguenze sul territorio veneziano di grande rilievo.

Tra le più importanti: la formazione del nuovo quartiere urbano di Marghera (v. pag. 701); l'annessione (1926) a quello di Venezia dei comuni di Mestre, Zelarino, Fàvaro e Campalto, che assecondò il coordinamento territoriale e amministrativo delle operazioni connesse alla realizzazione del porto industriale; la costruzione del ponte automobilistico translagunare (1931-32), che completava con il trasporto su gomma i collegamenti necessari al funzionamento integrato della nuova zona industriale e della Stazione marittima di Venezia; lo sconvolgimento radicale nelle gerarchie e nelle gravitazioni che in precedenza avevano caratterizzato il territorio veneziano.

Lo sviluppo di Porto Marghera, legato a diversi fattori, può essere suddiviso in più fasi. La prima andò dalla fine della prima guerra mondiale all'inizio della seconda e fu segnata dalle convenienze insediative offerte dal porto industriale (che richiamarono capitali provenienti dal triangolo industriale, capaci di sopperire alla limitatezza e inerzia di quelli veneziani) e dalla disponibilità di energia elettrica proveniente dalle centrali alpine.

Già nel 1919 erano stati assegnati a diverse aziende 2 milioni e mezzo di m^2 di terreno fabbricabile. Nel 1928 le aree occupate toccavano i 4 milioni di m^2 e gli stabilimenti in funzione erano 81 con 5000 addetti; il traffico marittimo raggiungeva le 5000 tonnellate annue ed era pari a quello ferroviario. Nel 1938 le aziende insediate erano diventate 94, occupavano una superficie di 5 milioni di m² e davano lavoro a 15 000 dipendenti; il traffico marittimo era salito a 2 milioni di tonnellate annue e quello ferroviario a un milione.

La seconda fase (1945-63) fu contraddistinta, dopo gli anni della ricostruzione, oltre che dai fattori evidenziati per la prima fase, da una progressiva integrazione tecnologica tra le industrie dei settori chimico, metallurgico e petrolifero; dalla disponibilità di metano in aggiunta all'energia elettrica; da una considerevole e crescente offerta di manodopera proveniente dall'agricoltura. È di questa fase l'espansione che fece di Porto Marghera una delle più grandi concentrazioni industriali d'Europa: nel 1961 infatti, dopo il completamento della prima zona industriale, si decise di realizzarne una seconda, attuata con il prosciugamento di 300 ettari di barene e la infrastrutturazione di 800 ettari di terreno agricolo; le unità produttive insediate toccarono le 200, con 30 000 occupati.

La terza fase iniziò nel 1963 e concise con la risoluzione di costruire, a sud delle prime due, una terza e smisurata zona industriale, che venne poi solo parzialmente realizzata a causa delle polemiche insorte sui pericoli relativi alla salvaguardia e alla stessa incolumità di Venezia e della Laguna.

Il progetto per la realizzazione di una terza zona industriale teneva conto, oltre che dei fattori già evidenziati per le prime due, e ancora persistenti, anche dell'esigenza di approfondire i fondali navigabili determinata dal continuo aumento di stazza delle navi. Per questo fu previsto l'escavo di un nuovo canale navigabile profondo 15 metri (il canale dei Petroli) che, partendo dalla bocca di porto di Malamocco, tagliava da est a ovest la Laguna sud lambendone quindi il bordo per tutta l'estensione di Porto Marghera. Nel 1966, quando il canale era quasi ultimato e un primo lotto di barene a sud del Brenta era già stato imbonito, si verificò in novembre la grave alluvione che mise a dura prova l'integrità fisica di Venezia. Imputato principale di quel dramma fu il nuovo canale, che con la sua imponente massa d'acqua avrebbe trasformato in modo irreversibile l'equilibrio lagunare mettendo a repentaglio la sopravvivenza della città storica. Ne nacque una violenta campagna di stampa a livello internazionale, che coinvolse studiosi, economisti, uomini politici. E il risultato fu che i lavori per la costruzione della terza zona vennero bloccati.

Alla fine degli anni sessanta comunque, con l'utilizzazione progressiva della seconda zona industriale, gli insediamenti si estendevano su oltre 13 milioni di m² mentre 239 erano gli stabilimenti operanti con 30 000 addetti; il traffico marittimo era salito a 16 milioni di tonnellate annue e quello ferroviario a un milione e mezzo.

La quarta e attuale fase, che ha avuto di fatto inizio con la crisi petrolifera esplosa verso la metà degli anni settanta, è contraddistinta da prospettive alquanto incerte. Esauritesi le tradizionali spinte espansive fondate sul basso costo del petrolio, il problema è diventato in molti casi essenzialmente quello della riconversione produttiva e dall'ammodernamento tecnologico degli impianti. Dati del 1981 (tuttora – 1984 – oscillanti, ma certo non tendenti al rialzo) davano 27 789 occupati distribuiti in tutti i diversi settori produttivi e del terziario (energia, chimica e trasformazione dei minerali, meccanica, manifatture, costruzione e installazione di impianti edili, commercio, trasporti, credito e assicurazioni, servizi pubblici e privati).

Gronda della Laguna nord. Da Venezia, raggiunto lo svincolo per Mestre (v. pag. 696), si imbocca verso nord-est la statale 14, della Venezia Giulia, che corre parallela al canale Osellino (scavato tra il 1505 e il 1507 per allontanare la foce del fiume Marzenego da Venezia), toccando abitati. Alla frazione *Campalto* m 3, tenendo a d. nella via Passo Campalto, che scavalca il canale Osellino su un ottocentesco ponte in ferro, si può compiere una breve deviazione di interesse paesistico. Essa raggiunge il *Passo di Campalto*, antico anche se secondario approdo lagunare la cui passata funzione commerciale è stata gradatamente sostituita da un diporto nautico popolare; il porto canale inquadra una magnifica veduta di Venezia dominata dal campanile di S. Marco; dalla riva, dove si intrecciano Laguna viva e barene, si distinguono i profili di tutte le principali isole della Laguna nord: da sin. a d. Torcello, Burano, Mazzorbo, San Francesco del Deserto, con alle spalle la piatta estensione di Sant'Erasmo, e San Giacomo in Paludo, inquadrata dalle più vicine isole della Carbonera (a sin.) e di Tessera (a d.); quindi Murano, San Michele, il bordo settentrionale di Venezia, in parte nascosto dall'isola di Campalto; infine, sullo sfondo del porto commerciale e del ponte della Libertà, l'isola di San Secondo, legata al Passo di Campalto da un vistoso elettrodotto.

La statale prosegue (a sin., la settecentesca parrocchiale di *S. Martino*) per, km 13 circa (da piazzale Roma), la frazione *Tessera* m 3, ab. 1945. Subito a sin. la *via Triestina* conduce all'antico *campanile* di Tessera: del IX-X sec., alto 24 m e coronato da bifore romaniche, presenta una forma cilindrica eccezionale per il territorio veneziano (ha riscontro solo nel coevo campanile di Caorle e nei più antichi campanili ravennati); attigua rimane l'ex chiesa (ora proprietà privata) del monastero di S. Elena, la cui struttura, ancora di ispirazione gotica, risale alla ricostruzione del 1507. Continuando lungo la statale, si lascia a d. l'*aeroporto* internazionale di Venezia «*Marco Polo*»: sorto negli anni cinquanta sul bordo lagunare, comportò l'imbonimento di oltre cento ettari di barene, l'interramento di alcuni chilometri del canale Osellino (che in precedenza sfociava alquanto a nord di Tessera) e l'escavo di un canale navigabile artificiale di collegamento con Venezia.

A una zona occupata da aziende commerciali e agricole, succedono aree agricole bonificate negli anni venti; quindi, varcato il fiume Dese, si perviene, km 19 circa, alla località *Montiron*. All'incrocio, tenendo a d. si attraversa l'omonima penisola bonificata nel 1925 (notevole panorama su una delle parti più interne della Laguna, che qui assume, a causa della bonifica, i caratteri di un lago), mentre prendendo a sin. si giunge in breve ad Altino.

Altino, piccolo borgo rurale frazione di Quarto d'Altino, è l'antico «Altinum», insediamento paleoveneto che sorgeva presso il Sile (tuttora poco lontano) in una zona originariamente circondata dalla Laguna e da terreni paludosi, ma salubri per il continuo flusso e riflusso delle maree. Il centro era dotato di porto e sembra avesse il monopolio del commercio dell'ambra, che veniva fornita dall'antica Vindobona (Vienna) e smistata a tutti i porti adriatici. Nel 200 a.C. iniziò la dominazione romana, sotto la quale la città di Altino, successivamente divenuta «municipium», ebbe notevole rilevanza; vi concorsero, facendone un importante nodo di comunicazioni, l'apertura della Via Annia (131 a.C.) e soprattutto quella della Via Claudia Augusta (47 d.C.), ortogonale alla prima. Il declino di Altino, che nel 381 divenne sede vescovile, iniziò con l'invasione degli Unni (sec. v) e proseguì con quella longobarda (sec. vi), dando luogo a un fenomeno di esodo verso le isole lagunari (soprattutto Torcello) sempre più massiccio; è tradizione che l'abbandono definitivo della città, retta dal vescovo Paolo, risalga al 638.

Il **Museo Archeologico** (orario: giorni feriali, 9-14; festivi, 9-13; lunedì chiuso) raccoglie il materiale rinvenuto negli scavi, ancora in corso, della città antica (sepolta sotto una collinetta alle spalle dello stesso museo) e della necropoli. Esternamente, sotto il portico, stele funerarie, urne, capitelli e altri reperti. Internamente, nella SALA D'INGRESSO, mosaico a decorazione geometrica, cornicioni e capitelli da edifici monumentali, iscrizioni votive, grande monumento funerario romano con statua di togato (sec. I d.C.), stele con ritratti, cippi e, nelle vetrine, frammenti di intonaci parietali, piccole sculture, unguentari di vetro, vasi, urne cinerarie, bronzetti. In DIREZIONE, gemme, cammei, monete e ritratti; nella SALA II, mosaici a decorazione geometrica, iscrizioni funerarie, 2 statue di tritoni (acroteri di un grande monumento funerario), urne a cassetta e, nelle vetrine, vasi funerari.

L'itinerario, attraverso una campagna dagli orizzonti molto aperti, bonificata in questo secolo e caratterizzata da colture estensive e dal latifondo, copre ancora un tratto di statale, poi la lascia, km 24 circa, per seguire a d. la strada per Jèsolo. Raggiunto il ponte sul fiume Sile, si tiene per due volte a d. e, sorpassata una chiusa, si accede a *Portegrandi* m 2. È una minuscola borgata sorta in funzione dell'omonima conca costruita a seguito del taglio del Sile, che venne eseguito tra il 1671 e il 1683 per deviare, sfruttando una parte dell'alveo del Piave, il fiume fuori dalla Laguna; la conca regolava (e regola tuttora, permanendo su barche di ghiaia e materiali di costruzione per Venezia) il salto d'acqua tra l'attuale corso del Sile e il suo originario tratto finale, il Silone, che ormai rientra nella contaminazione lagunare (un cippo di questa, datato 1721, rimane accanto al vecchio cantiere).

Ritornati al ponte sul Sile (v. sopra), e varcatolo, si prosegue lungo la strada che costeggia il Taglio del Sile, al di là del quale si stende la Laguna col paesaggio caratterizzato da barene, specchi d'acqua liberi e valli da pesca; alcune fattorie ora abbandonate e lontani casoni fungono da elemento di raccordo tra l'ambiente agricolo, quello fluviale e quello lagunare, conferendo all'insieme un'unità che annulla le nette suddivisioni geografiche e morfologiche. Il Taglio termina, km 33 circa, a *Capòsile* m 3, ab. 931, dove, all'altezza del semaforo prima della chiesa, si piega a d. per l'argine del Sile (in quest'ultimo tratto denominato anche Piave Vecchia, a

ricordo dell'omonimo fiume che qui scorreva prima di essere deviato verso
Eraclea). Si segue il fiume verso sud-est, per poi attraversarlo su un ponte
di barche e proseguire (indicazioni per Jèsolo; la strada è asfaltata solo nel
primo tratto) lungo l'argine d., la cui costruzione venne decretata nel 1534
per portare il fiume (allora ancora Piave), che con rovinose piene rove-
sciava enormi quantità di detriti in Laguna, a sfociare più a sud all'altezza
del canale Caligo.
Raggiunto quest'ultimo (ormai ridotto a poco più di un fosso) e varcatolo,
si può compiere una interessante deviazione seguendo a d. il percorso per
la valle Grassabò, che attraversa aree coltivate, barene arginate e tratti di
valli da pesca. La deviazione termina all'esiguo nucleo di *Lio Maggiore*,
pochi edifici tra cui spicca un rustico settecentesco; fondato a seguito delle
invasioni barbariche dai profughi di Altino e Feltre, attorno al Mille contava circa 3000 abitanti, aveva un proprio porto e godeva di una certa autonomia amministrativa.
L'itinerario principale arriva in vista dell'abitato di Jèsolo (per la descrizione, v. il volume Veneto della Guida d'Italia del TCI), che sorge al di là
del fiume, lo lascia sulla sin. e continua avendo sulla d. la valle di Dragoiè-
solo. Allo svincolo si procede seguendo la strada per Cavallino, a sin. della
quale si sviluppa l'ininterrotta sequenza dell'edilizia balneare di Lido di
Jèsolo. Giunti, km 52 circa, a *Cavallino* m 1, ab. 1628 (frazione di Venezia
che dà il nome all'intero litorale compreso tra il mare e la Laguna e allungato tra Jèsolo e la bocca di porto di Lido), si prosegue fino a Ca' Savio m
2, ab. 960, dove la strada si biforca: dritti si va a Punta Sabbioni all'estremità della penisola (terminal delle motonavi della linea 14 per il Lido e
Venezia); a d., oltre il canale navigabile Pordelio (scavato nel 1563, mette
in comunicazione la Laguna di Venezia con la rete navigabile interna che,
attraverso le lagune di Marano e di Grado, porta in prossimità di Trieste),
che si supera mediante un ponte girevole, si perviene, km 61 circa, a *Treporti* m 1, ab. 1927: è un insediamento di antica origine che deve il nome ai
porti di Pordelio, Saccagnana e Portosecco, in origine rispettivamente
scali delle isole di Ammiana e di Torcello, e di Lio Maggiore.
Da qui, superata la piazza e attraversato un ponte in ferro, si lascia a sin. il
percorso per il pontile della linea 12 dell'ACTV (per le isole della Laguna
nord; notevole vista) e si volge a d. seguendo il canale Saccagnana. Dopo
circa 1 km, una strada a sin. (indicazioni per Mesola e Lio Piccolo) porta a
una interessante *corte* (il «Prà») di impianto cinquecentesco: unico
esempio del genere nel territorio veneziano sia per dimensioni (raccolte)
che per organizzazione (spiccatamente comunitaria), è definita da edifici
rustici, da un palazzetto nobiliare e dalla chiesa; la bassa struttura sul lato
da cui si entra accoglieva i servizi (cucina, forno per il pane, lavatoio) comuni a coloro che qui abitavano, lavorando nella proprietà circostante.
Oltre la corte la strada si riduce gradatamente a un argine, e si inoltra in
valli da pesca e barene. Seguendola, si arriva a un bivio: a d. per Mesola, a
sin. per Lio Piccolo; si tratta in entrambi i casi di minuscoli ma interessanti nuclei rurali con gli edifici religiosi e alcune case rustiche.

Gronda della Laguna sud. La gronda lagunare che si estende a sud di
Marghera fino a Chioggia, non presenta insediamenti urbani di rilievo ed è
caratterizzata da un paesaggio modellato dalle diverse opere che segnano
la conterminazione del bacino, separando le bonifiche agricole dell'entroterra dai diversi tipi di ambiente lagunare. Dapprima i canali artificiali

scavati ai margini e attraverso le barene della Laguna morta per vivificare il ricambio delle maree; poi il Taglio Novissimo del Brenta, uno dei canali principali in cui, a partire dalla fine del sec. XV, fu deviato questo importante corso d'acqua onde regolarne il complesso sistema idrico e per drenare le acque che dall'entroterra scendono in Laguna (l'intervento rese possibili o necessarie molte bonifiche); infine la Strada Romea, che per lunghi tratti corre lungo il Taglio Novissimo e poi attraversa la Laguna dividendo gli specchi d'acqua alle spalle di Chioggia. Il paesaggio è dunque segnato dalle diverse forme di valorizzazione economica del territorio lagunare (l'agricoltura e la vallicoltura, con alcune tra le più importanti valli da pesca), e per molti versi è completamente artificiale, senza peraltro che vi siano presenti manufatti o emergenze naturali di spicco. Nei pochi punti dove è possibile l'accesso diretto ai canali che si inoltrano in Laguna, esso si presenta fortemente connotato dall'insediamento spontaneo delle cavane sia lungo le sponde che si affacciano sulle barene, sia su quelle delle paludi di maggior interesse naturalistico e paesistico di tutta la Laguna.

Il percorso da Venezia (piazzale Roma) a Chioggia, di km 52, si svolge nel primo breve tratto lungo la statale 11, Padana Superiore, quindi lungo la statale 309, Strada Romea, che con ripetuti rettifili costeggia lungamente il Taglio Novissimo del Brenta. Particolarmente consigliata è la deviazione che, dopo circa 23 km, dalla località Lugo, si può compiere per una strada privata che conduce al margine lagunare: vi si apre la *valle dell'Averto*, suggestiva oasi naturalistica del «WWF» cui si accede previo permesso da richiedere all'associazione.

8.8 La riviera del Brenta e il Terraglio

I due itinerari qui proposti – e richiamati nel titolo – suggeriscono la visita di due direttrici territoriali, assai prossime a Venezia, lungo le quali si espresse, più organicamente che altrove, quella «cultura di villa» – di diretta emanazione veneziana e di forte impronta 'cittadina' – che ha connotato anche paesisticamente vaste aree della regione veneta distribuendovi, tra il XVI e il XVIII secolo, esemplari di ogni tipo. Caratterizza la prima direttrice un ambiente fortemente influenzato dalla presenza dell'acqua, mentre la seconda, prescindendo dalle alterazioni funzionali, rimanda al paesaggio tipico della pianura asciutta.

La riviera del Brenta. Meta di una delle più classiche gite da Venezia (e da Padova), la riviera del Brenta non è riferibile in senso proprio al corso naturale dell'importante fiume che scende dalla Valsugana e bagna Bassano del Grappa, bensì alle sponde di una delle sue due canalizzazioni che hanno origine a Stra (presso il limite occidentale della provincia di Venezia): quella che col nome di naviglio di Brenta si snoda fino a Fusina, sulla Laguna a sud di Porto Marghera (l'altra va a sfociare in Adriatico poco a sud di Chioggia), ed è collegata verso ovest a Padova (porta Venezia, o del Portello) dal canale Pióvego. L'itinerario, che si sviluppa da Venezia a Stra, è di pregio soprattutto per la straordinaria concentrazione di ville 'veneziane' che lo accompagnano. Ma il visitatore deve essere anche avvertito che la luogo la riviera – perduta l'intima e reciproca necessità che tra il Cinquecento e il Settecento legava il naviglio all'ambiente e alle strutture circostanti, e il loro insieme a Venezia – si trovano oggi insediamenti ed episodi edilizi assai disparati e spesso in stridente contrasto.

L'interesse di Venezia per il Brenta e il risultato che ne è conseguito va ricondotto ad almeno quattro fattori strettamente connessi: la necessità di controllare il corso del fiume prossimo alla foce per tutelare l'integrità della Laguna minacciata dagli interramenti e per difendere i raccolti e gli insediamenti dalle ricorrenti alluvioni; l'opportunità di rendere stabilmente e agevolmente navigabile un'importante via d'acqua che consentiva ingenti traffici con Padova e il suo territorio; la convenienza degli investimenti in agricoltura, dopo che erano andati calando d'intensità i commerci legati ai traffici marittimi con il Medio Oriente; l'esigenza di soddisfare un ancestrale bisogno di spazi e di natura di terraferma, a compenso dei vincoli ambientali imposti dalla Laguna.

La regolazione del regime idraulico del Brenta ha i suoi presupposti negli interessi contrastanti di Padova e Venezia, che già prima del Mille si contendevano il controllo del suo basso corso. In epoca romana l'area del Brenta, boscosa e scarsamente abitata, non rivestiva particolare interesse. Allora il fiume si chiamava «Medoacus» e in un punto imprecisato fra Noventa Padovana e Fiesso d'Àrtico si divideva in due rami: il «Major», che sfociava nella Laguna centrale e aveva un andamento in parte coincidente con l'attuale naviglio, e il «Minor», che raggiungeva la Laguna sud con un tracciato lungo e tortuoso. A partire dal sec. v il corso del «Major» andò atrofizzandosi e i Padovani, nel IX sec., furono spinti a usare per i loro commerci con la Laguna il faticoso «Medoacus Minor», la cui foce era sorvegliata alle Bebbe da munite postazioni dei Veneziani. I quali si erano nel frattempo assicurati il possesso di una porzione di terraferma anche in corrispondenza della foce del «Major», fino al territorio di Gambarare; dove promossero la fondazione del monastero benedettino di S. Ilario, che tra il X e il XII sec. divenne fattore essenziale per la bonifica e l'organizzazione produttiva e commerciale della zona.

Nel 1142 l'operazione, effettuata da Padova, di isolare il «Minor» e di riversare tutte le acque del «Medoacus» nel «Major», provocò conseguenze tali (in termini di alluvioni nel territorio di S. Ilario) da indurre Venezia a scendere in guerra. I Padovani vennero battuti, ma la Serenissima non impose il ripristino della situazione idraulica originaria, preferendo difendere S. Ilario con arginature e rettificare il fiume a Oriago per renderlo più scorrevole. Fu una scelta a favore di trasporti fluviali più rapidi con Padova, che provocò però al progressivo impaludamento del territorio di S. Ilario, con la conseguente decadenza del monastero fino alla sua totale scomparsa. Padova, dal canto suo, effettuò nel 1209 il taglio del Pióvego, con il quale immise nel Brenta le acque del Bacchiglione collegandosi in tal modo direttamente per via d'acqua con la Laguna.

Il tracciato della riviera corrispondeva ormai pressappoco a quello attuale, ma la massa d'acqua convogliata, ricca di sabbie e di detriti, poneva a Venezia il problema dell'interramento lagunare. Perciò, a partire dal XIV sec.

cominciò una vasta serie di interventi sul fiume, tesi a limitarne gli effetti
negativi sulla Laguna e, nel contempo, a garantirne la navigabilità. Nel
1405 Venezia sottomise definitivamente Padova e da allora poté estendere
tali interventi all'intero corso del naviglio di Brenta (è della fine del sec. XV
la regolazione del tracciato altimetrico con una serie di conche), raggiungendo, agli inizi del '600, una situazione che si dimostrò abbastanza soddisfacente per quasi due secoli. Già alla fine del '700 però, a causa dell'innalzamento del greto del fiume, la navigazione si fece difficoltosa e si ripre-
sentò il problema delle alluvioni; gli interventi allora progettati furono ripresi e portati a termine nell'Ottocento sotto il governo austriaco e con il
contributo tecnico di Pietro Paleocapa.
Le prime ville lungo il naviglio di Brenta sorsero, malgrado le difficili condizioni ambientali, già nel sec. XV, quando i possedimenti padovani conquistati dalla Repubblica vennero in buona parte venduti ai privati, tra cui
alcune delle più importanti famiglie veneziane (in quel tempo lungo il
fiume esistevano, oltre a qualche fortificazione, solo alcune piccole borgate e i terreni erano caratterizzati da limitate estensioni coltivate alternate a boschi e a non infrequenti paludi). Le ville, all'inizio, altro non furono che il palazzo veneziano arricchito delle attrezzature legate alla con-
duzione del fondo agricolo e liberato dalle costrizioni dell'intorno urbano.
La parte padronale ne riprendeva puntualmente la distribuzione interna
(fondata su un grande salone centrale passante da fronte a fronte, simmetricamente affiancato da stanze interrotte su di un lato dalla scala), le gerarchie formali di facciata (tese a dar preminenza al piano nobile e alla
fronte sul canale, ferreamente parallela a questo fino alla deformazione
degli spazi interni e degli stessi suoi elementi costitutivi), l'ampiezza delle
superfici finestrate, la scarsa considerazione per le fronti laterali (quasi
che di fianco dovessero sorgere altri edifici). Del palazzo di città veniva
infine ripreso il rapporto diretto con l'acqua, con la conseguenza di non
cintare mai l'edificio padronale verso l'acqua stessa e di limitare l'estensione delle proprietà lungo il bordo del canale, così da consentire l'affaccio
su questo di un maggior numero di ville (le recinzioni originarie, costituite
da altri muri, si affiancavano all'edificio padronale racchiudendo da proprietà a proprietà i parchi e le barchesse e lasciando fuori gli oratori, che
in tal modo diventavano un servizio pubblico). Ne derivò col tempo una
continuità edilizia che trasformò la riva in fondamenta, conferendole un
vero e proprio carattere urbano laddove alla proprietà di villa si affiancano
edifici destinati ad attività ad essa esterne ma comunque, in modo diretto
o indiretto, correlate (botteghe artigiane, locande, case di barcaioli ecc.).
Successivamente le ville persero l'originaria destinazione produttiva per
diventare soprattutto degli «status symbol», in stretta connessione al
sempre più diffuso interesse per la villeggiatura; vicino alle ville più importanti sorsero case e casini d'affitto (che prosperarono, per così dire, di
prestigio indotto), mentre lungo il percorso si moltiplicarono locande e
trattorie e si attivarono (con il «burchiello», grosso natante a remi) linee di
trasporto pubbliche. Nel sec. XVIII, nei due periodi in cui si svolgeva la villeggiatura (quella estiva da metà giugno a fine luglio e quella autunnale
dai primi di ottobre a metà novembre), la riviera del Brenta, ormai divenuta un'asta insediativa pressoché continua, si presentava sempre più
come l'archetipo delle attuali stazioni turistiche di lusso: aria salubre,
molto verde, buoni servizi, vita mondana e interessanti possibilità d'in-

contro. Alla fine del secolo l'economia della riviera si reggeva fondamentalmente sulla villeggiatura, ma la caduta della Repubblica e l'accentuata crisi economica ne interruppero bruscamente le fonti facendo sì che l'agricoltura divenisse l'unica, anche se insufficiente, fonte di reddito. Mentre i mezzadri poterono in generale migliorare le loro condizioni e in alcuni casi comprare le proprietà padronali, per gli innumerevoli addetti ai servizi riguardanti la villeggiatura fu la disoccupazione; numerose ville vennero lasciate nel più totale abbandono, o completamente trasformate da usi non appropriati, o addirittura demolite dai vecchi proprietari non disposti a pagare la tassa sulle case di lusso introdotta nella seconda metà dell'800 dal governo italiano. All'economia di villa non subentrarono altre e diverse possibilità produttive: la via d'acqua era legata a Venezia (città ormai senza porto e priva di scambi commerciali e culturali paragonabili a quelli di un tempo), e l'industria tardò a insediarvisi.

L'itinerario, di km 32 escluse le deviazioni, si svolge lungo la strada carrozzabile; dal 10 aprile al 10 ottobre è effettuabile anche sul «burchiello» (già a remi e ora sostituito da natanti a motore) che, con partenza dal Molo del Bacino di S. Marco, raggiunge Padova lungo il corso del Brenta (l'escursione comprende la visita di tre ville).

Da Venezia (piazzale Roma), superato il ponte translagunare, si tiene dritto fino al cavalcavia di Mestre e quindi a sin. (indicazioni per Marghera) proseguendo lungo la statale 11, Padana Superiore (in questo tratto via Fratelli Bandiera, v. pag. 701); al bivio per Malcontenta la si lascia per volgere ancora a sinistra. In un ambiente non più agricolo, ma non ancora compiutamente industriale, la strada provinciale conduce, km 13.6, a *Malcontenta* m 4, ab. 2677, borgata sviluppatasi linearmente lungo il naviglio di Brenta che la divide in due settori collegati da un ponte girevole (la riva sin. dipende amministrativamente dal comune di Venezia, la riva opposta da quello di Mira).

Il toponimo, secondo la tradizione legato a una dama di casa Foscari qui relegata, nell'omonima villa, per punizione (v. pag. 711), è documentato fin dal sec. XIV e più verosimilmente si riferisce all'ostilità degli abitanti verso le deviazioni delle acque del Brenta che, fino alla loro regolazione seicentesca, arrecarono danni e inondazioni.

Per il ponte girevole si va alla piazza Malcontenta e quindi, tenendo due volte a d., nella via dei Turisti. Al termine di questa, al N. 11, è l'accesso alla *villa Foscari o della Malcontenta**, costruita da Andrea Palladio intorno al 1555 per Nicola e Alvise Foscari; dopo complesse vicende, nel 1974 è stata riacquistata dai discendenti della stessa famiglia (è visitabile dal 1° maggio al 31 ottobre: il martedì, il sabato, e la prima domenica del mese dalle 9 alle 12; ingresso a pagamento).

L'edificio, a bugne lisce e su tre piani, in ottimo stato di conservazione, presenta fronti nettamente diverse verso il Brenta e verso la campagna.

Dalla parte del fiume un'ariosa loggia a colonne ioniche, sormontata da timpano e affiancata da due solenni scale, si innalza su un basamento costituito dalla sporgenza del piano terra e spalanca il piano nobile sull'ambiente circostante. Sul lato opposto, invece, la fronte si presenta compatta e con le sue ampie e bellissime finestre sembra sorvegliare dall'alto il luogo piuttosto che integrarvisi; alla base del corpo centrale, appena sporgente (che richiama, appiattendolo, il rilievo della loggia), un'unica semplice porta mette in comunicazione il piano terra, dove si trovano i servizi, con l'esterno. Sul tetto, 4 sofisticati camini cilindrici.

L'organizzazione distributiva dell'**interno** si impernia sulla grande sala a croce greca del piano nobile, attorno alla quale si aprono 4 stanze e 2 camerini. La decorazione ad affresco dei vari ambienti, già ultimata nel 1566, si deve soprattutto a G.B. Zelotti, che successe a Battista Franco morto nel 1561; è probabile qualche intervento di Bernardino India. La SALA, interamente affrescata dallo Zelotti, si rivela stilisticamente unitaria nell'intelaiatura architettonico-decorativa. Nella volta del soffitto, attorno all'esagono centrale con le *Virtù e i Mali della terra*, 4 ovati con *Astrea che indica a Giove i piaceri della terra*, *Mida in trono con l'Invidia, la Discordia e una schiera di Mali*, *Due donne che offrono incenso a Giano* e *Giove e Mercurio che scendono sulla terra*; prigioni, amorini e festoni completano la decorazione negli spazi liberi. Nelle lunette sopra le porte d'ingresso alle pareti d. e sin., *Banchetto di Filemone e Bauci*, *Gli dei osservano l'uccisione di un viandante*, *Giove e Mercurio tornano in cielo dopo aver ringraziato Filemone e Bauci per l'ospitalità*; sopra le altre porte, *Astrologia, Poesia, Musica* e *Strategia*; verso gli angoli della crociera che immette nelle due stanze quadre, le 4 *Stagioni* (monocromi gialli) e, sopra peducci, *busti di imperatori romani* (monocromi in chiaroscuro). Nei due CAMERINI ricavati a fianco delle scale di disimpegno, paesaggi e grottesche probabilmente di Bernardino India. Nelle quattro STANZE ai lati della crociera, affreschi di G.B. Zelotti (nelle stanze di Bacco e Venere, dell'Aurora e di Caco e Prometeo) e di Battista Franco (nella stanza dei Giganti, forse con la collaborazione dello Zelotti per le pareti); nella stanza dell'Aurora, la *Donna che entra da una porta* sulla parete sin. è identificata dalla tradizione con la 'Malcontenta' (Elisabetta Dolfin o Elisabetta Loredan, rispettivamente mogli di Nicola e Alvise Foscari) che sarebbe stata qui relegata dal consorte per espiare la propria infedeltà coniugale.

La villa ospitò nei secoli re, duchi e altri potenti personaggi europei fra cui Enrico III di Francia (1574) con Emanuele Filiberto di Savoia, Augusto II (1692) e Augusto IV (1717) di Polonia e Federico IV di Danimarca e Norvegia.

Il naviglio di Brenta sfocia in Laguna a circa 5 km a est di Malcontenta, in località Fusina, che si raggiunge percorrendo la strada lungo l'argine sin. del fiume, sul quale si attesta anche il minuscolo insediamento di Moranzani. A *Moranzani* m 3, ab. 45, rimane una conca settecentesca che tuttora regola il dislivello tra la Laguna e il fiume consentendo alle barche di superarlo; nulla resta invece dell'antica stazione del dazio, mentre ancora sussistono, anche se profondamente rimaneggiate, la locanda e la cappella (sulla prima, dove è oggi allogato il personale di custodia della chiusa, varie lapidi tra cui una che garantiva il libero passaggio alle barche che trasportavano lana). A Moranzani, fino all'Ottocento, era attiva la Seriola, piccolo canale che riforniva d'acqua potabile Venezia, derivandola a monte del naviglio di Brenta e purificandola con il suo lungo corso che terminava in una serie di vasche per la decantazione finale; apposite barche poi prelevavano da qui l'acqua e la portavano in città.

Il piccolo nucleo di *Fusina* m 2, ab. 30, affacciato sulla Laguna, è un punto di scambio molto importante tra Venezia e la terraferma; questa destinazione, in passato connessa ai traffici verso sud, è stata riproposta negli ultimi anni in funzione del traffico turistico, nel tentativo di limitarne la pressione sul piazzale Roma (fino al 1951 vi era ubicato anche il terminal della linea tranviaria che serviva la riviera). Il toponimo, deformazione dialettale del termine 'fucina' con cui nel Medioevo venivano anche chiamate le tintorie qui insediate, era un tempo Lizza Fusina, per via della macchina (chiamata appunto 'lizza' o carro) con cui, prima della creazione dei bacini di compensazione, le barche superavano il dislivello tra l'acqua del Brenta e quella della Laguna. Dell'antico insediamento cresciuto intorno a queste strutture restano oggi pochi edifici, tra cui una costruzione seicentesca (con ogni probabilità una locanda) che verso la Laguna presenta un pronao ottocentesco, e un degradato oratorio del sec. XIX. Dalla punta di Fusina, ampio panorama sul contesto lagunare: a sin., il porto industriale e il ponte della Libertà; di fronte, il profilo di Venezia coi suoi campanili, le strutture del porto commerciale e la ciminiera dell'inceneritore di Sacca Fisola; tra le varie isole minori, di fronte, lungo il canale che porta a Venezia, l'isola abbandonata di *San Giorgio in Alga*, un tempo occupata da un convento dove i dogi si recavano per ricevere gli ospiti più illustri provenienti da Fusina. Lungo il bordo lagunare, il canale dei Petroli, pomo della discordia di tutti i dibattiti sull'equilibrio ambientale della Laguna.

Da Malcontenta, tenendo verso ovest, si supera la frazione *Ca' Brentelle* (costituita prevalentemente da case unifamiliari, fu realizzata in epoca fascista richiamando la struttura delle colonie rurali che, nello stesso periodo, venivano sperimentate in Germania per allontanare dalle città i ceti produttivi socialmente più turbolenti) e, varcato il canale Brentella (scavato per derivare dal Brenta le acque del primo acquedotto industriale di Porto Marghera), si riprende la statale 11 seguendola in direzione di Padova.

Subito a sin., al di là del Brenta, si vede isolato il settecentesco *casino Querini Stampalia*, con finestra ad arco e balaustra in pietra e robusti camini veneziani, un tempo casa da gioco e base di caccia. Sulla d. della statale (segnale turistico) 2 pilastri sormontati da statue immettono al viale di pioppi che conduce alla *villa Priuli*, poi Bon e Falier, elegante edificio seicentesco, di forme estranee all'architettura delle ville venete, aperto al piano terra da tre arcate su colonne ioniche binate e concluso da un piano attico. Poco avanti, pure sulla d., la settecentesca ex *osteria dei Sabbioni*, di cui rimane solo il corpo centrale con abbaino e pinnacoli; quindi, superato il bivio per Ca' Sabbioni (a d., cippo gotico eretto nel 1375 per segnare il limite del dogado), si entra, km 17.2, a *Oriago* m 4, ab. 9244, grossa frazione del comune di Mira.

L'insediamento, di antica fondazione (un'etimologia ne fa derivare il toponimo dall'albeggiare del sole che si specchia nell'acqua: «auri lacus», cioè lago d'oro), ha riferimenti letterari di tutto rispetto. Tito Livio lo cita a proposito di una sedizione qui domata nel 187 a.C. dal console Marco Emilio Lepido, e Dante vi colloca la tragedia di Jacopo del Cassero, ucciso nel 1298 da sicari di Azzo VIII d'Este. Fino al 1405, quando Venezia assoggettò Padova, Oriago fu posto di confine con dogana, dove esisteva un importante mercato franco e spesso si scontravano Veneziani e Padovani. Alla conquista seguì, come consuetudine, la confisca dei beni dei vinti, che in seguito furono acquistati da nobili famiglie veneziane (i Querini, i Gradenigo, i Moro) che qui costruirono le loro ville.

Subito a d. (N. 179) è la *villa Allegri*, composta costruzione della seconda metà del Settecento che conserva parte del parco di pertinenza (fu abitata dal generale Radetzky). Al N. 149 la cinquecentesca *villa Dario* conserva invece, sul fronte secondario, un elegante loggiato a tre ordini di colonne ioniche. Segue (N. 141; segnale turistico) la **villa Moro**: costruita tra la fine del Quattrocento e il 1508, presenta una sobria facciata, sulla sin. della quale, lapide del 1883 con i versi di Dante (Purgatorio, V, 64-84) descriventi la morte di Jacopo del Cassero; internamente, alle pareti della sala, affreschi quattrocenteschi pesantemente restaurati da Giuseppe Cherubini. La successiva parrocchiale di *S. Maria Maddalena* è un'elegante costruzione gotica rimaneggiata nel 1515 per volere di Augusto Moro. Posteriormente rimane il campanile quattrocentesco, concluso da torretta ottagonale e cuspide conica.

L'interno è una navata rettangolare con cappelle laterali, conclusa da profondo presbiterio con abside gotica. Alla parete d., *Noli me tangere*, rovinata tela di Francesco Vecellio; all'altar maggiore, 2 angeli marmorei di Giulio del Moro (firmati).

Poco avanti, sull'opposta riva del canale, prospetta il settecentesco *palazzo Mocenigo* (sede scolastica), con corpo centrale in leggero aggetto concluso da timpano curvilineo, con lo stemma della famiglia, sormontato da tre grandi vasi in pietra d'Istria; ai lati, torrette e volute. Alla sua d. (segnale turistico) si leva la cinquecentesca *villa Gradenigo*: a pianta quadrata, presenta su tre fronti tracce di affreschi del sec. XVI a finte volute; anche all'interno rimangono resti della decorazione originaria di Benedetto Caliari (l'edificio, acquistato nel 1960 dall'Ente Ville Venete, è stato sottoposto a radicale restauro). Quasi di fronte, sulla strada (N. 85), la singolare *villa Dolcetti* della 2ª metà del sec. XVIII; ne sottolineano il carattere popolaresco vivaci inserti decorativi in pietra d'Istria.

Lungo la statale, che prosegue in direzione di Mira, qualche solitario oratorio e alcuni elementi architettonici colti sono le uniche testimonianze rimaste delle numerose ville di un tempo. Sottopassata la linea ferroviaria, si entra in località *Riscossa*, il cui nome sembra legato alla riscossione delle decime che qui effettuavano i frati di un convento sito nel vicino Borbiago. Al bivio, lasciata la statale, si prende a sin. la via Riscossa e si continua costeggiando il naviglio di Brenta. Sulla riva opposta, lunga serie di case a schiera seicentesche con grandi camini, dove erano alloggiati i braccianti dei poderi Valmarana (v. sotto). Sulla d. della strada, N. 5, la settecentesca *villa Moscheni*, fiancheggiata dalle due barchesse; internamente sono stati rinvenuti coevi affreschi monocromi (quelli del salone al piano terra raffigurano i porti di Malta, Sfax, Susa e Tunisi). Al di là del canale, le seicentesche barchesse della *villa Valmarana*, il cui corpo centrale fu demolito nel secolo scorso per evitare la tassa sulle case di lusso.

I due edifici, dalle eleganti connotazioni architettoniche, godono di una compiutezza formale che sembra non risentire della distruzione della struttura padronale che affiancavano. Quello di d. (restaurato nel 1962 dallo scultore Luciano Minguzzi con il contributo dell'Ente Ville Venete), foresteria della villa, manifesta questa sua destinazione di rappresentanza nel secondo prospetto concluso da timpano con stemma gentilizio e aperto da eleganti finestre incorniciate; alcuni ambienti interni mantengono la decorazione tardosettecentesca con affreschi di scuola tiepolesca.

Ritornati sulla statale, si incontra a d. (N. 420; segnale turistico) la **villa Seriman**, poi Widmann-Rezzonico-Foscari; costruita con l'annessa barchessa (che fungeva da rustico e da foresteria) e oratorio nel 1719, su probabile progetto di Andrea Tirali, deve l'aspetto attuale alla ristrutturazione operata nella seconda metà dello stesso secolo per adattarla alle esigenze e ai gusti rococò degli allora proprietari, la famiglia Widmann (visita concessa a comitive previo accordo telefonico; ingresso a pagamento).

All'interno della villa, nella sala centrale, entro ricche cornici a stucco, ciclo di affreschi già attribuito a Jacopo Guarana, ma più probabilmente opera del piazzettesco Giuseppe Angeli (sul soffitto, *Gloria della famiglia Widmann*; alle pareti, *Ratto di Elena* e *Sacrificio di Ifigenia*). Nel giardino, numerose statue settecentesche, in parte provenienti da ville ora demolite.

Al bivio successivo si lascia nuovamente la statale per seguire a sin. la strada che costeggia il naviglio. Al di là di questo sorge, circondato da parco chiuso da un muro di cinta, il rustico della cinquecentesca *villa Valier*, detta anche *la Chitarra* dal soggetto di uno degli affreschi della facciata: questi, attribuibili ad Alessandro Maganza, furono in parte staccati (e depositati presso le Gallerie dell'Accademia di Venezia) e in parte andarono distrutti, nell'Ottocento, quando venne demolita la parte anteriore (padronale) del fabbricato; l'attiguo oratorio è seicentesco. Segue, pure sulla riva d., la *villa Querini Stampalia* (dal 1973, Tiozzo), elegante costruzione cinquecentesca attribuita a Guglielmo Bergamasco, con corpo padronale e adiacenze rustiche (le barchesse) in buono stato di conservazione.

L'edificio, restaurato nel 1978 con il contributo dell'Ente Ville Venete, presenta alcuni ambienti interni decorati da un notevole ciclo di affreschi della metà del sec. XVI, attribuibile a Bonifacio de' Pitati e ad Andrea Schiavone; la tematica, complessa e ancora oscura, e l'iconografia, in molti casi rapportabile a istanze della Controriforma, rendono il ciclo particolarmente enigmatico e interessante.

Continuando sempre verso ovest, alla biforcazione del Brenta (il ramo di sin. è una rettifica dell'antico alveo operata nel 1936 per costruire una nuova conca in sostituzione di quella di Mira Porte, v. sotto) la statale raggiunge, km 22, **Mira**, ab. 35 834, grosso comune sparso con sede a Mira Taglio, costituito da numerose frazioni dislocate lungo il naviglio dalla Laguna a Dolo; la popolazione attiva lavora in gran parte nell'industria (in particolare alla Mira Lanza di Mira Taglio e a Porto Marghera). L'abitato principale è suddiviso nelle frazioni (da est a ovest) Mira Porte, Mira Taglio e Mira (o Piazza) Vecchia, che si allungano senza soluzione di continuità per oltre 3 km sulle due rive del naviglio di Brenta; già frequentato luogo di villeggiatura del patriziato veneziano e padovano, lo caratterizza la presenza di numerose ville.

Il toponimo dell'insediamento ha origine molto incerta e secondo alcuni deriva dal culto di S. Nicolò (S. Nicola), vescovo di Mira, antica città della Licia, che qui si diffuse dopo il trasporto (sec. XI) delle reliquie del santo a Bari (all'impresa sembra avesse partecipato una famiglia di mercanti, i Corbelli, che qui, dove avevano vasti possedimenti, fecero erigere una chiesa in onore di S. Nicolò).

Il nucleo di *Mira Porte* m 5, crebbe intorno alla conca che venne poi disattivata e coperta nel 1936. Sul lato d. della strada, dove si allunga una successione quasi ininterrotta di edifici, al settecentesco *palazzo Bonollo* (N. 81), con alto abbaino a volute laterali, segue un lungo complesso a tre piani di case a schiera settecentesche. Più avanti, in successione ravvicinata: N. 36, *villa Contarini*, edificio seicentesco con poggioli in pietra d'Istria (in completo stato di abbandono); N. 28, *villa Franceschi*, interessante costruzione tardocinquecentesca con annessa barchessa ad archi ribassati (il muro che cinge il vasto parco separando la villa dal

Brenta è ottocentesco); N. 25, *villa Pio*, pregevole architettura
del tardo Seicento con salone terreno decorato sul soffitto da una
tela di Niccolò Bambini (di proprietà della Amministrazione Provinciale di Venezia, è in restauro dal 1983). All'ansa del fiume (a
d., N. 3, casello della linea tranviaria Padova-Fusina in funzione
fino al 1951), a sin., si succedono le settecentesche *ville Bonfa-*
dini (affiancata da un oratorio e, per simmetria, da un pseudo-
oratorio) e *Pazienti*.
Comincia l'abitato di *Mira Taglio* m 6, che prende il nome dal
taglio di due canali effettuato tra il 1597 e il 1613 (furono allora
realizzati il taglio di Mirano, che porta al Brenta le acque del Mu-
sone, e il taglio «Novissimo» del Brenta, che sottrae acque al
fiume portandole a sfociare a sud di Chioggia); vi ha sede lo stabilimento della Mira Lanza. All'inizio dell'insediamento, al di là del
fiume, è la cinquecentesca *villa Tamagno*, con trifora e poggiolo
e alto abbaino concluso da timpano. Quindi, a d. della strada, N.
30, la *villa Maria*, probabile rimaneggiamento di un seicentesco
palazzo Labia. Ancora sulla sponda opposta, dopo una serie di
case già presenti nel Settecento, il *palazzo Zollio* del sec. XVI, che
confina con la Mira Lanza (v. sotto). Sulla d. della strada, oltre
(N. 26) la neogotica *villa Lanza* del sec. XIX, si apre lo spiazzo su
cui prospetta la parrocchiale di *S. Nicolò*: di origine molto antica
e ricostruita a partire dal 1487, la chiesa fu rimaneggiata nel
1669 e, pesantemente, nell'Ottocento; il campanile è un rifacimento del 1939.

L'interno, a pianta rettangolare divisa in tre navate nel sec. XIX, conserva
gli altari seicenteschi. Nel presbiterio, 3 affreschi attribuiti a Elisabetta
Lazzarini. Alle pareti della navata sin., *S. Antonio da Padova e il Bambin*
Gesù, bella pala di Gregorio Lazzarini, e *Crocifissione*, opera della fine del
sec. XVII.
La canonica è allogata in una piccola villa seicentesca.

Di fronte alla chiesa, dall'altra parte del naviglio, si sviluppa l'e-
norme complesso industriale della *Mira Lanza* (nota azienda di
saponi, detersivi e altri prodotti similari), il cui nucleo iniziale fu
una fabbrica di candele sorta nella prima metà dell'Ottocento sul
luogo dell'allora appositamente demolita villa Contarini di Baldassare Longhena.
Più avanti, sulla d. della strada (N. 5) è la *villa Contarini dei*
Leoni (sede di uffici comunali), edificio a pianta quadrata costruito nel 1558: nel 1574 vi fu ospite Enrico III di Francia,
evento che G.B. Tiepolo narrò nel 1754 in un ciclo di affreschi,
venduti nel 1893 – come i leoni della gradinata d'ingresso (da cui
il nome della villa), ora sostituiti da copie – al Museo Jacque-
mart-André di Parigi; degli annessi della villa rimane il settecen-

tesco *oratorio del Rosario*, con timpano sormontato da tre statue e campanile a vela. Sul lato opposto del Brenta, oltre la *villa Corner*, pesantemente rimaneggiata nell'Ottocento, prospetta la cinquecentesca *villa Bon*, che porta evidenti alcuni segni della ristrutturazione ottocentesca; all'interno, affreschi da ascriversi alla scuola di Giandomenico Tiepolo (le *Stagioni*) e decorazioni neoclassiche di Carlo Bevilacqua.

Proseguendo lungo la statale, al di là della settecentesca *villa Levi Moreno* (N. 165), con parco di pertinenza (nel salone, affreschi neoclassici del primo Ottocento), si apre a sin. la piazza del Municipio, collegata alla strada da un ponte carrabile e da uno pedonale in ferro, girevole, realizzato intorno al 1870 per attraversare la conca ora disattivata. Ancora avanti, sulla d., N. 128, la *villa Foscarini dei Carmini*: costruita nel sec. XVI in luogo di un preesistente convento di cui restano tracce, l'aspetto è prevalentemente dovuto a rimaneggiamenti ottocenteschi (nel 1817-18 vi abitò George Byron). Dall'altra parte del canale, la seicentesca *villa Moro Lin*, rimaneggiata in questo secolo, e quindi il vasto parco della tardoseicentesca villa Persico demolita nell'Ottocento e nel corso della seconda guerra mondiale. Varcato il taglio di Mirano e lasciato a d. un lungo blocco di case a schiera seicentesche, si trova (N. 58; segnale turistico) la **villa Alessandri**; il corpo padronale, della fine del Cinquecento, è affiancato, a d., dalla monumentale foresteria di linee longheniane, costruita (probabilmente con l'arco che si vede sul fondo) nel tardo Seicento nell'ambito di un progetto di ampliamento e rimodernamento della villa mai portato a termine (all'interno, notevole ciclo di affreschi con *scene mitologiche* e *di storia romana*, realizzato all'inizio del Settecento da Giovanni Antonio Pellegrini). Segue (N. 46; segnale turistico) la *villa Bonlini Pisani*, costruzione della fine del Cinquecento con serliane al 1° piano e alto abbaino a volute (a sin., la barchessa restaurata nel 1984); quindi, N. 34, la *villa Boldù*, del 1560, con serliana modificata dall'alzamento di un piano; il corpo a sin. è stato trasformato in villa nell'Ottocento ed è affiancato da un oratorio del 1813.

Poco oltre ha inizio il lungofiume di *Mira* (o *Piazza*) *Vecchia* m 5. Sulla sin., con approdo al fiume, la settecentesca *villa Selvatico* profondamente rimaneggiata. Sulla d. (N. 13; segnale turistico), preannunciata da un oratorio, la *villa Venier Contarini*, ora delle suore domenicane della beata Imelda; il complesso, costruito verso la fine del Cinquecento, comprende la parte padronale (rimaneggiata nel '700) e due barchesse (riccamente affrescate nel sec. XVII) unite al corpo centrale da porticati aggiunti ai primi dell'Ottocento.

Nel salone della barchessa di d., sul soffitto, *L'Olimpo con Prometeo che porta il fuoco dell'ingegno, Giunone e Mercurio* e, alle pareti, finte architetture e divinità classiche, ciclo variamente attribuito a Ludovico Manfredini (c. 1630), a Daniel van den Dyck (c. 1655) e ad Antonio Triva (c. 1650); le quadrature sono di Domenico Bruni.
La barchessa di sin. è divisa internamente in tre locali affrescati con *Episodi della guerra di Troia* e *della vita di Enea*; anche in questo caso la decorazione è variamente attribuita (Francesco Ruschi, Giovanni Antonio Fumiani, Antonio Zanchi), mentre le quadrature sono di Domenico Bruni.

Pure sulla d. della strada (N. 3) la è la seicentesca *villa Barozzi*, rimaneggiata nel sec. XIX con l'aggiunta del pronao e della decorazione a fresco neogotica; l'oratorio è neoclassico; il vasto parco è stato lottizzato nel secondo dopoguerra. Dall'altra parte del naviglio si susseguono: la *villa Selvatico-Granata* del sec. XVIII, pesantemente rimaneggiata; la coeva *villa Alberti* con foresteria e parco; la sei-settecentesca *villa Brusoni*, con rustico e oratorio e notevole parco attribuito a Giuseppe Jappelli (sec. XIX). Segue, sulla d. della statale, la neoclassica *villa Rossetti*, in prossimità della quale la Padana Superiore si discosta dal Brenta. Quando vi si riaffianca, la teoria delle architetture d'ancien régime presenta: al N. 69 il settecentesco *casino Andreucci*; al N. 63 la *villa Molin* che, di origine tardocinquecentesca o seicentesca, fu rielaborata in periodo neoclassico ed ebbe altre trasformazioni dovute anche al frazionamento della proprietà; al N. 21 (segnale turistico) la settecentesca *villa Fini*, che conserva parte degli annessi e l'oratorio. Sulla sponda opposta del fiume una serie di statue di modesta fattura, disposte al limitare dell'acqua, segnala il lungo complesso della settecentesca *villa Velluti*, cui segue la *villa Tito* del sec. XIX (fu residenza del pittore Ettore Tito). Di nuovo sulla d. (N. 7), la *villa Grimani*, di origine cinquecentesca (ristrutturata nel Seicento, è caratterizzata da un pronao su sei colonne; vi fu ospite S. Filippo Neri, cui nel 1732 venne dedicato l'oratorio), mentre sull'altra sponda, in prossimità della strada che conduce in località Sambruson, si trova la settecentesca *villa De Chantal*; la fronteggia, sulla d. della statale (qui via Martiri della Libertà), al N. 1, la *villa Mocenigo*, costruita in semplici forme a cavallo tra il Cinque e il Seicento.
Dopo il bivio si entra in località *Ca' Tron*, che conserva (N. 33) la settecentesca *stazione di Posta* (ora locanda), mentre dell'imponente e sfarzosa villa Tron (sec. XVII), distrutta nell'Ottocento, rimane soltanto un muro convesso aperto da tre cancelli e concluso da un oratorio ottagonale (l'attuale edificio padronale è un rimaneggiamento ottocentesco di un annesso rustico). Oltre l'abitato di Ca' Tron, si vede sulla sin., al di là del fiume, la *villa Ferretti Angeli*: opera accademica di Vincenzo Scamozzi (1596),

presenta il prospetto, articolato da paraste ioniche, con il corpo centrale (più alto e concluso da timpano) affiancato da due ali laterali decorate sul tetto da pinnacoli; il fronte opposto, d'analoga impostazione, è stato reinterpretato da un restauro degli anni settanta; il vasto parco è aperto al pubblico (il complesso, raggiungibile da Dolo, è sede di quel Liceo Scientifico).

Km 26 **Dolo** m 7, ab. 13 480, grosso comune allungato sulle due rive del Brenta; il toponimo deriverebbe, secondo alcuni, dall'antica famiglia padovana dei Dauli che in questa zona aveva consistenti possedimenti.

Anche se le prime notizie riguardanti l'insediamento risalgono al sec. XIII, Dolo cominciò ad assumere una certa consistenza e importanza solo dopo il 1500, man mano che crescevano i traffici sul Brenta, la produzione del territorio circostante e l'interesse dei Veneziani per la villeggiatura. Furono questi i fattori economici che determinarono la peculiarità insediativa dell'agglomerato, incentrato su una conca, vero e proprio piccolo porto fluviale provvisto di squero (l'unico lungo tutto il fiume), e su un complesso di mulini e ville.

All'inizio dell'abitato, a d. (N. 77), è la seicentesca *villa Mocenigo-Spiga*, separata dalla cappella di pertinenza da un edificio ottocentesco. Al lato opposto, su un'edificazione continua di tipo propriamente urbano, emerge, per dignità e dimensione architettonica, la seicentesca *villa Farsetti*. Poco avanti la strada si riaccosta al Brenta (a sin., presso il distributore di benzina, ha inizio il sentiero che costeggiando il fiume conduce in vista dell'isola di Dolo, dove rimane l'interessante costruzione neoclassica dell'*ex Macello*) e il tessuto edilizio denota un legame col corso d'acqua più accentuato che in altri centri della riviera.

Questa caratteristica è evidenziata essenzialmente da tre elementi. Innanzitutto dalla continuità e dalla relativa unità degli edifici che sulla d. determinano una cortina concava, con andamento parallelo al naviglio che ne viene come racchiuso. In secondo luogo dalla presenza della seicentesca *villa Andreuzzi-Bon* che, affacciandosi sull'acqua proprio di fronte alla chiesa (ottocentesca), introduce nel cuore dell'abitato un frammento del paesaggio fluviale esterno. Infine, dalla presenza dei mulini, della conca e dello squero che fisicamente radicano l'abitato all'acqua.

Del complesso dei *mulini* (situato a ponte sopra il fiume c. 150 metri dopo la villa Andreuzzi-Bon) solo uno rimane ancora funzionante, anche se non utilizza più l'antica ruota idraulica (ne rimangono gli attacchi). Da questo punto d. varcata la passerella pedonale, seguendo l'argine del Brenta verso d. si arriva al cinquecentesco squero, mentre tenendo a sin. si raggiunge l'invaso interrato della conca di Dolo, dove si conservano le imposte in pietra d'Istria delle 'porte', l'idrometro e un'iscrizione marmorea del 1656 (quasi completamente interrata) con indicati i pedaggi per le imbarcazioni in transito secondo il tipo e la provenienza.

Oltre Dolo la statale segue ancora per breve tratto il naviglio, quindi se ne allontana attraversando una campagna dove le piccole attività industriali hanno soppiantato quelle agricole (da qui ha inizio la zona dell'industria calzaturiera, diffusa a Fiesso d'Àrtico, Vigonovo e soprattutto Stra). Percorso un lungo rettifilo si entra, km 29, in **Fiesso d'Àrtico** m 9, ab. 5792.

Il toponimo sembra derivare dal termine latino «flexus» (flesso, deviato), giacché da queste parti il Brenta doveva anticamente dividersi in due rami (il «Medoacus Major», che corrisponde grosso modo all'attuale naviglio, e il «Medoacus Minor», che si dirigeva più a sud). Diversamente da Dolo, Fiesso d'Àrtico ha scarsa relazione ambientale con il fiume, nascosto e distanziato dagli edifici che si susseguono sulla sin. della strada.

Quasi al termine dell'insediamento si trovano la chiesa della SS. *Trinità*, di origine molto antica ma ricostruita nella prima metà del Settecento (presenta internamente, sul soffitto, un affresco di Jacopo Guarana), e al N. 12 (segnale turistico) la *villa Contarini di S. Basegio*, elegante edificio dei primi del Settecento a sviluppo orizzontale con corpo centrale rientrante concluso da abbaino a volute; nella cappella, dipinto tiepolesco. Sul lato opposto della strada, case a schiera di origine seicentesca.
Circa 500 m dopo l'abitato la statale riaffianca il Brenta e allinea sulla destra: al N. 25 la *villa Recanati Zucconi*, bella costruzione barocca del sec. XVII con vasto parco; al N. 14 la *villa Corner*, di origine seicentesca; al N. 12 la *villa Fontana Giobellina*, di origine cinquecentesca. Segue al di là del Naviglio, seminascosta dagli alberi, la magnifica *villa Lazara Pisani, detta La Barbariga (dalla famiglia Barbarigo, cui appartenne), imponente complesso a sviluppo orizzontale dalla rigida simmetria stemperata nella lunghissima sagoma dal vario profilo altimetrico; la struttura offre un buon esempio di edificio cresciuto nel tempo in modo controllato, senza mimetismi stilistici, ma anzi con un uso appropriato delle differenze di stile che separano il Seicento, quando venne costruito il corpo centrale, dal Settecento, quando furono realizzate le ali laterali con prospetti diversi verso il Brenta (abbastanza chiusi) e verso il giardino (aperti da un porticato continuo).

L'interno è notevole soprattutto per gli eleganti *stucchi* che decorano le stanze con svariati motivi: rami fioriti con uccelli policromi in camera da pranzo; scene agresti in una sala del primo piano; cineserie nella camera da letto. Nel vasto giardino all'inglese, creato tra la fine del sec. XVIII e il principio del XIX, la *torre dell'Orologio*, graziosa costruzione del principio del Settecento.

Poco più avanti, sulla d. della strada (segnale turistico), si trova la **villa Soranzo**, edificata agli inizi del Cinquecento con facciata a due ordini aperta da serliana e decorata da affreschi di Benedetto Caliari di soggetto mitologico e architettonico.

Nell'interno, oltre a 2 ricchi *camini* in stucco di carattere vittoriesco e stucchi settecenteschi, in varie sale del primo piano sono venuti alla luce (1966) alcuni affreschi cinquecenteschi (*Falconiere a cavallo, Servitore, Cane, Menestrello* e *Paesaggi*) che possono essere ricondotti a Benedetto Caliari. La villa è erroneamente ricordata da Gabriele D'Annunzio ne «Il fuoco» come «La Barbariga», nome comunemente usato per la Lazara Pisani.

Lasciata sulla d. la seicentesca *villa Benzi Smania* (dove, durante il restauro del 1967, fu rinvenuta la decorazione a fresco del salone centrale, attribuita all'ambito di Giacomo Ceruti), si costeggia il muro di cinta del parco di villa Pisani (v. sotto) per entrare, km 32, in **Stra** m 39, ab. 6253, centro agricolo e industriale (l'economia è in gran parte legata all'industria calzaturiera) situato presso la biforcazione del Brenta (v. pag. 707); il toponimo sembra essere l'abbreviazione del termine strada. Delle molte ville di Stra, comune situato al confine della provincia di Venezia con quella di Padova, si dà qui la descrizione di una sola, la Pisani, che per la sua appariscente rappresentatività costituisce la degna conclusione di un itinerario soprattutto di ville. Per le rimanenti, si veda il volume Veneto della Guida d'Italia del TCI.

La grandiosa *villa Pisani, o **Nazionale**, ultima testimonianza rilevante del paesaggio aulico pre-ottocentesco della riviera del Brenta, è uno dei massimi monumenti eretti all'apice della decadenza veneziana. Il complesso (formato da vari edifici dalle diverse funzioni, unificati dal grande parco), commissionato dalla famiglia Pisani a Girolamo Frigimelica, fu da questi iniziato intorno al 1720 e venne completato, verso il 1740, da Francesco Maria Preti, che realizzò l'edificio principale rielaborando il preesistente progetto (l'intervento del Frigimelica si limitò alle scuderie, ad alcuni edifici del parco e ai portali della recinzione dello stesso).

La villa fu nel 1807 proprietà personale di Napoleone (vi dormì la notte sul 29 novembre), che poi ne fece dono a Eugenio Beauharnais, viceré d'Italia. Passata alla casa regnante d'Austria (vi soggiornarono Maria Luisa di Parma nel 1817, lo zar Alessandro I, l'imperatore Ferdinando I d'Austria, l'imperatrice Maria Anna e l'arciduca Massimiliano d'Asburgo) e, nel 1866, ai Savoia, fu ceduta al Demanio nel 1882. Per qualche tempo destinata a scuola e uffici, solo più tardi venne restaurata e costituita in monumento nazionale. Nel 1934 vi ebbe luogo il primo incontro tra Mussolini e Hitler.

La villa volge verso il Brenta una FACCIATA più maniloquente di quella che prospetta sul parco, ma a differenza di questa priva

del necessario respiro scenografico. Il corpo centrale presenta il
piano terreno caratterizzato da cariatidi sostenenti la balconata,
con ampie finestre, dalla quale s'innalza un ordine di colonne corinzie sostenenti il ricco cornicione e il timpano triangolare ornato da statue; due lunghe ali, corse da lesene ioniche e coronate
da una balaustrata con statue, terminano con le minori facciate,
pure a timpano triangolare, dei corpi laterali dell'edificio. A sin.
e a d., due fastosi portali del parco chiusi da belle cancellate in
ferro battuto. Il complesso, che nonostante le spoliazioni mantiene, specie nell'arredo, l'aspetto di una reggia settecentesca, è
(1984) sottoposto a restauro e solo parzialmente visitabile
(orario: 9-13.30, chiuso il lunedì; il parco è aperto fino alle 16 d'inverno e alle 18 d'estate); la visita che si dà di seguito è indicativa.

Interno. Il corpo centrale ospita al piano terra l'ingresso e al 1° piano il
salone delle feste, sviluppato in doppia altezza, affiancato (verso il Brenta
e verso il parco) da due piccole sale e, in alto, da stanze per la servitù; le ali
laterali, sviluppate intorno a cortili interni, accolgono al piano terra i servizi e, al 1° piano, gli appartamenti padronali e le stanze per gli ospiti.
Ogni ala dell'edificio è provvista di scale di servizio che collegano il piano
nobile alle zone dove risiedeva e lavorava la servitù. L'unico bagno esistente fu fatto costruire per Napoleone vicino alla sua stanza collocata al-
l'estremità est della fabbrica, verso il Brenta.
Varcato l'ingresso, si accede al vasto atrio su colonne bugnate che attraversa l'intero edificio fino al giardino ed è affiancato da due cortili porticati, decorati da affreschi monocromi. Lo scalone, con volta affrescata da
Jacopo Guarana, conduce al PIANO NOBILE: sul pianerottolo, statue in
legno scolpito alla maniera di Andrea Brustolon.
SALOTTO I: nel soffitto, *Trionfo delle Arti*, affresco di G.B. Crosato, del
quale sono anche i chiaroscuri e gli affreschi sopra le porte e le finestre;
tra queste, incorniciate da stucchi, tele di Andrea Celesti (*Venere; Diana;
Giunone; Venere e Adone, Leda col cigno*); alle pareti 4 *ritratti di casa Pisani*, attribuiti ad Alessandro Longhi; mobili in noce del '700. SALOTTO II:
nel soffitto e alle pareti, *scene bacchiche* e *divinità pagane*, affreschi del
Guarana; mobili in noce del '700.
Si attraversa il SALOTTO III, con tappezzeria di seta azzurra, arredato con
Paesaggio e *Caccia*, dello Zuccarelli, e con mobili stile impero, e si entra
nella SALA DA PRANZO (IV), decorata nel 1811 da Giancarlo Bevilacqua,
con piccoli gruppi classicheggianti. Segue una CAMERA DA LETTO (V), con
tappezzeria a fiorami del '700 e mobili impero, tra cui grande letto a baldacchino usato da Eugenio Beauharnais e Massimiliano d'Austria. Nella
CAPPELLA (VI), all'altare, proveniente dalla soppressa chiesa di S. Geminiano in Venezia, *Cristo* e *2 angeli*, tabernacolo marmoreo sansovinesco,
in parte dorato, del '500, e lavabo con mesciacqua ligneo intagliato e dorato del '700. Nella SALA DEI DOGI (VII) le pareti sono decorate da meda-
glioncini marmorei con ritratti di dogi, piccoli rilievi con teste e figure mitologiche entro cornici di stucco. SALETTA VIII: nel soffitto, *Giudizio di
Paride*, tela di Jacopo Amigoni; mobili del '700. STANZA IX: tappezzeria di
seta rossa e gialla, con fascia tessuta col motivo dell'aquila imperiale napoleonica; mobili stile impero.

Si attraversano una STANZA (X), con mobili del '700 e, alle pareti, *I sette Sacramenti*, incisioni di Marco Pitteri dai dipinti di Pietro Longhi conservati nella Pinacoteca Querini Stampalia di Venezia, quindi un ANDITO (XI) e una SALETTA (XII) con stampe settecentesche (prospetti di ville e di giardini, di G.B. Carboni, e ritratti di procuratori) e mobili dell'epoca. Segue un'altra SALA DA PRANZO (XIII), con vetrine a muro contenenti vetri, porcellane, maioliche e altri oggetti d'arte del '700. Da un SALOTTINO (XIV) si passa in un'ANTISALA (XV), decorata alle pareti con *Scene di danze in villa*, affreschi monocromi di Francesco Simonini; attorno, *busti muliebri* marmorei settecenteschi su ricche mensole con delfini, di legno intagliato e dorato; mobili del '700. SALETTA DELLE VIRTÙ (XVI): nel soffitto, *Virtù*, tela di Jacopo Guarana; alle pareti, *Arti liberali*, dipinti di Pier Antonio Novelli (1770) e 2 di ignoto. Si attraversa un SALOTTO (XVII) decorato da stampe giapponesi del sec. XVIII, un altro SALOTTO (XVIII) con mobili della 1ª metà dell'800 e si entra nella STANZA DELLA CONTESSA DI MIRAFIORI (XIX): alle pareti, quadretti di fiori e mobili Luigi XVI. CAMERA DA LETTO DI VITTORIO EMANUELE (XX): *Ritratto di Vittorio Emanuele II*, di Francesco Canella; letto con baldacchino di seta celeste e altri mobili del sec. XVIII. SALA DELLE VEDUTE (XXI): alle pareti, *Prospettive di ville fantastiche sul Brenta* e del *progetto originale del Frigimelica per la villa Pisani*, affreschi del sec. XVIII; divani del '700; dal soffitto pende una magnifica lumiera in cristallo di Boemia.

SALETTA XXII: alle pareti, *Scene di battaglia*, affreschi monocromati di Francesco Simonini; mobili del sec. XVIII. In una STANZA DI PASSAGGIO (XXIII), *portantina* dell'arciduca, poi imperatore, Ferdinando I d'Austria e della moglie Maria Anna di Savoia; dopo uno STUDIOLO (XXIV), con tappezzeria in seta e mobili intarsiati e scolpiti di stile impero, si entra nella CAMERA DA LETTO DI NAPOLEONE (XXV): nel soffitto, *Storie di Psiche* e piccole scene in affresco, di Giancarlo Bevilacqua; fastoso letto in lacca bianca e oro con baldacchino e tendaggi in seta dello stesso colore; tappezzerie e mobili in stile. Seguono lo SPOGLIATOIO (XXVI) e il BAGNO (XXVII). SALA DELL'IMPERATRICE MARIA ANNA (XXVIII): soffitto decorato da Giancarlo Bevilacqua con piccole figure in stile pompeiano; lampadario in cristallo di Boemia; mobili e specchiere del tardo impero e 2 grandi vasi di porcellana di Vienna. Si attraversano la SALA DEL BILIARDO, già DELLE DAME (XXIX), e la SALA DEI CAVALIERI (XXX), decorate a motivi pompeiani da Giancarlo Bevilacqua, con mobili in stile impero. ANTISALA (XXXI): alle pareti, *Scene di battaglia*, affreschi monocromati di Francesco Simonini; busti in marmo di autori diversi del sec. XVIII, su mensole intagliate e dorate.

Si passa tra 2 gallerie, affrescate con *vedute fantastiche* del sec. XIX, e si entra nel *SALONE DA BALLO (XXXII). È un magnifico ambiente, vasto e luminoso, con una galleria pensile protetta da una ricchissima ringhiera di legno intagliato e dorato che gira tutt'intorno e che figura sostenuta da finte lesene e colonne corinzie. Nel soffitto, **Gloria di casa Pisani**, grandioso affresco di G.B. Tiepolo, dipinto nel 1761-62 con grande foga e arditezza di scorci: l'opera rappresenta Venezia che accompagna la famiglia Pisani alla sua apoteosi, davanti alla Potenza circondata dalle Scienze, dalle Arti e dai Geni della pace, mentre dall'alto guarda la Madonna, e la Fama diffonde con la sua tromba la notizia per il mondo, raffigurato dall'Europa sul toro, dall'elefante e dal coccodrillo (Africa), dalle stoffe preziose (Asia), dai pellirosse (America), eccetera. Sopra le finestre e le porte, coppie di *satiri*; le prospettive sono opera di Girolamo Mengozzi Colonna; le *scene mitologiche* in chiaroscuro sono di Giandomenico Tiepolo. Gli elaborati cancelli in ottone furono disegnati da Pietro Visconti; dal soffitto pendono 4 lampadari in legno e metallo sbalzato e dorato, opera di Pietro Danieletto e Giuseppe Casa; attorno, busti marmorei su ricche mensole.

Nel vasto **parco** (c. 11 ettari), che pur rimaneggiato nell'Ottocento mantiene il fascino della sorpresa e della bizzarria proprie della sua impostazione settecentesca, la grande vasca della pescheria fiancheggiata da statue si allunga fino alle scuderie (v. sotto).

Prendendo il viale a d., e piegando poi a sin., si giunge al *labirinto* (descritto da Gabriele D'Annunzio ne «Il Fuoco), formato da vialetti segnati da siepi di bosso che conducono, dopo lunghi giri, alla torretta centrale cui si sale per due scalette elicoidali. Più avanti si incontra l'*esedra*, singolare panottico realizzato per inquadrare non solo alcuni fondali del parco, ma anche il cielo che dal basso appare incorniciato da una cupola scoperchiata, attorno alla quale è una **terrazza** balaustrata adorna di statue e sedili (vi si sale per la scala a chiocciola della torretta). Poco oltre un viottolo a sin. termina in prossimità di un fossato che circonda una collinetta su cui è un padiglione rettangolare aperto da grandi finestre (un tempo era attrezzato a ghiacciaia). Al termine del viale un cancello e una recinzione in mattoni dividono il parco dalle *serre* e dall'*aranciera*, ancora ricca di statue settecentesche. Si arriva infine alle **scuderie*, elegante costruzione con pronao a colonne ioniche sormontato da timpano e da attico con statue, al centro, e due corpi laterali nell'interno dei quali si allineano 24 scomparti per i cavalli, segnati ciascuno da una colonna portante un cavallino rampante in legno. Si attraversa il bosco e, costeggiando la cinta lungo un viale di carpini, si perviene al *belvedere*, portone monumentale fiancheggiato da 2 colonne alle quali si avvolgono 2 scalette a chiocciola che portano a una terrazza; da questa, bellissima vista del parco e delle rive del canale.

Il Terraglio. Tratto iniziale, di km 20, della statale 13, Pontebbana, il Terraglio odierno ricalca abbastanza fedelmente l'antico percorso fra Mestre e Treviso sul quale, dal XVI al XVIII secolo (come accadde per la riviera del Brenta), vennero addensandosi, per commissione della nobiltà veneziana, ville in gran numero. L'itinerario qui suggerito ne percorre solo pochi chilometri (meno di 5, da Mestre a Marocco), sufficienti tuttavia per cogliere sia i frammenti della passata magnificenza, sia il violento processo di trasformazione che lo ha svilito negli ultimi decenni alla condizione di una concitata arteria di traffico.

Forse di origine preromana, il Terraglio aumentò d'importanza dopo la scomparsa (sec. VII) del centro commerciale di Altino e in concomitanza con la crescita di Venezia e Treviso; già prima del Mille la strada svolgeva un ruolo determinante per i traffici diretti in Germania. Agli inizi del sec. XIV lungo il Terraglio esistevano vari ricoveri per viandanti e locande e nel

1500 vi erano insediate alcune ville di famiglie veneziane quali i Mocenigo, i Moro e i Tiepolo. Già alla fine del secolo successivo il percorso era descritto dal cartografo Vincenzo Coronelli come un asse commerciale sicuro, ben mantenuto, su cui si allungavano case, palazzi e giardini di «patrizi veneti, cittadini e mercanti più opulenti»; anche i commercianti tedeschi, «lustro della piazza di Venezia», privilegiavano questa strada per le loro ville. Nel '700 il processo di diffusione delle ville andò progressivamente aumentando e nel 1819 cominciò un regolare servizio pubblico di diligenza che collegava in poche ore Treviso con Mestre e questa, mediante la coincidenza di un traghetto, con Venezia. Pesantemente snaturato, attualmente il Terraglio si presenta come una vera e propria strada urbana (dove si affollano nuove residenze, fabbriche e attività commerciali) e solo a tratti è possibile percepirvi i rapporti che un tempo legavano le ville, i parchi e la campagna.

Da Mestre, località Quattro Cantoni (v. pag. 701), si imbocca verso nord la statale N. 13, Pontebbana, che nel tratto fino a Treviso corre affiancata da platani. Oltre la linea ferroviaria si vede a d. la *caserma Matter*, sorta sull'area occupata fino ai primi dell'Ottocento dalla notevole villa Gradenigo. Sul lato opposto della strada, all'estremità nord del vasto parco di pertinenza, è la degradata *villa Tivan*: già costituita da tre corpi di fabbrica indipendenti (due furono demoliti nell'Ottocento), risale alla prima metà del Settecento; coevo è l'elegante oratorio prospiciente il Terraglio (dal 1980 la proprietà è passata al Comune di Venezia che ha destinato il parco a verde pubblico).

Un'interessante diramazione per Carpenedo si può compiere volgendo a d. nella *via Trezzo* (già definita nel '500), su cui prospettano numerose ville; il loro insediamento è probabilmente da riferire alla presenza del vasto bosco di Valdemare, che un tempo si estendeva verso nord fin quasi al fiume Dese e le cui ultime propaggini furono abbattute agli inizi del '900. Al N. 58 è la *villa Malvolti*, della prima metà del sec. XVIII, con oratorio della fine dello stesso secolo (un tempo si apriva direttamente sulla strada). Seguono, al N. 54 il *casinetto Matter*, piccola costruzione a uso agricolo già esistente nel '500 (l'attuale struttura risale quasi certamente alla fine del sec. XVIII), e al N. 53 la settecentesca *villa Caffi*. Di fronte a questa, con vasto parco di pertinenza (circa 9 ettari), si trova (N. 50) la *villa Matter*: l'attuale edificio, in origine forse convento dei frati della Madonna dell'Orto cui nel Cinquecento appartenevano queste terre, deriva da successivi interventi di ristrutturazione (l'ultimo risale all'Ottocento).

Dopo circa 2 km si entra nell'abitato di **Carpenedo** (dal latino «Carpinetum», selva di carpini), località amministrativamente integrata a Mestre; ancora oggi gli appartenenti, fra gli abitanti, alla «Società dei trecento campi» possono disporre dei terreni del «colmello de bosco» (già occupati dal bosco di Valdemare, v. sopra) concessi in usufrutto dal vescovo di Treviso (sec. XIV). Al centro dell'abitato è la parrocchiale dei *Ss. Gervasio e Protasio*, edificio neogotico costruito tra il 1858 e il 1863, da G.B. Meduna, in luogo di una preesistente struttura di cui rimane il campanile del 1691; internamente, ai lati del presbiterio, 2 tele di Pietro Vecchia (sec. XVII).

Proseguendo lungo il Terraglio, si superano il semaforo e l'innesto (a d.) della deviazione per il *villaggio Sartori*, costruito alla fine degli anni cinquanta per i dipendenti della società Montevecchio di Porto Marghera sull'area del vasto parco della villa Algarotti (fra i moderni edifici rimane un settecentesco padiglione a pianta circolare, già di pertinenza della villa). Subito prima dell'autostrada per Trieste, sopraelevata, si trova la raffinata *villa Algarotti* (ora scuola materna ed elementare), fatta costruire nel 1718 dal conte Rocco Algarotti; il figlio di questi, il letterato illuminista Francesco, la fece decorare con sculture di Giovanni Marchiori e dipinti di Giandomenico Tiepolo e vi raccolse una gipsoteca.

Il complesso, costituito dall'edificio padronale e dagli annessi (l'oratorio, la foresteria e le scuderie), definisce un'elegante corte aperta verso il parco, ora notevolmente ridotto (v. sopra); internamente rimangono vari ambienti affrescati, tra cui la lunga galleria della gipsoteca a monocromi.

Sottopassata l'autostrada, si incontra a d. la *clinica Villa Salus*, il cui corpo principale deriva dal rimaneggiamento ottocentesco di una casa dominicale già documentata nel Cinquecento. Proseguendo, oltre un cavalcavia si lascia a sin. (N. 63) il lungo viale di tigli che porta alla *villa Furstenberg*, già Papadopoli, della fine del Settecento e più volte ristrutturata, dove il 24 agosto 1849 venne firmata la resa di Venezia agli Austriaci; segue, sempre sulla sin. della strada, la settecentesca *villa Franchin*. Si entra nell'abitato di *Marocco*, anch'esso parte di Mestre, allungato sulle due sponde del fiume Dese al confine con la provincia di Treviso. Varcato il Dese, si trova a sin. la *villa Morosini Gattemburg*, ora Volpi, armonioso edificio eretto nel 1680 e restaurato in facciata verso il 1800 (fu residenza di campagna del doge Francesco Morosini, il Peloponnesiaco). Segue, pure a sin., la *villa Tiepolo*, documentata dal 1483: l'attuale struttura è il risultato dei numerosi rifacimenti succedutisi nel tempo (le dipendenze, già trasformate in albergo, ospitano oggi un'esposizione di lampadari). Il percorso del Terraglio prosegue per Treviso toccando Mogliano Veneto e Preganziol (per la descrizione, v. il volume Veneto della Guida d'Italia del TCI). La visita di Marocco può invece proseguire e concludersi con una breve ricognizione nella *via Marignana*, che diverge a sin. del Terraglio. Superato il passaggio a livello e una villa di linee ottocentesche, si incontra a sin. l'ingresso (fiancheggiato da un edificio del secolo scorso) al vasto, notevole parco della settecentesca *villa Flavia*, ora adibita ad albergo. Più avanti, sulla d., sono la *villa Martinuzzi*, di probabile origine cinquecentesca, pesantemente ristrutturata nel sec. XIX, e l'ottocentesca *villa Benetton*, dal 1967 sede dell'«Accademia internazionale del ferro battuto». Proseguendo per meno di un chilometro, si incontra a d. l'antica *osteria del Turbine*, il cui nome ricorda la turbina azionata nell'Ottocento nel vicino mulino.

Nota bibliografica

La bibliografia su Venezia è molto vasta, e tende continuamente ad aumentare anche per le nuove svolte impresse alle discipline storiche e agli studi urbani. In questa nota bibliografica vengono quindi necessariamente indicate solo le opere più importanti uscite negli ultimi quattro decenni, escludendo quelle pubblicate prima della guerra o edite sotto forma di articoli e saggi parziali, potendo per queste contare sui repertori bibliografici che frequentemente accompagnano i testi citati (quando in calce ai titoli segnalati compare l'indicazione «Bibl.», si intende sottolineare che l'opera è fornita di una vasta e affidabile bibliografia).

Per ragioni di spazio sono state pure escluse le molte ristampe anastatiche di testi e opere iconografiche edite in questi ultimi anni, rimandando ai cataloghi di editori specializzati in questo settore (Filippi a Venezia, Forni a Bologna, Vianello a Ponzano di Treviso, ecc.); né si sono potuti citare i moltissimi album di fotografie, anche se spesso valide descrizioni della città e dell'ambiente che la circonda, indicando di seguito i nomi di alcuni autori le cui opere sono facilmente reperibili in libreria (G. Berengo Gardin, G. Bruno, L. Franco, L. Lotti, U. Mulas, F. Roiter).

Sono state incluse invece le raccolte pubblicate dopo il 1945 di vecchie fotografie, in quanto documenti di luoghi, edifici, modi di vita trasformati o scomparsi, così come vengono compresi i cataloghi delle molte mostre organizzate a Venezia a partire dalla metà degli anni '50, dedicate ad aspetti e personalità della cultura e della civiltà veneziana: esse hanno infatti aperto un dibattito a livello internazionale su problemi fondamentali di storia e di storia dell'arte.

Fra le monografie sugli artisti, sono state selezionate quelle dedicate alle personalità più strettamente legate a Venezia per una prolungata e incisiva presenza, e magari anche per un rapporto tematico privilegiato con la città (Canaletto, Guardi, ecc.), escludendo quelle dedicate ad artisti di matrice veneziana che hanno però operato lungamente al di fuori della città.

Da ultimo, per evitare di disperdere in varie categorie opere ispirate nel loro complesso a una visione di largo respiro della civiltà veneziana in sé e in rapporto al resto del mondo, si indicano qui di seguito le collane di studi attinenti ad argomenti veneziani prodotte in tre decenni di attività culturale dalla Fondazione Giorgio Cini, che ha sede in Venezia nell'isola di San Giorgio Maggiore. (L'elenco completo di tutte le opere edite a cura della Fondazione Cini, anche in collaborazione con altri istituti culturali, è riportato su ciascun numero della rivista della Fondazione, «Studi veneziani»).

1 Collana «Civiltà di Venezia», voll. 11, Firenze, Sansoni, 1955-1964, ora raccolta in una nuova edizione, riveduta e completata da V. Branca, col titolo «Storia della civiltà veneziana», voll. 3, Firenze, Sansoni, 1979.
2 Collana «Civiltà veneziana. Studi», edita in collaborazione con l'Istituto per la Collaborazione culturale, Venezia-Roma (Firenze, Olschki), 1953-, giunta per ora al n. 39.
3 Collana «Civiltà veneziana. Saggi», Firenze, Olschki, 1956-, giunta per ora al n. 32.

4   Collana «Civiltà veneziana. Fonti e testi», Firenze, Olschki, 1959-, s. I
    nn. 8; II, n. 1; III, nn. 4.
5   Collana «Civiltà europea e civiltà veneziana», Firenze, Sansoni,
    1962-, prevista in voll. 9.

1 Le guide

- Bellavitis G., *Itinerari per Venezia*, Roma, Ed. Europei Associati, 1980.
- Da Malamocco P., *Venezia e i suoi tesori. Guida*, Venezia, Storti, 1981.
- Dolcetta M., Orlandi F., *D'isola in isola. Come raggiungere le isole minori della laguna di Venezia*, Venezia, Brenctani, 1983.
- Jacini C., *Il viaggio del Po: le città*. Parte V, *Venezia*, Milano, Hoepli, 1964. Bibl.
- Lorenzetti G., *Venezia e il suo estuario. Guida storico-artistica*, Trieste, LINT, 1984 (ultima ristampa a c. di N. Vianello dell'edizione aggiornata 1956). Bibl.
- Masiero F., *Le isole delle lagune venete. Natura, storia, arte, turismo*, Milano, Mursia, 1981.
- Muraro M., *Nuova guida di Venezia e delle sue isole*, Firenze, Arnaud, 1953.
- Perocco G., *Venezia*, Milano, Tamburini, 1964. Bibl.
- Piamonte G., *Litorali ed isole. Guida della laguna veneta*, Venezia, Filippi, 1975.
- Piamonte G., *Venezia vista dall'acqua*, Venezia, Stamperia di Venezia, (1966) 1969.
- Pignatti T., *Venice*. «World Cultural Guides», London, Thames and Hudson, 1971. Paris, Michel, 1971.
- Salvadori A., *101 architetture da vedere a Venezia*, Venezia, ed. del Canal (1973), 1980^2.
- Tiozzo C.B., Semenzato C., *La Riviera del Brenta*, Treviso, Canova, s.d.

- Valeri D., Pallucchini R., *Venise*, «Les Albums des Guides Bleus», n. 24, Paris, Hachette, 1957.
- Zugni Tauro A.P., *Venezia*, Coll. «Città d'Italia» per il turismo scolastico, Schio, Sogema-Marzari, 1980.

1.1 Guide ai musei, cataloghi di raccolte d'arte, ecc.

- Civico Museo Correr-Lorenzetti G., *Murano e l'arte del vetro soffiato. Guida del Museo Vetrario di Murano*, Venezia, Ferrari, (1953).
- Dazzi M., Merkel E. (a c. di), *La Pinacoteca Querini-Stampalia di Venezia. Dipinti*, Venezia, Pozza, 1978. Ed. per cura della Fondazione Cini.
- Flint L., *La collezione Peggy Guggenheim. Guida*, Washington, National Endowment for the Arts (1983).
- Fogolari G., *La Galleria Giorgio Franchetti alla Ca' d'Oro di Venezia. Guida*, Roma, Ist. Poligrafico dello Stato, 1965.
- Forlati Tamaro B., *Il Museo Archeologico del Palazzo Reale di Venezia. Guida*, Roma, Ist. Poligrafico dello Stato, 1969.
- Gallerie dell'Accademia, *Catalogo dei disegni antichi*, voll. 3, Coll. diretta da G. Nepi Sciré e F. Valcanover, Milano, Electa, 1982.
- Lorenzetti G., *Ca' Rezzonico*, Venezia, Comune di Venezia (Tip. Ferrari), 1960^2.
- Mariacher G., *Ca' Rezzonico*.

Guida illustrata, Venezia, Alfieri, 1966.

– Mariacher G., *Il Museo Vetrario di Murano*, Milano, Martello, 1970.

– Mariacher G., Pignatti T., *Catalogo della Quadreria del Civico Museo Correr*, Venezia, 1949.

– Moschini V., *Le Gallerie dell'Accademia di Venezia. Guida*, Roma, Ist. Poligrafico dello Stato, 1964.

– Moschini Marconi S., *Gallerie dell'Accademia di Venezia. Opere d'arte dei secoli XIV e XV. Catalogo*, Roma, Ist. Poligrafico dello Stato, 1955.

– Moschini Marconi S., *Gallerie dell'Accademia di Venezia. Opere d'arte del secolo XVI. Catalogo*, Roma, idem, 1962.

– Moschini Marconi S., *Gallerie dell'Accademia di Venezia. Opere d'arte dei secoli XVII-XVIII-XIX. Catalogo*, Roma, idem, 1970.

– Moschini Marconi S., *Museo Storico Navale*, Roma, Ufficio Storico della Marina Militare, 1965.

– Perocco G., *La Galleria d'Arte Moderna*, Bergamo, I. I. di Arti Grafiche, 1959.

– Perocco G., *Guida alla Scuola di S. Giorgio degli Schiavoni*, Venezia, Scuola Dalmata (1952), 1959.

– Pignatti T. (a c. di), *Disegni antichi del Museo Correr di Venezia*, voll. 3, Vicenza, Pozza, 1980-83. Ed. per cura della Fondazione Cini.

– Romanelli G., *Museo Correr*, Milano, Electa, 1984.

– *Tiziano a Venezia. Catalogo-guida della opere in città*, Venezia, Arsenale, 1977.

– Traversari G., *Museo archeologico di Venezia. I ritratti*. Catalogo, Roma, Istituto Poligrafico dello Stato (1958), 1968.

– Traversari G., *Sculture del V-IV secolo a.C. del Museo Archeologico di Venezia*, Venezia, Alfieri, 1973.

– Valcanover F., *Galleria dell'Accademia di Venezia*, Novara, De Agostini, 1958. Ed. rived. 1970.

– Valcanover F., *Le Gallerie dell'Accademia*, Venezia, Storti, 1981. Guida.

– Valcanover F., *Jacopo Tintoretto e la Scuola grande di San Rocco*, Venezia, Edit. Storti, 1983. Guida.

– Valcanover F., *Musei e Gallerie di Venezia*, Milano, Moneta, s.d. (dopo 1961).

– Zampetti P., *Guida alle opere d'arte della Scuola di S. Fantin (Ateneo Veneto)*, Venezia, Ateneo Veneto, 1973.

2 L'urbanistica e l'edilizia

– Arslan E., *Venezia gotica. L'architettura civile gotica veneziana*, Milano, Electa (1970), 1976.

– Bassi E., *Architettura del Sei e Settecento a Venezia*, Napoli, ESI, 1962. Rist.: Venezia, Filippi, 1980.

– Bassi E., *Palazzi di Venezia: Admiranda Urbis Venetae*, Venezia, Stamperia di Venezia, 1976.

– Bellavitis G., *L'Arsenale di Venezia. Storia di una grande struttura urbana*, Venezia, Marsilio, 1983.

– Bettini S., *Venezia*, Novara, De Agostini, 1953.

– Bettini S., *Venezia, nascita di una città*, Milano, Electa, 1978.

– Brusatin M., *Venezia nel Settecento. Stato, Architettura, Territorio*, Torino, Einaudi, 1980.

– Candida L., *Il porto di Venezia. Memorie di Geografia economi-*

ca, con introd. storica di G. Luzzatto, Napoli, CNR, 1950.

- Carletto G., *Il Ghetto veneziano del '700 attraverso i catastici*, Roma, Carucci (1981). Bibl.
- Cassini G., *Piante e vedute prospettiche di Venezia (1479-1855)*, Venezia, Stamperia di Venezia, 1971.
- Comune di Venezia, *Itinerari di archeologia industriale a Venezia*, Dosson di Casier, s.e., 1979.
- Concina E., *Structure urbaine et fonctions des Bâtiments du XVIᵉ au XIXᵉ siècle, une recherche à Venise*, Venezia, UNESCO, 1981.
- Costantini M., *L'acqua di Venezia. L'approvvigionamento idrico della Serenissima*, Venezia, Arsenale, 1984.
- Crivellari D., *Venezia*, Milano, Electa, 1982.
- Dorigo W., *Venezia Origini. Ipotesi e ricerche sulla formazione della città*, voll. 3, Milano, Electa, 1983. Bibl.
- *Edilizia popolare a Venezia. Storia politiche realizzazioni dell'Istituto Autonomo Case Popolari della Provincia di Venezia*, Milano, Electa, 1983. Studio CoSES.
- Franzoi U., Di Stefano D., *Le chiese di Venezia. Repertorio sistematico*, Venezia/Milano, Alfieri/Electa (1976), 1984. Bibl.
- Gianighian G., Pavanini P. (a c. di), *Dietro i palazzi. Tre secoli di architettura minore a Venezia 1492-1803*. Catalogo Mostra, Venezia, Arsenale, 1984.
- Görl C. et al. (a c. di), *Vues venitiennes du XVIIIᵉ siècle*, Genève, Musée d'Art et d'Histoire, 1973.
- Gramigna S., Perissa A., *Scuole di Arti Mestieri e Devozione a Venezia*, Venezia, Arsenale, 1981.
- *Immagini di Venezia e della laguna nelle fotografie degli archi-*

vi Alinari e della Fondazione Querini-Stampalia. Catalogo Esposizione, Firenze, Alinari, 1979.
- Mancuso F., Mioni A. (a c. di), *I centri storici del Veneto*, vol. 2°: F. Mancuso, *Venezia*, Milano, Silvana, 1979.
- Maretto P., *L'edilizia gotica veneziana*, Roma, 1961. Rist.: Venezia, Filippi, 1978.
- Maretto P., *Venezia. Architettura del XX secolo*, Genova, Vitali e Ghianda, 1969.
- Mariacher G. (a c. di), *Ritratto di Venezia. Breve itinerario della Mostra*, Venezia, Alfieri, 1973.
- Mazzariol G., *I Palazzi del Canal Grande*, Novara, De Agostini, 1981.
- Mazzariol G., Pignatti T., *La pianta prospettica di Venezia del 1500 disegnata da Jacopo de' Barbari*, Venezia, Cassa di Risparmio di Venezia, 1962.
- Miozzi E., *Venezia nei secoli*, vol. 1° e 2°: *La città*, Venezia, Libeccio, 1957.
- Moretti L. (a c. di), *Vecchie immagini di Venezia*, Venezia, Filippi, 1966. Fotogr. 1853-1920.
- Muratori S., *Studi per una operante storia urbana di Venezia*, I, Roma, Ist. Poligrafico dello Stato, 1960.
- Pavanello G., Romanelli G. (a c. di), *Venezia nell'Ottocento. Immagini e mito*. Catalogo Mostra, Milano, Electa, 1983.
- Pavanello I., *I catasti storici di Venezia, 1810-1889*, Roma, Officina, 1981.
- Pillinini S. (a c. di), *L'Arsenale dei Veneziani*, Venezia, Filippi, 1983.
- Puppi L. (a c. di), *Palladio e Venezia*, Firenze, Sansoni, 1982. Dal Convegno di Palazzo Grassi, 1980.
- Rizzi A., *Vere da pozzo di Vene-*

zia, Venezia, Stamperia di Venezia, 1981. Bibl.

- Rizzo T., *I ponti di Venezia*, Roma, Newton Compton, 1983.
- Romanelli G., *Venezia Ottocento. Materiali per una storia architettonica e urbanistica della città nel XIX secolo*, Roma, Officina, 1977. Bibl.
- Romanelli G., Biadene S., *Venezia. Piante e Vedute - Museo Correr. Catalogo del fondo cartografico a stampa*, Venezia, Comune di Venezia, 1982.
- Samonà G. et al., *Piazza San Marco, l'architettura la storia le funzioni*, Venezia, Marsilio (1970), 1982.
- Sandri M.G., Alazraki P., *Arte e vita ebraica a Venezia (1516-1797)*, Firenze, Sansoni, 1971. Bibl.
- Scattolin G., *Contributo allo studio dell'architettura civile veneziana dal IX al XIII secolo. Le case-fondaco sul Canal Grande*, Venezia, Stamperia di Venezia, 1961.
- Schulz J., *The printed Plans and panoramic Views of Venice (1486-1779)*, Firenze/Venezia, Olschki/Stamperia di Venezia, 1970.
- Semi F., *Gli «ospizi» di Venezia*, Venezia, Helvetia, 1984.
- Somma P. (a c. di), *Venezia Nuova. La politica della casa 1893-1941*. Catalogo Mostra, Venezia, Marsilio, 1983.
- Tafuri M. (a c. di), *«Renovatio Urbis». Venezia nell'età di Andrea Gritti (1523-1538)*, Roma, Officina, 1984.
- Trincanato E.R., *Venezia minore*, Milano, ed. del Milione, 1948. Rist.: Venezia, Filippi, 1977.
- Trincanato E.R., Franzoi U., *Venise au fil du temps*, Paris, Cunét, 1971.
- *Urbanistica* n. 52, Torino, 1968. Numero monografico su Venezia.

- *Venezia, città industriale. Gli insediamenti del XIX secolo*. Catalogo Mostra, Venezia, Marsilio, 1980. Bibl.
- Zangirolami C., *Storia delle chiese, dei monasteri delle scuole di Venezia rapinate e distrutte da Napoleone Bonaparte*, Venezia, Zanetti, 1962.
- Zannier I., *Venezia, archivio Naya*, Venezia, Böhm, 1981. Fotogr. 1860-1918, città/laguna/isole.
- Zorzi A., *Venezia scomparsa*, Milano, Electa (1972), 1984. Bibl.

2.1 *Laguna, isole e terraferma*

- Amministrazione Provinciale di Venezia, *La pesca nella laguna di Venezia*, Venezia, s.e., 1981.
- Amministrazione Provinciale di Venezia, *San Clemente. Progetto per un'isola*, Venezia, CLUVA, 1980.
- Baldan A., *Storia della Riviera del Brenta*, voll. 3, Vicenza, Moro, 1978-1982.
- Bergamo P., Brunello L., *Mestre. Vecchie immagini con la storia della città*, Mestre, Liberalato, 1981.
- Bosisio A., *L'isola di San Secondo*, Venezia, 1972.
- Brunello L., *L'antica idrografia della terraferma veneziana*, Mestre, Tip. Trentin, 1968.
- Brunello L., *Mestre - antiche mappe*, Mestre, Centro studi storici di Mestre, 1969.
- Brunello L., *Mestre – il porto – il castello*, Mestre, Tip. Trentin, 1971.
- Cacciavillani I., *Le leggi veneziane sul territorio 1471-1789*, Padova, Signum, 1984.
- Caporali G., Emo de Raho M., Zecchin F., *Brenta Vecchia, Nova, Novissima*, Venezia, Marsilio, 1980.

– Chinello C., *Porto Marghera 1902-1926 alle origini del problema di Venezia*, Venezia, Marsilio (1979), 1980.

– Comastri E., *La chiesa di S. Caterina e l'isola di Mazzorbo*, Venezia, Stamperia di Venezia, 1983.

– Comune di Dolo, *Il Naviglio Brenta: storia e trasformazioni di un fiume*, Dolo, s.n.t.

– Comune di Mira-Assessorato all'Urbanistica, *Brenta: struttura & ambiente. Materiali per conoscere il territorio.* Catalogo Mostra, Mira, s.e., 1982. Bibl.

– Comune di Venezia, *Invito alle isole. Informazioni e documenti sulle isole minori della laguna di Venezia*, Venezia, Tip. Commerciale [1984].

– Concina E., *Chioggia. Saggio di storia urbanistica dalla formazione al 1870*, Treviso, Canova, 1977.

– Crovato G. e M., Divori L., *Barche della Laguna Veneta*, Venezia, Arsenale, 1980.

– Crovato G. e M., *Isole abbandonate della laguna. Com'erano e come sono.* Catalogo Mostra, Venezia, Ass. Settemari, 1978. Bibl.

– Damerini G., *L'Isola e il Cenobio di San Giorgio Maggiore*, Venezia, Fondaz. G. Cini (1956), 1969.

– De Biasi M., *Le isole della laguna veneta ai tempi dei romani*, Venezia, Ateneo Veneto/Assessorato della Pubblica Istruzione, 1979.

– De Biasi M., *Malamocco. Una terra da scoprire*, Venezia, Stamperia di Venezia, 1984.

– De Biasi M., *Toponomastica a Murano*, Venezia, Comune di Venezia-Ateneo Veneto [1983].

– De Biasi M. et al., *Pellestrina. Storia di un'isola tra mare e laguna*, Venezia, Emiliana, 1982.

– Delegazione Italiana per l'esplorazione scientifica del Mediterraneo, *La Laguna di Venezia*, voll. 3, Venezia, 1933-1955.

– Equipe veneziana di ricerca, *La cavana di S. Giacomo in Paludo*, Venezia, Filippi, 1983.

– Fuga E., *Guida di Murano*, Venezia, Zanetti, 1953.

– Giani E., *Forte Marghera. Storia e cronaca di una fortificazione*, Mestre, Lyons Club, 1982.

– Guilton S., *A world by itself. Tradition and change in the Venetian Lagoon*, London, H. Hamilton, 1977.

– Guiotto M., *Monumentalità della Riviera del Brenta. Itinerario storico artistico dalla laguna di Venezia a Padova*, Padova, Signum, 1983.

– Guiotto M., *La riviera del Brenta e la Villa Pisani*, Comune di Stra, 1964.

– Mancuso F., Mioni A. (a c. di), *I centri storici del Veneto*, vol. 2°: F. Mancuso, *La Laguna e la Riviera*, Milano, Silvana, 1979.

– Maray C.D., *San Michele. Il cimitero galleggiante di Venezia*, Venezia, Convento dei Frati Minori, 1981.

– Marchesi P., *Il forte di S. Andrea a Venezia*, Venezia, Stamperia di Venezia, 1978.

– Mazzariol G., Mariacher G., *Da Torcello a Murano*, Firenze, Sadea/Sansoni, 1969.

– Mazzotti G., *Mestre-Marghera, Abbazia di S. Ilario*, Venezia, 1954.

– Mazzotti G., *Ville Venete*, Roma, Bestetti (1957), 1966.

– Mazzucco G. (a c. di), *Monasteri benedettini nella laguna veneziana*, Venezia, Arsenale, 1983.

– Meneghin V., *San Michele in Isola di Venezia*, voll. 2, Venezia, Stamperia di Venezia, 1962.

– Ministero dell'Interno-Direzione degli Archivi di Stato, *Mostra*

storica della Laguna Veneta.
Catalogo Mostra, Venezia, Centro internaz. Arti e Costume,
1970. Bibl.

– Miozzi E., *Venezia nei secoli*,
vol. 3°: *La laguna*, Venezia, Libeccio, 1968.

– Montedison, *Studio della laguna
di Venezia mediante aerofotografie a colori ed all'infrarosso*,
Milano, s.d. [197.]. Bibl.

– Musolino G., *Torcello*, Venezia,
Tip. San Marco, 1953.

– Padoan P., *La laguna veneta*,
Abano Terme, Piovan, 1980.
Bibl.

– Poppi M., *Gambarare e il suo
territorio. Note storiche*, Dolo,
Ist. tipografico edit., 1977.

– Romanelli G., Rossi G., *Mestre.
Storia territorio struttura della
terraferma veneziana*, Venezia,
Arsenale, 1977.

– Rosa Salva P., Sartori S., *Laguna e pesca: storia, tradizioni e
prospettive*, Venezia, Arsenale, 1979.

– *San Francesco del Deserto*, a. IV
n. 4-5, 1965. Numero monografico.

– Sartor C., *Dall'Ararat a S. Lazzaro*, Venezia, Tip. Armena,
1978.

– Scarpari G., *Le ville venete*, Roma, Newton Compton, 1980.

– Tiepolo M.F. (a c. di), *Laguna,
lidi, fiumi. Cinque secoli di gestione delle acque*. Catalogo Mostra, Venezia, s.e., 1983.

– Tieto P., *Riviera del Brenta: immagini a confronto tra la realtà
d'oggi e le incisioni di Gianfrancesco Costa*, Padova, Panda, 1984.

– Tiozzo G.B., *Le ville del Brenta
da Lizza Fusina alla città di Padova*, Treviso, Canova, 1982.

– Tramontin S., Scarpa G., Niero
A., *L'Isola della Salute; nella
storia, nell'arte, nella pietà veneziana*, Venezia, Tip. Fondaz.
Cini, 1958.

– Ventura N. (a c. di), *Le trasformazioni territoriali nell'area
nord-orientale della laguna di
Venezia*, Venezia/Padova, Marsilio, 1975.

– Venturini G., *Il Terraglio e le
sue ville*, Fiesso d'Artico, a c. del
Lyons Club di Mogliano, s.d.
[1977].

– *La via Annia: memorie e presente*, Venezia, Arsenale, 1984.
Promosso dalla Provincia di Venezia.

– Vittoria E., *Storia di Mestre.
Con illustrazioni e immagini di
un tempo*, Venezia, EVI (1977),
1980.

– Zunica M., *Il territorio della
Brenta*, Padova, CLEUP, 1981.

2.2 Chiese, conventi, palazzi

– Alberti A., *La chiesa di S. Maria del Riposo in Barbaria delle
Tole, a Venezia*, Venezia, La Tipografica, 1964.

– Bassi E., *Il complesso Palladiano della Carità*. Catalogo Mostra, Milano, Electa, 1980.

– Bassi E., *Il convento della Carità*, Vicenza, Centro Studi A.
Palladio, 1971.

– Bassi E., *Tre palazzi veneziani
della Regione Veneto: Balbi,
Flangini-Morosini, Molin*, Venezia, Regione Veneto, 1982.

– Bassi E. et al., *Il palazzo Ducale
di Venezia*, Torino, 1971.

– Bassi E., Trincanato E.R., *Il Palazzo Ducale nella storia e nell'arte di Venezia*, Milano, Martello, 1960.

– Bellavitis G., *Palazzo Giustinian Pesaro*, Vicenza, Pozza,
1975.

– Bergamo S., *La Basilica dei
Frari*, Venezia, ARDO, 1983.
Guida.

– Bettini S., *L'architettura di S.
Marco (Origini e significato)*,
Padova, Le Tre Venezie, 1946.

- Bosisio A., *La chiesa di Santa Maria della Visitazione o della Pietà*, Venezia, Tip. Commerciale, 1951.
- Bosisio A., *L'Ospedaletto e la Chiesa dei Derelitti*, Venezia, Tip. Commerciale, 1963.
- Brunello L., *La scuola dei Battuti e la Casa di Riposo di Mestre*, Mestre, Casa di Ricovero, 1966.
- Brunetti M., *S. Maria del Giglio, vulgo Zobenigo, nell'arte e nella storia*, Venezia, 1953.
- Caccin A.M., *Basilica dei SS. Giovanni e Paolo in Venezia*, Venezia, Zanipolo, 1964.
- Caccin A.M., *La Basilica di S. Maria Gloriosa dei Frari*, Venezia, Zanipolo, 1964.
- *Catalogo delle fotografie dell'Archivio Naya-Böhm delle Chiese e delle Scuole di Venezia*, Venezia, Böhm, 1983. Fotografie dal 1860.
- Clarke A. (a c. di), *The Church of the Madonna dell'Orto*, P. Elek, 1977. Riguarda i restauri.
- Codoni A., *Venezia. Chiesa di San Stae. Restauro 1979*, Lugano, Labor, 1981. Fond. svizzera «Pro Venezia».
- Dalla Costa M., *La Basilica di San Marco e i restauri dell'Ottocento*, Venezia, Stamperia di Venezia, 1983.
- Demus O., *The Church of San Marco in Venice: History, Architecture, Sculpture*, Washington, Dumbarton Oaks, 1960. Bibl.
- Demus O., *The Mosaics of San Marco in Venice*, voll. 4, Washington, Dumbarton Oaks, 1984. Bibl.
- Forlati F., *La basilica di San Marco attraverso i suoi restauri*, Trieste, LINT, 1975. Pref. O. Demus.
- Forlati F., *S. Giorgio Maggiore. Il complesso monumentale e i suoi restauri (1951-1956)*. In memoriam, Padova, Antoniana, 1977.
- Foscari A., Tafuri M., *L'armonia e i conflitti. La chiesa di San Francesco della Vigna nella Venezia del '500*, Torino, Einaudi, 1983.
- Francalancia J., *Il restauro del complesso storico-architettonico di S. Apollonia. Venezia*, Venezia, ITE (Ist. Tip. Editoriale), [1969].
- Francalancia J., *Il restauro della basilica dei SS. Maria e Donato di Murano. Il consolidamento della Chiesa di S. Maria Assunta dei Gesuiti*, Venezia, Gasparoni [1977].
- Franzoi U., *Itinerari segreti nel Palazzo Ducale a Venezia*, Treviso, Canova, 1984.
- Franzoi U., *Le prigioni della Repubblica di Venezia*, Venezia, Stamperia di Venezia, 1966.
- Franzoi U., *Storia e leggenda del Palazzo ducale di Venezia*, Venezia, Storti, 1982.
- Gallo L., *Isola di Santa Cristina. Da Altino a Torcello al Patriarcato Veneto*, Venezia/Lido, ITE, 1970. «Collana storica sulle Pievi-Castelli decumani-Ville venete».
- Gallo L., *Lido di Venezia. Abazia di S. Nicolò*, Venezia/Lido, ITE, 1964. Idem.
- Gallo L., *Mestre-Marghera. Abazia di S. Ilario*, Venezia/Lido, ITE, 1964. Idem.
- Gallo L., *Tessera. Abazia di S. Elena. Pieve. Territorio. Monastero. Aeroscalo «M. Polo» e Altino romana*, Venezia/Lido, ITE, 1961. Idem.
- Gallo R., *Una famiglia patrizia: i Pisani ed i palazzi di Santo Stefano e di Stra*, Venezia, R. Deputazione di storia patria, 1945.
- Gardani D.L., *La chiesa di S.*

Giacomo di Rialto. Storia e arte, Venezia, La Tipografica, 1966.

– Gardani D.L., *La chiesa di S. Maria della Presentazione (delle Zitelle) in Venezia*, Venezia, Stamperia di Venezia, 1961.

– Gibbs M.L., *The Church of Santa Muria del Giglio*, New York/Venezia, International Fund for Monuments [1974].

– Hellmann M., *S. Nicolò di Lido nella storia nella cronaca nell'arte*, Venezia/Lido, ITE, 1968.

– Lanfranchi L. (a c. di), *S. Giorgio Maggiore*, Venezia, Comit. Pubblicaz. Fonti Storia Veneziana, 1968.

– Lanfranchi L., Strina B., *SS. Ilario e Benedetto e S. Gregorio*, Venezia, idem, 1965.

– Lauritzen P., Zielcke A., *Palaces of Venice*, London/Firenze, Blacker Calmann/Becocci, 1978.

– Marenesi M., *La villa nazionale di Stra*, Roma, Ist. Poligrafico dello Stato, 1959.

– Mariacher G., *Il Palazzo Vendramin-Calergi a Venezia*, Treviso, Longo-Zoppelli, 1965.

– Mazzucato A., *La Scuola Grande e la Chiesa di San Rocco in Venezia*, Venezia, Ferrari (1953), 1962.

– *Mira: villa Contarini dei Leoni. Un progetto di restauro*, Mira, Comune di Mira, 1980.

– Moretti L., *Chiesa della Madonna dell'Orto in Venezia*, Torino, Saravaglio [1981].

– Muraro M., *Palazzo Contarini a San Beneto*, Venezia, Stamperia di Venezia, 1970.

– Musolino G., *La beata Giuliana di Collalto. Chiesa e Monastero di S. Biagio e Cataldo alla Giudecca*, Venezia, 1962.

– Musolino G., *Santa Lucia a Venezia. Storia, culto, arte*, Venezia, Ongania, 1961.

– Niero A., *La Basilica di Torcello e Santa Fosca*, Venezia, AR-DO, 1974.

– Niero A., *La Chiesa dei Carmini. Storia ed arte*, Venezia, Studium Cattolico ed., 1965. Coll. «Venezia Sacra».

– Niero A., *Chiesa di S. Maria della Salute*, Venezia, ARDO, 1971.

– Niero A., *La chiesa di S. Sofia in Venezia: storia ed arte*, Venezia, Filippi, 1972.

– Niero A., *Santo Stefano in Venezia*, Venezia, 1978. Coll. «Venezia Sacra».

– Niero A., *Tre artisti per un tempio. S. Maria del Rosario-Gesuati in Venezia*, Venezia, 1979. Coll. «Venezia Sacra».

– Paolillo D.R., Dalla Santa C., *Il Palazzo Dolfin Manin a Rialto. Storia di un'antica dimora veneziana*, Venezia, Alfieri, 1980.

– Perocco G., *La Basilica di San Marco*, Venezia, Storti, 1974.

– Perocco G., *Tintoretto a S. Rocco. Ricerca storico artistica in occasione del V centenario della Scuola*, Milano, Stampa Fotocelere, 1980.

– Pignatti T., Martinelli Pedrocco E., Pedrocco F., *Palazzo Labia a Venezia*, Torino, ERI, 1982.

– Polacco R., *La cattedrale di Torcello*, Venezia/Treviso, L'altra riva/Canova, 1984.

– Scattolin G., *La Scuola Grande di San Teodoro in Venezia*, Venezia, Tip. Commerciale, 1961.

– *La Scuola Grande e la chiesa di S. Rocco*, Venezia, La Tipografica, 1983.

– Stefanutti U., *La Scuola grande di San Marco. Guida artistica dell'Ospedale civile di Venezia*, Venezia, Fantoni [1955].

– Timofiewitsch W., *La chiesa del Redentore*, Vicenza, Centro Studi di A. Palladio, 1969.

– Tramontin S., *La Chiesa di San Zaccaria*, Venezia, 1979. Coll. «Venezia Sacra».

- Tramontin S., *S. Giovanni Grisostomo*, Venezia, 1968. Idem.
- Tramontin S., *S. Maria dei Miracoli*, Venezia, 1959. Idem.
- Tramontin S., *S. Maria Mater Domini*, Venezia, 1962. Idem.
- Tramontin S., *S. Stae, la chiesa e la parrocchia*, Venezia, 1961. Idem.
- Tramontin S., Corrao B., *S. Canciano. La chiesa e la parroc-*

chia, Venezia, 1970. Idem.
- Trincanato E.R., *Palazzo Ducale di Venezia*, Novara, De Agostini, 1969. Coll. «I Documentari».
- Vittoria E., *Chiesa di S. Giovanni in Bragora (S. Giovanni Battista)*, Venezia, EVI, 1981.
- Zava Boccazzi F., *La Basilica dei SS. Giovanni e Paolo in Venezia*, Venezia (Ongania), 1965.

3 La storia

- Alazard J., *La Venise de la Renaissance*, Paris, Hachette, 1956.
- Bailly A., *La Serenissima Repubblica di Venezia*, Milano, Dall'Oglio, 1963. Ed. orig. 1946.
- Balestrieri L., *Venezia. Presente e passato. Per una interpretazione ideologica della storia*, Venezia, Libreria Universitaria, 1978.
- Beltrami D., *Storia della popolazione di Venezia dalla fine del sec. XVI alla caduta della Repubblica*, Padova, CEDAM, 1954.
- Benzoni G., *Venezia nell'età della Controriforma*, Milano, Mursia, 1973.
- Berengo M., *L'agricoltura veneta dalla caduta della repubblica all'Unità*, Milano, Banca Commerciale Italiana, 1963.
- Berengo M., *La società veneta alla fine del '700*, Firenze, Sansoni, 1956.
- Bonamore D., *Il linguaggio dell'economia e della finanza a Venezia. Relazioni dei Rettori in terraferma*, Udine, Del Bianco, 1980.
- Bouwsma W.J., *Venezia e la difesa della libertà repubblicana. I valori del Rinascimento nell'età della Controriforma*, Bologna, Il Mulino, 1977.
- Braudel F., Quilici F., *Venezia. Immagine di una città*, Bologna,

Il Mulino, 1984.
- Braunstein P., Delort R., *Venise. Portrait Historique d'une cité*, Paris, Ed. du Seuil, 1971.
- Brion M., *Venezia. Serenissima Repubblica*, Novara, De Agostini, 1962/London, Elek Book, 1962.
- Burke P., *Venice and Amsterdam. A study of Seveteenth-Century Elites*, London, Temple Smith, 1974.
- Caizzi B., *Industria e commercio della Repubblica veneta nel XVIII secolo*, Milano, Banca Commerciale Italiana, 1965.
- Carile A., Fedalto G., *Le origini di Venezia*, Bologna, Pàtron, 1978.
- Cessi R., *Un millennio di storia veneziana*, Venezia, Poli, 1964.
- Cessi R., *Le origini del Ducato Veneziano*, Napoli, Morano, 1951.
- Cessi R., *Politica ed economia di Venezia nel trecento*, Roma, Ed. Saggi di Storia e Letteratura, 1952.
- Cessi R., *La repubblica di Venezia e il problema adriatico*, Napoli, Morano, 1953.
- Cessi R., *Storia della Repubblica di Venezia*, Milano/Messina, Principato, 1944-46. Ed. riveduta e ampliata, voll. 2, 1968. Rist.: Firenze, Giunti-Martello, 1981.

- Cessi R., *Venezia Ducale*, voll. 2, Venezia, Deputazione di Storia Patria per le Venezie, 1963-1965.
- Chambers D.S., *The Imperial Age of Venice 1380-1580*, London, Thames and Hudson, 1970.
- Chinello C., *Storia di uno sviluppo capitalistico. Porto Marghera a Venezia (1951-1973)*, Roma, Ed. Riuniti, 1975.
- Concina E., *L'arsenale della Repubblica di Venezia*, Milano, Electa, 1984.
- Concina E., *Le trionfanti armate venete*, Venezia, Filippi, 1972.
- Cozzi G., *Paolo Sarpi tra Venezia e l'Europa*, Torino, Einaudi, 1979.
- Cozzi G., *Repubblica di Venezia e stati italiani. Politica e giustizia dal sec. XVI al secolo XVIII.* Torino, Einaudi, 1982.
- Da Mosto A., *I bravi di Venezia*, Milano, Ciarrocca, 1950.
- Da Mosto A., *I Dogi di Venezia nella vita pubblica e privata*, Milano, Martello (1960), 1977.
- Davis J.C., *The Decline of the Venetian Nobility as a Ruling Class*, Baltimore, J. Hopkins, 1962.
- *Economia e società nella Repubblica veneta tra '400 e '700*, Venezia, Università di Venezia-Facoltà di Economia e commercio, 1970.
- Fasoli G., *La storia di Venezia*, Bologna, Pàtron (1958), 1974.
- Finlay R., *La vita politica nella Venezia del Rinascimento*, Milano, Jaca Book, 1982. Ed. orig. 1980.
- Fortis U. (a c. di), *Venezia ebraica*. Atti delle prime giornate di studio sull'ebraismo veneziano, Roma, Carucci, 1982.
- Ginsborg P., *Daniele Manin e la rivoluzione veneziana del 1848-49*, Milano, Feltrinelli, 1978.
- Jonard N., *La vita a Venezia nel XVIII secolo*, Milano, Martello, 1967. Ed. orig. 1960.
- Lane F., *I Mercanti di Venezia*, Torino, Einaudi, 1982.
- Lane F., *Le navi di Venezia fra i secoli XIII e XVI*, Torino, Einaudi, 1983. Ed. orig. 1934, riveduta nel 1965.
- Lane F., *Storia di Venezia*, Torino, Einaudi (1978), 1979. Ed. orig. 1973.
- Lebe R., *Quando San Marco approdò a Venezia. Il culto dell'Evangelista e il miracolo politico della Repubblica di Venezia*, Roma, Il Veltro, 1981.
- Longworth P., *The Rise and Fall of Venice*, London, Constable, 1974.
- Loredan A., *Venezia e i suoi eroi*, vol. 1°: *Dalle origini al 1431*, Venezia, Biblion, 1970.
- Luzzatto G., *Storia economica di Venezia dal XI al XVI secolo*, Venezia, Centro Arti e Costume, 1961.
- Luzzatto G., *Studi di storia economica veneziana*, Padova, CEDAM, 1954.
- McNeill W.H., *Venezia, il cardine d'Europa 1081-1797*, Roma, Il Veltro (1979) 1984. Ed. orig. 1974.
- Ministero per i beni culturali e ambientali-Archivio di Stato di Venezia, *Difesa della sanità a Venezia, secoli XIII-XIX. Mostra documentaria*. Catalogo, Venezia, Helvetia, 1979. Bibl.
- Morris J., *Sotto il segno di San Marco. Viaggio per mare attraverso l'impero veneziano*, Milano, Rizzoli, 1984. Ediz. orig. 1980.
- Muir E., *Civic ritual in Renaissance Venice*, New Jersey, Princeton Univ. Press, 1981. Bibl.
- Norwich J.J., *Storia di Venezia*, voll. 2, Milano, Mursia, 1981-82. Ed. orig.: 1° vol. 1977, 2° 1981.
- *Le origini di Venezia. Proble-*

mi, esperienze, proposte. Symposium Italo-Polacco, Venezia, Marsilio, 1981.

- Pecchioli R., *Dal «Mito» di Venezia all'«Ideologia americana»*, Venezia, Marsilio, 1983.
- Petrocchi M., *Il tramonto della repubblica di Venezia e l'assolutismo illuminato*, Venezia, Deputaz. Storia Patria per le Venezie (Tip. Ferrari), 1950.
- Preto P., *Peste e società a Venezia 1576*, Vicenza, Pozza, 1978.
- Preto P., *Venezia e i turchi*, Firenze, Sansoni, 1975.
- Pullan B. (a c. di), *Crisis and Change in the Venetian Economy in the sixteenth and seventeenth Centuries*, London, Methuen, 1968.
- Pullan B., *La politica sociale della Repubblica di Venezia 1500-1620*, voll. 2, Roma, Il Veltro, 1982. Ed. orig. 1971. Bibl.
- Rowdon M., *The Fall of Venice*, London, Weidenfeld & Nicolson, 1970.
- Ruggiero G., *Patrizi e malfattori. La violenza a Venezia nel primo Rinascimento*, Bologna, Il Mulino, 1982.
- Scarabello G., *Carcerati e carceri a Venezia nell'età moderna*, Roma, Ist. Enciclopedia Italiana, 1979.
- Seneca F., *Il doge Leonardo Donà: la sua vita e la sua presenza politica prima del dogado*, Padova, Antenore, 1959.
- Seneca F., *La fine del Patriarcato aquileiese (1748-1751)*, Venezia, Deputaz. di Storia Patria, 1954.
- Seneca F., *La politica veneziana dopo l'interdetto*, Padova, Livia-

na, 1957.
- Seneca F., *Venezia e Papa Giulio II*, Padova, Liviana, 1962.
- Stella A., *Chiesa e stato nelle relazioni dei nunzi pontifici a Venezia: Ricerche sul giurisdizionalismo veneziano dal XVI al XVIII secolo*, Città del Vaticano, 1964.
- *Storia di Venezia*, voll. 2, Venezia, Centro Arti e Costume, Tip. Ferrari, 1957-58.
- Tabacco G., *Andrea Tron e la crisi dell'aristocrazia senatoria a Venezia*, Udine, Del Bianco, 1980.
- Tenenti A., *Venezia e i corsari 1580-1615*, Bari, Laterza, 1961.
- Thiriet F., *Storia della Repubblica di Venezia*, Venezia, Marsilio, 1981. Edizione originale. 1952.
- Tucci U., *Mercanti, navi, monete nel Cinquecento veneziano*, Bologna, Il Mulino, 1981.
- *Venezia e la peste 1348-1797*. Catalogo Mostra, Venezia, Marsilio (1979), 1980. Bibl.
- Ventura A., *Nobiltà e popolo nella società veneta del '400*, Bari, Laterza, 1964.
- Venturi F., *Venezia nel secondo Settecento*, Torino, Tirrenia, 1980.
- Zalin G., *Aspetti e problemi dell'economia veneta dalla caduta della Repubblica all'annessione*, Vicenza, UTIV, 1969.
- Zorzi A., *La Repubblica del Leone: storia di Venezia dalle origini ai nostri giorni*, Milano, Rusconi (1979), 1982.
- Guerdan R., *La Sérénissime. Histoire de la République de Venise*, Paris, Fayard, 1971.

4 La civiltà, la cultura, le tradizioni

- Andreolo R., *Venezia nel tempo*, voll. 2, Bologna, Marzagalli, 1970.

- *Arte e musica all'Ospedaletto*, Venezia, Stamperia di Venezia, 1978.

– *Storia della cultura veneta*, Vicenza, Pozza, 1976-, voll. 4-.
– *I teatri pubblici di Venezia (secoli XVII-XVIII)*. Catalogo Mostra, Venezia, La Biennale di Venezia, 1971.
– *Venezia e Bisanzio*. Catalogo Mostra, Milano, Electa, 1974.
– *Venezia e l'Europa*, Atti del XVIII Congresso internaz. di storia dell'arte, Venezia, Arte Veneta, 1956. Rist.: Venezia, Alfieri, 1961.
– *Venezia nell'età di Canova (1780-1830)*. Catalogo Mostra, Venezia, Alfieri, 1978.
– Ateneo Veneto, *Componenti storico-artistiche e culturali a Venezia nei secoli XIII e XIV*, Venezia, Ateneo Veneto, 1981.
– Baldo V., *Alunni maestri e scuole in Venezia alla fine del XVI secolo*, Como, New Press, 1977. Bibl.
– Barzaghi A., *Donne o cortigiane? La prostituzione a Venezia – documenti di costume dal XVI al XVIII secolo*, Verona, Bertani, 1980.
– Bazzoni R., *60 anni della Biennale di Venezia*, pref. R. Pallucchini, Venezia, Lombroso, 1962.
– Benzoni G. (a c. di), *I Dogi*, Milano, Electa, 1982.
– Bosisio A., *La Fondazione Querini-Stampalia*, Venezia, Tip. San Marco, 1961.
– Bosisio A., *La stampa a Venezia dalle origini al secolo XVI I privilegi. Gli stampatori*, Trieste, LINT, 1973.
– Branca V. (a c. di), *Civiltà europea e civiltà veneziana. Aspetti e problemi*, voll. 2, Firenze/Venezia, Sansoni/La stamperia di Venezia, 1965-67.
– Brenzoni R., *Dizionario di artisti veneti: pittori, scultori, architetti dal XIII al XVIII secolo*, Firenze, Olschki (1971), 1972.
– Brunello F., *Arti e mestieri a*

Venezia nel Medioevo e nel Rinascimento, Vicenza, Pozza, 1981.
– Brusatin M. (a c. di), *Venezia e lo spazio scenico*. Catalogo Mostra, Venezia, La Biennale di Venezia (1979), 1980. Bibl.
– Cargasecchi Neve G., *La gondola. Storia, tecnica, linguaggio*, Venezia, Arsenale, 1979.
– Comune di Venezia, *Atti del Convegno di Studi sulla Biennale*, Venezia, Comune di Venezia, 1957.
– Donati U., *Artisti ticinesi a Venezia dal XV al XVIII secolo*, Lugano, Banco di Roma per la Svizzera, 1961.
– Fiocco G., *Alvise Cornaro; il suo tempo e le sue opere*, Vicenza, Pozza, 1965.
– *Florence and Venice: Comparisons and Relations*, voll. 2, Firenze, La Nuova Italia, 1979-80. Vol. 1°: *Quattrocento*, 2°: *Cinquecento*.
– Fondazione G. Cini, *Venezia 1951-1971: venti anni di attività della Fondazione...*, Venezia, Fondazione Cini, s.d.
– Hale J. (a c. di), *Renaissance Venice*, London, Faber & Faber, 1973.
– Gambier M., Gemin M., Merkel E. (a c. di), *Giochi veneziani del '700 nei dipinti di Gabriel Bella*. Catalogo Mostra, Milano, Electa, 1978.
– Grendler P.F., *L'Inquisizione romana e l'editoria a Venezia 1540-1605*, Roma, Il Veltro, 1983.
– Lauritzen P., *Venice. A thousand years of culture and civilisation*, London, Weidenfeld & Nicolson, 1978.
– Logan O., *Venezia. Cultura e società 1470-1790*, Roma, Il Veltro, 1980. Ed. orig. 1972.
– Lowry M., *Il mondo di Aldo Manuzio. Affari e cultura nella Venezia del Rinascimento*, Roma,

Il Veltro, 1984.
- Mangini N., *I Teatri di Venezia*, Milano, Mursia, 1974. Bibl.
- Marangoni G., *Le Associazioni di mestiere nella Repubblica veneta*, Venezia, Filippi, 1974.
- Mariacher G., *Arte a Venezia. Dal Medioevo al Settecento. Testimonianze e recuperi*. Catalogo Mostra, Venezia, Alfieri, 1971. Bibl.
- Marchiori G., Perocco G., Zanotto S., *Immagine di Venezia*, Milano, Galassia, 1970.
- Morris, James, *Venice*, London, Faber & Faber, 1960.
- Pedrocco F., Romanelli G. (a c. di), *Bissone, peote e galleggianti*. Catalogo Mostra, Milano, Electa, 1980.
- Perocco G., *Origini dell'arte moderna a Venezia (1908-1920)*, Treviso, Canova, 1972.
- Perocco G., Salvadori A., *Civiltà di Venezia*, voll. 3, Venezia, Stamperia di Venezia, 1973-76. Bibl.
- Pignatti T. (a c. di), *Gran Teatro La Fenice*, Venezia, Marsilio, 1981.
- Pignatti T. (a c. di), *Le scuole di Venezia*, Milano, Electa, 1981.
- Puppi L. (a c. di), *Architettura e utopia nella Venezia del Cinquecento*. Catalogo Mostra, Milano, Electa, 1980.
- Rizzi P., *Storia della Biennale 1895-1982*, Milano, Electa, 1982.
- Romanelli G. (a c. di), *Venezia-Vienna. Il mito della cultura veneziana nell'Europa asburgica*, Milano, Electa, 1983.
- Romanelli G., *Ottant'anni di allestimenti alla Biennale di Venezia*, Venezia, La Biennale, 1977.
- Rosand D. (a c. di), *Interpretazioni veneziane. Studi di storia dell'arte in onore di Michelangelo Muraro*, Venezia, Arsenale, 1984.
- Rosand D. (a c. di), *Titian, His*

World and his Legacy, New York, Columbia Univ. Press, 1982.
- Tamassia Mazzarotto B., *Le feste veneziane, i giuochi popolari, le cerimonie religiose e di governo*, Firenze, Sansoni (1962), 1980.
- Venturi L., *Le compagnie della calza. Sec. XV-XVI*, Venezia, Filippi, 1983.
- Verardo P. (a c. di), *Il Conservatorio di Musica Benedetto Marcello in Venezia*, Venezia, Ministero P.I.-Fondaz. Levi, 1977.
- Zorzi A., *Una Città una Repubblica un Impero. Venezia 697-1797*, Milano, Mondadori, 1980.
- Zorzi A. (a c. di), *Marco Polo. Venezia e l'Oriente*, Milano, Electa, 1981.

4.1 Pittura e scultura

- *Gli affreschi nelle ville venete. Dal Seicento all'Ottocento*, voll. 2, Milano, Electa, 1978.
- Arslan E., *Il concetto di «luminismo» e la pittura barocca veneta*, Milano, Bocca, 1946.
- Arslan W., *I Bassano*, voll. 2, Bologna, Ceschina, 1960.
- Ateneo Veneto, *Tiziano nel quarto centenario della sua morte (1576-1976)*, Venezia, Ateneo Veneto, 1977.
- Bassi E., *Antonio Canova*, Milano, Martello, 1957. (Due collane)
- Bettagno A. (a c. di), *Canaletto. Disegni-dipinti-incisioni* (Venezia), Pozza, 1982. Fond. Cini.
- Bettagno A., *Disegni di Giambattista Piranesi*. Catalogo, Venezia, Pozza, 1978.
- Bettini S., *I mosaici antichi di San Marco a Venezia*, Bergamo, I. I. Arti Grafiche, 1945.
- *I cavalli di San Marco*. Catalogo Mostra, Venezia, Procuratoria di S. Marco, 1977.
- Cessi F., *Alessandro Vittoria*,

bronzista, Trento, CAT, 1960.
- Cessi F., *Alessandro Vittoria, medaglista*, Trento, CAT, 1960.
- Cessi F., *Alessandro Vittoria, scultore (1525-1608)*, voll. 2, Trento, CAT, 1961-62.
- Coletti L., *Cima da Conegliano*, Venezia, Pozza, 1959.
- Coletti L., *Lotto*, Bergamo, I. I. Arti Grafiche, 1953.
- Coletti L., *Pittura veneta del Quattrocento*, Novara, De Agostini, 1953.
- Coletti L., *Tintoretto*, Bergamo, I. I. Arti Grafiche, 1951.
- Corboz A., *Canaletto. Una Venezia immaginaria*, voll. 2, Milano, Alfieri-Electa, 1985. Bibl.
- *Da Carlevarijs a Tiepolo. Incisori veneti e friulani del Settecento*. Catalogo Mostra, Venezia, Albrizzi, 1983.
- *Da Tiziano a El Greco. Per la storia del Manierismo a Venezia 1540-1590*. Catalogo Mostra, Milano, Electa, 1981.
- Delogu G., *Tintoretto*, Milano, Martello (1953), 1964.
- Delogu G., *Tiziano*, Bergamo, I. I. Arti Grafiche, 1951.
- Demus O., *The Mosaics of San Marco in Venice*, vol. 4, Washington, Dumbarton Oaks, 1984. Bibl.
- Donzelli C., *I pittori veneti del Settecento*, Firenze, Sansoni, 1957.
- Donzelli C., Pilo G.M., *I pittori del Seicento veneto*, Firenze, Sandron, 1967.
- Dorigato A. (a c. di), *L'altra Venezia di Giacomo Guardi*. Catalogo Mostra, Milano, Electa, 1977.
- Fiocco G., *Carpaccio*, Novara, De Agostini, 1958.
- Fiocco G., *Giovanni Bellini*, Milano, Silvana, 1960.
- Fiocco G., *Guardi*, Torino, ERI, 1965.
- *Giambattista Piazzetta: il suo tempo, la sua scuola*. Catalogo Mostra, Venezia, Marsilio, 1983.
- *Giorgione a Venezia*. Catalogo Mostra, Milano, Electa, 1978. Bibl.
- *Giorgione e la cultura veneta tra '400 e '500*. Convegno di studi, Roma, De Luca, 1981.
- Gioseffi D., *Pittura veneziana del Settecento*, Bergamo, I. I. Arti Grafiche, 1956.
- Gioseffi D., *Tiziano*, Bergamo, I. I. Arti Grafiche, 1960.
- Heinemann F., *Giovanni Bellini e i Belliniani*, voll. 2, Venezia, Pozza, 1963.
- *Hospitale S. Mariae Cruciferorum*, a c. di S. Lunardon, IRE, Venezia, 1984.
- Knox G. (a c. di), *Un quaderno di vedute di Giambattista e Domenico Tiepolo*, Milano, Electa [1974].
- Levey M., *La pittura a Venezia nel diciottesimo secolo*, Milano, Comunità, 1983. Ed. orig. 1959.
- Licht F., Finn D., *Canova*, Milano, Longanesi, 1984. Ed. orig. 1983.
- Longhi R., *Viatico per cinque secoli di pittura veneziana*, Firenze, Sansoni (1946), 1956.
- Lorenzetti G., *Il quaderno del Tiepolo al Museo Correr di Venezia*, Venezia, D. Guarnati, 1946.
- Mariacher G., Pilo G.M., Zampetti P., *La pittura del Seicento a Venezia*. Catalogo Mostra, Venezia, Alfieri, 1959.
- Mariani Canova G., *L'opera completa di Lorenzo Lotto*, Milano, Rizzoli, 1975. Pref. R. Pallucchini.
- Mariani Canova G., *Paris Bordon*. Catalogo Mostra, Milano, Electa, 1984.
- Mariuz A., *Giandomenico Tiepolo*, Venezia, Alfieri-Electa, 1971.
- Mariuz A., *L'opera completa di Piazzetta*, Milano, Rizzoli, 1982.

– Martini E., *La pittura veneziana del Settecento*, Venezia, Marciana, 1964. Nuova ediz. 1984.
– Mason Rinaldi S., *Palma il Giovane. L'opera completa*, Milano, Electa, 1984.
– Matzeu G., *Jacopo Bellini*, Milano, Ed. d'Arte Propago [1957].
– Morassi A., *I Guardi, dipinti*, voll. 2, Milano, Electa (1975), 1982.
– Morassi A., *I Guardi, i disegni*, Milano, Electa (1975), 1982.
– Morassi A., *Tiziano*, Milano, Silvana, 1964.
– Moschini V., *Canaletto*, Milano, Martello (1954), 1963. Nuova ed. Firenze, Giunti-Martello, 1978.
– Moschini V., *I Vivarini*, Milano, Silvana, 1946.
– Munari C., *Gli Artisti di Ca' Pesaro*, Calliano, Manfrini, 1978.
– Muñoz A., *Antonio Canova. Le opere*, Roma, Palombi, 1957.
– Muraro M., *Carpaccio*, Firenze, Il Fiorino, 1966.
– Muraro M. (a c. di), *I disegni di Vittore Carpaccio*, Firenze, La Nuova Italia, 1977.
– Muraro M., *Paolo da Venezia*, Milano, IEI, 1969.
– Muraro M., Rosand D. (a c. di), *Tiziano e la xilografia veneziana del Cinquecento*, Venezia, Pozza, 1976. Fondaz. Cini.
– Pallucchini A., *Giambattista Tiepolo*, Milano, Martello, 1971.
– Pallucchini A., *L'opera completa di Giambattista Tiepolo*, Milano, Rizzoli, 1968.
– Pallucchini A., *Tintoretto alla Scuola di San Rocco*, Milano, Rizzoli, 1965.
– Pallucchini R., *Bassano*, Bologna, Capitol [1982].
– Pallucchini R., *Carpaccio. Le storie di Sant'Orsola*, Milano, Martello, 1958.
– Pallucchini R., *Cinque secoli di pittura veneziana*. Catalogo Mostra, Venezia, 1945.

– Pallucchini R., *Giorgione*, Milano, Martello, 1955.
– Pallucchini R., *Giovanni Bellini*, Milano, Martello, 1959.
– Pallucchini R., *La giovinezza del Tintoretto*, Milano, Guarnati, 1950.
– Pallucchini R., *Mostra di Giovanni Bellini*. Catalogo illustrato..., Venezia, 1949.
– Pallucchini R., *Piazzetta*, Milano, Martello, 1956.
– Pallucchini R., *La pittura veneziana del Seicento*, voll. 2, Milano, Alfieri-Electa, 1981. Bibl.
– Pallucchini R., *La pittura veneziana del Settecento*, Venezia/Roma, Ist. per la Collaborazione culturale, 1960. Bibl.
– Pallucchini R., *La pittura veneziana del Trecento*, Venezia/Roma, idem, 1964.
– Pallucchini R., *I teleri del Carpaccio in San Giorgio degli Schiavoni*, Milano, Rizzoli, 1961.
– Pallucchini R., *Tiziano*, voll. 2, Firenze, Sansoni, 1979.
– Pallucchini R., *Veronese*, Milano, Mondadori, 1984.
– Pallucchini R., *I Vivarini (Antonio, Bartolomeo, Alvise)*, Venezia, 1961.
– Pallucchini R., Guarnati G.F., *Le Acqueforti di Canaletto*, Venezia, D. Guarnati, 1945.
– Parker K.T., Byam Shaw J., *Canaletto e Guardi*. Catalogo Mostra, Venezia, Pozza, 1962.
– Perocco G., *Carpaccio nella Scuola di S. Giorgio*, Venezia, Ongania, 1964.
– Perocco G. (a c. di), *Mostra di pittori veneziani dell'Ottocento*, Venezia, 1962.
– Perocco G., *L'opera completa del Carpaccio*, Milano, Rizzoli (1960), 1967.
– Pignatti T., *Antonio Canal detto il Canaletto. Disegni*, Firenze, La Nuova Italia, 1969.
– Pignatti T., *I disegni veneziani*

del Settecento, Treviso, Canova [1965].

- Pignatti T., *Giorgione. L'opera completa*, Venezia/Milano, Alfieri, 1969.
- Pignatti T., *L'opera completa di Giovanni Bellini*, Milano, Rizzoli, 1969.
- Pignatti T., *Paolo Veronese. L'opera completa*, voll. 2, Venezia, Alfieri, 1976.
- Pignatti T. (a c. di), *Pietro Longhi. Dal disegno alla pittura*. Catalogo Mostra, Milano, Electa, 1975.
- Pignatti T., *Pietro Longhi. L'opera completa*, Venezia/Milano, Alfieri, 1974.
- Pignatti T., *Le pitture di Paolo Veronese nella chiesa di S. Sebastiano*, Milano, Arti Graf. Ricordi, 1966.
- Pignatti T., *Tiziano. Tutti i dipinti*, voll. 2, Milano, Rizzoli, 1981.
- Pilo G.M., *Francesco Guardi. I paliotti*, Milano, Electa, 1983.
- Pilo G.M., *Marco Ricci*. Catalogo Mostra, Venezia, Alfieri, 1963.
- *Problemi guardeschi*. Atti del Convegno di studi promosso dalla Mostra dei Guardi - Venezia 1957, Venezia, Alfieri, 1967.
- Puppi L., *L'opera completa del Canaletto*, Milano, Rizzoli (1968), 1981. Bibl.
- Rizzi A., *Luca Carlevarijs*, Venezia, Alfieri, 1967.
- Rizzi A., *L'opera grafica del Tiepolo*, Milano, Electa, 1973.
- Rizzi A. (a c. di), *Tiepolo. I dipinti*. Catalogo Mostra, Milano, Electa, 1971.
- Rossi P., *Jacopo Tintoretto: i ritratti*, Milano, Electa, 1974.
- Rossi P., Pallucchini R., *Jacopo Tintoretto, le opere sacre e profane*, voll. 2, Milano, Electa, 1982.
- Salamon H., *Catalogo completo delle incisioni di Giovanni Antonio Canal detto il Canaletto*, Torino, Salamon e Augustoni, 1971.
- Semenzato C., *La scultura veneta del Seicento e del Settecento*, Venezia, Alfieri, 1966.
- *Studi Canoviani. 1 Le fonti. 2 Canova e Venezia*, Roma (Bulzoni), 1973.
- *Tiziano e Venezia*. Convegno internaz. promosso dall'Univ. di Venezia/1976, Vicenza, Pozza, 1980.
- Toesca P., Forlati F., *Mosaici di San Marco*, Milano, Silvana, 1957.
- Valsecchi M., *Maestri veneziani*, Novara, De Agostini, 1962.
- Valsecchi M., *Scuola di San Rocco*, Novara, De Agostini, 1964.
- Vigni G., *Tiepolo*, Milano, Electa (1951), 1960.
- Wolters W., *Der Bielderschmuck des Dogenpalastes Untersuchungen zur Selbstdarstellung der Republik Venedig in 16° Jahrhundert*, Wiesbaden, Steiner, 1983.
- Wolters W., *La scultura veneziana Gotica 1300-1460*, voll. 2, Venezia, Alfieri, 1976. Bibl.
- Zampetti P., *Carlo Crivelli e i Crivelleschi*. Catalogo Mostra, Venezia, Alfieri, 1961.
- Zampetti P. (a c. di), *Dal Ricci al Tiepolo*. Catalogo Mostra, Venezia, Alfieri, 1969.
- Zampetti P. (a c. di), *Giorgione e i Giorgioneschi*. Catalogo Mostra, Venezia, Alfieri, 1955.
- Zampetti P. (a c. di), *Jacopo Bassano*. Catalogo Mostra, Venezia, 1957.
- Zampetti P. (a c. di), *Mostra dei Guardi*. Catalogo, Venezia, Alfieri, 1965.
- Zampetti P. (a c. di), *I vedutisti veneziani del Settecento*. Catalogo Mostra, Venezia, Alfieri, 1967.

- Zampetti P. (a c. di), *Vittore Carpaccio*. Catalogo Mostra, Venezia, Alfieri (1963), 1966. Bibl.
- Zava Boccazzi F., *Giambattista Pittoni. L'opera completa*, Venezia, Alfieri, 1979.
- Zuliani F., *I Marmi di San Marco. Uno studio ed un catalogo della scultura ornamentale marciana fino all'XI secolo*, Venezia, Centro Arti e Costume, s.d. [1970].

4.2 Architettura

- Ackermann J.S., *Palladio*, Torino, Einaudi, 1972. Ed. orig. 1966.
- Angelini L., *Bartolomeo Bono e Guglielmo d'Alzano*, Bergamo, I. I. Arti Grafiche, 1961.
- Angelini L., *Le opere in Venezia di Mauro Coducci*, Milano, Bestetti, 1945.
- Ateneo Veneto, *Contributi su Andrea Palladio nel quarto Centenario della morte (1580-1980)*, Venezia, Ateneo Veneto, 1981.
- Barbieri F., *Vincenzo Scamozzi*, Vicenza, Cassa di Risparmio di Verona, s.d. [1952].
- Barbieri G., *Andrea Palladio e la cultura veneta del rinascimento*, Roma, Il Veltro, 1983.
- Bassi E., *Giorgio Massari architetto veneziano del Settecento*, Vicenza, Pozza, 1971.
- Cessi F., *Alessandro Vittoria, architetto e stuccatore*, Trento, CAT, 1961.
- Cristinelli G., *Baldassarre Longhena, architetto del '600 a Venezia*, Padova, Marsilio (1972), 1978.
- Gazzola P., *Michele Sanmicheli*. Catalogo Mostra, Venezia, Pozza, 1960.
- Howard D., *Jacopo Sansovino: Architecture and Patronage in Renaissance Venice*, New Haven/London, Yale Univ. Press, 1975.
- Lieberman R., *L'architettura del Rinascimento a Venezia 1450-1540*, London/Firenze, Becocci, 1982.
- Mariacher G., *Il Sansovino*, Milano, Mondadori, 1962. Bibl.
- McAndrew J., *L'architettura veneziana del primo rinascimento*, Venezia, Marsilio, 1983. Bibl.
- *Michele Sanmicheli 1484-1559. Studi raccolti dall'Accademia di Agricoltura Scienze e Lettere di Verona per la celebrazione del IV centenario della morte*, Verona, Valdonega, 1960.
- Pane R., *Andrea Palladio*, Torino, Einaudi, 1961.
- Puppi L., *Andrea Palladio. L'opera completa*, Milano, Electa (1973), in 2 voll., 1977.
- Puppi L., *Michele Sanmicheli architetto di Verona*, Padova, Marsilio, 1971.
- Puppi L., Puppi Olivato L., *Mauro Codussi*, Milano, Electa, 1977.
- Puppi L., Romanelli G., *Longhena*. Catalogo Mostra, Milano, Electa, 1982.
- Semenzato C., *L'architettura di Baldassarre Longhena*, Padova, CEDAM, 1954.
- Tafuri M., *Jacopo Sansovino e l'architettura del '500 a Venezia*, Padova, Marsilio, 1969.
- Zorzi G., *Le chiese e i ponti di Andrea Palladio*, Venezia, Pozza, 1967.
- Zorzi G., *Le opere pubbliche e i palazzi privati di A.P.*, idem, 1965.
- Zorzi G., *Le ville e i teatri di A.P.*, idem, 1969.

4.3 Arti minori

- Alverà Bortolotto A., *Storia della ceramica a Venezia dagli albori alla caduta della Repubblica*, Firenze, Sansoni, 1981.

- Baccheschi E., Levy S., *Il mobile veneziano del Settecento*, Milano, Görlich, 1962.
- Barovier Mentasti R. (a c. di), *Vetri di Murano dell'800*. Catalogo Mostra, Milano, Electa, 1978.
- Barovier Mentasti R., *Il vetro veneziano*, Milano, Electa, 1982. Bibl.
- Comune di Venezia-Assessorato alla cultura, *Mille anni di arte del vetro a Venezia*. Catalogo Mostra, Venezia, Albrizzi, 1982.
- Dalla Libera S., *L'arte degli organi a Venezia*, Venezia/Roma, Ist. per la Collaboraz. culturale, 1962 (Firenze, Olschki).
- Dorigato A. (a c. di), *Vetri di Murano del '700*. Catalogo Mostra, Milano, Electa, 1981.
- Gasparetto A., *Il vetro di Murano dalle origini ad oggi*, Venezia, Pozza, 1958.
- Mariacher G. (a c. di), *Mostra di maioliche cinquecentesche del Museo Correr*. Catalogo Mostra, Venezia, 1958, s.n.t.
- Mariacher G., *Il vetro soffiato da Roma antica a Venezia*, Milano, Electa, s.d. [1960].
- Miani M., Resini D., Lamon F., *L'arte dei maestri vetrai di Murano*, Treviso, Matteo ed., 1984.
- Morazzoni G., *Le cornici veneziane*, Venezia, Alfieri, 1946.
- Morazzoni G., *La maiolica antica veneta*, Venezia, Alfieri, 1955.
- Morazzoni G., *Il mobile veneziano del '700*, voll. 2, Milano, Görlich, 1958.
- Morazzoni G., *Mobili veneziani laccati*, Venezia, Alfieri, 1954.
- Rossi F., *Il Liuto a Venezia dal rinascimento al barocco*, Venezia, Arsenale, 1983.
- Tait H., *The Golden Age of Venetian Glass*. Catalogo Mostra di Londra, London, The Trust of British Museum, 1979.
- *Il Tesoro di San Marco*, voll. 2, Firenze, Sansoni, 1965-71. Vol. 1°: *La Pala d'Oro*; 2°: *Il tesoro e il museo*. A c. Fondaz. Cini.
- *Vetri di Murano del '900*. Catalogo Mostra, Milano, Electa, 1977.
- *Vetri Murano Oggi*. Catalogo Mostra, Milano, Electa, 1981.

5 Il dibattito sui problemi della città e dell'ambiente

- *A proposito del Mulino Stucky*. Catalogo Mostra, Milano, Electa, 1975.
- Benevolo L. et al., *Rapporto sulla pianificazione urbana a Venezia*, Venezia, Tip. Armena, 1975.
- Bellavitis G. (a c. di), *Difesa di Venezia*, Venezia, Alfieri, 1970.
- Biagiotti T., *Venezia da modello a problema*, Venezia, Cassa di Risparmio di Venezia, 1972.
- Ciacci L., Ferracuti G., *Abitare a Venezia negli anni '80*, Milano, Giuffrè, 1980. Studio CRESME.
- Comando Marina di Venezia, Soprintendenza ai beni culturali e architettonici di Venezia, *Archeologia industriale navale. L'Arsenale: proposte per un museo*, Venezia, Biblioteca D. Alighieri, 1983.
- Comprensorio dei Comuni della Laguna e dell'Entroterra lagunare di Venezia, *Studi sulla portualità lagunare*, voll. 3, Venezia, 1979.
- Comune di Venezia, *Ripristino, conservazione ed uso dell'ecosistema lagunare veneziano*, Venezia, Tip. Commerciale, s.d. Bibl. spec.
- Comune di Venezia, *La salvaguardia fisica della laguna*. Se-

rie «1973-1983. Dieci anni di impegno per Venezia» voll. 2, Venezia, Marsilio, 1983.

- Comune di Venezia, *I problemi di Venezia al Consiglio Comunale*, Venezia, 1968.

- Comune di Venezia, Comprensorio dei Comuni della Laguna e dell'Entroterra di Venezia, Provincia di Venezia, *Difesa della Laguna di Venezia dalle acque alte. Studio di fattibilità e progetto di massima... redatto dal gruppo di progettazione incaricato dal Ministero dei LL.PP.*, Venezia, 1981.

- Comune di Venezia, Comprensorio dei Comuni della Laguna e dell'Entroterra, Provincia di Venezia, *Proposte di Piano Comprensoriale*, Venezia, 1979.

- Comune di Venezia, Fondazione G. Cini, *Il problema di Venezia*. Atti Convegno Internaz. 1962. Venezia, Stamperia di Venezia, 1964.

- Dalla Costa M., Feiffer C., *Le pietre dell'architettura veneta e di Venezia*, Venezia, Stamperia di Venezia, 1981.

- Dorigo W., *Una legge contro Venezia. Natura, storia, interessi nella questione della città e della laguna*, Roma, Officina, 1973.

- Fay S., Knightley P., *Venezia muore*, Milano, Garzanti, 1977.

- Istituto Veneto di Scienze Lettere e Arti (a c. di), *Atti del Convegno per la Conservazione e Difesa della Laguna e della Città di Venezia*, Venezia, Ist. SS. LL.AA., 1960.

- Idem-Commissione di studio dei provvedimenti per la conservazione e difesa della laguna e della città di Venezia, *Rapporti preliminari*, vol. I; *Rapporti e studi*, voll. II-IV, Venezia, Stamperia di Venezia, 1961-1968.

- Meccoli S., *La battaglia per Venezia*, Milano, Sugarco, 1977.

- Miozzi E., *Venezia nei secoli*, vol. IV: *Il salvamento*, Venezia, Libeccio, 1968.

- Montanelli I., Samonà G., Valcanover F., *Venezia. Caduta e salvezza*, Firenze, Sansoni, 1970.

- Obici G., *Venezia fino a quando?* Padova, Marsilio, 1967.

- Osservatorio economico veneziano della Facoltà di Economia e Commercio di Venezia, *Il patrimonio edilizio di Venezia insulare*, Venezia, Tip. Commerciale, 1970.

- Osserv. econ. venez. della Facoltà di Economia e Commercio di Venezia, *Sviluppo economico popolare e problemi edilizi di Venezia insulare*, Venezia, Tip. Comm., 1967.

- Osserv. econ. venez. della Facoltà di Econ. e Comm. di Venezia, *Venezia ieri e oggi*, Venezia, Tip. Commerciale, 1967.

- Regione Veneto, Comune di Venezia, Ist. Univ. di Architettura di Venezia, *Venezia per tutti*, Convegno, Venezia, s.e., 1984.

- Studio Ingegneri Veneziani Associati (a c. di), *Difesa dalle maree medio alte dei centri abitati insulari della Laguna di Venezia. Relazione generale*, Venezia, CLUVA, 1982.

- Unesco, *Rapporto su Venezia*, Milano, Mondadori, 1969.

- UNESCO, *Venice restored*, Paris, UNESCO, 1973.

- *Venezia e i problemi dell'ambiente*, Bologna, Il Mulino, 1975.

- Zampetti P., *Il problema di Venezia*, Firenze, Sansoni, 1976.

- Zuccolo G., *Il restauro statico dell'architettura di Venezia*, Venezia, Ist. SS.LL.AA., 1975. Bibl.

6 Periodici veneziani

- *Archivio veneto*. Deputazione di storia patria per le Venezie, Venezia, 1871-.
- *Arte veneta*. Rivista di storia dell'arte, Venezia, 1947-.
- *Ateneo Veneto*. Rivista di scienze, lettere ed arti, Venezia, 1881-1962; n.s. 1963-.
- *Atti della deputazione di storia patria per le Venezie*, Venezia, 1927/28-1966.
- *Atti dell'Istituto veneto di scienze lettere ed arti*. Classe... n.s. Venezia, 1934/35-.
- *La Biennale di Venezia*. Rivista di arte cinema teatro musica, Venezia, 1950-.
- *Bollettino dei Musei Civici veneziani*, Venezia, 1956-.
- *Memorie dell'Istituto veneto di scienze lettere ed arti*. Classe...

Venezia, n.s. a. 31°, 1954/55-.
- *Quaderni della Soprintendenza ai beni artistici e storici di Venezia*, Venezia, 1965-68; n.s. 1978-.
- *Quaderno di studi e notizie. Centro studi storici. Mestre*, nn. 1-15, 1962-1971.
- *La Rivista veneta*. Bimestrale di problemi regionali, Venezia, 1966.
- *Saggi e memorie di storia dell'arte*. Fondazione G. Cini. Istituto di storia dell'arte, Venezia, 1957-.
- *Studi veneziani*. Istituto di storia della società e dello Stato veneziano... Fondazione G. Cini, Venezia, 1959-1975/76; n.s. 1977-.

Indice degli autori

L'indice è stato ordinato per lo più secondo il cognome; secondo il soprannome se questo è più noto del cognome; in mancanza dell'uno e dell'altro viene indicato il nome seguito dal patronimico o dalla provenienza, oppure la denominazione convenzionale usata. Dopo le notizie biografiche è data l'indicazione delle pagine nelle quali si ricordano opere dovute o attribuite a ciascun autore.

ABBREVIAZIONI: *A.*, architetto; *Arazz.*, arazziere; *att.*, attivo; *av.*, avanti; *c.*, circa; *Cer.*, ceramista; *Ces.*, cesellatore; *d.*, detto; *Dec.*, decoratore; *Eb.*, ebanista; *F.*, fonditore; *fam.*, famiglia; *Inc.*, incisore; *Ing.*, ingegnere; *Int.*, intagliatore; *Intars.*, intarsiatore; *m.*, morto; *Med.*, medaglista; *Min.*, miniatore; *Mos.*, mosaicista; *n.*, nato; *not.*, notizie; *O.*, orafo; *P.*, pittore; *pag.*, pagina; *Pl.*, plasticatore; *S.*, scultore; *Scen.*, scenografo; *sec.*, secolo; *Stucc.*, stuccatore; *v.*, vedi.

Aalto Hugo Alvar, da Kuortane (Finlandia), A., 1898-1976 - pag. 536.

Ajmone Giuseppe, da Carpignano Sesia (Novara), P., n. 1923 - pag. 352.

Ajvazovskij Ivan Konstantinovič, da Feodosia (Ucrania, URSS), P., 1817-90 - pag. 673.

Alabardi Giuseppe, d. *Schioppi*, P., att. a Venezia dal 1590, m. 1645-50 - pag. 559.

Albanese Giambattista, da Vicenza, S. e A., 1573-1630 - pag. 222, 223.

Alberegno Jacobello, P. veneziano, m. av. 1397 - pag. 401.

Alberelli Giacomo, P. e S. veneziano, not. 1604-38 - pag. 563.

Alberghetti, fam. di F. e armaioli originaria di Massa Fiscaglia (Ferrara), sec. XV-XVIII - pag. 529.

Alberghetti Alfonso, S. e F. originario di Massa Fiscaglia (Ferrara), att. a Venezia 1559-85 - pag. 256.

Alberghetti Giovanni Francesco, F. di origine ferrarese, att. a Venezia 1693-98 - pag. 593, 616.

Alberti Camillo, F. att. a Venezia, not. 1520 - pag. 239.

Albertinelli Mariotto, da Firenze, P., 1474-1515 - pag. 424.

Aldrich Chester Holmes, da Providence (Rhode Island, USA), A., 1871-1940 - pag. 536.

Alechinsky Pierre, da Bruxelles (Belgio), P., n. 1927 - pag. 418.

Aliense (Antonio Vassilacchi, d.), dall'isola di Milo (Grecia), P., 1556-1629 - pag. 228, 244, 246, 247, 265, 267, 273, 275, 276, 277, 295, 322, 423, 455, 477, 521, 560, 613, 616, 672, 690, 701.

Allori Alessandro, da Firenze, P., 1535-1607 - pag. 248, 424, 482.

Amalteo Pomponio, da Motta di Livenza (Treviso), P., 1505-88 - pag. 319.

Ambrogio delle Ancore, F. att. a Venezia, not. 1497 - pag. 281.

Amiet Cuno, da Soletta (Svizzera), P. e S., 1868-1961 - pag. 353.

Amigoni Jacopo, da Napoli, P., 1682-1752 - pag. 354, 408, 440, 540, 722.

Amman Jost, da Ravensburg (Germania), P., sec. XV - pag. 303.

Ammannati Bartolomeo, da Settignano (Firenze), S. e A., 1511-92 - pag. 285.

Andrea di Alessandro Bresciano, da Brescia, S. e F., att. 2ª metà sec. XVI - pag. 421.

Andrea dell'Aquila, S. originario di Trento, not. 1578-1608 - pag. 312, 509.

Andrea di Bartolo, da Siena, P., not. dal 1389, m. 1428 - pag. 482.

Andrea del Castagno, da Il Castagno d'Andrea di S. Godenzo (Firenze), P., c. 1421-1457 - pag. 218, 240, 520.

Andrea da Murano (Venezia), P., not. 1462-1502 - pag. 412.

Andrea Vicentino (Andrea de' Michieli, d.), da Vicenza, P., c. 1539-1617 - pag. 259, 263, 265, 272, 273, 275, 276, 277, 295, 296, 312, 323, 369, 373, 391, 407, 435, 449, 453, 563, 579, 584, 688, 690, 693.

Angeli Giuseppe, da Venezia, P., c. 1709-1798 - pag. 309, 315, 318, 319, 322, 354, 373, 377, 379, 380, 391, 439, 441, 475, 490, 523, 527, 553, 568, 685, 714.

Antico (Pier Jacopo Alari Bonacolsi, d.), forse da Mantova, O., S. e Med., c. 1460-1528 - pag. 481.

Antolini Giovanni Antonio, da Castel Bolognese (Ravenna), A., 1756-1841 - pag. 294.

Antonello da Messina (Antonello di Giovanni, d.), da Messina, P., c. 1430-1479 - pag. 303.

Antonello de Saliba, da Messina, P., c. 1466-c. 1535 - pag. 267, 409.

Antoniazzo Romano (Antonio degli Aquili, d.), da Roma, P., not. 1460-1508 - pag. 482.

Antonio da Cremona, A., att. a Venezia c. metà sec. XV - pag. 418.

Antonio da Firenze, P., att. a Venezia inizi sec. XV - pag. 538.

Antonio di Jacopo, P. e Mos. att. a Venezia, not. 1442-98 - pag. 229.

Antonio da Mantova, Int., not. 1497-1523 - pag. 238.

Antonio di Natale, P., sec. XVII - pag. 297.

Antonio (fra') da Negroponte, P. veneto, not. c. 1470 - pag. 584.

Appel Karel, da Amsterdam (Olanda), P., n. 1921 - pag. 352, 418.

Archipenko Alexsandr, da Kiev (URSS), S., 1887-1964 - pag. 416.

Argimoni Marco, Arazz. fiorentino, sec. XVI - pag. 248.

Arman, da Nizza (Francia), P. e S., n. 1930 - pag. 353.

Arnolfo di Cambio, da Colle di Val d'Elsa (Siena), S. e A., c. 1240-c. 1302 - pag. 619.

Arp Jean, da Strasburgo (Francia), P. e S., 1887-1966 - pag. 353, 416.

Aspetti Tiziano, da Padova, S., c. 1559-1606 - pag. 257, 263, 268, 269, 291, 305, 330, 583, 585.

Avelli Francesco Xanto, da Rovigo, Cer., not. 1528-41 - pag. 305.

Bacci Edmondo, da Venezia, P., n. 1913 - pag. 417.

Baccio da Montelupo (Bartolomeo Sinibaldi, d.), da Montelupo Fiorentino (Firenze), S. e A., 1469-1535 - pag. 371.

Bacon Francis, da Dublino (Irlanda), P., n. 1910 - pag. 418.

Badile Antonio o Giovanni Antonio, da Verona, P., c. 1518-1560 - pag. 404.

Baggio Antonio, S., not. 1962 - pag. 671.

Bagnara Francesco, da Vicenza, A., 1784-1866 - pag. 363.

Baldassare d'Anna, forse da Venezia, P., not. 1593-1639 - pag. 313, 543.

Baldassarre Estense, da Reggio nell'Emilia, P. e Med., c. 1440-1504 - pag. 301.

Baldissini Nicola, P. att. a Venezia, not. 1709-83 - pag. 366.

Balduin Francesco, A att. a Venezia, sec. XIX - pag. 310.

Balestra Antonio, da Verona, P. e Inc., 1666-1740 - pag. 260, 328, 330, 332, 349, 354, 366, 391, 447, 477, 509, 520, 568.

Balla Giacomo, da Torino, P., 1871-1958 - pag. 416.

Ballini Camillo, da Brescia, P., av. 1540-c. 1592 - pag. 276, 277, 279, 322.

Bambini Niccolò, da Venezia, P., 1651-1736 - pag. 263, 277, 309, 318, 325, 337, 352, 354, 367, 425, 436, 446, 467, 470, 474, 520, 549, 716.

Bandini Giovanni, da Firenze, S., c. 1540-1598/99 - pag. 254.

Banti Domenico, da Verona, S., not. c. 1810 - pag. 293.

Baratta Pietro, da Carrara, S., c. 1659-1729 - pag. 354, 358, 453, 508, 509, 559.

Barbari (de') Jacopo, d. anche *Jakob Walch*, da Venezia, P. e Inc., c. 1440-c. 1516 - pag. 547.

Barthel Melchior, da Dresda (Germania), S., 1625-72 - pag. 329, 374, 467, 561, 599, 641.

Bartolomeo Bergamasco (Bartolomeo di Francesco da Bergamo), S. att. a Venezia, not. 1506-24 - pag. 377, 560, 580, 641.

Bartolomeo dall'Occhio, P., att. 2ª metà sec. XV - pag. 302.

Bartolomeo di Paolo, P. veneziano, not. 1389-1404 - pag. 302.

Barzaghi Francesco, da Milano, S., 1839-92 - pag. 318.

Basaiti Marco, P. veneziano o friulano, c. 1470-dopo 1530 - pag. 304, 373, 402, 409, 422, 598, 599.

Basaldella Afro, da Udine, P., 1912-76 - pag. 352.

Basaldella Mirko, da Udine, S., 1910-69 - pag. 417.

Bassano Francesco il Giovane (*Francesco da Ponte*, d.), da Bassano del Grappa (Vicenza), P., 1540-92 - pag. 267, 273, 277, 357, 610, 611, 613.

Bassano Francesco il Vecchio (*Francesco da Ponte*, d.), da Bassano del Grappa (Vicenza), P., 1470/75 - c. 1540 - pag. 275.

Bassano Gerolamo, da Bassano del Grappa (Vicenza), P., 1566-1621 - pag. 259, 261.

Bassano Jacopo (*Jacopo da Ponte*, d.), da Bassano del Grappa (Vicenza), P., 1515/17-1592 - pag. 263, 406, 615.

Bassano Leandro (*Leandro da Ponte*, d.), da Bassano del Grappa (Vicenza), P., 1557-1622 - pag. 247, 260, 267, 272, 279, 305, 324, 345, 349, 405, 426, 520, 542, 560, 561, 563, 613, 616, 688.

Bastiani o Sebastiani Lazzaro, forse da Venezia, P., not. dal 1449 c., m. 1512 - pag. 234, 238, 295, 296, 304, 410, 411, 481, 525, 611, 647.

Bastiani Vincenzo, forse da Venezia, Mos., m. 1512 - pag. 229, 245.

Battaglioli Francesco, forse da Modena, P., 1742-dopo 1789 - pag. 317, 409.

Baziotes William, da Pittsburgh (California, USA), P., 1912-63 - pag. 417.

Bazzani Alessandro, organaro di origine friulana, not. 1855-56 - pag. 429.

Bazzani Giuseppe, da Mantova, P., c. 1690-1769 - pag. 407.

Bazzani Pietro, organaro di origine friulana, not. 1855-73 - pag. 429.

Beccafumi Domenico, da Montaperti di Castelnuovo Berardenga (Siena), P. e S., c. 1486-1551 - pag. 424.

Beccaruzzi Francesco, da Conegliano (Treviso), P., c. 1492-c. 1562 - pag. 436.

Belgioioso (Barbiano di) Lodovico, da Milano, A., n. 1909 - pag. 536.

Bella Gabriele, P. veneziano, 1730-99 - pag. 547.

Bellano Bartolomeo, da Padova, S. e A., c. 1434-c. 1497 - pag. 305, 481, 490.

Bellavitis Giorgio, da Venezia, A., n. 1926 - pag. 416.

Belli Valerio, d. *Valerio Vicentino*, da Vicenza, Inc. e Med., 1468-1546 - pag. 481.

Bellini Gentile, da Venezia, P., 1429-1507 - pag. 303, 410, 411, 481, 575.

Bellini Giovanni, da Venezia, P., 1427-1516 - pag. 259, 303, 372, 402, 403, 411, 412, 487, 502, 521, 548, 559, 650.

Bellini Jacopo, da Venezia, P., 1395-1471 - pag. 240, 303, 403.

Belliniano Vittore, da Venezia, P., c. 1456-1529 - pag. 565.

Bello Francesco, Int. att. a Venezia, not. 1577 - pag. 264.

Belloni Giuseppe, S., att. a Venezia 2ª metà sec. XVII - pag. 566.

Bellotti Pietro, da Volciano (Brescia), P., 1627-1700 - pag. 277, 440, 548.

Bellotto Bernardo, da Venezia, P. e Inc., 1720-80 - pag. 408.

Bellucci Antonio, da Pieve di Soligo (Treviso), P., 1654-1726 - pag. 599.

Beltrame Marco, S. att. a Venezia, not. 1688 - pag. 310, 568.

Beltrami Luca, da Milano, A., P. e Inc., 1854-1933 - pag. 283.

Bembo Bonifacio, P. bresciano, not. 1447-78 - pag. 663.

Bencovich Federico, da Venezia, P., 1677-1753 - pag. 453, 549.

Bening Alexandre, Min. fiammingo, not. dal 1469, m. 1519 - pag. 292.

Bening Simon, da Gand (Belgio), Min., c. 1483-1561 - pag. 292.

Benkhard Ágost, da Budapest (Ungheria), P., n. 1882 - pag. 536.

Benoni Giuseppe, da Trieste, A., 1618-84 - pag. 425.

Benson Ambrosius, P. fiammingo,

forse di origine lombarda, not. dal 1519, m. 1550 - pag. 482.

Benvenuti Augusto, da Venezia, S., 1838-99 - pag. 533, 534, 564.

Benvenuto (fra') *da Bologna*, A., not. 1303 - pag. 556.

Benvenuto di Giovanni, da Siena, P., 1436-c. 1518 - pag. 482.

Berchet Federico, da Venezia, A., 1831-1909 - pag. 358, 527.

Bergamini Giovanni Maria, armaiolo, not. 1517 - pag. 269.

Bernardino da Asola, P. di scuola bresciana att. a Venezia, not. 1526 - pag. 295, 437.

Bernardoni Francesco, S. e Int. veneziano, att. principio sec. XVIII - pag. 429, 508, 560.

Bernini Gian Lorenzo, da Napoli, A., S. e P., 1598-1680 - pag. 424, 483.

Bernini Pietro, da Sesto Fiorentino (Firenze), S. e P., 1562-1629 - pag. 424, 641.

Bertanza Paolo, Ing., not. 1938-39 - pag. 537, 586.

Bertazzolo Otello, da Venezia, S., 1906-75 - pag. 312.

Berti Giuseppe, da Venezia, A., n. 1879 - pag. 189.

Bertuccio, O. e F. veneziano, att. fine sec. XIII-inizi XIV - pag. 219.

Bertuccio di Giacomo, lapicida att. a Venezia, not. 1458-59 - pag. 521.

Bevilacqua Giancarlo o Carlo, da Venezia, P., 1775-1849 - pag. 266, 294, 489, 546, 691, 717, 722, 723.

Bezzi Bartolomeo, da Fucine di Ossana (Trento), P., 1851-1923 - pag. 535.

Biagio di Antonio, da Firenze, P., c. 1445-c. 1510 - pag. 482.

Biagio da Faenza (Ravenna), S. e Int. att. a Venezia, not. 1503-26 - pag. 257, 565.

Bianchini Domenico, Mos. originario del Friuli, not. 1537-76 - pag. 246, 247.

Bianchini Giovanni Antonio, Mos.

originario del Friuli, not. 1552-68 - pag. 228, 247.

Bianchini Vincenzo, Mos. originario del Friuli, not. 1517-63 - pag. 225, 247.

Bigni (dei) Alessandro, da Nembro (Bergamo), Int. e Intars., not. 1512-54 - pag. 641.

Bini Pietro, da Pesaro, P., sec. XVIII - pag. 409.

Birolli Renato, da Verona, P., 1905-59 - pag. 352.

Bissolo Francesco o _Pier Francesco_, P. veneto (Treviso?), c. 1470-1554 - pag. 311, 351, 526, 559, 611.

Blatas A., da Kaūnas (Lituania, URSS), S., n. 1918 - pag. 498.

Bles Hendrik, v. Civetta.

Boccaccino Boccaccio, da Ferrara o Cremona, P., 1465/67-1524/25 - pag. 279, 304, 325, 409.

Boccati Giovanni, da Camerino (Macerata), P., not. 1435-80 - pag. 482.

Boccioni Umberto, da Reggio di Calabria, P. e S., 1882-1916 - pag. 352.

Bognolo Francesco, A. veneziano, not. 1742-63 - pag. 381, 528.

Boito Camillo, da Roma, A., 1836-1914 - pag. 192.

Boldrini Leonardo, forse da Murano (Venezia), P., av. 1430-1497/98 - pag. 302.

Boltraffio Giovanni Antonio, da Milano, P., 1467-1516 - pag. 424.

Bombelli Sebastiano, da Udine, P., 1635-1719 - pag. 270, 278, 279, 440, 547.

Bon Bartolomeo, A. e S. veneziano, c. 1374-c. 1467 - pag. 254, 280, 338, 369, 382, 397, 423, 480, 483, 505, 556, 565, 592.

Bon Bartolomeo il Giovane, A. e S. veneziano, not. dal 1489, m. 1529 - pag. 283, 376, 377, 378, 501, 573.

Bon Giovanni, S. veneziano, not. dal 1382, m. c. 1443 - pag. 234, 240, 254, 480, 483.

Bonazza Antonio, da Padova, S., 1698-1763/67 - pag. 692, 693.

Bonazza Francesco, da Venezia?, S., P. e Inc., 1695-c. 1770 - pag. 428, 509.

Bonazza Giovanni, da Venezia?, S., 1654-1736 - pag. 249, 366, 423, 559, 562.

Bonifacio Veronese (Bonifacio de' Pitati, d.), da Verona, P., c. 1487-1553 - pag. 319, 332, 372, 404, 423, 453, 455, 548, 563, 619, 715.

Boninsegna Giovanni Paolo, O. veneziano, not. 1342 - pag. 236, 237.

Bonnard Pierre, da Fontenay-aux-Roses (Francia), P., 1867-1947 - pag. 353.

Bono Ambrogio, P. att. a Venezia, not. 1712 - pag. 641.

Bonvicino Alessandro, v. Moretto da Brescia.

Boranga Giovanni, P., att. a Venezia fine sec. XVII - pag. 575.

Bordone (o Bordon) Paris, da Treviso, P., 1500-1571 - pag. 327, 404, 453, 482, 490, 502, 526, 565.

Borgognone (Jacques Courtois, d.), da St-Hippolyte (Francia), P. e Inc., 1621-75 - pag. 672.

Borgognoni Filippo, O. romano, sec. XIX - pag. 243.

Borro Luigi, da Ceneda ora Vittorio Veneto (Treviso), S., 1826-86 - pag. 223, 334.

Borsato Giuseppe, da Venezia, P. e Dec., 1771-1849 - pag. 294, 295, 310, 315, 317, 355, 463, 550.

Bortoloni Mattia, da Castelguglielmo (Rovigo), P., 1696-1750 - pag. 332, 364, 439.

Bosa Antonio, da Pove del Grappa (Vicenza), S., 1780-1845 - pag. 293, 374, 429, 463, 553.

Boscarati Felice, da Verona, P., 1721-1807 - pag. 332.

Bosch Hieronymus (Hieronymus

van Aeker, d.), da Boscoducale (Olanda), P., c. 1450-1516 - pag. 267.

Boschetti Lorenzo, A. att. a Venezia, not. 1749-76 - pag. 415, 436.

Boselli Pietro, da Venezia, F., not. c. 1590-1659 - pag. 616.

Botticelli Sandro (Alessandro di Mariano Filipepi, d.), da Firenze, P., 1445-1510 - pag. 414.

Botticini Francesco, da Firenze, P., 1446/47-1498 - pag. 482.

Bouts Dierick, forse da Haarlem (Olanda), P., c. 1415-1475 - pag. 303.

Bozza Bartolomeo, Mos. veneziano, not. dal 1532, m. 1594 - pag. 228.

Braccesco Carlo, da Milano, P., not. 1478-1501 - pag. 482.

Brâncuşi Constantin, da Prestisani-Gorj (Romania), S., 1876-1957 - pag. 416, 417.

Braque Georges, da Argenteuil (Francia), P., 1882-1963 - pag. 416.

Brauner Victor, da Pietra-Naemtz (Romania), P., 1903-66 - pag. 352, 417.

Breddo Gastone, da Padova, P., n. 1915 - pag. 352.

Bregno Antonio, da Righeggia (Como), S. att. a Venezia, sec. XV - pag. 254, 373.

Bregno Giovanni Battista, da Osteno o da Righeggia (Como), S. e A., not. dal 1503, m. av. 1523 - pag. 619.

Bregno Lorenzo, da Osteno (Como), S. e A., not. dal 1515 c., m. 1523 - pag. 237, 351, 369, 371, 373, 490, 491, 560, 561, 562, 619.

Bregno Paolo, da Osteno (Como), S. e A., sec. XV - pag. 254, 373.

Bressanin Vittorio, da Musile di Piave (Venezia), P., 1860-1941 - pag. 322.

Briati Giuseppe, vetraio att. a Venezia, not. dal 1739, m. 1772 - pag. 468.

Brindisi Remo, da Roma, P., n. 1918 - pag. 308.

Bruegel Pieter il Giovane, da Bruxelles (Belgio), P., c. 1564-1637/ 48 - pag. 302.

Brulle (van der) Albert, da Anversa (Belgio), Int., not. 1594-98 - pag. 616.

Brummer Carl, da Oregard (Danimarca), A., 1864-1953 - pag. 536.

Bruni Domenico, da Brescia, P., dopo 1591-1666 - pag. 588, 718.

Brusaferro Girolamo, da Venezia, P., c. 1700-1760 - pag. 309, 320, 326, 448, 560, 672.

Brusasorci (Domenico Ricci o Riccio, d.), da Verona, P., c. 1516-1567 - pag. 453.

Brustolon Andrea, da Belluno, S. e Int., 1662-1732 - pag. 372, 438, 440, 499, 585, 611.

Bruyn Bartholomeus il Vecchio, n. in Renania, P., 1493-1555 - pag. 303.

Bugiardini Giuliano, da Firenze, P., 1475-1554 - pag. 482.

Buonconsiglio Giovanni, da Montecchio Maggiore (Vicenza), P., c. 1470-1535/37 - pag. 358, 366, 403, 427.

Buora Andrea, da Venezia, A. e S., not. dal 1518, m. c. 1556 - pag. 617, 618.

Buora Giovanni, da Osteno (Como), S. e A., 1450-1513 - pag. 181, 351, 519, 564, 565, 617, 618, 619.

Buratti Benedetto, forse da Bologna, A., not. 1791 - pag. 619.

Buttafuoco Antonio, da Verona, P., m. 1817 - pag. 427.

Cabianca (Francesco Penso, d.), da Venezia, S., c. 1665-1737 - pag. 354, 362, 372, 375, 423, 504, 508, 592.

Cadorin Lodovico, da Venezia, A., 1824-92 - pag. 189, 435, 550.

Caffi Ippolito, da Belluno, P., 1809-66 - pag. 531.

Cairo (del) Francesco, da Milano, P., 1607-65 - pag. 467.

Calabi Daniele, da Verona, A., 1906-64 - pag. 365.

Calder Alexander, da Filadelfia (Pennsylvania, USA), S., 1898-1976 - pag. 353, 417.

Calderoni Matteo, S. veneziano, sec. XVII-XVIII - pag. 509.

Caliari Benedetto, da Verona, P., 1538-98 - pag. 272, 313, 332, 452, 651, 663, 693, 721.

Caliari Carlo, d. *Carletto*, da Venezia, P., 1570-96 - pag. 263, 264, 272, 313, 322, 457, 563, 619, 651, 663, 690.

Caliari Gabriele, da Venezia, P., 1568-1631 - pag. 263.

Caliari Paolo, v. Veronese.

Callallo Paolo, S. att. a Venezia, not. 1709 - pag. 509, 641.

Callido Gaetano, da Este (Padova), organaro, 1727-1813 - pag. 309, 357, 369, 382, 434, 521, 542, 563, 567, 588, 699.

Calò Aldo, da S. Cesario di Lecce (Lecce), S., n. 1910 - pag. 353.

Calvetti Alberto, P. veneziano, sec. XVII-XVIII - pag. 309, 312.

Cambi Giovanni Battista, da Cremona, S., Int. e Stucc., m. 1582 - pag. 261.

Camerata Giuseppe, da Venezia, P., c. 1668-1726 - pag. 354, 358.

Cameroni Angelo, da Venezia, S., m. 1867 - pag. 691.

Camillo Mantovano (*Camillo Capelli*, d.), forse da Mirandola (Modena), P., not. dal 1514, m. 1568 - pag. 546.

Campagna Girolamo, da Venezia, A. e S., c. 1552-dopo 1626 - pag. 265, 291, 305, 320, 325, 326, 345, 371, 374, 379, 380, 381, 448, 453, 481, 495, 509, 543, 552, 559, 561, 562, 571, 575, 592, 601, 611, 616.

Campagnola Domenico, da Venezia, P. e Inc., 1500-1564 - pag. 322, 400, 482.

Campigli Massimo, da Firenze, P., 1895-1971 - pag. 308, 352.

Campsa Paolo, Int. att. a Venezia, not. 1497-1539 - pag. 662.

Canal Fabio, da Venezia, P., 1703-67 - pag. 337, 472, 485, 572, 588.

Canal Giambattista, da Venezia, P., 1745-1825 - pag. 294, 309, 355, 431, 439, 606, 699.

Canal Vincenzo, P. veneziano, m. 1748 - pag. 448.

Canaletto (*Antonio Canal*, d.), da Venezia, P. e Inc., 1697-1768 - pag. 408.

Candi Giovanni, A. veneto, not. dal 1475, m. 1506 - pag. 334.

Canella Francesco, P. veneto, att. 2ª metà sec. XIX - pag. 723.

Canova Antonio, da Possagno (Treviso), S., P. e A., 1757-1822 - pag. 294, 310, 320, 388, 409, 425, 529, 548, 672.

Cantello Franco, A., sec. XVII - pag. 446.

Capogrossi Giuseppe, da Roma, P., 1900-1972 - pag. 308.

Capuzzo Enrico, da Venezia, A., n. 1924 - pag. 596.

Carboncino Giovanni, P. veneziano, not. 1672-92 - pag. 297, 448.

Carboni Giovanni Battista, da Brescia, S., 1723-dopo 1792 - pag. 723.

Carena Felice, da Cumiana (Torino), P., 1880-1966 - pag. 377, 448.

Cariani (*Giovanni Busi*, d.), P. bergamasco (Fuipiano Valle Imagna?) o veneziano, c. 1485-dopo 1547 - pag. 402, 404.

Carità (*della*) *Marco*, A. veneziano, not. dal 1634, m. 1640 - pag. 282.

Carlevarijs Luca, da Udine, P. e Inc., 1663-1730 - pag. 366, 441, 450, 671.

Carlevarijs Marianna, P. veneziana, 1703-dopo 1750 - pag. 438.

Carlini Giulio, da Venezia, P., 1826-87 - pag. 267, 414.

Carnero Mattia, da Trento, S. e A., 1592?-dopo 1647 - pag. 453, 561, 588, 589.

Carpaccio Benedetto, P. veneziano, not. 1530-72 - pag. 579.

Carpaccio Vittore, da Venezia, P., c. 1465-1525 o '26 - pag. 260, 304, 323, 402, 409, 410, 481, 579, 616, 688.

Carpioni Giulio, da Venezia, P., 1613-74 - pag. 407.

Carrà Carlo, da Quargnento (Alessandria), P., 1881-1966 - pag. 308, 352.

Carracci Annibale, da Bologna, P. e Inc., 1560-1609 - pag. 407.

Carriera Rosalba, da Venezia, P., 1675-1757 - pag. 408, 438, 439, 441.

Casa Giacomo, da Conegliano (Treviso), P., 1827-87 - pag. 690.

Casa Giuseppe, S. padovano, not. 1740 - pag. 724.

Casanova Francesco, da Londra, P. e Inc., 1727-1802 - pag. 440.

Casarini Giorgio, A., not. 1869 - pag. 334.

Cascella Andrea, da Pescara, S., n. 1920 - pag. 353.

Casoni Giovanni, da Venezia, A. e Ing., 1783-1857 - pag. 595.

Casorati Felice, da Novara, P., 1886-1963 - pag. 352.

Cassana Niccolò, da Venezia, P., 1659-1714 - pag. 279.

Cassani Bugoni Tommaso, P. veneziano, not. 1736-66 - pag. 328.

Cassinari Bruno, da Piacenza, P. e grafico, 1912-92 - pag. 352.

Castelli Bernardino, da Pieve di Arsiè (Belluno), P., 1750-1810 - pag. 294, 296, 438, 439, 440, 549.

Catarino Veneziano, P., not. 1362-82 - pag. 401, 547.

Catasio Filippo, S. veneziano, not. 1692 - pag. 508.

Catena Vincenzo, da Venezia, P., c. 1470-1531 - pag. 351, 548.

Caterino d'Andrea (*Caterino Mo-*

ranzone, d.), Int. veneziano, not. 1394-1430 - pag. 302.

Cattaneo Danese, da Massa, S.e A., c. 1509-1573 - pag. 252, 267, 268, 285, 327, 352, 390, 502, 561.

Cavalieri Bartolomeo, A. e S. att. a Chioggia, not. 1677 - pag. 693.

Cavrioli Francesco, da Serravalle ora Vittorio Veneto (Treviso), S., not. dal 1645, m. 1670 - pag. 420, 506, 560, 561, 599, 669.

Ceccarini Sebastiano, da Fano (Pesaro e Urbino), P., 1703-83 - pag. 424.

Ceccato Lorenzo, Mos. veneziano, not. dal 1577, m. c. 1631 - pag. 238.

Cedini Costantino, da Padova, P., 1741-1811 - pag. 332, 349, 350, 436, 545, 554.

Cedrini Marino, S. e A. veneziano, not. 1452-76 - pag. 366.

Celega Jacopo, A. veneziano, not. dal 1425, m. 1450 - pag. 537.

Celega Jacopo il Vecchio, A. att. a Venezia, not. dal 1361, m. av. 1386 - pag. 369, 446.

Celega Pier Paolo, A. att. a Venezia, not. dal 1368, m. 1417 - pag. 369, 446.

Celesti Andrea, da Venezia, P., 1637-1712 - pag. 270, 325, 373, 448, 520, 521, 568, 722.

Celestro Giovanni, A. toscano, sec. XVI - pag. 280.

Cenni Cosimo, da Firenze, F., att. 1ª metà sec. XVII - pag. 529.

Ceroni Bartolomeo, Int. att. a Venezia, not. 1740-47 - pag. 429.

Cervelli Federico, da Milano, P., 1625?-av. 1700 - pag. 547, 549, 566.

Cesare da Conegliano, P. veneto, att. 2ª metà sec. XVI - pag. 485, 548, 549.

Chadwick Lynn, da Londra, S., n. 1914 - pag. 353.

Chagall Marc, da Vitebsk (URSS), P., 1887-1985 - pag. 308, 352, 416.

Chahine Edgar, da Vienna, Inc., 1875-1947 - pag. 673.

Charlier o *Cartier Giovanni*, d. *Zuane de Franza*, P. fiammingo, 1638-78 - pag. 371.

Chéron Louis, da Parigi, P., 1660-1723 - pag. 366.

Cherubini Giuseppe, da Ancona, P., 1867-1960 - pag. 568, 689, 713.

Chillida Eduardo, da San Sebastian (Spagna), S., n. 1924 - pag. 353.

Chioggiotto, v. Marinetti Antonio.

Cignaroli Giambettino, da Verona, P., 1706-70 - pag. 540, 549, 670, 673, 693.

Cima da Conegliano (*Giovanni Battista Cima*, d.), da Conegliano (Treviso), P., c. 1459-1518 - pag. 304, 402, 403, 424, 425, 448, 501, 525, 526, 560.

Ciona o *Chiona Giovanni Antonio*, A. ticinese, not. 1548-61 - pag. 386, 577.

Cirilli Guido, da Ancona, A., 1871-1954 - pag. 536.

Civetta (*Hendrik met de Bles*, d.), da Bouvignes o Dinant (Belgio), P., c. 1480-dopo 1550 - pag. 260, 303.

Clavarino Domenico, forse da Genova, P., sec. XVII - pag. 509.

Cocco Giandomenico, da Padova, Ing., n. 1932 - pag. 596.

Codussi Domenico, forse da Venezia, A., not. 1504 - pag. 487

Codussi o *Coducci Mauro*, da Lenna (Bergamo), A., c. 1440-1504 - pag. 280, 281, 336, 391, 430, 474, 485, 487, 519, 541, 551, 564, 572, 598, 640.

Coeck van Aelst Pieter, da Alost (Belgio), P., 1502-50 - pag. 303.

Coli Giovanni, da Lucca, P., 1636-81 - pag. 618.

Colomba Vincenzo, P., att. a Venezia 2ª metà sec. XVIII - pag. 350.

Cominelli Andrea, A. e S. veneziano, sec. XVII-XVIII - pag. 459, 471, 585, 669.

Comino Giovanni Antonio, da Treviso, S., m. 1708 - pag. 365, 592.

Comino Giovanni Battista, Ces., not. 1521 - pag. 268.

Consagra Pietro, da Mazara del Vallo (Trapani), S., n. 1920 - pag. 416.

Consolo Zanini Paola, da Venezia, P., m. 1933 - pag. 308.

Contarini Giovanni, da Venezia, P., 1549-c. 1603 - pag. 263, 364, 373, 485, 553, 596.

Conti Marco, F. e armaiolo veneziano, not. 1516-30 - pag. 529.

Conti (*dei*) *Niccolò*, F. att. a Venezia, not. 1556-74 - pag. 256.

Contiero Jacopo, S. padovano, sec. XVII-XVIII - pag. 641.

Contino o *Contin Antonio*, da Lugano (Canton Ticino), A. e S., c. 1566-1600 - pag. 278, 312, 515.

Contino o *Contin Bernardino*, da Lugano (Canton Ticino), A. e S., not. dal 1568, m. av. 1597 - pag. 183, 326, 327.

Contino o *Contin Francesco*, A. e S. originario di Lugano (Canton Ticino), not. dal 1618, m. av. 1675 - pag. 454, 567, 577, 600.

Contino o *Contin Tommaso*, da Lugano (Canton Ticino), A. e S., not. 1600-1619 - pag. 233, 239, 312, 328, 515, 566.

Corbellini Carlo, da Milano, A., not. 1751-73 - pag. 470.

Cornell Joseph, da Nyack (New York, USA), artista, 1930-72 - pag. 416.

Corona Leonardo, da Venezia, P., 1561-1605 - pag. 275, 311, 313, 319, 320, 324, 330, 346, 347, 361, 457, 525.

Corot Jean-Baptiste-Camille, da Parigi, P., 1796-1875 - pag. 353.

Corradini Antonio, da Este (Padova), S., 1668-1752 - pag. 296, 309, 354, 355, 436, 439, 448.

Corvi Domenico, da Viterbo, P., 1721-1803 - pag. 611.

Costa Giovanni Francesco, A., P. e

Inc. att. a Venezia, not. dal 1734, m. 1773 - pag. *334.*

Cozza Liberale, forse da Venezia, P., m. 1821 - pag. 311.

Cozzi Francesco, da Vicenza, Int. e Intars., not. 1455-88 - pag. 320, 520.

Cozzi Marco, da Vicenza, Int. e Intars., not. dal 1455, m. 1488 - pag. 320, 369, 400, 520.

Cristoforo da Lendinara (Cristoforo Canozzi, d.), da Lendinara (Rovigo), Int., Intars. e P., not. dal 1471, m. 1491 - pag. 374.

Crivelli Carlo, da Venezia, P., 1430/35-1495/1500 - pag. 410, 411, 412.

Crosato Giambattista, da Venezia, P., 1685/86-1758 - pag. 315, 436, 438, 722.

Daddi Bernardo, da Firenze, P., not. 1312-48 - pag. 414.

Daggiù Francesco, d. il Cappella, da Venezia, P., 1714-84 - pag. 523.

Dalí Salvador, da Figueras (Spagna), P., 1904-89 - pag. 417.

Dalla Rosa Saverio, da Verona, P., 1743-1821 - pag. 309.

Dalle Destre Vincenzo, v. Vincenzo da Treviso.

Dalle Masegne Jacobello, S. e A. veneziano, not. 1383-1409 - pag. 222, 234, 235, 237, 252, 300, 561.

Dalle Masegne Paolo di Jacobello, A. e S. veneziano, sec. XIV-XV - pag. 561.

Dalle Masegne Pier Paolo, S. e A. veneziano, not. 1383-1404 - pag. 222, 234, 235, 237, 252.

Dal Pozzo Leopoldo, Mos. att. a Venezia, not. dal 1715, m. 1745 - pag. 221, 230.

Dal Zotto Antonio, da Venezia, S., 1841-1918 - pag. 328, 547, 562.

Damaskinòs Michele, P. di nascita cretese, not. 1574-1579 c. - pag. 577.

Damini Pietro, da Castelfranco

Veneto (Treviso), P., 1592-1631 - pag. 364, 649, 688.

Danieletto Pietro, F. e S. padovano, 1712-79 - pag. 724.

Da Ponte Antonio, da Venezia, A., c. 1512-1597 - pag. 252, 261, 264, 265, 271, 276, 317, 330, 428, 515, 568, 594, 609.

David Gérard, da Oudewater (Olanda), P., c. 1460-1523 - pag. 424.

David Ludovico, da Lugano (Canton Ticino), P., 1648-1738/ 30 - pag. 448.

Davie Alan, da Grangemouth (Scozia), P., n. 1920 - pag. 418.

De Carlo Giancarlo, da Genova, A., n. 1919 - pag. 654.

De Chirico Giorgio, da Volo (Grecia), P., 1888-1978 - pag. 308, 352, 417.

De Fabris Giuseppe, da Nove (Vicenza), S., 1790-1860 - pag. 672.

De Kooning Willem, da Rotterdam (Olanda), P., n. 1904 - pag. 417.

Delano William Adams, da New York, A., 1874-1960 - pag. 536.

Delaunay Robert, da Parigi, P., 1885-1941 - pag. 416.

Del Giudice Brenno, da Venezia, A., 1888-1957 - pag. 367, 536, 666, 680.

Della Libera Giovanni Battista, da Padova, P., 1826-86 - pag. 299.

De Luigi Mario, da Treviso, P., n. 1908 - pag. 352, 365.

Delvaux Paul, da Antheit (Belgio), P., n. 1897 - pag. 417.

De Maria Mario, da Bologna, P., 1852-1924 - pag. 535, 612.

De Martini Jacopo, Venezia, S., 1793-1841 - pag. 374.

Demin o De Min Giovanni, da Belluno, P. e Inc., 1786-1859 - pag. 310, 550.

Demio (Giovanni Fratina, d.), forse da Schio (Vicenza), P. e Mos., not. 1537 - pag. 286.

De Nittis Giuseppe, da Barletta (Bari), P., 1846-84 - pag. 353.

Depero Fortunato, da Fondo

(Trento), P., 1892-1960 - pag. 352.

De Pisis Filippo, da Ferrara, P., 1896-1956 - pag. 308, 352.

Derain André, da Chatou (Francia), P., 1880-1954 - pag. 353.

Desiderio da Firenze, S. e F., not. 1545 - pag. 231.

De Stefani Vincenzo, da Verona, P., 1859-1937 - pag. 316.

Desubleo Michele, d. *Michele Fiammingo*, da Maubeuge (Francia), c. 1601-1675 - pag. 467, 520, 671.

Diamantini Giuseppe, da Fossombrone (Pesaro e Urbino), P., 1621-1705 - pag. 309, 487.

Diana (Benedetto Rusconi, d.), da Venezia, P., c. 1460-1525 - pag. 304, 401, 402, 410, 481, 584.

Diedo Antonio, da Venezia, A., 1772-1847 - pag. 316, 462.

Dini Antonio, da Roma, Arazz., c. 1700-c. 1769 - pag. 351.

Diziani Antonio, da Venezia, P., 1737-97 - pag. 406, 408, 441.

Diziani Gaspare, da Belluno, P., 1689-1767 - pag. 315, 319, 333, 337, 386, 391, 406, 434, 438, 442, 448, 449, 455, 472, 485, 554, 597, 671, 673, 693.

Doesburg (van) Théo, pseudonimo di *C.E.M. Küpper*, da Utrecht (Olanda), A. e P., 1883-1931 - pag. 416.

Dolabella Tommaso, da Belluno, p., c. 1570-1650 - pag. 265.

Dolci Carlo, da Firenze, P., 1616-86 - pag. 345, 425.

Domenico (maestro Domenico), S. fiorentino, not. 1462 - pag. 556.

Domenico di Bartolo, da Asciano (Siena), P., c. 1400-1445 - pag. 482.

Domenico di Giovanni, A. att. a Venezia, not. 1460-86 - pag. 537.

Domenico da Salò (Domenico Grazioli, d.), da Salò (Brescia), S., att. a Venezia 2ª metà sec. XVI - pag. 601.

Domenico da Tolmezzo, P. e S. friulano, c. 1448-1507 - pag. 480.

Donatello (Donato de' Bardi, d.), da Firenze, S., 1386-1466 - pag. 372.

Donato Veneziano (Donato Bragadin, d.), P. veneziano, not. dal 1438, m. 1473 - pag. 260, 565.

Donato Veneziano, da Venezia, P., not. dal 1344, m. 1382/88 - pag. 547.

Dorazio Piero, da Roma, P., n. 1927 - pag. 417.

Dorigny Louis, da Parigi, P., 1654-1742 - pag. 355, 450, 468, 509.

Dubuffet Jean, da Le Havre (Francia), P., 1901-85 - pag. 418.

Duchamp Marcel, da Blainville (Francia), P., 1887-1968 - pag. 416.

Duchamp-Villon Raymond, da Damville (Francia), S., 1876-1918 - pag. 416.

Dufy Raoul, da Le Havre (Francia), P., 1877-1953 - pag. 352.

Duja Pietro, P. veneziano, not. 1516-29 - pag. 304.

Dyck (van den) Daniel, P. e Inc. fiammingo, not. 1631-58 - pag. 470, 501, 718.

Ernst Max, da Brühl (Germania), P., 1891-1976 - pag. 353, 416, 417.

Eyck (van) Hubert, P. fiammingo, m. 1426 - pag. 482.

Fabbri Agenore, da Barba di Quarrata (Pistoia), S., n. 1911 - pag. 353.

Facchinetti Zaccaria, P. veneto, not. 1610-28 - pag. 487.

Fadiga Domenico, da Verona, S., sec. XVIII-XIX - pag. 317, 572.

Falcone Bernardo, S. ticinese, not. 1659-94 - pag. 326, 328, 425, 447, 467, 468, 561.

Falkenstein Claire, da Coos Bay (Oregon, USA), S., n. 1909 - pag. 415.

Fano Consiglio, A., n. 1842 - pag. 328.

Fantoni Giovanni, S. veneziano, not. 1517-40 - pag. 377.

Fantoni Jacopo, d. *il Colonna*, S. veneziano, 1504-40 - pag. 327, 377.

Fantoni Venturino, da Bergamo, S., not. dal 1517, m. 1524 - pag. 377.

Fantucci Vittorio, da Venezia, A., n. 1883 - pag. 336, 362.

Fanzago Cosimo, da Clusone (Bergamo), A. e S., 1593-1678 - pag. 678.

Farinati Paolo, da Verona, P., Inc. e A., c. 1524-1606 - pag. 521.

Fasolo Giovanni Antonio, da Orzinuovi (Brescia), P., 1530-72 - pag. 423, 452.

Fattoretto Giovanni Battista, A. e S. att. a Venezia, not. 1715-c. 1730 - pag. 508.

Fattori Giovanni, da Livorno, P. e Inc., 1825-1908 - pag. 353.

Favretto Giacomo, da Venezia, P., 1849-87 - pag. 299, 353.

Fazioli Giovanni, da Verona, P., 1729-1809 - pag. 366, 367.

Fazzini Pericle, da Grottammare (Ascoli Piceno), S., 1913-87 - pag. 353.

Fehn Sverre, da Kongsberg (Norvegia), A., n. 1924 - pag. 536.

Ferrante Bernardino, da Bergamo, Intars., not. 1520 - pag. 238.

Ferrarese Giovanni Battista, forse da identificarsi con *Giovanni Battista da Ferrara*, P., not. 1563-97 - pag. 364.

Ferrari Bartolomeo, da Marostica (Vicenza), S., 1780-1844 - pag. 285, 374, 463.

Ferrari Ettore, da Roma, S. e P., 1845-1929 - pag. 522.

Ferrari Giovanni, da Crespano del Grappa (Treviso), S., 1744-1826 - pag. 316, 471, 528.

Ferrari Luigi, da Venezia, S., 1810-94 - pag. 254, 386, 568.

Fetti Domenico, da Roma, P., c. 1589-1624 - pag. 407.

Fialetti Odoardo, da Bologna, P., 1573-1638 - pag. 364, 563.

Filiberti Giuseppe, da Brescia, S. e F., not. 1733-75 - pag. 379.

Finzi Faust, A. att. a Venezia, not. 1912 - pag. 536.

Floriano Flaminio, P. att. a Venezia, sec. XVI-XVII - pag. 370.

Fogolino Marcello, da Vicenza, P., 1480-dopo 1549 - pag. 483.

Foler (*del*) *Antonio* (*Antonio de' Ferrari*, d.), da Venezia, P., c. 1529 o '36-1616 - pag. 275, 320, 436.

Fontana Flaminio, da Castel Durante ora Urbania (Pesaro e Urbino), Cer., not. dal 1550, m. 1605 - pag. 305.

Fontebasso Francesco, da Venezia, P., 1709-69 - pag. 313, 315, 326, 332, 333, 377, 408, 425, 442, 455, 470, 471, 509, 563, 584, 614, 657, 669, 690.

Forabosco Girolamo, da Padova, P., 1604 o 1605-1679 - pag. 364, 549, 681.

Forcellini Annibale, da Treviso, A., 1827-91 - pag. 643.

Forlati Ferdinando, da Verona, A., 1882-1975 - pag. 537, 574, 617.

Fortuny y Madrazo Mariano, da Granada (Spagna), P., 1871-1949 - pag. 335.

Fossati Domenico, da Venezia, A. e P., 1743-84 - pag. 350.

Fossati Francesco, da Arzo (Canton Ticino), A., n. 1550, not. fino al 1600 c. - pag. 379, 562.

Fossati Giorgio, da Morcote (Canton Ticino), A. e Inc., 1706-78 - pag. 294, 377, 380.

Franceschi (*dei*) *Francesco*, P. probabilmente veneziano, not. 1443-68 - pag. 301.

Franceschini Marcantonio, da Bologna, P., 1648-1729 - pag. 693.

Francesco (*maestro Francesco*), P.

di ambito toscano, att. 2ª metà sec. XIV - pag. 414.

Francesco di Bernardino, v. Fossati Francesco.

Francesco da Faenza (Ravenna), P., 1400/1410-1450/51 - pag. 520.

Francesco Fiorentino, Int. att. a Venezia, not. c. 1559-62 - pag. 452.

Francesco da Volterra (*Francesco Neri*, d.), da Volterra (Pisa), P., not. 1343-71 - pag. 414.

Francesconi Francesco, O. att. a Venezia, not. 1804 - pag. 241.

Francia (*Francesco Raibolini*, d.), da Bologna, P., O. e Med., c. 1460-1517.

Franco Cesare, da Padova, A. e S., not. 1578-99 - pag. 327.

Franco Giacomo, da Venezia, Inc., 1550-1620 - pag. 297.

Franco Giovan Battista, d. *il Semolei*, da Venezia, P. e Inc., c. 1498-1561 - pag. 257, 286, 546, 584, 585, 711.

Frangipane Niccolò, P. friulano, not. 1563-97 - pag. 372, 548.

Fries Hans, da Friburgo (Svizzera), P., c. 1465-1518 - pag. 303.

Frigimelica Girolamo, da Padova, A., 1653-1732 - pag. 322, 721.

Friso (*dal*) *Alvise* (*Alvise Benfatto*, d.), da Verona, P., 1569-1609 - pag. 313, 434, 448, 455, 457, 474, 487, 596, 606, 688, 690, 693.

Fuin Giovanni, da Venezia, A., n. 1809, not. fino al 1870 - pag. 308, 435, 522, 576.

Fumiani Giovanni Antonio, da Venezia, P., 1643-1710 - pag. 229, 335, 365, 366, 367, 377, 470, 520, 718.

Fusali Gaetano, S. att. a Venezia, not. 1736 - pag. 428.

Fyt Jan, da Anversa (Belgio), P., 1611-61 - pag. 483.

Gaddi Taddeo, da Firenze, P., not. dal 1332, m. 1366 - pag. 414.

Gaetano Alvise, Mos. veneziano, not. 1595-1631 - pag. 222.

Gai Antonio, da Venezia, S., 1686-1769 - pag. 284, 285, 323, 376, 523, 585.

Galgario (*fra'; Vittore Ghislandi*, d.), da Bergamo, P., 1655-1743 - pag. 407.

Gallina Ludovico, da Brescia, P., 1752-87 - pag. 296.

Gambarato Girolamo, da Venezia, P., 1550-1628 - pag. 273.

Gambello Antonio, A. e S. att. a Venezia, m. 1481 - pag. 489, 519, 520.

Gambello Vittore, d. *Camelio*, da Venezia, O. e S., c. 1460-1537 - pag. 320, 481.

Gardella Ignazio, da Milano, A., n. 1905 - pag. 677.

Garofalo (*Benvenuto Tisi*, d.), da Ferrara, P., 1481-1559 - pag. 619.

Gaspari Antonio, da Venezia, A. e P., c. 1670-dopo 1730 - pag. 170, 276, 321, 322, 352, 450, 473, 484, 499, 540, 553, 560, 572.

Gaspari Carlo, P. e A. att. a Venezia, not. 1748, m. dopo 1800 - pag. 485.

Gaspari Giacomo, Stucc., not. 1743-53 - pag. 354, 692, 693.

Gaspari Pietro, da Venezia, A. e P., 1735-c. 1785 - pag. 409.

Gatti Gasparo, da Bassano del Grappa (Vicenza), Int., not. 1594 - pag. 616.

Gavagnin Leonardo, da Venezia, P., 1809-87 - pag. 345, 386.

Gentilini Franco, da Faenza (Ravenna), P., 1909-81 - pag. 352.

Gherardi Filippo, da Lucca, P., 1643-1704 - pag. 618.

Ghermandi Quinto, da Crevalcore (Bologna), n. 1916 - pag. 353.

Ghislandi Domenico, P. bergamasco, att. verso metà sec. XVII - pag. 599.

Ghislandi Vittore, v. Galgario.

Giaccarelli Antonio, da Venezia, S., 1799-1838 - pag. 536, 564.

Giacometti Alberto, da Stampa (Svizzera), S. e P., 1901-66 - pag. 416, 417.

Giacometti Bruno, da Stampa (Svizzera), A., n. 1907 - pag. 536.

Giambono Michele, P. e Mos. originario di Treviso, not. 1420-62 - pag. 240, 301, 401, 402, 435, 481, 547.

Gianantonio Vicentino, S., sec. XVI - pag. 286.

Gian Cristoforo Romano, da Roma, S., O. e A., 1470-1512 - pag. 481.

Giglio Alberto, Mos. att. a Venezia, not. 1524-32 - pag. 238.

Giolfino Bartolomeo, da Verona, S., c. 1410-c. 1486 - pag. 411.

Giordano Luca, da Napoli, P., 1632-1705 - pag. 364, 388, 406, 421, 422, 524, 547, 548, 575, 599.

Giorgione (Giorgio da Castelfranco, d.), da Castelfranco Veneto (Treviso), P., 1477?-1510 - pag. 379, 403, 482, 565.

Giovan Francesco da Tolmezzo (Giovan Francesco del Zotto, d.), da Socchieve (Udine), P., c. 1450-1510 - pag. 410.

Giovannetti Matteo, forse da Viterbo, P., not. 1336-68 - pag. 301.

Giovanni Agostino da Lodi, v. Pseudo Boccaccino.

Giovanni d'Alemagna, P. d'origine tedesca, not. dal 1441, m. 1450 - pag. 366, 412, 490, 521.

Giovanni Antonio da Carona, S. ticinese, not. 1477-1534 - pag. 641.

Giovanni da Asola, P. bresciano, not. dal 1512, m. 1531 - pag. 295, 437, 548.

Giovanni da Bologna, P., not. 1377-89 - pag. 402.

Giovanni da Crema (Cremona), Int., not. 1635 - pag. 678.

Giovanni Dalmata o _Giovanni da Traù_ (Iugoslavia), S. e A., c. 1440-dopo 1509 - pag. 304.

Giovanni Francesco da Rimini (Forlì), P., not. dal 1441, m. av. 1470 - pag. 481.

Giovanni di Martino da Fiesole, (Firenze), S., not. 1423 - pag. 563.

Giovanni di Martino da Udine (Giovanni Martini, d.), P. e Int., 1453-1535 - pag. 303.

Giovanni di Paolo Veneziano, P. veneziano, not. 1343-58 - pag. 247.

Giovanni Pietro da San Vito, P. e Int. friulano, not. 1485-1529 - pag. 302.

Giovanni da Udine, P., 1487-1564 - pag. 546.

Giovanni de Zan, A. veneziano, not. 1550 - pag. 578.

Girolamo Tedesco, A. di origine germanica, not. dal 1505, m. 1520 - pag. 329.

Girolamo da Treviso il Giovane, forse da Treviso, P., S. e A., 1498-1544 - pag. 411, 421.

Giunta Pisano (Giunta di Capitini, d.), da Pisa, P., not. 1229-54 - pag. 414.

Giusto di Gand (Joost van Wassenhove), P. fiammingo, 1435/40-dopo 1475 - pag. 482.

Gleizes Albert, da Parigi, P., 1881-1953 - pag. 416.

Gobbis Giuseppe, P. att. a Venezia, not. 1774-83 - pag. 436.

Goes (van der) Hugo, P. fiammingo, c. 1440-1482 - pag. 303.

Gonzáles Julio, da Barcellona (Spagna), S., 1876-1942 - pag. 417.

Gorky Arshile (Vosdanik Adoian), da Khorkom (Armenia turca), P., 1904-48 - pag. 418.

Gornizai Zandomenico, Inc. att. a Venezia, not. 1669 - pag. 610.

Gossaert Jan, d. _Mabuse_, da Wijckbij-Durstede o da Maubeuge (Olanda), P., c. 1472 o '78-1533/36 - pag. 292.

Gramiccia Lorenzo, forse da Roma, P., 1702-95 - pag. 357, 561.

Granacci Francesco, da Firenze, P., 1469-1543 - pag. 482.

Grapiglia Giovanni Girolamo, A. e S. veneziano, not. 1572-1621 - pag. 321, 558, 561, 577, 598.

Grassi Giovanni, A. att. a Venezia, not. 1678 - pag. 353, 354.

Grassi Nicola, da Formeaso di Zuglio (Udine), P., av. 1682-c. 1750 - pag. 568, 583, 584.

Grazioli Domenico, da Salò (Brescia), S., att. a Venezia 2ª metà sec. XVI - pag. 268, 542.

Greco Emilio, da Catania, S., n. 1913 - pag. 353.

Gregorio di Antonio, da Padova, A., not. 1487-95 - pag. 564.

Grigi (de') Gian Giacomo, A. lombardo, not. dal 1549, m. 1573 - pag. 333, 378, 384.

Grigoletti Michelangelo, da Rorai Grande, ora Pordenone, P., 1801-70 - pag. 585.

Gris Juan (José Gonzáles), da Madrid, P., 1887-1927 - pag. 416.

Groppelli, fam. di S. originaria di Verona, sec. XVII-XVIII - pag. 354.

Groppelli Giuseppe e Paolo, S. originari di Verona, att. sec. XVIII - pag. 354.

Groppelli Marino, da Verona, S., 1595-1648 - pag. 508, 559.

Groppo Cesare, S. forse veneziano, not. 1592-96 - pag. 616.

Grosz George, da Berlino, P. e Inc., 1893-1959 - pag. 352.

Gualtiero Padovano, P. forse padovano, att. metà sec. XVI - pag. 357.

Guarana Jacopo, da Verona, P., 1720-1808 - pag. 266, 293, 308, 309, 322, 355, 357, 366, 381, 391, 439, 442, 459, 569, 588, 720, 722, 723.

Guarana Vincenzo, da Venezia, P., c. 1753-1815 - pag. 279, 309, 325, 332, 366.

Guardi Francesco, da Venezia, P., 1712-93 - pag. 408, 443, 455, 483, 611.

Guardi Giovanni Antonio, da Venezia, P., 1698-1760 - pag. 295, 440, 441, 455, 585.

Guariento, P. padovano, not. 1338-70 - pag. 270, 414, 561.

Guercino (Giovanni Francesco Barbieri, d.), da Cento (Ferrara), P., 1591-1666 - pag. 425, 567.

Guglielmo Bergamasco o Guglielmo d'Alzano (Guglielmo de' Grigi, d.), A. e S. originario di Alzano Lombardo (Bergamo), not. dal 1525, m. 1550 - pag. 280, 295, 327, 345, 543, 564, 583, 584, 585, 606, 641, 715.

Guidi Virgilio, da Roma, P., 1892-1984 - pag. 308, 352.

Hackert Jakob Philipp, d. *Hackert d'Italia*, da Prenzlau (Germania), P., 1737-1807 - pag. 424.

Haiger Ernst, da Mühlheim a. d. Ruhr (Germania), A., n. 1874 - pag. 536.

Hare David, S. americano, n. 1917 - pag. 417.

Hayez Francesco, da Venezia, P., 1791-1882 - pag. 279, 294, 353, 550.

Heintz Daniel, P. att. a Venezia, not. 1678-93 - pag. 337, 484, 599.

Heintz Joseph il Giovane, forse da Augusta (Germania), P., c. 1600-dopo 1678 - pag. 294, 295, 311, 578.

Hélion Jean, da Couterne (Francia), P., n. 1904 - pag. 416.

Hoet Gerard il Vecchio, da Zaltbommel (Olanda), P. e Inc., 1648-1733 - pag. 482.

Hoffmann Josef, da Brtnice (Moravia, Cecoslovacchia), A., 1870-1956 - pag. 536.

Horenbout Gerard, da Gand (Belgio), Min. e P., not. dal 1487, m. 1541 - pag. 292.

India Bernardino, da Verona, P., c. 1528-1590 - pag. 645, 711.

Ingoli Matteo, da Ravenna, P. e A., c. 1585-1631 - pag. 319, 325, 429, 453, 548.

Innocenti Camillo, da Roma, P., 1871-1961 - pag. 547.

Jacobello di Bonomo, P. veneziano, not. 1384-85 - pag. 300, 301.

Jacobello del Fiore, P. veneziano, not. dal 1400, m. 1439? - pag. 260, 301, 401, 402, 495, 689.

Jacopo da Faenza (Ravenna), Int., not. 1477 - pag. 372.

Jacopo di Filippo, O. padovano, not. 1484-86 - pag. 243.

Jacopo di Marco Bennato, O. veneziano, not. 1393 - pag. 234.

Jacopo da Montagnana (Padova), P., 1440/44-c. 1499 - pag. 372, 410.

Jacopo della Quercia (*Jacopo di Pietro d'Agnolo*, d.), da Quercia Grossa (Siena), S., c. 1367-1438 - pag. 222, 253.

Jacopo del Sellaio, da Firenze, P., 1442-93 - pag. 482.

Jacopo da Valenza, P. forse siciliano, not. c. 1485-1509 - pag. 304.

Jappelli Giuseppe, da Venezia, A., 1783-1852 - pag. 548, 718.

Joli Antonio, da Modena, P., c. 1700-1777 - pag. 409.

Jorn Asger (*Asger Oluf Jørgensen*), da Vejrum (Danimarca), P., 1914-73 - pag. 418.

Kandinskij Vasilij, da Mosca, P., 1866-1944 - pag. 353, 416.

Kisling Moïse, da Cracovia (Polonia), P. e Inc., 1891-1953 - pag. 352.

Klee Paul, da Münchenbuchsee (Svizzera), P., 1879-1940 - pag. 353, 416.

Klimt Gustav, da Baumgartner (Austria), P., 1862-1918 - pag. 353.

Klonzas Giorgio, P. cretese, sec. XVII - pag. 577.

Koch Peter, da Deidesheim (Germania), P., n. 1874 - pag. 536.

Kokoschka Oscar, da Pöchlarn (Austria), P., 1886-1980 - pag. 308.

Kramreiter Robert, da Vienna, A., n. 1905 - pag. 536.

Kupka František, da Opčno (Cecoslovacchia), P., 1871-1957 - pag. 416.

Lama Giulia, P. att. a Venezia, sec. XVIII - pag. 323, 407, 543, 681.

Lambardos Emanuele, P. greco, att. 1ª metà sec. XVII - pag. 577.

Lamberti Niccolò, da Firenze, S. e A., c. 1370-1451 - pag. 222, 223.

Lamberti Pietro, da Firenze, S., 1393-1435 - pag. 222, 223, 254, 369, 563.

Lambranzi Giovanni Battista, P. e A. veneziano, not. 1687-1700 - pag. 366, 435, 445, 448, 575, 612.

Langetti Giovanni Battista, da Genova, P., 1621-76 - pag. 440, 547, 643, 672.

Lanzani Polidoro, v. Polidoro da Lanciano.

Lardera Berto, da La Spezia, S., n. 1911 - pag. 417.

Lassaw Ibram, da Alessandria d'Egitto, S., n. 1913 - pag. 417.

Lattanzio da Rimini, P. romagnolo, not. 1495-1524 - pag. 552.

Laudis Giovanni, P. att. a Venezia, c. 1583-1631 - pag. 423.

Laurana Francesco, da Vrana (Dalmazia, Iugoslavia), S., A. e Med., not. dal 1458, m. c. 1502 - pag. 662.

Laureato Antonio, da Venezia, S., sec. XVIII - pag. 470.

Laureato Gian Maria, da Venezia, S., sec. XVIII-XIX - pag. 470.

Laurens Henri, da Parigi, S., 1885-1954 - pag. 416.

Laurenti Cesare, da Mesola (Ferrara), P. e S., 1854-1936 - pag. 347.

Lauro Padovano, P. att. a Venezia, not. 1482-1508 - pag. 559.

Lazzari Francesco, A. veneziano, 1791-1871 - pag. 399, 405, 485.

Lazzari Gian Antonio, da Venezia, P., 1639-1713 - pag. 438, 439.

Lazzarini Elisabetta, da Venezia, P., 1662-1729 - pag. 716.

Lazzarini Gregorio, da Venezia, P., 1655-1730 - pag. 276, 296, 297, 322, 323, 325, 328, 332, 354, 366, 367, 439, 440, 446, 448, 470, 525, 568, 584, 599, 641, 650, 716.

Lebrun André-Jean, da Parigi, S., 1737-1811 - pag. 672.

Le Clerc Jean, da Nancy (Francia), P. e Inc., 1587-c. 1633 - pag. 273.

Le Court Josse, d. *Giusto de Corte*, da Ypres (Belgio), S., 1627-79 - pag. 314, 364, 370, 374, 420, 421, 422, 437, 501, 566, 568, 641, 669.

Leefidael (van) Jan, da Bruxelles (Belgio), Arazz., sec. XVII - pag. 472.

Lefebvre Valentin, da Bruxelles (Belgio), P. e Inc., c. 1642-1680/82 - pag. 618, 693.

Léger Fernand, da Argentan (Francia), P., 1881-1955 - pag. 416.

Leonardi Leoncillo, da Spoleto (Perugia), S., 1915-68 - pag. 353.

Leonardo Tedesco, Int. di origine germanica att. a Venezia, not. 1490-93 - pag. 525.

Leoni Angelo, P. att. a Venezia, not. del 1597, m. 1621 - pag. 563.

Leopardi (de) Alessandro, da Venezia, O., F. e A., c. 1465-1522/23 - pag. 219, 281, 520, 552, 555, 561.

Lesueur Eustache, da Parigi, P., 1616-55 - pag. 425.

Letterini Agostino, da Venezia, P., 1642-1730 o '31 - pag. 502.

Letterini Bartolomeo, da Venezia, P., 1669-1745 - pag. 354, 487, 553, 647, 650.

Leyniers Everaert, Arazz. fiammingo, 1597-1680 - pag. 472.

Liberi Marco, da Padova, P., 1640-dopo 1725 - pag. 337, 543.

Liberi Pietro, da Padova, P., 1614-87 - pag. 277, 309, 337, 387, 390, 421, 422, 448, 449, 509, 548, 559, 599, 693.

Licini Osvaldo, da Monte Vidon Corrado (Ascoli Piceno), P., 1894-1958 - pag. 353.

Licinio Bernardino, forse da Poscante di Zogno (Bergamo), P., c. 1489-av. 1565 - pag. 277, 373, 404, 650.

Licinio Giovanni Antonio, P. di vetrate di famiglia veneto-bergamasca, not. 1484-1515 - pag. 560.

Licinio Giulio, da Venezia, P., 1527-dopo 1593 - pag. 286.

Lipchitz o Lipschitz Jacques, da Druskininkai (Lituania, URSS), S., 1891-1973 - pag. 416.

Lippi Filippino, da Prato (Firenze), P., c. 1457-1504 - pag. 424.

Lippi Filippo, da Firenze, P., c. 1406-1469 - pag. 424.

Liss Johann, da Oldenburg (Germania), P., c. 1585-1630 - pag. 364, 407, 440.

Lissitzky El (Eliezer M. Lisickij), da Počinok (URSS), P., 1890-1941 - pag. 416.

Lodoli Carlo, da Venezia, S., 1690-1761 - pag. 585.

Lodovico da Forlì, Int. att. a Venezia, not. 1425-76 - pag. 520.

Lombardo Antonio, da Carona (Canton Ticino), S., c. 1458-c. 1516 - pag. 232, 256, 257, 259, 260, 320, 552, 561, 563, 564.

Lombardo Girolamo, da Ferrara, S., c. 1504-c. 1590 - pag. 285, 552.

Lombardo Giulio Cesare, P., att. a Venezia fine sec. XVI, forse identificabile con Giulio Cesare Procaccini - pag. 317.

Lombardo Pietro, da Carona (Canton Ticino), S. e A., c. 1435-1515 - pag. 238, 253, 256, 257, 259, 260, 311, 320, 369, 371, 381, 390, 422, 424, 489, 490, 538, 551, 552, 559, 561, 563, 564, 565, 584.

Lombardo Sante, da Venezia, A. e S., 1504-1560 - pag. 164, 333, 377, 479, 545, 577.

Lombardo Tommaso, v. Tommaso da Lugano.

Lombardo Tullio, da Carona (Canton Ticino), S., c. 1455-1532 - pag. 256, 257, 259, 260, 319, 320, 326, 369, 372, 422, 461, 481, 485, 487, 489, 538, 552, 559, 561, 564, 565, 585, 588.

Longhena Baldassare, da Venezia, A. e S., 1598-1682 - pag. 249, 282, 320, 328, 352, 364, 365, 370, 374, 389, 392, 419, 420, 421, 422, 423, 427, 437, 446, 467, 499, 506, 527, 550, 554, 557, 561, 566, 567, 568, 569, 570, 576, 577, 578, 584, 587, 589, 599, 616, 617, 618, 619, 685, 692, 693.

Longhi Alessandro (Alessandro Falca, d.), da Venezia, P., 1733-1813 - pag. 279, 296, 297, 313, 323, 366, 367, 388, 407, 408, 409, 439, 549, 672, 693, 722.

Longhi Pietro (Pietro Falca, d.), da Venezia, P., 1702-85 - pag. 296, 366, 388, 391, 408, 441, 443, 484, 549.

Longo Pietro, P. att. a Venezia, not. 1582 - pag. 275.

Lorenzetti Carlo, da Venezia, S., 1858-1945 - pag. 355, 562, 672.

Lorenzetti Giovanni Battista, da Verona, P., not. 1622-c. 1660 - pag. 259, 270, 275, 559.

Lorenzo di Credi, da Firenze, P., O. e S., 1456/60-1537 - pag. 548.

Lorenzo da Lendinara (Lorenzo Canozzi, d.), da Lendinara (Rovigo), Int., Intars. e P., 1425-77 - pag. 374.

Lorenzo di Niccolò, P. toscano, not. 1392-1411 - pag. 414.

Lorenzo di Tiziano, P. veneto, att. 2ª metà sec. XVI - pag. 562, 685.

Lorenzo Veneziano, da Venezia, P., not. 1356-72 - pag. 300, 401, 402.

Lorenzo di Vincenzo, da Trento, Int., not. 1519 - pag. 565.

Los Sergio, da Marostica (Vicenza), A., n. 1934 - pag. 534.

Loth Carl, da Monaco di Baviera (Germania), P., 1632-98 - pag. 315, 322, 332, 333, 386, 470, 474, 476, 487, 564, 568.

Lotto Lorenzo, da Venezia, P., c. 1480-1556 - pag. 304, 357, 404, 449, 560.

Luca di Paolo Veneziano, P. veneziano, not. 1343-45 - pag. 247.

Luca di Pietro, da Cattaro (Dalmazia, Iugoslavia), S., sec. XV-XVI - pag. 552.

Lucadello Bernardino, da Venezia, P., c. 1697-1745 - pag. 471.

Lucchesi Matteo, da Venezia, A., 1705-76 - pag. 569, 572.

Maccagnino (del) Angelo, da Siena, P., m. 1456 - pag. 301.

Maccari Cesare, da Siena, P., 1840-1919 - pag. 308.

Maccaruzzi o Maccarucci Bernardino, da Venezia, A., c. 1728-1800 - pag. 308, 322, 376, 390, 399, 461, 473, 527, 553, 699.

Macini Angelo, P. att. a Venezia, not. 1607 - pag. 701.

Maderno Stefano, da Bissone (Canton Ticino), S., c. 1576-1636 - pag. 481, 483.

Maestro dell'Altare Barbarigo, S. di scuola veneziana, att. inizio sec. XVI - pag. 481.

Maestro dell'Arengo, P. di ambito riminese, sec. XIV - pag. 300.

Maestro di Badia a Isola, P. di scuola senese, att. fine sec. XIII-inizio XIV - pag. 414.

Maestro dei Cassoni Jarves, P. di

ambito toscano, att. 1ª metà sec. XV - pag. 301.

Maestro dell'Osservanza, P. di scuola senese, sec. XIV-XV - pag. 414.

Maestro Pfenning, P., att. metà sec. XV - pag. 424.

Maestro di S. Trovaso, S., att. a Venezia c. 1470 - pag. 435.

Maestro di Stratonice, P. di scuola toscana, att. 2ª metà sec. XV - pag. 414.

Maestro del Trittico Horne, P. di scuola fiorentina, att. inizio sec. XIV - pag. 414.

Maffei Francesco, da Vicenza, P., c. 1600-1660 - pag. 407, 439, 440, 485, 549.

Maffeo da Verona, P., c. 1576-1618 - pag. 222, 228, 244, 245, 248, 310.

Maganza Alessandro, da Vicenza, P. e Inc., 1556-dopo 1630 - pag. 332, 715.

Maganza Giambattista il Giovane, da Vicenza, P., c. 1577-1617 o '19 - pag. 484.

Maggiotto Domenico, da Venezia, P., 1713-94 - pag. 315, 327, 408, 441, 485, 523, 526, 671, 673.

Maggiotto Francesco, da Venezia, P., 1738-1805 - pag. 309, 391, 471, 526, 572, 584, 670.

Magnasco Alessandro, da Genova, P., 1667-1749 - pag. 408.

Magritte René, da Lessines (Belgio), P., 1898-1967 - pag. 417.

Mainardi Sebastiano, da San Gimignano (Siena), P., c. 1460-1513 - pag. 414.

Malacrida Francesco, da Verona, A., n. 1523 - pag. 677, 679.

Malevič Kazimir, da Kiev (URSS), P., 1878-1935 - pag. 416.

Malombra Pietro, da Venezia, P., 1556-1618 - pag. 270, 278, 435, 598, 650, 693.

Manaigo Silvestro, da Venezia, P., c. 1670-c. 1734 - pag. 354.

Manessier Alfred, da Saint-Ouen (Francia), P., n. 1911 - pag. 353.

Manfredini Ludovico, da Rovigo, P., sec. XVII - pag. 718.

Man-Ray, da Filadelfia (Pennsylvania, USA), artista, n. 1890 - pag. 417.

Mansueti Giovanni, P. veneziano, not. dal 1485, m. 1527 - pag. 304, 361, 409, 410, 487, 565, 657.

Mantegna Andrea, da Isola di Carturo, ora Isola Mantegna (Padova), P. e Inc., 1431-1506 - pag. 373, 403, 481.

Manzù (Manzoni) Giacomo, da Bergamo, S., 1908-91 - pag. 226.

Marangoni Francesco, A., sec. XIV - pag. 685.

Marangoni Luigi, da Venezia, A., 1872-1950 - pag. 414.

Maratta Carlo, da Camerano (Ancona), P., 1625-1713 - pag. 335.

Marchesini (dei) Marchesino, A., not. 1580 - pag. 472.

Marchiori Giovanni, da Caviola (Belluno), S. e Int., 1696-1778 - pag. 362, 376, 377, 379, 467, 471, 472, 523, 565, 726.

Marco d'Oggiono, forse da Oggiono (Como), P., c. 1475-c. 1530 - pag. 422.

Marco Vicentino, P. veneto, not. fino 1615 - pag. 449.

Marconi Rocco, forse da Treviso, P., not. dal 1504, m. 1529 - pag. 349, 404, 435, 560.

Marcoussis Louis (Ludwig Casimir Markus), da Varsavia (Polonia), P., 1883-1941 - pag. 416.

Margutti Domenico, A. veneziano, 1659-1721 - pag. 360, 392.

Mariani Sebastiano, v. Sebastiano da Lugano.

Marieschi Jacopo, da Venezia, P. e Inc., 1711-94 - pag. 315, 318, 390, 391, 492, 525, 584, 596, 670.

Marieschi Michele, da Venezia, P. e Inc., 1696-1743 - pag. 297, 408.

Marin Marianna, P. veneziana, att. 2ª metà sec. XIX - pag. 547.

Marinali Angelo, da Bassano del

Grappa (Vicenza), S., 1654-1720 - pag. 678.

Marinali Orazio, da Bassano del Grappa (Vicenza), S., 1643-1720 - pag. 422, 495, 547, 578, 598.

Marinetti Antonio, d. *il Chioggiotto*, da Chioggia (Venezia), P., c. 1700-1796 - pag. 309, 362, 427, 471, 523, 688, 689, 691.

Marini Giovanni Antonio, Mos. att. a Venezia, not. 1570-1606 - pag. 230.

Marini Marino, da Pistoia, S., 1901-80 - pag. 416.

Marino da Pisa, A. att. a Venezia, not. 1300 - pag. 582.

Mariotti Giambattista, da Venezia, P., 1685 o '94-1765 - pag. 323, 354, 407, 476, 485, 549, 690.

Marquet Albert, da Bordeaux (Francia), P., 1875-1947 - pag. 353.

Marsich Francesco, da Goricizza di Codroipo (Udine), Ing., 1858-1919 - pag. 518, 676.

Marsili Emilio, da Venezia, S., 1841-1926 - pag. 476, 523.

Martini Arturo, da Treviso, S., 1889-1947 - pag. 353.

Martini Francesco di Giorgio, da Siena, A., P. e S., 1439-1502 - pag. 449.

Martinuzzi Napoleone, da Murano (Venezia), S., 1892-1977 - pag. 502, 533, 646, 699.

Marziale Marco, P. veneziano, not. 1493-1507 - pag. 304, 409.

Massari Giorgio, da Venezia, A., c. 1686-1766 - pag. 185, 281, 337, 360, 391, 399, 426, 428, 429, 430, 437, 438, 471, 473, 474, 492, 522, 523, 540, 553, 572.

Massimo (fra') da Verona, P., c. 1600-1679 - pag. 459, 693.

Masson André, da Balagny (Francia), P. e Inc., n. 1896 - pag. 417.

Mastelletta (Giovanni Andrea Donducci, d.), da Bologna, P. e Inc., 1575-1655 - pag. 673.

Matés Juan, P. di scuola catalana, 1ª metà sec. XV - pag. 424.

Matta Echaurren Sebastian, da Santiago (Cile), P., n. 1911 - pag. 353, 417.

Matteini Teodoro, da Pistoia, P., 1754-1831 - pag. 320, 616.

Matteo di Giovanni, da Sansepolcro (Arezzo), P., c. 1430-1495 - pag. 414.

Mauri Romualdo, P. veneziano, not. 1698-1722 - pag. 641.

Mazza Damiano, da Padova, P., sec. XVI - pag. 436, 568.

Mazza Giuseppe, da Bologna, S., 1653-1741 - pag. 554, 560, 611, 669.

Mazzetti-Tencalla Carpoforo, da Bissone (Canton Ticino), Stucc., 1684-1748 - pag. 388, 484, 567.

Mazzoni Antonio, A. att. a Venezia, not. 1755 - pag. 573.

Mazzoni Sebastiano, da Firenze, P. e A., c. 1615-c. 1685 - pag. 186, 319, 335, 407, 423, 448.

Meduna Giovanni Battista, da Venezia, A., 1800-1880 - pag. 312, 314, 332, 386, 478, 480, 491, 571, 725.

Meduna Tommaso, da Venezia, A., 1798-1880 - pag. 312, 535, 612, 695.

Meloni Gino, da Varese, P., n. 1905 - pag. 352.

Memling Hans, da Seligenstadt (Germania), P., c. 1433-1494 - pag. 292, 403.

Menescardi Giustino, P. milanese, not. 1751-76 - pag. 259, 318, 337, 354, 447, 448.

Mengardi Giovanni Battista, da Padova, P. e Inc., c. 1738-1796 - pag. 471.

Mengozzi Colonna Agostino, da Ferrara, P., m. 1792 - pag. 266, 569.

Mengozzi Colonna Girolamo, da Ferrara, P., c. 1688-c. 1772 - pag. 266, 364, 443, 471, 472, 724.

Mengs Anton Raphael, da Aussig

(Cecoslovacchia), P., 1728-79 - pag. 425.

Meo Marino, da Venezia, A., 1910-83 - pag. 200, 361.

Mera (de) Pietro, P. olandese, not. 1570-1639 - pag. 279, 324, 327, 484, 559, 584.

Messina Francesco, da Linguaglossa (Catania), S., n. 1900 - pag. 353.

Metsu Gabriel, da Leida (Olanda), P., 1629-67 - pag. 482.

Metsys Quentin, da Lovanio (Belgio), P., 1466-1530 - pag. 259.

Metzinger Jean, da Nantes (Francia), P., 1883-1956 - pag. 416.

Meyring Heinrich (Arrigo Merengo), S. fiammingo, att. a Venezia fine sec. XVII - pag. 309, 315, 329, 333, 349, 467, 486, 526.

Mezzani Giuseppe, A. veneziano, not. dal 1791, m. av. 1828 - pag. 451, 619.

Michele da Firenze, S., 1403-42 - pag. 333, 371.

Michele di Matteo, da Bologna, P., not. 1409-1469 - pag. 402.

Michieli (de') Andrea, v. Andrea Vicentino.

Michieli Parrasio, da Venezia, P., c. 1516-1578 - pag. 601.

Migliara Giovanni, da Alessandria, P., 1785-1837 - pag. 408, 483.

Migliori Francesco, da Venezia, P., 1684?-1734? - pag. 309, 354, 473, 474, 575.

Milesi Alessandro, da Venezia, P., 1856-1946 - pag. 317.

Minelli o Minello de' Bardi Antonio, forse da Padova, S., n. c. 1480, not. fino 1525 - pag. 351.

Minello de' Bardi Giovanni, forse da Padova, S. e A., c. 1460-1527 - pag. 414.

Minguzzi Luciano, da Bologna, S., n. 1911 - pag. 308, 353, 417.

Minio (Tiziano Aspetti, d.), da Padova, S., c. 1511-1552 - pag. 231, 285.

Miozzi Eugenio, da Brescia, A., 1889-1979 - pag. 312, 323, 361, 362, 677, 695.

Mirko, v. Basaldella Mirko.

Miró Juan, da Montroig (Spagna), P., 1893-1984 - pag. 352, 417.

Missaglia (Negroni, d.), fam. di armaioli milanesi originaria di Missaglia (Como), sec. XV-XVI - pag. 269.

Mocetto Girolamo, da Murano (Venezia), P. e Inc., 1458-1531 - pag. 560.

Modena Francesco, da Bovolone (Verona), S., 1882-1960 - pag. 331.

Mola Pier Francesco, da Coldrerio (Canton Ticino), P. e Inc., 1612-66 - pag. 407.

Moli o Molli Clemente, da Bologna, S., A. e P., not. dal 1635, m. 1678 - pag. 504, 553, 561, 570, 599.

Molinari Antonio, da Venezia, P., 1665-dopo 1727 - pag. 310, 328, 332, 366, 440, 470, 521, 543, 568, 599.

Molmenti Pompeo Marino, da Villanova di Motta di Livenza (Treviso), P., 1819-94 - pag. 298.

Monaco Pietro, da Belluno, Inc. e Mos., c. 1710-c. 1775 - pag. 247.

Mondrian Piet, da Amersfoort (Olanda), P., 1872-1944 - pag. 416.

Monopola Bartolomeo, da Venezia, A., not. 1597-1623 - pag. 249, 254, 256, 310, 316, 322, 545.

Montagna Bartolomeo, P. bresciano (Orzinuovi?) o vicentino, c. 1450-1523 - pag. 304, 403, 409.

Montemezzano Francesco, da Verona, P., not. dal 1584, m. dopo 1602 - pag. 263, 264, 275, 277, 457, 485.

Monteverde Giulio, da Bistagno (Alessandria), S., 1837-1917 - pag. 593.

Moore Henry, da Castleford (Inghilterra), S., 1898-1986 - pag. 353, 416.

Morandi Giorgio, da Bologna, P., 1890-1964 - pag. 352.

Morando Pietro, da Venezia, Int., not. 1652-66 - pag. 650.

Moranzone Jacopo, P. e Int. veneziano, not. 1430-67 - pag. 401.

Moretti Gaetano, da Milano, A., 1860-1938 - pag. 283.

Moretto da Brescia (*Alessandro Bonvicino*, d.), da Brescia, P., c. 1498-1554 - pag. 404, 574-575.

Morlaiter Giovanni Maria, da Villabassa (Bolzano), S., 1699-1781 - pag. 315, 376, 377, 391, 400, 421, 429, 443, 468, 473, 474, 509, 523, 540, 562, 593, 599, 606.

Morlaiter Gregorio, S. veneziano, 1738-84 - pag. 596.

Morlaiter Michelangelo, da Venezia, P., 1729-1806 - pag. 309, 330, 337, 408, 455.

Morlotti Ennio, da Lecco (Como), P., n. 1910 - pag. 352.

Moro (*del*) *Battista* o *Giambattista*, da Verona, P., 1514-av. 1575 - pag. 286, 530.

Moro (*del*) *Giulio*, da Verona, P., S. e A., not. 1573-1615 - pag. 273, 277, 309, 311, 314, 315, 319, 320, 326, 327, 357, 449, 479, 509, 543, 600, 614, 615, 616, 662, 713.

Moro (*del*) *Marco*, da Verona, P. e Stucc., 1537-dopo 1586 - pag. 263.

Morone Francesco, da Verona, P., c. 1470-1529 - pag. 410.

Morpurgo Vittorio, da Roma, A., n. 1890 - pag. 333.

Mosca Giovanni Maria, da Padova, A. e S., 1493-dopo 1573 - pag. 371, 481, 563.

Motherwell Robert, da Aberdeen (Washington, USA), P., n. 1915 - pag. 417.

Murer Augusto, da Falcade (Belluno), S., 1922-85 - pag. 534.

Music Zoran Anton, da Gorizia, P., n. 1909 - pag. 308, 352.

Nachini Pietro, da Knin (Croazia, Iugoslavia), Int. e organaro, c. 1700-c. 1770 - pag. 485, 568.

Nanni di Bartolo, d. *il Rosso*, S. fiorentino, att. 1ª metà sec. XV - pag. 223, 371.

Nardi Bartolomeo, lapicida att. a Venezia, not. 1684-89 - pag. 349.

Nazari o *Nazzari Bartolomeo*, da Clusone (Bergamo), P. e Inc., 1699-1758 - pag. 296, 297, 443, 549.

Nazzari Nazario, da Venezia, P., 1724-dopo 1793 - pag. 296, 439.

Negri Domenico, S. veneziano, not. c. 1645-1667 - pag. 693.

Negri Pietro, da Venezia, P., m. dopo 1679 - pag. 374, 378.

Nervi Pier Luigi, da Sondrio, A., 1891-1979 - pag. 334.

Niccolò da Imola (Bologna), A., not. 1328-52 - pag. 556.

Niccolò di Pietro, P. veneziano, not. dal 1394, m. dopo 1430 - pag. 248, 401, 552, 646.

Niccolò di Segna, da Siena, P., not. 1331-45 - pag. 414.

Nicholson Ben, da Denham (Inghilterra), P., 1894-1976 - pag. 417.

Nieulant (*van*) *Adriaen*, da Anversa (Belgio), P., 1587-1658 - pag. 482.

Ninfe (*dalle*) *Cesare*, P. att. a Venezia, not. 1590-1600 - pag. 311.

Nino Pisano, da Pisa, S., O. e A., not. dal 1349, m. 1368 - pag. 561.

Nogari Giuseppe, da Venezia, P., 1699-1763 - pag. 371, 407.

Nolde Emil (pseudonimo di *Emil Hansen*), da Nolde (Germania), P., S. e Inc., 1867-1956 - pag. 353.

Novelli Pier Antonio, da Venezia, P., 1729-1804 - pag. 316, 408, 471, 472, 476, 538, 671, 723.

Novello Crisogono, Mos. att. a Venezia, not. 1506-23 - pag. 325, 327.

Novotný Otakar, da Benešov (Cecoslovacchia), A., 1880-1959 - pag. 536.

Ochtervelt Jacob, da Rotterdam (Olanda), P., c. 1635-c. 1710 - pag. 482.

Oelze Richard, da Magdeburgo (Germania), P., n. 1900 - pag. 417.

Olivieri Maffeo, da Brescia, S., Int. e F., 1484-1534 o '35 - pag. 233.

Ongarin Bernardino, A. att. a Venezia, m. 1589 - pag. 577, 583.

Ongaro Massimiliano, da Padova, A., 1858-1924 - pag. 573.

Ongaro Michele, v. Ungaro Michele.

Oreffice Pellegrino, A. veneziano, 1844-1903 - pag. 328, 336.

Ostade (van) Adriaen, da Haarlem (Olanda), P., 1610-84 - pag. 482.

Ostade (van) Isack, da Haarlem (Olanda), P., 1621-49 - pag. 482.

Ozenfant Amédée, da Saint-Quentin (Francia), P., 1886-1966 - pag. 416.

Pace Pace, da Venezia, P., not. 1594-1616 - pag. 448.

Padovanino (Alessandro Varotari, d.), da Padova, P., 1588-1648 - pag. 238, 245, 246, 287, 322, 364, 366, 421, 447, 449, 474, 548, 563, 565, 599, 673.

Pagan (Pagani) Matteo, xilografo, att. a Venezia 2ª metà sec. XVI - pag. 295.

Paggiaro Emilio, da Venezia, P., 1859-1929 - pag. 547.

Paliari Giovanni Battista, S. att. a Venezia, not. dal 1637, m. 1645 - pag. 616, 618.

Paliari Girolamo, da Udine, S., F. e Int., not. 1592-1622 - pag. 235.

Palladio Andrea, da Padova, A., 1508-80 - pag. 261, 263, 264, 397, 399, 502, 567, 582, 583, 584, 586, 598, 609, 612, 613, 614, 615, 617, 618, 710.

Palma Antonio (Antonio Negretti

o *Nigretti*, d.), da Serina (Bergamo), P., av. 1515-dopo 1575 - pag. 358, 453.

Palma il Giovane (Jacopo Negretti o *Nigretti*, d.), da Venezia, P., 1544-1628 - pag. 246, 265, 266, 270, 271, 273, 275, 276, 277, 296, 310, 311, 313, 315, 322, 324, 325, 327, 328, 329, 330, 333, 347, 357, 358, 361, 364, 366, 371, 373, 383, 391, 405, 422, 423, 427, 435, 436, 448, 449, 453, 455, 457, 470, 471, 475, 493, 502, 507, 509, 520, 521, 525, 526, 538, 542, 543, 547, 548, 552, 560, 563, 565, 568, 575, 579, 584, 585, 588, 596, 601, 611, 613, 616, 649, 671, 672, 690, 701.

Palma il Vecchio (Jacopo Negretti o *Nigretti*, d.), da Serina (Bergamo), P., c. 1480-1528 - pag. 319, 404, 501, 520, 542, 548, 565.

Palmezzano Marco, da Forlì, P., 1456 o '59-1539 - pag. 304.

Panizza Alvise, A. veneziano, not. 1613 - pag. 320.

Pannini Giovanni Paolo, da Piacenza, P. e A., c. 1691-1765 - pag. 440.

Paoletti Antonio Ermolao, da Venezia, P., n. 1844 - pag. 261, 543, 693.

Paolo Fiammingo o *Paolo dei Franceschi (Pawels Franck*, d.), da Anversa (Belgio), P., 1540-96 - pag. 272.

Paolo dei Freschi, P. att. 2ª metà sec. XVI, forse da identificarsi con Pawels Franck, d. Paolo Fiammingo (v.) - pag. 425.

Paolo da Mantova, Intars., not. 1496-1523 - pag. 238.

Paolo Uccello (Paolo di Dono, d.), da Pratovecchio (Arezzo) o da Firenze, P., 1397-1475 - pag. 218.

Paolo Veneziano, da Venezia, P., not. 1310-62 - pag. 247, 299, 319, 357, 401, 495, 647, 692.

Paolozzi Eduardo, da Leith (Scozia), S., n. 1924 - pag. 416.

Parodi Filippo, da Genova, S. e Int., 1630-1702 - pag. 269, 318, 364.

Pasquali Domenico, P. veneziano, att. c. 1715-1761/66 - pag. 296.

Pasqualino Veneto, P. forse veneziano, not. 1463-1530 - pag. 304, 611.

Pasquetti Fortunato, da Venezia, P., c. 1700-1773 - pag. 439, 549.

Passignano (Domenico Cresti, d.), da Passignano di Tavarnelle Val di Pesa (Firenze), P., 1558/60-1636 - pag. 477, 479.

Pasterini Jacopo, Mos. veneziano, not. 1614-53 - pag. 229, 238.

Pasti (de') Matteo, da Verona, Med. e A., not. dal 1441, m. dopo 1468 - pag. 305, 481.

Pastori Antonio, A., att. a Venezia 2ª metà sec. XVII - pag. 325.

Patinier Joachim, da Bouvines o Dinant (Francia), P., c. 1480-1524 - pag. 482.

Pauc Franz, Int. tedesco, not. 1665-71 - pag. 618.

Paulutti Giuseppe, Mos. att. a Venezia, not. 1670-80 - pag. 229.

Pellanda Enrico, A., n. 1844 - pag. 328.

Pellegrini Alvise, S. att. a Venezia, not. 1767 - pag. 252.

Pellegrini Domenico, da Galliera Veneta (Padova), P., 1759-1840 - pag. 606.

Pellegrini Giovanni Antonio, da Venezia, P., 1675-1741 - pag. 309, 315, 323, 354, 407, 440, 575, 717.

Pellegrini Girolamo, da Roma, P., not. dal 1661, m. c. 1700 - pag. 318, 378, 521, 585, 599, 678.

Pelli Domenico, A. e Stucc. ticinese, sec. XVIII - pag. 691.

Pellizza Giuseppe, da Volpedo (Alessandria), P., 1868-1907 - pag. 353.

Pennacchi Girolamo, d. *Girolamo*

da Treviso il Vecchio, da Treviso, P., c. 1450-1496? - pag. 552.

Pennacchi Pier Maria, da Treviso, P., 1464-1514 o '15 - pag. 411, 421, 552, 648.

Penso Francesco, v. Cabianca.

Peranda Sante, da Venezia, P., 1566-1638 - pag. 276, 312, 319, 327, 329, 330, 364, 365, 391, 563, 584, 601.

Peressutti Enrico, da Pinzano al Tagliamento (Pordenone), A., 1908-76 - pag. 536.

Permeke Constant, da Anversa (Belgio), P., 1886-1952 - pag. 352.

Permeniate Giovanni, P. di origine greca (Creta?), att. a Venezia fine sec. XVII - pag. 305.

Perrault Claude, da Parigi, A., 1613-88 - pag. 490.

Pevsner Antoine, da Orel' (URSS), S. e P., 1884-1962 - pag. 416.

Piaggia Giovanni Battista, organaro, att. a Venezia inizi sec. XVIII - pag. 369.

Pianta Francesco il Giovane, Int., att. a Venezia 2ª metà sec. XVII - pag. 372, 379, 380, 447.

Piatti Sante, da Venezia, P., c. 1687-1747? - pag. 309, 446, 470.

Piazza Alessandro, P., sec. XVII - pag. 297.

Piazza Cosimo (Paolo), da Castelfranco Veneto (Treviso), P., c. 1557-1621 - pag. 382, 383, 538, 559, 610, 611, 612, 690.

Piazzetta Giacomo, da Pederobba (Treviso), Int. e S., c. 1640-1705 - pag. 483, 485, 562, 566, 641.

Piazzetta Giovanni Battista, da Venezia, P., 1683-1754 - pag. 230, 315, 323, 327, 354, 407, 408, 429, 440, 447, 523, 540, 560.

Picabia Francis (Francisco Martinez de Picabia de la Torre), da Parigi, P., 1879-1953 - pag. 417.

Picasso Pablo, da Malaga (Spagna), P. e S., 1881-1973 - pag. 416, 417.

Piccinato Luigi, da Legnago (Verona), A., 1899-1983 - pag. 696.

Pierino da Vinci (*Pier Francesco di Bartolomeo*, d.), da Vinci (Firenze), S., c. 1530-1553 - pag. 481.

Piero di Cosimo (*Piero di Lorenzo Chimenti*, d.), da Firenze, P., c. 1462-dopo 1515 - pag. 414.

Piero della Francesca, da Sansepolcro (Arezzo), P., 1410/20-1492 - pag. 403, 414.

Pietro da Faenza (Ravenna), Int. att. a Venezia, not. 1503-26 - pag. 257, 565.

Pietro di Giovanni d'Ambrosi, da Siena, P., not. dal 1428, m. 1449 - pag. 414.

Pietro da Saliba, P. messinese, not. 1497-1501 - pag. 543.

Pietro da Salò (*Pietro di Lorenzo Grazioli*, d.), da Salò (Brescia), S. e A., c. 1500-c. 1561 - pag. 237, 252, 267, 285, 346, 578.

Pietro da Vicenza, P., 1467?-1527 - pag. 301.

Pietro di Zorzi, Mos. att. a Venezia, not. 1462-1524 - pag. 229, 232, 235.

Pigazzi Alvise, A. att. a Venezia, n. 1793 - pag. 306, 425, 427, 568, 586.

Pilotti Girolamo, P. att. a Venezia, not. dal 1597, m. 1649 - pag. 230, 245, 246, 606.

Piorris (de) Filippo, S., sec. XVIII - pag. 693.

Pirandello Fausto, da Roma, P., 1899-1975 - pag. 352.

Pirgoteles (*Giovanni Giorgio Lascaris*, d.), S. probabilmente di origine greca, not. 1465-1531 - pag. 235, 552.

Pisanello (*Antonio Pisano*, d.), da Pisa, P. e Med., 1395-dopo 1450 - pag. 305, 481.

Pitati (de') Bonifacio, v. Bonifacio Veronese.

Pitocchi (de') Matteo, P. forse padovano, c. 1626-1689 - pag. 548.

Pitteri Marco, da Venezia, Inc., 1702-86 - pag. 723.

Pittoni Antonio, A. e S. sloveno, 1650-1728 - pag. 371, 372, 375.

Pittoni Francesco, P. att. a Venezia, not. 1687-1712 - pag. 309, 436, 681.

Pittoni Giambattista, da Venezia, P., 1687-1767 - pag. 347, 349, 354, 357, 407, 408, 442, 568, 583, 619.

Pividor Giovanni, P. att. a Venezia, m. 1872 - pag. 413, 485.

Pizzi Angelo, da Milano, S., 1775-1819 - pag. 298.

Pizzinato Armando, da Maniago (Pordenone), P., n. 1910 - pag. 365.

Poccetti (*Bernardino Barbatelli*, d.), da Firenze, P., 1548-1612 - pag. 424.

Polazzo Francesco, da Venezia, P., 1683-1753 - pag. 362, 485.

Polidoro da Lanciano (*Polidoro di Renzo*, d.), da Lanciano (Chieti), P., 1515-65 - pag. 327, 448-49, 548.

Politi Odorico, da Udine, P., 1785-1846 - pag. 294.

Pollock Jackson, da Cody (Wyoming, USA), P., 1912-56 - pag. 417, 418.

Pomodoro Arnaldo, da Morciano di Romagna (Forlì), S., n. 1926 - pag. 353, 417.

Ponchino Giambattista, da Castelfranco Veneto (Treviso), P., c. 1500-1570 - pag. 266, 267.

Pontormo (Jacopo Carrucci, d.), da Empoli (Firenze), P., 1494-c. 1556 - pag. 414.

Ponzone Matteo, P. dalmata, not. dal 1609, m. 1664 - pag. 349, 502, 616, 690.

Pordenone (*Giovanni Antonio de' Sacchis*, d.), da Pordenone, P., c. 1484-1539 - pag. 225, 347, 377, 405, 482, 649.

Pozzo Giuseppe, da Cognola (Trento), A., S. e P., 1645-1721 - pag. 467, 468, 509.

Prampolini Enrico, da Modena, P., 1894-1956 - pag. 353.

Preti Francesco Maria, da Castelfranco Veneto (Treviso), A., 1701-74 - pag. 721.

Preti Mattia, da Taverna (Catanzaro), P., 1613-99 - pag. 407.

Previtali Andrea, P. bergamasco, c. 1470-1528 - pag. 403, 404, 490.

Procaccini Camillo, da Bologna, P., 1551?-1629 - pag. 364.

Prudenti Bernardino, da Venezia, P., not. 1631-94 - pag. 435, 449, 657.

Pseudo Boccaccino (Giovanni Agostino da Lodi, d.), da Lodi (Milano), P., fine sec. xv-1ª metà xvi - pag. 409, 481, 650.

Pulakis Theodoros, da Canea (isola di Creta, Grecia), P., att. a Venezia c. 1648-1675 - pag. 305, 577.

Puligo Domenico, da Firenze, P., 1492-1527 - pag. 424.

Querena Lattanzio, da Clusone (Bergamo), P., 1768-1853 - pag. 221, 349, 430, 449, 463, 490, 543, 670.

Querena Luigi, da Venezia, P., sec. xix - pag. 673.

Quirizio da Murano, P. att. a Venezia, not. dal 1461, m. dopo 1478 - pag. 411.

Ramous Carlo, da Milano, S., n. 1926 - pag. 353.

Raverti (de) Matteo, da Milano, S. e A., not. 1389-1434 - pag. 222, 480, 483, 501, 580.

Re Francesco, Stucc. veneziano, not. 1757-59 - pag. 308.

Rechter Zeev, A. israeliano di origine ucraina, 1899-1960 - pag. 536.

Rem Gaspar, da Anversa (Belgio), P., c. 1542-1615/17 - pag. 386.

Reni Guido, da Calvenzano di Vergato (Bologna), P., 1575-1642 - pag. 672.

Renieri o Ranieri Niccolò (Nicolas Régnier, d.), da Maubeuge (Francia), P., c. 1590-1667 - pag. 279, 327, 333, 364, 427, 440, 459, 530, 553, 565, 568.

Revera Alessandro, da Castelfranco Veneto (Treviso), P., c. 1820-1895 - pag. 492.

Reydams Heinry, Arazz. belga, m. 1669 - pag. 472.

Ricchi Pietro, da Lucca, P., 1606-75 - pag. 440, 495, 575, 599, 600, 669.

Ricci Marco, da Belluno, P., 1676-1730 - pag. 406, 408, 440, 549.

Ricci Sebastiano, da Belluno, P., 1659-1734 - pag. 221, 266, 276, 315, 322, 323, 354, 377, 408, 425, 429, 448, 470, 477, 486, 549, 616, 619, 673.

Riccio (Andrea Briosco, d.), da Padova, S., A., O. e Med., 1470-1532 - pag. 304, 305, 481.

Richier Germaine, da Grans (Francia), S., 1902-59 - pag. 416.

Rickards Edwin Alfred, A. e P. inglese, 1872-1920 - pag. 536.

Ridolfi Carlo, da Lonigo (Vicenza), P. e Inc., 1594-1658 - pag. 347.

Rietveld Gerrit Thomas, da Utrecht (Olanda), A. e Int., 1888-1964 - pag. 535.

Rinaldi Rinaldo, da Padova, S., 1793-1873 - pag. 374, 423, 425.

Riopelle Jean-Paul, da Montreal (Canada), P., n. 1923 - pag. 417.

Rizzo Antonio, S. e A. veneto (Verona?) o comasco (Osteno?), c. 1430-dopo 1499 - pag. 233, 253, 254, 256, 257, 261, 271, 373, 481, 484, 501, 537, 648.

Rizzo Marco Luciano, Mos. veneziano, not. 1517-32 - pag. 238.

Robbia (della), fam. di S. e Cer. fiorentini, secc. xv-xvi - pag. 490.

Roccatagliata Niccolò, S. genovese, not. 1593-1636 - pag. 309, 616.

Roccatagliata Sebastiano, S., att. a Venezia 1ª metà sec. XVII - pag. 309.

Rodin Auguste, da Parigi, S., 1840-1917 - pag. 353.

Rogers Ernesto Nathan, da Trieste, A., 1909-69 - pag. 536.

Romanello Nicolò, S. lombardo, not. 1428-40 - pag. 480.

Romanino (Girolamo Romani o da Romano, d.), da Brescia, P., 1484/87-dopo 1562 - pag. 404.

Rondinelli Niccolò, da Lugo (Ravenna), P., c. 1450-c. 1510 - pag. 402, 650.

Rosa Cristoforo, da Brescia, P., c. 1520-dopo 1577 - pag. 286.

Rosa Francesco, da Genova, P., Stucc. e Inc., not. dal 1670, m. 1687 - pag. 371, 521, 693.

Rosa Stefano, da Brescia, P., c. 1530-dopo 1572 - pag. 286.

Rosai Ottone, da Firenze, P., 1895-1957 - pag. 352.

Rossellino Antonio, da Settignano (Firenze), S., 1427-79 - pag. 490, 491.

Rossi David, da Vicenza, A., 1741-1820 - pag. 382.

Rossi Domenico, da Morcote (Canton Ticino), A., 1678-1742 - pag. 336, 350, 354, 367, 384, 475, 493, 508, 509, 546, 570.

Rossi Filippo, da Venezia, A., c. 1727-1795 - pag. 528, 595.

Rossi Gino, da Venezia, P., 1884-1947 - pag. 352.

Rosso Antonio, da Tai di Cadore (Belluno), P., m. 1525 - pag. 410.

Rosso Medardo, da Torino, S., 1858-1928 - pag. 353.

Rost Jan, da Bruxelles (Belgio), Arazz., m. 1564 - pag. 248.

Rotari Pietro Antonio, da Verona, P., 1707-62 - pag. 549.

Rothko Mark (Marcus Rothkowitz), da Dvinsk (Lettonia, URSS), P., 1903-70 - pag. 417.

Rottenhammer Johann, da Monaco di Baviera (Germania), P., 1564-1625 - pag. 330.

Rouault Georges, da Parigi, P. e Inc., 1871-1958 - pag. 352.

Rubens Peter Paul, da Siegen (Germania), P., 1577-1640 - pag. 315.

Rubini Agostino, da Vicenza, S., not. dal 1584, m. 1595 - pag. 330.

Rubini Lorenzo, S. vicentino, not. dal 1543, m. 1574 - pag. 286, 521.

Ruer Tommaso, S. tirolese, m. 1696 - pag. 366, 420, 423, 568, 611.

Ruffini Carlo, da Venezia, A., n. 1823 - pag. 522.

Rupolo Domenico, da Venezia, S., n. 1861 - pag. 333, 347.

Ruschi Francesco, forse da Roma, P. e Inc., c. 1610-dopo 1670 - pag. 161, 459, 548, 568, 599, 669, 718.

Rusconi Giovanni Antonio, A. e P. ticinese o comasco, c. 1520-1587 - pag. 261, 264, 324, 333, 515.

Saccardo Pietro, da Venezia, A., m. 1903 - pag. 235, 380.

Saetti Bruno, da Bologna, P., 1902-84 - pag. 308.

Saiter Daniel, da Vienna, P., 1647/49-1705 - pag. 548.

Salandri Liborio, Mos. att. a Venezia, not. 1810-50 - pag. 221.

Salvadori Giuseppe, da Venezia, A., 1786-1858 - pag. 491, 527, 534, 567.

Salviati (Giuseppe Porta, d.), da Castelnuovo di Garfagnana (Lucca), P. e Inc., c. 1520-c. 1575 - pag. 225, 228, 230, 260, 278, 286, 314, 382, 421, 521, 561, 562, 567, 583, 585, 619, 649, 650, 653.

Salviati Francesco, da Firenze, P., 1510-63 - pag. 247, 546.

Samonà Giuseppe, da Palermo, A., 1898-1983 - pag. 371, 393, 696.

Sanctis o Santi (de), fam. di S. veneziani, sec. XIV - pag. 231.

Sanctis o Santi (de) Giovanni, S. veneziano, m. 1392 - pag. 502.

Sanmicheli Michele, da Verona, A., 1484-1559 - pag. 320, 333, 336, 383, 546, 550, 679.

Sansovino (Jacopo Tatti, d.), da Firenze, A. e S., 1486-1570 - pag. 217, 231, 235, 237, 248, 252, 256, 257, 266, 267, 280, 284, 285, 286, 291, 302, 305, 311, 316, 324, 326, 327, 331, 347, 351, 352, 358, 373, 375, 427, 453, 481, 505, 509, 524, 527, 552, 564, 565, 578, 582, 583, 584, 585, 588, 593, 595, 689, 694.

Santacroce (da) Francesco di Simone o *Francesco Rizzo il Vecchio*, P. di origine bergamasca, 1440/45-1508 - pag. 304, 372, 521, 524, 548, 650.

Santacroce (da) Girolamo, P. di origine bergamasca, c. 1480-1556 - pag. 304, 324, 386, 487, 495, 502, 548, 583, 585, 588, 657, 672.

Santi Lorenzo, da Siena, A., 1783-1839 - pag. 249, 293, 294, 306, 374, 386, 574.

Santi Sebastiano, da Murano (Venezia), P., 1789-1866 - pag. 294, 310, 315, 333, 386, 485, 546, 550, 567.

Santomaso Giuseppe, da Venezia, P., 1907-99 - pag. 308, 352, 418.

Saraceni Carlo, da Venezia, P., 1580/85-1620 - pag. 273, 611.

Sardi Antonio, S. ticinese, not. 1659-61 - pag. 568.

Sardi Giovanni, da Venezia, A., 1863-1913 - pag. 155, 200, 386, 676, 677.

Sardi Giuseppe, da Morcote (Canton Ticino), A., av. 1630-1699 - pag. 156, 314, 326, 328, 366, 447, 467, 488, 491, 501, 566, 567, 568, 569.

Sar'jan Martiros, P. armeno, n. 1880 - pag. 673.

Sassetta (Stefano di Giovanni, d.), P. senese o aretino, 1392-1451 - pag. 414.

Sassoferrato (Giovanni Battista

Salvi, d.), da Sassoferrato (Ancona), P., 1609-85 - pag. 372, 421, 422, 543, 611.

Savelli Sperandio, forse da Mantova, S. e Med., c. 1425-1504 - pag. 305, 481.

Savin Paolo, S. e F. veneziano, not. c. 1497-c. 1516 - pag. 232, 281.

Savinio Alberto, pseudonimo di *Andrea De Chirico*, da Atene, P., 1891-1952 - pag. 352.

Savoldo Giovanni Girolamo, da Brescia, P., c. 1480-dopo 1548 - pag. 404, 490.

Scajaro Giovanni, P. att. a Venezia, not. 1773 - pag. 361, 528.

Scalamanzo Leonardo, Int. att. a Venezia, not. dal 1459, m. 1500? - pag. 320.

Scalfarotto Bartolomeo, A., att. a Venezia 1ª metà sec. XVIII - pag. 365.

Scalfarotto Giovanni, da Venezia, A., c. 1690-1764 - pag. 329, 361, 376, 594, 670.

Scaligero Bartolomeo, P., sec. XVII - pag. 647.

Scamozzi Vincenzo, da Vicenza, A., c. 1552-1616 - pag. 263, 266, 268, 282, 285, 286, 291, 302, 326, 345, 363, 364, 365, 431, 559, 563, 566, 584, 601, 651, 718.

Scanavino Emilio, da Genova, P., n. 1922 - pag. 308, 352.

Scarpa Carlo, da Venezia, A., 1906-78 - pag. 299, 365, 400, 444, 454, 534, 536, 547.

Scarpabolla Francesco, da Venezia, S., n. 1902 - pag. 466.

Scarpagnino (Antonio Abbondi, d.), A. d'origine lombarda, not. dal 1505, m. 1549 - pag. 252, 253, 256, 311, 320, 321, 329, 343, 345, 346, 378, 380, 452, 586.

Scattolin Angelo, da Venezia, A., n. 1904 - pag. 334, 619.

Schedoni Bartolomeo, da Formigine (Modena), P., c. 1570-1615 - pag. 425.

Scheffer Ary, da Dordrecht (Olanda), P., 1795-1858 - pag. 299.

Schiavone (Giorgio o Gregorio Chiulinovich, d.), da Scardona (Dalmazia, Iugoslavia), P., c. 1436-1504 - pag. 301.

Schiavone Andrea (Andrea Medulic, d.), da Zara (Dalmazia, Iugoslavia), P. e Inc., c. 1505-1563 - pag. 183, 286, 287, 315, 349, 357, 377, 406, 407, 449, 454, 457, 494, 507, 548, 549, 715.

Schiavone o Schiavoni Michele (Michelangelo), P. dalmata, not. 1760-71 - pag. 471, 596, 597, 692.

Schiavone (fra') Sebastiano, da Rovigno (Istria, Iugoslavia), Int. e Intars., c. 1420-1505 - pag. 238.

Schiavoni Felice, da Trieste, P., 1803-81 - pag. 689.

Schiavoni Natale, da Chioggia (Venezia), P., 1777-1858 - pag. 693.

Sohwitters Kurt, da Hannover (Germania), P., 1887-1948 - pag. 416.

Scienzia Vittore, da Feltre (Belluno), Int., not. dal 1519, m. 1547-48 - pag. 565.

Sciltian Gregorio (Gregor Siltian), da Nachičevan presso Rostov (URSS), P., 1900-1985 - pag. 308.

Scolari Aldo, da Roveredo di Guà (Verona), A., n. 1877 - pag. 542, 565.

Scorel (van) Jan, da Schoorl (Olanda), P., 1495-1562 - pag. 482.

Ščusev Aleksej Viktorovič, da Kišinev (Moldavia, URSS), A., 1873-1949 - pag. 536.

Sebastiano da Lugano (Sebastiano Mariani, d.), da Lugano (Canton Ticino), A. e S., not. dal 1483, m. 1518 - pag. 311, 447, 455, 525.

Sebastiano del Piombo (Sebastiano Luciani, d.), da Venezia, P., c. 1485-1547 - pag. 329, 487.

Segala Francesco, da Padova, S., c. 1557-c. 1593 - pag. 231, 257.

Segala Giovanni, forse da Murano (Venezia), P., 1663-1720 - pag. 313, 316, 328, 543, 599.

Selva Giannantonio, da Venezia, A., 1751-1819 - pag. 312, 314, 316, 317, 331, 397, 399, 405, 462, 484, 532, 533, 534.

Semeghini Pio, da Bondanello di Quistello (Mantova), P., 1878-1964 - pag. 352.

Semitecolo Nicoletto, P. veneziano, not. 1353-70 - pag. 477.

Semplice (fra') da Verona, P. veronese, 1589-1654 - pag. 584, 611.

Serlio Sebastiano, da Bologna, A., 1475-1554 - pag. 507.

Severini Gino, da Cortona (Arezzo), P., 1883-1966 - pag. 416.

Sezanne Augusto, da Firenze, P. e A., 1856-1935 - pag. 337.

Signorelli Luca, da Cortona (Arezzo), P., c. 1445-1523 - pag. 482.

Signorini Telemaco, da Firenze, P., 1835-1901 - pag. 353.

Silvestro di Pietro, d. *Barbeta*, da Venezia, Mos., not. 1442-1512 - pag. 229.

Simone da Cusighe (Belluno), P., c. 1350-c. 1410 - pag. 480.

Simonini Francesco, da Parma, P., 1689-1753 - pag. 723.

Sirani Elisabetta, da Bologna, P., 1638-65 - pag. 549.

Sironi Mario, da Sassari, P., 1885-1961 - pag. 308, 352.

Smeraldi Francesco, forse da Venezia, A., not. 1592-1631 - pag. 543, 598.

Sneyers Léon, da Bruxelles (Belgio), A., 1877-1949 - pag. 535.

Soli Giuseppe Maria, da Vignola (Modena), A. e P., 1748-1823 - pag. 293, 294.

Soliman Francesco, P. dalmata, 1716-84 - pag. 599.

Solimena Francesco, d. *l'Abate Ciccio*, da Canale di Serino (Avellino), P., 1657-1747 - pag. 377, 407.

Sopelsa Pier Luigi, da Firenze, S., n. 1918 - pag. 319.

Sorella Antonio, A., att. a Venezia sec. XVI - pag. 311.

Sorella Simeone (Simone), A. veneziano, not. 1587-1610 - pag. 327, 571, 577.

Sorte Cristoforo, da Verona, P. di prospettive, c. 1510-c. 1595 - pag. 265, 273.

Spavento Giorgio, A. att. a Venezia, not. dal 1468, m. c. 1508 - pag. 238, 256, 283, 326, 329.

Stancari Filippo, P., sec. XVII - pag. 427.

Stazio Abbondio, da Massagno (Canton Ticino), Stucc., 1675-1757 - pag. 387, 388, 446, 484, 509, 567.

Steen Jan, da Leida (Olanda), P., c. 1626-c. 1679 - pag. 482.

Stefano Veneziano, P. att. a Venezia, not. c. 1369-1385 - pag. 301, 401, 521.

Stefano da Verona o da Zevio, P. veronese, not. 1375-c. 1450 - pag. 301.

Stella Paolo, da Milano, S. e A., not. dal 1529, m. 1552 - pag. 563.

Still Clyfford, da Grandin (USA), P., 1904-80 - pag. 418.

Stomer Matthias, P. fiammingo, c. 1600-dopo 1650 - pag. 440, 548.

Storlado Ludovico, A. att. a Venezia, not. 1448 - pag. 557.

Strecken (van der) Gerard, Arazz. fiammingo, m. 1677 - pag. 472.

Stroifi Ermanno, forse da Padova, P., 1616-93 - pag. 313, 543, 568.

Strozzi Bernardo, da Genova, P., 1581-1644 - pag. 286, 335, 364, 380, 406, 407, 440, 520, 549.

Subleyras Pierre, da St-Gilles-du Gard (Francia), P. e Inc., 1699-1749 - pag. 423.

Sullam Guido, da Venezia, A., n. 1873 - pag. 167, 676, 677.

Sustermans Justus, da Anversa (Belgio), P., 1597-1681 - pag. 547.

Sutherland Graham, da Londra, P., 1903-80 - pag. 418.

Tagliapietra Alvise, S. veneziano, not. 1700-1732 - pag. 309, 427, 428, 562, 596, 693.

Tagliapietra Carlo, S. veneziano, not. 1730 - pag. 562.

Tagliapietra Pietro, P. att. a Venezia, not. 1842 - pag. 449.

Tamayo Rufino, da Oaxaca (Messico), P., 1899-1991 - pag. 417.

Tancredi (Tancredi Parmeggiani), da Feltre (Belluno), P., 1927-64 - pag. 418.

Tanguy Yves, da Parigi, P., 1900-1955 - pag. 352, 417.

Tarsia Antonio, da Venezia, S., c. 1663-1739 - pag. 323, 354, 508, 559, 615.

Tarsia Bartolomeo, da Venezia, P., not. dal 1711, m. 1765 - pag. 332.

Temanza Tommaso, da Venezia, A., 1705-89 - pag. 362, 450, 475, 585, 670.

Temperelli (Cristoforo Caselli, d.), da Parma, P., 1461-1521 - pag. 424.

Tempesta (Pieter Mulier il Giovane, d.), da Haarlem (Olanda), P., 1637-1701 - pag. 548.

Teniers David il Giovane, da Anversa (Belgio), P., 1610-90 - pag. 425.

Terilli Francesco, da Feltre (Belluno), S., not. 1596-1633 - pag. 563, 610.

Tesenato Bartolomeo, lapicida att. a Venezia, not. 1439 - pag. 537.

Tiepolo Giambattista, da Venezia, P., 1696-1770 - pag. 238, 263, 336, 354, 379, 383, 405, 406, 407, 408, 429, 437, 438, 439, 441, 446, 450, 467, 468, 470, 472, 485, 495, 523, 540, 549, 568, 585, 657, 672, 723.

Tiepolo Giandomenico, da Venezia, P., 1727-1804 - pag. 265, 335, 349, 383, 391, 407, 439,

441, 442, 472, 475, 520, 538, 543, 596, 643, 724, 726.

Tiepolo Lorenzo, da Venezia, P., 1736-76 - pag. 439.

Tinelli Tiberio, da Venezia, P., 1586-1688 - pag. 279.

Tintoretto (Jacopo Robusti, d.), da Venezia, P., 1518-94 - pag. 228, 229, 230, 244, 246, 247, 249, 260, 261, 263, 264, 265, 268, 272, 273, 274, 275, 276, 277, 278, 286, 296, 309, 313, 315, 319, 349, 351, 361, 377, 378, 380, 382, 386, 404, 405, 406, 407, 421, 429, 435, 453, 474, 477, 479, 482, 502, 507, 509, 520, 530, 567, 575, 599, 601, 611, 616, 618, 650, 662, 688.

Tintoretto Domenico (Domenico Robusti, d.), da Venezia, P., 1560-1635 - pag. 244, 246, 247, 248, 260, 264, 270, 272, 273, 278, 279, 315, 379, 390, 391, 405, 406-7, 435, 476, 477, 502, 530, 565, 584, 616, 619, 700.

Tirali Andrea, da Venezia, A., c. 1660-1737 - pag. 153, 249, 322, 332, 362, 363, 364, 433, 476, 484, 485, 486, 488, 489, 559, 560, 569, 657, 685, 688, 690, 714.

Tito Ettore, da Castellammare di Stabia (Napoli), P., 1859-1941 - pag. 467.

Tizianello (Tiziano Vecellio, d.), da Venezia, P., c. 1570-c. 1650 - pag. 246, 357, 373, 599.

Tiziano (Tiziano Vecellio), da Pieve di Cadore (Belluno), P., c. 1490-1576 - pag. 224, 225, 238, 260, 263, 278, 326, 327, 347, 372, 374, 379, 404, 405, 407, 412, 421, 424, 453, 474, 477, 482, 509, 538.

Tobey Mark, da Centerville (Wisconsin, USA), P., 1890-1976 - pag. 353, 417.

Tomea Fiorenzo, da Zoppé di Cadore (Belluno), P., 1910-60 - pag. 308, 352.

Tommaso da Lugano, d. Lombar-do, S. ticinese, att. c. metà sec. XVI - pag. 285, 327, 430, 453.

Tommaso di Zorzi, P. att. a Venezia, not. 1480-85 - pag. 525.

Tonioli Alessandro, P. veneziano, m. dopo 1815 - pag. 367.

Torres Duilio, da Venezia, A., 1882-1969 - pag. 528, 532, 533, 536.

Torres Giuseppe, da Venezia, A., 1872-1935 - pag. 365, 677.

Torretti o Torretto Giuseppe, da Pagnano (Treviso), S., 1682-1743 - pag. 354, 427, 428, 468, 477, 508, 509, 542, 562, 570, 580, 681.

Torretti o Torretto Giuseppe (Giuseppe Bernardi, d.), da Pagnano (Treviso), S., c. 1694-1774 - pag. 311, 376, 540.

Torri Antonio, da Bologna, P., att. 2ª metà sec. XVII - pag. 495, 600.

Tosi Arturo, da Busto Arsizio (Varese), P., 1871-1956 - pag. 352.

Tosolini Giovanni Battista, P. att. a Venezia, sec. XVIII-XIX - pag. 309.

Traversi Gaspare, da Napoli, P., not. dal 1749, m. 1769 - pag. 407.

Tremignon Alessandro, A. originario di Padova, m. dopo 1711 - pag. 196, 309, 471, 592, 693.

Trentacoste Domenico, da Palermo, S., 1859-1933 - pag. 691.

Trevisanato Enrico, A., n. 1829 - pag. 334, 535.

Trevisani Angelo, da Treviso o da Venezia, P. e Inc., 1669-dopo 1753 - pag. 323, 354, 366, 367, 407, 470, 472, 495, 521, 583, 693.

Trevisani Francesco, d. *Romano*, da Capodistria (Iugoslavia), P., 1656-1746 - pag. 377.

Trincanato Egle Renata, da Roma, A., n. 1910 - pag. 393.

Triva Antonio Domenico, da Reggio nell'Emilia, P. e Inc., 1625 o '26-1699 - pag. 336, 421.

Tura Cosmè, da Ferrara, P., av. 1430-1495 - pag. 403.

Uberti Pietro, da Venezia, P., 1671?-dopo 1738 - pag. 279, 354, 549.

Ugolini Agostino, da Verona, P., 1755-1824 - pag. 471.

Ungaro o Ongaro Michele (Michele Fabris, d.), S. ungherese, 1644-84 - pag. 420, 423, 567, 599, 669.

Vail Laurence, da Parigi, P. e S., 1891-1968 - pag. 417.

Vail Pegeen, da Ouchy (Svizzera), P., 1925-67 - pag. 417.

Valentin (Louis de Boullogne, d.), da Coulommiers (Francia), P., 1594-1632 - pag. 407.

Vallot Marino, da Venezia, A., n. 1940 - pag. 574.

Vallot Virgilio, da Venezia, A., 1901-82 - pag. 515, 535.

Van Dyck Antonie, da Anversa (Belgio), P. e Inc., 1599-1641 - pag. 482, 520.

Vantongerloo Georges, da Anversa (Belgio), S. e P., 1886-1965 - pag. 416.

Vaquero Palacios Joaquín, da Oviedo (Spagna), P. e A., n. 1900 - pag. 535.

Vassilacchi Antonio, v. Aliense.

Vecchia (della) Pietro (Pietro Muttoni, d.), da Venezia, P., 1605-78 - pag. 221, 225, 226, 244, 245, 246, 247, 315, 330, 354, 370, 407, 495, 538, 548, 578, 610, 672, 678, 726.

Vecchietta (Lorenzo di Pietro, d.), da Castiglione d'Orcia (Siena), P., S. e A., c. 1412-1480 - pag. 414.

Vecellio Cesare, da Pieve di Cadore (Belluno), P., 1521-1601 - pag. 296.

Vecellio Francesco, da Pieve di Cadore (Belluno), P., c. 1475-c. 1560 - pag. 326, 327, 404, 474, 713.

Vecellio Marco, forse da Pieve di Cadore (Belluno), P., 1545-1611 - pag. 263, 265, 266, 267, 273, 276, 345, 347, 538, 547, 548, 563.

Vecellio Orazio, da Venezia, P., c. 1525-1576 - pag. 228.

Vedova Emilio, da Venezia, P., n. 1919 - pag. 352, 365, 418.

Velde (van de) Willem il Giovane, da Amsterdam (Olanda), P., 1633-1707 - pag. 483.

Venusti Marcello, da Como, P., 1512 o '15-1579 - pag. 424.

Veronese (Paolo Caliari, d.), da Verona, P., 1528-88 - pag. 230, 263, 264, 267, 273, 275, 286, 287, 324, 333, 357, 358, 366, 383, 405, 406, 424, 437, 452, 453, 454, 562, 567, 584, 585, 599, 601, 610, 611, 619, 645, 650.

Verrocchio (del) Andrea (Andrea di Cione, d.), da Firenze, S., O. e P., 1435-88 - pag. 555.

Vianello Antonio, P., n. 1778 - pag. 317.

Vietti Luigi, da Novara, A. e urbanista, n. 1903 - pag. 617, 619.

Villon Jacques, pseudonimo di *Gaston Duchamp*, da Damville (Francia), P. e Inc., 1875-1963 - pag. 416.

Vincenzo da Treviso (Vincenzo Dalle Destre, d.), da Treviso, P., not. c. 1488-1543 - pag. 304, 552.

Visconti Pietro, P. lombardo, not. 1750-78 - pag. 438, 724.

Visentini Antonio, da Venezia, A., P. e Inc., 1688-1782 - pag. 409, 472.

Vittore da Corfù, P. greco, att. a Venezia sec. XVII - pag. 297.

Vittoria Alessandro, da Trento, S. e Med., 1525-1608 - pag. 252, 257, 261, 263, 264, 269, 285, 286, 296, 305, 312, 313, 315, 324, 326, 327, 345, 369, 371, 383, 424, 434, 439, 454, 482, 485, 489, 502, 519, 520, 521, 526, 560, 562, 563, 564, 583, 585, 601, 615, 616, 645, 649.

Vivarini Alvise, da Venezia, P., c. 1446-1503/6 - pag. 303, 373, 400, 411, 481, 525, 526, 560, 611.

Vivarini Antonio, da Murano (Venezia), P., c. 1415-1476 - pag. 184, 366, 401, 412, 424, 481, 490, 520, 521, 583.

Vivarini Bartolomeo, da Murano (Venezia), P., n. 1432 c., not. fino 1499 - pag. 301, 302, 319, 372, 373, 411, 481, 526, 542, 560, 563, 606, 650.

Vizzotto Alberti Giuseppe, da Oderzo (Treviso), P., 1862-1931 - pag. 316.

Vlaminck (de) Maurice, da Parigi, P., 1876-1958 - pag. 352.

Volpato Giovanni Battista, da Bassano del Grappa (Vicenza), P., 1633-1706 - pag. 315.

Wullekopf Ernest, A. tedesco, att. fine sec. XIX - pag. 607.

Yoshizaka Takamasa, da Tokio (Giappone), A., 1917-80 - pag. 536.

Zadkine Ossip, da Smolensk (URSS), S., 1890-1967 - pag. 353.

Zaganelli Bernardino, da Cotignola (Ravenna), P., 1460/70-1510/ 12 - pag. 482.

Zaguri Pietro, da Venezia, A., 1733-1804 - pag. 316.

Zais Giuseppe, da Forno di Canale (Belluno), P., 1709-84 - pag. 406, 408, 440, 441, 443, 672.

Zanchi Antonio, da Este (Padova), P., 1631-1722 - pag. 313, 314, 315, 324, 332, 378, 381, 387, 423, 425, 445, 446, 477, 490, 495, 520, 521, 565, 578, 588, 641, 657, 669, 673, 718.

Zanchi Domenico, da Venezia, P., c. 1747-1814 - pag. 553.

Zandomeneghi Luigi, da Colognola ai Colli (Verona), S., 1778-1850 - pag. 283, 312, 313, 316, 346, 371, 374, 425, 463, 564.

Zandomeneghi Pietro, da Venezia, S., 1806-66 - pag. 371, 382.

Zane Emanuele, da Candia (isola di Creta, Grecia), P., 1610-90 - pag. 305, 577.

Zanfurnaris Emanuele, P. greco, sec. XVI-XVII - pag. 577.

Zaniberti Filippo, da Brescia, P., 1585-1636 - pag. 260, 275.

Zelotti Giambattista, da Verona, P., c. 1526-1578 - pag. 266, 267, 287, 455, 562, 711.

Zendrini Bernardino, da Saviore (Brescia), Ing., 1679-1747 - pag. 683.

Zerest Ermanno, P. fiammingo, sec. XVII - pag. 313.

Ziminiani Giuseppe, S. att. a Venezia, not. 1728 - pag. 509.

Zompini Gaetano, da Nervesa della Battaglia (Treviso), P. e Inc., 1700-1788 - pag. 357, 364, 447, 538.

Zonca Giovanni Antonio, da Camposampiero (Padova), P., 1652-1723 - pag. 520.

Zoppo dal Vaso, P., att. metà sec. XVII - pag. 553.

Zuccarelli Francesco, da Pitigliano (Grosseto), P., 1702-88 - pag. 406, 408, 440, 443, 722.

Zuccari Federico, da Sant'Angelo in Vado (Pesaro e Urbino), P., c. 1540-1609 - pag. 273, 546, 585.

Zuccato Arminio, forse originario della Dalmazia (Iugoslavia), Mos., not. dal 1570, m. 1606 - pag. 599.

Zuccato Francesco, forse originario della Dalmazia (Iugoslavia), Mos., m. c. 1577 - pag. 225, 228, 238, 246.

Zuccato Valerio, forse originario della Dalmazia (Iugoslavia), Mos., not. dal 1532, m. 1576 o '77 - pag. 224, 225, 228.

Zucchi Antonio, da Venezia, P., 1726-95 - pag. 490.

Zucconi Francesco, A. att. a Venezia, sec. XVII - pag. 542.

Zugno Francesco, da Venezia, P., 1709-87 - pag. 315, 317, 322, 357, 423, 438, 472, 549, 647, 671, 672.

Indice dei luoghi

I nomi in **neretto** indicano i comuni, quelli in *corsivo* le frazioni e le altre località abitate. Tutti gli altri nomi geografici, come pure quelli di edifici, istituzioni, monumenti e strade di città, sono in carattere tondo minuscolo.

VENEZIA CITTÀ

Abbazia della Misericordia, 504.
– S. Gregorio, 197, 419.
Ala Napoleonica, 293.
Albergo Luna, 308.
– Monaco Gran Canal, 200.
– Regina, 198.
– del Selvadego, ora Assicurazioni Generali, 306.
Archivio di Stato, 375.
– Storico delle Arti Contemporanee, 350.
– Storico Comunale, 587.
Arco del Paradiso, 541.
Arsenale, 589.
Ateneo Veneto, 312.
Bacino Orseolo, 280.
– S. Marco, 145.
Banca Commerciale Italiana, 328.
Barbaria delle Tole, 567.
Basilica di S. Marco, 216.
– dei Ss. Giovanni e Paolo, 556.
Biblioteca Nazionale Marciana, 291.
– Querini Stampalia, 547.
Biennale Internazionale d'Arte, 534.
Borgoloco S. Lorenzo, 571.

Ca' Bernardo, 383.
– Bortoluzzi Grillo, 333.
– Corner della Regina, 167, 349.
– Da Mosto, 170, 486.
– di Dio, 527.
– del Duca, 188, 338.
– Farsetti, 178, 332.
– Foscari, 187, 444.
– Giustinian, 200, 308.
– d'Oro, 168, 479.
– Pesaro, 167, 351.
– Rezzonico, 187, 437.
– Tron, 163, 355.
Caffè Florian, 282.
Calle dell'Angelo, 348.
– degli Avvocati, 336.
– degli Armeni, 325.
– Balastro, 452.
– delle Beccarie, 347.
– Bernardo, 443.
– di Borgoloco, 550.
– dei Botteri, 348.
– di Ca' Corner, 349.
– di Ca' Muti, 348.
– del Campanile, 349.
– Cappello, 460.
– delle Cappuccine, 567.
– di Ca' Raspi, 348.
– Carminati, 540.
– Case Nuove, 473.
– Corner, 336.
– del Correggio, 349.
– Crosera, 337.
– Dandolo, 355.
– dietro l'Archivio, 380.
– del Dose, 524.

Calle del Dose da Ponte, 317.
– del Forno, 499.
– Foscari, 444.
– del Fumo, 554.
– dei Furlani, 580.
– dei Greci, 577.
– Larga, 356.
– larga dell'Ascensione, 305.
– larga dei Boteri, 554.
– larga G. Gallina, 554.
– larga Prima, 380.
– larga XXII Marzo, 310.
– larga Widmann, 554.
– Lunga, 436.
– lunga S. Maria Formosa, 546.
– Magno, 587.
– della Màndola, 334.
– delle Mende, 415.
– Muazzo, 569.
– del Murion, 580.
– nuova S. Agnese, 412.
– nuova di S. Simeone, 392.
– dell'Ogio, 389.
– Papadopoli, 384.
– del Paradiso, 541.
– del Pestrin, 321.
– della Pietà, 523.
– del Piovan, 589.
– dei Preti, 596.
– Racchetta, 506.
– della Regina, 349.
– del Rimedio, 573.
– del Ridotto, 308.

Calle Sagredo, 586.
- S. Cristoforo, 415.
- S. Gioachino, 597.
- S. Nicoletto, 380.
- del Teatro, 332.
- del Tintor, 355.
- Turloni, 493.
- delle Vele, 483.
- della Vida, 334.
Campanile di S. Marco, 282.
Campiello Albrizzi, 387.
- dell'Anconeta, 474.
- Angaran, 367.
- della Chiesa, 333.
- della Feltrina, 315.
- della Fenice, 313.
- Gambara, 431.
- di Meloni, 384.
- Nuovo, 321.
- dell'Oratorio, 456.
- del Piovan, 524.
- Querini Stampalia, 546.
- del Remer, 486.
- S. Agostin, 389.
- S. Giovanni Evangelista, 390.
- S. Maria Nova, 552.
- S. Tomà, 381.
- della Scuola, 390.
- degli Squelini, 443.
Campo dell'Abbazia, 504.
- dell'Angelo Raffaele, 454.
- Bandiera e Moro, 524.
- delle Beccarie, 348.
- della Carità, 396.
- dei Carmini, 447.
- di Castelforte, 380.
- della Celestia, 586.
- della Confraternita, 580.
- della Cordaria, 347.
- della Crea, 489.
- dietro il Cimitero, 454.
- Due Pozzi, 587.

Campo della Fava, 540.
- dei Frari, 368.
- dei Gesuiti, 507.
- del Ghetto Nuovo, 498.
- della Lana, 392.
- della Maddalena, 475.
- Madonna dell'Orto, 500.
- Manin, 334.
- dei Miracoli, 551.
- della Misericordia, 506.
- dei Mori, 500.
- F. Morosini, 317.
- Ognissanti, 435.
- della Pescaria, 347.
- del Redentore, 609.
- di Rialto Novo, 346.
- di Ruga S. Lorenzo Giustiniani, 597.
- S. Agnese, 430.
- S. Alvise, 494.
- S. Andrea, 462.
- S. Angelo, 335.
- S. Aponal, 384.
- S. Barnaba, 436.
- S. Bartolomio, 328.
- S. Basegio, 451.
- S. Beneto, 334.
- S. Biasio, 528.
- S. Boldo, 388.
- S. Cassiano, 348.
- S. Daniele, 597.
- S. Fantin, 311.
- S. Felice, 478.
- S. Fosca, 476.
- S. Francesco della Vigna, 580.
- S. Gallo, 281.
- S. Geremia, 470.
- S. Giacomo, 609.
- S. Giacomo dell'Orio, 356.
- S. Giacomo di Rialto, 345.
- S. Giuseppe, 600.
- S. Giobbe, 489.

Campo S. Giovanni Crisostomo, 486.
- S. Giovanni Decollato, 359.
- S. Giustina, 570.
- S. Giustina (di Barbaria), 569.
- S. Gregorio, 418.
- S. Lio, 538.
- S. Lorenzo, 571.
- S. Luca, 333.
- S. Marcuola, 473.
- S. Margherita, 444.
- S. Maria Formosa, 543.
- S. Maria Maggiore, 460.
- S. Maria Mater Domini, 350.
- S. Maria Nova, 553-554.
- S. Maria Zobenigo, 314.
- S. Marina, 550.
- S. Martin, 588.
- S. Maurizio, 316.
- S. Pantalon, 365.
- S. Polo, 383.
- S. Provolo, 576.
- S. Rocco, 375.
- S. Salvador, 326.
- S. Samuele, 337.
- S. Severo, 572.
- S. Silvestro, 386.
- S. Sofia, 483.
- S. Stae, 353.
- S. Stefano, 317.
- S. Stin, 389.
- S. Ternita, 587.
- S. Vidal, 323.
- S. Vio, 413.
- S. Zaccaria, 518.
- S. Zulian, 324.
- Ss. Apostoli, 484.
- Ss. Giovanni e Paolo, 555.
- Santo, 360.
- della Tana, 595.
- dei Tolentini, 363.
Canale di Cannaregio, 143.

Canale della Giudecca, 146.

Canal Grande, 147.

Cantieri CNOMV (ex), 608.

Casa Adoldo, 153.

– Angaran, 367.

– Barbaro, 350.

– Barocci, 182, 336.

– Civran Badoer, 190.

– Correr, 161.

– Contarini, 392.

– Favretto, 167.

– Franceschini, 188, 337.

– Leoni, 351.

– Magno, 587.

– Mainella, 189.

– Molin, 312.

– Moro, 578.

– di M. Polo, 488.

– Nardi, 336.

– Navagero, 524.

– Perducci, 172.

– Rossitto, 533.

– Sanudo, 358.

– di S. Venier, 545.

– Solda, 600.

– Stecchini, 194.

– di J. Tintoretto, 500.

– di Tiziano, 554.

– Tornielli, 180.

– Torres, 365.

– dei Tre Oci, 612.

– Viaro-Zane, 350.

– dei Visdomini alla Tana, 595.

– Zane, 350.

Casina delle Rose, 194.

Casino Baffo, 608.

– degli Spiriti, 503.

Chiesa delle Cappuccine, 493.

– dei Carmini, 447.

– della Croce, 612.

– delle Eremite, 435.

– dei Gesuati, 428.

– dei Gesuiti, 508.

– Madonna dell'Orto, 500.

Chiesa del Nome di Gesù, 462.

– dell'Ospedaletto, 567.

– della Pietà, 522.

– del Redentore, 609.

– dell'Angelo Raffaele, 454.

– S. Agnese, 430.

– S. Alvise, 494.

– S. Andrea della Zirada, 462.

– S. Anna, 600.

– S. Antonin, 578.

– S. Aponal, 384.

– S. Barnaba, 436.

– S. Bartolomio, 329.

– S. Basso, 249.

– S. Beneto, 335.

– S. Biagio ai Forni, 528.

– S. Canciano, 553.

– S. Cassiano, 348.

– S. Caterina, 506.

– S. Croce degli Armeni, 325.

– S. Elena, 537.

– S. Eufemia, 604.

– S. Eustachio, 353.

– S. Fantin, 311.

– S. Felice, 478.

– S. Fosca, 476.

– S. Francesco di Paola, 596.

– S. Francesco della Vigna, 582.

– S. Geremia, 158, 470.

– S. Giacometto, 345.

– S. Giacomo dell'Orio, 356.

– S. Giobbe, 489.

– S. Giorgio, 414.

– S. Giorgio dei Greci, 577.

– S. Giorgio Maggiore, 614.

– S. Giovanni in Bragora, 525.

– S. Giovanni dei Cavalieri di Malta, 579.

Chiesa di S. Giovanni Crisostomo, 486.

– S. Giovanni Decollato, 359-360.

– S. Giovanni Elemosinario, 346.

– S. Giovanni Evangelista, 390.

– S. Giovanni Novo, 572.

– S. Girolamo, 493.

– S. Giuseppe di Castello, 600.

– S. Giustina, 570.

– S. Gregorio, 418.

– S. Lazzaro dei Mendicanti, 566.

– S. Leonardo, 473.

– S. Leone Magno, 538.

– S. Lio, 538.

– S. Lorenzo, 571.

– S. Luca, 333.

– S. Marcilliano, 477.

– S. Marco, 216.

– S. Marcuola, 160, 473.

– S. Margherita, 445.

– S. Maria degli Angeli, 611.

– S. Maria alla Ca' di Dio, 527.

– S. Maria del Carmelo, 447.

– S. Maria della Fava, 540.

– S. Maria dei Derelitti, 567.

– S. Maria Formosa, 541.

– S. Maria del Giglio o Zobenigo, 314.

– S. Maria Gloriosa dei Frari, 368.

– S. Maria Maddalena, 475.

– S. Maria Maggiore, 461.

– S. Maria Mater Domini, 351.

Chiesa di S. Maria dei Miracoli, 551.
- S. Maria della Misericordia, 504.
- S. Maria di Nazareth, 467.
- S. Maria delle Penitenti, 492.
- S. Maria del Pianto, 567.
- S. Maria della Presentazione, 612.
- S. Maria del Rosario, 428.
- S. Maria della Salute, 199, 419.
- S. Maria della Visitazione, 430.
- S. Martino, 588.
- S. Marziale, 477.
- S. Maurizio, 316.
- S. Moisè, 308-309.
- S. Nicolò dei Mendicoli, 456.
- S. Nicolò da Tolentino, 363.
- S. Pantalon, 365.
- S. Paolo Apostolo, 382.
- S. Pietro di Castello, 598.
- S. Polo, 382.
- S. Rocco, 376.
- S. Salvador, 326.
- S. Samuele, 188, 337.
- S. Sebastiano, 452.
- S. Silvestro, 386.
- S. Simeon Grande, 360.
- S. Simeon Piccolo, 153, 361.
- S. Sofia, 484.
- S. Stae, 165, 353.
- S. Stefano, 318.
- S. Teresa, 459.
- S. Tomà, 381.
- S. Trovaso, 434.
- S. Vidal, 322.
- S. Zaccaria, 518.
- S. Zanipòlo, 556.

Chiesa di S. Zulian, 324.
- Ss. Apostoli, 484.
- Ss. Cosma e Damiano, 606.
- Ss. Ermagora e Fortunato, 473.
- Ss. Gervasio e Protasio, 434.
- Ss. Giovanni e Paolo, 556.
- degli Scalzi, 154, 467.
- dello Spirito Santo, 427.
- delle Zitelle, 612.
Coffeehouse, 202.
Collegio Greco Flangini, 576.
Collezione Ca' del Duca, 338.
- P. Guggenheim, 415.
Conservatorio di Musica B. Marcello, 322.
Convento dei Frari, 374.
- dei Gesuiti, 508.
- dei Minori Osservanti, 585.
- delle Muneghette, 587.
- delle Pizzochere, 586.
- S. Apollonia, 574.
- S. Giovanni Laterano, 569.
- S. Salvador, 327.
- S. Sebastiano, 454.
- Ss. Giovanni e Paolo, ora Ospedale civile, 566.
- dei Teatini, 365.
Corte dell'Albero, 336.
- Barozzi, 310.
- Botera, 556.
- Canal, 392.
- Cavallo, 503.
- dei Cordami, 608.
- del Duca Sforza, 338.
- del Forno, 415.

Corte del Leon Bianco, 486.
- Morosini, 487.
- delle Muneghe, 551.
- Nuova (Castello), 570.
- Nuova (Dorsoduro), 415.
- dei Pali, 479.
- del Papa, 526.
- Paruta, 367.
- del Pestrin, 545.
- Petriana, 384.
- delle Pinzocchere, 321.
- Pisani, 360.
- del Sabion, 415.
- S. Marco, 460.
- seconda del Milion, 488.
- del Teatro, 333.
- del Teatro Vecchio, 349.
- della Terrazza, 569.
- Vecchia, 415.
- del Volto Santo, 474.
Corpo di Guardia dell'Ascensione, 306.
Cotonificio Veneziano, 457.
Crosera S. Pantalon, 367.
Depositi del Megio, 163, 355.
- di pane, 527.
Dogana da Mar, 201, 425.
Fabbrica di birra (ex), 607.
- Fortuny, 607.
- Junghans, 608.
Fabbriche Nuove, 171, 347.
- Vecchie, 173, 345.
Farmacia S. Fosca, 478.
Fondaco dei Tedeschi, 172, 329.
- dei Turchi, 163, 358.

Fondamenta dell'Abbazia, 504.
- Alberti, 444.
- dell'Arsenale, 595.
- Barbarigo, 455.
- delle Burchielle, 461.
- Ca' Balà, 418.
- di Ca' Gradenigo, 392.
- di Ca' Labia, 470.
- di Cannaregio, 491.
- Ca' Pesaro, 351.
- delle Cappuccine, 493.
- G. Contarini, 503.
- delle Convertite, 606.
- Corner Zaguri, 315.
- Cossetti, 363.
- della Croce (Giudecca), 612.
- della Croce (S. Croce), 362.
- Diedo, 476.
- delle Eremite, 435.
- della Fenice, 314.
- del Forner, 368.
- di Lizza Fusina, 456.
- della Madonna, 460.
- Madonna dell'Orto, 503.
- del Megio, 358.
- dei Mendicanti, 566.
- Minotto, 365.
- della Misericordia, 499.
- dei Mori, 500.
- Moro, 493.
- Nuove, 510.
- dell'Olio, 349.
- degli Ormesini, 495-496.
- dell'Osmarin, 576.
- Papafava, 543.
- Priuli, 431.
- delle Procuratie, 460.
- Quintavalle, 600.
- dei Riformati, 494.
- del Rimedio, 572.

Fondamenta di rio Marin, 392.
- S. Apollonia, 573.
- S. Biagio, 606.
- S. Chiara, 363.
- S. Eufemia, 603.
- S. Felice, 479.
- S. Giacomo, 608.
- S. Giovanni, 613.
- S. Giobbe, 488.
- S. Marta, 457.
- S. Simeone Piccolo, 361.
- dei Sartori, 510.
- Savorgnan, 488.
- della Sensa, 494, 499.
- del Soccorso, 450.
- dei Tabacchi, 461.
- della Tana, 596.
- delle Terese, 459.
- del Traghetto, 381.
- Van Axel, 551.
- Venier, 488.
- Venier dei Leoni, 415.
- delle Zattere, 425-426.
- delle Zattere ai Gesuati, 428.
- delle Zattere al ponte Longo, 451.
- delle Zattere ai Saloni, 426.
- delle Zattere allo Spirito Santo, 427.
- Zen, 506.
Fondazione G. Cini, 617.
Fontegheto della Farina, 202, 293.
Fontego dei Tedeschi, 172, 329.
Forni Militari, 527.
Frezzeria, 308.
Galleria G. Franchetti, 480.
Gallerie dell'Accademia, 399.
Ghetto, 496.
Ghetto Vecchio, 498.

Giardinetto Reale, 292.
Giardini Pubblici, 533.
Giardino Papadopoli, ora comunale, 363.
Giudecca, 602.
Harry's bar, 308.
Hotel Bauer Grünwald, 200, 310.
- Danieli Excelsior, 206, 515.
- Londra Palace, 522.
Isola della Giudecca, 602.
- Sacca Fisola, 606.
- S. Elena, 536.
- S. Giorgio Maggiore, 613.
- S. Pietro, 597.
Istituti di Ricovero e di Educazione (IRE), 470.
Istituto Canal Marovich ai Servi, 477.
- Ellenico, 576.
- Veneto di Scienze, Lettere e Arti, 321.
Libreria Sansoviniana o Marciana, 204, 285.
Lista vecchia dei Bari, 360.
Loggetta, 284.
Macello Comunale, 491.
Magazzini Generali, 458.
- Vendramin, 607.
Manifattura Tabacchi, 461.
Marinarezza, 532.
Merceria del Capitello, 325.
- 2 Aprile, 328.
- dell'Orologio, 324.
- S. Salvador, 326.
- S. Zulian, 325.
Mercerie, 323.
Monastero delle Benedettine, 571.
- dei Gesuati, 429.

Monastero di S. Giorgio Maggiore, 617.
- S. Zaccaria, 521.
- del Santo Sepolcro, 524.
Monumento a B. Colleoni, 555.
- a G. Garibaldi, 534.
- a C. Goldoni, 328.
- a D. Manin, 334.
- a G. Mazzini, 331.
- alla Partigiana veneta, 534.
- a P. Sarpi, 476.
- ai Soldati di terra e di mare, 533.
- a N. Tommaseo, 317-318.
- a Vittorio Emanuele II, 522.
Mulino Stucky, 607.
Municipio, 331-332.
Museo Archeologico, 287.
- di Arte Ebraica, 498.
- d'Arte Moderna, 352.
- d'Arte Orientale, 353.
- Civico Correr, 293.
- Collezione Ca' del Duca, 338.
- Collezione P. Guggenheim, 415.
- Diocesano di Arte Sacra, 574.
- Fortuny, 335.
- Galleria G. Franchetti, 480.
- Gallerie dell'Accademia, 399.
- dell'Istituto Ellenico, 577.
- dell'Opera di Palazzo, 279.
- Pinacoteca Manfrediniana, 423.
- Pinacoteca Querini Stampalia, 547.

- Quadreria (Museo Correr), 299.
- Raccolta d'arte dalla collezione V. Cini, 414.
- del Risorgimento e dell'Ottocento veneziano, 298.
- di S. Marco, 247.
- del Settecento Veneziano, 437.
- di Storia Naturale, 359.
- Storico Navale, 528.
- Tesoro di S. Marco, 241.
Officina del gas, 459.
Ognissanti, 435.
Oratorio dell'Addolorata, 569.
- dell'Annunciata, 335.
- del Cristo Re, 586.
- dei Crociferi, 507.
- S. Gallo, 281.
- del Soccorso, 450.
Ospedale delle Boccole, 580.
- degli Incurabili, 427.
- della Pietà (ex), 523.
Ospizio Badoer, 391.
- dell'Ospedaletto, 568.
- S. Lazzaro dei Mendicanti, ora Ospedale civile, 566.
- Ss. Pietro e Paolo, 597.
Palazzetti Contarini-Michiel, 189.
Palazzetto Foscari del Prà, 168.
- Foscolo-Corner, 446.
- Gussoni, 538.
- Jona, 167.
- Madonna, 368.
- Minelli, 612.
- Minotto, 194.
- Nigra, 155.

Palazzetto dello Sport, 596.
- Stern, 189.
- Tron, 178.
Palazzi Badoer, 356.
- Donà, 545.
- Giustinian poi Muazzo, 569.
- Giustinian (Dorsoduro), 187, 443, 444.
- Mocenigo, 184.
- Soranzo, 384.
Palazzina Da Fiol, 576.
Palazzo dell'Accademia dei Nobili, 608.
- Agnella, 388.
- Agnusdio, 351.
- Albrizzi, 387.
- Amadi, 488.
- Arian, 450.
- Arnaldi, 365.
- Arrigoni, 500.
- Avogadro, 546.
- Badoer, 375.
- Balbi, 185.
- Balbi-Valier, 193, 413.
- Barbarigo, 193, 414.
- Barbarigo (Cannaregio), 164.
- Barbarigo della Terrazza, 183.
- Barbaro, 195, 418.
- Barbaro (S. Marco), 192.
- Barbaro, ora Curtis, 192.
- Barzizza, 179.
- Basadonna, 569.
- Bellavite, 316.
- Belloni Battagia, 163, 355.
- Bembo, 176, 331.
- Bembo (campiello S. Maria Nova), 553.
- Benci-Zecchini, 503.
- Benzon, 180.
- Benzon, già Orio Semitecolo, 197.

Palazzo Benzon-Foscolo, 192.
- Berlendis, 567.
- Bernardo, 181.
- Bernardo poi Nani, 187, 443.
- Bolani, 433.
- Boldù (Cannaregio), 166.
- Boldù (campiello S. Maria Nova), 553.
- Bollani, 170.
- della Borsa e della Camera di Commercio, 310.
- Bragadin, 569.
- Bragadin Carabba, 550.
- Brandolin-Morosini, 169.
- Brandolin-Rota, 193.
- Businello, 179.
- Calbo-Crotta, 154, 469.
- dei Camerlenghi, 173, 345.
- Caotorta-Angaran, 185.
- Cappello, 571.
- Cappello-Layard, 183.
- Cappello-Memmo, 522.
- Cassa di Risparmio, 334.
- Cassetti, 375.
- Castelli, 551.
- Cavalli Franchetti, 192, 323.
- Cavanis, 545.
- Cavazza, 540.
- Celsi poi Donà, 587.
- Centani, 195.
- Centani, ora Ist. Studi Teatrali, 381.
- Cima Zon, 570.
- Cini, 193, 414.
- Civran (Cannaregio), 172.

Palazzo Civran (S. Polo), 185.
- Clary, 451.
- Condulmer, 363.
- Contarini (S. Marco), 198.
- Contarini, già Corner, 333.
- Contarini del Bòvolo, 334.
- Contarini Dal Zaffo, 503.
- Contarini Fasan, 198.
- Contarini dalle Figure, 184.
- Contarini-Pisani, 166.
- Contarini della Porta di Ferro, 580.
- Contarini degli Scrigni, 191, 431.
- Contarini-Seriman, 510.
- Contarini dal Zaffo, 193.
- Contin, 475.
- Corner (S. Croce), 157.
- Corner (S. Polo), 382.
- Corner, ora della Guardia di Finanza, 383.
- Corner della Ca' Granda, 194, 316.
- Corner Contarini dai Cavalli, 178.
- Corner Gheltoff, 184, 336.
- Corner Martinengo Ravà, 178.
- Corner Spinelli, 182, 336.
- Corner Valmarana, 178.
- Corniani degli Algarotti, 554.
- Correggio, 167.
- Correr, 475.

Palazzo Correr Contarini, 160.
- Curti Valmarana, 180.
- Da Lezze (Cannaregio), 166.
- Da Lezze (S. Marco), 186.
- Dalla Frescada, 367.
- Da Mosto, 472.
- Dandolo (calle Vallaresso), 308.
- Dandolo (campo Ss. Giovanni e Paolo), 555.
- Dandolo (riva del Carbon), 176, 331.
- Dandolo (S. Polo), 185.
- Dandolo, ora hotel Danieli, 206, 515.
- Da Ponte, 317.
- Dario, 195, 418.
- Da Riva, 570.
- dei Dieci Savi, 175, 343.
- Diedo (Cannaregio), 476.
- Diedo (S. Croce), 153, 362.
- Dolfin (Cannaregio), 170.
- Dolfin (S. Polo), 185.
- Dolfin Bollani, 550.
- Dolfin Manin, ora Banca d'Italia, 174, 331.
- Donà (calle del traghetto della Madonnetta), 181, 384.
- Donà (campo S. Polo), 384.
- Donà-Balbi, 159.
- Donà delle Rose (S. Polo), 389.
- Donà delle Rose (rio terrà della Maddalena), 475.

Palazzo Donà della Madonnetta, 181, 384.
- Donà Ottoboni, 572.
- Donato, 510.
- Ducale, 204, 249.
- Duodo (campo S. Angelo), 335.
- Duodo (S. Croce), 163.
- Emo (Cannaregio), 164.
- Emo (fondamenta di Ca' Labia), 472.
- Emo (fondamenta S. Biagio), 607.
- Erizzo, 589.
- Erizzo alla Maddalena, 162.
- Falier (Cannaregio), 486.
- Falier (S. Marco), 190.
- Flangini, 156.
- Flangini Fini, 196.
- Fontana-Rezzonico, 166.
- Fortuny, 334.
- Foscari (S. Croce), 155.
- Foscari (Giudecca), 607.
- Foscari-Contarini, 155.
- Foscarini (Dorsoduro), 449.
- Foscarini (S. Marco), 573.
- Foscarini-Giovanelli, 165, 353.
- Gabrieli, 527.
- Gambara, 191, 431.
- Garzoni, 182.
- Genovese, 197, 419.
- Gheltoff, 499.
- Giovanelli, 161.
- Giovannelli, 478.
- Giusti, 168.
- Giustinian (S. Polo), 389.

Palazzo Giustinian Bernardo, 187.
- Giustinian Faccanon, 540.
- Giustinian Lolin, 190.
- Giustinian-Persico, 185.
- Giustinian-Querini, 181.
- Giustinian-Recanati (fondamenta Priuli), 431.
- Giustinian Recanati (fondamenta delle Zattere al ponte Longo), 451.
- Gozzi, 350.
- Gradenigo (Castello), 570.
- Gradenigo (S. Croce), 392.
- Grandiben poi Negri, 589.
- Grassi, 186, 337.
- Grifalconi, 555.
- Grimani (Cannaregio), 493.
- Grimani (S. Marco), 178, 333.
- Grimani (campo Ss. Giovanni e Paolo), 555.
- Grimani (fondamenta D. Canal), 477.
- Grimani (ramo Grimani di ruga Giuffa), 546.
- Grimani-Marcello, 181.
- Grioni, 388.
- Gritti (campo Bandiera e Moro), 526.
- Gritti (campo S. Angelo), 335.
- Gritti (Cannaregio), 160.
- Gritti, ora albergo Gritti Palace, 196, 315.

Palazzo Gritti (riva di Biasio), 157.
- Gritti-Loredan, 522.
- Gussoni-Grimani, 164.
- dell'INAIL, 393.
- Labia, 471.
- Lanfranchi, 179.
- Lezze (campo della Misericordia), 506.
- Lezze (rio terrà lista di Spagna), 470.
- Lion-Morosini, 486.
- Longo, 499.
- Loredan, ora Municipio, 176, 331.
- Loredan (campo S. Marina), 550.
- Loredan (campo S. Stefano), 321.
- Loredan (calle larga Widmann), 554.
- Loredan dell'Ambasciatore, 189.
- Maffetti, 607.
- Maffetti-Tiepolo, 384.
- Magno (campo della Maddalena), 475.
- Magno (corte della Terrazza), 569.
- Malipiero (campiello della Feltrina), 315.
- Malipiero (campo Due Pozzi), 587.
- Malipiero (S. Croce), 392.
- Malipiero (S. Marco), 188, 338.
- Malipiero-Trevisan, 545.
- Manolesso Ferro, 198.
- Manzoni, 350.
- Marcello (fondamenta Minotto), 365.
- Marcello (Cannaregio), 162.
- Marcello (S. Marco), 313.

Palazzo Marcello dei Leoni, 185, 381.
- Marcello Pindemonte Papadopoli, 550.
- Marcello Toderini, 159.
- Marconi, 472.
- Mariani, 356.
- Martinengo (campo S. Beneto), 335.
- Martinengo (S. Marco), 180.
- Martinengo-Mandelli, 160.
- Maruzzi, 576.
- Mastelli, 503.
- Michiel, 494.
- Michiel dal Brusà, 170.
- Michiel dalle Colonne, 170.
- Minelli-Spada, 503.
- Minotto (fondamenta Briati), 455.
- Minotto (fondamenta Minotto), 365.
- Mocenigo (già; Giudecca), 613.
- Mocenigo (salizzada S. Stae), 355.
- Mocenigo Casa Nuova, 184.
- Mocenigo Casa Vecchia, 184.
- Molin, della Soc. Adriatica di Navigazione, 451.
- Molin (fondamenta delle Zattere al ponte Longo), 451.
- Molin (campo S. Maurizio), 316.
- Molin (Cannaregio), 164.
- Molin (S. Polo), 389.
- Molin-Capello, 387.
- Moro (campo S. Bartolomio), 328.
- Moro (calle della Regina), 350.

Palazzo Moro (Dorsoduro), 189.
- Moro-Lin, 186.
- Morolin, 382.
- Morosini (campo S. Stefano), 321.
- Morosini (fondamenta del Traghetto), 381.
- Morosini (Castello), 569.
- Morosini (sul rio di Palazzo), 573.
- Morosini dal Pestrin, 545.
- da Mula, 195.
- Muti-Baglioni, 348.
- Mutti delle Contrade, 356.
- Nani (fondamenta di Cannaregio), 489.
- Nani (fondamenta Nani), 434.
- Nani-Mocenigo, 186.
- della Nunziatura (già), 586.
- Oddoni, 365.
- Papadopoli, 179.
- Patriarcale, 599.
- Pemma, 356.
- Pesaro, 168.
- Pesaro Papafava, 505.
- Pisani (campiello Pisani), 192, 321-322.
- Pisani (Cannaregio), 551.
- Pisani (S. Marco), 336.
- Pisani-Moretta, 183.
- delle Prigioni, 206, 515.
- Priuli, 576.
- Priuli-Bon, 165.
- Priuli-Manfrin, 488.
- Priuli all'Osmarin, 576.
- Priuli-Pesaro, 348.
- Priuli-Scarpon, 479.

Palazzo Priuli-Stazio, 358.
- Querini (piscina S. Samuele), 336.
- Querini (Cannaregio), 158.
- Querini (Dorsoduro), 191.
- Querini Stampalia, 546.
- Raspi, 348.
- Ravà, 177, 386.
- Rizzo, 503.
- Roma, 492.
- Rubini, 504.
- Ruoda, 164.
- Ruzzini (campo S. Maria Formosa), 545.
- Ruzzini (Cannaregio), 172.
- Sagredo (Cannaregio), 168, 483.
- Sagredo (S. Polo), 388.
- Salviati (calle Tamossi), 387.
- Salviati (Dorsoduro), 197, 418.
- Salvioni, 578.
- Sandi, 336.
- Sangiantoffetti, 434.
- Sangiantoffetti-Donà, 167.
- Savorgnan, 488.
- Secco-Dolfin, 367.
- Sernagiotto, 172.
- Signolo, 367.
- Smith Mangilli-Valmarana, 170, 484.
- Soderini, 526.
- Soranzo, 573.
- Soranzo-Cappello, 392.
- Soranzo Pisani, 389.
- Soranzo Piovene, 164.
- Soranzo Van Axel, 551.

Palazzo Spiridione Papadopoli, 550.
- Succi, 192.
- Surian (fondamenta di Cannaregio), 491.
- Surian (S. Croce), 365.
- Tamagnini Massari, 524.
- Tasca-Papafava, 543.
- Testa, 489.
- Tiepoletto-Passi, 183.
- Tiepolo, ora albergo Europa, 198.
- Tiepolo (S. Polo), 183.
- della Torre, 473.
- Treves de' Bonfili, 200, 310.
- Trevisan poi Cappello, 573.
- Trevisan-Pisani, 335.
- Valier, 386.
- Vendramin, 476.
- Vendramin-Calergi, 162, 474.
- Venier dei Leoni, 195, 415.
- Vitturi, 545.
- Widmann, 554.
- Zacco, 551.
- Zaguri, 316.
- Zane-Collalto, 389.
- Zen (fondamenta Zen), 507.
- Zen (S. Croce), 159.
- Zen (S. Polo), 375.
- Zeno, 470.
- Zenobio, 450.
- Ziani, 571.
- Zon Zatta, 570.
- Zorzi (calle della Madonna), 576.
- Zorzi (Castello), 572.
- Zorzi Bon, 572.
- Zulian, 164.

Pescheria, 169, 347.
Piazza S. Marco, 208.
Piazzale Roma, 461.
Piazzetta dei Leoni, 249.
Pinacoteca Manfrediniana, 423.
- Querini Stampalia, 547.
Piscina del Forner, 413.
- S. Martin, 587.
- S. Samuele, 336.
Ponte dell'Accademia, 190, 323.
- dell'Arsenale, 528.
- delle Bande, 543.
- della Calcina, 428.
- Chiodo, 506.
- del Forner, 388.
- del Ghetto Nuovo, 496.
- dei Giardini, 533.
- delle Guglie, 472.
- della Guerra, 543.
- della Libertà, 695.
- Longo, 451.
- della Paglia, 514.
- dei Pugni, 444.
- di Rialto, 173, 330.
- S. Fosca, 476.
- S. Nicolò, 457.
- degli Scalzi, 154, 361.
- dei Sospiri, 278.
- dei Tre Archi, 489.
- Tron, 281.
- della Veneta Marina, 532.
Prigioni Vecchie, 278.
Procuratie Nuove, 282.
- Vecchie, 280.
Punto Franco, 456.
Quadreria del Museo Correr, 299.
Quartiere Campo di Marte, 612.
- S. Elena, 536.
- S. Marta, 458.

Raccolta d'arte dalla collezione V. Cini, 414.
Ramo calle del Teatro, 338.
- Narisi, 336.
- di Piscina, 336.
- della Regina, 350.
- della Salizzada, 333.
Ridotto della procuratoressa Venier, 325.
Rio dell'Angelo Raffaele, 455.
- dell'Arsenale, 528.
- della Fava, 528.
- della Fornace, 418.
- Marin, 361.
- di Noale, 478.
- Nuovo, 382.
- di Palazzo, 514.
- S. Margherita, 449.
- S. Marina, 550.
- S. Polo, 382.
- S. Trovaso, 431.
- delle Torreselle, 415.
Rio terrà Catecumeni, 426.
- delle Carampane, 388.
- del Cristo, 473.
- Farsetti, 499.
- A. Foscarini, 412.
- Garibaldi, 596.
- lista di Spagna, 469.
- della Maddalena, 474.
- ai Saloni, 426.
- S. Andrea, 461.
- S. Aponal, 387.
- S. Leonardo, 472.
- S. Silvestro, 386.
- S. Tomà, 375.
- S. Vio, 415.
- Ss. Apostoli, 511.
- Secondo, 388.
Ristorante La Colomba, 308.
Riva di Biasio, 360.

Riva della Ca' di Dio, 527.
- del Carbon, 331.
- del Ferro, 331.
- S. Biasio, 532.
- degli Schiavoni, 514.
- dei Sette Martiri, 532.
- del Vin, 385.
Ruga Giuffa, 546.
- due Pozzi, 483.
- degli Orefici, 345.
- vecchia S. Giovanni, 346.
Sacca della Misericordia, 504.
- S. Girolamo, 492.
Salizzada della Chiesa, 360.
- del Fondaco dei Turchi, 358.
- del Fontego dei Tedeschi, 329.
- dei Greci, 577.
- Pio X, 329.
- S. Fosca, 475.
- S. Giustina, 580.
- S. Lio, 540.
- S. Luca, 333.
- S. Moisè, 308.
- S. Pantalon, 365.
- S. Polo, 382.
- S. Samuele, 337.
- S. Stae, 354.
- Seriman, 510.
- Stretta, 597.
Saloni, 427.
S. Elena, 536.
S. Giorgio Maggiore, 613.
S. Maria della Carità, 191, 396.
S. Maria delle Penitenti, 492.
S. Pietro, 597.
Scuola degli Albanesi, 317.
- dell'Angelo Custode, 486.

Scuola della beata Vergine Assunta, 460.
- dei Bombardieri, 543.
- dei Calegheri (calle Crosera), 337.
- dei Calegheri (campo S. Tomà), 381.
- del Cristo, 473.
- dei Fabbri, 310.
- Grande dei Carmini (di S. Maria del Carmelo), 446.
- Grande di S. Giovanni Evangelista, 390.
- Grande di S. Marco, ora Ospedale, 564.
- Grande di S. Rocco, 377.
- Grande di S. Teodoro, 327.
- dei Laneri, 365.
- dei Luganegheri, 451.
- dei Mercanti, 502.
- dei Morti, 158.
- dei Mureri, 337.
- Nuova di S. Maria della Misericordia, 505.
- dei Oresi, 346.
- di S. Alvise, 495.
- di S. Fantin, 312.
- di S. Giorgio degli Schiavoni, 578.
- di S. Giovanni Battista, 526.
- di S. Martino, 588.
- di S. Nicolò dei Greci, 577.
- di S. Orsola, 557.
- di S. Pasquale Baylon, 586.
- di S. Stefano (dei Laneri), 526.
- del SS. Sacramento, 599.

Scuola dei Tagliapietra, 385.
- dei Tessitori dei panni di lana, 153, 362.
- dei Tiraroro e Battioro, 165, 354.
- dei Varoteri, 445.
- Vecchia di S. Maria della Misericordia, 505.
Scuoletta di S. Rocco, 377.
Secco Marina, 600.
Sestiere di Cannaregio, 464.
- Castello, 512.
- Dorsoduro, 394.
- S. Croce, 339.
- S. Marco, 207.
- S. Polo, 339.
Seminario Patriarcale, 199, 422.
Squero di S. Trovaso, 434.
Stabilimento Barbaro, ora sede della Banca Commerciale Italiana, 328.
Stazione ferroviaria- S. Lucia, 152, 466.
- Marittima commerciale, 458.
- Marittima passeggeri, 451.
Strada Nuova, 478.
Stretto Gallipoli, 368.
Teatro C. Goldoni, 332.
- La Fenice, 312.
- Malibran, 488.
- del Ridotto, 308.
Tesoro di S. Marco, 241.
Torre dell'Orologio, 281.
Tre Ponti, 363.
Villino Canonica, 533.
Zecca, 204, 291.

LA LAGUNA E LA TERRAFERMA

Aeroporto M. Polo, 704.
Altino, 705.
Burano, 654.
Ca' Brentelle, 712.
Campalto, 704.
Caposile, 705.
Carpenedo, 725.
Ca' Savio, 706.
Casino Querini Stampalia, 712
Ca' Tron, 718.
Cavallino, 706.

Chioggia, 685.
Casa di R. Carriera, 692.
Duomo, 692.
Chiesa dei Filippini, 690
– S. Andrea, 689.
– S. Domenico, 688.
– S. Francesco d'Assisi, 691.
– S. Giacomo, 691.
– S. Martino, 692.
– SS. Trinità, 690.
Corso del Popolo, 688-689.
Fondamenta di S. Domenico, 688.
Forte di S. Felice, 685.
Granaio, 689.
Loggia dei Bandi, 691.
Monte di Pietà, ora Biblioteca, 691.
Palazzo della Banca Popolare Cooperativa, 691.
– Comunale, 689.
– Grassi, 688.
– Morari, 691.
– Nordio-Marangoni, 691.
– Vescovile, 694.
Piazza Vescovile, 694.
Piazzetta Vigo, 687.
Ponte Longo, 694.
Porta Garibaldi, 694.

Scuola dei Francescani, 692.

Crevan (isolotto), 664.
Dolo, 719.
Fiesso d'Àrtico, 720.
Forte Marghera, 696.
Forte di S. Andrea, 679.
Fusina, 712.
La Certosa, 665.
La Grazia, 667.
Lazzaretto Nuovo, 666.
Le Vignole, 665.

Lido, 674.
Alberoni, 682.
Antico Cimitero israelitico, 677.
Casa del Farmacista, 680.
Casinò Municipale, 677.
Chiesa di S. Maria Elisabetta, 676.
– S. Nicolò, 678.
Convento di S. Nicolò, 678.
Grand Hotel des Bains, 676.
Grand Hotel Excelsior, 677.
Gran Viale S. Maria Elisabetta, 676.
Hotel Hungaria, 676.
Lungomare G. Marconi, 676.
Malamocco, 680.
Nuovo Cimitero israelitico, 677.
Palazzo del Consiglio dei Dieci, 679.
– della Mostra del Cinema, 677.
Piazzale Bucintoro, 676.
– del Casinò, 676.

Riviera S. Maria Elisabetta, 677.
Tempio Votivo, 677.
Via Lepanto, 676.
– Sandro Gallo, 677.
Villa Fauna, 676.
– «Mon Plaisir», 676.
– Rossi, 680

Lio Maggiore, 706.
Madonna del Monte, 652.
Malcontenta, 710.
Marghera, 701.
Marocco, 726.
Mazzorbo, 652.

Mestre, 696.
Casa dei Barcaioli, 698.
Chiesa di S. Girolamo, 700.
– S. Lorenzo, 699.
– S. Rocco, 700.
Cinema Excelsior (ex), 699.
Galleria Matteotti, 699.
Municipio, 700.
Palazzo Da Re, 700.
– dei Provveditori, 700.
Piazza Ferretto, 699.
Piazzetta Matter, 700.
Scuola dei Battuti, 699.
Torre dell'Orologio, 700.
Via Forte Marghera, 696.
– Palazzo, 700.
– Poerio, 698.
– Torre Belfredo, 701.
Villa Dalla Giusta, 701.
– Erizzo, 699.

Mira, 715.

Mira Porte, 715.
Mira Taglio, 716.
Mira Vecchia, 717.
Montiron, 704.
Moranzani, 711.

Murano, 643.
Casino Mocenigo, 650.
Chiesa di S. Maria degli Angeli, 648.
- S. Pietro Martire, 649.
- Ss. Maria e Donato, 646.
Fondamenta Navagero, 645.
- dei Vetrai, 649.
Museo dell'Arte Vetraria, 647.
Palazzo Contarini, 651.
- Da Mula, 649.
- Giustinian, 647.
- Soranzo, 648.
- Trevisan, 645.

Murazzi, 683.

Oriago, 713.
Passo di Campalto, 704.
Pellestrina, 683.
Portegrandi, 705.
Porto Marghera, 701.
Poveglia, 680.
Riscossa, 714.
Riviera del Brenta, 707.
Sacca Sèssola, 670.
S. Clemente, 669.
S. Erasmo, 666.
S. Francesco del Deserto, 657.
S. Giacomo in Paludo, 652.
S. Giorgio in Alga, 712.
S. Lazzaro degli Armeni, 670.
S. Michele, 640.
S. Servolo, 670.
Sottomarina, 694.
Stra, 721.
Terraglio, 724.
Tessera, 704.

Torcello, 658.
Treporti, 706.
Valle dell'Averto, 707.
Villa Alessandri, 717.
- Algarotti, 726.
- Contarini dei Leoni, 716.
- Foscari o della Malcontenta, 710.
- Furstenberg, 726.
- Gradenigo, 713.
- Lazara Pisani, 720.
- Moro, 713.
- Morosini Gattemburg, 726.
- Pisani o Nazionale, 721.
- Querini Stampalia, 715.
- Seriman, 714.
- Soranzo, 720.
- Tiepolo, 726.
- Venier Contarini, 717.
Villaggio S. Marco, 696.
- Sartori, 726.

Carte e piante

Il territorio da Cittadella a S. Donà di Piave
e da Monselice a Chioggia, scala 1:500.000, nel risguardo anteriore

Da Castelfranco Veneto a Treviso
e da Padova a Venezia, scala 1:250.000, tav. 1-2

Da Treviso a S. Donà di Piave
e da Mestre a Lido di Iesolo, scala 1:250.000, tav. 3-4

Da Padova a Venezia
e da Conselve a Chioggia, scala 1:250.000, tav. 5-6

Pianta di Murano, scala 1:10.000, tav. 7-8

Pianta del Lido, scala 1:18.000, tav. 9-10

Pianta di Chioggia, scala 1:12.500, tav. 11-12

Pianta di Mestre, scala 1:23.000, tav. 13-14

Pianta di Burano, scala 1:7.500, tav. 15

CONTROLLATO AI SENSI DELLA LEGGE 2-2-1960 N°68.
NULLA OSTA ALLA DIFFUSIONE N°217 IN DATA 16-7-1984

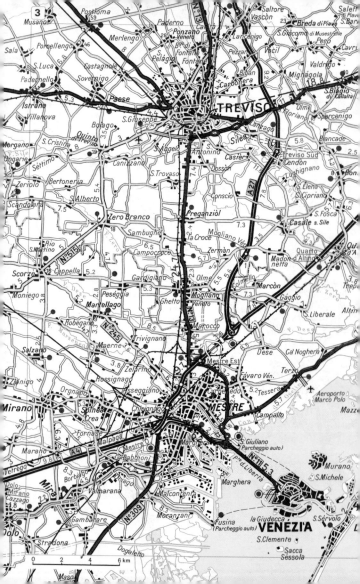

MURANO

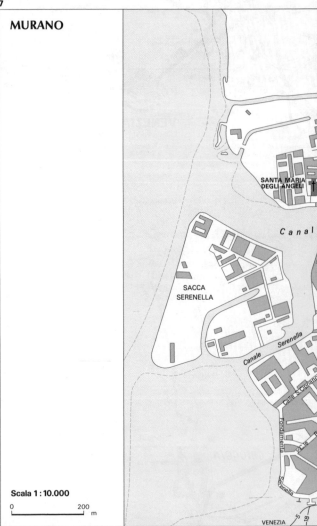

SANTA MARIA
DEGLI ANGELI

Canale

SACCA
SERENELLA

Canale   Serenella

Calle S.Cipriano

Fondamenta

C.te Bo.

Serenella

VENEZIA

Scala 1 : 10.000

0   200
 ⊢————————⊣ m

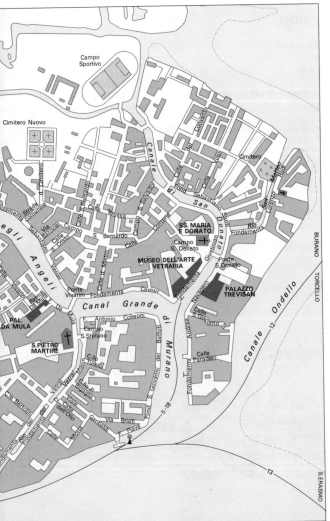

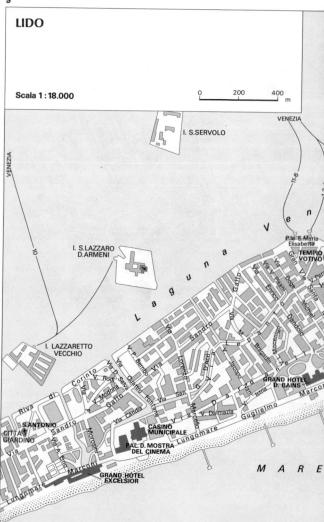

LIDO

Scala 1 : 18.000

0　　　200　　　400 m

I. S.SERVOLO

VENEZIA

VENEZIA

I. S.LAZZARO
D.ARMENI

I. LAZZARETTO
VECCHIO

L a g u n a   V e n

P.le S.Maria
Elisabetta

TEMPIO
VOTIVO

S.ANTONIO
CITTÀ
GIARDINO

CASINO
MUNICIPALE

PAL. D. MOSTRA
DEL CINEMA

GRAND HOTEL
D. BAINS

GRAND HOTEL
EXCELSIOR

MARE

S.ANDREA

PUNTA SABBIONI

14-17

Nirolo

S.NICOLÒ

Aeroporto
G. Nicelli
(Aero Club
G. Ancillotto)

14-17

t a

ANTICO
CIMITERO
ISRAELITICO

CIMITERO
CATTOLICO

NUOVO
CIMITERO
ISRAELITICO

S. Maria

Elisabetta

Riviera

P.le
Rava

Aquileia

Via

Pirо

Via
Rovigno

dietro l'Ospizio Marino

Via

Parenzo

Bagni Comunali

egroponte

Zara

Zo

Via

Via C. Zeno

G. D'Annunzio

Ospedale al mare

Via
Elisabetta

Lungomare

P.le
Bucintoro

A D R I A T I C O

Bacino Vigo

SANTA CROCE

SA DOME

P.ta Vigo
Calle Santo Croce

ISOLA

Calle Gradara

DEI

S.ANDREA

Ponte Caneva

Calle S.Andrea

SALONI

GRANAIO

PAL. COMUNALE

Ponte Peschiera

Calle Airaldi

SS.TRINITA

FILIPPINI

S.GIACOMO

Calle S.Giacomo

Mercato Ittico

Calle Munaghetto

P.le Risorgimento

SAN MARTINO

SEMINARIO

Calle P.te Zittelle

DUOMO E VESCOVADO

Ponte Cuccagna

Via A. Naccari

Via d. Repubblica

Via G. Zuino

Campo G. Marconi

TOMBOLA

Ponte Lungo

Laguna del Lusenzo

Canale Lombardo Esterno

Canale Lombardo Interno

Canale Lombardo

Canale San Domenico

Canale Vena

Corso del Popolo

CHIOGGIA

Scala 1 : 12.500

0   250
                            m

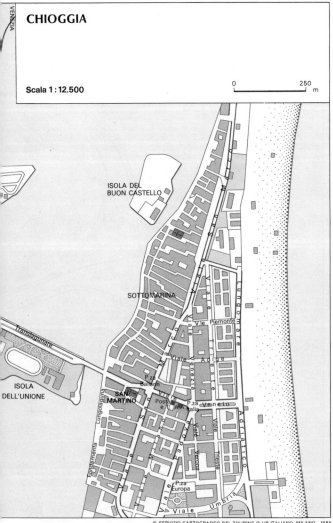

VENEZIA

ISOLA DEL BUON CASTELLO

SOTTOMARINA

V.le Piemonte

Translagunare

ISOLA DELL'UNIONE

P.za Ballarin

SAN MARTINO

Viale Venezia

Viale Adige

V.le Posta
e T. A. Italia

P.za A. Italia

Viale Venezia

Viale Adriaco

Lungolaguna

Fondamenta

Viale Vicenza

Viale Trieste

P.za Europa

Viale

Viale Umbria

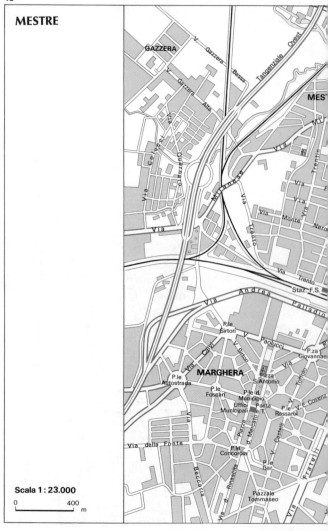

13

MESTRE

GAZZERA

MES

MARGHERA

Scala 1 : 23.000

0   400
                m

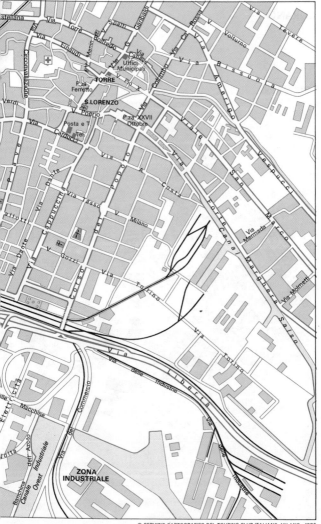

BURANO

Scala 1 : 7.500

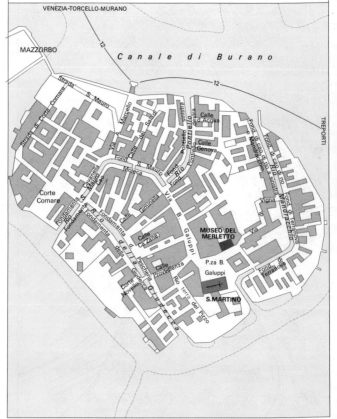